KB174628

구순구개열

CLEFT LIP AND PALATE

대한두개안면성형외과학회

군자출판사

구순구개열
Cleft Lip and Palate

첫째판 1쇄 인쇄 | 2005년 10월 25일
첫째판 1쇄 발행 | 2005년 11월 10일

지 은 이 대한두개안면성형외과학회
발 행 인 장주연
편집디자인 박혜영
표지디자인 디자인집
발 행 처 군자출판사
등 록 제 4-139호(1991. 6. 24)

본 사 (110-717) 서울특별시 종로구 인의동 112-1 동원회관 BD 3층
Tel. (02) 762-9194/5 Fax. (02) 764-0209
대구지점 Tel. (053) 428-2748 Fax. (053) 428-2749
부산지점 Tel. (051) 893-8989 Fax. (051) 893-8986

© 2005년, 구순구개열 / 군자출판사
본서는 저자와의 계약에 의해 군자출판사에서 발행합니다.
본서의 내용 일부 혹은 전부를 무단으로 복제하는 것은 법으로 금지되어 있습니다.
www.koonja.co.kr

* 파본은 교환하여 드립니다.
* 검인은 저자와의 합의 하에 생략합니다.

ISBN 89-7089-644-9

정가 120,000원

구순구개열

Cleft Lip and Palate

대한두개안면성형외과학회

대한두개안면성형외과 교과서 편찬위원회 | Cleft Lip and Palate

위원장	**한기환**	계명대학교 동산의료원 성형외과
위 원	**고경석**	울산대학교 서울중앙병원 성형외과
	권순만	이스트만치과의원
	김용욱	연세대학교 세브란스병원 성형외과
	배용찬	부산대학교병원 성형외과
	백롱민	서울대학교 분당병원 성형외과
	변준희	가톨릭대학교 성모병원 성형외과
	조백현	전남대학교병원 성형외과
	조병채	경북대학교병원 성형외과
간 사	**김준형**	계명대학교 동산의료원 성형외과

Cleft Lip and Palate |

집필진

고경석 울산대학교 서울중앙병원 성형외과

권순만 이스트만치과의원

권순성 서울대학교 분당병원 성형외과

김석권 동아대학교병원 성형외과

김석화 서울대학교병원 성형외과

김용배 순천향대학교 부천병원 성형외과

김용욱 연세대학교 세브란스병원 성형외과

김용하 영남대학교 영남의료원 성형외과

김준형 계명대학교 동산의료원 성형외과

나동균 연세대학교 세브란스병원 성형외과

박대환 대구 가톨릭대학교병원 성형외과

박명철 아주대학교병원 성형외과

박승하 고려대학교 안암병원 성형외과

박혜숙 연세대학교 재활병원 언어치료실

배용찬 부산대학교병원 성형외과

백롱민 서울대학교 분당병원 성형외과

백승학 서울대학교치과병원 치과교정과

변준희 가톨릭대학교 성모병원 성형외과

손대구 계명대학교 동산의료원 성형외과

양원용 경희대학교의료원 성형외과

유영천 경희대학교의료원 성형외과

양정열 조선대학교병원 성형외과

엄기일 건국대학교병원 성형외과

오갑성 성균관대학교 삼성서울병원 성형외과

오정근 건국대학교병원 성형외과

임소영 성균관대학교 삼성서울병원 성형외과

유대현 연세대학교 세브란스병원 성형외과

이승찬 조선대학교병원 성형외과

이윤호 서울대학교병원 성형외과

이의태 충북대학교병원 성형외과

이종건 이종건성형외과의원

이지나 이지나치과의원

정명현 연세대학교 세브란스병원 이비인후과

정철호 계명대학교 동산의료원 정신과

조백현 전남대학교병원 성형외과

조병채 경북대학교병원 성형외과

한기환 계명대학교 동산의료원 성형외과

현원석 성균관대학교 삼성서울병원 성형외과

홍인표 국립의료원 성형외과

황 건 인하대학교병원 성형외과

추천사 | Cleft Lip and Palate

국내 성형외과학이라는 것은 1960년대 이전에는 불모지와 같았습니다. 이러던 중 미국 군의관 Millard는 한국 동란에 참여하여 수 많은 구순열 환자들을 수술하여 주고 Rotation Advancement Cleft Lip Repair technique을 완성하게 됩니다. 즉 성형외과학에 있어서 현대적 발전의 기틀은 20세기 중반부터 한국의 구순열 환자들을 통해 마련됐다 해도 과언이 아닐 것입니다.

이어서 국내 의료진에 의해 구순구개열 수술, 화상 치료 등 성형외과학의 뿌리가 내리기 시작하는 1960년으로부터 현금에 이르는 45년의 기간 동안 국내외적으로 성형외과학의 발전은 그야말로 획기적인 것이었습니다.

이와 함께 1993년 얼굴기형연구회로부터 출발한 대한두개안면성형외과학회 역시 거듭된 발전을 계속하여 2003년, 2004년 아시아태평양 구순구개열학술대회, 두개안면성형외과학회 등을 유치하였고 이제 후학들과 동료들의 진료에 참고서가 될 수 있는 「구순구개열」 교과서를 출간하게 되니 우리나라에서 꽃 피우기 시작한 구순구개열학을 우리 의료진들의 손으로 집대성하게 된 셈이 되었기에 기쁘기 한이 없고 수고하신 모든 분들에게 열렬한 환호를 보내는 바입니다.

이 교과서는 흔히 사용되고 있는 외국교과서와는 달리 우리나라 전문의 40명에 의해 발생, 역학, 병리, 발육, 진단, 계측, 수술방법, 2차 변형치료, 교정치료, 언어치료, 청력, 정신과적 측면 등, 구순구개열에 관한 모든 것을 총망라하여 600쪽에 달하는 방대한 양으로 집대성 하였습니다. 특히 많은 도표와 그림, 임상 사진들을 삽입하여 전문의는 물론이고 전공의들 까지도 알기 쉽고 이해하기 쉽게 되어 있어 구순구개열 치료에 있어 매우 유용한 지침서로 사용될 수 있을 것입니다.

이 소중하고 알찬 내용의 교과서가 우리나라 학계에 출간되게 된 것을 진심으로 축하 드리고 앞으로 전문의, 전공의, 일반의 모두의 배움과 술기 터득을 위한 전문 참고서로서의 귀한 역할을 다하여 임상 진료에 큰 도움이 될 것이라고 굳게 믿어 마지 않는 바입니다.

2005년 10월 25일

대한성형외과학회 회장 **탁관철**

Cleft Lip and Palate

추천사

1993년 '얼굴기형 연구회' 로부터 출발한 '대한두개안면성형외과학회' 는 12년의 세월 속에서 역대회장님들의 헌신적인 노력과 회원 상호간의 협력으로 발전을 거듭하여 주요 학회로 인정받고 있으며, 2004년 3월에는 회원들이 열망해오던 '대한의학회' 의 회원학회로 가입하게 되었고 Med-line에 등재하게 됨으로써 우리 학회의 위상이 확고하게 되었습니다. 2003년 9월에는 제 5차 아시아 태평양 구순구개열 학술대회를 유치, 개최하여 운영과 재정면에서 크게 성공하였고 2004년 10월에는 제 5차 아시아 태평양 두개안면성형외과학회 학술대회를 유치하여 이 학회가 비로소 국제적인 학회로 발돋움할 수 있는 밑거름이 되었습니다.

이제 우리 학회의 학술지는 2005년도 6월에는 학술진흥재단의 학술지로 등재하기위해 학진에 등재신청을 하였으며 그 결과를 기다리고 있으며 머지않아 등재가 이루어질 것을 확신합니다.

'대한두개안면성형외과학회' 에서는 학회영역의 교과서 출판의 필요성을 인식하고 2003년 11월에 교과서 편찬 위원회를 발족하여 위원장으로 한기환 교수를 위촉하였으며 편찬 위원들이 교과서의 규모와 내용을 토의하여 성형외과 전문의와 전공의가 필요로 하는 정도의 「구순구개열」 교과서를 우선 출판하기로 결정하였습니다.

이 「구순구개열」 교과서가 성형외과 전문의와 전공의들에게 널리 읽혀 구순구개열에 대한 이해와 시술에 많은 도움이 되기를 바랍니다.

그동안 바쁜 일정에도 참여해 주신 여러 교수님들과 집필진에 깊은 감사를 드리며 출판을 맡아주신 군자출판사 장주연 사장님께 감사드립니다.

이 「구순구개열」 교과서 출판을 계기로 우리 학회가 더욱 발전하고 도약할 수 있는 청량제가 되기를 기대하며 후속으로 각 분야의 교과서가 출판될 수 있기를 바랍니다.

2005년 9월

대한두개안면성형외과학회 회장 **김석권**

머리말 | Cleft Lip and Palate

우리말로 된 「구순구개열」을 만들게 된 것을 '대한두개안면성형외과학회' 회원님들과 함께 참으로 기쁘게 생각합니다. 편찬 과정 중에 여러 집필자들께서 보내어 주신 옥고를 읽으면서 「구순구개열」은 교과서의 성격과 참고서의 성격을 둘 다 가진다고 느꼈습니다. 다시 말하면, 전공의에게는 교과서로서, 그리고 전문가에게는 참고서로서의 역할을 잘 감당할 수 있겠다는 생각을 하였습니다. 「구순구개열」은 단순히 이 분야에 관한 우리말로 된 책이 필요하겠다는 하루아침의 생각으로 급하게 만든 것이 아닙니다. 전문잡지를 바로 읽으면 오히려 더 빨리 그리고 더 많은 최신 지식을 얻을 수 있지 않습니까? 성형외과학의 여러 분야 가운데에서 구순구개열만큼 아직까지 모르는 것이 많고, 많은 학자들이 지금도 연구하고 있으며, 새로운 지식과 향상된 수술법들이 끊임없이 소개되는 분야도 아마 없을 것입니다. 따라서 「구순구개열」은 구순구개열을 전공하는 언어병리과, 이비인후과, 치과, 그리고 성형외과의 초심자들에게 이러한 지식이 어떻게 생겨나서, 어떠한 흐름을 따라 흘러서, 오늘날의 합당한 최신 지식이 되었는지를 알려 주기 위하여 시도되었습니다. 구순구개열을 치료하고 계시는 전문가들에게는 분야별 수행 능력을 보여주기보다는, 오히려 협진하는 위치에서 서로 공유해야 할 기본지식과 진보된 지식을 소개하기 위하여 시도되었습니다.

이러한 의도에 맞춘 「구순구개열」의 편찬 방침을 소개합니다.

1. 전공의로부터 전문의까지 두루 읽힐 수 있는 수준 높은 전문서적을 목표로 한다.
2. 전문 분야별로 지식을 소개하되, 다른 분야 전문가들의 이해를 넓힐 수 있도록 한다.
3. 집필자는 실명제로 한다.
4. 비중이 큰 주제에서는 대표 집필자가 전반적인 기술을 하며, 여러 전문가의 저술을 부수적으로 포함시킨다.
5. 의학 용어는 한글화에 힘쓰되, 생소한 것보다는 익숙한 용어로 통일한다.
6. 그림과 우리나라 환자 사진을 많이 포함시켜서 독자들의 이해를 높인다.
7. 편찬위원회의 편찬 의도에서 벗어나지 않는 한, 위원회가 내용을 수정하지 않는다.

후학을 위하여 바쁜 시간을 쪼개어 집필하여 주신 여러 분들께 감사드리며, 특별히 옥고를 보내어 주신 언어병리과, 이비인후과, 정신과, 치과의 집필진 여러 분들께 깊이 감사드립니다.

'대한두개안면성형외과학회'가 힘을 합하여 만든 책이기는 하지만, 부족한 점과 보충해야 할 점 등 여러 가지 흠이 있을 것입니다. 아무쪼록 이 「구순구개열」이 주춧돌이 되어서 앞으로 더 훌륭한 개정판이 계속해서 출판되기를 간절히 바랍니다.

2005년 9월

대한두개안면성형외과학회
교과서편찬위원회 위원장 **한기환**

Cleft Lip and Palate

차 례

제1장 안면개열의 개요

Introduction to Facial Clefts

양원용, 유영천

안면이나 두개에 선천적으로 피부, 근육 및 그 하부 골격구조의 결함으로 갈라지는 것을 개열이라 한다. 개열이 안면이나 두개, 또는 이들 양측에 모두 생길 수 있어 안면부에 국한된 경우를 안면개열, 두개부에 국한되면 두개개열, 양측에 모두 공존하면 두개안면개열이라 하며 이는 해부학적 형태에 따른 분류의 명칭이다. 그러나 전형적으로는 비구순 및 구개부위에 개열이 일정한 형태로 가장 많이 나타나므로 이를 구순구개열이라 분류하여 따로 명칭하였다.

두개안면부에 생기는 개열 중 구순구개열이 가장 흔하고 두 번째가 구개열이 독립적으로 있는 경우이며 두개안면개열은 매우 드물다. 두개안면개열 및 구순구개열은 그 각각의 발생원인 및 발생학, 해부학적 특성이 다양하므로 정확하고 단순한 분류기법이 어렵고 이에 따른 진단과 치료도 까다로우므로 전문적인 지식과 이해가 필요하다.

구순구개열 및 안면개열의 장애는 일생동안 계속되므로 심각한 사회적 문제를 야기한다. 개열환자는 심한정도와 범위가 광범위하므로 다양한 분야의 협동치료를 필요로 한다. 두개안면 수술, 세분화된 치과와 악교정치료, 언어 치료 및 청각치료, 특수교육, 정신과적치료 그리고 사회 전반적인 도움이 필요한 질병이다. 그러므로 중요한 것은 개열에 대한 원인을 잘 분석하고 이해하여 장기간 치료계획을 치밀하게 세워야 한다. 이로 인해 개열환자의 개별적인 성장에 대한 장기간 경과를 예측함으로써 치료과정 중 발생할 수 있는 위험요소를 제거하고 가장 효과적인 치료 결과를 얻어 정상적인 생활을 영위할 수 있도록 도와주어야 한다. 또한 더 나아가 향후 자녀를 갖기 전에 이에 대한 도움이 되는 조언까지 할 수 있도록 노력을 기울이는 것이 중요하다.

I. 구순구개열

1. 외국에서의 구순구개열의 역사

Boo-chai(1966)[1]는 구순열 수술의 최초 기술로 AD390년에 중국의 통치가였던 환자의 기록을 보고하였으나 수술한 의사에 대한 내용은 없다. Jehan Yperman(1295~1351)이 일측 및 양측 구순열에 대하여 최초로 수술적 교정을 문서로 기술하였다[2,3]. 구순열 수술을 최초로 도식적으로 표현한 것은 14세기에 Ambrose pare[4]이다. 현재의 이차 구개열을 수술하는 방법의 기원은 Graefe(1817)와 Roux(1819)의 초창기 수술법에서 발견되었으며 Roux의 환자에서는 즉각적인 발음의 변화가 관찰되어 기술된 바 있다. 1826년에는 경구개의 봉합술이 시행되었다. Diffenbach(1828)는 경구개 개열은 뼈로부터 박리된 구개점막에 의해 닫혀질 수 있다고 권고했다. 그는 또한 이차 구개열 부위를 닫기 위한 방법으로 외측 이완 절골술을 추천했는데 이 방법은 1828년 까지는 사용된 적이 없었다. 이 방법은 20세기까지도 계속해서 잘 시행되고 있다. 1828년 Warren 은 연구개의 조기봉합이 경구개의 넓은 개열부위를 좁힐 수 있다고 언급했다. 이런 넓은 개열의 수술방법은 1962년 Schweckendiek에 의해 다시 보편화되었는데 이 방법은 현재 발음문제 때문에 많은 논란의 대상이 되고 있다. 1859년과 1861년 Langenbeck은 구개점막과 골막을 들어올려 양경 골점막피판을 만드는 골막하 박리의 개념을 발표했다. 이 수술법은 오늘날도 여러 병원들에서 사용되고 있다. Veau는 이 방법으로는 구개가 연장되지 않는다는 사실에 주목하여 수술 방법을 변경하였다. 그는 Langenbeck의 양경 피판을 내림 입천장 혈관에 의존하는 단경피판으로 바꾸었다. Veau 수술의 변환법이 Wardill(1937), Kilner(1937), Peet(1961) 등에 의해 만들어 졌는데 이 방법이 현재에도 널리 쓰이고 있는 이차 구개를 닫기 위한 push-back 방법이다. Cronin 변법(1957)은 입천장의 비측면의 길이연장도 동시에 시행해 줄 수 있었다. Furlow(1986)는 이중 Z-성형술을 주장했다.

구순열 수술의 개념은 직선봉합에서 시작하여 여러가지 다양한 Z성형술, 삼각피판, 사각피판등을 사용해 발전되었다. Mirault는 1844년에 구순봉합에 있어 새로운 교차피판술을 시도했고, 이 후로 거의 모든 형태의 피판법-삼각, 사각, 만곡-이 시도되었다. Mirault의 수술법은 현재에도 여전히 보편적으로 사용되고 있으며, 20세기에는 Blair와 Brown(1930)에 의해 발전되었다. 구순열 수술법의 더 진보된 변법은 1884년 Hagedorn에 의해 기술되었는데 선상구축을 방지하기 위해 사각 피판을 고안해 냈다. 이 방법은 1949년 Le-Mesurier[5]의 수술법으로 이어졌다. 이 시기에 선상반흔이 구축을 일으키는 경향을 줄이기 위한 Z-성형술 또한 다양한 형태로 사용되었다. 이러한 시도는 Tennison의 삼각피판술(1958)을 낳게 되었다. 1950년대 중반에 Ralph Millard[6]는 그의 회전전진술을 발표하여 구순열 수술의 획기적인 발전이 있었다. Millard는 구순열 수술의 발전에 중요한 역할을 하였으며 오늘날의 많은 의사들이 그의 원래 방법을 사용하거나 조금씩 변형하여 사용한다. 1950년대 Schmid[7]가 일차 혹은 조기에 실시하는 골이식의 개념을 소개하였다. 이 개념은 초기에 그 결과가 좋지 않아 많은 의사로부터 비난을 받았으나 후에 일차 골이식의 내용이 많이 알려지게 되었다. 1970년 초반에 Boyne 와 Sands[8]는 치조와 전방구개에 자가 골이식을 조기에 시행하는 것보다는 혼합치기에 시행하는 것이 결과가 좋다고 발표하였다. 현재는 이들의 방법인 이차 골이식이 대부분 인정되고 있다[9]. 악교정수술은 많은 사람들에 의해 발전되어 왔다. 초기에는 일부에서 주장하는 하악골 후퇴술에만 국한되었다. 1970년대에 Bell[10]이 전상악골 절골술을 소개하여 Le Fort I 절골술이 발달하였다. Posnick[11]은 중안면부 전진술에 대하여 많은 기술을 하였으며, 여러 형태의 구순구개열 환자에서 악교정 수술로 중안면전진술을 시행 후 장기간 추적 관찰하여 안정된 결과를 보고하였다. 최근에는 골연장술(distraction osteogenesis) 등이 소개되고 있지만 아직까지 기존의 다른방법보다 현저한 장점은 없다. 1998년 Robert IVY는 구순구개열 치료에 여러과의 협조하에 공동으로 치료에 참가하는 치료방법의 개념을 소개하였으며 구순구개열 환자의 치료에 많은 다른 전문가들이 협조하여 치료하는 것이 현재의 추세이다[12].

2. 발생원인

구순열과 구개열은 유전되기도 하지만 단일 유전자 질환은 아니다. 구순구개열은 수 많은 관여인자에 의한 다인성 요인에 의한다.

환경적 요인으로는 화학물질에 노출, 방사선, 산모 저산소증, 발암성 약물, 영양결핍, 알코올, 담배, 폴산이나 B-cis-retinoic acid의 결핍, 비타민A의 과다, phenytoin(dilantin), isotretinoin(accutane), corticosteroid 같은 약물, 임신초기에 홍역 등의 바이러스 감염 등이 있다.

유전적 요인은 명백한데 개열환자의 33%에서 36%의 경우는 가족력이 있다[13]. 구순열 가족에는 구순열이 많고 구개열 가족에는 구개열이 많다. 어머니가 구순구개열이면 자녀에게 구순구개열이 나타날 확률이 더 높다.

구순구개열에서 유전적 예상 발생률은 예방의학적 관점에서 매우 중요하다. 동양인에서는 일부 차이가 있지만 우리나라 및 동양인에 대한 유전적 예상 발생률의 연구 보고가 없으므로 백인에서의 통계자료를 참고로 할 수 밖에 없는 실정이다. 백인에서의 통계자료에 의하면 정상 부모에서 구순구개열 환자가 출생할 확률은 0.1%이고 구개열의 확률은 0.04%이다. 친척 중에 개열환자가 없으면서 부모 모두가 정상일 때 개열환아를 출생하였다면 다음 아이가 구순구개열일 확률은 4%이고 구개열일 확률은 2%이다. 부모 중 한 명이 개열환자일 때 아이가 구순구개열일 확률은 4%이고 구개열일 확률은 6%이며, 개열환자를 출산하고 다음아이가 구순구개열일 확률은 17%, 구개열일 확률은 15%로 상당히 증가된다. 부모 모두가 구순구개열일 때 구순구개열 환아를 출산할 확률은 60%로 가장 위험한 군에 속하게 된다(표 1-1).

최근에는 원인으로 복합적인 유전자와 밀접한 관계가 있다고 믿고 있다[14-16]. 여기에는 MSX, LHX, goosecoid, 그리고 DLX 유전자가 있다. 섬유모세포 성장인자, 전환성 성장인자-B, 혈소판 기원 성장인자 그리고 표피성장인자 등의 성장인자나 그 수용체의 결합이 융합이 실패하는 것에 관여할 것이라 생각한다.

표 1-1. 구순구개열에서의 유전적 예상 발생률(Modified from Fraser FC : Etiology of Cleft Lip and Plalate. In Grabb WC, Rosenstein SW, Bzoch KR(eds): *Cleft lip and Palate: surgical, dental, and speech aspects*. Boston, Little, Brown, 1971: and Habib Z: *Surg Gynecol Obstet* 146:105, 1978)

가족상태	구순(구개)열(%)	구개열(%)
일반 출생률	0.1	0.04
정상부모 + 개열환자 : 다음 아이 확률		
· 친척 정상	4	2
· 친척에 개열환자	4	7
· 개열환아가 일측성일 때	4.2	-
· 개열환아가 양측성일 때	5.7	-
· 2명의 개열환자	9	1
부모 1명 개열 + 정상아이 : 다음아이 확률	4	6
부모 1명 개열 + 개열환자 : 다음아이 확률	17	15

3. 발생빈도

구순구개열, 구순열 및 구개열이 독립적으로 발생하는 발병률의 통계수치는 인구통계, 발표자, 발표 년도에 따라 다양하며 그 조사 내용도 많지 않고 특히 최근에 발표된 내용도 적은 실정이다. 그러므로 이 질병의 정확한 발병률보다도 대략의 발병률과 세계적으로 많은 학자들이 인정하고 있는 공통된 내용만을 알 수 있으며 새로운 조사가 시행되면 이러한 내용은 변할 수 있다.

구순구개열의 발생빈도는 인종간에 차이가 뚜렷하다. 한국에서는 554명 출생 중 1명 꼴로 발생한다는 보고(김석화,1995)도 있고 966명 출생중 1명 꼴로 발생한다는 보고(민도원 등, 1995)도 있다. Burdi[17] 와 Habib[18]에 의하면 구순구개열을 전체적으로 보면 백인은 1000명 출생 중 1명, 동양인은 1000명 출생 중 2.1명 그리고 아프리칸-아메리칸은 1000명 중 0.41명으로 보고하고 있어 동양인이 제일 많은 것으로 되어 있다. Fraser 등[19]에 의하면 이러한 개열이 있는 전체 환자중에서 구순구개열이 함께 있는 경우가 제일 많아 46%를 차지하고 구개열이 독립적으로 있는 경우가 33%, 그리고 구순열만 있는 경우가 제일 적어 21%를 차지한다고 하였다. Wilson[20]에 의하면 구순열에서는 좌측 일측과 우측 일측 그리고 양측 구순열의 비율은 6 : 3 : 1 정도라 하였다. 양측 구순열에서 구개열을 동반하는 경우는 86% 정도이고 일측 구순열에서는 68% 정도이다.

구순열과 구개열은 유전적, 형태적으로 서로 다르며 구개열은 독립적으로 생길 수도 있고 구순열과 동반될 수도 있다. 구개열이 독립적으로 생기는 발생빈도는 2000명 출생 중 1명 꼴이며 모든 인종간에서 동일하다[21]. 성별에 따라서도 차이가 나는데 구순열은 남성에 더 많고 구개열은 여성에 더 많은 경향이 있다[22]. 부모의 연령이 많은 것도 구순구개열의 위험인자인데 특히 아버지의 나이와 양부모가 30세 이상인 경우 위험하다[18]. 대부분의 일측 구순구개열은 중요한 다른 기형은 동반되지 않는 독립된 비증후군적 출생결함을 나타내지만 구개열만 독립적으로 있는 환자는 동반된 증후군이나 속발증(seguence)이 함께 있는 경우가 많다[23, 24]. 이런 부류에 속하는 증후군이 Stickler, Van der Woude 혹은 DiGeorge증후군 이다. 이러한 사실은 초기에 진단을 하는데 중요하며 기능적인 문제를 조기에 제시 할 수 있다. 예를 들어 독립된 구개열 환자는 Stickler 증후군의 가능성을 알기 위해 조기에 소아안과 의사가 진찰 할 수 있도록 해야 한다. Stickler 증후군은 후에 망막박리가 생길 수 있는 안구 변형이 있을 수 있다. 건강해 보이는 구개열 아이들에서 Stickler 증후군을 진단 내리기 매우 어려우며 이로 인해 조기에 시력 손실이 오는 것을 막기 힘들다.

많은 경우에서 장기간의 유전학적 추적검사로 확실한 진단과 유전학적 조언을 해 주어야 한다. 가족 내에서 구순구개열이 재현되는 기회는 가족력, 병의 중한 정도, 성별, 환자와 관련된 정도, 증후군의 발현 정도 등의 여러인자가 관여한다. 구순구개열이 있는 환자 가족의 유전양상을 예측하는 것은 매우 복잡하다. 경험 많은 유전학자나 기형학자들은 이러한 유전양상을 알아내기 위하여 가계도 분석과 유전검사를 이용한다.

4. 구순구개열을 동반한 증후군

1) Pierre Robin 증후군

프랑스의 Pierre Robin 에 의해 널리 알려진 증후군으로 소하악증이 설하수, 구개열 그리고 호흡곤란과 동반된 경우이다. 발생빈도는 2000~3000명 출생당 1명 정도이다[25]. Pierre Robin 증후군과 가장 많이 연관되는 유전학적 증후군은 Stickler증후군이다. 치사율은 호흡곤란과 연하곤란 등의 증상이 심할수록 높고, 동반된 기형과 신생아의 미성숙 정도와 관련있다.

2) Stickler 증후군

상염색체 우성으로 유전되며 전형적인 형태로는 중안면부 발육부전, 이차구개의 개열, 고도근시, 망막박리, 녹내장, 선천성 청력손실, 관절병을 나타낸다.

3) Van der woude 증후군

구순과 구개에 개열이 있는 환자의 1-2%정도에서 발견된다. 상염색체 우성으로 유전되는 것으로 하구순에 선천성 누(sinus)혹은 오목(pit)이 구순구개열과 동반된다. 입술오목(lip pit)은 하구순의 홍순부위에 함몰 형태로 나타나는데 보통은 양측성이고 대칭으로 나타나지만 비대칭이거나 중앙부에 단독으로 생기는 경우도 있다. 대략 33%에서는 입술오목이 개열 없이 나타나고 33%는 구순구개열과 동반되고 33%에서는 독립된 구개열 혹은 점막하 구개열과 동반된다. 10% 정도에서는 입술오목이 없을 수도 있다.

4) 구개심장안면(velocardiofacial : VCF) 증후군

22번 염색체 이상으로 생긴다. 인두의 이완으로 다양한 정도의 과다 콧소리가 생기고 언어장애, 학습장애, 성격장애, 비교적 작은 체형, 심장기형 등이 동반된다. 이러한 증상들이 구개열과 동시에 존재할 수도 있지만 순차적으로 생길 수도 있으므로 구개열 환자에서 진단하기 어려워 적절한 치료를 어렵게 만들 수 있다. VCF 증후군 환자는 내 관상동맥의 기형이 있어 가장 흔한 증상인 구개인두부전을 위한 수술인 인두성형술을 모르고 시행하면 위험을 초래할 수 있으므로 주의를 요한다.

5) Waardenburg 증후군

이 증후군의 7%에서 구순구개열이 발견되며 머리카락과 홍채의 색소침착 결여, 청력손실 등이 동반된다.

6) Klippel- Feil 증후군

목이 짧고 뒷머리 선이 낮게 위치하며 경추가 결여되거나 유합된다. 구개열은 목뼈의 운동장애로 하악이 움직이지 못해 생긴 것이라 추측한다.

5. 구순구개열의 분류

구순구개열의 복잡성 때문에 많은 분류체계가 제안되었지만 이중에 몇 가지만 임상적으로 인정받고 있다. 구순구개열의 문헌을 고찰해보면 용어의 사용이 매우 혼란스럽게 되어있다. 예를 들어 경구개와 연구개를 일차와 이차구개로 다르게 사용하고 있어 여러 혼동을 가져오므로 세계적으로 인정받는 분류 체계가 필요하다. 최초로 인정받은 분류체계는 1922년 Davis와 Ritchie에 의한 분류이다[26]. Davis와 Ritchie는 구순과 구개를 나누는 기준점으로 치조를 사용하여 1군, 전치조 개열(prealveolar cleft), 일측과 양측; 2군, 경구개와 연구개의 후치조 개열(postalveolar cleft); 3군, 일차구개와 이차구개의 개열로 나누었다(그림 1-1). 이 분류방법은 1950년대까지 학문적으로 인정받아 가장 널리 사용되었다. 그러나 이 분류는 구순변형의 기술에는 충분하지 못하여 일차구개의 개열은 표현할 수 없었고 치조열 침범의 유무도 나타내지 못했다. 또한 일차구개와 이차구개의 기준점인 절치공에 대한 기술이 없었다. 이러한 문제점을 Kernahan 과 Stark 과 보완하였다. 1958년에 Kernahan과 Stark는 형태보다는 발생학적인 근거로 분류를 하였다[27]. 구순구개열을 절치공을 기준점으로 일차구개와 이차구개로 나눈 뒤 이를 토대로 일차구개의 개열과 이차구개의 개열로 나누고 그 정도에 따라 세분하여 분류하였다(그림 1-2). 이 분류법은 구순구개열을 글로 장황하게 기록해야 하는 단점과 '일차구개' 의 용어사용이 구순에만 개열이 있는 경우와 혼동되어 사용되는 문제점이 있었다. 이러한 단점을 극복하기 위하여 구순구개열의 상태를 빠르고 쉽게 알 수 있도록 그림으로 기호화하여 표시하는 방법들이 고안되었다. 1971년에 Kernahan[28]은 절치공을 기준점으로 삼아 Y자 모양의 기호("striped Y logo") 에 해부학적 부위를 숫자로 표시하

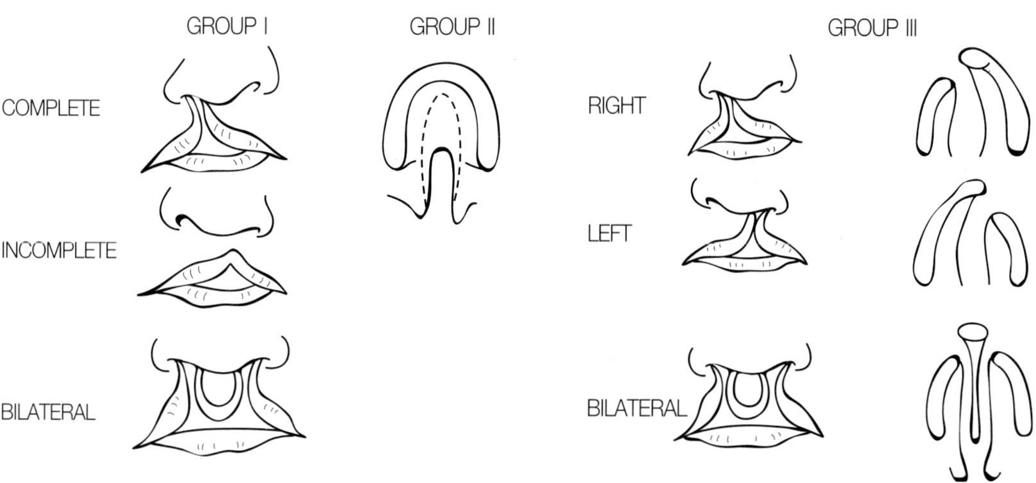

그림 1-1. 최초의 구순구개열 분류방식(Davis 와 Ritchie, 1922). 구순과 구개열을 나누는 기준점으로 치조를 사용하였기 때문에 일차구개의 완전개열을 분류하기 어려운 단점이 있다(Stark RB, ed: *Cleft Palate*; a multiple approach. New York, Harper & Row, 1968, pp60-69).

고 거기에 개열된 곳을 알기 쉽게 표시하는 분류체계를 고안하였다(그림 1-3, 4). Y자의 각 가지는 삼등분하여 구순, 치조 그리고 절치공 전방에 있는 경구개를 나타내고 제일 아래부분에 절치공을 표시하였다. 줄기도 삼등분하여 절치공 후방의 경구개와 연구개를 표현하였다. 구순에 해당하는 번호가 1과 4이고, 치조가 2와 5, 절치공 전방의 경구개가 3과 6이다. 절

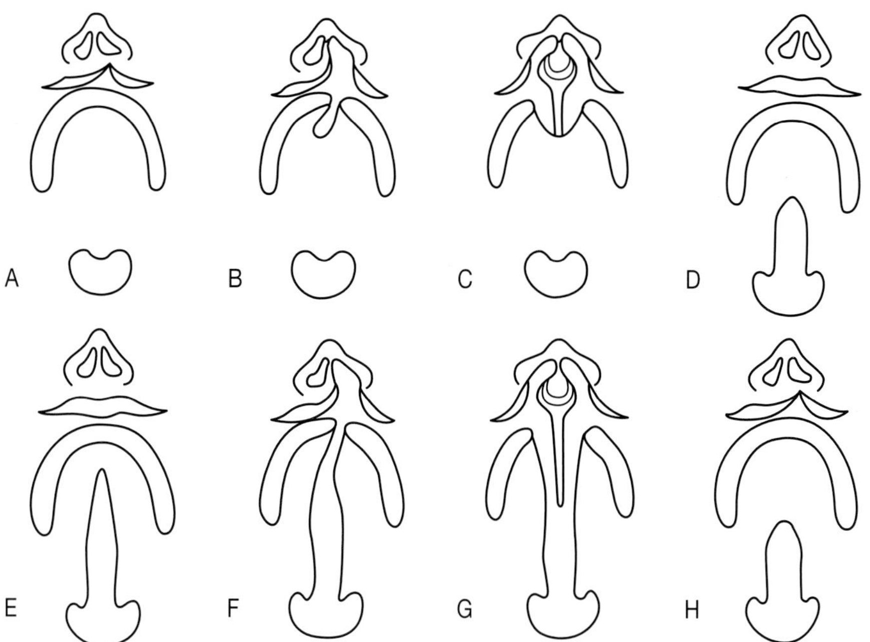

그림 1-2. Kernahan과 Stark의 구순구개열 분류 방식(1958). 일차와 이차구개를 발생학적으로 절치공을 기준점으로 사용하여 일차구개의 개열, 이차구개의 개열 그리고 일차와 이차구개 개열의 3군으로 분류하였다. (A) Unilateral, subtotal cleft of primary palate. (B) Unilateral, total cleft of primary palate. (C) Bilateral, total cleft of primary palate. (D) Subtotal cleft of secondary palate. (E) Total cleft of secondary palate. (F) Unilateral, total cleft of primary and secondary palate. (G) Bilateral, total cleft of primary and secondary palate. (H) Unilateral subtotal cleft of primary and secondary palate. (Kernahan DA, Stark RB: A new classification for cleft lip and palate. *Plast Reconstr Surg* 22:435-441, 1958)

치공 후방의 경구개가 7과 8이고 연구개가 9이다. 개열은 점을 찍어 나타내었고 점막하 개열은 줄선으로 표시하였다. 이 방법은 기록이 쉬우며 병변을 신속하고 정확하게 파악할 수 있는 장점으로 현재 많이 사용된다. 그러나 이 분류는 다음과 같은 단점을 가지고 있다. (1) 구순 병변의 자세한 기술이 어렵다. 구순과 코 병변의 자세한 기술이 치료에 중요하므로 이 부위의 상세한 기술이 분류체계에는 필요하다. (2) 구개 병변의 기술이 부족하다. 이차 구개의 개열 정도에 따라 수술의 난이도 차이와 이에 따른 발음의 차이 그리고 누루의 형성 정도가 다르므로 결과 등을 의미있게 비교하기 위해서는 구개의 병변 정도를 자세히 분류할 수 있는 체계가 필요하다. (3) 양측 구순열에서는 비대칭 정도를 표현하기 어렵다. (4) 점막하

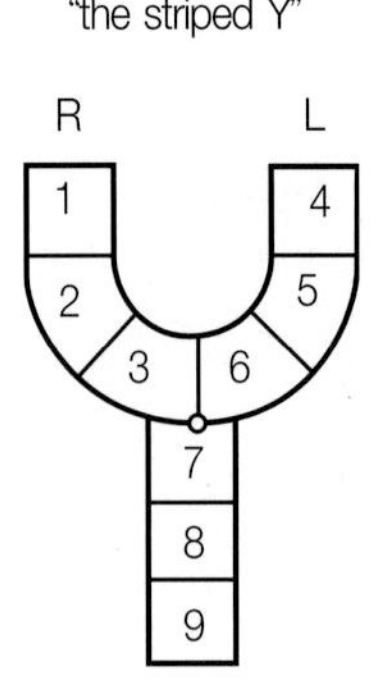

그림 1-3. Kernahan의 Y자 모양 기호(Striped Y logo). Y자 두 가지의 1과 4는 구순, 2와 5는 치조, 3과 6은 절치공 전방의 경구개이다. Y자 줄기의 7과 8은 절치공 후방의 경구개이고 9는 연구개를 나타낸다 (Kernahan DA: The striped Y- a symbolic classification of cleft lip and palate. *Plast Reconstr Surg* 47(5): 469-470, 1971).

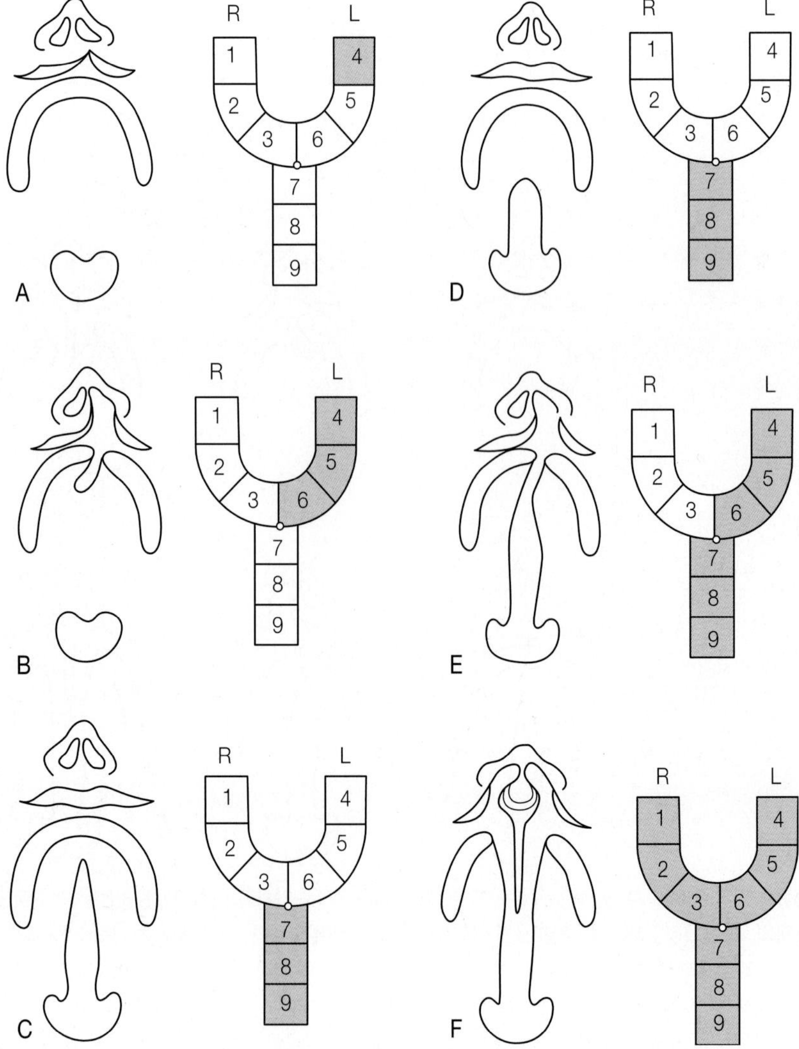

그림 1-4. Kernahan의 Y자 모양 기호의 사용 예. 점을 찍어 표시한 부위는 실제 개열이 있는 부위이며 실선으로 표시한 부위는 점막하 개열을 나타낸다(Kernahan DA: The striped Y- a symbolic classification for cleft lip and palate. *Plast Reconstr Surg* 47(5): 469-470, 1971).

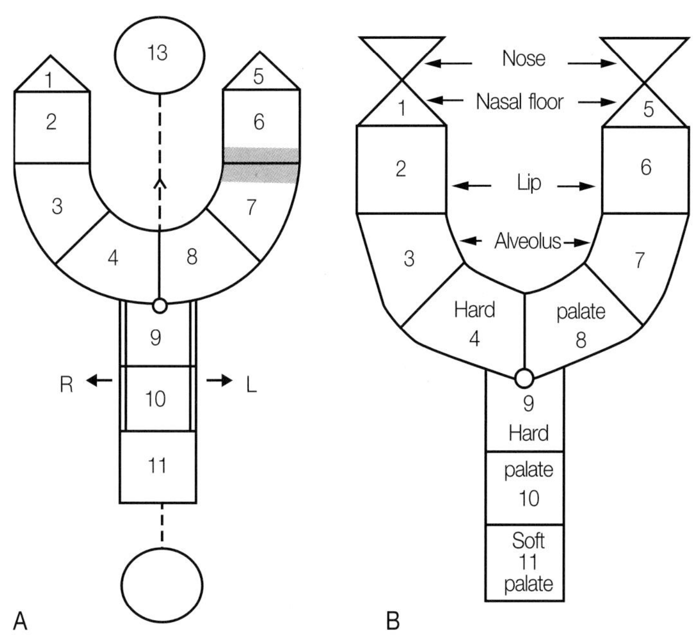

그림 1-5. (A) Elsahy 도식법, (B) Millard 도식법(Millard DR Jr(ed): *Cleft Craft*. The evolution of it's surgery. Boston, Little, Brown & Co., 1976, p51)

구개열 표현에 혼돈을 줄 수 있다.

1973년에는 Elsahy[29]가 Kernahan 도식법의 Y자형 가지 끝에 비저를 나타내는 삼각형을 추가시켰으며 1977년에는 Millard[30]가 Elsahy의 삼각형 꼭지위에 비익을 나타내는 또 한 개의 역삼각형을 추가하여 Kernahan 도식법의 단점을 보완하였다(그림 1-5). Elsahy 도식법의 번호 1과 5는 비저를 나타내고 2와 6은 구순, 3과 7은 치조 그리고 4와 8은 절치공 전방의 경개구이다. 경개구가 9와 10, 연개구가 11이며, 인두가 12 그리고 전악골이 13이다. 그러나 이러한 분류법들은 점막하개열, 개열 후방의 조그만 개열 및 불완전 구순열의 대부분은 자세히 기록할 수 없는 단점이 있어 1998년에 Smith[31]가 Kernahan 의 Y 분류를 변형하여 분류체계를 소개하였으나 복잡한 것이 단점이다(그림 1-6). Smith 변형법은 우측은 프라임 부호가 없고 좌측은 프라임 부호(')를 찍는다. 1번은 구순의 변형을 표시하는데 알파벳 a에서 d로 나눈다. 구순열은 축소형(microform)부터 1/3, 2/3 까지의 개열은 a에서 c로 표시하고 시모나씨 밴드는 d로 표시한다. 치조는 2, 절치공 전방의 구개는 3으로 표시하고 상악의 구개돌기 까지의 개열은 4, 구개골의 구개돌기 까지의 개열은 5 그리고 연구개의 개열은 6으로 표시한다. 후방 a는 점막하 구개열을 표시한다. 구순구개열의 표현은 좌우 조합으로 표기하며 한 조합에서 첫 번째 숫자는 개열의 최전방을 나타내고 두 번째 숫자는 개열의 최후방을 나타낸다. 예로 00/1'6'은 좌측의 완전 구순구개열이고 12/1'6' 은 양측 구순열이 있으면서 우측은 치조에 개열이 있고 좌측은 완전 구개열이 있는 것을 나타낸다.

구순구개열 분류체계를 만드는 방식은 병변의 표현을 간단히 기호화하여 누구나 한 번 슬쩍 보더라도 개열의 형태와 심한정도를 쉽게 알수 있도록 만드는 추세이다. 현재 많이 사용되는 것이 Kernahan 의 Y자 모양 도식이거나 그 변형된 형태이다. 최근에는 구순구개열 치료에 참가하는 사람들이 비의료인이 많은 추세이므로 이들 모두가 친근하게 접근할 수 있는 간단하고 알기 쉬운 방식이 필요하다. 또한 질병의 자료를 컴퓨터로 처리하고 그 내용을 저장하는 추세이므로 이를 혼돈되지 않는 기호로 처리할 수 있는 방식이 필요하다. Kernahan 의 방법과 그 변형들은 이러한 점에서 부족하므로 컴퓨터로 처리할 수 있는 새로운 방식의 분류체계가 필요하다. 또한 구순, 치조, 구개뿐 아니라 코, 전악골과 구개인두기능 등에 대한 여러 정보도 포함할 수 있는 분류체계가 필요하다.

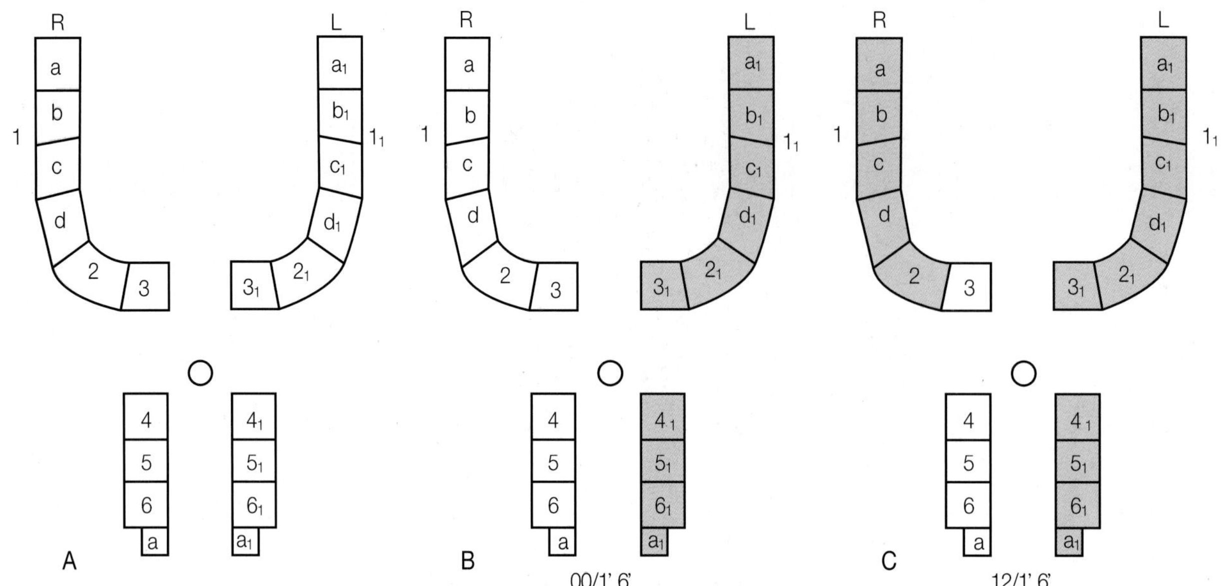

그림 1-6. Smith의 변형법. (A) Smith 변형법의 도식그림. Smith 변형법의 예; (B) 00/1'6', 좌측 완전 구순구개열. (C) 12/1'6', 우측 치조개열과 좌측 완전 구개열(Smith AW, Khoo AKM, Jackson IT: A modification of the kernahan "Y" classification in cleft lip and palate deformities. *Plast Reconstr Surg* 102: 1842, 1998)

6. 산전상담

최근에 초음파 영상기술의 발달로 인해 출산 전 관리와 산모-태아 의학이 눈부시게 발전하게 되었다. 최근에는 구순열의 초음파 영상을 임신 16주면 볼 수 있게 되었다[32-34]. 구개열에 대한 진단적 영상은 얻기가 어려워서 구개열의 산전 진단은 어렵다. 구개 구조는 초음파 영상으로 볼 수 있으나 이는 가장 최근의 기술이며 아주 숙련된 초음파 영상을 볼 수 있는 사람이 많은 경험을 해야 가능한 만큼 어렵다.

임신 중에 구순열 진단을 받았다면 출산전 상담을 위하여 경험 많은 구순구개열 전문의사와 상담하여야 한다. 이러한 출산전 진료의뢰를 통해서 진단 및 재건의 단계적 치료와 수술에 대한 자세한 설명과 젖 먹이는 방법 등의 실제적 교육을 받을 수 있게 된다. 이러한 것들이 보호자들에게 여러 궁금증에 대한 이해를 돕고 두려움을 해소 할 수 있으며 환아의 출생 첫 주 동안에 가장 중요한 젖 먹이는 일 등을 배울 수 있는 기회를 제공할 수 있다. 부모는 이러한 새로운 지식을 통해서 용기를 얻을 수 있으며 출산 전 의뢰를 받는 동안 여러 가지 준비를 함으로써 출산직후 아이에 대해 편안한 상태가 될 수 있다. 이 과정에서 중요한 것은 유전학자나 기형학자에게 진료의뢰를 통해 출산과 동반 될 수 있는 다른 기형의 가능성에 대해 상담을 해야한다. 추가적인 검사를 시행해서 동반된 기형, 증후군, 속발증의 가능성을 검사해서 이러한 것들이 출산과정에 영향을 줄 수 있는가를 알아내야 한다. 어렵지만 많은 경험을 쌓으면 초음파 영상을 통해서 기도의 발달상황과 기형형태를 볼 수 있는데 이를 통해서 태아수술이나 분만중 필요할 수 있는 외과적 기도 확보 등에 대비할 수 있다. 이러한 출산 전 기형상담을 위해서 태아 진단 및 치료 팀이 구성되어 출산 전 진단된 기형에 대한 철저한 대비를 하고 있어야 한다.

7. 수유문제

독립된 구순열만 가지고 태어난 아이는 잘 빨 수 있으며 심지어 대부분의 경우에서는 모유수유가 가능하다. 그러나 구개열 환아는 액체를 빨아들이기 위해 필요한 충분한 음압의 형성을 위한 혀와 구개 사이에 밀착을 형성 할 수 없어 빨 수 있는 능력이 떨어진다. 출생 초기에 음식물이 코로 넘어 오거나 분비물 조절이 어려운 경우가 종종 있다. 출생 직후에는 특별히 제작된 젖꼭지와 젖병이 필요한 경우가 있다. 특수 제작되는 젖병은 젖꼭지의 크기와 구멍 그리고 저장용량이 크고, 젖병은 쥐어 짤 수 있어 우유가 젖꼭지 쪽으로 쉽게 이동할 수 있으며, 한 쪽으로만 흐를 수 있는 밸브가 있도록 제작된 것이 좋다. 우유가 젖병에서 젖꼭지 쪽으로만 이동할 수 있어야 아이가 젖을 빨 때 드는 힘이 최소로 든다. 체중 증가를 잘 관찰하는 것이 중요하다. 일반적으로 24시간 동안에 체중 1파운드당 대략 2~3온스의 우유를 먹어야 한다. 젖 빠는 시간은 35분을 넘지 말아야 하는데 이 시간보다 길어지면 아이가 지치고 너무 많은 칼로리를 소비하게 된다. 적어도 같은 소아과에서 1주에 한 번 정도는 체중을 재어야 한다.

구개열 환자에서 모유수유의 필요성에 대해서는 찬반양론이 있는데 일부에서는 모유수유를 권장하지만 일부는 강력히 반대한다. 모유수유는 산모에서 유아에게 면역글로블린A 형태로 전달되어 수동면역 획득에 도움이 되고, 산모와 유아에게 정신적인 안정감을 줄 수 있다는 명백한 장점이 있다[35, 36]. 그러나 구개열 환아는 구강내 음압을 만들 능력이 부족하므로 종종 만족스러운 간호가 어렵게 된다. 절대적으로 모유수유만하는 환아에서는 심한 탈수와 이러한 문제로 인해 생명을 유지하기 힘든 경우가 있다. 이러한 문제는 이차 구개열이 넓은 유아에서 특별히 문제가 되는데 모유수유가 불가능 할 수도 있다. 그래서 구개열이 있는 유아에서 수유는 모유수유와 특수제작된 젖병을 혼합하여 사용하는 것이 좋다. 모유는 미리 짜 두었다가 특수 제작된 젖병을 이용하여 수유하면 영양과 면역에 모두 도움이 된다. 이러한 방법을 사용하면 하루에 대략 어느 정도의 양을 수유하는가를 기록하여 알 수 있는데 모유수유만 하게되면 하루 수유량을 정확히 알 수 없다. 또한 모유수유와 혼합하므로 산모와 유아가 정신적인 안정감을 가질 수 있는 기회가 없어지지 않는 장점도 있다.

Posnick은 의사가 환자 보호자에게 수유시 알려줘야하는 것들을 다음과 같이 정리하였다.

구순구개열 신생아의 수유지침

(1) 구순열만 있는 신생아

① 아이의 입술과 젖꼭지가 바로 닫는 것을 두려워 하지 말고 아이가 입술로 젖꼭지 주위를 잘 밀봉할 수 있는 편안한 자세로 젖꼭지를 입안에 물려준다.

② 아이를 세운 자세로 수유를 한다.

③ 수유 시간은 20~30분을 넘지 않는다.

④ 트림은 확실하게 시킨다.

(2) 구개열이 있는 신생아

① 아이가 구개열이 있다면 수유 중에 코로 액체가 넘어 오며 구개열 수술을 받을 때 까지 계속 되니 걱정하지 않는다.

② 코로 넘어오는 것을 줄이기 위해 수유는 아이를 세워서 한다.

③ 대부분의 직선형태의 젖꼭지를 사용하여도 된다. 특수 젖꼭지나 수유장치는 필요없는 경우가 많다. 그러나 짧은 젖꼭지는 피하는 것이 좋다.

④ 구개열 환아가 사용하기 편하게 개발된 젖병은 사용해도 좋다.

⑤ 수유 시간은 20~30분을 넘지 않는다.

⑥ 트림은 확실하게 시킨다.

(3) 주치의와 상담을 필요로 하는 수유 상황

① 수유 중 기침이나 딸꾹질을 너무 자주 할 때

② 완전히 세워서 수유를 해도 코로 넘어오는 것이 많을 때

③ 빨거나 삼키는 것이 약하거나 부적절 할 때(너무 조금 먹거나 입밖으로 질질 샐 때)

④ 너무 오랫동안 수유를 할 때(수유시간이 40분을 넘을 때)

8. 치료계획 및 시기

구순구개열 수술시기는 논란이 많다. 구순구개열 환자의 치료에 있어서 많은 발전이 있었지만 각각의 재건단계에 대한 시기와 술기의 합의된 내용은 많지 않다. 외과의사는 수술의 방법과 시기를 결정할 때 기능적 요소와 미용적 관점 그리고 성장에 대한 측면 등에 조화를 맞추어야 한다. 성장기 아동의 수술적 조작을 쉽게 결정하지 말아야 하며 조기 수술로 인해 생길 수 있는 성장의 방해를 꼭 따져봐야 한다. 그럼에도 불구하고 선천성 기형으로 수술 받는 많은 환자들은 기능적 혹은 정신적 측면에서 도움을 받는다. 두개안면 골격의 성장과 발달을 잘 이해하는 것이 치료계획을 세우는데 필수적인 요소이다. 많은 경우에서 미용적 측면이나 기능적 측면으로 현재 꼭 수술이 필요없는 경우라면 성장이 자연스럽게 이루어지도

록 기다리는 것이 이득이 될 때가 많다. 치료방침에 대한 이론이 다양하므로 각 치료기관에 따라서 치료시기가 다양하다. 그러므로 현재로는 모든 사람이 인정하는 치료시기의 규정화된 규칙을 만들기가 어렵다.

일반적으로 인정받고 있는 수술술기와 수술시기를 정리하면 표 1-2와 같다. 개인적으로 기능적인 면과 미용적인 면에 있어서 특별한 고려사항이 있으면 여러 술기에 대한 수술시기는 변경될 수 있다.

1) 구순열 수술

일차구개인 입술과 치조에만 개열이 있어도 피부, 근육, 연골, 점막, 치아, 그리고 뼈의 모든 조직에 변형이 생긴다. 일측 구순열을 수술할 때 술자는 수술부위와 대칭되는 반대편의 모습과 똑같은 모양과 구조를 만들려고 한다. 그러나 이것은 쉽지 않고 미용적으로 많은 차이를 나타내게 되는데 여기에는 많은 원인이 있다. 그 중 하나는 술자마다 대칭적이고 비율에 맞는 조화로운 입술을 만들 수 있는 능력에 차이가 있다. 또한 개열의 기형 정도가 다양하며 상처 치유능력에도 차이가 있다. 대개 개열은 일정한 형태를 하고 있지만 어떤 것은 상당히 넓기도 하고 어떤 것은 상당히 좁은 형태를 보인다. 일측 구순열에서 큐피드 활의 변형정도가 차이가 있을 수 있고 양측 구순열에서 이용할 수 있는 인중 조직의 양에도 차이가 있을 수 있다. 중요한 것은 외과의사가 구순구개열 치료의 경험을 많이 쌓고 다양한 수술방법을 익혀 이러한 것을 적절하게 적용할 수 있는 능력을 키우는 것이다.

(1) 수술시기

구순열 수술은 일반적으로 출생 후 10주부터 시행한다. 10~12주까지 기다리는 장점 중 하나는 철저한 검사를 진행해서 심장기형이나 신장기형 같은 동반되는 다른 선천성 기형을 찾아낼 수 있다. 수술 술기도 아이가 조금 더 커지면 해부학적 지표가 뚜렸해져서 더욱 용이해진다. 구순열 환아에서 마취가 안전한 시기를 간단히 "10의 법칙" 으로 정리하였다. 구순열 수술은 적어도 출생 후 10주는 되어야 하고 몸무게는 10파운드 그리고 최소 혈중 헤모글로빈 수치는 10g%는 될 때까지 기다려 수술하여야 안전하다[37, 38]. 최근에는 더욱 첨단화된 소아 술기, 술중감시장치와 마취약제의 발전으로 보다 조기에 안전한 전신마취를 할 수 있게 되었다[39]. 출생 후 조기에 안전한 마취가 가능해졌지만 출생 3개월 이전에 구순열을 수술해서 얻을 수 있는 장점은 적다[38, 40, 41]. 구순열 수술을 태어나자마자 생후 1일째 시행하면 태아상처치유와 비슷한 기전으로 치유될 수 있는 장점이 있다고 주장하는 사람도 있다. 그러나 불행히도 이러한 희망사항 대신 과도한 반흔과 만족스럽지 못한 결과를 보여준다. 너무 조기에 수술하면 반흔도 많이 생기고 조직이 너무 작아 술기 조작이 어렵다. 결과적으로 조기에 수술하면 미용적으로도 좋은 결과를 얻을 수 없으므로 출생 3개월 전에 수술하는 것은 장점이 많지 않다.

(2) 수술방법

구순열 수술전에 구순과 치조분절의 배열을 호전시켜 수술을 용이하게 하는 술전 교정방법이 수세기 전부터 시행되어 왔다. 16세기에 Tagliacocci는 린넨으로 제작된 부목을 이용하여 긴장없이 구순열을 치유하였다는 기록이 있다. 1994년에 Poole 와 Farnworth[42]는 "구순 테이핑(lip taping)" 의 경험을 보고하면서 테이핑 방법이 구순유착술(lip adhesion)만큼 효과가 있고 장기적으로 구순과 코의 미용적 측면에도 도움이 된다고

표 1-2. 구순구개열의 단계적 수술시기

수술술기	수술시기
구순열 수술	생후 10주 이후
구개열 수술	생후 9~18개월
구개인두부전 수술	3~5세 혹은 언어발달 정도에 기초하여 결정
상악/치조 재건술(골이식술)	치아발달을 기준으로 6~9세경
악교정 수술	여자는 14~16세경, 남자는 16~18세경
비 성형술	5세 이후 : 악교정 수술이 계획되어 있으면 그 이후
반흔 성형술	반흔이 성숙되었으면 어느 때나 가능하지만 5세 이후가 좋다.

하였다. 그러나 이러한 술전 교정방법의 효과에 대해 많은 논란이 있다. Ross와 MacNamara[43]는 양측 구순열 환자에서 테이핑을 시행한 군과 그렇지 않은 군을 장기간 추적 관찰해보니 구순과 코의 미용적 차이는 생기지 않았다고 하였다.

구순유착술은 넓은 완전 구순열을 불완전 구순열의 형태로 바꾸어 놓는 부분적 구순성형술이다. 구순유착술은 구순열이 매우 넓어 후에 구순열 수술시 일차봉합이 불가능할 것 같은 경우에 수술해 주는 방법이다. 구순유착술은 자연적인 압력을 만들어서 넓은 개열을 좁혀주고 치조 궁의 배열을 가지런하게 만들어주는 것이다. 구순유착술은 보통 출생 3~4개월 때 시행하고, 3~6개월을 기다려 반흔조직이 부드러워지면 구순열수술을 시행한다[44]. 구순유착술은 나중에 구순열 수술을 한 번 더 해야하기 때문에 추가적인 마취와 입원을 하는 단점이 있다. 수술부위가 벌어지거나 과도한 반흔 형성으로 인해 구순열 수술시 문제가 될 수 있다.

구순열을 수술하는 모든 의사는 각자가 선호하는 수술술기가 있다. 구순열 수술에서 가장 오래된 것이 직선 봉합법(straight line closure)인데 LeMesurier가 이것을 발전시켜 사각 피판술(rectangular flap)을 개발하였다. 이 방법을 Tennison 이 변형하여 삼각 피판술(triangular flap)을 개발하였고 Skoog 이 외측입술분절에 삼각조직 피판을 끼워 넣는 방법을 고안하였으며 Randall 과 Brauer 도 이러한 방법의 변형법을 발표하였다. 1950년대에 Millard 는 이러한 삼각 피판술들이 큐피트 활의 정점을 정상위치에서 맞출 수는 있지만 인중오목(philtral dimple)의 자연적인 선을 파괴하는 단점에 주목하여 이것을 피할 수 있는 회전 전진 피판술(rotation advancement flap)을 개발하여 현재 많이 사용되고 있다. 어떠한 방법으로 구순열을 수술하던간에 그 목적은 대칭적이고 균형잡힌 상구순을 만들어 주고 역동적인 표정기능이 잘 이루어 지도록 하는 것이다.

일차 구순열 수술시에 비성형술의 효과와 방법에 대해 많은 연구가 있다. McComb[45, 46]은 개열측 코에 별도의 절개없이 피부를 광범위하게 박리하여 비익연골을 분리한 후 볼스터를 이용하여 적절한 위치에 고정시키는 방법을 소개하였다. 장기 추적 관찰결과 코 모양이 좋았으며 얼굴 성장에도 지장을 주지 않아 일차 비성형술의 장점을 주장하였다. 일차 비성형술이 코 조직에 과도한 외상을 주기 때문에 정상적인 성장을 방해할 수 있어 반대하는 이론도 있다.

양측 구순열 수술에서 중요한 요소는 한 번의 수술에서 양쪽 개열을 모두 닫을 수 있어야 하고 구륜근을 성공적으로 복원해 주는 것이다. 또한 외측 구순 분절에서 충분한 홍순과 점막을 이용하여 중앙부 구순을 만들어 줘야하며 조그만 인중을 성장하면서 늘어날 수 있는 형태로 만들고 충분한 입술 내측 공간을 만들어 주는 것이다. Millard는 양측 구순열 환자에서 후에 인중 연장시 사용할 수 있도록 양측의 콧구멍 문턱(nostril sill)에 조직을 남겨두는 "포크 피판(forked flap)의 저장 방법"을 소개하였다. 그러나 포크 피판은 수술 직후에 아이의 호흡에 지장을 줄 수 있고 후에는 피판이 구축하여 인중 재건에 도움이 못 되는 단점이 있다.

Mulliken[47]은 양측 구순구개열 비 변형의 원인이 일차적인 기형에 의한 내적인 요인과 외과의사의 수술에 의한 외적인 요인에 의한다고 하였다. 그는 대부분의 주장과는 다르게 일차 구순 성형술시 비 성형술을 개방성 비성형술의방법으로 직시하에서 시행하는 것이 중요하다고 강조하였다.

2) 구개열 수술

구개열의 적절한 수술 시기와 수술방법에는 아직 논란이 많다. 구개열 수술의 일차적인 목표는 연구개와 경구개를 재건하여 모든 비강과 구강의 연결된 부분을 막는 것이다. 또 다른 목표는 역동적인 연구개를 복원하여 외측과 후방의 인두벽이 서로 조화롭게 만날 수 있게 하여 구개 인두가 충분히 닫힐 수 있어 정상적인 발음이 가능하도록 만들어 주는 것이다.

(1) 수술시기

구개열 수술은 일반적으로 출생 9~18개월 때 시행한다. 수술의 시기를 결정하는데 있어 조기 수술에 의한 안면 성장의 발달지연과 언어발달 사이의 관계를 잘 고려해야 한다. 대부분의 아동은 확실한 발음을 만들기 위해서는 생후 18개월에는 정상적인 구개의 형성이 필요하다. 만일 발육지연에 의해서 언어발달 및 발음사용이 계속 발달하지 못한다면 구개열 수술은 더 늦게 시행할 수도 있다. 이상적으로는, 구개열 수술의 적절한 시기의 결정은 시기적인 연령(chronologic age)보다는 음소 발달의 단계 혹은 언어나 발음 연령 같은 조음 연령(articulation age)을 기초로 하여야 한다. 구개열 수술을 받지 않았거나 구개가 불완전하게 닫힌 상태로 일정 수준으로 음소발달이 이루어지면 구개 인두 기능이 보상적 조음

(compensatory articulation)의 발달에 취약하게 된다. 이렇게 비정상적으로 적응된 발음 형태는 지능 발달에 장애를 가져오고 일단 말 습관이 잘못되면 이를 교정하기가 어려워진다.

구개열 수술을 생후 9개월 전에 시행하였을 때 장점은 거의 없다[48-50]. 일부에서는 구개열 수술의 최초 시기를 조기에 시행하는 것을 주장한다. 그러나 초기에 구개열 수술을 계획할 때는 다음의 3가지 문제를 중요하게 고려해야 한다. 첫째는 미성숙된 상악에 수술을 시행하면 상악골이나 중안면골의 성장에 지장을 준다는 점이다. 둘째는 구개열 수술시에 필요할 수 있는 수혈문제와 기도 유지의 위험이 나중에 수술할 때 보다 크다. 셋째는 일반적인 구개열 환자군에 비해서 생후 10~12개월 전에 수술을 시행하는 군이 장기적으로 언어, 기도유지,치과적 문제에서 기능적으로 장점이 있다고 알려진 점이 없다는 것이다. 이러한 이유로 대부분 구개열 수술은 생후 9~18개월 때 시행한다.

(2) 수술방법

구개열 수술전에 벌어진 상악 분절을 적절히 재위치 시킬 수 있는 방법으로는 구순 테이핑이나 수동적 구개판(passive palatal plate) 등의 보존적인 방법과 Latham장치 등의 적극적인 술전 교정방법 등이 있다. 그러나 이의 효과에는 논란이 많아 술전 교정방법을 사용하지 않을 수도 있다. Latham 장치와 이와 유사한 술전 교정방법의 장기간 효과에 대해서는 입술과 코의 미용적 호전이나 치아배열과 교합에 도움이 된다는 확실한 보고는 없다. 최근에 Berkowitz[51]는 완전 양측 구순구개열 환자에서 보존적 술전 교정치료와 Millard-Latham(M-L)방법을 비교하였다. 보존적 치료 군에서는 외부 고무 견인(external elastic traction)을 구개열 수술전에 전악골에 약간의 압력을 주기 위하여 가끔씩 사용하였다. M-L방법은 Latham구개 장치를 사용하여 돌출된 상악 전구골에 기계적 견인을 시행한 후 Millard의 치주골막성형술을 시행하였다. 두 군 모두에서 Langenbeck 술식의 변법을 사용하여 구개열을 18~30개월 사이에 닫을 수 있었다고 보고하였다. Berkowitz는 이 두가지 방법을 시행한 환자에서 사춘기까지 추적관찰 하였다. 보존적 치료를 한 군에서는 이차치조골 이식술을 6~9세 사이에 시행하였다. M-L방법의 군에서는 90%에서 치조개열에 골성 연결이 형성되어 외절치 간격이 부분적으로 혹은 완전히 닫혔다. 보존적 치료군에서는 10~12세에 6% 정도에서 전방 교차교합을 보이는 상악후퇴가 발생하였다. M-L치료군에서는 9세에 모두가 상악후퇴를 보여 상악골 발육부전을 나타냈다. 이 연구에 의하면 Latham구개 장치 후 Millard의 치주골막 성형술을 시행하는 것의 최대 단점은 상악골 성장에 지장을 주는 것이며, 대부분의 환자에서 후에 악교정 성형술이 필요하다고 하였다.

현재 시행되는 구개열 수술에는 Langenbeck수술의 변법 [52], Bardach의 2개 피판 구개 성형술(two-flap palatoplasty)[53] 그리고 Furlow Z 성형술 [54] 방법이 많이 사용된다. 이 방법들은 한가지 방법이 다른 방법보다 월등한 장점은 없으며 각각 우수한 이론적 배경을 가지고 있는 반면에 술기적 제한이 있으므로 술자는 모든 경우를 잘 이해하고 완전히 습득해야 된다. 그밖에 다른 수술방법도 많이 소개되고 있다. 어떤 방법을 선택하던지 비강과 구강의 연결없는 완전한 구개를 만들어야 하고 정상적인 발성동안에 구개인두 닫힘이 정상적으로 가능한 역동적인 연구개를 만들어 주어야 하는 목표는 같다. 가능하다면 수술방에서 경구개 상부의 연부조직을 모두 닫아주어 육아조직으로 치유되는 부분이 없도록 하는 것이 좋다. 경구개가 이차치유 과정으로 치유되면 경구개에 반흔조직이 증가하여 상악골 성장이 제한되며 후에 악골 성형술이 필요하게 된다.

Langenbeck 구개성형술은 두개의 양경 점막골막피판을 만들어 이용한다. 이론적인 장점은 전방의 피판경을 유지할 수 있어 피판의 혈액순환이 호전된다는 것이다. 그러나 전방의 피판경을 유지하기 때문에 코 안쪽 점막의 수술이 어려운 단점이 있다. 또한 피판의 거상이 어렵고 연구개와 경구개의 정중앙 접합부에서 쉽게 닫기 위한 이완술이 쉽지 않은 단점도 있다.

Bardach의 2개 피판 구개 성형술의 기본원칙은 (1) 한 단계로 모든 계열을 완전히 닫는다; (2) 경구개는 비측과 구강측에서 두층으로 봉합하고 연구개는 비측 점막, 연구개 근육, 구강측 점막의 세층으로 봉합한다; (3) 경구개의 후방 연과 비측의 골막부에서 연구개의 근육을 이완시켜 보다 생리적인 연구개 근육 걸이(physiologic soft palate sling)를 만들어 준다; (4) 넓은 개열에서 경구개에 뼈가 노출된 상태가 된다면 Avitene 지혈제를 사용하여 치유기간과 반흔 형성을 줄이도록 한다.

Furlow의 Z-성형술 역시 한 단계 구개성형술이다. 이 방법은 경구개를 뒤로 밀어붙임(push-back)이나 외측 이완 절개없이 한 번에 닫을 수 있다. 연구개 수술을 대칭되는 Z-성형술을 이용하여 연구개 근육을 후방위치 시키고 서로 중복되도록 만들어 근육 걸이(muscle sling)를 만들어 준다. 이 방법에서 연구개의 길이가 연장되는 것은 경구개로 부터의 조직이 추가되는 것이 아니라 Z- 성형술에 의한 것이다. Z-성형술 때문에 경구개와 연구개가 만나는 정 중앙부에서 충분한 접합에 사용될 조직이 길이의 연장에 사용되어지기 때문에 Furow Z-성형술을 사용했을 때 구비강누공이 잘 생기는 원인이 된다.

구개열 수술에서 또 하나의 논란거리는 한 단계로 복원할 것인가 아니면 두 단계로 나누어서 복원할 것인가 하는 점이다. 어떤 수술방법을 사용하던지 간에 한 단계 복원술의 가장 중요한 장점은 정상발음을 위한 적절한 조건을 만들어 줄 수 있다는 것이다. 두 단계로 나누어 수술하는 것은 먼저 연구개를 수술하고 경구개를 수개월에서 수년뒤에 수술하는 것이다. 두 단계 복원술을 주장하는 사람들은 기능적인 연구개를 만드는 동시에 상악골 성장에 지장을 주지 않는 두 가지 장점을 동시에 얻을 수 있다고 한다. 한 단계 복원술을 주장하는 사람들은 두 번의 구개성형술을 하지 않아도 되고 입천장마개(palatal obturator)를 항상 착용해야되는 단점도 피할 수 있기 때문에 효과적이라고 주장한다. 많은 유명한 구개열 언어 학자(Morris, Shprintzen, Witzel 등)들은 한 단계 구개성형술 후 발음의 결과가 두 단계 구개성형술 후 보다 좋다고 인정한다[55]. 그러나 이러한 연구에서 두 단계 복원술시 상악골 성장의 장점에 대하여는 언급하지 않았다. 한 단계 구개성형술이 현재 많이 사용되고 있다.

3) 구개인두 기능부전(velopharyngeal incompetence)의 수술

구개인두 기능부전은 구개열 치료와 연관된 이차적 문제 중 가장 해결이 어려운 것 중 하나이다. 구개열 수술을 시행할 때 술자는 적절히 구개 인두가 닫힐 수 있도록 구개의 구조를 복원하여 정상적인 발음 생성이 되도록 노력한다. 그러나 현재까지는 최초 구개 성형술 후 개인에 따른 발음의 예후를 예견할 수 없다. 구개 인두 밸브 기능의 모든 것이 단지 구개의 역할에만 있지 않다는 것을 명심하여야 한다. 구개열 자체는 구개인두 기능에 관여하는 한 가지 요인에 불과하며, 심지어 이 한 가지 요인도 개열의 심한 정도, 수술 방법, 술기 그리고 개인적 상처치유의 차이 때문에 모든 환자에서 적절히 처리할 수 없다.

(1) 수술시기

구순구개열 환아가 성장하면 대략 20%에서 구개인두가 불완전하게 닫히는 구개인두 기능부전이 발생하여 과다 콧소리가 생기게 된다[56]. 이러한 아이는 3~5세 경에 상당히 숙련된 언어 진단학자가 자세한 언어검사를 해야 진단할 수 있다. Riski[57]는 구개열 수술후에 심한 구개인두 기능 장애가 있는 환아는 3세면 확실하게 진단할 수 있다고 주장한다. 그러나 Shprintzen[58]에 의하면 4~5세까지는 구개인두 기능장애를 판정할 수 없기 때문에 이차 구개성형술은 환자 언어에 대해서 믿을만하고 지속적인 측정이 가능할 때까지 기다려야 한다고 주장한다. 인두 성형술(pharyngeal flap)은 술전에 원인에 대한 분석 검사를 시행하지 않은 환자를 대상으로 무작위로 시행 했을 때 80%정도의 성공을 보였다는 보고가 있다[59, 60]. 그러나 Shprintzen 등은 술전에 코 내시경 검사, multiview videofluoroscopy, 언어 치료사의 음성분석 등의 술전에 원인에 대한 분석을 기초로하여 같은 술자가 시행했을 때 97%의 수술 성공률을 보인다고 하였다[59, 60]. 수술시기 및 치료 방법의 결정은 구개인두 밸브와 주위 구조물을 관찰한 후 결정하고 최종적으로 언어 치료사와 상담하면 결과가 좋다.

(2) 수술방법

구개인두 기능부전이 확실한 해부학적 문제에 의한 것이라면 수술이 도움이 된다. 최초 구개열 수술 후 발생한 구개인두 기능부전 환자에서 구개인두 기능을 호전시키기 위한 다양한 인두성형술이 있다. 인두성형술의 기본 목표는 특정한 발음을 위해 구개인두 괄약근이 완전히 닫힐 수 있도록 하고 과다 콧소리를 없애주는 것이다. 현재까지는 어떤 특정한 형태의 구개인두 기능부전에 알맞는 한 가지 형태의 수술방법이 결정된 것은 없다. 인두 성형술의 기본적인 수술방법으로는 상방에 기저를 둔 인두피판술(superioly based pharyngeal flap), 하방에 기저를 둔 인두피판술(inferioly based pharyngeal flap), 괄약근 인두성형술(sphinter pharyngoplasty) 그리고 인두뒷벽돋움술(augmentation pharygoplasty) 등이 있다.

상방에 기저를 둔 인두성형술을 기본으로 하는 수술방법들이 현재 가장 많이 사용되고 있다[59, 60]. 상방기저 인두성형술을 사용하면 피판을 충분히 길게 만들 수 있어 연구개에 만든 수술부위까지 긴장없이 피판을 연결할 수 있다. 피판의 넓이도 필요에 따라 다양하게 만들 수 있다. 거상시킨 피판의 기저부가 연구개의 후방부위 보다 높게 위치해야 후에 연구개가 하방으로 처지는 것을 예방할 수 있다. 연구개가 하방으로 처지는 것은 상방기저 피판술 때는 예방될 수 있지만 하방기저 피판술 때는 자주 생길 수 있다. 1970년대에 Randall등의 보고에 의하면 하방기저 피판술이 상방기저 피판술 보다 발음에 대한 문제가 많다는 보고를 하여 하방기저 피판술이 거의 사용되고 있지 않다. 각각 환자의 필요에 맞게 작도하여 상방기저 피판술을 사용하였을 때 Argamasso등은 97%에서 구개인두 부전을 적절하게 해결할 수 있었다고 보고하였다[59]. Bardach와 Salyer[61]는 술전 객관적인 검사를 토대로 상방기저 피판술을 적절히 작도하여 사용하여 95%의 수술 성공률을 보고하였다.

소위 '역동적' 괄약근 인두성형술이 상방기저 피판술 대신 사용될 수 있는 수술방법이다. 이 수술은 상방기저 피판술 시에 생기는 외측 두개의 구멍을 향상된 구개인두 밸브 기능을 가진 한 개의 중앙부 구멍으로 대치시켜주는 것이다. 괄약근 인두성형술이 상방기저 피판술 보다 결과가 좋다고 증명되지는 않았지만 가끔 상방기저 피판술에서 생길 수 있는 술후 기도 폐쇄나 점액고임 등의 문제점이 없다는 점에서 선호될 수 있다.

인두뒷벽돋움술은 구개인두부전 환자에서 사용될 수 있는 또 다른 수술방법이다. 성공적으로 수술이 이루어지면 인두후벽이 전방으로 이동되어 이동성이 떨어진 구개가 보다 쉽게 인두후벽과 접촉할 수 있어 코로 공기가 빠져나가는 것을 예방함으로써 발음 형성에 도움이 된다. 그러나 인두후벽 돋움술에 사용할 수 있는 적절한 보형물이 현재까지는 없다. 자가연골, 실리콘, Teflon주사, Dacron으로 포장된 실리콘 젤 보형물 등이 사용되고 있으나 장기적 성공률은 아직 확실하지 않다.

4) 치조 성형술(alveoloplasty)

성공적으로 구순구개열 수술을 하였더라도 약 75% 환자에서 구비강 누공과 치조능, 코 바닥, 경구개에 골성결손이 잔존하게 된다.

(1) 수술시기

연속적이고 시기에 맞는 교정치료, 이차 치조성형술, 구개골격의 수술 및 연부조직에 대한 수술을 알맞게 시행하여야 이식된 개열 부위에서 영구 견치의 이돋이가 잘 진행된다. 또한 정상적인 치조능이 형성되며 코의 골격지지가 호전되어 효과적으로 구비강 누공이 닫히게 된다. 일부에서는 뼈 이식을 중앙 혹은 외 절치의 영구치가 돋아나기 전에 시행하는 것을 주장하지만, 대부분에서는 상악 견치의 영구치가 돋아나는 혼합치기(mixed dentition)에 시행하는 것이 적당하다고 생각한다[62, 63]. 이 술식의 적절한 시기를 결정하는 것은 연령보다는 치아의 발육정도에 기초를 둔다. 구순구개열 환아에서는 상악의 치아가 돋아나오는 시기가 정상보다 늦어진다. 수술전에 상악 영구견치가 돋아날 때까지 기다리는 두 가지 장점이 있다. 첫째는 수술 직전에 빠르게 치열궁을 넓힐 수 있도록 효과적인 교정치료를 할 수 있고 둘째는 골이식 전에 최대로 상악의 후방부 성장이 이루어진다는 것이다. 이 부위의 수술은 이 보다 먼저 시행하면 많은 환자에서 상악골 성장이 지장을 받아 후에 악교정 수술이 필요한 경우가 많다[64, 65].

(2) 수술방법

단계에 맞는 교정치료는 일측 및 양측 구순구개열 환자에서 치열궁 후방을 확장시킬 수 있으며 양측 구순구개열에서 전악골을 재위치 시킬 수 있다. 이러한 교정치료가 적절히 이루어지면 장골의 해면골을 경구개, 치조궁 그리고 코 바닥에 이식하고 모든 구비강 누공을 닫아주는 수술을 시행한다. 수술과정에 있어서 중요한 점은 구비강 누공을 닫을 때 구강내 연부조직을 적절히 처리하는 것이다. 구순측 점막잇몸 피판(labial mucogingival flap)을 전방으로 전진시켜 개열을 닫게 되면 각화된 점막이 개열부위로 옮겨오게 되어 이 부위로 영구견치가 돋아나게 된다. 개열을 막기 위하여 피판을 거상하고 움직일 때 구강전정의 구조가 파괴되지 않도록 주의하여야 하는데 볼협부 피판(buccal cheek flap)을 시행할 때 잘 발생한다.

5) 구순구개열 환자의 악교정 수술

초기에 시행하는 구순구개열 수술은 구강, 비강, 그리고 구개인두구조의 정상화를 위한 기초를 제공한다. 그러나 이러한 조기 수술의 장기간 결과 중 25%에서 상악골 성장의 장애가 발생한다. 이로 인해 악골과 교합에 이차 변형을 유발하여 발음과 얼굴 모양에도 좋지 않은 영향을 미쳐 추가적인 골격의 수술이 필요하게 된다[66].

(1) 수술시기

악교정 수술이 필요하면 골격의 성장이 끝난 후인 남자는

16~18세, 여자는 14~16세 경에 시행하는 것이 좋다. 이것은 수술 전,후의 교정치료를 필요로 한다.

과거에는 혼합치기 시기에 Le Fort I 절골술 및 수평전진술을 시행하여 부정교합을 교정하였다. 그러나 대부분 이러한 환자에서 상악골 성장이 제한되고 이로 인해 하악골 성장 역시 방해를 받아 Angle classII 부정교합이 발생된다. 심한 상악 발육부전에서는 조기에 Le Fort I 절골술을 시행하면 안면의 미용적 측면에 도움을 주며 후에 시행될 재절골술에 대비한 교합을 유지시켜 줄 수 있다. 조기에 시행하는 악교정 수술은 아주 심한 경우에만 시행하고 대부분은 정상적인 시기에 시행하는 것이 좋다[67~69]. 골 연장술에 대한 많은 연구도 현재 진행 중이다.

(2) 수술방법

청소년기에 악골 변형으로 악교정 수술을 필요로 하는 구순구개열 환자가 있는데, 이들은 치조개열, 구개열, 구비강 누루 그리고 상악골의 치열 틈새(dental gap)등이 잔존하기도 한다. 이러한 환자들은 개열의 형태, 잔존하는 결함의 상태 그리고 개인의 상황을 고려하여 Le Fort I 절골술을 변형하여 개열된 상악분절을 독립적으로 재위치 시킬 수 있다. 독립된 구개열이 있거나 일측 혹은 양측 구순구개열 환자에서 성공적인 골이식을 시행받은 환자에서 Le Fort I 절골술을 시행하면 원하는 골격의 재건과 치과적 치료의 효과를 얻을 수 있다.

6) 구순열비변형과 구순열 반흔의 교정

(1) 구순열비변형(cleft lip nose deformity)의 교정

구순구개열 환자에서는 일측성 혹은 양측성이든 간에 코에 심각한 변형을 유발하여 기능과 모양에 영향을 준다. 구순열 수술 당시에 비교정술을 하거나 혹은 하지 않았더라도 현저한 기능적, 미용적 비 변형이 후에 생기므로 비교정술이 추가적으로 필요하고 이것이 도움이 된다. 일부 의사는 환자 나이에 상관하지 않고 코에 문제가 있다고 인식되면 추가적인 수술을 시행하여 기능적인 면과 미용적인 면을 개선하려는 적극적인 방법을 시행한다. 다른 의사들은 장기간의 계획을 세워 필요한 시기에 필요한 수술만하여 반흔의 생성을 줄이고 추가적인 수술의 횟수를 제한하는 방법을 시행한다.

최종적인 이차비성형술은 개방성비성형술의 방법으로 비배부, 비 첨부, 그리고 비 중격 모두를 최대로 노출시킨 후 수술을 시행하는 추세이다. 이 방법을 통해서 직시하에서 절골술, 비 배부 축소, 비익연골의 조작, 비중격 채취 등의 술기를 정확하고 안전하게 시행할 수 있다. 악교정 수술이 계획되어 있다면 최종적인 비성형술을 악교정 수술 후로 연기하는 것이 좋다. 이차비성형술시에 연골이식은 매우 유용하며, 비중격 연골은 한 번에 충분한 양을 사용할 수 있는 좋은 재료이다. 귀연골이나 늑 연골 역시 사용할 수 있다. 양측 구순열 환자에서 비주는 짧으므로 길이를 연장하는 수술이 필요하다. 이것을 해결할 수 있는 두 가지 방법이 있는데 하나는 "저장된 포크 피판"[70, 71]을 이용하는 것이고 또 다른 하나는 Cronin[72]의 방법으로 양측의 비저와 비익 피판을 내측으로 회전시키는 방법이다. 그러나 이러한 방법들은 부자연스럽고 비첨부가 넓어지며, 비주가 넓고 과도하게 길어지거나 반흔이 생기는 문제점이 있다. 그래서 Trier[73]는 미용적으로 역 효과가 나는 이차 비주연장술을 시행하지 않는다. 최근에는 이러한 비주 피부를 직접 늘이는 비주 연장술 보다 비익연골 조작과 비중격 연골지주를 사용하여 비첨부를 융기 시키면 연부조직이 늘어나 비주의 연장이 자연스럽게 이루어 지는 방법이 사용되고 있다.

(2) 구순열 반흔 성형술

구순열 수술을 받은 환자의 대부분은 학동기나 사춘기때 최소한 한 번은 반흔 성형술을 시행 받는다. 구순열 반흔 성형술은 반흔 조직의 제거, 남아도는 조직이나 잔존하는 발육부전된 조직의 제거 그리고 구륜근의 재배열을 시행한다. 또한 홍순-피부 경계와 홍순-점막 경계등의 중요한 해부학적 경계선을 재조합한다. 입술 길이의 높낮이를 맞추고 정상적인 상구순의 구강 전정부를 만들어 준다. 5~15세 사이의 필요한 시기에 한 번의 확실한 수술을 하는 것이 이상적인 방법이다. 수술을 시행하는 적절한 시기는 환자 및 그 가족의 원하는 정도, 변형의 정도, 그리고 수술로 호전될 수 있는 가능성에 의해 결정된다.

II. 두개안면개열

1. 원인과 발생빈도

두개안면개열은 매우 드물며 발생빈도는 100,000명 출생 중 1.4~4.9례 정도이다[74]. 비구순부이외의 안면구조에 개열이 생기는 것은 드물고 치료도 어렵다. 그러므로 복잡한 안면개열 환자는 이 분야에 경험이 많은 전문적인 의사에게 의뢰하는 것이 옳은 방법이다. 성형외과, 신경외과, 안과, 언어치료사 등의 여러 분야 전문가가 협진하는 것이 좋은 결과를 얻기 위한 필수조건이다.

안면개열의 원인은 태아기 융합장애 ,물리적 폐쇄, 뇌수막류, 종양 그리고 해부학적 결함 등의 여러 가지이다. 대부분의 안면개열은 산발적으로 발생하므로 단일 유전자 질환과 관계되어 있지 않다.

2. 발생기전

안면개열 형성에는 두 가지 대표적인 가설이 있다.

1) 안면돌기 융합 실패설(failure of fusion of the facial processes)

Dursy [75] 와 His [76] 가 주장한 가설로써 안면돌기의 융합이 실패하여 개열이 생긴다는 전통적인 이론이다. 상악돌기의 수지상 말단이 서로 만나고, 비 소와(nasal pit) 아래에서 결합된 한쌍의 구형돌기가 융합되어 안면이 형성된다. 한번 상피세포가 맞닿으면 중배엽이 침투하여 결합을 완성하므로써 구순과 경구개가 형성된다. 이러한 단계가 이루어지지 못하면 개열이 발생한다.

2) 중배엽 침투설(the mesodermal penetration theory)

중배엽 침투설은 Pohlmann[77]과 Veau[78]에 의해 소개되었으며 후에 Stark와 Saunders[79, 80]도 주장하였다. 안면돌기 같은 말단은 존재하지 않으며 안면은 두겹의 얇은 외배엽 막으로 구성되어 있고 상피 이음새가 주 돌기의 경계를 형성한다. 중배엽이 이 외배엽의 이중 벽 사이로 이동하여 뚫고 들어가 이음새를 이어준다. 만일 중배엽의 침투가 실패하면 보강되지 못한 상피 벽이 찢어져서 개열이 발생한다. 개열의 심한 정도는 중배엽 침투의 성공정도에 반비례 함으로써 불완전 및 완전 개열의 다른 정도가 생긴다.

3. 두개안면개열의 분류

두개안면개열은 형태적으로 복잡하고 다양하며 드문 질환이므로 두개안면개열을 임상적으로 유용하게 체계적으로 만들기가 매우 어렵다. 현재는 해부학적으로 분류된 Tessier 의 분류 방법이 많이 사용되고 있다. 여러 분류방법 중 Van der Meulen의 분류법은 발생학적인 측면으로 분류하였기 때문에 의미가 있다.

1) 해부학적 분류 : Tessier 분류법

두개안면개열의 분류방법 중 가장 대표적인 것이 1976년에 Tessier에 의한 해부학적 분류법이다[81](그림 1-7). 이 분류법은 정확도가 높고 배우고 이해하기 쉬우며 임상의사끼리 편하게 의사소통을 가능하게 해주므로 국제적으로 널리 사용된다. Tessier 분류법에서는 안와, 코, 입이 중요한 이정표이며 중심축의 역할을 한다. 안와는 두개골과 안면골의 공동구역으로 이를 기준으로 분류하였다. 번호를 붙이는 방식은 하반구의 중심에서 시작해서 시계반대 방향으로 돌아가면서 0에서 14번까지 차례대로 붙였다. 안와부위 개열인 8번이 경계가 되는 적도가 되며 8번을 경계로 하반구에 있는 0에서 7번까지의 개열을 안면개열이라 하고 상반구의 9에서 14번 까지의 개열을

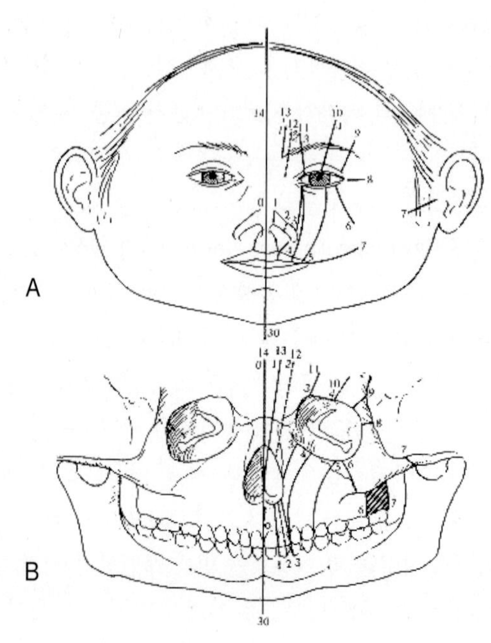

그림 1-7. Tessier에 의한 두개안면개열의 해부학적 분류법. (A) 안면부 여러개열의 경로. (B) 안면 골격에 있는 개열의 위치(Tessier P: Anatomical classification of facial, craniofacial and laterofacial clefts. *J Maxillofac Surg* 4: 69, 1976)

두개개열이라 한다. 개열이 안와의 상 하부에 모두 있는 경우가 있는데 이를 두개안면개열 이라고 한다. 두개안면개열의 경우는 대개 일정한 시간대(time zone)를 따르는 형태를 나타내므로 0-14, 1-13, 2-12, 3-11, 4-10 등으로 번호를 붙였다. 시간대의 개념은 임상가에게 매우 중요한 개념이다. 두개안면개열에서 하반구의 개열과 상반구의 개열이 일정한 축을 따라 개열이 형성되므로 어느 한 쪽에 개열이 있으면 이러한 축을 따라 다른 쪽에 개열이 있는가를 알아내는 노력을 하여야 한다. Tessier의 분류법에 의하면 뼈와 연부조직의 개열이 항시 공존하지 않으며 종종 여러 다른 개열이 공존한다. 개열이 양측성일 수도 있는데 그런 경우 흔히 양측의 개열축은 대칭이지만 양측의 심한정도는 반드시 같지 않다. 때로는 개열이 다발성이고 복잡해서 분류하기가 어려운 경우도 있다.

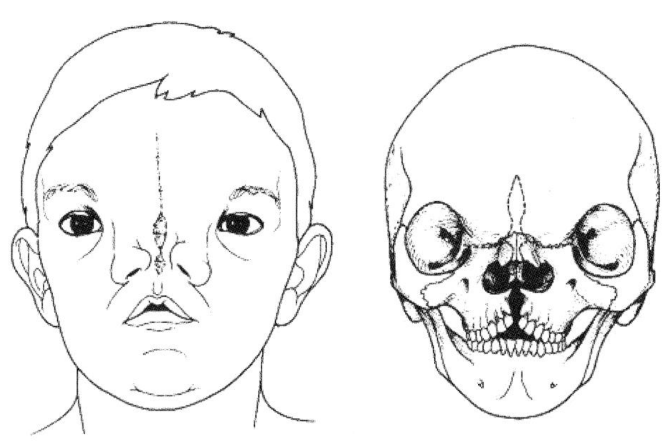

그림 1-8. 0-14번 개열(Georgiade GS, Georgiade NS, Riefkohl R, Barwick WJ(eds): *Textbook of Plastic, Maxillofacial and Reconstructive Surgery, ed 3*. Baltimore, Williams & Wilkins, 1997, p280)

(1) 0번 개열(No. 0 cleft)

상구순과 코의 중앙부 결손이 포함되는 병변이다. 중앙부 개열은 조직이 부족하거나 충분할 수 있다. 조직이 부족한 경우는 중앙부 구조물이 결손 될 수도 있다. 가성 정중 구순열(false median cleft) 과 비주의 결손이 예이다. 골격의 결손으로 전악골과 비중격의 결손이 생길 수 있다. 전전뇌증(holoprosencephaly)은 형성저하성 14번 개열과 동반된 형태이다. 전전뇌증 형태의 기형은 단안증부터 거의 정상형태의 안면까지 다양하게 나타난다. 뇌 전산화 단층촬영이 필수적이다. 뇌 발달이 안 좋으면 유아기에 사망할 수도 있지만 뇌 발달이 좋으면 예후가 좋다. 조직이 비교적 충분한 경우는 진성 정중 구순열(true median cleft)과 이열비(bifid nose)의 형태를 보인다. 중앙부 개열이 있으면서 전악골이 상방으로 치우치고 비중격과 비골이 넓어진 형태로 나타날 수 있다. 정중 개열이 상방으로 연장되면 14번 개열이 되고 하방으로 연장되면 하악골의 중앙개열이 되는데 Tessier는 이런 경우를 30번 개열로 분류하였고 Van der Meulen은 하하악 이형성증(inframandibular dysplasia)으로 분류하였다(그림 1-8).

(2) 1번 개열(No. 1 cleft)

1번 개열은 큐피드 활의 외측에서 시작하며 2번과 3번 개열도 모두 큐피드 활 외측에 개열이 있다. 일반적인 구순열이 1번 개열의 예가 될 수 있다. 개열이 연부조직에서는 비공의 원개(nostril dome)를 지나서 상방으로 진행될 수 있다. 골격의 결손은 내절치 와 외절치 사이를 통과하여 치조돌기를 통과한다. 이상구는 전비극의 외측에서 결손이 있지만 비중격은 침범하지 않는다. 1번 개열이 두개골로 연장된 것이 13번 개열이다(그림 1-9).

(3) 2번 개열(No. 2 cleft)

2번 개열은 매우 드물다. Tessier는 2번 개열과 그 두개연장인 12번 개열을 독립적인 질병군으로 확신하지 못하여 분류체계의 도식화된 그림에서 점선으로 표시하였다. 연부조직 결손은 일반적인 구순열과 같이 큐피드 화살점에서 시작해서

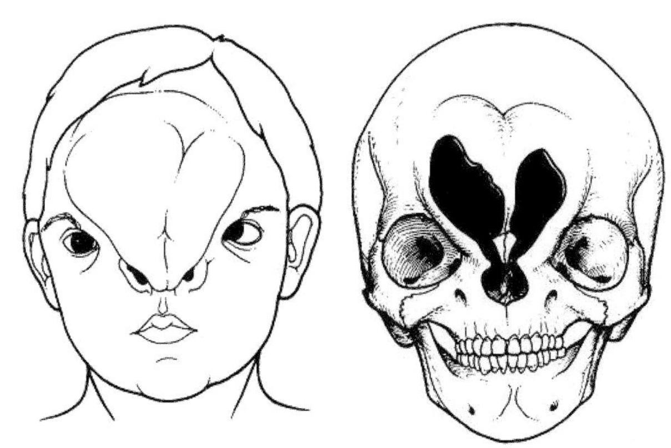

그림 1-9. 1-13번 개열(Georgiade GS, Georgiade NS, Riefkohl R, Barwick WJ(eds): *Textbook of Plastic, Maxillofacial and Reconstructive Surgery, ed 3*. Baltimore, Williams & Wilkins, 1997, p281)

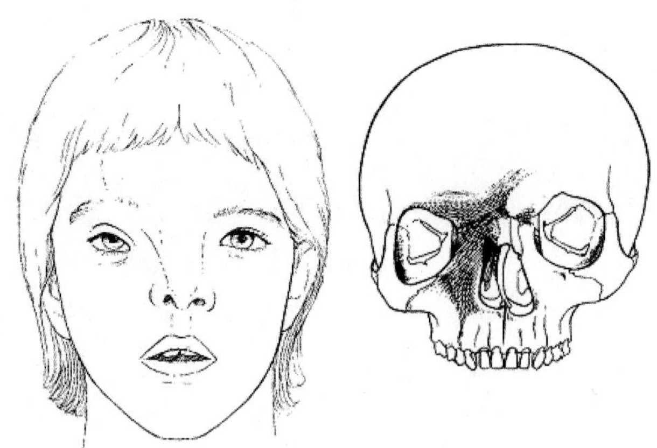

그림 1-10. 2번 개열(Aston SJ, Beasley RW, Thorne CH(eds): *Grabb and Smith's Plastic Surgery, ed 5*. Lippincott-Raven, 1997, p352)

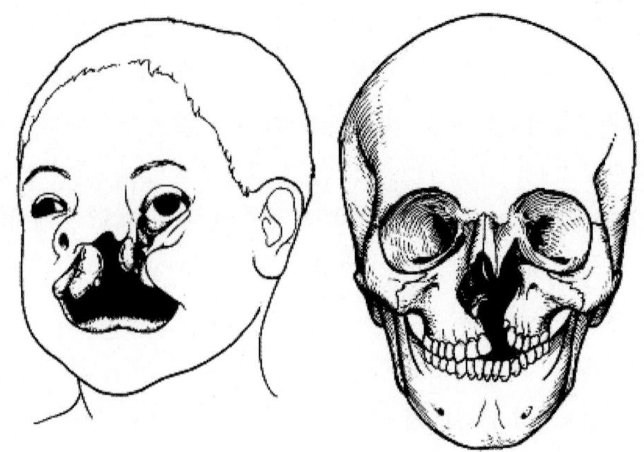

그림 1-11. 3번 개열(Georgiade GS, Georgiade NS, Riefkohl R, Barwick WJ(eds): *Textbook of Plastic, Maxillofacial and Reconstructive Surgery, ed 3*. Baltimore, Williams & Wilkins, 1997, p281)

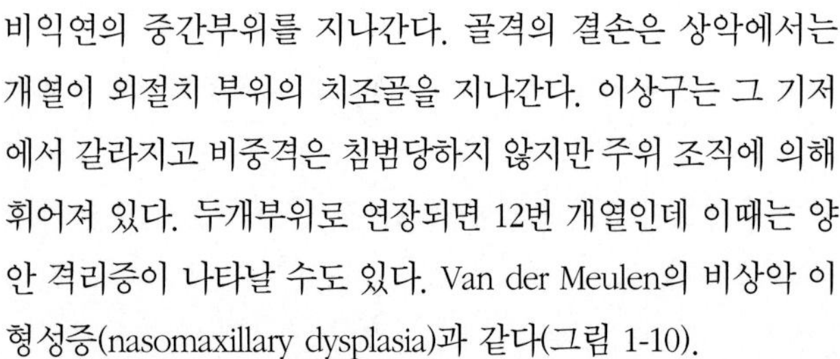

비익연의 중간부위를 지나간다. 골격의 결손은 상악에서는 개열이 외절치 부위의 치조골을 지나간다. 이상구는 그 기저에서 갈라지고 비중격은 침범당하지 않지만 주위 조직에 의해 휘어져 있다. 두개부위로 연장되면 12번 개열인데 이때는 양안 격리증이 나타날 수도 있다. Van der Meulen의 비상악 이형성증(nasomaxillary dysplasia)과 같다(그림 1-10).

(4) 3번 개열(No. 3 cleft)

3번 개열은 비교적 흔한 질환군으로 비검열(nasoocular cleft), 구비검열(oronasoocular cleft), 사위 안면개열(oblique facial cleft) 또는 비상악 이형성증(nasomaxillary dysplasia) 으로 알려져 있다. 1번과 2번 개열과 마찬가지로 3번 개열도 큐피트 활에서 시작하므로 일반적인 구순열이라 할지라도 다른 안면개열이 있는가를 철저히 조사하는 것이 필요하다. 연부조직의 개열은 비익저를 통과하여 상방으로 진행한 후 하누점의 바로 내측에서 끝난다. 비누관이 침범되어 막혀있어 재발성 감염이 잘생기고 수술을 하더라도 하누소관의 기형은 존재하게 된다. 골격의 손실은 광범위할 수 있는데 특히 양측성일 때는 심하다. 골격의 개열은 외절치와 견치 사이를 지나고 주위의 치조골과 이차 구개를 침범한다. 이상구의 외측이 포함되고 부비동 외측벽의 결손이 있다. 상악의 전두돌기가 침범되고 누낭구에서 개열이 끝난다. 그러므로 심한 경우에서는 입, 코, 부비동 과 안와가 하나의 공동을 형성할 수 있다. 안와를 직접 침범할 수 있지만 안구를 침범하는 것은 드물다. 3번 개열은 안와 상방으로 10번 개열이나 11번 개열로 연결될 수 있다(그림 1-11).

(5) 4번 개열(No. 4 cleft)

4번개열은 가장 심한 안면개열 중 하나이다. Van der Meulen 의 내측 상악 이형성증(medial maxillary dysplasia)과 사위 안면개열을 포함한다. 4번 개열에서 연부조직 결손은 1번, 2번, 3번 개열과 틀리게 큐피드 활의 외측에서 시작하여 코의 외측을 돌아 지난 후 하안검의 하누점 내측에서 끝난다. 원칙적으로 코는 침범하지 않지만 주위조직의 형성부전에 의해 비뚤어진다. 기능을 하는 눈은 존재하지만 무안구증과 중증도의 소안구증은 생길 수 있다. 연부조직 결손은 3번 개열과 유사하지만 골격 결손은 차이를 보인다. 골격 결손은 3번 개열보다 심하지 않다. 외절치와 견치에서 시작한다. 이상구는 보존되며 개열이 상방으로 진행하여 하안와연의 내측 부분으로 간다. 안와, 부비동, 그리고 구강이 하나의 공동을 형성한다. 4번 개열은 누낭과 비누관은 침범되지 않는다. 4번 개열과 3번 개열의 근본적인 차이는 비강과 상악동 사이에 있는 분리벽의 존재 여하에 달려있다. 4번 개열은 두개의 10번 개열로 연장될 수 있다(그림 1-12).

(6) 5번 개열(No. 5 cleft)

매우 드믄 안면개열이다. Van der Meulen은 외상악 이형성증(lateral maxillary dysplasia) 이라 하였고 Boo-chai는 제 2 안면열(oral ocular cleft No.2)라 하였다. 연부조직 결손은 구

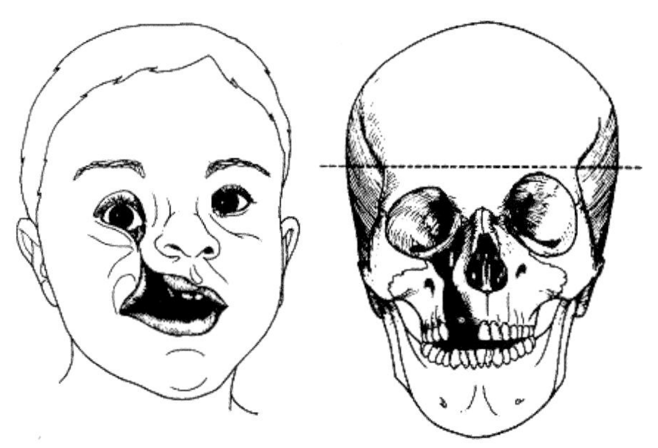

그림 1-12. 4번 개열(Georgiade GS, Georgiade NS, Riefkohl R, Barwick WJ(eds): *Textbook of Plastic, Maxillofacial and Reconstructive Surgery, ed 3*. Baltimore, Williams & Wilkins, 1997, p282)

순교련의 바로 내측에서 시작하여 뺨을 지나 하안검의 중앙 1/3 지점으로 들어간다. 골격의 결손은 소구치 부위에서 시작하여 안와하공 외측을 지나 안와의 외측 삼등분 부위에 도달하여 안구가 상악동 내로 밀려 내려올 수 있다. 4번 개열과 5번 개열을 구별하는 이정표가 안와하공으로 4번 개열은 내측을 지난다. 안구의 침범정도는 다양해서 무 안구증, 소 안구증 혹은 정상까지 나타난다. 두개의 9번 개열로 연장될 수 있다(그림 1-13).

(7) 6번 개열(No. 6 cleft)

불완전한 Treacher Collins 증후군이며 Van der Meulen 의 상악관골 이형성증(maxillozygomatic dysplasia)과 같다. Treacher Collins 증후군 보다 연부조직 변형이 미약한 특징이 있다. Nager 증후군에서도 이러한 개열을 보인다. 연부조직 결손은 구순교련의 바로 외측에서 시작하여 상악과 관골의 외측부위를 지나 하안검 외측부위의 연부조직 변형이나 결손증 형태를 나타낸다. 구순교련과 귀는 침범되지 않는다. 골격 결손은 연부조직 결손보다 심하다. 치조의 개열은 드물지만 침범부위 대구치는 형성저하 되어있다. 골격 변형은 상악관골 봉합부에 주로 나타나며 관골의 관골체부위는 형성저하 되어 있으나 관골궁은 보존된다. 안와부위는 외측 삼등분 부위를 침범하지만 상당히 적은 변형을 나타낼 수 있다(그림 1-14).

(8) 7번 개열(No. 7 cleft)

모든 두개안면개열 중에서 가장 많이 발생한다. 반안면 왜소증, 두개안면 왜소증, 제 1,2 새열궁 증후군, 이하악 이골증(otomandibular dysostosis)그리고 Van der Meulen의 관골측두 이형성증(zygotemporal dysplasia) 등의 많은 다른 병명으로 기술되고 있다. Goldenhar 씨 증후군은 7번 개열과 함께 안구상 유피종과 척추 변형이 함께 있는 경우이다. Tessier는 이 병변이 관골측두 봉합선 중심으로 일어난다고 가정하였다. 발생율은 산발성 유전형태로 8000명 출생 중 1에서 6명까지로 다양하다[82]. 남자가 여자보다 많다. 양측성으로 나타나는 경우는 10 % 정도로 드물지만 Goldenhar씨 증후군에서는 대개 양측성으로 나타난다. 연부조직 결손은 다양하게 나타난다. 축소형태에서는 단지 구순교련 부위만 약간 넓어져 있

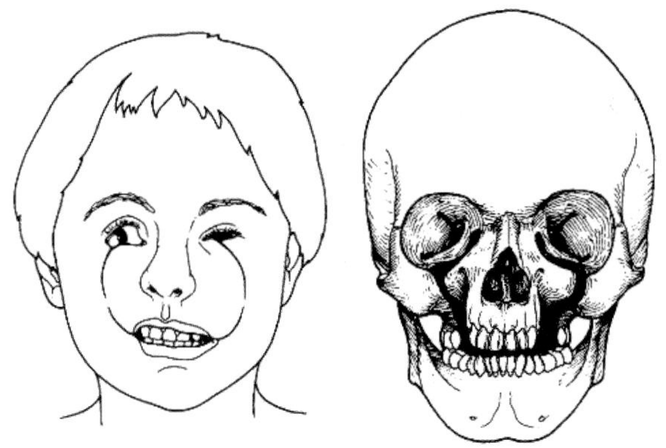

그림 1-13. 5번 개열(Georgiade GS, Georgiade NS, Riefkohl R, Barwick WJ(eds): *Textbook of Plastic, Maxillofacial and Reconstructive Surgery, ed 3*. Baltimore, Williams & Wilkins, 1997, p282)

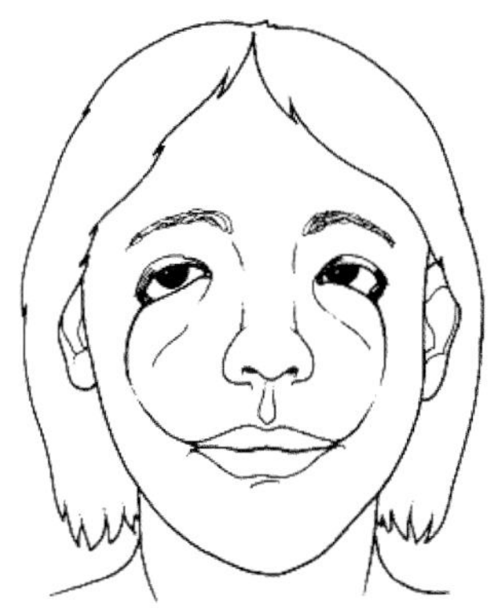

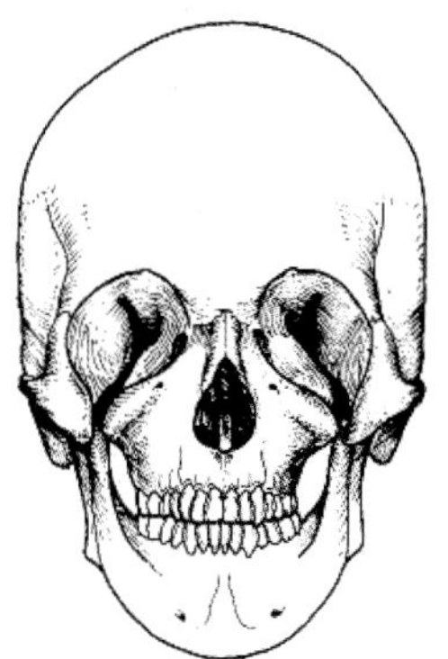

그림 1-14. 6번 개열(Georgiade GS, Georgiade NS, Riefkohl R, Barwick WJ(eds): *Textbook of Plastic, Maxillofacial and Reconstructive Surgery, ed 3*. Baltimore, Williams & Wilkins, 1997, p283)

거나 이개전방 피부꼬리로만 나타날 수도 있다. 이개전방 피부꼬리가 있으면 자세히 진찰해 볼 필요가 있다. 완전한 형태의 7번 개열에서는 구순교련 부위의 대구증(macrostomia)에서 시작해서 뺨에 도랑형태로 진행하여 소이증 부위로 진행한다. 외이의 변형정도는 정상에서부터 완전히 없는 경우까지 다양하다. 환측의 혀, 연구개, 그리고 저작근의 발달부족이 있을 수 있으며 이하선과 그 이하선관이 없을 수 있다. 제 5 및 7 뇌신경과 이들 신경이 지배하는 근들이 침범 당하는데 환측의 안면신경 무력증이 흔하게 발견된다. 외이와 중이골이 침범당하면 전달성 청력손실이 생긴다. 골격 결손 역시 다양한 형태를 나타낸다. 중이, 상악골, 관골 모두가 침범당할 수 있으나 하악골이 가장 많이 침범된다. 단지 하악 과두가 편평해 지는 것부터 하악과두, 상행지, 측두하악관절의 결손이 생길 수 있으며 하악지의 완전결손으로 병변측으로 하악이 돌아가는 형태를 나타낼 수 있다. 개방교합, 교차교합이 생길 수 있으며 병변측으로 상악에 과발아(overeruption)가 될 수 있고 교합면은 두측으로 기울 수 있다. 상악치조골의 개열이 마지막 대구치 부위에서 있을 수 있다. 관골궁은 없을 수 도 있으며 나머지 관골과 측두골 발육이 되어 있지 않을 수 있다. 보통 안와는 하방으로 치우쳐져 있다(그림 1-15).

(9) 8번 개열(No. 8 cleft)

7번 개열과는 다르게, 8번 개열은 드물며 항상 다른 안면개열과 동반되어 나타난다. Van der Meulan 의 전두관골 이형성증(zygofrontal dysplasia)과 같다. 연부조직 결손은 외안각에서부터 측두부위까지 연장된다. 외안각부의 연부조직 이상이 매우 경미할 수 있고 단지 불규칙하면서 피부류가 동반되는 정도 일 수도 있다. 골격 결손은 전두관골 봉합선 부위에 나타나며 그 심한 정도가 다양하다. 8번 개열은 보통 Goldenhar씨 증후군과 관련이 있다.

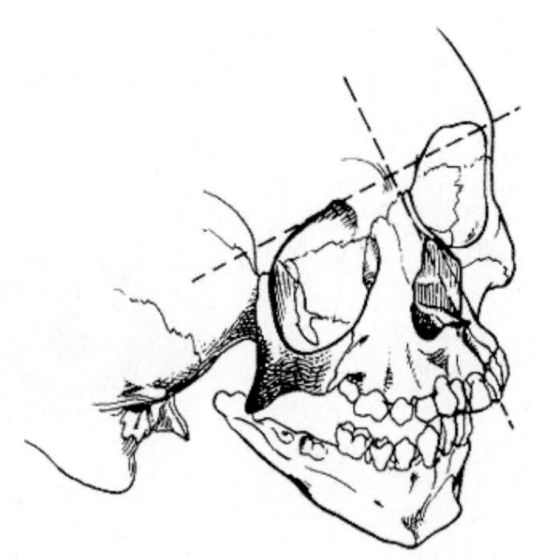

그림 1-15. 7번 개열(Aston SJ, Beasley RW, Thorne CH(eds): *Grabb and Smith's Plastic Surgery, ed 5*. Lippincott-Raven, 1997, p357)

(10) Treacher Collins 증후군(6번, 7번, 8번 개열의 혼합상태)

Treacher Collins 증후군은 6번, 7번, 8번 안면개열이 대칭형태로 양측으로 나타나는 것이다. 1889년에 Berry 가 처음으로 기술하였지만 1900년대에 Treacher Collins에 의해 공식적으로 인정 받았다. 이 증후군은 하악안면 이골증(mandibulofacial dysostosis)과 Franceschetti-Klein 증후군으로도 잘 알려져 있다. 상염색체 우성형태로 유전되며 다른 두개안면 왜소증과는 다르게 대칭성으로 양측이 침범된다. 관골이 없는 형태가 완전한 병변의 특징이며, 이것에 각각의 개열이 추가되어 혼합된다. 하안검의 외측 삼등분의 결손증과 중앙 삼등분에서 속눈썹의 결손은 6번 개열의 특징이며 관골상악 봉합선 부위를 중심으로 나타난다. 안와하연 외측부위와 안와하공이 결손되어 하안와 혈관신경다발이 안와에서 직접 연부조직으로 들어간다. 7번 개열의 특징이 포함된 것은 소이증, 하악골 변형, 관골궁 결손이다. 외이는 정상일 수도 있지만 대부분 소이증의 양상을 나타낸다. 전달성 청력손실은 항상 존재한다. 8번 개열의 특징은 전두관골 봉합선이 벌어지고 안와 외측연이 결손되는 것이다. 그 밖에 대구증, 이차구개의 개열, 후비공 폐쇄 등이 동반된다(그림 1-16).

(11) 9번 개열(No. 9 cleft)

9번 개열은 안면개열 중에서 가장 드물어서 Tessier 도 이 분류법을 만들때가지 한 번도 경험하지 못했으며 문헌에도 매우 적게 보고되었다. 9번부터 두개개열이다. 연부조직 결손은 상안검이 외측 삼등분에서 결손되고 눈썹도 가끔 포함된다. 골격 결손은 외측 안와상연과 측두골이 포함된다. 외측의 측두부까지 연장되어 뇌류가 동반될 수도 있다.

(12) 10번 개열(No. 10 cleft)

상안검과 눈썹의 중앙 삼등분에 발생하며 4번 개열의 두개연장이다. 연부조직 결손은 상안검 중앙부위의 연부조직 결

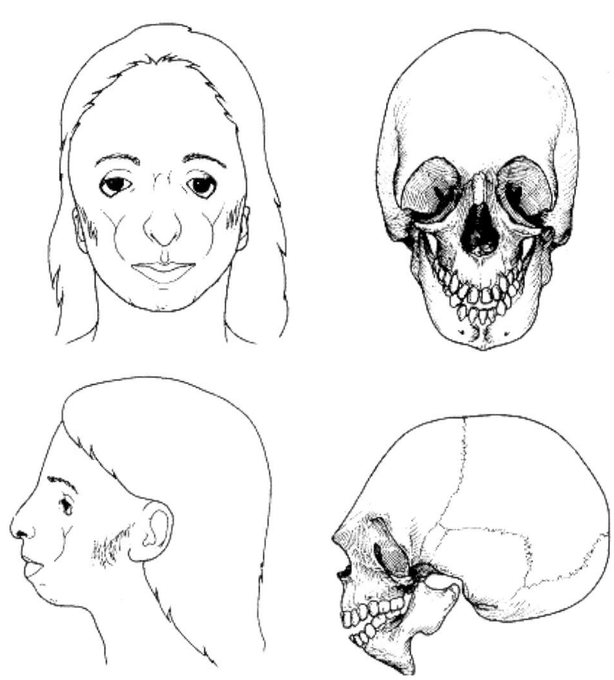

그림 1-16. Treacher Collins 증후군(Georgiade GS, Georgiade NS, Riefkohl R, Barwick WJ(eds): *Textbook of Plastic, Maxillofacial and Reconstructive Surgery, ed 3*. Baltimore, Williams & Wilkins, 1997, p290)

손증과 눈썹 중앙이 불규칙하게 당겨져 있는 형태를 나타낸다. 골격 결손은 안와상연의 중앙부, 전두골, 그리고 이 부위의 두개저가 갈라져 있다. 커다란 뇌류가 동반되면 두개골이 분리되어 안와가 외측 하방으로 전위되어 종종 심한 안와격리증이 나타난다(그림 1-17).

(13) 11번 개열(No. 11 cleft)

3번 개열의 두개연장이다. 연부조직 결손은 상안검의 중앙 삼등분에 조그만 결손증이 나타날 수 있으며 눈썹 내측 삼등분이 포함되고 전두모발선 까지 연장되어 나타날 수 있다. 뇌류가 동반될 수도 있다. 골격 결손은 더욱 심하게 나타나고 대부분 안와 격리증이 나타난다. 전두골이 침범당하고 사골의 외측을 지나 안와상연의 내측 삼등분에 개열이 생긴다. 개열이 후신경구의 외측을 지나가므로 사판은 정상이다.

(14) 12번 개열(No. 12 cleft)

2번 개열의 두개연장이다. 연부조직 결손은 눈썹의 내측단 바로 외측이 벌어져 있으며 안와 격리증이 있다. 골격 결손은

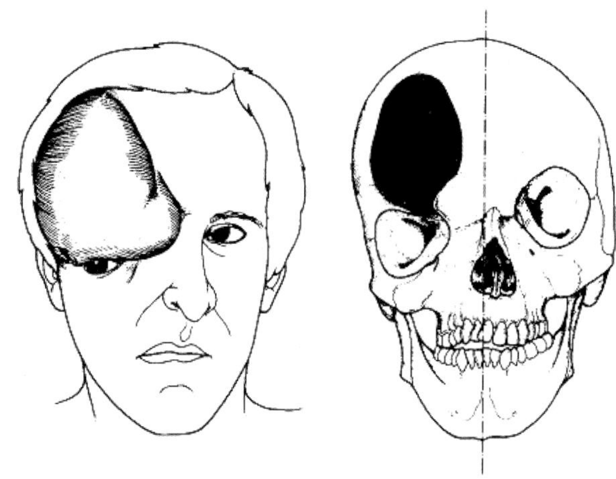

그림 1-17. 10번 개열(Georgiade GS, Georgiade NS, Riefkohl R, Barwick WJ(eds): *Textbook of Plastic, Maxillofacial and Reconstructive Surgery, ed 3*. Baltimore, Williams & Wilkins, 1997, p283)

개열이 상악골의 전두돌기를 통과하거나 전두돌기와 비골 사이를 통과한다. 개열이 후신경구의 외측을 지나고 사골미로가 포함된다.

(15) 13번 개열(No. 13 cleft)

1번 개열의 두개연장이다. 연부조직 결손은 눈썹 내측이 불규칙해지면서 하방으로 변위되어 있으나 눈썹의 결손증은 거의 생기지 않는다. 골격의 결손은 후신경구의 폭이 넓어지므로 사판도 넓어진다. 개열이 양측에 있을 때는 안와격리증이 생긴다.

(16) 14번 개열(No. 14 cleft)

0번 개열의 두개연장으로 0번에서와 같이 조직이 부족한 경우와 많은 경우가 있을 수 있다. 형성부전이 주된 경우 일 때는 모든 형태의 두눈가까움증(hypotelorism)이 생긴다. 전전뇌증이 이부류에 속하며 단안증, 누두두증(ethmocephaly) 그리고 원두증(cebocephaly)에서부터 가성 정중 구순열까지 그 범위가 다양하다. 심한경우는 태어나자마자 사망하며 살아남더라도 어느 정도의 장애를 가지게 된다. 반대로 전두비골 이형성증(frontonasal dysplasia)과 전두비골 뇌류(frontonasal encephalocele)는 조직이 많은 경우의 중앙부 기형의 예이다. 내안각 사이가 넓어져 내안각 격리증이 생기고 안와격리증도 나타난다. 이러한 경우는 두눈가까움증이 있는

경우와는 다르게 지능은 정상이다.

2) 발생학적 분류 : Van der Meulen 분류법

1983년에 Van der Meulen 등은 두개안면개열의 임상적 특징을 뇌, 안면, 두개의 발생학적 측면에 기초를 두고 분류하였다[83-89]. 이들은 두개안면 골격이 'S' 자 형태의 나선형 경로로 발생한다고 가정하고 분류체계를 만들었다. 피부, 근육, 뼈 발생의 정지상태를 설명하는 용어체계를 간단히 하기 위하여 개열보다는 이형성증(dysplasia)이란 개념을 이용하였으며 침범된 부위에 기초하여 이형성성 기형이라 명명하였다(그림 1-18). 개열의 의미는 발생중에 어떤 부위가 융합되지 못해서 생긴 틈새를 의미하므로 개열이란 용어가 대부분의 분류방식에서 잘못 사용되어지고 있다고 주장하였다. 이러한 진정한 의미의 진성 개열(true cleft)을 일차개열(primary cleft)이라 하고 그렇지 않은 다른 의미의 가성개열(pseudo cleft)을 이차개열(secondary cleft)이라 정의하였다. 이차개열은 안면돌기의 정상 융합 후 안면 발육의 후기에 성장이 정지되어 생긴 틈새를 말한다.

Van der Meulen의 분류체계는 시간대적 요소와 형태적 요소 모두를 포함하고 있다. 인간배아의 순차적인 안면 발달은 (1) 뇌의 생성, (2) 전뇌, 눈, 안면의 중앙 구조물의 발달, (3) 안면돌기의 융합, (4) 중배엽 구획의 분화, (5) 연결 봉합선의 형성으로 진행된다. Van der Meulen은 이러한 시간대별 발생 양상을 기초로하여 두개안면 기형을 (1) 뇌두개 이형성증(cerebrocranial dysplasia), (2) 뇌안면 이형성증(cerebrofacial dysplasia), (3) 두개안면 이형성증(craniofacial dysplasia), (4) 다른 원인의 두개안면 이형성증(craniofacial dysplasia of other origin)의 4가지로 분류하였다(표 1-3).

(1) 제 I 형. 뇌두개 이형성증

머리주름(head fold)과 신경벽(neural wall)의 불충분한 성장에 의해 뇌의 기형이나 두개결손이 생기는 기형이다. 무뇌증, 소뇌증 및 선천성 두개 결손증 등이 이에 속한다.

(2) 제 II 형. 뇌안면 이형성증

뇌안면 이형성증은 전뇌, 눈, 안면의 중앙 구조물의 기형으로 생긴다. 이것은 비뇌 이형성증(rhinencephalic dysplasia)과 안구-안와 이형성증(oculo-orbital dysplasia)으로 나뉜다.

비뇌 이형성증은 전뇌기형과 안면 중앙구조물의 생성부전 혹은 발육부전에 의해 생긴다. 안면부 결손은 두눈가까움증과 코, 비강, 비골, 누골, 사골, 서골, 비중격, 비개골, 그리고 전악골이 생기지 않거나 형성부전이 있다. 임상적으로는 단안

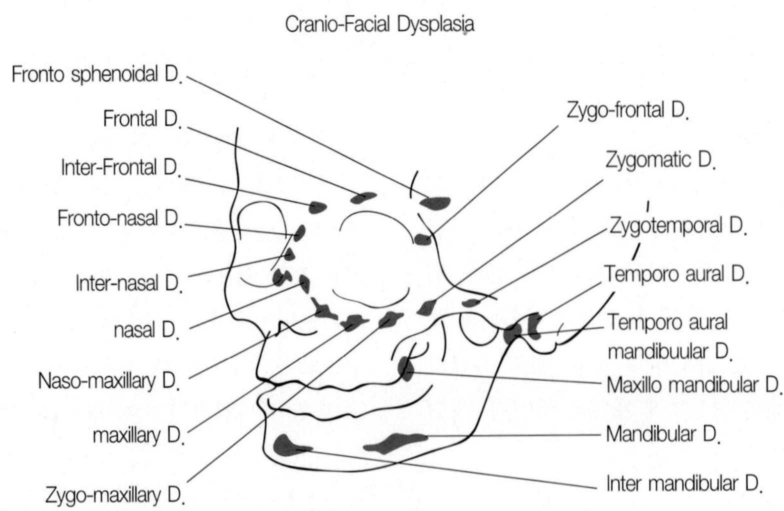

그림 1-18. Van der Meulen에 의한 두개안면개열의 발생학적 분류법. 골화 중심이 'S'자 모양의 나선형태 경로로 발생한다는 가정 하에 두개안면개열을 분류하였다(Van der Meulen JC, Mazzola R, Stricker M, et al: Classification of craniofacial malformations. In Stricker M, Van der Meulen JC, Raphael B, et al(eds): Cranicofacial Malformations. Edinburgh, Churchill, Livingstone, 1990).

표 1-3. 두개안면기형의 van der Meulen 분류법

TYPE I : CEREBROCRANIAL DYSPLASIAS
- Anencephaly
- Microcephaly
- Others

TYPE II : CEREBROFACIAL DYSPLASIAS
- Rhinencephalic dysplasia
- Oculo-orbital dysplasia

TYPE III : CRANIOFACIAL DYSPLASIAS
- With clsfting
  - Lateronasomaxillary cleft
  - Medionasomaxillary cleft
  - Intermaxillary cleft
  - Maxillomandibular cleft
- With dysostosis (craniofacial helix)
  - Sphenoidal
  - Sphenofrontal
  - Frontal
  - Frontofrontal
  - Frontonasoethmoidal
  - Internasal
  - Nasal
  - Premaxillomaxillary and intermaxillopalatine
  - Nasomaxillary and maxillary
  - Maxillozygomatic
  - Zygomatic
  - Zygoauromandibular
  - Temporoaural
  - Temporoauromandibular
  - Mandibular
  - Intermandibular
- With synostosis
  - Craniosynostosis
    - Parieto-occipital
    - Interparietal
  - Craniofaciosynostosis
    - Interfrontal
    - Sphenofrontoparietal
    - Frontoparietal
    - Frontointerparieal faciosynostosis
    - Frontomalar
    - Vomeropreaxillary (Binder syndrome)
    - Premaxillary (posterior) (clefting)
    - Premaxillary (anterior) (pseudo-Crouzon syndrome)
    - Premaxillary (total) (Crouzon syndrome)
- With dysostosis and synostosis
  - Crouzon
  - Acrocephalosyndactyly (Apert syndrome)
  - Triphyllocephally (cloverleaf skull)
- With dyschondrosis
  - Achondroplasia

TYPE IV: CRANIOFAIAL DYSPLASIAS OF OTHER ORIGIN
- Osseous
  - Osteopetrosis
  - Craniotubular dysplasia
  - Fibrous dysplasia
- Cutaneous
  - Ectodermal dysplasia
- Neurocutaneous
  - Neurofibromatosis
- Neuromuscular
  - Robin syndrome
  - Mobius syndrome
- Muscular
  - Glossoschisis
- Vascular
  - Hemangioma
  - Vascular malformation

증, 합안증, 정중구순열 등으로 나타난다. 안구-안와 이형성증은 안와, 안구, 안구 내용물, 안검, 눈썹의 형성부전이나 무형성증을 나타낸다. 무안와증, 소안와증, 무안구증 등으로 나타난다.

(3) 제 III형. 두개안면 이형성증

두개안면 이형성증은 다음의 5가지로 나누어진다.

① 개열을 동반한 두개안면 이형성증(craniofacial dysplasia with clefting)

3쌍의 안면돌기 주변부 사이의 상피가 없어지지 않고 지속됨으로써 생긴다. 이 잔존하는 상피가 안면돌기들의 융합을 막는다. 이렇게 생기는 것이 진성 혹은 일차개열이며 다음의 형태로 나타난다.

i) 외비상악 개열(lateronasomaxillary clefting)

외측비 돌기(lateronasal process)와 상악돌기 사이에서 발생된 것이다. 이것은 비검열, Moran 제 I 형, Tessier 3번 개열과 같다.

ii) 내비상악 개열(medionasomaxillary clefting)

내측비 돌기(mesionasal process)와 상악돌기 사이에서 발생된 것이다. 이것은 구순열 및 치조 개열과 같다. 내측비 돌기와 상악돌기는 후방에서부터 전방으로 닫히는데 융합이 완전히 실패하면 구순열과 치조개열이 생기고, 부분적으로 실패하면 구순열만 생긴다.

iii) 상악간 개열(intermaxillary clefting)

구개돌기 사이에서 발생된 것이다. 구개돌기는 전방에서 후방으로 닫히는데, 융합에 완전 실패하면 연구개와 경구개에 개열이 생겨서 이차구개의 완전개열이 된다. 반면에 부분적으로 융합에 실패하면 연구개의 개열, 점막하 개열, 이열 목젖이 생겨 이차구개의 부분개열이 된다.

iv) 상하악 개열(maxillomandibular clefting)

상악돌기와 하악돌기 사이에서 발생되는 것으로 대구증과 같다. 상악돌기와 하악돌기는 외측에서 내측으로 닫히게 되는데, 융합에 완전히 실패하면 입 주위에서 이주까지 넓은 개

열이 생기며 부분적으로 융합에 실패하면 구순교련이 연장되어 길어진다.

② **뼈발생 이상을 동반한 두개안면 이형성증(craniofacial dysplasia with dysostosis)**

뼈의 형성은 두개안면의 형태 형성에 중요한 요소이다. 골격의 발육은 정상 골화중심(bone center)의 성장이 없으면 변화된다. 한 골격부위에서 성장이 멈추면 정상 주위 조직에서도 계속되어 이차성 개열 혹은 가성개열이 생기는데, 소위 V자 형태의 변형이 생기는 중심 함몰 변형이 생긴다. Van der Meulen 은 두개안면 골격의 발생을 위한 골화중심이 'S' 자 형태의 "두개안면 나선형태(craniofacial helix)" 의 경로로 발생한다고 가정하였다. 즉 접형골에서 시작하여 안와의 상방, 내측, 하방의 방향을 따라서 이동하여 외이도를 향해서 진행되고, 하악골에서는 과상두에서 시작해서 내측으로 진행된다. 이것을 기초로 두개안면개열을 분류하였다. Van der Meulen에 따르면 나선형태의 상부에서 골화중심이 무형성 혹은 형성부전되면 그 부위에 뇌수막류가 생기게 된다고 한다. 두개안면 나선형태의 골화중심에서 이러한 병변에 의해 생긴 기형을 Van der Meulen 분류와 다른 분류법과 비교해서 보면 이해가 좋다(표 1-4).

③ **골유합증을 동반한 두개안면 이형성증(craniofacial dysplasia with synostosis)**

골화중심간의 봉합선이 생성이 안되거나 조기에 닫혀서 발생된다. 두개골 유합증, 두개안면 유합증 그리고 안면 유합증으로 세분된다. 두개골 유합증에 의한 것은 후단두, 후사두와 주상두가 있고 두개안면 유합증에 의한 것은 삼각두, 전사두, 전단두, 전두두개 등이 있다. 안면유합증은 Binder 증후군과 Crouzon병 등이 있다.

표 1-4. van der Meulen의 뼈 발생 이상을 동반한 두개안면 이형성증과 다른 분류법과의 비교

Van der Meulen	Other
Sphenoidal dysplasia	Choanal atresia
Sphenofrontal dysplasia	
Frontal dysplasia	
Forntofrontal dysplasia	Cranium bifidum occultum
Forntonasoethmoidal dysplasia	Orbital hypertelorism
	Facies bovina
Internal dysplasia	Bifid nose
	Tessier No.1 cleft
	Orbital hypertelorism
Nasal dysplasia	Basal aplasia with or without proboscis,
	Nasoschisis, Nasal duplication
Premaxillomaxillary and intermaxillopalatine dysplasia	
Nasomaxillary and maxillary dysplasia	Medial : Moran II, Tessier No.4
	Lateral : MoranIII, Tessier No.5
Maxillozygomatic dysplasia	Tessier No.6
Zygomatic dysplasia	Treacher Collins syndrome
Zygoauromandibular dysplasia	Mandibulofacial dysostosis
	Franceschetti syndrome
Temporoaural dysplasia	External and intenal ear anomaly
	Cervicooculoauromandibular syndrome
Temporauromandibular dysplasia	Hemifacial microsomia
	Auromandibular syndrome
Mandibular dysplasia	Otocephaly
Intermandibular dysplasia	Tessier No.30, Mentosternal dysplasia

④ 뼈발생 이상과 골유합증을 동반한 두개안면 이형성증 (craniofacial dysplasia with dysostosis and synostosis)

이 범주에는 Crouzon 병, Apert 증후군 그리고 Cloverleaf 두개 증후군이 속한다.

⑤ 연골형성 이상을 동반한 두개안면 이형성증(craniofacial dysplasia with dyschondrosis)

연골무형성증(achondroplasia)만 이 범주에 속한다.

(4) 제 IV 형 : 기타원인의 두개안면 이형성증

안면돌기가 정상적으로 닫힌 후에 이형성증이 발생되어 생긴 기형으로 골성 발육부전은 없다. 이 군은 이전에 분류된 군과는 다른 발생학적 원인을 갖는다. 골성, 표피성, 신경표피성, 신경근육성, 혈관성 이형성증으로 세분된다. 골성 이형성증에는 골화석증과 섬유성 이형성증이 있다. 표피성 이형성증에는 외배엽성 이형성증이 포함되고 신경표피성 이형성증에는 신경섬유종이 포함된다. 신경근육성 이형성증에는 Pierre Robin증후군과 Mobius 증후군이 있고 근육성 이형성증에는 무설증이 있다. 혈관성 이형성증에는 혈관종과 혈관기형이 포함된다.

4. 안면개열의 치료

심한 안면개열의 일차수술은 아주 심한 양측 구순구개열 보다 까다롭다. 안면개열의 외과적 치료 목표는 (1) 대구증의 기능적 교정 (2) 안검의 연부조직 재건으로 안구 노출의 방지 (3) 합쳐져 있는 구강, 비강, 안와의 분리 (4) 변형의 미용적 교정이다.

안면개열 환자의 단계적 복원술은 일반적인 구순구개열 환자의 단계적 복원술 일정과 비슷하게 시행한다. 그러나 심한 안면개열 환자에서 기능적 문제점이 제기 될 때는 보다 조기에 수술을 시행하는 것이 좋다. 예를 들어 심한 Tessier 7번 개열 환자에서는 구륜군의 연결이 없어서 입안에서 음식물을 잘 넘기지 못하고 저류되는 문제가 생길 수 있다. 이러한 경우에는 조기에 수술해서 구륜근의 기능을 회복시켜주어야 한다. 안와개열이 있는 환자는 조기부터 경험있는 안과의사가 관찰하여 각막손상이나 각막건조에 대비하여야 한다. 안검 구조물이 안구를 적절히 덮을 수 있도록 움직일 수 있을 때까지 인공누액으로 윤활역활을 제공해야 비가역적 각막손상을 방지할 수 있다. 출생 직후 초기에 검판봉합술을 시행하여 각막 보호를 위한 안검의 적절한 폐쇄를 얻을 수 있다. 안검 보호의 필요성을 염두에 두지 않으면 심한 각막 반흔이 초래되어 시력손실을 초래할 수 있으며 각막이식이 필요하게 될 수도 있다. 유아에 있어 각막이식은 성공적이지 못할 때가 있지만 심한 안검개열 환자에게서는 시행이 가능하다. 안와하벽에서 안구를 지탱하는 방법이 또 하나의 문제거리이다. 안와재건의 시기는 각각의 환자에서 기능적 필요에 의해 결정한다.

재건은 초기에는 연부조직을 닫는데 초점을 맞춘다. 연부조직을 수술할 때는 개열에 있는 모든 반흔을 제거한 다음 층별로 봉합해 준다. 하부 골격의 형성부전 때문에 골격재건이 필요할 때가 많지만 골격수술로 인한 손상이 골 성장을 방해할 수 있기 때문에 아이가 성장할 때까지 연기한다[90]. 그러나 Van der Meulen 과 Tessier 등은 한 번의 수술로 골격과 연부조직의 수술을 동시에 하는 것을 원칙으로 한다[91].

Kawamoto 는 많은 임상경험을 통해서 두개안면개열의 치료원칙을 다음과 같이 정리하였다[83-85]. (1) 두개안면개열은 서로 동일한 형태가 없이 각각 다르게 나타나기 때문에 표준화된 치료계획을 만들기가 어렵다. 치료를 처음 시작하는 시기와 각 조직별로 단계적으로 재건하는 순서가 각각의 환자에 따라서 다르다. (2) 각막노출, 뇌 압박 , 호흡 및 연하곤란 등의 필수적인 기능이 위험하다고 판단되면 성장하는 골격에 수술을 하므로써 장기적으로 골격의 성장에 영향을 미칠 가능성이 있더라도 조기에 수술을 시행한다. 조기에 시행하는 골격수술은 골격의 정상적인 성장을 방해 할 수 있다. 대부분의 두개안면개열은 진행하지 않으며, 치료가 연기되면 침범된 구조물은 성장에 비례해서 발육된다. (3) 연부조직의 개열은 일반적으로 모든 층을 침범한다. 개열의 변연에 있는 형성부전된 조직은 안정적인 조직의 봉합과 미용적인 측면을 고려하여 잘라 버려야 한다. 형성부전된 조직을 서로 연결하면 구순열의 휘바람 부는 모양처럼 변형 된다. (4) 침범된 골격 구조의 철저하고 섬세한 재건은 개열 재건수술의 중요한 과정이다. 개열이 골격에 침범되어 있으면 그 부위의 연부조직만 닫아주는 것으로는 만족할만한 재건이 이루어지지 않는다. (5) 효과적인 재건을 위해서는 부위가 갈라져 있는 것(진성개열)과 조직의 형성부전(가성개열)의 차이점을 잘 이해해야 한다.

지난 수십년간 두개안면개열 치료에 획기적인 방법이 나오질 않았다. 현재 두개안면개열 수술에 가장 어려운 것은 안검, 귀, 코, 구순 등의 안면부위 구조물에 연부조직 형성부전 및 개열이 침범되었을 때 해결 할 수 있는 방법이 매우 적고 제한적이기 때문이다.

참고문헌

1. Boo-Chai K: An ancient Chinese text on a cleft lip. *Plast Reconstr Surg* 38:89, 1966
2. Rogers BO: Harelip repair in colonial America: A review of 18th century and earlier surgical techniques. *Plast Reconstr Surg* 34:142, 1964
3. Bushe G: *An essay on the operation for cleft palate*. New York(NY), William Jackson, 1835
4. Pare A: *Dix Livres de la Chirurgie*. Paris, lean le Royer, 1564, p 211
5. LeMesurier AB: Method of cutting and suturing lip in complete unilateral cleft lip. *Plast Reconstr Surg* 4:1, 1949
6. Millard DR: *Cleft Craft*. vol 1. Boston(MA), Little Brown, 1976, pp 165-73
7. Schmid E: Die Annaherung der kieterstumptebei Lippen Kiefer Gaumenspalten: Ihre schadlichen Folgen und Vermeidung. *Fortschr Kiefer Gesichtschir* 1:37, 1955
8. Boyne PJ, Sands NR: Secondary bone grafting of residual alveolar and palatal clefts. *J Oral Surg* 30:87-92, 1972
9. Millard DR: *Cleft Craft*. Vol 3. Boston(MA), Little Brown, 1980
10. Bell WH: Le Fort I osteotomy for correction of maxillary deformities. *J Oral Surg* 33:412-26, 1975
11. Posnick JC: Cleft orthognatic surgery. The unilateral cleft lip and palate deformity. In Posnick JC(eds): *Craniofacial and maxillofacial surgery in children and young adults*. Philadelphia, W.B., Saunders, 2000, p 860
12. The building of a specialty: Oral and maxillofacial surgery in the United States 1918-1998. *J Oral Maxillofac Surg* 7:56, 1998
13. Fogh AP: *Inheritance of harelip and cleft palate*. Copenhagen, Xjuar Munksgaard Forlag, 1943
14. Prescott NJ, Lees MM, Winter RM, Malcolm S: Identification of susceptibility loci for nonsyndromic cleft lip with or without cleft palate in a two stage genome scan of affected sib pairs. *Hum Genet* 106:345-50, 2000
15. Suzuki K, Hu D, Bustos T, et al: Mutations of PVRLI encoding a cell-cell adhesion molecule/herpes virus receptor, in cleft lip / palate-ectodermal dysplasia. *Nat Genet* 25:427-30, 2000
16. Van den Boogaard MJ, Dorland M, Beemer FA, van Amstel HKP: MSX1 mutation is associated with orofacial clefting and tooth agenesis in humans. *Nat Genet* 24:342-3, 2000
17. Burdi AR: Section I. Epidemiology, etiology and pathogenesis of cleft lip and palate. *Cleft Palate J* 14:469, 1971
18. Habib Z: Factors determining occurrence of cleft lip and cleft palate. *Surg Gynecol Obstet* 146:105, 1978
19. Fraser GR, Calnan JS :Cleft lip and palate: Seasonal incidence, birth weight, birth rank sex, site, etc. *Arch Dis Child* 36:420, 1961
20. Wilson MEAC: A 10 year survey of cleft lip and cleft palate in the southwestern region. *Br J Plast Surg* 25:224, 1972
21. Wyszynski DF, Beaty TH, Maestri NE: Genetics of non-syndromic and syndromic oral clefts revisited. *Cleft Palate Carniofac J* 33: 16406-17, 1996
22. Oliver PG, Martinez GV: Cleft lip and palate in Puerto Rico: A 33 year study. *Cleft Palate J* 23:48-57, 1986
23. Saal HM: Syndromes and malformations associated with or without cleft palate. *Am J Hum Genet* 64:118, 1998
24. Jones MC: Etiology of facial clefts: Prospective evaluation of 428 patients. *Clefts Palate J* 25 :16-20, 1988
25. Bush PG, Williams AJ: Incidence of the Robin anomaly(Pierre Robin syndrome). *Br J Plast Surg* 36:434, 1983
26. Davis JS, Ritchie HP: Classification of congenital clefts of the lip and palate. *JAMA* 79:1323, 1922
27. Kernahan DA, Stark RB: A new classification for cleft lip and cleft palate. *Plast Reconstr Surg* 22:435, 1985
28. Kernahan DA: The striped Y: A symbolic classification of cleft lips and palates. *Plast Reconstr Surg* 47:469, 1971
29. Elsahy NI: The modified striped Y: A systematic classification for cleft lip and palate. *Cleft Palate J* 10:247, 1973
30. Millard DR: *Cleft Craft*. Vol. 1, Boston, Little Brown, 1977
31. Smith AW, Khoo AKM, Jackson IT: A modification of the kernahan "Y" classification in cleft lip and palate deformities. *Plast Reconstr Surg* 102:1842, 1998
32. Pretorius DH, House M, Nelson TR, Hollen-bach KA: Evaluation of normal and abnormal lips in fetuses: Comparison between three and two dimensional sonography. *Am J Roentgenol* 165:1233-7, 1995
33. Pretorius DH, Nelson TR: Fetal fade visuailzation using three dimensional ultrasonography. *J Ultrasound Med* 14:349-56,

1995

34. Shaikh D, Mercer NS, Sohan K, et al: Prenatal dignosis of cleft lip and palate. *Br J Plast Surg* 54:288-9, 2001
35. Lawrence RA: Breast feeding: Benefits, risks, and alternatives. *Curr Opin Obstet Gynecol* 12: 519-24, 2000
36. Hamosh M, Peterson JA, Henderson TR, et al: Protective function of human milk: The milk fat globule. *Semin Perinatol* 23:242-9, 1999
37. Thompson JE: An artistic and mathematically accurate method of repiaring the defect in cases of harelip. *Surg Gynecol Obstet* 14:498, 1912
38. Marsh JL: Craniofacial surgery: The experiment on the experiment of nature. *Cleft Palate Craniofac J* 33:1, 1996
39. Van Boven MJ, Pendville PE, Veyckmans F, et al: Neonatal cleft lip repair: The anesthesiologist's point of view. *Cleft palate Craniofac J* 30:574-7, 1993
40. Eaton Ac, Marsh JL, Pigram TK: Does reduced hospital stay affect morbidity and palate repair in infancy? *Plast Reconstr Surg* 94:916-18, 1994
41. Field TM, Vega-Lahr N: Early interactions between infants with craniofacial anomalies and their mothers. *Infant Behav Dev* 7:527, 1984
42. Poole R, Farnworth TK: Preoperative lip taping in the cleft lip. *Ann Plast Surg* 33:243, 1994
43. Ross RB, MacNamara MC: Effect of presurgical infant orthopedics on facial esthetics in complete bilateral cleft lip and palate. *Cleft Palate Craniofac J* 31:68, 1994
44. Randall P: Effect of lip adhesion on labial height in two stage repair of unilateral complete cleft lip(discussion). *Plast Reconstr Surg* 100:573, 1997
45. McComb H: Primary correction of unilateral cleft lip nasal deformity: A 10-year review. *Plast Roconstr Surg* 75:791, 1985
46. McComb H: Primary repair of the bilateral cleft lip nose: A 4-year review. *Plast Reconstr Surg* 94:37, 1994
47. Mulliken JB: Bilateral complete cleft lip and nasal deformity: An anthropometric analysis of staged to synchronous repair. *Plast Reconstr Surg* 96:9, 1995
48. Dorf DS, Curtin JW: Early cleft palate repair and speech outcome. *Plast Reconstr Surg* 70:81, 1982
49. Dorf DS, Curtin JW: Early cleft palate repair and speech outcome: Ten year experience. In Bardach J, Morris HL(eds): *Multidisciplinary management of cleft lip and palate.* Philadelphia(PA), W.B., saunders, 1990, pp 341-8
50. Copeland M: The effect of very early palatal repair on speech. *Br J Past Surg* 43:676, 1990
51. Berkowitz S: The comparison of treatment results in complete cleft lip/palate using conservative approach vs Millard-Latham PSOT procedure. *Semin Orthod* 2:169, 1996
52. Von Langenbeck B: Operation der angeborenen totalen spaltung des harten gaumens nach einer neuen methode. *Dtsch Klin* 8:231, 1861
53. Bardach J, et al: The Iowa-Hamburg project. *In* Bardach J, Morris HL(eds): *Multidisciplinary Management of Cleft Lip and Palate.* Philadelphia, W.B., Saunders, 1990, pp 98-112
54. Furlow LT: Cleft palate repair by double opposing Z-plasty. *Plast Reconstr Surg* 78:724, 1986
55. Witzel MA, Salyer KE, Ross RB: Delayed hard palate closure: The philosophy revisited. *Cleft Palate J* 21:263, 1984
56. Costello BJ, Ruiz RL, Turvery T: Surgical management of velopharyngeal insufficiency in the cleft patient. In *Oral and maxillofacial surgery clinics of North America*: Secondary cleft surgery. Philadelphia(PA), W.B., Saunders, 2002, pp 539-51
57. Riski JE: Secondary surgical procedures to correct postoperative velopharyngeal incompetencies found after primary palatoplasties. *In* Bzoch KR(ed): *Communicative Disorders Related to Cleft Lip and Palate.* 4th ed, Austin, Texas, Pro-ed, 1997, p 121
58. Shprintzen RJ, Bardach J: Communicative impairment associated with clefting. *In* Cleft Palate Speech Management. *A Multidisciplinary Approach.* St Louis, Mosby, Year Book, 1995, p 137
59. Argamaso RV, Levandowski G, Golding Kushner KJ, et al: Treatment of asymmetric velopharyngeal insufficiency with skewed pharyngeal flap. *Cleft Palate Craniofac J* 31:287, 1994
60. Shprintzen RJ, Lewin ML, Croft CB, et al: A comprehensive study of pharyngeal flap surgery: Tailormade flaps. *Cleft Palate J* 16:46, 1979
61. Bardach J, Salyer K: Pharyngoplasty. *In* Bardach J, Salyer K(eds): *Surgical Techniques in Cleft Lip and Palate.* ed 2, St Louis, Mosby, Year Book, 1991
62. Abyholm F, Bergland O, Semb G: Secondary bone grafting of alveolar clefts. *Scand J Plast Reconstr Surg* 15:127, 1981
63. Hall HD, Posnick JC: Early results of secondary bone grafts in 106 alveolar clefts. *J Oral Maxillofac Surg* 41:289, 1984
64. Boyne PJ, Sands NR: Secondary bone grafting of residual alveolar and palatal clefts. *J Oral Surg* 30:87-92, 1972

65. Pruzansky S: Presurgical orthopedics and bone grafting for infants with cleft lip and palate: A dissent. *Cleft Palate J* 1:164, 1964
66. Bardach J, Kelly KM, Salyer KE: Relationship between the sequence of lip and palate repair and maxillary growth: An experimental study in beagles. *Plast Reconstr Surg* 93:269, 1994
67. Ruiz RL, Costello BJ, Turvey T: Orthognathic surgery in the cleft patient. In Ogle O,(ed): *Oral and maxillofacial surgery clinics of North America*: Secondary cleft surgery. Philadelphia(PA), W.B., Saunders, 2002, pp 491-507
68. Costello BJ, Ruiz RL: The role of distraction osteogenesis in orthognathic surgery of the cleft patient. *Selected Readings Oral Maxillofac Surg* 10(3): 1-27, 2002
69. Costello BJ, Shand J, Ruiz RL: Craniofacial and orthognathic surgery in the growing patient. *Selected Readings Oral Maxillofacial Surg* 11(5): 1-20, 2003
70. Millard DR: Bilateral cleft lip and a primary forked flap: A preliminary report. *Plast Reconstr Surg* 30:50, 1967
71. Van der Meulin JC: Columellar elongation in bilateral cleft lip repair: Early results. *Plast Reconstr Surg* 59:6, 1992
72. Cronin TD: Lengthening columella by use of skin from nasal floor and alae. *Plast Reconstr Surg* 21:417, 1958
73. Trier WC: Bilateral complete cleft lip and nasal deformity: An anthropometric analysis of staged to synchronous repair(discussion). *Plast Reconstr Surg* 96:9, 1995
74. Ozaki W, Kawamoto HK Jr: Craniofacial clefting. In KY Lin, RC Ogle, JA Jane(Eds.): *Craniofacial Surgery : Science and Surgical Technique*. Philadelphia , Saunders, 2002, pp 309-331
75. Dursy E: *Zur Entwicklungsgeschichte des Kopfes des Menschen und der Hoeheren Wirbelthiere*. Tübingen, Germany, Verlag der H, Lauppschen-Buchhandlung, 1869, P 99
76. His W: Die Entwickelung der menschlichen und tierischer Physiognomen. *Arch Anat Entwicklungsgesch* 384, 1892
77. Pohlmann EH: Die embryonale Metamorphose der Physiognomie und der Mundhoehole des Keatzenkopfes. *Morphol Jahrb Leipzing* 41:617, 1910
78. Veau V: Hasencharten menschlicher keimlinge auf der Stufe 21-23 mm SSL. *Z Anat Enwicklungsgesch* 108: 459, 1938
79. Stark RB: The pathogenesis of harelip and cleft palate. *Plast Reconstr Surg* 13:20, 1954
80. Stark RB, Saunders DE: The first branchial syndrome : The oral-mandibular-auricular syndrome. *Plast reconstr surg* 29:299, 1962
81. Tessier P: Anatomical classification of facial, craniofacial and laterofacial clefts. *J Maxillofac Surg* 4:69, 1976
82. Grabb WC: The first and second branchial arch syndrome, *Plast Reconstr Surg* 36:485, 1965
83. Kawakami S, Tsukada S, Taniguchi W, et al: Craniofacial cleft with nasoethmoidal encephalocele : Case report. *J Craniomaxillofac Surg* 22:144, 1994
84. Kawamoto HK Jr: The kaleidoscopic world of rare craniofacial clefts: Order out of chaos(Tessier classification). *Clin Plast Surg* 3: 529, 1976
85. Kawamoto HK Jr: Rare craniofacial clefts. *In* McCarthy JG(ed): *Plastic Surgery*. vol 4, Philadelphia, W.B., Saunders, 1990, pp2922-2973
86. Van der Meulen JC: Medial faciotomy. *Br J Plast surg* 32:339, 1979
87. Van der Meulen JC: The pursuit of symmetry in craniofacial surgery. *Br J Plast Surg* 29:85 , 1976
88. Van der Meulen JC : Surgery of median and paramedian clefts. In Marchac D(ed): *Proceedings of the First International Congress of the International Society of Craniomaxillofacial Surgery, Craniofacial Surgery, Cannes*. Berlin, Springer, 1985, pp 210-216
89. Van der Meulen JC, Zonneveld FW: Enophthalmos following orbital transposition for craniofacial malformations(discussion). *Plast Reconstr surg* 9:423, 1993
90. Ozaki W, Kawamoto HK Jr: Craniofacial clefting. In KY Lin, RC Ogle, JA Jane(Eds): *Craniofacial Surgery: Science and Surgical Technique*. Philadelphia, Saunders, 2002, pp 309-331
91. Van der Meulen JC: Oblique facial clefts: Pathology, etiology, and reconstruction. *Plast Reconstr Surg* 76: 212, 1985

제2장 두개안면의 발생

Embryology of Head and Neck

박승하

두개안면 기형의 치료를 위하여 정상적인 두개안면 발생기전에 대한 이해가 있어야 하며 또한 기형적인 두개안면 발생과 원인에 대하여 다각적인 지식이 필요하겠다. 두개안면기형은 환자 본인 뿐 만 아니라 가족을 포함하여 사회적인 문제가 되기 때문에 이런 두개안면기형을 예방하기 위하여 환자와 가족에게 유전학적 상담으로 도움을 줄 수 있어야 하겠다. 기형을 예방하기 위한 환경적 요인의 제거와 개선이 필요하며 이런 두개안면기형의 치료와 이에 동반된 문제를 해결하기 위하여 사회전반적인 꾸준한 노력이 있어야 하겠다.

I. 배아기와 태아기

일반적으로 배아기(embryonic period)는 수정부터 발생 8주까지를 말하며 이후 발생 9주부터 출생 시까지를 태아기(fetal period)라 한다. 배아기에는 신체의 여러 원시적인 구조물(원기; primordia)이 형성되며, 태아기에는 생성된 각 구조물이 성숙하게 발육하는 과정이다. 신체 기형의 대부분은 배아기나 태아기의 초기에 발생 장애로 나타나게 된다.

1. 장배(gatrula)

태아의 발생은 수정이 된 후 세포 분화와 증식을 하며 발생 2주에는 외배엽과 내배엽으로 이루어진 이층 배아 원반(bilaminar embryonic disc) 형태를 이루게 된다.

발생 3주에는 배아 내에 외배엽으로부터 중배엽이 생성되어 내배엽(endoderm), 외배엽(ectoderm), 중배엽(mesoderm)으로 이루어진 삼층 배아 원반(trilamina embryonic disc)을 형성한다. 이시기의 배아를 장배(gatrula)라 하고 이런 과정을 장배형성(gatrulation)이라 한다(그림 2-1, 2).

2. 신경배(neurula) 및 신경관(neural tube) 형성

배아의 가운데 척삭(notochord)이 위치하며 점차 머리측으로 연장되어 척삭돌기(notochordal process)를 형성한다. 이 부위의 머리 측 외배엽이 두꺼워지며 신경판(neural plate)을 형성한다. 신경판의 가운데가 함입되어 신경구(neural groove)를 만들며 양측에 융기된 신경주름(neural fold)을 만들게 된다. 신경주름은 점차 가까워지며 머리측에서부터 꼬리측으로 좌우 양쪽이 합쳐져 관 형태를 이루며 이를 신경관(neural tube)이라 한다.

신경판과 신경주름, 신경관을 형성하는 과정을 신경배형성(neurulation)이라하며 이시기의 배아를 신경배(neurula)라고 한다.

신경주름이 신경관(neural tube)으로 합쳐질 때 일부 신경관을 형성하지 않는 가장자리를 신경능선(neural crest)이라하며 이곳의 신경능선세포(neural crest cell)는 신경관 옆의 중배엽내로 침투하여 이동하며 표면의 외배엽과 신경관 사이에 세포 띠를 이루게 된다(그림 2-3).

3. 신경능선세포(neural crest cell)

신경능선세포는 다양한 세포로 분화할 수 있으며 머리 부위에서의 골격 및 근육, 신경조직으로 분화하는 중요한 역할을 한다. 신경능선세포(neural crest cell)는 신경관을 따라 좌우 양측으로 머리에서 꼬리측으로 분포하며 척수신경 및 두경부의 뇌신경절, 자율신경절, 멜리닌세포, 뇌척수막, 두개부의 여러 골격 및 근육 등으로 발생한다. 신경능선부위의 외배엽에

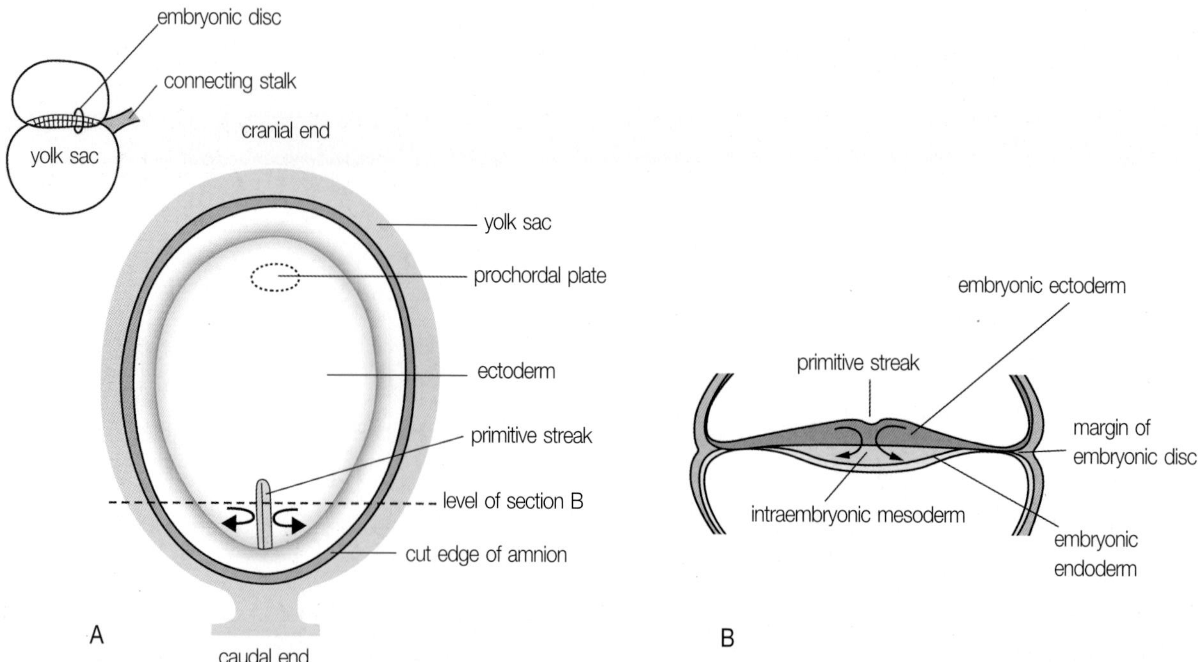

그림 2-1. 발생 3주 장배(gastula)의 형성 : 외배엽, 내배엽, 중배엽의 삼층배아원반(trilamina embryonic disc)이 형성됨. 발생초기에는 신체 구분이 없으며 처음 나타나는 원시선조(primitive streak)부위에서 주변이 융기되면서 생긴 홈인 원시구(primitive groove)를 형성하게 된다. 원시구 부위에 바깥측 세포는 안으로 이동하여 함입(invagination)하여 안측에 내배엽을 형성하며 바깥측에 남아있는 세포는 외배엽을 형성하게 된다. 이 두층 사이에 중배엽 또는 배아내 중배엽(intraembryonic mesoderm)을 형성한다.

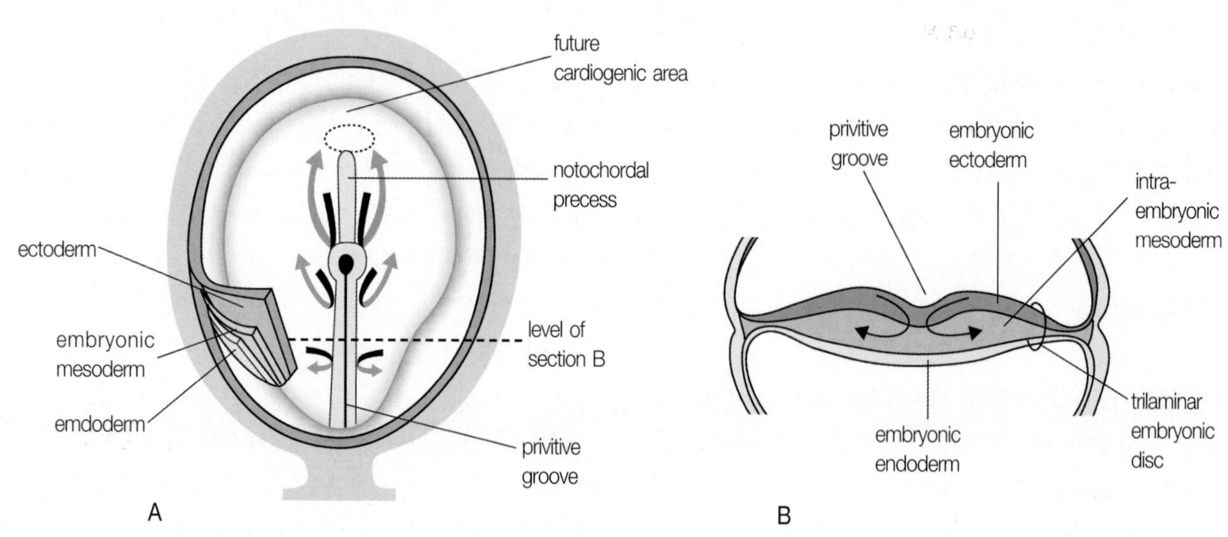

그림 2-2. 원시선조(primitive streak)부위에서 세포가 안으로 함입하며 배아내 중배엽(intraembryonic mesoderm)을 형성함.

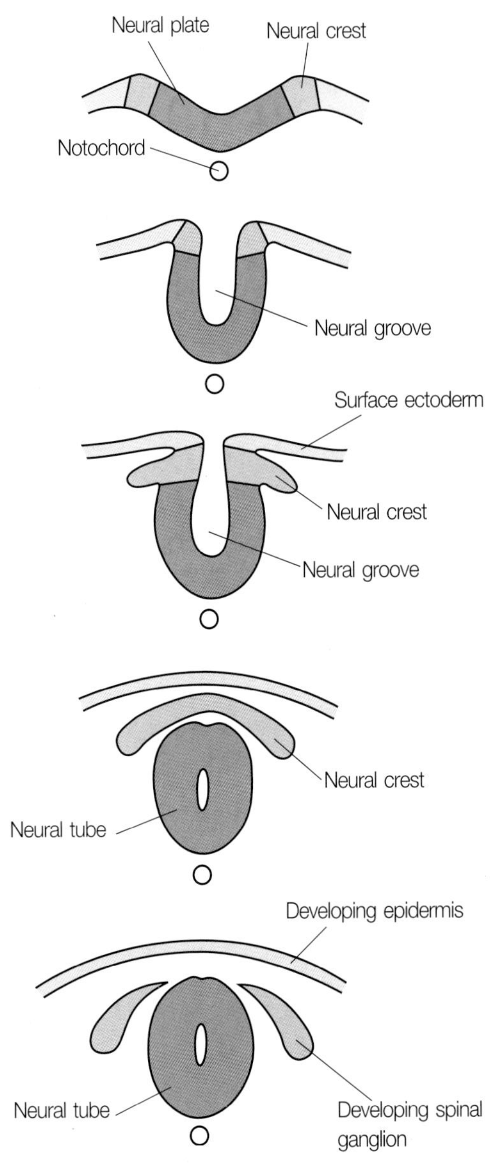

그림 2-3. 신경배(neurual) 시기와 신경관(neural tube)의 형성

서 분리된 것을 신경외배엽(neuroectoderm)이라 하는데 외배엽과는 매우 다른 특성과 분화 형태를 지니게 된다. 신경능선세포(neural crest cell)는 신경외배엽에서 유래하며 얼굴로 이동하여 얼굴 중앙부의 주요 골격을 형성하게 된다(그림 2-4).

신경능선세포(neural crest cell)는 두개안면발육에 중요 역할을 하며 특히 이를 제4의 배엽(4th germ layer)이라고도 칭한다(그림 2-5).

4. 중배엽(mesoderm)

두경부 형성에 중요한 역할을 하는 중배엽(mesoderm)은 중앙의 척삭(notocord) 주변의 축엽 중배엽(paraxial mesoderm)과 바깥측의 외측 중배엽(lateral mesoderm)으로 나누어지며 이 사이를 중간 중배엽(intermediate mesoderm)이라한다. 축엽 중배엽에서는 두개의 기저부, 두경부의 대부분 근육, 결합조직 및 진피, 뇌막 등을 형성한다. 외측 중배엽은 내장과 사지의 근육과 결합조직, 심장근육과 내막, 비장, 부신피질, 후두의 일부 연골 및 결합조직을 형성한다. 중간 중배엽은 신장, 신우 등 생식관과 비뇨생식계통 등이 발생한다(그림 2-6).

5. 체절(somite)

발생 3주말부터 축엽 중배엽(paraxial mesoderm)에서 분절이 일어나며 이를 체절(somite)이라한다. 5주까지 모두 42-44쌍의 체절을 이루게 된다. 척삭(notochord)을 둘러싸고 있는 중배엽은 경절(sclerotome), 근육분절(myotome), 피부분절(dermatome)을 형성하며 경절은 체절 내 골과 연골을 형성하며, 근육분절은 근육, 피부분절은 진피성분을 이루게 된다. 근육분절과 피부분절에는 체절신경이 분포하게 된다(그림 2-7).

6. 인두궁(pharyngeal arch 또는 branchail arch)

신경능세포(neural crest cell)가 머리측에서 꼬리측으로 이동하면서 발생 4-5주에 복측에 인두궁 또는 아가미궁(branchial arch, pharyngeal arch)을 형성한다. 어류와 양서류는 아가미가 혈액과 물 사이의 기체교환 기능을 하지만 인간에서는 아가미를 형성하지 않고 폐가 그 기능을 하게 된다. 인두궁(pharyngeal arch)은 신경능선세포와 중배엽, 그리고 이를 싸고 있는 내배엽과 외배엽으로 이루어진다. 인두궁은 신경능선세포가 각 인두궁으로 들어가 증식하므로써 융기가 형성된다. 신경능선세포는 외배엽성 기원임에도 불구하고 배아 머리측 중간엽의 대부분을 형성하는 점이 특이하며 그래서 이를 외배엽성 중간엽(ectomesenchyme)이라고 한다(그림 2-8).

인간에서 인두궁은 6쌍을 가지며 제5와 제6 인두궁은 흔적으로 남게 된다.

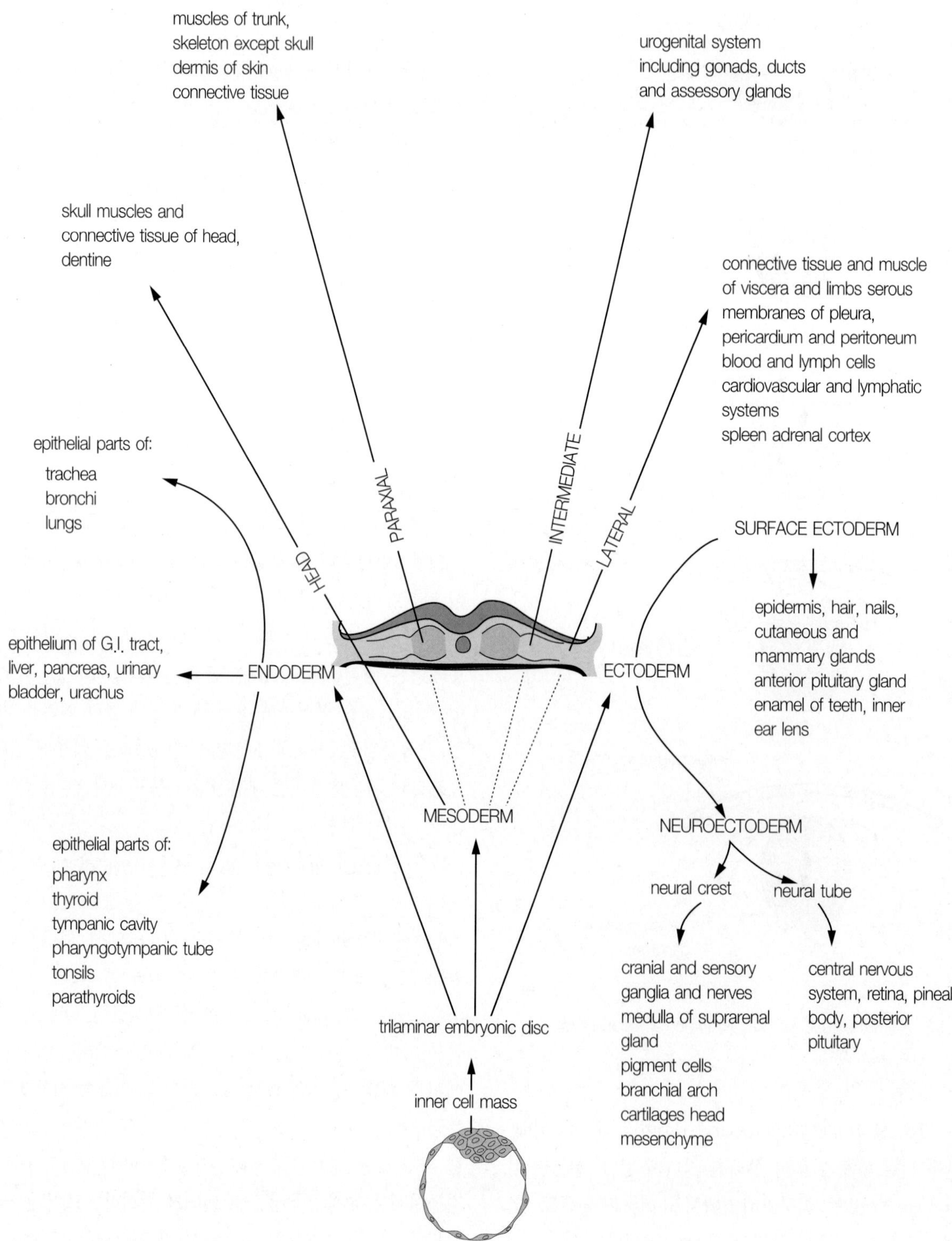
muscles of trunk,
skeleton except skull
dermis of skin
connective tissue
urogenital system
including gonads, ducts
and assessory glands
skull muscles and
connective tissue of head,
dentine
connective tissue and muscle
of viscera and limbs serous
membranes of pleura,
pericardium and peritoneum
blood and lymph cells
cardiovascular and lymphatic
systems
spleen adrenal cortex
epithelial parts of:
trachea
bronchi
lungs
PARAXIAL
INTERMEDIATE
LATERAL
HEAD
SURFACE ECTODERM
epidermis, hair, nails,
cutaneous and
mammary glands
anterior pituitary gland
enamel of teeth, inner
ear lens
epithelium of G.I. tract,
liver, pancreas, urinary
bladder, urachus
ENDODERM
ECTODERM
MESODERM
NEUROECTODERM
epithelial parts of:
pharynx
thyroid
tympanic cavity
pharyngotympanic tube
tonsils
parathyroids
neural crest
neural tube
cranial and sensory
ganglia and nerves
medulla of suprarenal
gland
pigment cells
branchial arch
cartilages head
mesenchyme
central nervous
system, retina, pineal
body, posterior
pituitary
trilaminar embryonic disc
inner cell mass

그림 2-4. 각 배엽(germ layer)에서 형성되는 조직

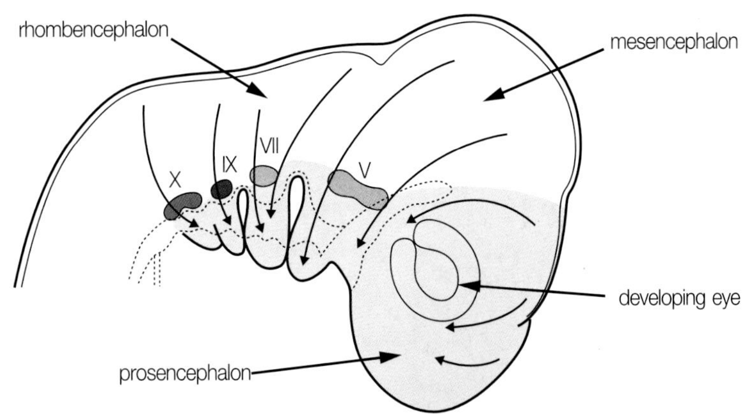

그림 2-5. 신경능선세포(neural crest cell)의 이동: 인두궁(pharyngeal arch)을 따라 이동하며 각 인두궁의 신경절인 제5, 7, 9, 10 뇌신경을 형성한다.

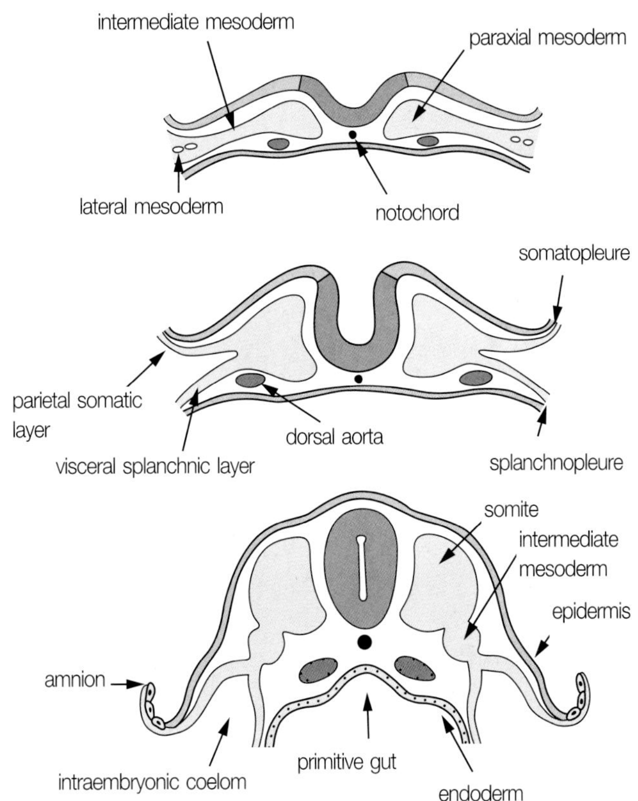

그림 2-6. 중배엽(mesoderm)의 형성: 축엽중배엽(paraxial mesoderm)과 외측 중배엽(lateral mesoderm), 중간 중배엽(intermediate mesoderm)으로 이루어짐.

각 인두궁은 각각 고유한 연골, 동맥, 근육, 신경을 가지게 된다.

제1궁은 하악궁(mandibular arch)이라하며, 하악궁에서 하악융기(mandibular prominence)와 상악융기(maxillary prominence)가 이루어지며 구강이 될 부위(somatodeum)를 둘러싸게 된다.

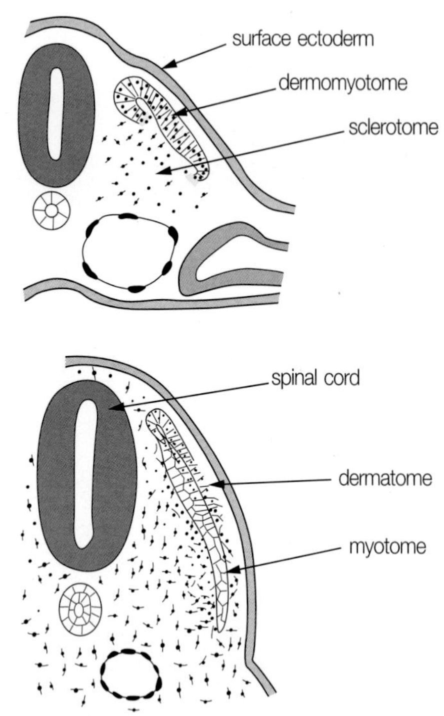

그림 2-7. 체절(somite)의 형성; 각 체절에서는 중배엽에서 경절(sclerotome), 근육분절(myotome), 피부분절(dermatome)을 형성한다.

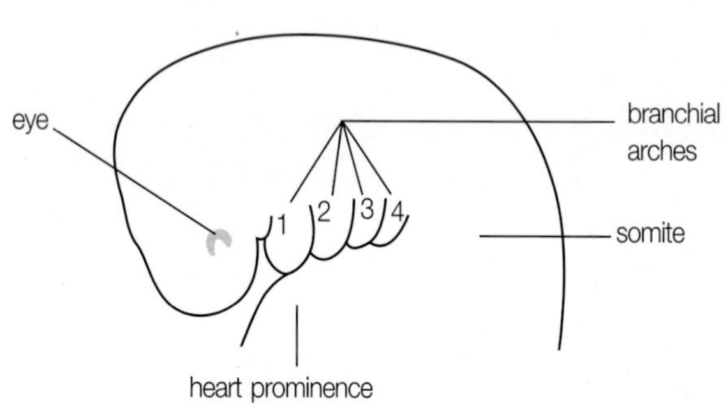

그림 2-8. 인두궁(pharyngeal arch 또는 brancial arch)의 형성

제1 인두궁은 하악돌기로 Meckel 연골이 있으며 반대편 하악돌기와 접하고 막성골화(membranous ossification)로 하악골을 형성하게 된다. 제1 인두궁에는 삼차신경의 하악분지(mandibular branch)가 분포하며 근육으로는 저작근인 교근(masseter), 측두근(temporalis), 내측 및 외측 익돌근(medial and lateral pterygoid) 등을 형성하게 된다.

제2인두궁은 설골궁(hyoid arch)이라하며 연골은 Reichert 연골을 가지며 여기에서 설골(hyoid), 측두골 경상돌기(styloid process), 등자골(stapes)을 형성하게 된다. 제2인두궁의 신경으로는 안면신경(facial nerve)이 분포하며 안면표정근육을 형성한다. 제2인두궁의 동맥은 등자골동맥(stapedial artery)이 분포하며 안면부의 혈액 공급을 하지만 태아기에 없어지게 된다. 등자골동맥이 퇴화하면서 안면의 혈액공급은 내경동맥(internal carotid)에서 외경동맥(external carotid)으로 바뀌게 된다. 등자골 동맥이 안면 발생시 안면의 중요한 혈액공급을 담당하는데 이 등자골동맥의 이상이 있을 때 구순 구개 및 안면의 발생 장애로 기형이 나타날 수 있다. 반안면 왜소증(hemifacial microsomia)에서 등자골동맥의 이상으로 안면의 발육저하로 기형이 발생할 수 있다고 추정된다.

제3인두궁은 설골의 일부를 형성하며 설인신경(glossopharyngeal nerve)이 분포한다. 제4인두궁은 갑상선연골(thyroid cartilage)을 형성하며 미주신경(vagus nerve)이 분포한다(그림 2-5). 제4동맥궁은 대동맥과 우 쇄골하동맥(subclavian artery)을 형성하게 된다(표 2-1, 그림 2-9).

7. 인두낭(pharyngeal pouch)

인두낭은 인두궁(pharyngeal 또는 bancial arch)사이의 들어간 부위로 인두부위에서 갑상선과 부갑상선, 흉선, 편도선등을 발생한다. 인두낭은 5개가 형성되며 제1인두낭은 제1인두궁과 제2인두궁 사이 함몰 부위로 중이(auditory canal)를 형성하며 나중에 제1인두낭의 끝은 고막(tympanic membrane)이 된다. 제1인두낭은 인두(pharynx)와 연결된 것이 길어지며 이관(eustachian tube)을 형성하게 된다.

제2 인두낭은 혀에 의해 폐쇄되며 이곳에서 편도선(tonsil)을 형성하며 tonsillar fossa로 남게된다. 제3인두낭은 흉선(thymus)을 형성하며 흉선은 제3인두낭에서부터 아래로 갑상선과 같이 하강하게 된다.

제4인두낭은 부갑상선을 형성하게 된다. 제1인두낭을 제외한 모든 인두낭은 발생하면서 막히게 된다(그림 2-10).

8. 갑상선과 갑상설관(throglossal duct cyst, fistula)

갑상선은 원시 인두(primitive pharynx)의 바닥 쪽에서 내배엽성 비후로 나타나게 된다. 배자가 길어지고 혀가 성장하면서 갑상선은 설골(hyoid)과 후두 연골의 복측에서 목의 앞부

표 2-1. 인두궁(branchial arch)에서 발생하는 구조물

Arch	Nerve	Muscles	Skeletal Structures	Ligaments
First(mandibular)	Trigeminal(V)	Muscles of mastication Mylohyoid and anterior belly of digastric Tensor tympani Tensor veli palatini	Malleus Incus	Anterior ligament of malleus Sphenomandibular ligament
Second(hyoid)	Facial(VII)	Muscles of facial expressions Stapedius Stylohyoid Posterior belly of digastric	Stapes Styloid process Lesser cornu of hyoid Upper part of body of the hyoid bone	Stylohyoid ligament
Third	Glossopharyngeal(IX)	Stylopharyngeus	Greater cornu of hyoid Lower part of body of the hyoid bone	
Fourth and Sixth	Superior laryngeal branch of vagus(X) Recurrent laryngeal branch of vagus(X)	Cricothyroid Levator veli palatini Constrictors of pharynx Intrinsic muscles of larynx Striated muscles of the esophagus	Thyroid cartilage Cricoid cartilage Arytenoid cartilage Corniculate cartilage Cuneiform cartilage	

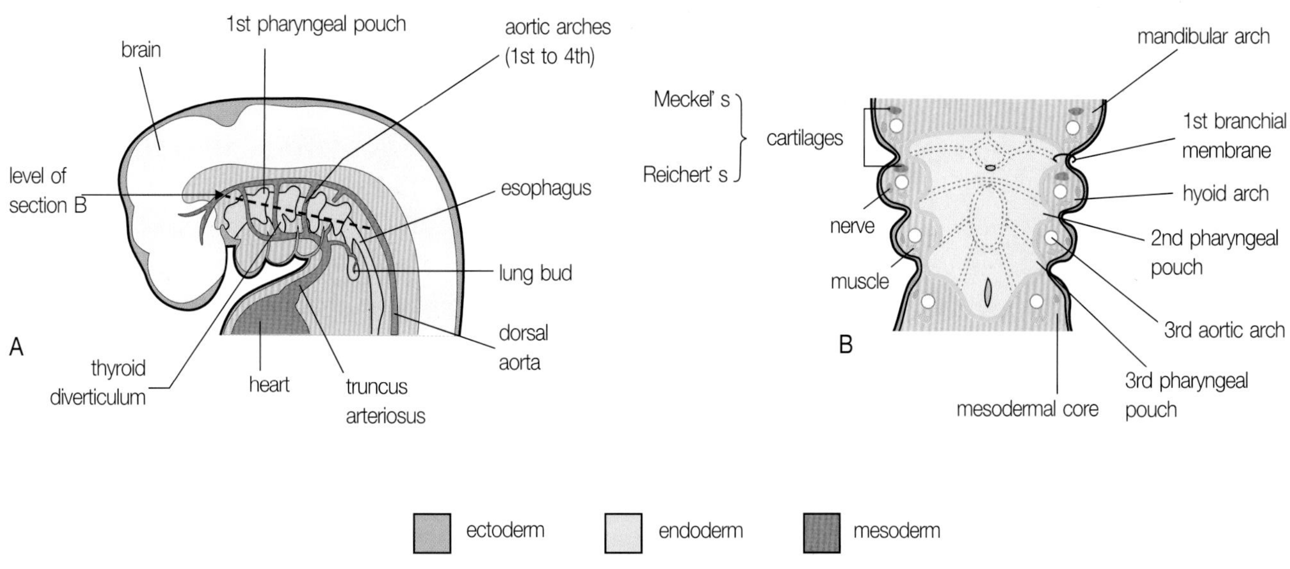

그림 2-9. 인두궁(pharyngeal arch)의 형성과 각 인두궁을 형성하는 배엽(germ layer)조직

분으로 내려오게 된다. 갑상선은 갑상설관(thyroglossal duct)에 의해 혀와 연결되며 점차 갑상설관(thyroglossal duct)은 자연적으로 위축되고 없어지게 된다.

갑상설관낭(thyroglossal duct cyst)은 갑상선관(thyroglossal duct)이 출생 후에도 남아있는 경우 발생하며 흔히 소아기에 경부의 정중앙부위에, 설골(hyoid)의 바로 밑에 잘 발생한다.

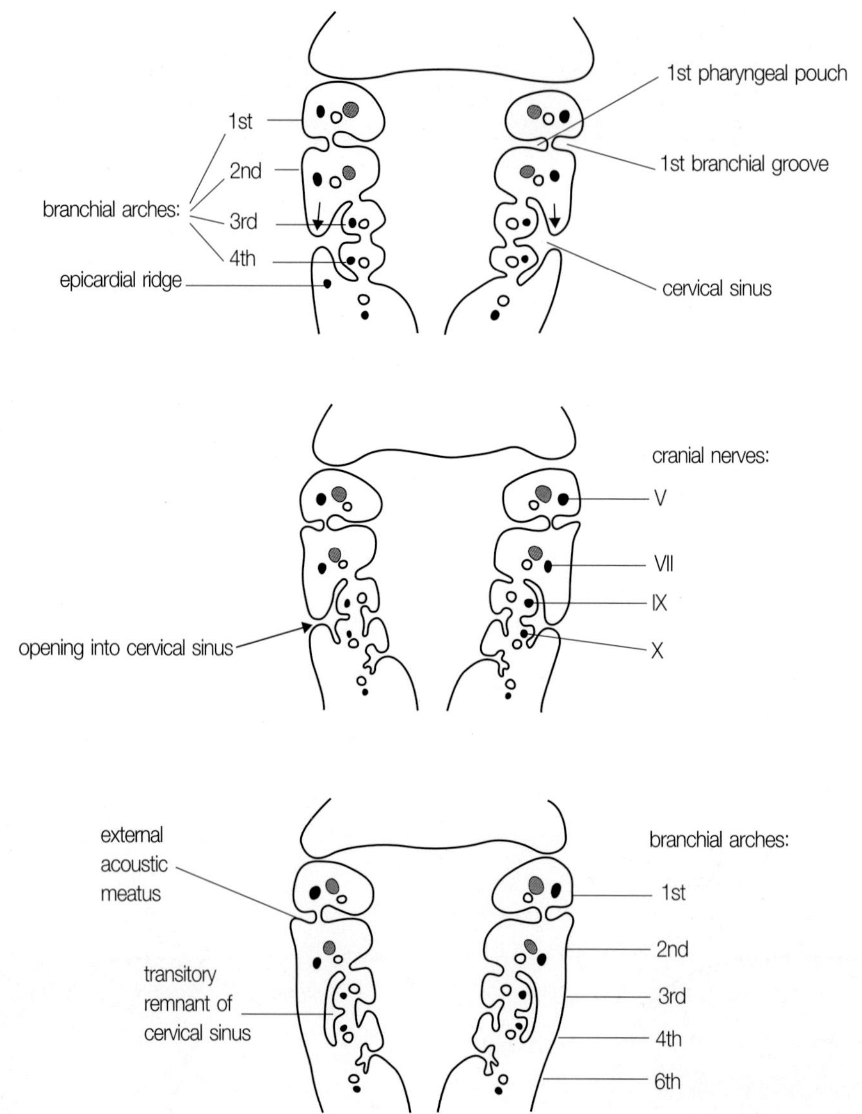

그림 2-10. 인두낭(phayrngeal pouch)의 형성; 제1인두낭은 이관(eustachian canal)을 형성하며 다른 인두낭은 폐쇄된다.

갑상선관은 발생학적으로 갑상선이 내려옴에 따라 연결된 것이기 때문에 갑상선관낭은 설골의 바로 밑을 지나 구강내의 설맹공(foramen cecum)까지 연결될 수 있다. 수술시 갑상선관 낭(cyst)이 남아있으면 재발을 하기 때문에 낭을 완전 제거하여야 하며 설골과 가까이 유착되어있어 설골 상부로 연결되어있는 경우 설골의 중앙부를 포함하여 제거하게 된다. 낭을 완전히 제거하기 위하여 파란 잉크로 낭(cyst)이나 루(fistula) 안으로 색을 입히면 완전히 제거된 것을 육안으로 확인할 수 있겠다(그림 2-11).

9. 인두궁낭(branchial cyst), 인두궁동(branchial sinus), 인두궁루(branchial fistula)

1) 선천성 이개동(congenital auricular sinus)

선천적으로 귀의 이개 앞에 생기는 선천성 이개동(congenital auricular sinus)과 이개 낭(cyst)은 작으며 대부분 제1인두구(brnachial groove)에서 발생한다.

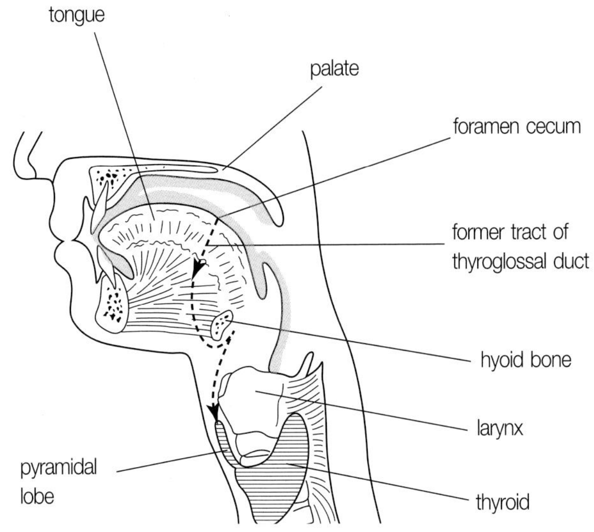

그림 2-11. 갑상선관(thyroglossal duct)의 형성 및 하강 경로

2) 인두궁동(branchial sinus)

경부의 측면에 드물게 생기는 인두궁동(branchial sinus)은 제2인두구(branchial groove)가 막히지 않고 남아서 발생하게 된다. 발생부위는 흉쇄유돌근(sternoclaidomastoid)을 따라 생기며 근육의 앞쪽 경계부위의 아래 1/3부위에 잘 생기나 쇄골과 이개 사이에 모든 부위에 발생할 수 있다. 외부에 발생하는 외측 인두궁동(external branchial sinus)은 어려서 경부에 점액이 분비하여 쉽게 발견할 수 있겠다. 인두의 안쪽에 발생하는 내측 인두궁동(internal branchial sinus) 또는 편도내의 갈라짐(intratonsillar cleft)은 매우 드물게 발생한다.

인두궁루(branchial fistula)는 바깥측은 출구는 경부의 측면에 있으며 목 안쪽으로는 tonsillar fossa에 입구를 갖고 있다. 인두궁루(branchial fistula)는 피부와 활경근(platysma)을 통과하며 내경동맥(internal carotid)과 외경동맥(external carotid) 사이를 지나 tonsillar fossa까지 관통하게 된다.

인두궁낭(branchial cyst)은 어려서 증상이 없다가 점차 낭(cyst) 안에 분비물과 액체가 고여 점차 커져 발견하게도 된다.

3) 인두궁 잔존(branchial vestige)

안면부와 경부에 비정상적으로 피부 돌기나 연골을 포함하는 돌출된 조직을 남기는 경우가 있으며 이는 인두궁의 흔적으로 발생할 수 있다. 목에서 흉쇄유돌근(sternocleidomastoid) 앞쪽에 잘 생기며 안면에서는 이개와 입의 끝 사이 뺨에도 잘 발생한다.

4) 제1인두궁 증후군(first arch syndrome)

제1인두궁(1st branchial arch)의 발달이 이루어지지 않는 경우 안면부에 다발성으로 선천기형을 초래하며 하악골, 구개뿐 만아니라 이개와 눈 기형까지 동반할 수 있다. 제1인두궁 증후군은 신경능선세포(neural crest cell)가 인두궁으로 이동 발육하지 못하여 발생하게 되며, 대표적인 예로 Treacher Collins 증후군과 Pierre Robin 증후군을 들 수 있다.

5) DiGeorge 증후군

선천적으로 흉선(thymus)과 부갑상선이 발육하지 못한 것으로 발생학적으로 제3인두낭과 제4 인두낭(pharyngeal pouch)이 흉선과 부갑상선으로 분화하지 못하여 발생한다(그림 2-12).

II. 각 기관의 형성

1. 코와 입술의 형성

안면의 발생은 4주초에 구강(stomatodeum) 주위에 위치한 5개의 주요 융기(prominence) 즉 전두비융기(frontonasal prominence), 양측의 상악융기(maxillary prominence)와 하악융기(mandibular prominence)에서 발달한다. 이 융기들은 중배엽과 신경능선세포(neural crest cell)의 증식으로 성장하게 된다.

이 융기들이 서로 접근하면서 탈상피화(de-epithelization)하여 합쳐지게 되는 것을 융합(fusion)이라 한다. 또한 융기내에 중배엽이 증식하면서 융기가 커지고 융기 사이가 없어지는 것을 병합(merging)이라고 한다(그림 2-13).

전두비융기(frontonasal prominence)의 아래 부위에서 코를 형성할 비판(nasal plate)이 발생한다. 발생 5주에 비판의 주위가 증식하면서 가운데가 함몰되어 비소와(nasal pit)를 형성하며 이곳에서 비공(nostril)이 형성된다. 비소와(nasal pit) 외측이 융기하며 외측비융기(lateral nasal prominence)가 생기며 내측에 내측비융기(medial nasal prominence)가 형성된다. 상악융기(maxillary prominence)가 중배엽의 증식으로 내측으

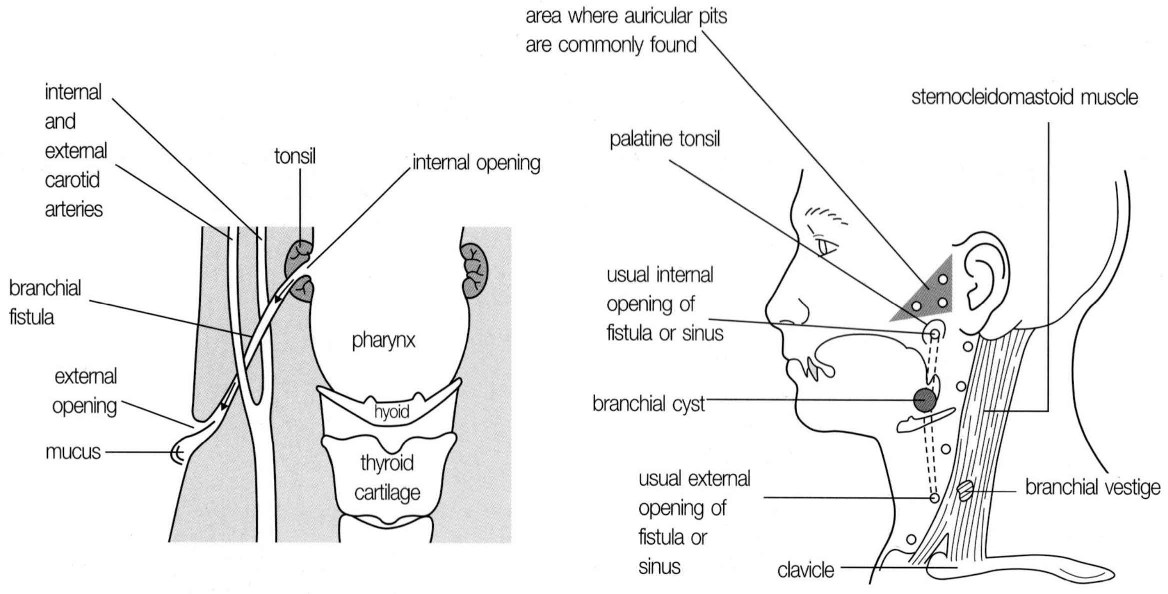

그림 2-12. 인두궁남(pharyngeal 또는 brancial sinus의 형성부위와 인두궁루(pharyngeal, branchial fistula)의 경로

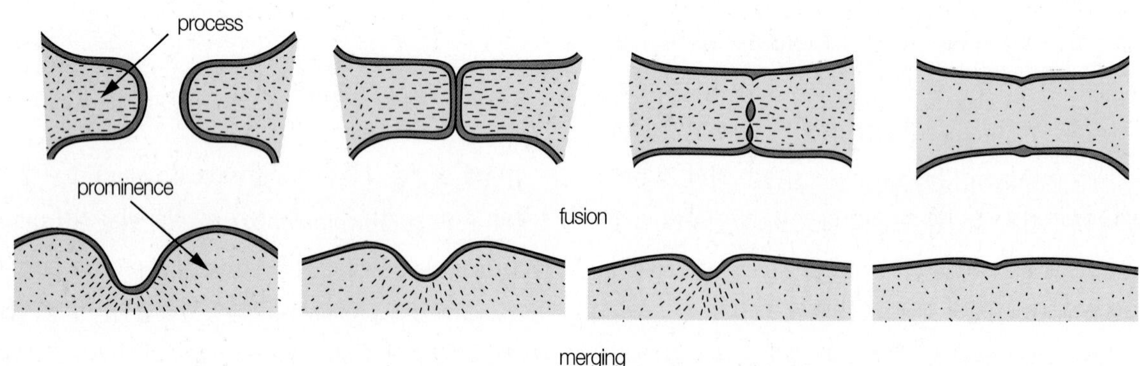

그림 2-13. 안면 융기(facial prominence)의 융합(fusion)과 병합(merging) 과정

로 성장하며 내측비융기(medial nasal prominence)와 합쳐지게 된다. 상악융기와 외측비융기 사이에 비루구(nasolacrimal groove)라는 홈이 있으며 상악융기와 외측비융기가 합쳐지며 이 사이의 홈은 비루관(nasolacrimal duct)이 형성된다.

코는 5개의 융기(prominence)에 의해 형성되며 비교는 전두비융기(frontonasal prominence)로 부터 비배와 비첨은 양측의 내측비융기(medial nasal prominence)로부터 그리고 비익은 외측비융기(lateral nasal prominence)로부터 발생한다 (그림 2-14~16).

2. 구개의 형성

구개의 형성은 발생 5주말에 시작하여 12주까지 이르게 된다. 구개 형성에 중요한 시기는 6주말에서 9주초가 되겠다.

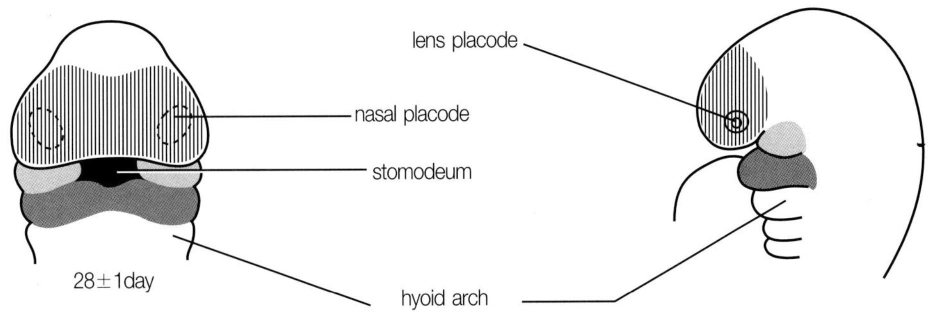

그림 2-14. 발생 28일경의 비판(nasal placode)과 구강(stomatodeum)의 형성

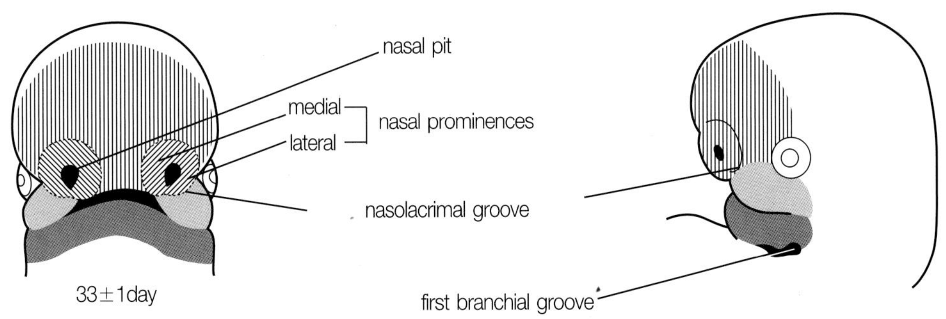

그림 2-15. 발생 33일경 내,외측 비융기(medial, lateral nasal prominence), 비소와(nasal pit), 비루구(nasolacrimal duct)의 형성과정

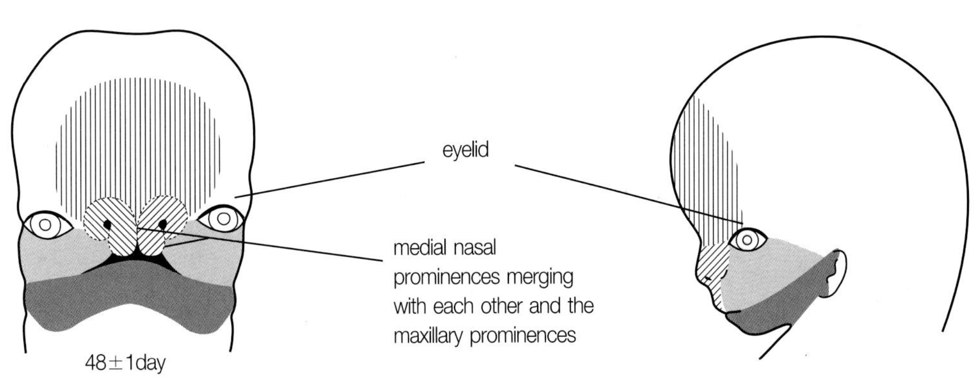

그림 2-16. 발생 48일경 상악융기(maxillary prominence)와 내외측 비융기(medial,lateral nasal prominence)의 융합으로 코와 상구순이 형성됨.

1) 일차구개(primary palate)

발생 4, 5주에는 이마가 상승하며 안면중앙과 코 주위가 좁아지며 상악이 앞으로 자라나오게 된다. olfactory placode 주위 상피세포와 간질조직이 증식하며 상악융기(maxillary prominence)는 내측으로 이동하며 내측비융기(medial nasal prominence)와 함께 양측의 융기가 병합하게 된다. 각 융기(prominence)가 만나면 상피세포는 세포자멸사(apoptosis)를 하며 코 주위가 가교를 형성하고 간질이 보강되어 상악간분절(intermaxillary segment)이 융합하게 된다. 이곳에서 인중, 상구순, 절치공(incisive foramen) 앞의 일차 구개(primary palate 또는 median palatine process)를 형성하게 된다.

일차 구개는 비중격과 합쳐지며 절치(incisor)를 포함하는

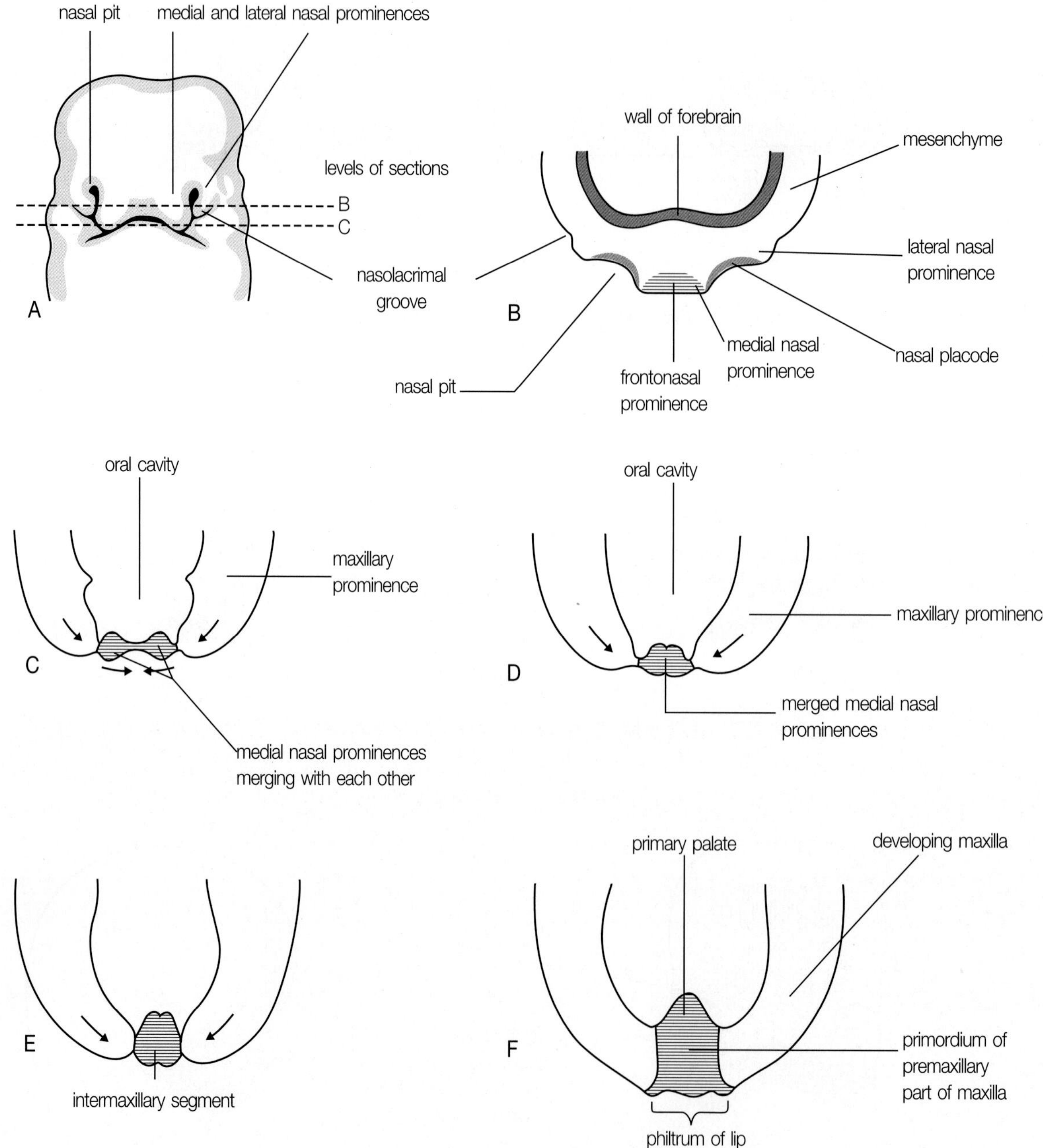

그림 2-17. 일차 구개(primary palate)의 형성 과정

premaxilla로 절치공(incisive foramen) 앞의 상악골과 구개 일부를 형성하게 된다(그림 2-17).

2) 이차구개(secondary palate 또는 lateral palatal process)

외측구개돌기(lateral palatal process) 는 발생 7-8주에 혀의 양측에 수직으로 놓여있으나 선반모양을 하고 있다. 발생8주말에 혀의 위에서 수평으로 놓이며 서로 접근하여 융합된다. 이차구개는 절치공(incisive foramen)에서부터 목젖(uvular) 방향으로 앞에서부터 뒤로 융합하게 된다. 외측구개돌기(lateral palatal process)가 수직에서 수평으로 이동하는 작용기전으로는 외측구개돌기 속의 hyaluronic acid의 수분화(hydration)가 작용한다고 생각된다. 또한 태아의 머리가 들리며 혀가 내려오고 혀 근육의 수축에 의하여 비강와 구강의 압력이 달라져 외측구개돌기가 수평으로 상승한다고 추측한다.

비중격은 전두비융기(frontonasal prominence)의 아래로 발달하며 발생 9주에 구개돌기(palatal process)와 앞에서부터 융합되기 시작하여 발생 12주에 완전히 뒤까지 융합하게 된다(그림 2-18).

전방 구순구개열(anterior cleft)은 구순이나 절치공(incisive foramen) 앞의 구개에 발생하는 열(cleft)로 발생학적으로 상악융기(maxillary prominence)와 악간구조물(intermaxillary segment)에 중간엽(mesenchyme)이 결손되어 발생한다. 구순열은 상악융기(maxillary prominence)와 내측비융기(medial nasal prominence)가 융합이 실패하여 발생하게 된다.

후방 구개열은(posterior cleft)는 절치공(incisive foramen) 뒤의 구개에 발생하는 열(cleft)로 구개선반(palatal shelf)의 외측구개돌기(lateral palatal process)가 이동과 융합이 되지 않아 발생한다.

3. 귀(외이)의 형성

외이(external ear)와 중이(middle ear) 그리고 내이(inner)는 각기 다른 발생을 하게 된다. 외이와 중이는 제1인두궁인 하악궁(mandibular arch)과 제2인두궁인 설궁(hyoid arch)에서 발생한다. 이개(auricle)는 6개의 융기(hillock)가 발육하여 형성되며 이개 융기는 발생 5주에 나타나게 된다. 이개의 융기(hillock)가 합쳐져 이개를 형성하는데 처음에는 주로 하악궁(mandibular arch)에서 발생한 융기가 발육하면서 점차 설궁(hyoid arch) 성분의 융기로 대체되며 이개가 커지며 앞으로 회전을 하며되어 출생 시의 정상적 모양의 이개를 형성하게 된다.

외이도와 이개(auricle)는 발생 초기에는 목의 가운데에 위치하지만 점차 하악 발육과 함께 외상방으로 눈높이 위치로 옮겨지게 된다.

인두궁(pharyngeal arch)의 발육부전시에는 귀는 그대로 목

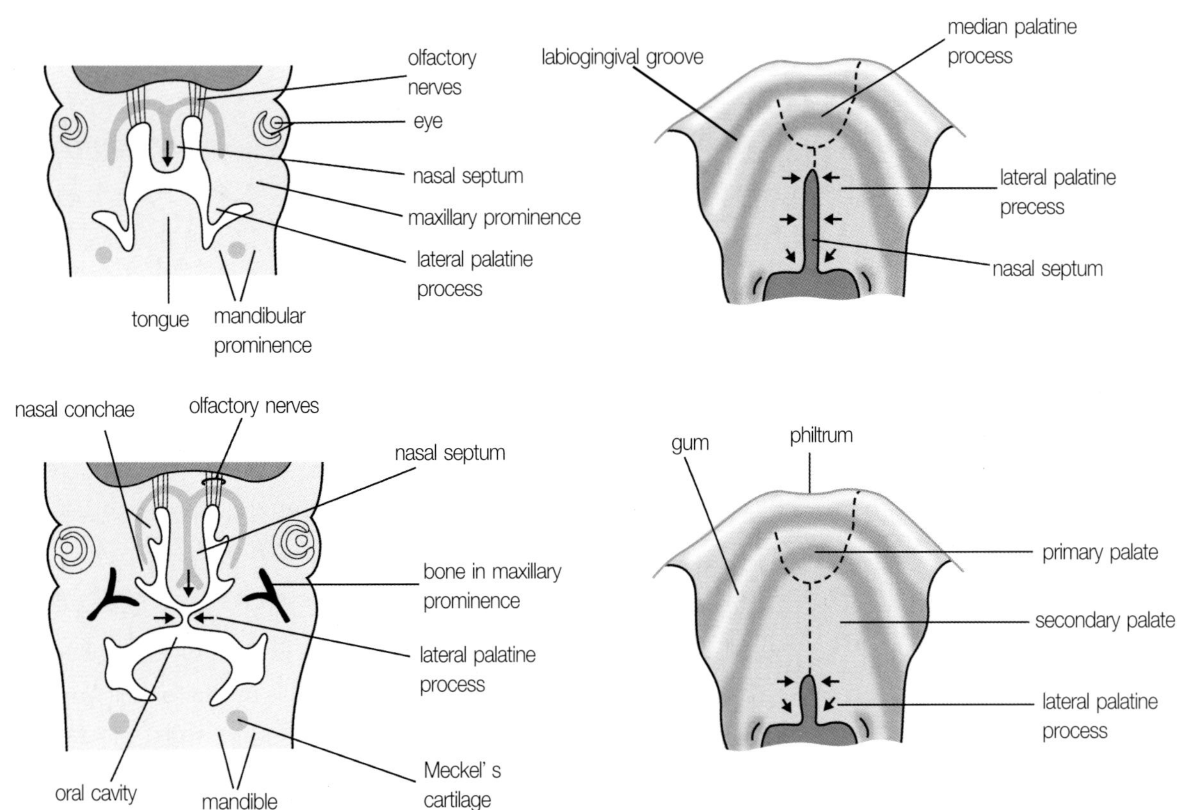

그림 2-18. 이차 구개(secondary palate)의 형성 과정; 구개선반(palatal shelf)이 수직위치에서 상승하며 수평방향으로 융합됨.

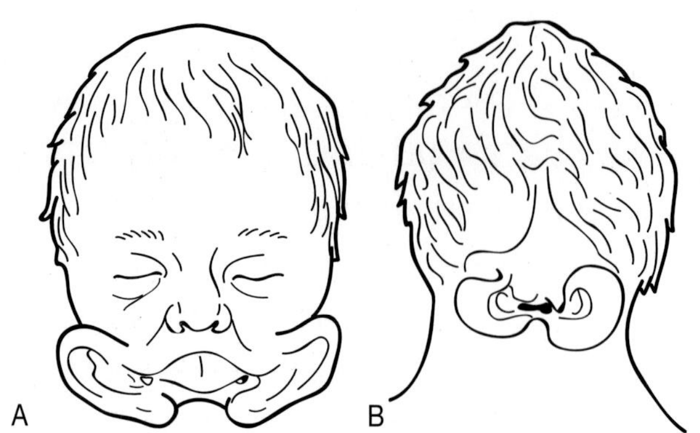

그림 2-19. 인두궁(pharyngeal arch)의 발육부전으로 생기는 earhead 기형

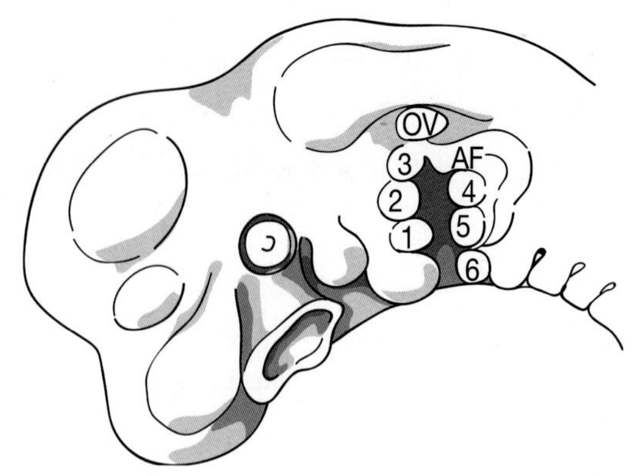

그림 2-21. 제1인두궁인 하악궁(mandibular arch)과 설골궁(hyoid arch)에서 형성되는 6개의 이개 융기(auricular hillock)

의 가운데 남아있어 "earhead"를 형성하게 된다(그림 2-19).

내이(inner ear)는 외배엽(ectodermal)에서 발생하며 발생 3주에 처음 나타나게 된다.

내이와 중이 및 외이는 다른 발생 기전을 갖기 때문에 다른 기형 발현 양상을 나타내며 이개결손이나 소이증 환자에서 내이 발생부전으로 인한 청력 손실은 매우 드물게 나타난다(그림 2-20~22).

제1융기에서 이주(tragus), 제2, 3융기에서 이륜(helix), 제4융기에서 대이륜(antihelix), 제5융기에서 대이주(antitragus), 제6융기에서 귀볼(earlobe)이 생긴다.

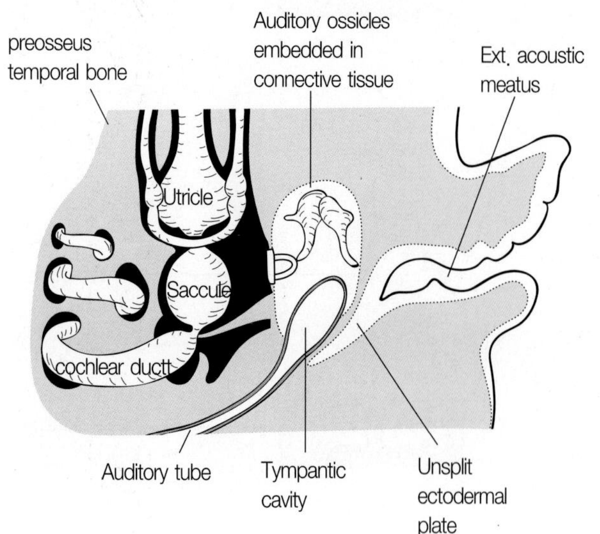

그림 2-20. 내이 및 중이의 형성

귀의 기형은 Treacher Collins 증후군에서 흔히 동반하며, 발생원인은 다발성 요인(multi- factorial)으로 유전양상을 나타낸다. 등자골동맥(stapedial artery)의 폐쇄나 루벨라 같은 임신 초기의 감염, thalidomide 중독 등에서 발생 요인을 나타낸다.

4. 눈의 형성

발생 4주에 전뇌(forebrain)의 외측에 안포(optic vesicle)가 돌출된다. 그 가운데는 함몰되어 안배(optic cup)를 형성한다. 망막(retina) 안 신경 은 신경외배엽(neuroectorderm)에서 형성되며 렌즈, 안검, 각막, 결막은 표면외배엽(surface ectoderm)에서 발생한다. 중배엽(mesoderm)에서는 안륜근과 기타 결체조직(connective tissue)을 형성한다. 안검은 10주에 안열(optic fissure)이 닫히는데 발생 26주에는 안검이 완성되어 열리게 된다. 안구 및 안와는 처음에 안면의 외측에 180도 위치에 있지만 발육하며 점차 내측으로 이동한다(그림 2-23).

안검의 발육 장애로 안검 결손(coloboma)이 발생하며 이는 안검의 일부 결손을 나타내게 된다. 안포(optic vesicle)의 형성장애로 안구가 전혀 없는 무안(anophthalmos) 기형을 나타낼 수 있으며 안와가 작은 소안(microphthalmos)을 나타낼 수 있다. 이러한 기형은 발생초기 장애로 다른 기형을 대부분 동반하게 된다. cyclopia 는 눈이 하나로 정 가운데 위치한 것으로 코도 튜브형태를 나타내며 심한 두개기형으로 생존하기가 힘들다.

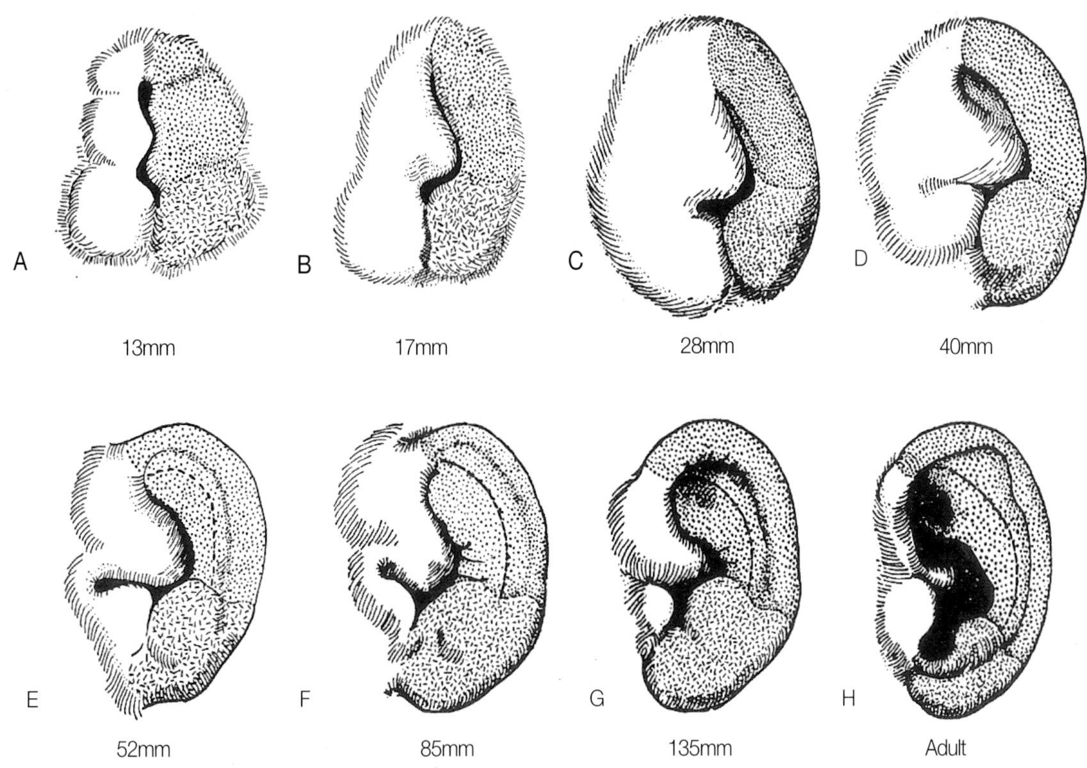

그림 2-22. 이개융기(hillock)에서 이개(auricle)가 형성되는 과정. 하악궁에서 점차 설골궁으로 전환됨.

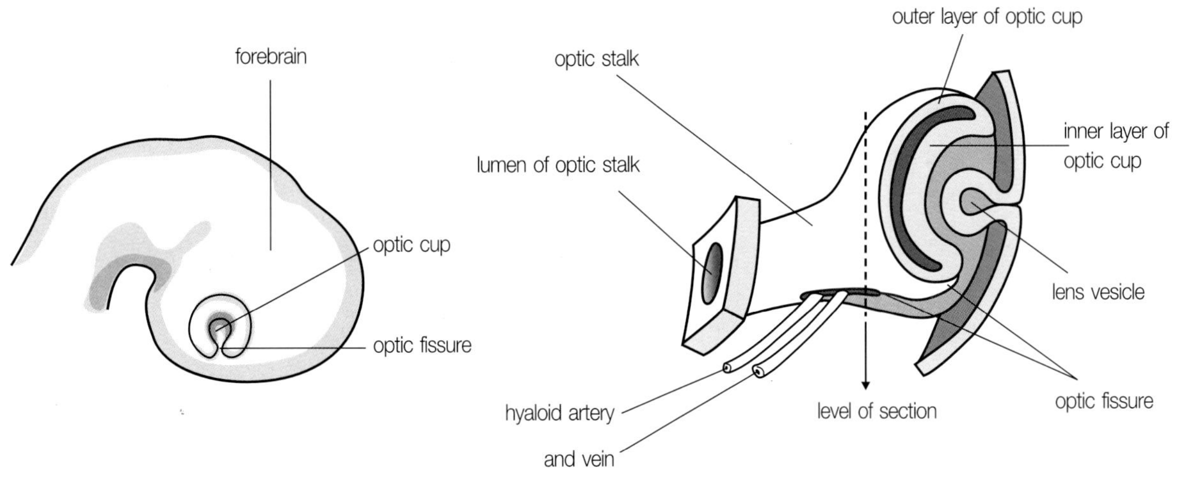

그림 2-23. 원시 안구의 형성

5. 치아

치아는 능선세포(crest cell) 중배엽과 구강외배엽(oral ectoderm)에서 발생하며 원시적인 치아(teeth primordia)는 외측과 내측비융기(lateral nasal, medial nasal prominence)와 상악융기(maxillary prominence)가 융합되는 시기에 형성되

며 이 형성이 안 될 경우 구순구개열에서 처럼 그 부위의 치아의 결손, 크기와 수의 변형을 동반하게 된다.

6. 두개골의 생성

두개골은 뇌 주위의 간엽(mesenchyme)에서 발생하며 뇌를 보호하고 있는 골은 신경두개골(neurocranium)로 구성되며 안면골은 내장두개골(viscerocranium)로 구성된다.

1) 신경두개골 중 막성신경두개골(membanous neurocranium)은 막성골화(intramembranous ossification)로 형성되며 뇌의 위와 측면을 둘러싸는 두개골(calvaria, cranial vault)을 형성한다. 편편한 clavaria 사이는 섬유성조직으로 연결되며 이를 suture 라 한다. 이런 연한 골과 suture 로 인하여 두개골이 성장하면서 두개골 형태를 변화하게 된다(cranial molding).

2) 신경두개골의 후방과 기저부는 신경두개골 중 연골내골화(endochondral ossification)에 의하여 형성되며 이를 연골성신경두개골(cartilagenous neurocranium) 이라하며 두개골 기저부와와 후두골을 형성한다.

3) 내장두개골(viscerocranium)도 연골성(cartilagenous)과 막성(membranous) 내장두개골로 나누어진다.

연골성 내장두개골(cartilagenous viscerocranium)은 제1인두궁(mandibular arch)과 제2인두궁(hyoid arch)에 부착된 Mechkel 연골과 Reichert 연골에서 형성되며 Meckel 연골에서는 중이의 malleus 와 incus 골을 형성하며 Reichert 연골에서는 등자(stapes)골과 styloid process, 그리고 설골(hyoid)의 상부를 형성한다.

4) 막성 내장두개골(membranous viscerocranium): 제1인두궁의 maxillary process에서 막성골화(intramembranous ossification)되면 측두골, 상악골, 관골을 형성하게 된다. 하악돌기(mandibular prominance)에서는 막성골화를 하여 하악골을 형성하게된다. 하악골중 하악돌기(condyle)는 연골내골화(endochondral ossification)를 하여 성장하게 된다.

태생기에 안면골은 두개골에 비하여 상당히 작으나 악골이 발달하고 부비동이 발달하면서 점차 두개골에 대한 비율이 커지게 된다(그림 2-24).

7. 안면부 혈관 발생

두개안면부의 혈액공급은 발생 3주에 심장으로부터 visceral arch를 통하여 공급을 받게 된다. 발생 6주에는 제1,2, 대동맥궁(aortic arch)이 심장으로부터의 연결이 없어지게 되며 일부 제2 대동맥궁이 등자골동맥(stapedial artery)으로 남아서 일정기간 안면부의 혈액을 공급한다. 제3 대동맥궁이 등자골동맥으로 발생 9주에 연결이 되며 이로써 안면부의 혈액공급은 내경동맥(internal carotid)에서 외경동맥(external carotid)으로 전환이 된다. 등자골동맥(stapedial artery)과 외경동맥의 융합이 발생학적으로 약한 부위로 출혈이나 이상이 있을 때 두개안면기형이나 반안면왜소증(craniofacial microsomia)을 형성하게 된다. 심장과 주요 혈관은 신경능선세포(neural creat cell)에서 만들어지기 때문에 신경능선세포 발생에 이상이 있는 경우 심장과 두개안면의 기형을 동반하는 경우가 많다(velocardiofacial 증후군, CHARGE 증후군 등)(그림 2-25).

8. 안면의 근육

중배엽의 체절(somite)에는 근육분절(myotome)을 포함하며 이곳에서 근모세포(myoblast)를 형성하게 된다. 근모세포는 지배하는 신경과 함께 이동하여 근세포를 만들게 된다. 제1인두궁(branchial arch)에서는 저작근(masseter, temporalis, pterygoid)이 발생하며 삼차신경의 지배를 받게 된다. 표정근(facial expression)은 제2인두궁에서 발생하며 안면신경의 지배를 받게된다. 귀 앞부위(preoptic) 체절에서는 혀의 근육을 형성하며 설하신경(hypoglossal)의 지배를 받게된다. 외안근(extrinsic ocular muscle)은 귀의 위부위 근육분절(myotome)에서 발생하며 제3, 4, 6번 뇌신경의 지배를 받게 된다.

9. 신경의 이동

안면의 신경은 신경능선세포(neural crest cell)에서 발생하며 초기에는 원시적인 뇌신경절(ganglion)이 신경관(neural tube)에 연결이 되어있다. 점차 앞쪽으로 이동하며 안면을 형

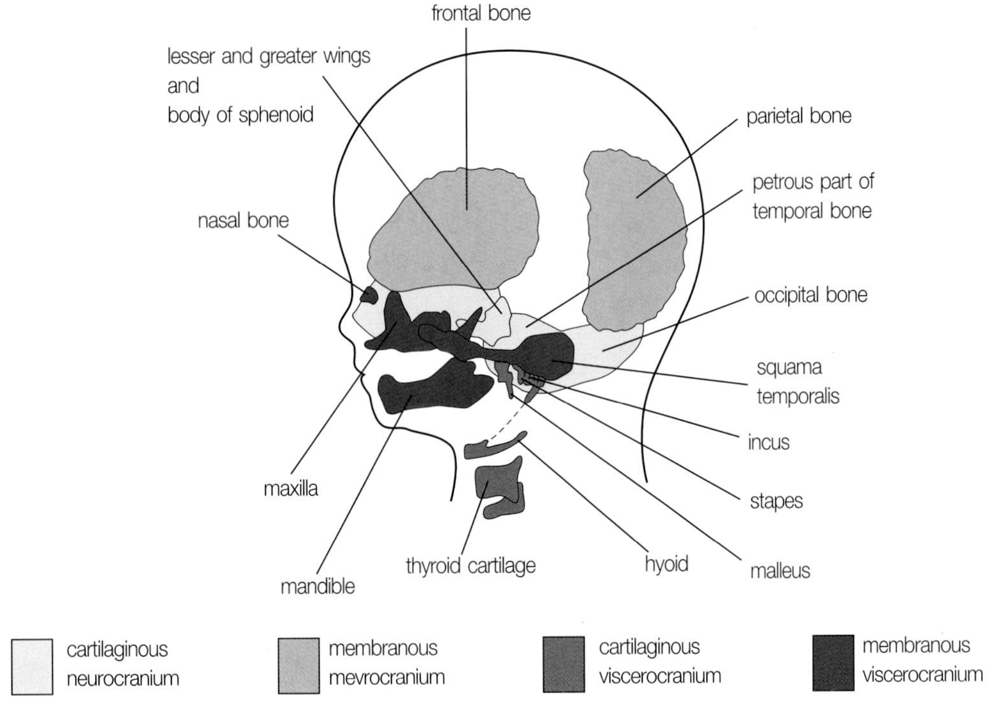

그림 2-24. 두개골의 형성과 구성

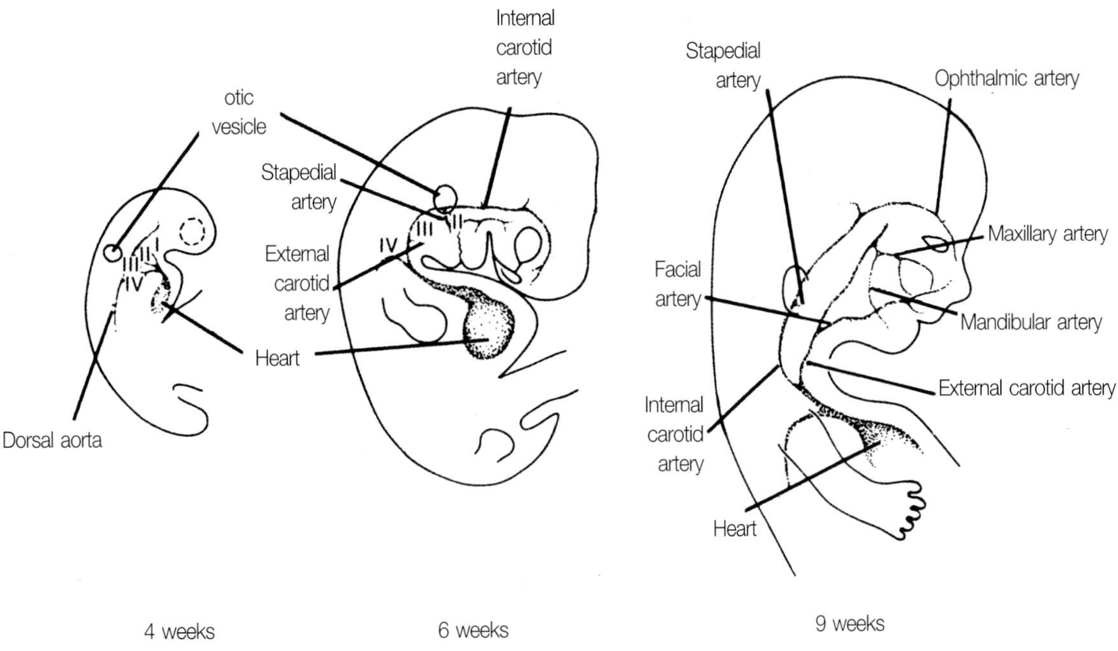

그림 2-25. 안면부 혈액공급은 내경동맥(internal carotid)에서 외경동맥(external carotid)로 전환되며 그 사이 등자골동맥(stapedial)이 일시적으로 안면부 혈액공급 일부를 담당한다.

성하는 부위와 함께 위치하며 각각 신경절(제5, 7, 9, 10 뇌신경, 삼차신경, 안면신경, 설인신경, 미주신경)을 형성하게 된다(그림 2-5).

III. 두개안면기형의 발생원인

일반적인 기형 발생의 원인과 같이 두개안면기형의 발생도 유전적인 요인과 환경적인 요인 그리고 복합적인 요인으로 발생하게 된다.

1. 유전적 요인

유전적 요인으로는 삼염색체(trisomy)로 21, 18, 15번 염색체에서 기형이 발생한다. 21번 trisomy는 Down 증후군이며 15번 trisomy는 안면 중앙부의 기형을 초래한다. 성염색체의 trisomy는 Turner 증후군과 Klinefelter 증후군이 발생하게 된다.

염색체이상에 의한 멘델리안 우성 및 열성 유전에서도 확률적으로 같이 나타나지 않는데 이를 발현율(variable expression, penetrance)이 다르기 때문이다.

여러 환경적 요인 등으로 염색체의 돌연변이가 발생하며, 염색체 이상으로는 전위(translocation), 결손(deletion), 중복(duplication), 역위(inversion), isochromosome 현상이 나타난다(그림 2-26).

5번 염색체의 결손으로 cri du chat 증후군이 나타나며 이 경우 특징적인 고양이울음소리와 microchephaly, 정신지체(mental retardation), 심장기형 증상을 동반한다.

2. 환경적 요인

두개안면 기형을 초래하는 환경적 요인으로 임신중 알코올 중독(fatal alcohol syndrome), thalidomide 약물복용, 감염, 방사선조영 등이 밝혀져 왔다.

신경관 결손(neural tube defect; NTD)을 초래하는 것으로는 임신중 알코올 중독, trisomy 21 등이 있으며 이 경우 두개안면 발생 초기에 영향을 미치므로 무뇌아(anencephaly), holoprosencephaly, cyclopic eye 등 심각한 두개안면기형을 초래한다.

retinoic acid syndrome(RAS)는 신경능선세포(neural crest cell)에 치명적이며 임신중 복용시 구순구개열, 소뇌, 심장 기형과 하악과 흉선의 발육부전을 초래한다. retinoic acid (Accutane, 13-ci-RA)는 vitamin A 성분으로 여드름에서 피지분비를 억제하기 위하여 여드름 치료제로 복용하는데 임신중 사용을 절대 금하여야한다.

임신중 인플루엔자, 루벨라 감염 시 기형을 나타내며, 고체온(hyperthermia)이 신경능선세포(nerual crest cell)에 영향을 미치게 된다.

3. 복합적 요인

기형을 초래하는 요인은 원인이 밝혀지지 않은 것이 많으며 하나의 요인으로 나타나기 보다는 복합적으로 유전적요인과 환경적요인 등 다발성 요인이 합하여 일정 한계를 넘을 때 기형이 나타난다고 설명하였다(multiple threshold theory)(그림 2-27).

4. 두개안면기형과 유전인자

요즘 분자생물학 등 기초 연구가 발달하면서 구체적인 원인이 밝혀지고 있으며 관련 있는 인자들이 알려지게 되었다.

지금까지 두개안면기형의 병명과 분류는 형태에 의한 이름이 주로 붙여졌지만 두개안면발달시기와 돌연변이에 작용하는 유전인자가 밝혀지면서 원인에 의한 두개안면기형의 분류가 이루어지고 있다.

유전자(gene)는 세포의 분화, 이동, 형태의 변화, 자멸사(apoptosis) 등을 조절하는데 성장인자(growth factor) 와 신호분자(signaling molecule)의 분비와 역할로 태아의 발달을 조절하게 된다.

성장인자(growth factor) 중 스테로이드, retinoic acid, tyroxin 등은 세포막을 투과하여 직접 세포내 수용체(receptor)에 작용하며, FGF, EGF, TGF-beta 등은 세포표면의 수용체(receptor)에 작용하여 세포내 신호를 활성화시킨다.

많은 신호분자(signaling molecule)는 농도와 성장촉진 호르몬의 종류, 수용체 등에 의해 다른 기능을 나타나게 된다. 이런 유전자에 의한 조절 기능이 방해될 때 태아의 기형이 발생

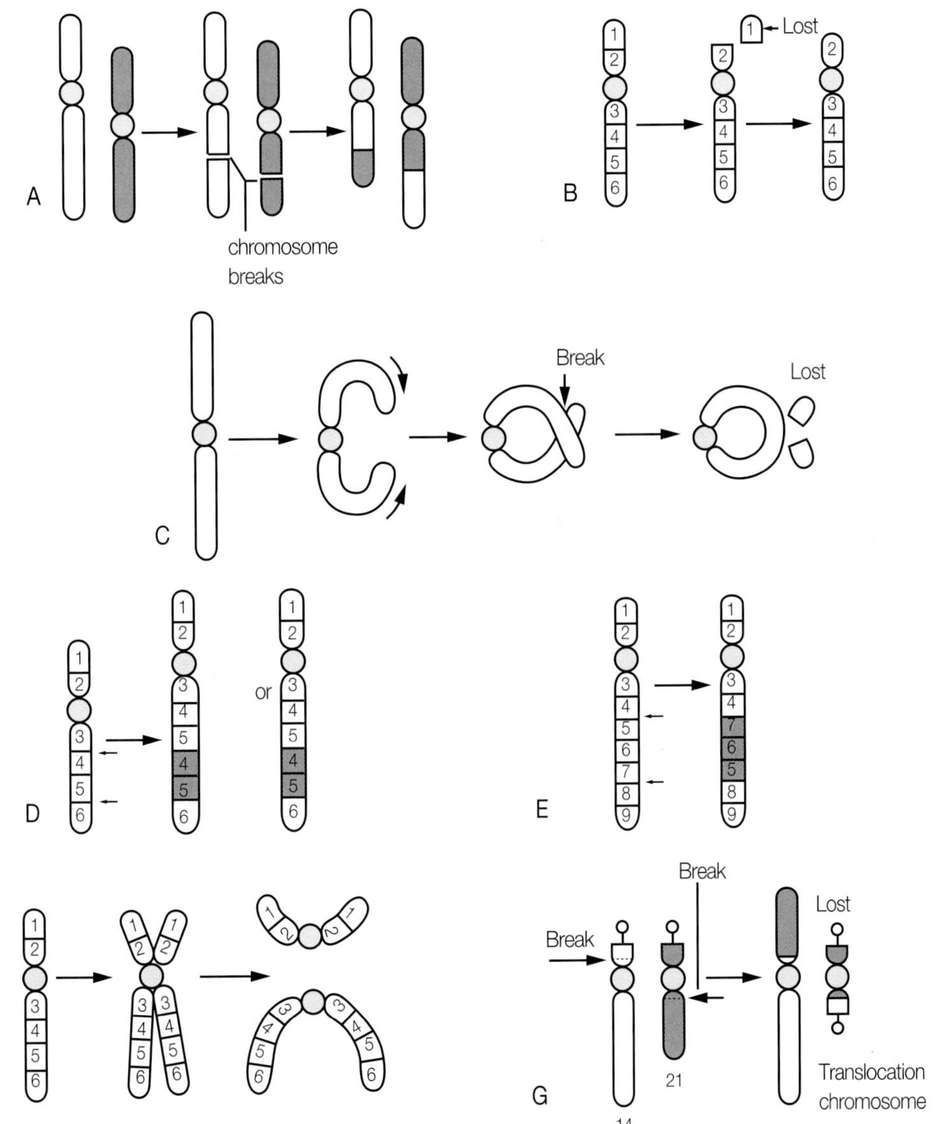

그림 2-26. 돌연변이(mutation)로 인한 유전자 이상. 전위(tanslocation), 결손(deletion), 중복(duplication), 역위(inversion), isochromosome 현상

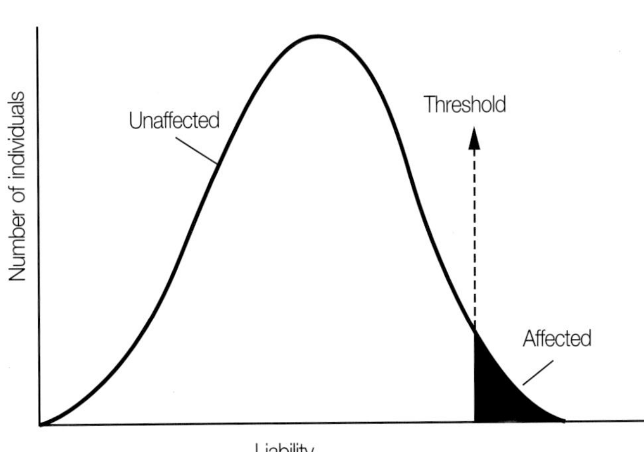

그림 2-27. Multiple threshold theory. 기형을 초래하는 유전적요인과 환경적 요인이 한계를 넘을 때 기형이 발생하다는 이론.

하게 된다(표 2-2).

신경주름(neural fold)과 신경관(neural tube)을 형성하는 신경배형성(neurulation)과정에는 PAX6, Sonic Hedge-Hog(SHH), FGF가 작용하며 이시기에 문제가 될 경우 한쪽 뇌만 있는 holoprosencephaly, cycloplegia, 신경관결손(neural tube defect), 정중앙 안면열(midline orofacial cleft) 기형이 발생하게 된다.

신경주름세포(neural crest cell)의 형성과 이동, 분화에는 indeuctive homeobox gene(HOX, MSX)가 작용하며 이시기의 장애 시에는 von Recklingshausen neurofibromatosis, hemifacial microsomia, orofacial clefts, DiGeorge 증후군, Treacher Collins 증후군 등 다양한 두개안면기형이 발생하게 된다.

신경주름세포가 인두궁(pharyngeal arch)에 이르고 안면 융기(facial prominence) 형성에 관여하는 유전인자는 regulatory homeobox gene(HOXa-1,2, HOXb-1,3,4), SSH, orthodentical homeobox(OTX), goosecoid(GSC), Drosophilia distal-less homeobox(DLX), muscle segment homeobox(MSX), LHX,

표 2-2. 기형을 초래하는 성장인자와 신호분자(growth factor and signaling molecule)

Factor	Abbreviation	Derivation	Action
Bone morphogenetic proteins	BMPs(1-7)	Pharyngeal arches; frontonasal mass	Mosoderm induction; dorso-ventral organizer; skeletogenesis; neurogenesis
Brain-derived neurotrophic factor	BDNF	Neural tube	Stimulates dorsal root ganglia anlagen
Epidermal growth factor	EGF salivary glands	Various organs; many cell types	Stimulates proliferation and differentiation of
Fibroblastic growth factors(1-19)	FGFs	Various organs and organizing centers	Neural and mesoderm induction. Stimulates proliferation of fibroblasts, endothelium, myoblasts, osteoblasts
Hepatocyte growth factor	HGF	Pharyngeal arches	Cranial motor axon growth; angiogenesis
Homeodomain proteins	Hox-a, Hox-b, PAX	Genome	Craniocaudal and dorsoventral patterning
Insulin-like growth factors 1 and 2	IGF-1 IGF-2	Sympathetic chain ganglia	Stimulates proliferationn of fat and connective tissues and metabolism
Interleukin-2, Interleukin-3, Interleukin-4	IL-2, IL-3, IL-4	White blood cells	Stimulates proliferation of T-lymphocytes; hematopoietic growth-factor; B-cell growth factor
Lymphoid enhancer factor 1	Left	Neural crest: mesencephalon	Regulates epithelial-mesenchymal interactions
Nerve growth factor	NGF	Various organs	Promotes axon growth and neuron survival
Platelet-dervied growth factor	PDGF	Platelets	Stimulates proliferation of fibroblasts, neurons, smooth muscle cells, and neuroglia
Sonic hedgehog	SHH	Various organs	Neural plate and craniocaudal Patterning, chondrogenesis
Transcriptional factors	TFs	Intermediate gene in mesoderm induction casade	Stimulates transcription of actin gene
Transforming growth factor-α	TGF-α	Various organs	Promotes differentiation of certain cells
Transforming growth factor-β (Activin A, Activin B)	TGF-β	Various organs	Mesoderm induction; potentiates or inhibits responses to other growth factors
Vascular endothelial growth factor	VEGF	Smooth muscle cells	Stimulates angiogenesis
Wingless	WNT	Genome	Pattern formation; organizer

From Sperber GH. Craniofacial development. Hamilton, Ontario: B.C. Decker; 2001 paired-related homeobox(PRRX) 등 많은 유전자가 관여하게 된다.

일차구개(primary palate)형성의 중요한 시기는 발생 5주에서 7주사이이며, 일차구개 형성에는 FGF(FGF8, FGFR2), BMP4,7, SHH, retinoic acid 등 유전인자 및 신호분자가 작용한다.

이차구개(secondary)는 발생 8주에 구개 선반(palata shelf)이 혀 주위에 수직으로 있다가 수평으로 상승하며 서로 융합하여 이차구개를 형성한다. 이시기에 구개선반(palatal shelf) 주변에서 FGF8, SHH, TGF-b3, N-cadherin 이 증가하며 구개선반의 성장과 상승, 표피세포의 자멸사(apoptosis)와 분화로 이차구개형성에 작용하는 것으로 생각된다.

유전자나 염색체에 이상이 있는 경우 두개안면열(craniofacial cleft)은 다양한 기형을 동한하게 되며 증후군을 동반하는 두개안면열이 발생하기 쉽다. 반면 증후군을 동반하지 않는 안면열(facial cleft)은 하나나 소수의 loci에 영향을 받아 나타나며 환경의 영향을 받거나 돌연변이를 일으키기 쉬운 locus가 증후군을 동반하지 않는 안면열을 나타나게 된다.

염색체 이상으로 안면열을 초래하는 경우는 일차구개열(primary palate cleft) 결손으로 4p(Wof-Hirshhorn 증후군), 4q, 5 결손(Cri-du-chat 증후군)이 있으며 중복으로는 3p, 10p, 11p가 있고 trisomy 로는 13, 18이 있다.

이차구개열(secondary palate cleft)은 결손으로 4q, 7p가 있고 중복으로는 3p, 7p, 8q, 9q, 10p, 11p, 17p, 19q가 있고 trisomy 로는 9,13 이 있다.

미세결손(microdeletion)으로는 22q11.2 가 있으며 이는 Digeorge, velocardilfacial, conotruncal anomaly face 증후군과 연관성이 있다.

유전자(gene)와 관련된 것으로는 transcription factor로 GL13, 7p13; PAX3, 2q35-Waardenburg 증후군; SIX3, 2p21-holoprosenchaly 2; SOX9, 17q24.3-q25.1-Camptomelic dysplasia가 있다.

세포외 단백물질(extracellular matrix protein)로 COL2A1m 12q13,1-q13.2- Strickler 증후군 typeI, COL11A2, 1p21-Strickler 증후군 type II, GPC3, Xp22- Simpson-Golabi-Behmel 증후군이 있다.

세포 신호분자(cell signaling molecule)로는 FGFR2, 10q26, Apert-Crouzon 증후군, PTCH, 9q22.3-basal cell nevus 증후군, SHH, 7q36, holoprosenchephaly가 밝혀졌다.

5. 두개골조기유합증(craniosynostosis)과 유전 요인

분자유전학의 발전으로 두개골조기유합증의 원인적, 유전적 요인이 밝혀지고 있다.

두개골형성에 관여하는 것으로는 FGFR(fibroblast growth factor receptor)과 MSX2, TWIST 인자가 있으며 이에 돌연변이가 있을 때 두개골조기유합증이 발생하는 것으로 밝혀졌다. FGFR1 변이로 arginine대신 proline이 250아미노산에 대치될 경우 Pro250Arg 로 표현하며 Pfeiffer증후군 형태가 발생한다. FGFR2로 Pro253Arg와 Ser252Trp시 Apert 증후군과 연관이 있으며, FGFR2는 Crouzon, Pfeiffer, Jacson-Weiss 증후군과 연관이 있으며, FGFR3 변이로는 achondroplasia와 관련된 두개골조기유합증이 밝혀졌다. MSX2에 P148H(148번에 histidine 대신 proline)변이로 보스톤형태의 두개골조기유합증(Boston type craniosynostosis)이 발생한다. Saethre-Chotzen 증후군은 염색체 7p21로 TWIST 인자의 변이 때 발생하는 것으로 밝혀졌다.

이외에도 염색체, 유전인자, 유전자(chromosome, gene, genome)의 많은 부위가 기형과 관련된 것으로 추축되는 후보(candidate)이며 이에 대한 연구가 활발히 이루어지고 있어 앞으로 더욱 정확한 유전자적 원인이 밝혀질 것으로 보인다.

참고문헌

1. Moore LK, Persaud TVN: The developing human-clinically oriented embryology. Philadelphia, WB Saunders Co, 1993
2. 박형우: 인체발생학. 제2판, 서울, 군자출판사, 1999
3. Marazita ML, Mooney MP: Current concepts in the embryology and genetics of cleft lip and palate. Clin Plast Surg 31;125-140, 2004
4. Embryology of head and neck. Johnson MC, *in Plastic Surgery*. McCarthy JG, Philadelphia, WB Saunders, 1990
5. Mulliken JB, Warman ML: Molecular genetics and craniofacial surgery. Plast Reconstr Surg 97:666-675, 1996
6. Mulliken JB, Karen WG, Catherine AS, Daniela S, Ulrich M: Molecular analysis of patients with synostotic frontal plagiocephaly(Unilateral coronal synostosis). Plast Reconstr

Surg113:1899, 2004

7. Robin NH: Molecular genetic advances in understanding craniosynostosis. Plast Reconstr Surg 103:1060-1070, 1999

8. Thompson MW, McInnes RR, Willard HF: Thompson and Thompson genetics in medicine. 5th ed. Philadelphia, WB Saunders, 1991

제3장 두개안면의 생후 성장과 발육

Postnatal Craniofacial Growth and Development

변준희

I. 개요

발생(development)이라 함은 생체가 성숙할 때까지의 일련의 변화를 말한다. 일반적으로 태아기(prenatal)발생 혹은 자궁내(intrauterine) 발생과 출생 후(postnatal) 발생을 포함하며 종종 신체와 그 부분이 복잡하게 되어가는 과정, 즉 분화(differentiation)와 동의어로 쓰인다.

두개안면의 형태 발생은 다른 신체 부위와 마찬가지로 조직과 세포들의 내인적 조절을 통한 생물학적 과정이면서 동시에 서로 각기 성장하는 여러 부분들 모두가 복합적이면서도 부위별 영역에 맞게 또한 서로 다른 속도와 양으로 기능적 구조적 평형을 유지하면서 이루어진다. 두개안면의 골격은 크기와 모양이 높이, 넓이, 깊이의 서로 다른 세 방향으로 시간, 양, 속도를 달리하면서 이루어지게 된다. 다시 말해서 정상적인 성장과 발육 과정에는 첫째, 태아 세포간 상호 작용(embryonic intercellular interactions)이 골형성세포(osteogenic cell)의 분화를 유발하여 골 형성을 하고 둘째, 골 흡수(resorption)와 신생골의 침착(deposition)을 통한 개형(remodeling)이 관여하여 기존의 골 선구 물질(precursors)의 형태 발생과 더불어 주변 연부 조직들과의 조화를 이룬 이차적 성장에 따라 두개안면의 모양이 이루어지게 된다.

두개안면골은 주된 세 가지 방법으로 성장하는데 첫째, 연골이 골로 대치되는 연골내 성장(endochondral growth)이 접형골후두골(spheno-occipital)과 접형골사골(sphenoethmoidal) 부위, 중격전접형골 관절(septopresphenoid joint)과 하악 과두부에서 이루어 지고 둘째, 두개골 봉합부의 결체 조직에서 봉합 성장(sutural growth)이며 셋째, 골막과 골내막(endosteum)에서 일어나는 부착과 흡수 성장(appositional and resorptive growth, remodeling)이다(Sarnat, 2001).

출생시 구강과 비부는 신체 크기에 적합하게 작지만 섭취기능의 변화와 이에 따른 연부 조직의 변화가 이 부위의 성장을 유도하고, 이때 안면골은 두개부에 비하여 왜소하며 대뇌가 급격히 커지는 관계로 이마는 두드러지지만 안면의 수직 높이는 작고 두개저가 넓기 때문에 안면도 넓으며 폐가 커짐에 따라 비부가 따라서 커지게 된다. 또한 출생시 두개의 크기는 성인의 65% 정도인데 10세경까지 95%에 도달하는 반면에 안면은 출생시 어른의 40-45% 정도이지만 10세경에도 65% 정도 밖에는 되지 않는 부위별 성장 차이를 보이는데 (Marsh와 Vannier, 1985) 이는 부위 별 영역에 따라 성장 속도의 차이와 성장을 지속하는 기간이 다르기 때문이다.

하악은 출생 후 몇 년까지도 눈에 띄게 후퇴되어 있는데 이는 대뇌의 빠른 성장으로 전방 두개저의 확장으로 여기에 인접한 비상악 복합체가 전방으로 돌출되기 때문이다.

두개안면골의 크기와 모양에 영향을 주는 요소로는 첫째, 골 자체의 성장이고 둘째는 뇌 실질, 안와 내용물과 혀와 같은 기질(matrix)과 공기를 포함하는 부비동 들이며 셋째는 치아 발육이라 할 수 있다(Sarnat, 1997).

1. 안면과 두개 성장의 주된 세 가지 영역

뇌와 두개저부(basicranium), 기도(airway) 및 구강 구조물은 성장에 서로 밀접한 영향을 미친다.

1) 뇌와 두개저부

두개저부는 안면골 성장의 주형(template)과 같은 역할을 한다. 즉 두개저부가 길고 좁으면(장두증, dolichocephaly) 안면이 위아래와 앞뒤로 길어져 긴 코를 가지고 두개저부가 넓고 둥글면(단두증, brachycephaly) 비중격 복합체가 넓지만 짧은 형태를 띠게 된다. 이와 같이 두개저부는 안면 성장의 모양과 경계를 확정 지어준다.

2) 기도

안면 내의 안와, 비강, 구강, 부비동과 인두강과 같은 기도 또한 골 성장에 있어 중요한 역할을 하는데 이를 중심으로 골의 흡수와 침착이 일어나면서 성장하게 된다(그림 3-1).

3) 구강 영역

두개저부가 비대칭이면 안면부도 비대칭이 되거나 비대칭을 상쇄하도록 보상(compensation)이 일어나 비상악 복합체나 하악의 성장 비대칭이 반대로 일어나도록 해주는데 그렇지 못할 경우 상악이나 하악의 성장 비대칭이 같이 오게 된다.

2. 소아에서 성인으로의 성장

위에 기술한 성장의 주된 세 부위가 서로 다른 시간차와 성장 속도를 가지고 있지만 서로 연관성을 가지고 성장하게 되는데 예를 들면 기도의 성장은 몸과 폐의 크기와 비례하여 성장하고 구강 영역은 출생 후 빨고 씹는 행동에 따라 연계되어 성장하게 된다. 유아와 소아 때는 두개저부가 넓기 때문에 넓고 짧은 얼굴을 하고 있고 기도와 구강 부위의 발달이 이루어지면서 사춘기가 되면 신체와 폐의 크기가 커짐에 따라 코의 수직 성장이 일어나고 저작근의 발달에 따라 하악지(ramus)가 수직 성장을 함에 따라 하악궁(arch)이 내려와 넓은 안면이 후에 수직으로 성장하게 된다.

II. 기본적 성장 개념

두개안면의 성장과 발달은 두개의 서로 다른 성장 활동(growth movement)인 개형(remodeling)과 전위(displacement, translation)가 밀접한 연관으로 이루어지는데, 개형이란 골이나 연부 조직의 세포 활성도를 활성 상태와 불활성 상태를 적절히 조절함으로써 전체의 조화를 이루면서 부위별 크기나 모양을 다듬어 가는 발달 과정이라 할 수 있고(그림 3-2), 개형의 기능은 (1) 점진적으로 골의 전체 크기를 변화시키고, (2) 골의 전체 크기 성장이 가능하도록 골의 일부분들을 순차적으로 재배치(relocation)시키며, (3) 다양한 기능에 적응할 수 있도록 골의 모양을 점진적으로 변화시키고, (4) 각각의 골들이 다른 골이나 주변 연부 조직들과 기능적으로 잘 융합되도록 해주며, (5) 여러 가지 내적, 외적 요인들에 잘 적응할 수 있도록 지속적인 구조적 조정을 수행해 주는 것이라 할 수 있다.

전위란 골이 성장함에 따라 관절에 인접하고 있는 골들 사이가 관절 면에서 점점 벌어짐으로써 각각의 골들이 커지기 위한 개형이 이루어 질 수 있도록 공간을 확보해 주는 것으로, 두개안면 복합체내의 여러 관절 면에서 각각의 골들이 점점

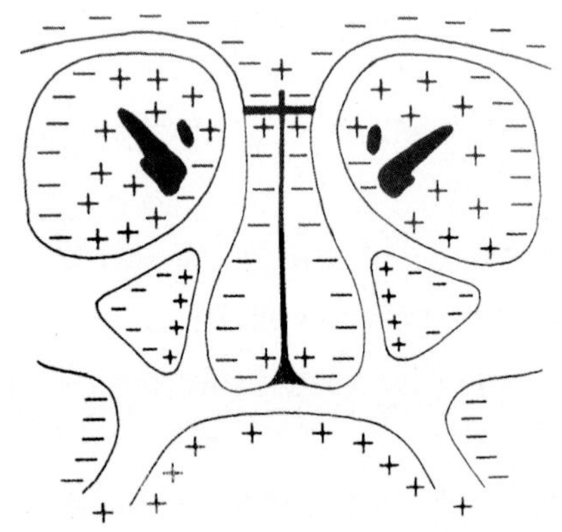

그림 3-1. 안면내의 기도가 골 성장의 기초가 된다. (+) 골 침착 부위, (-) 골 흡수 부위(Enlow DH, Hans M. *Essentials of Facial Growth. Philadelphia*: WB Saunders, 1996 p.13)

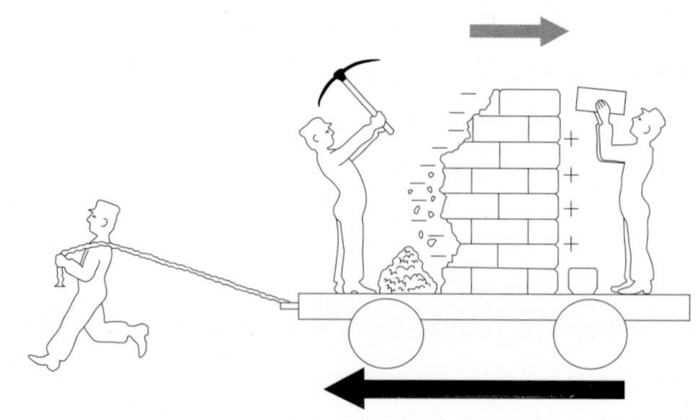

그림 3-2. 개형(remodeling)은 골의 한쪽 면에는 골 침착이 그 반대쪽에는 골 흡수가 일어나 골 전체의 크기나 모양이 변화하는 성장 활동이다(Enlow DH, Hans M. *Essentials of Facial Growth*. Philadelphia: WB Saunders, 1996. p 5).

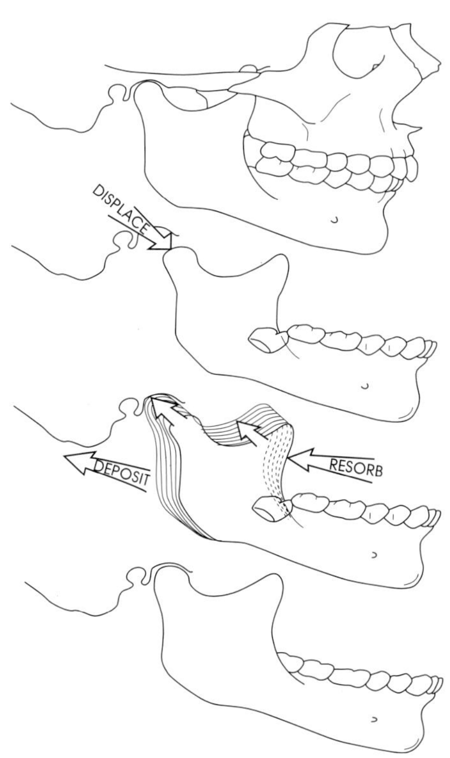

그림 3-3. 전위(displacement)란 관절면을 중심으로 골들 사이의 간격이 벌어져 골 성장을 위한 개형이 쉽게 이루어지도록 공간을 확보해주는 것이다(Enlow DH. *The Human Face*. New York, Harper & Row, 1968).

멀어지게 되는 것을 말한다(그림 3-3). 즉 골 전체가 물리적 이동을 하는 것으로 개형과 동시에 일어나게 된다. 신생골의 형성이 인접 골과의 관절면을 밀면서 전위가 일어나기 보다는 성장하는 주변부 조직의 팽창하는 힘에 의해서 멀어지는 것이다. 이때 골 신생이 이루어지고(개형) 전체 골성장이 이루어짐으로써 항상 일정한 관절면을 가지게 되는 것이다. 예를 들면 비상악 복합체(nasomaxillary complex)는 두개기저부와 봉합면으로 연결되어 있는데 중안면 연부 조직의 성장에 따라 비상악 부위가 하전방으로 전위가 일어남과 동시에 봉합면에서 신생골의 형성이 이 틈을 메워주게 된다(그림 3-4). 또 다른 예로 주위의 연부 조직이 성장함에 따라 하악골 전체가 악관절에서 멀어지는 전위를 일으켜 생긴 공간을 하악지(ramus)와 과두부(condyle)의 개형으로 메워지게 된다. 이와 같이 골이 부분적인 성장을 통하여 이동하는 기능을 재배치(relocation)라 한다(그림 3-3, 5). 재배치의 다른 예로는 관골궁을 들 수 있는데 옆으로 개형이 일어나면서 좌우 관골궁이 넓어지게 된다(그림 3-6).

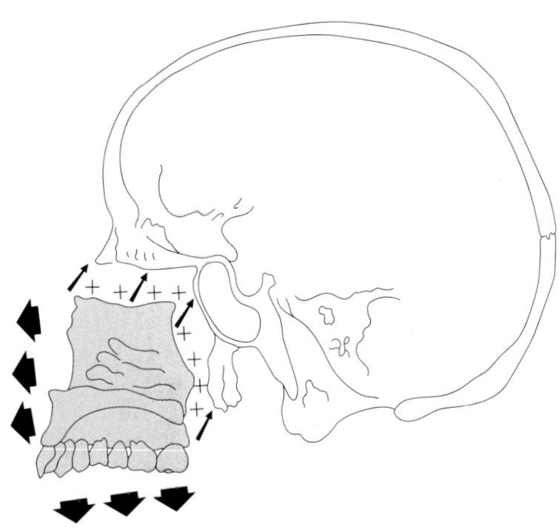

그림 3-4. 비상악 복합체는 두개에 봉합되어 있고 하전방으로 전위되면 그 반대 방향으로 개형이 일어나게 된다(Enlow DH, Hans M. *Essentials of Facial Growth*. Philadelphia: WB Saunders, 1996. p 9).

1. 개형(remodeling)

1) 개형의 종류와 영역

개형은 골 생성(osteoblastic)과 골 파괴(osteoclastic) 활동에 의해 일어나는데 골의 모든 안과 밖의 표면에서 일어나 골 전체가 커지게 된다. 이는 골의 모양을 변화시키기도 하지만 그것이 유지되도록 하기도 한다. 골 조직에서 개형은 네 가지 형태가 있는데 첫째는 분자 수준의 생화학적(biochemical) 개형으로 혈중 칼슘을 유지하기 위한 이온 및 다른 무기질들의 평형을 수행하는 것이며 둘째는 하버스관(Haversian canal)과 골 소주(trabecule)를 만드는 구조적 개형이고 셋째는 질병이나 외상 후 골 재생(regeneration)과 관련된 개형, 마지막으로는 성장과 관련된 개형이라 할 수 있다. 복잡한 구조와 윤곽을 가진 골의 성장은 단순하게 골막 침착(periosteal deposition)과 골내막 흡수(endosteal resorption)에 의해 이루어지는 것이 아니라 두개안면골 대부분이 오히려 표면에서 골 흡수가, 내막에서는 골 침착이 일어난다(그림 3-7).

골은 성장 과정중 골의 부분적 이동이 이루어져야 하기 때문에 필연적으로 개형이 필요하다(그림 3-3~6). 그럼으로써 부분적인 모양이나 크기가 변화하게 된다. 이런 골의 부분적 이동을 재배치(relocation)라 하는데 앞서 설명한 바와 같이 구조적 개형에 의한 하악지와 하악과두의 재배치가 일어나면서 하악체부(corpus)에 골 신생이 되면서 길어지게 된다(그림

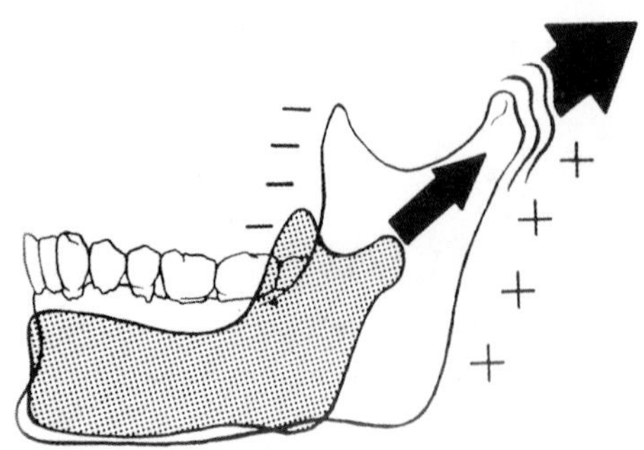

그림 3-5. 골 흡수(-)와 골 침착(+)에 의해 하악지가 원위부로 재배치(relocation)된다(Posnick JC. *Craniofacial and Maxillofacial Surgery in Children and Young Adults*. Philadelphia: WB Saunders, 2000. p 27).

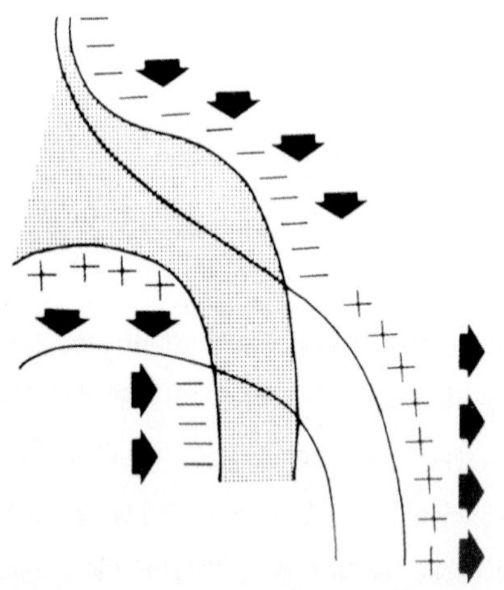

그림 3-6. 골 흡수(-)와 골 침착(+)에 의한 개형으로 관골 궁은 옆으로 넓어지게 된다(Posnick JC. *Craniofacial and Maxillofacial Surgery in Children and Young Adults*. Philadelphia: WB Saunders, 2000. p 27).

3-8). 하악은 전체적인 개형의 주된 방향이 후방과 상방으로 일어나지만 하악이 전체적인 모양을 유지하면서 개형이 이루어지는데 이는 골 성장 개형이 갖는 또 다른 특수 기능이라 할 수 있다.

이동 방향 쪽의 표면은 골 침착이 일어나고 성장 방향과 반대쪽은 골 흡수가 일어나는데, 침착과 흡수의 속도가 같으면 골 피질의 두께는 일정하게 유지되고 침착이 흡수보다 더 많이 되면 골의 전체 크기가 커지고 두꺼워지게 된다. 이런 골의 성장은 골 자체의 계획된 성장이라기보다는 골막과 주변 연부 조직들(뇌, 근육, 혀, 입술, 신경, 혈관 및 기도 등)의 성장 신호를 전달받아 유도된 것이라 할 수 있다. 이런 침착과 흡수되는 영역은 사람마다 다르고 경계부위도 차이가 있으며 속도와 양의 차이, 여러 성장 영역들 사이의 성장 활성의 시간별 차이 등으로 인하여 사람마다 골 모양이나 크기에 차이가

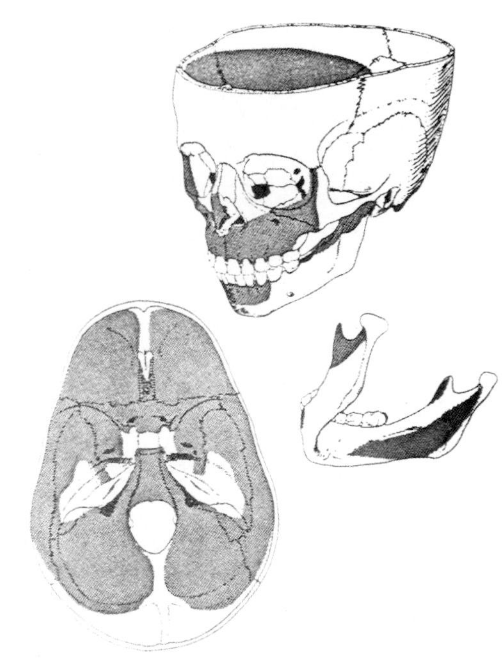

그림 3-7. 부위별 개형의 영역. 짙은 부위는 골 흡수가 그 외 부위는 골 침착이 이루어진다(Posnick JC. *Craniofacial and Maxillofacial Surgery in Children and Young Adults*. Philadelphia: WB Saunders, 2000. p 26).

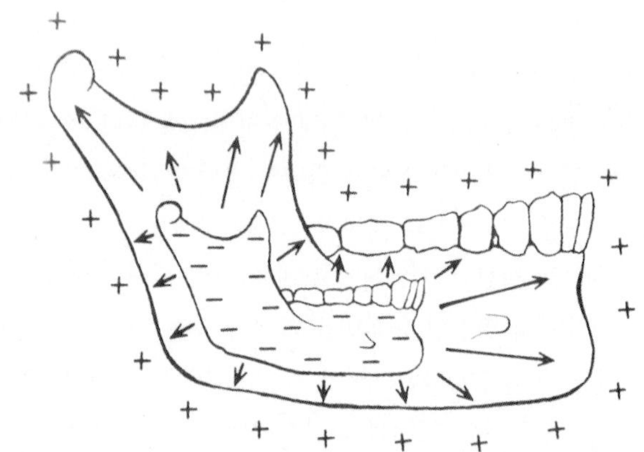

그림 3-8. 하악의 성장 개형. 표면 전체에서 골 침착(+)이 내면에서는 골 흡수(-)가 일어난다(Enlow DH, Hans M. *Essentials of Facial Growth*. Philadelphia: WB Saunders, 1996. p 19).

생기는 것이다.

2) 성장의 'V' 원칙('V' principle)

두개안면골의 기본 성장 원리의 하나로 'V' 원칙을 들 수 있는데, 대부분의 두개안면골들의 단면은 'V' 모양(3차원적으로는 깔대기 모양)을 하고 있고 'V' 단면의 내측에서는 골 침착이 일어나고 외측에서는 흡수가 일어나 골의 전체 단면적이 증가함과 동시에 'V'의 넓은 쪽으로 골 이동이 일어나는 것을 말한다(그림 3-9).

3) 개형의 재배치(relocation) 기능

골의 지속적인 개형이 일어나면서 성장이 가능한 이유는 골의 상대적 위치가 이동하는 재배치가 이루어지기 때문이다. 이것은 골이 부위별로 골 흡수와 침착이 일어나 새로운 상대적 위치로 이동하는 것을 말한다. 위에서 설명한 바와 같이 하악 과두부가 지속적인 개형을 통해 원위부로 이동하는 것이 재배치의 좋은 예라 할 수 있다(그림 3-5). 하악지(ramus)가 후방으로 재배치되면서 넓고 길게 되고 체부(corpus)는 개형에 의한 길이 성장이 이루어진다. 즉 소아의 하악골에서 대구치에 해당되는 부위가 재배치를 거듭해 후에 성인의 소구치에 해당되는 부위를 점하게 된다.

또한 소아에서 상악 궁과 비 하벽(nasal floor)은 안와 하연과 가깝게 위치해 있는데 구개와 상악 궁의 개형이 하방으로 이루어지면서 하방으로의 재배치가 일어나 상악 궁이 안와 하연보다 상대적으로 밑에 위치하고 동시에 비강의 수직 길이도 증가하게 된다(그림 3-10).

관골 궁은 측방으로 재배치가 일어나는데 안면, 두뇌 및 두개골이 넓어지고 팽창함에 따라 같이 측방과 하방으로 커지게 된다. 이것은 측방과 하방의 골막과 골 내막의 골 침착과 반대측 골 피질 부위는 골 흡수가 지속적으로 일어나 좌우 관골 궁이 재배치되기 때문에 커지는 머리를 포용할 수 있게 된다(그림 3-6, 11).

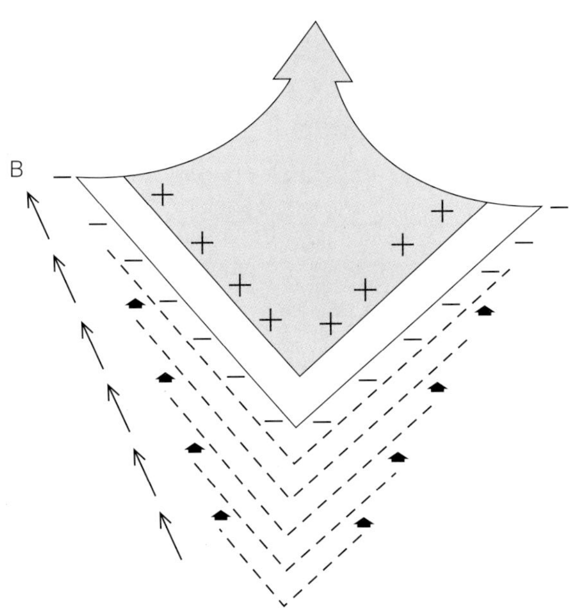

그림 3-9. 성장의 'V' 원칙. 내측에서는 골 침착이 일어나고 외측에서는 흡수가 일어나 'V'가 A 위치에서 B 위치로 이동된다(Enlow DH, Hans M. *Essentials of Facial Growth*. Philadelphia: WB Saunders, 1996. p 25).

2. 전위(displacement or translation)

전위란 관절(봉합선, 측두하악관절, 연골결합부)이 있는 곳에서 생기는 골 전체-부분적이 아닌-가 물리적 이동을 일으키는 것으로 항상 인접 골과 연계해서 일어나는 것을 말한다(그림 3-3). 두개안면 복합체내의 연결된 모든 골들은 그들의 관절 면에서 서로 멀어지는 방향으로 일어나 개형에 의한 골 성장에 필요한 물리적 공간을 만들어 주게 된다. 성장의 정도는 전위의 정도와 같다고 할 수 있다. 하악골은 단순히 전체적으로 팽창하듯 대칭적으로 성장하지 않고 과두부에 골 침착과

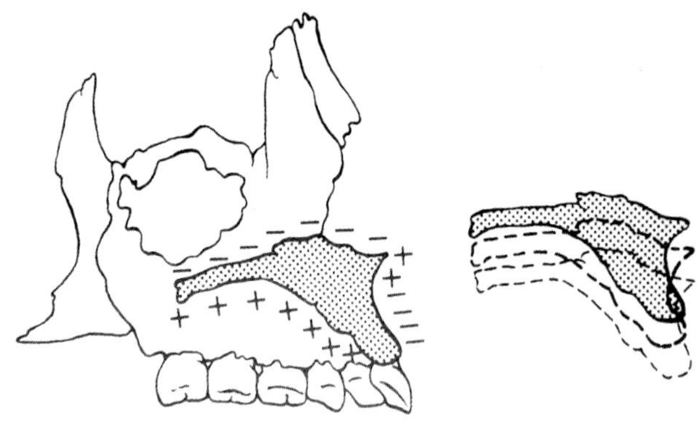

그림 3-10. 골 흡수(-)와 침착(+)을 통한 구개와 상악 궁의 하방 재배치(Enlow DH, Hans M. *Essentials of Facial Growth*. Philadelphia: WB Saunders, 1996. p 27).

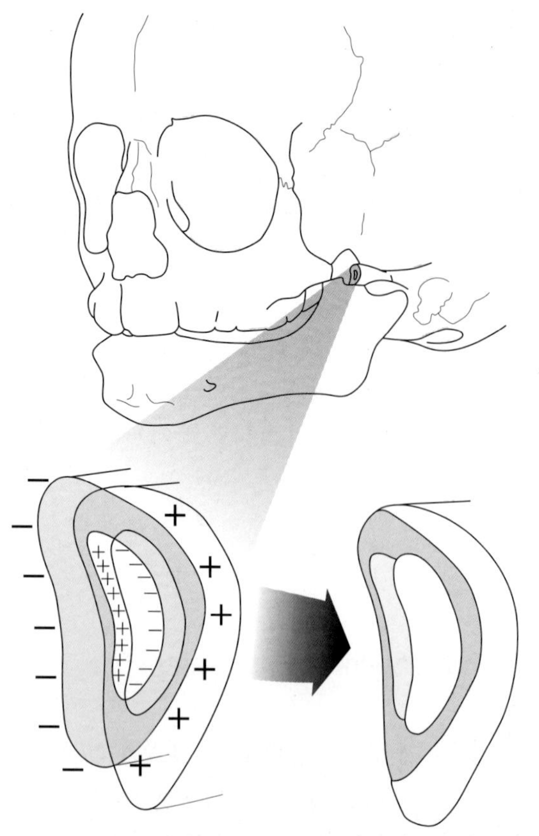

그림 3-11. 관골 궁의 측방 재배치(Enlow DH, Hans M. *Essentials of Facial Growth*. Philadelphia: WB Saunders, 1996. p 28)

흡수가 일어나면서 측두하악 관절쪽으로 성장이 일어나 개형은 상방과 후방으로, 하악골 전체는 전방과 하방으로 이동(전위)하는 양상을 보이게 된다. 과거의 과두부가 하악골 성장을 유도하는 중심(center)이라는 개념은 앞서 설명한 바로 볼 때 옳지 않다고 할 수 있다.

1) 일차 전위(primary displacement)

일차 전위란 골 자체 성장에 의한 물리적 이동을 지칭하는 것으로 상악의 주된 개형이 일어나는 곳은 상방과 후방인데 이 부위에 골 생성이 되면 비상악 복합체가 반대 방향인 전방 및 하방으로 이동되는 것을 말한다(그림 3-4). 이때 일차 전위에 의해 생긴 공간으로 골 성장이 일어나는데 일차 전위는 인접골과의 관절면에서 생기는 것으로 이곳이 중요한 성장 부위가 되는 것이다.

2) 이차 전위(secondary displacement)

이차 전위란 일어나는 전위가 골과 주변 조직과 직접적인 연관없이 생기는 것으로 예를 들어 중두개와(middle cranial fossa)와 측두엽이 전방으로 성장함에 따라 이차적으로 비상악 복합체를 전하방으로 이동시키는 것을 말한다. 이와 같이 연쇄 반응으로 다른 골과 연부 조직의 성장으로 이차적으로 전위를 일으키는 것을 중안면부의 성장에서 볼 수 있다. 즉 그림 3-7에서 와 같이 중안면부의 대부분 표면에서 골 흡수가 일어나는데 안면 성장이 전방으로 이루어 질 수 있는 이유는, 상악이 후방으로 커지지만 전방으로 일차 및 이차 전위가 일어난 복합적 결과라고 설명 할 수 있다. 다시 말해서 상악 전방의 성장 이동 대부분이 상악 후방과 상방에 있는 골(전두골, 사골, 후두골, 접형골등)들이 팽창함에 따라 이차적으로 생긴 것이라 할 수 있다. 그러므로 이차 전위가 두개안면 성장에서 중요한 역할을 한다.

3) 개형과 전위의 상호관계

개형뿐만 아니라 일차 및 이차 전위 모두 골 성장의 다양한 방향으로 작용하게 된다. 지금까지 관절면에서 골의 침착이 골 성장의 모태이고 개형이 일차적 활성 역할을 하며 전위가 이에 따른 이차적 상황으로 여겨져 왔지만 실험 결과 봉합선의 골 침착이 전위를 일으킬 만한 힘을 가지지 못 한 것으로 생각되며 하악 과두부를 제거 하더라도 하악골이 전하방으로 지속적으로 전위되며 과두부가 없이 태어난 선천성 기형 환자에서도 하악골의 나머지 부분이 지속적인 성장과 전위가 이루어지는 것을 보면 과두부가 과거의 개념처럼 하악골의 성장 중심(growth center)이라고는 할 수 없고 개형과 전위가 독립적이지만 상호 조화를 이루면서 성장뿐만 아니라 발달(development)을 유도한다고 할 수 있다(Posnick, 2000). 즉 발달이란 성장을 포함한 생물학적 모든 과정을 내포하는 것이라 할 수 있다.

3. 보상(compensation)과 회전(rotation)

두개안면 복합체내의 성장과 관련된 회전은 성장 과정에서 볼 수 있는 필연적 특징인데 유발 원인에 따라 다음 두 가지로 생각할 수 있다. 골의 회전이 일어나는 기전은 마찬가지로 개형에 의해서 이루어진다(그림 3-12).

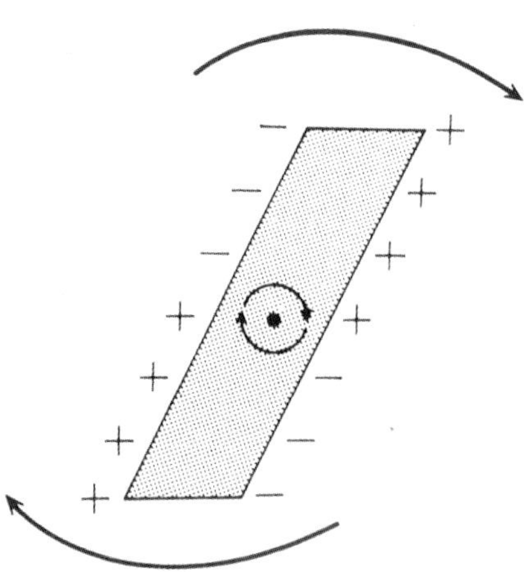

그림 3-12. 골 흡수(-)와 침착(+)에 의해서 개형 회전(remodeling rotation)이 일어난다(Enlow DH, Hans M. *Essentials of Facial Growth*. Philadelphia: WB Saunders, 1996. p 21).

1) 개형 회전(remodeling rotation)

하악지(ramus)의 주된 기능은 저작근의 부착 부위라는 점 이외에 상악과 교합을 위한 치아들의 적절한 위치를 잡아 주는 것이라 할 수 있는데, 이러기 위해서는 하악골의 성장은 하악지가 좀 더 수직으로 되도록 하악각(gonial angle)이 작아져야 하므로 중두개와(middle endocranial fossa)의 시계 반대 방향으로 회전이 일어나고 동시에 하악지의 개형 회전이 일어나 하악이 하후방과 전상방으로 성장하게 된다(그림 3-13).

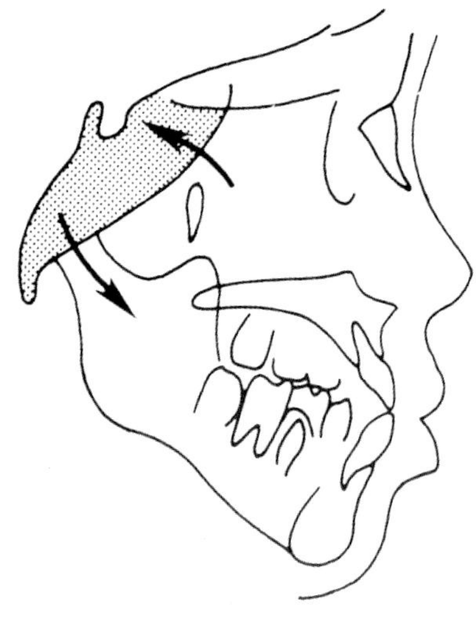

그림 3-13. 중두개와의 개형 회전(remodeling rotation)이 하악을 앞으로 비상악 복합체는 후방으로 이동하게 한다(Enlow DH, Hans M. *Essentials of Facial Growth*. Philadelphia: WB Saunders, 1996. p 34).

2) 전위 회전(displacement rotation)

성장 도중 전위의 정도가 회전의 위치에서 흔하게 편차를 보이는데 이를 전위 회전이라 한다. 예를 들어 뇌의 성장과 두개저부의 발달로 인해 비상악 복합체의 전위가 일어나는데, 이 결과로 구개와 상악 궁의 전위 회전이 생기게 되어 기능적으로 개방 교합(open bite)이 나타날 수 있지만 구개의 개형 회전에 의한 보상적 조정이 일어나 이를 상쇄하게 된다. 이것은 구개의 골 침착과 흡수의 증감에 의해 조절된다. 이와 같이 개형 회전이 전위 회전을 감소시키거나 중화시켜 골의 정렬을 교정하게 된다(그림 3-10).

두개저부와 비상악 복합체 사이는 내인적 성장 능력이 다르지만 이 차이를 조정해 줄 수 있는 능력을 가지고 있는 것이 하악지의 개형이라 할 수 있고, 비부와 구강부의 수직 성장의 시간, 정도, 방향이 중두개저와 인두강의 성장과 는 서로 다르지만 하악지가 서로 가교 역할을 한다고 할 수 있다. 하악각이 감소하면서 교합면이 기능적 정렬을 이루게 되는데 이는 하악지의 개형에 의해 비상악 복합체와 두개저부의 서로 다른 성장 차이를 융화, 조절하여 이루는 것이다(Hans 등, 1995). 이런 밀접한 관계가 정상 교합을 가질 때까지 지속되게 된다. 그러기 위해서는 하악지의 수직 성장은 상악의 수직 성장과 중두개와의 성장 시기와 정도가 일치해야 하고 비상악 복합체의 전후 전위와 중두개와의 개형은 하악지의 전후 성장과 정확히 상응해야 한다. 이것에 이상이 생길 때 교차 교합(crossbite), 상치 돌출(수평성피개교합, overjet), 피개 교합(overbite)등이 생기게 된다.

만약 상악의 수직 성장이 하악지 성장을 지나친다면 전방 개방 교합이 나타나고 코가 긴 사람들에게서는 하악의 후하방으로 전위 회전이 주로 보이게 된다. 하악지에 의한 조정 이외에도 전방 개방교합을 상쇄하기 위해 하악의 치아들이 상방으로 표류하듯이 치조골(dentoalveolar)이 곡선(curve of Spee)을 보여 완전한 교합면을 이루게 된다(그림 3-14).

소아에서 성인으로 됨에 따라 전위 회전과 개형 회전에 의해 옆면에서 볼 때 안면 전체가 시계 방향으로 회전이 일어나는데 상악의 조면(tuberosity)에서 후방으로 개형이 일어나 안면 하부는 후방으로 이동하는 반면 전두부와 비부는 전방으로 개형이 일어나기 때문이다.

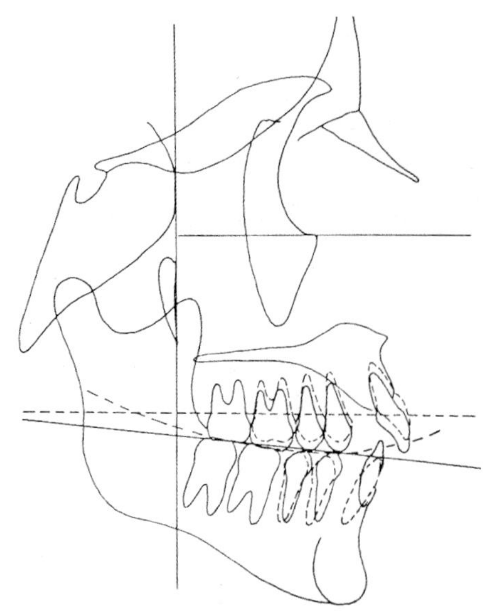

그림 3-14. Spee의 곡선(curve of Spee). 하악 치아들의 수직 유동(drift)으로 전방 개방 교합이 생기지 않게 된다(Posnick JC. *Craniofacial and Maxillofacial Surgery in Children and Young Adults*. Philadelphia: WB Saunders, 2000. p 30).

III. 출생 후 신경두개의 성장과 발달

두개골은 척주 위에 있는데 15종 23개의 뼈로서 두개를 이루며 신경계의 상당부, 즉 뇌와 이와 깊은 관계를 가진 특수 감각기(시각기, 평형, 청각기등), 소화기 및 호흡기의 초부를 수용하며 보호하고 있다. 두개는 뇌를 둘러 싸는 신경두개(neurocranium)와 얼굴을 이루는 내장두개(viscerocranium)로 나누고 신경두개는 다시 두개저(cranial base)를 만드는 연골성신경두개(cartilagenous neurocranium, chondrocranium)와 두개관(calvaria)을 형성하게 될 막성신경두개(membranous neurocranium)로 분류된다(표 3-1). 신경두개를 형성하는 뼈는 6종, 8개인데 후두골, 접형골, 측두골(2), 두정골(2), 전두골 및 사골이고 내장두개를 이루는 뼈는 하비갑개(2), 누골(2), 비골, 서골, 관골(2), 구개(2), 상악골(2), 하악골 및 설골로 9종 15개로 이루어져 있다(권홍식, 1992).

1. 막성신경두개(membranous neurocranium)

1) 두개관(calvaria)의 발생

두개관의 정상 발달 과정은 다음 두 가지 과정을 거치는데 첫째, 배아 세포간 상호작용(embryonic intercellular interaction)이 골형성세포(osteogenic cell)의 분화(differentiation)를 촉진시켜 골형성을 유도하고 둘째, 주변 조직들의 영향하에 신생골의 침착과 흡수를 통한 지속적 개형이 일어남으로써 형태가 만들어지는 것이다.

두개관의 기원은 전뇌(forebrain)와 중뇌(midbrain) 신경분절(neuromere)들에서 유래한 중간엽조직(mesenchymal tissue)이 뇌 주위에서 골형성 원기가 되는 응축(condensation) 과정을 거쳐 골화 중심(ossification center)이 되고 여기서 바늘과 같은 골들이 방사상으로 뻗어 나와 5개(a pair of frontal, a pair of parietal, and a squamous occipital bone)의 막성골(membranous bone)이 만들어지고 이들 골들 사이의 연관된 섬유조직인 봉합, 경막(dura mater), 두개골막(periosteum)등을 통하여 형성된다(Noden, 1986). 두개 봉합은 두개골 사이를 연결하는 섬유조직이어서 좁은 산도를 태아의 머리가 통과

표 3-1. 두개의 발생학적분류

Skull			
Neurocranium Origin; desmocranial mesenchyme		Viscerocranium Origin; 1,2,3 branchial arches	
Cranial Base (chondrocranium) origin; paraxial mesoderm	Clavaria (membranous neurocranium) origin; neural crest cells	Membranous	Cartilaginous
Endochondral ossification	Membranous ossification	Zygomatic, squamous, temporal bone, maxilla, mandible	Malleus, incus, stapes, cornu, Hyoid bone, styloid process of temporal bone

할 때 두개골이 얼마간 이동하여 머리 모양을 변형(molding)함으로써 통과 저항을 적게 해주고 또한 이러한 두개골의 느슨한 결합은 뇌의 발육을 압박 억제하지 않는 이점도 크다. 봉합 형성의 정확한 기전이나 봉합선이 유지되는 기전 그리고 골화되는 기전은 아직도 명확히 밝혀진 바가 없다. 봉합은 조직학적으로 5개의 층으로 구성되어 있는데 가운데 혈관성 구역을 2층의 세포 구역과 2층의 섬유성 골막 층이 싸고 있다. 세포층에서 골 전구물질인 세포성 원형질(blastema)를 형성하고 봉합을 중심으로 밖으로는 골막을 안으로는 경막을 남기게 된다. 봉합선의 경계부위의 골형성 세포가 신생골을 만듦으로써 부가적(appositional) 성장이 이루어진다(Cohen, 1986).

유아기에는 몇 개의 봉합들이 만나는 곳에 골들의 간격이 넓어 커다란 막으로 덮여 있는 부위인 천문(fontanelle)이 4종 6군데가 있다. 대천문은 좌우의 전두골과 좌우의 두정골이 만나는 곳으로 천문중 가장 크고 생후 1.5년에 폐쇄되어 관상봉합이 되고 소천문은 좌우의 두정골과 후두골이 만나는 곳이며 전측두천문은 측두골 앞쪽 상단부에, 후측두천문은 측두골 뒤쪽 상단부에 해당된다(그림 3-15, 16).

모든 천문과 두개봉합은 소아기는 인대결합(syndesmosis)이다가 2세 때 가장 먼저 전두봉합이 골성 유합되고 시상봉합, 관상봉합, 삼각봉합의 순으로 골성 유합되나 노인이 돼서도 완전한 골성 유합으로 되지는 않는다.

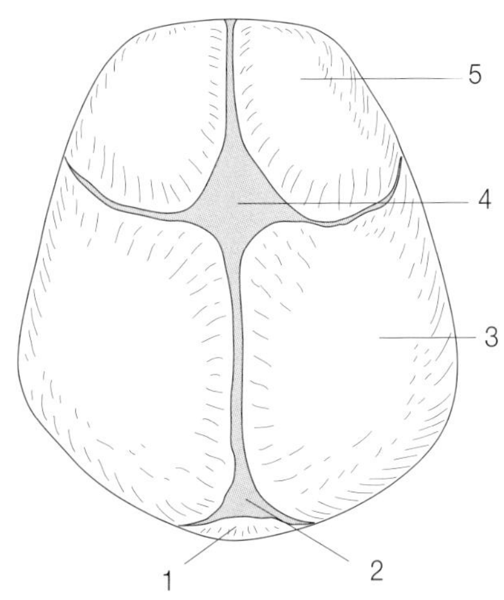

그림 3-15. 신생아 두개의 상면. 1. 후두골 2. 소천문 3. 두정골 4. 대천문 5. 전두골(최현. *인체해부생리학*. 서울: 수문사, 1992, p 37)

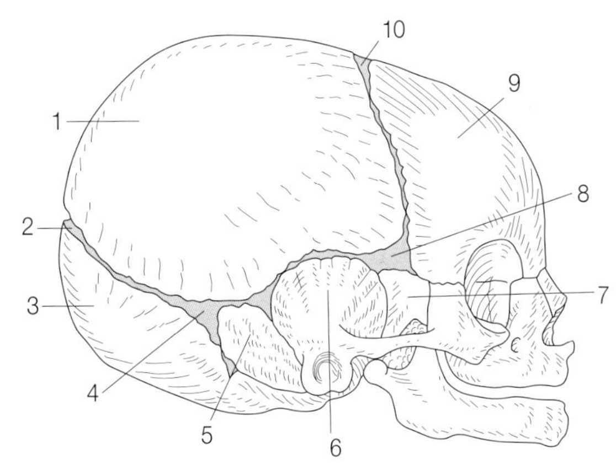

그림 3-16. 신생아의 두개 우측면. 1. 두정골 2. 소천문 3. 후두골 4. 후측두천문 5. 측두골 유양부 7. 접형골 대익 8. 전측두천문 9. 전두골 10. 대천문(최현. *인체해부생리학*. 서울: 수문사, 1992, p 37)

2) 두개관의 성장과 발달

(1) 출생 후 두개 성장의 개요

출생시 두개는 성인 크기의 65%에 해당되고 측면 돌출은 3~4 : 1 정도인데 첫 2년 동안은 출생 후 성장이 가장 큰 시기이어서 성인의 93%가 되며 이 시기는 뇌의 출생 후 성장이 가장 빠른 시기이기도 하다. 두개 용적은 6~7세에 성인에 가깝게 도달하며 약 15~16세까지 증가하고 이후 3~4년간은 두개가 두꺼워지면서 약간 크기가 증가한다(Moore와 Persaud, 2003). 측면 돌출은 6세경에 2~2.5: 1정도가 된다. 뇌의 무게는 6개월에 2배가 되고 2세 때 3배가 된다(Vlinkov와 Glezer, 1968). 또한 출생시 두개의 크기는 성인의 65% 정도인데 10세경까지 95%에 도달하는 반면에 안면은 출생시 어른의 40-45% 정도이지만 10세경에도 65% 정도 밖에는 되지 않는 부위별 성장 차이를 보이는데(Marsh와 Vannier, 1985) 이는 부위 별 영역에 따라 성장 속도의 차이와 성장을 지속하는 기간이 다르기 때문이다. 즉 생후 10년간은 두개의 성장이 안면 성장보다 큰 속도로 이루어지고 봉합선들이 닫히는 시기가 서로 다르기 때문에 두개골 내에서도 성장 차이를 보이게 된다. 두개의 전체적인 모양과 각 부분의 비율이 발육함에 따라 연령적인 차이가 있다. 일반적으로 나이가 어릴수록 뇌두개에 비해 안면두개가 점유하는 비율이 작고 연령이 높아지면서 이 두 가지 두개의 비율이 접근한다. 두개의 성 차이는 사춘기부터 나타나기 시작하는데 일반적으로 여자의 두개는 남자보다 작고 낮으며 또한 넓다. 또 뇌두개에 비하여 안면두개의 발육이 약하며 얼마간 어린이 두개의 모습을 남기고 있다. 이밖에 두개의 모양은 개인차, 인종차가 심하다(그림 3-17, 18).

⑵ 두개관 성장의 원리

봉합이 만들어지면 다음 단계의 두개골 형성이 일어나는데 봉합 가장자리에서 부가적 성장이 일어나 두개의 넓이와 길이의 증가를 가져오게 된다. 이는 두뇌의 성장으로 팽창하는 경막에 의해 두개의 내판(inner table)이 밖으로 밀려나게 되고 이때 벌어진 봉합 사이에 이차적으로 골신생이 일어나 두개가 증대하는 것이다. 사실 성장하는 뇌가 진짜 두개골을 미는 것이 아니라 뇌를 싸고 있는 경막의 혈관성 골 형성 조직에 지탱하기 어려운 압박하는 힘이 전달되면서 이 막이 두개 밖의 방향(ectocranial)으로 성장하게 되고 이것과 함께 두개가 전위되는 것이다. 이런 생리적 장력이 골 형성을 유발하는 자극으로서 일차 전달자(first messenger)로 생각된다(Cohen과 MacLean, 2000). 봉합면이 성장의 주된 장소이고 봉합면이 전위된 만큼 막성골(membranous bone)이 생성되어 두개의 둘레가 증대되고, 따라서 지속적인 봉합면을 가지게 되는 것이다(그림 3-19).

신생골은 또한 두개 안(endocranial), 두개 밖(ectocranial)과 두개골내(endosteal)면에서 모두 일어나는데 두개안과 밖으로는 주로 골 침착이 일어나고 두개 외판(outer table)과 내판 안쪽의 골내면은 주로 골 흡수가 일어나 두개의 두께가 증가하고 외판과 외판 사이의 골수강(medullary space)이 확장하게

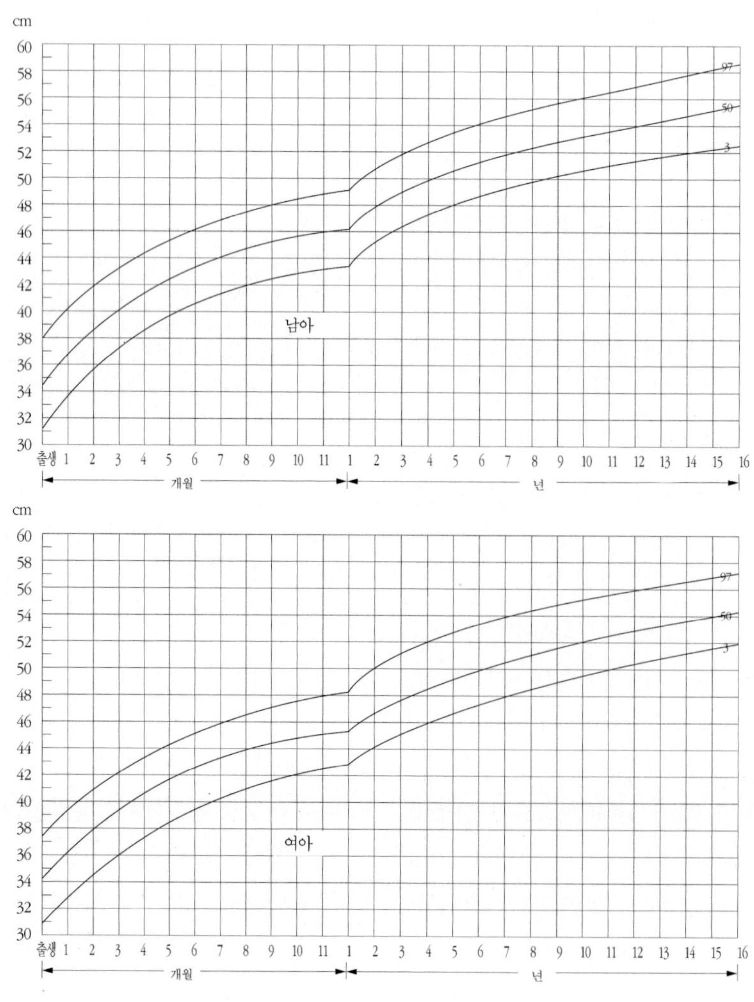

그림 3-17. 한국 소아의 두위 백분위 곡선(이동환. *한국 소아 및 청소년 신체 발육 표준치 세부자료*. 대한 소아과학회 서울. 광문출판사 1998)

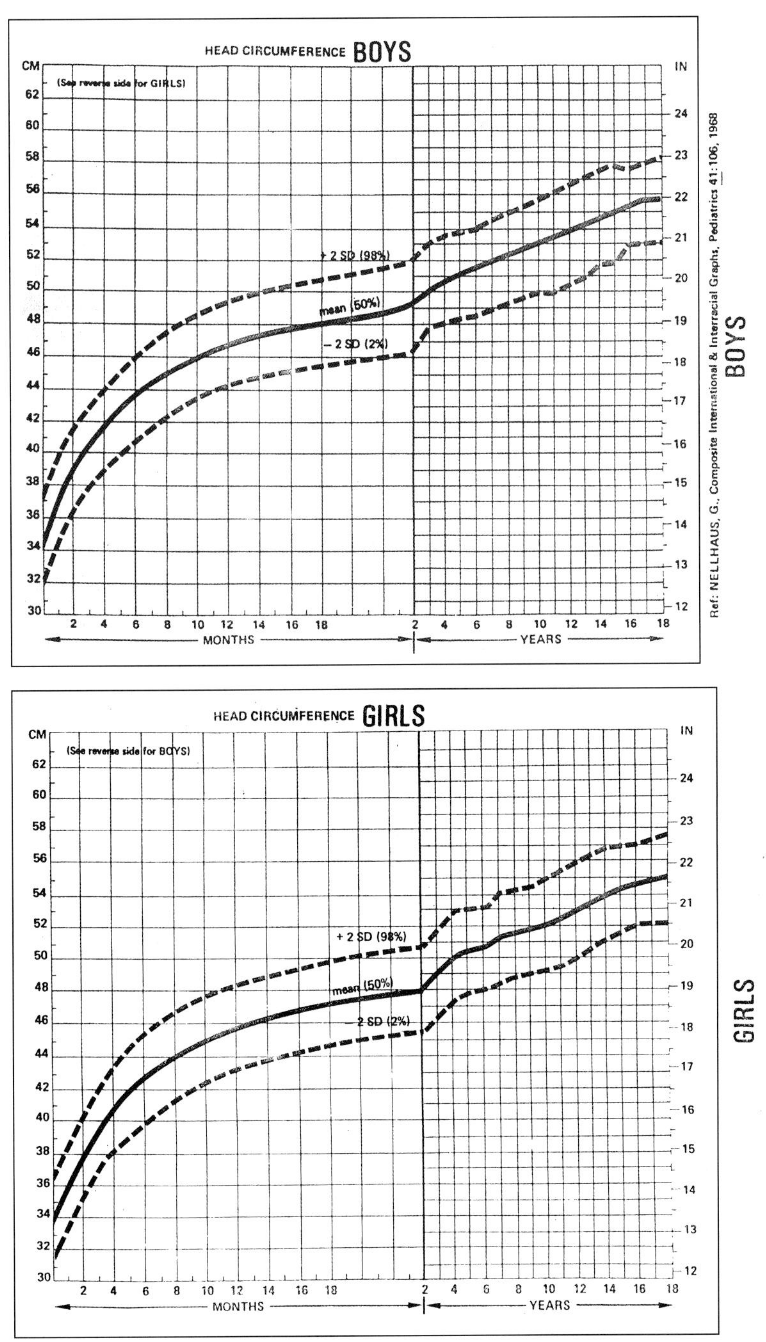

그림 3-18. 미국 소아의 두위 백분위 곡선(Nellhaus G. Composite international and interracial graphs. *Pediatrics* 41: 106, 1968).

된다. 여기서 두개안(endocranial surface) 즉 경막과 맞닿아 있는 곳의 표면에서는 골 흡수가 일어나는 것이 아니라 골 침착이 일어나는 것임을 명심해야 한다. 또한 두개가 지속적인 개형으로 인해 편평하게 되지 않도록 곡면을 유지하도록 하는 것은 봉합선 인접 부위에서는 개형이 반대로 일어나 조절하기 때문이다(그림 3-20). 출생 직후에는 두개 대부분이 단일 피질 골판이지만 6세 경까지 판간층(diploë)이 완성되어 두 층으로 존재하게 된다.

(3) 봉합 형태발생(morphogenesis)의 조절 기전(regulatory mechanism)

① 생체역학적(biomechanical)/ 두개기저(cranial base) 가설

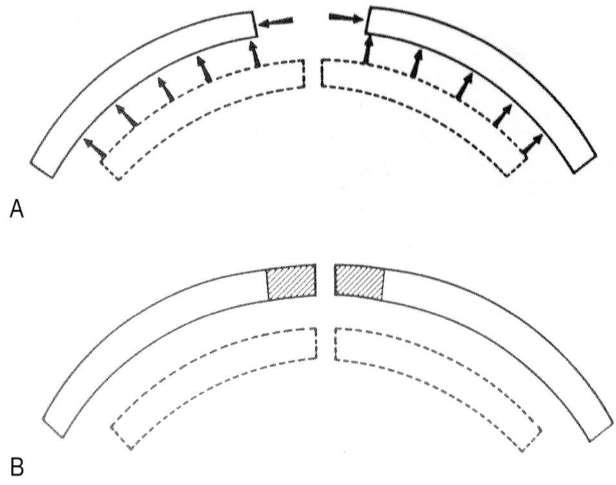

그림 3-19. 두개 성장의 원리. 두개는 두뇌의 성장에 따라 두개 밖으로 전위되고 봉합면에 막성골이 형성되어(A) 두개의 성장이 이루어져 이웃 두개골과의 사이를 일정히 유지하게 된다(B)(Enlow DH, Hans M. *Essentials of Facial Growth*. Philadelphia: WB Saunders, 1996. p. 100).

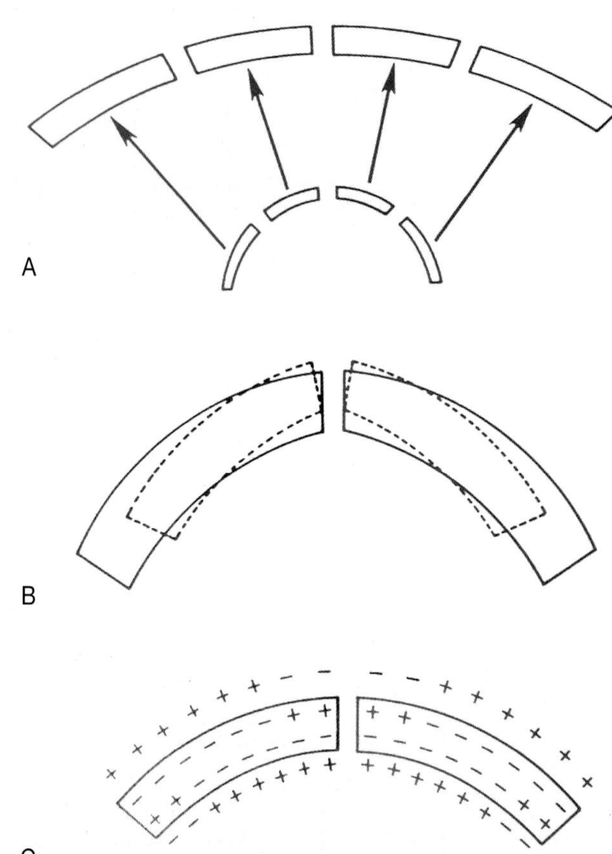

그림 3-20. 두개 성장의 원리. 두개의 밖으로의 전위(A)는 두개 곡면의 변화(B)가 동반되어야 하고, 두개안과 밖의 골면은 주로 침착이 일어나고 두개골내면은 주로 흡수가 일어나며 곡면의 유지는 국소적으로 특히 봉합면 근처에서 개형이 반대로 일어나기 때문이다(C)(Enlow DH, Hans M. *Essentials of Facial Growth*. Philadelphia: WB Saunders, 1996. p. 101).

경막은 두개기저의 몇 군데에 단단히 유착되어 있는데 전방으로는 계관(crista galli)에, 전외방에는 접형골소익에 후방에는 추체능선(petrous ridge)이 여기에 해당되며 뇌의 성장 팽창에 의해 당기는 힘(tensile force)이 경막내의 섬유로(fiber tract)를 통하여 봉합선들 바로 밑에 위치하는 경막이 접혀져 있는(reflection) 경막 끈(dural band)으로 전달되어 두개의 팽창을 유도하며(즉 두개봉합이 벌어지며) 이런 섬유로가 물리적으로 인접 골들이 서로 골화되어 붙지 않도록 유지한다는 것이다(Moss ML, 1960 ; Smith와 Tondury, 1978). 즉 두개 기형은 모두 두개기저의 이상으로 생긴다는 것이다. 이 같은 가설은 실험적 뒷받침은 미흡하나 최근까지 아직도 지배적이었다고 할 수 있다. 하지만 골화되는 과정에서 물리적 자극이 중요한 것은 사실이지만 이 과정중에는 생화학적 중재자(biochemical mediator)가 있어야 함은 물론이고 최근에는 분자생물학적 기법의 발전에 의해 뇌의 성장과 두개의 성장을 동시에 조절하는 유전인자인 *MSX2*(*m*uscle *s*egment homeobox class 2), FGFR1(fibroblast growth factor receptor 1), FGFR2, FGFR3가 있음이 알려져 있고, 봉합의 골화를 일으키는 국소적 세포간 신호체계(signaling)에 대한 연구에 촛점이 맞추어 지고 있다.

② 생화학적(biochemical) 가설

경막이 봉합형성, 유지 및 융합(fusion)에 중요한 역할을 하는데 여기에서 물리적 힘이 아닌 화학물질들이 작용한다는 것이다. 즉 경막과 인접한 봉합 및 골 사이의 상호작용으로 중간엽조직의 분화를 유도한다는 것이다. 봉합의 생성으로 인해 경막내의 어떤 신호가 발생되고 이 신호가 다시 경막에 작용하여 봉합내의 세포가 골형성세포로 분화되기도 하며 이것이 충분하다고 생각되면 세포자아사멸(programmed cell death)과정을 반복하여 두개성장이 이루어질 때까지 골화되지 않는 기능적 봉합을 유지시킨다는 것이다(Opperman등, 1993 ; Opperman등, 1995). 여기에 관여하는 세포외 신호 물질(extracellular signaling molecule)들로는 fibroblast growth factors(FGFs), transforming growth factors β(TGF-βs), bone morphogenetic proteins(BMPs), platelet-derived growth factors(PDGFs), insulin-like growth factors(IGFs)와 interleukins 등이 있다. 이들 물질은 표적세포(target cell)의 수용체에 붙은 후 일련의 신호 변환 과정(signal transduction cascade)을 거쳐 표적세포의 생성 물질이나 분화 자체에 영향을 미치게 된다(Achauer 등, 2000). 이중에서 FGFs 와 TGF-βs가 봉합의 개방(patent) 유지에 관여하는 것으로 알려져 있다는데 이중 TGF-βs는 골세포와 경막 세포에서 가장 많이 생성되고, TGF-β1, TGF-β2, TGF-β3가 서로 봉합 부위에 따라 차별적인 발현 정도를 달리하여 봉합의 개방 유지에 관여하는 것으로 알려져 있다(Opperman 등, 1997; Opperman, 2000). 그러나 봉합 유합에 관련된 분자생물학적 기전이 봉합선 및 시간에 따라 다르다는 점 등 봉합의 형성, 유지, 유합에 관한 기전은 아직도 확실히 밝혀진 바 없어 앞으로 많은 연구가 진행되어야 할 것이다.

2. 연골성신경두개(chondrocranium, basicranium)

1) 연골성신경두개의 발생

두개, 턱, 안면이 신경관(neural crest)에서 발생하는 것과 달리 두개기저는 부축중배엽(paraxial mesoderm)에서 기원한다. 태생 5주에 중간엽세포들이 응축되어 연골원기(cartilage anlage)가 만들어지는데 후두골저는 척삭방연골(parachodal cartilage)와 3개의 후두추판(occipital sclerotome)으로 이루어져 있고 하수체성연골(hypophyseal cartilage)과 두개골소주(trabeculae cranii)는 유합되어 후에 접형골과 사골이 되며 안와익(ala orbitalis)은 후에 접형골소익이 되고 측두익(ala temporalis)은 접형골대익이, 이낭(otic capsule)은 측두골의 추체와 유돌부가 된다. 이들 연골원기들은 신경들이 지나가는 구멍만 남겨 놓고 태생 6~7주에 서로 융합하여 연골성신경두개를 형성한다(그림 3-21). 연골들이 도안되는(patterning) 기전은 명확히 알려진 바 없지만 여기에도 FGF 신호가 관여하는 것으로 생각된다(Yamaguchi 등, 1994). 이들 연골이 연골내골화(enchondral ossification)에 의해 내연골골(enchondral bone)이 되어 연골성신경두개가 골성두개저로 되는데, 연골들이 완성되기 전에 연골화와 연골내골화가 동시에 일어나게 된다. 연골내골화는 임신 7~8주에 시작해서 소아기까지 계속된다. 두개저에 있는 골과 연골은 연골결합(synchondrosis)에 의해 붙어 있는데 이중 접형후두연골결합(spheno-occipital synchondrosis)이 두개저 성장의 주된 성장 장소로 뇌 성장에 따라 성장하게 된다. 출생시 골화되지 않고 연골로 남아 있는 부위는 접형사골(sphenoethmoidal), 접형후두(sphenooccipital), 접형추체(sphenopetrous) 와 추체(perous)의 정점 등이다.

2) 연골성신경두개의 성장과 발달

(1) 출생 후 연골성신경두개 성장의 개요

두개기저는 앞서 설명한 바와 같이 안면 구조, 길이, 각도 등을 결정하는 형틀이며 뇌 성장에 따라 두개저 성장이 모든 부위에서 동일하게 진행되는 것은 아니다. 두개기저의 발달은 팽창하는 두뇌를 수용하도록 곡면을 이루어야 할 뿐 아니라 봉합선에서의 성장을 포용해야 하므로 두개관에 비해 많은 개형 및 정교한 성장을 필요로 한다.

그 이유로는 첫째, 두개의 기저는 중요 신경과 혈관들이 지나가는 통로이므로 이곳의 골 성장에 의한 개형과 전위를 수용하여야 하고 둘째, 대뇌와 소뇌는 급격히 성장하는 반면에 중뇌부위는 서서히 성장하는 불균형을 수용하여야 하며 셋째, 대뇌의 성장 모양에 맞게 깊은 두개내 표면이 되도록 개형이 일어나야 하고 마지막으로 두개기저는 서로 다른 성장 환경을 이루는 뇌와 반대쪽은 안면, 근육들 및 인두부가 인접해 있기 때문이다.

(2) 연골성신경두개 성장의 원리

두개의 두개안쪽은 골침착이 일어나나 중간부위부터는 골흡수 되는 쪽으로 이행하여 원형 반전 선(circumferential reversal line)을 형성하고 두개기저에서는 일부(petrous, sphenoid elevation, crista galli)를 제외하고는 골 흡수가 일어나게 된다(그림 3-22).

또한 봉합선이 포함되어 있는 부위의 두개기저의 성장은 그림 3-23(A)에서 보는 것과 같이 한쪽 방향으로만 일어나 뇌의 팽창을 수용할 수 없을 것 같지만 그림 3-23(B)에서와 같이 개형에 의해 두개와의 확장이 가능하므로 봉합 성장과 함께 연계되어 있는 연골결합(synchondrosis)부의 직접적인 확장이 가능하여 좀 더 정교한 두개와의 형성이 가능한 것이다.

그리고 두개와 안쪽으로는 골의 융기된 부위들에 의해 구역이 나누어지는데 중두개와와 후두개와 사이는 추체(petrous) 부위가, 후와(olfactory fossa)는 계관(crista galli)에 의해 분리되어 있으며 좌우측 중두개와는 터어키안(sella turcica) 바로 밑의 접형골 융기에 의해, 좌우측 전방 및 후두개와는 중앙의 세로 골 융기에 의해 나누어져 있다. 이 부위는 지속적인 골침착이 일어나는 반면 주변의 두개와는 골흡수가 일어나 밖으로 팽창하게 된다(그림 3-24).

두개기저는 많은 신경과 혈관의 통로들이 존재하는데 대뇌의 성장 팽창이 구개기저 골의 많은 전위를 일으키기 때문에 신경과 혈관의 통로가 불안정해 질 수 있지만, 봉합부위에서 먼저 성장하여 두개기저를 넓혀주고 신경과 혈관의 통로가 각기 개형에 의한 재배치가 이루어져 항상 일정하게 구멍을 유지하게 된다. 이런 재배치는 두개와(fossa) 다른 부위의 개형의 정도 및 방향과는 차별되는 국소적 개형에 의한 것이라 할 수 있다. 이런 차별적 개형이 척수의 적절한 위치를 유지해주며 이는 주변 연부 조직의 성장 속도에 따라 국소적으로 개형의 속도가 조절되는 것이다.

두개기저의 중앙부에는 연골연합이 존재하는데 태생시 연

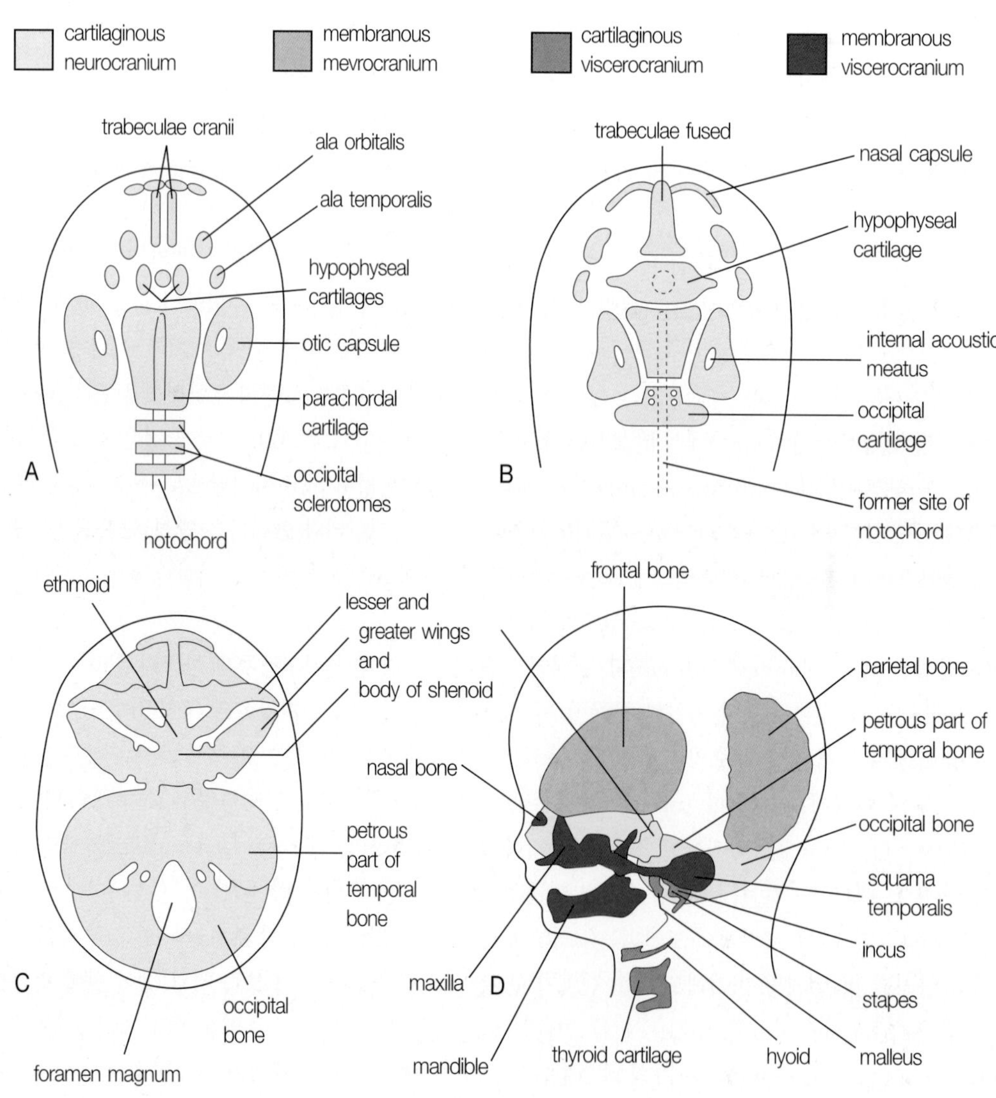

그림 3-21. 두개의 기원. (A) 태생 6주. 연골 원기들. (B) 태생 7주. 원기들의 융합. (C) 태생 12주. 연골들이 결합하여 연골머리뼈의 연골성 바닥부분을 형성한 상태. (D) 태생 20주의 두개 (Moore KL, Persaud TVN. The Developing Human; Clinically oriented embryology(7th Eds.) Philadelphia :Saunders, 2003 p.391).

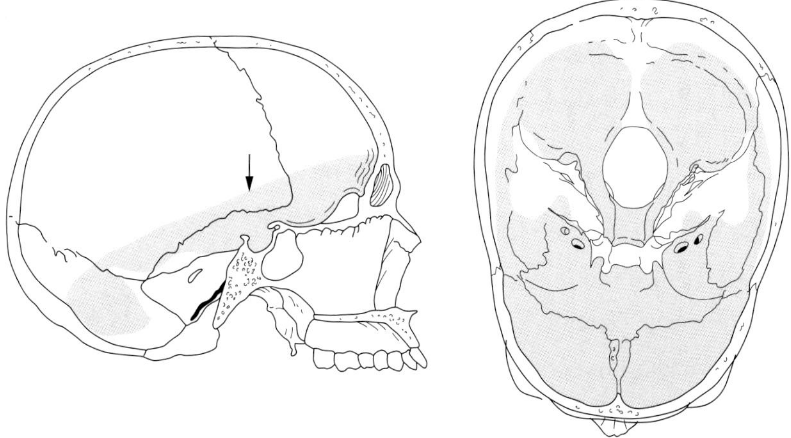

그림 3-22. 짙은 부위는 골흡수, 밝은 점 부위는 골침착이 일어나며 화살표는 이행부위를 나타낸다(Enlow DH, Hans M. *Essentials of Facial Growth*. Philadelphia: WB Saunders, 1996. p. 100).

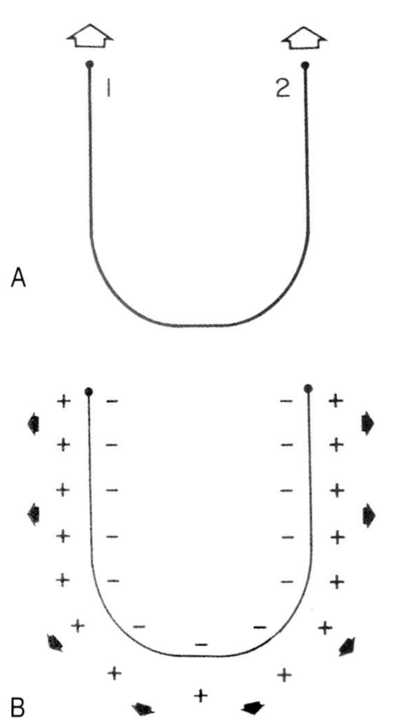

그림 3-23. 구개내의 확장 원리. 봉합선(1, 2)있는 부위는 한쪽 방향으로만 성장하나 봉합주위에 개형이 일어나면 확장이 가능하게 된다(Enlow DH, Hans M. *Essentials of Facial Growth*. Philadelphia: WB Saunders, 1996. p. 101).

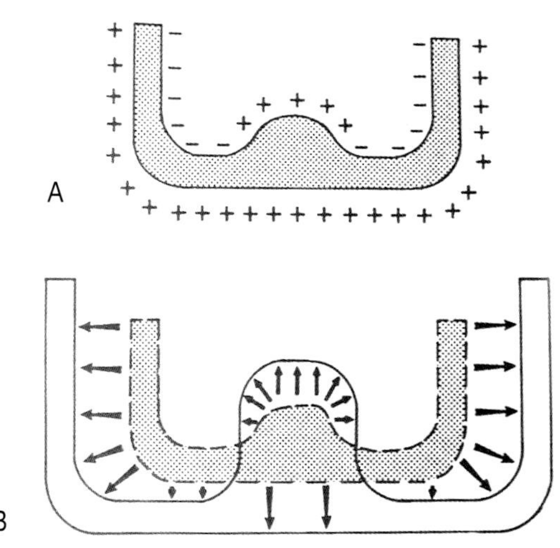

그림 3-24. 경막 쪽은 골흡수가 밖에는 침착이 일어나 두 개내강이 넓어지고(A) 두개와를 경계 짓는 융기된 부위는 골침착이 일어나고 주위는 흡수가 일어나 두개내가 넓어지게 된다(B) (Enlow DH, Hans M. *Essentials of Facial Growth*. Philadelphia: WB Saunders, 1996. p. 103).

골내골화 중심에서 연유된 것으로 소아기에 접형후두연골결합이 두개기저의 주된 성장 연골 역할을 하며, 골 발달에 직접 관련하여 압력에 적응된 골 성장 기전(pressure-adapted bone growth mechanism)으로 골 형성을 하게 된다. 이에 반해 두개관이나 두개와는 긴장에 적응된 봉합 성장(tension-adapted sutural growth)을 이룬다고 앞서 설명한 바 있다. 즉 두개기저에 뇌와 얼굴의 무게를 지탱할 때 생기는 압력이 작용하여 이를 통해 골 성장이 이루어진다고 생각되며 그 이외의 요인에 대하여는 아직 알려진 바가 없다. 접형후두연골결합부는 12~15세까지 성장을 보이며 20세경에 유합이 이루어진다. 다시 말해 접형후두연골결합은 압력으로 유발된 연골내골화

기전을 통해 두개기저 중앙부의 길이가 늘어나게 된다. 과거에는 접형후두연골결합이 하악과두부와 같이 두개기저의 성장 중심(growth center, pacemaker)이라 생각하였으나, 그렇지는 않고 두개기저의 성장은 연골결합부에서의 성장은 미미하고 다른 부위의 성장과 함께 다양하게 나타난 것이라 할 수 있겠다. 연골결합부를 보면 두 개의 골단 판(epiphyseal plate)이 서로 등을 돌리고 있는 구조로 접형골과 후두골이 서로 일차 전위를 일으키면 연골내골(endochondral bone)이 형성되고 이들 주위에 피질골(막내골, intramembranous bone)이 형성되어 접형골과 후두골이 모두 길어지게 된다. 또한 골막(periosteal) 과 골내막(endosteal) 개형에 의해 이들 골들의 둘레가 증가하게 된다.

두개와의 중앙 부위(midventral)는 양쪽 옆 부위보다 성장이 훨씬 천천히 일어나는데 이는 대뇌의 빠른 성장과 연수, 뇌교, 시상하부 등의 느린 성장을 반영한 것으로 두개내의 성장이 개형에 의한 것만이 아니라 봉합 성장과 연골 결합부 성장에 서로 정도와 속도에 차이를 둠으로써 일어나기 때문이다. 실제 봉합 성장은 중앙부로 내려 갈수록 감소하는(tapering gradient) 양상을 보이고 개형이 양쪽 측방 부위는 빨리 일어나는 차이를 보인다.

3. 신경두개의 출생 후 성장 요약

두개관의 봉합 성장이 두개관의 둘레를 증가시켜 주는데 위에서 아래 즉 중앙부로 가면 봉합 성장의 속도가 감소하는(tapering inferiorly) 성장 경사(gradient)를 보인다(그림 3-25의 1번). 두개기저의 봉합성장이 적은 것은 두개내강의 골흡수로 보완하여 성장하며(그림 3-25의 2번), 사대(clivus)의 길이는 접형후두연골결합의 연골내골성장(그림 3-25의 3번)과 대후두공(foramen magnum) 가장자리 주변의 하방 개형으로 길어지게 되고 접형골과 후두골 결합은 두개내 골흡수(그림 3-25의 0번)와 두개밖 골침착으로 전하방으로 회전하게 된다(그림 3-25).

두개내 골흡수에 의해 중두개와의 팽창이 앞으로 일어남으로써(그림 3-26의 1번) 전두개기저에 붙어 있는 비상악복합체 및 하악골에 이차 전위를 일으키는 주된 역할을 하게 된다. 그리고 접형전두 봉합부의 골침착(그림 3-26의 2번)과 전두엽이 앞으로 성장함에 따라 전두개와도 같이 전방으로 전위되며

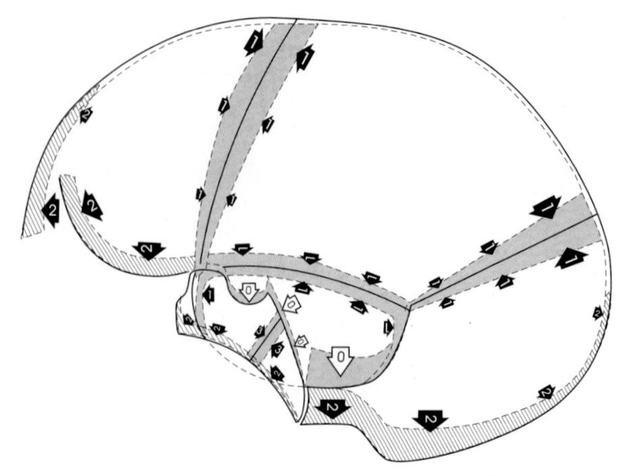

그림 3-25. 신경두개의 성장. 1; 봉합성장은 아래로 성장 경사를 보인다. 2; 반대로 두개기저에서는 개형이 증가되고 3; 접형후두연골결합부의 성장으로 사대가 길어지며 그 외 두개내골흡수(0)와 대후두공 주변의 하향 개형도 관여한다(Enlow DH, Hans M. *Essentials of Facial Growth*. Philadelphia: WB Saunders, 1996. p. 108).

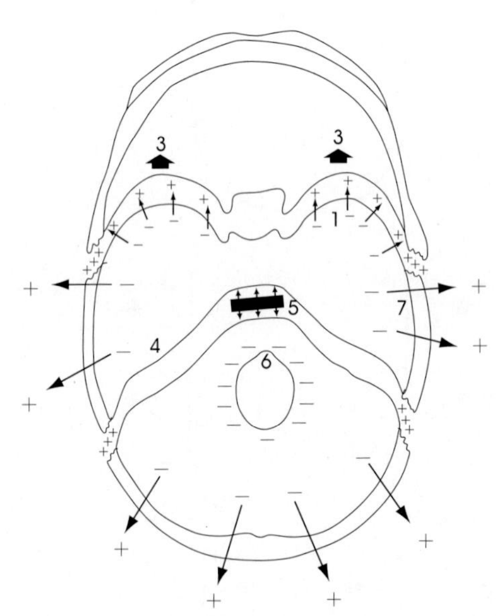

그림 3-26. 신경두개의 성장(Enlow DH, Hans M. *Essentials of Facial Growth*. Philadelphia: WB Saunders, 1996. p. 108).

(그림 3-26의 3번) 추체부위(petrous)는 두개내 골침착으로 융기되어 중두개와와 후두개와를 나누며(그림 3-26의 4번), 사대(clivus)는 접형후두연골결합부의 성장에 의해 길어지고(그림 3-26의 5번), 대후두공(foramen magnum)은 두개내 흡수와 두개밖 침착과 사대의 길이 증가로 점점 하향되고(그림 3-26

의 6번), 대후두공의 크기는 척수의 성장에 비례하게 된다. 원형 반전 선(그림 3-22) 아래로는 두개안쪽으로 주로 흡수가 일어남으로써 두개 확장이 일어나게 된다(그림 3-26의 7번).

전두개와의 확장은 전두엽의 성장과 연관되어 있는데 두뇌나 다른 연부 조직의 성장에 반응하여 봉합이 있는 접형전두, 전두축두, 접형사골, 전두사골 및 전두관골 봉합에서 견인적응 골성장(traction-adapted bone growth)이 일어나 골 들 사이가 벌어지는 일차 전위(primary displacement)가 일어나고 그 외에 두개내 흡수와 두개밖 침착이 같이 일어나면서 두개가 커지게 되는 것이다.

봉합 성장으로만 두개 성장을 감당할 수는 없어 두개 피질의 개형이 광범위하게 일어나게 된다. 전두엽의 성장으로 전두부의 내측 판이 전방으로 개형이 일어나고 전두엽의 성장이 느려지면 내측 판의 성장이 멈추고 외측 판만 전방으로 계속 개형이 일어나 양측 판 사이가 점점 멀어지게 되면서 전두동이 형성된다.

IV. 안면골의 출생 후 성장과 발달

1. 내장두개(viscerocranium)의 발생

얼굴형태를 이루는 내장두개는 주로 제1 및 제2 새궁(branchial or pharyngeal arch)에서 유래하는데 새궁은 발생 4주 초에 신경능선세포(neural crest cell)들이 장래의 머리와 목 부위로 이동함에 따라 발생되기 시작한다. 제1 새궁 혹은 하악궁(mandibular arch)의 앞쪽에서 하악융기(mandibular prominence)라 알려져 있는 Meckel 연골이 나와 주위에 있는 중간엽조직의 막성골화에 의해 하악이 형성되고 제1새궁 뒤쪽에서는 상악융기(maxillary prominence)가 나오고 여기에서 장차 상악, 관골, 측두골비늘(squamous part of temporal)이 생겨난다. Meckel 연골은 하악골이 형성되는데 형판이나 안내자 역할만 할 뿐 형성에 직접 관여하지 않으며, 망치골(malleus)과 모루골(incus)을 형성하고 Meckel 연골의 중간부분은 퇴화하여 없어지지만, Meckel연골의 연골막은 앞망치인대(anterior ligament of malleus)와 접형하악인대(sphenomandibular ligament)를 형성한다. 제2 새궁은 설궁(hyoid arch)이라고도 하며 제2 새궁연골(Reichert cartilage)에서는 등자골(stapes)과 경상돌기(styloid process)를 형성한다(그림 3-27).

2. 안면골의 출생 후 성장

1) 안면골의 출생 후 성장 개요

신경두개가 안면 골격보다 조숙해서 소아의 안면은 두개에 비해 작고 수직 길이가 짧으며 횡적 길이는 악안면부 골봉합과 하악 관절돌기(condylar process)가 두개기저와의 관계를 유지하기 위해 수직 길이보다 일찍 성장한다. 안와는 얼굴의 수직 성장이 늦기 때문에 낮게 위치해 있다가 얼굴 수직 길이가 성장하면 상대적으로 올라가게 된다. 하악골은 소아 때는 상악골보다 후방에 있지만 결국 상악골 성장발육을 따라 잡는다. 소아의 얼굴은 납작하고 넓은데 코는 짧고 들려 있으며 비익부의 넓이는 안와거리보다 넓고 구개는 안저 바로 밑에 있다. 비강인두는 중두개와가 확장됨에 따라 커지고 비골과 비강의 성장이 상안면부 전체의 성장을 초래하고, 비교(nasal bridge)가 전방으로 돌출하는 동안 전두골 외판도 전방으로 자라나 내판은 앞서 설명한 바와 같이 전두엽 성장이 멈추는 5-6세경에 성장이 정지되고 전두동이 점차 확장된다. 전두부와 비부가 전방으로 성장하는 반면에 관골부는 후방으로 성장한다. 대체로 안면골은 출생시 어른의 40-45%정도이지만 전체 성장의 90%가 12-13세 때까지 이루어진다. 얼굴 성장이 여성은 사춘기 직후에 완성되지만 남성에서는 20대까지 지속된다. 안면은 부위별로 상이한 성장 과정을 밟기 때문에 소아와 어른, 여자와 남자의 얼굴 모양새가 다르다.

2) 하악골의 출생 후 성장

성장에 있어서 하악골은 상악골과 여러 가지 면에서 다른 점을 가지고 있는데 첫째, 하악은 뒤에 튀어나온 하악지를 가진 반면 상악은 소아기때 뒤쪽 면이 자유로운(free surface) 상악조면(maxillary tuberosity)을 가지고 있고 둘째, 하악은 두개기저에 가동성 관절로 연결된 반면 상악은 고정되어 있고 셋째, 측두하악관절은 압력에 견딜수 있는 연골로 이루어져 있고 상악에 존재하는 봉합들은 긴장에 적응하는 결합조직으로 되어있으며 넷째, 과두는 연골내골형성을 하는 반면 상악은 막내골형성을 하며 다섯째, 하악에는 저작근이 붙어 있는 가동성이나 상악은 고정되어 있고 여섯째, 상악은 2개의 골이 유합되어 있으며 비상악복합체는 여러 개의 골이 연결되어 있

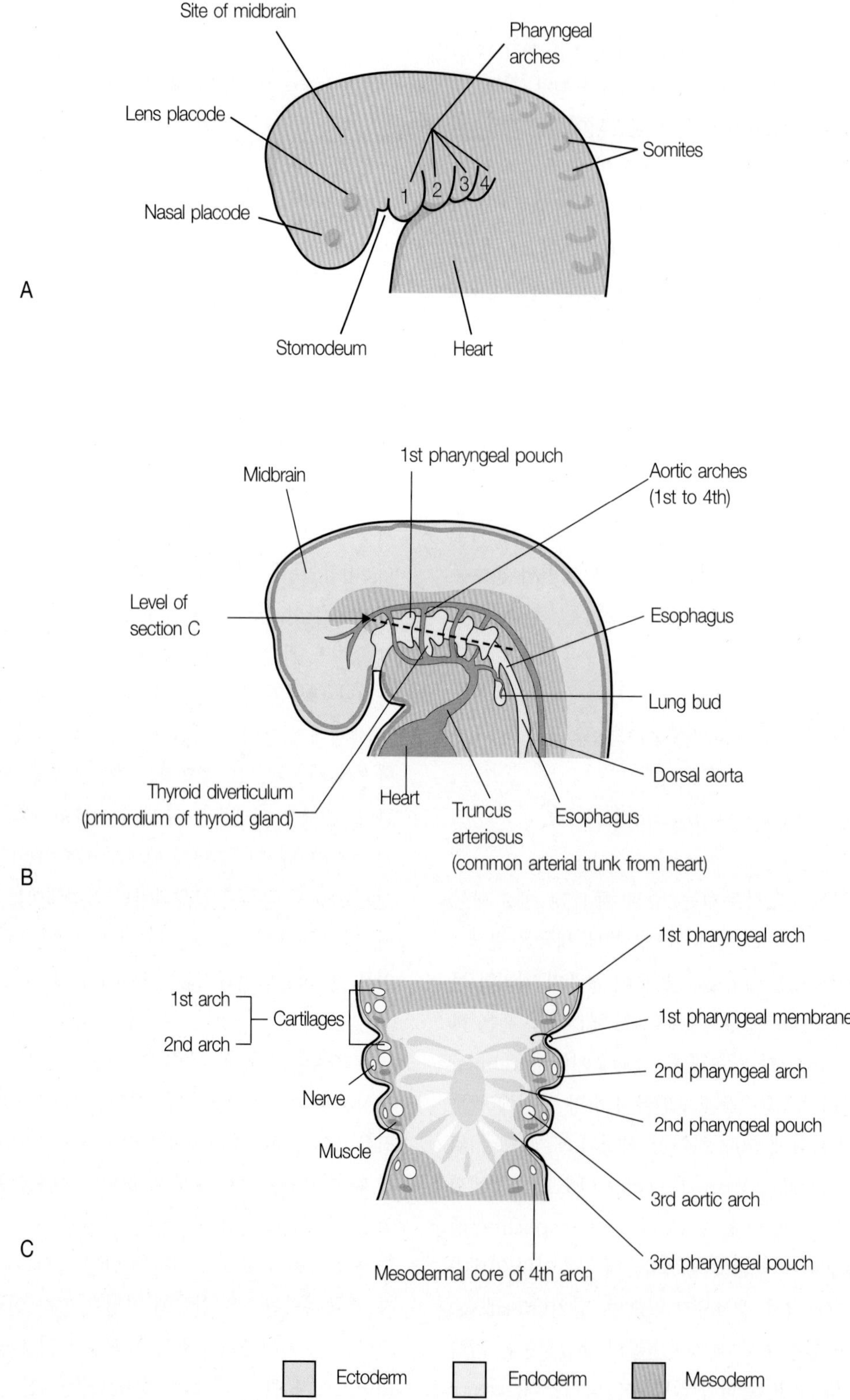

그림 3-27. (A) 발생 28일째의 인간 배자의 머리와 목부위의 인두기관. (B) 인두주머니(pharyngeal pouch)와 대동맥궁(aortic arch)을 보여줌. (C) 배자의 가로 절단면(Moore KL, Persaud TVN. The Developing Human; Clinically oriented embryology(7th Eds.) Philadelphia: Saunders, 2003 p.205).

으며 일곱째, 상악은 비중격전상악인대(septopremaxillary)에 의해 비중격연골에 붙어 있는 비극(nasal spine)을 가지고 있으나 하악은 두개기저에 붙는 부위가 없다는 점 여덟 번째, 상악치아들은 하방으로 유동(drift)하나 하악치아들은 상방으로 표류하고 아홉 번째, 상하악 모두 뒤쪽에서 주로 개형이 일어나고 전하방으로 전위되고 열 번째, 치아의 표류현상이 성장과정에서의 적응과 보상에 관여한다는 점 등이다.

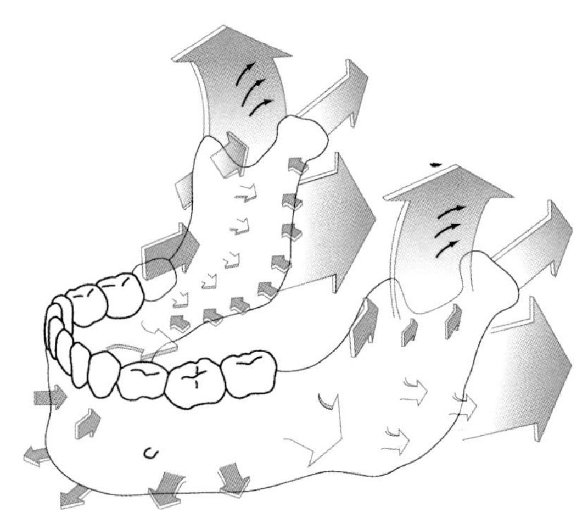

그림 3-28. 하악 성장의 개요. 화살표 방향에 따라 골흡수, 침착을 도식화 한 것임. 표면에서 나오는 화살표는 골침착을 나타내고 화살표 크기는 국소 개형의 정도를 나타낸다(Enlow DH, Hans M. *Essentials of Facial Growth*. Philadelphia: WB Saunders, 1996. p. 108).

(1) 하악골의 개형

하악은 단순히 커지는 것이 아니라 개형과 동시에 전하방으로 전위가 일어나면서 커진다. 과거의 개념처럼 성장 중심을 통하여 하악골이 성장해 나가는 것이 아니라 하악 모든 부위에서 주변의 연부 조직으로부터 오는 국소적 신호를 받아 개형이 일어남으로써 하악의 독특한 구조를 만들어 나가는 것이다.

① 하악지

하악지의 성장은 두개안면 성장에서 가장 중요한데 상악과 교합으로 맞닿아 있는 위치에 있고 변화하는 두개안면의 성장 요건들에 지속적인 적응을 해 나가기 때문이다. 앞서 설명한 바와 같이 하악골 성장의 주된 벡터(vector)는 후방과 상방이며 하악지는 주로 후상방에 개형이 일어나면서 하악골은 전방과 하방으로 전위가 일어나게 되어 체부와 치조공의 후방 길이 성장이 이루어지게 된다(그림 3-5, 28). 하악지는 저작근, 기도, 점막, 혀, 침샘, 편도선과 인두부 근육들에서 오는 국소적 자극에 의해 커지게 되고 하악지의 수직 성장은 비부의 수직 성장과 유사하여야만 개방교합이 생기지 않고 하악지의 전후 성장은 중두개와의 크기를 반영하는 인두강(pharyngeal space)의 전후 길이와 대등하여야 하악골 후퇴나 돌출이 오지 않게 된다. 하악지에서의 모든 성장의 결과로 인해 동시에 후방으로 재배치가 일어나게 된다. 하악지의 성장으로 인해서 전에 하악지이었던 부분이 체부로 되는 개형성 전환(remodeling conversion)이 이루어진다.

② 설측조면(lingual tuberosity)

상악조면(maxillary tuberosity)에 해부학적으로 상응하는 부위로 상악조면이 상악 성장의 주된 장소인 것처럼 설측 조면도 하악 성장의 주된 장소인데 조면의 뒤쪽으로 골 침착이 일어나 후방으로 성장하여 상악조면의 후방 성장과 유사한 정도와 속도를 가지게 된다. 설측조면은 설측 즉 내측으로 튀어나와 있는데 조면의 융기부 밑으로 골흡수가 되어 생긴 설측와(lingual fossa)로 상대적으로 튀어나와 있게 된다. 조면은 개형을 통해 대부분 후방으로 재배치가 일어나고 경미한 측방전위(lateral shift)를 가지게 된다. 조면의 후방으로 골침착이 이루어져 조면의 후방성장이 이루어지면 조면 뒤에 위치하는 하악지 부분은 내측으로(medially) 개형이 일어나게 되며 하악지 일부분이 결국 체부가 되어 길이 성장이 이루어지게 되는 것이다(그림 3-29).

③ 하악지와 체부간 개형 전환(ramus-to-corpus remodeling conversion)

앞서 설명한 바와 같이 하악의 길이 성장은 설측조면 후방 및 하악지 설측의 골침착과 하악지 전방부가 체부로 되면서 이루어지게 된다. 하악지의 후방 재배치는 이차원적인 일직선으로 일어나는 것(그림 3-30A)이 아니라 'V' 원칙에 의해 그림 3-30B와 같이 화살표 방향으로 일어나게 된다. 다시 말해 'y' 방향이 아니라 'x' 방향으로 하악지 후방 재배치가 일어난다(그림 3-30C).

하악지 개형 활동은 전방과 후방에서만 일어나는 것이 아니라 모든 방향에서 일어나고 근돌기(coronoid process)의 설측에 신생골이 침착되면 성장은 상방으로 일어나 하악지의 수직

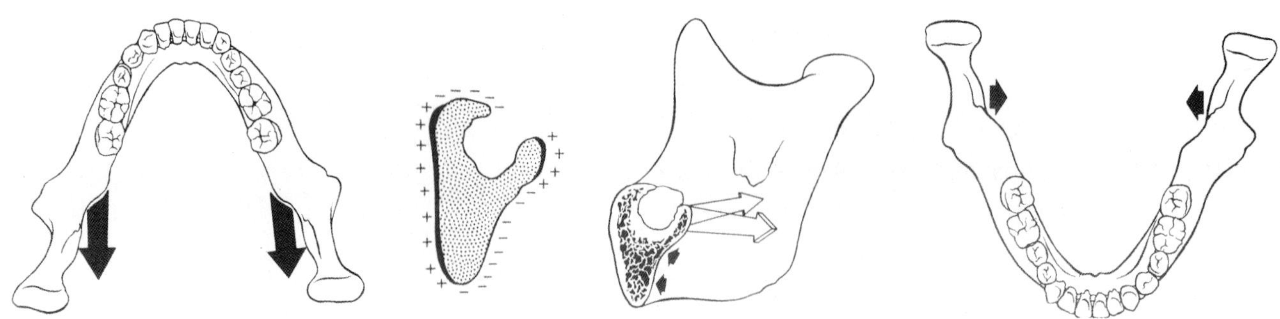

그림 3-29. 설측조면의 개형(Enlow DH, Hans M. *Essentials of Facial Growth*. Philadelphia: WB Saunders, 1996. p. 61)

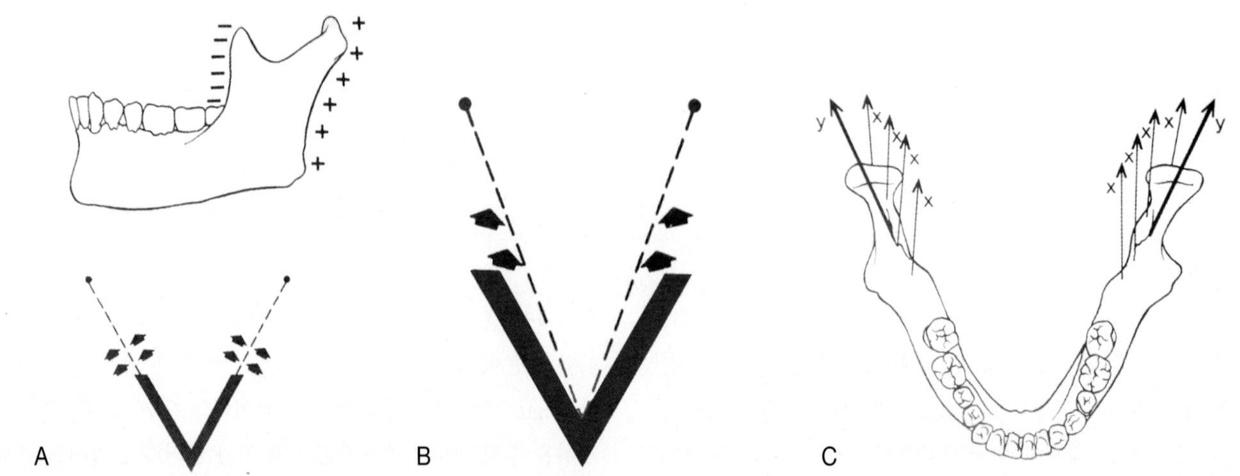

그림 3-30. 하악지 재배치 벡터. 단순하게 'y' 방향이 아닌 'x' 방향이 실제 재배치 방향이다(Enlow DH, Hans M. *Essentials of Facial Growth*. Philadelphia: WB Saunders, 1996. p. 63).

길이가 커지게 된다. 즉 근돌기의 내측으로 골침착이 일어나지만 성장은 'V' 원칙에 의해 수직으로 성장하게(V oriented vertically) 되는 추진기(propeller) 같은 모습을 보이게 된다. 그리고 근돌기 내측으로의 골침착은 또한 후방으로 전위가 일어나는데 이것은 하악의 후반부 전체가 넓어지도록 해주는 또 다른 수평 'V' 원칙(V oriented horizontally)을 보여주는 것이다(그림 3-31).

이상 설명한 바와 같이 설측으로의 골신생이 근돌기 기저부와 하악지 앞부분을 내측 방향으로 이동시켜 체부가 길어지게 하고 넓은 위치에 있던 골 부위가 후에 좀 더 좁은 위치의 골 부위로 재배치가 됨으로써 전반적으로 'V'가 넓어지게 되게 되는 것이다. 즉 소아에서 하악지 앞부분(1)에 해당되는 부위가 후에 재배치되어 체부의 뒷부분(2)으로 되는 것이다(그림 3-32).

근돌기의 협측(buccal side)면은 골흡수가 일어나는데 하악절흔(sigmoid notch) 하방의 하악지 상부 대부분과 하악과두 상부는 설측으로 골침착이 협측으로는 골흡수가 일어나 상방으로 성장하게 된다. 근돌기 아래의 하악지의 아랫부분에서는 반대로 협측면에서는 골침착이 일어나면서 후방으로 성장하고 설측면에서는 골흡수가 일어난다(그림 3-28). 하악지의 후면이 개형이 주로 일어나는 장소이고 하악과두는 일반적으로 비스듬하게 상후방으로의 성장 방향을 가지고 있는데 그 정도는 개개인이 모두 다르다. 하악지의 후상부가 과두부의 성장을 조절 혹은 결정한다고 할 수 있지만 이런 연관성이 있음에도 불구하고 하악지의 후상부와 과두부의 서로 다른 성장 장소는 엄연히 분리되어 있고 서로 다른 국소적 신호에 따라 성장한다. 하악지의 성장은 상대적으로 빠르게 일어나고 성장하면서 하악지 전체가 개형 회전이 일어나고 과두 바로 밑

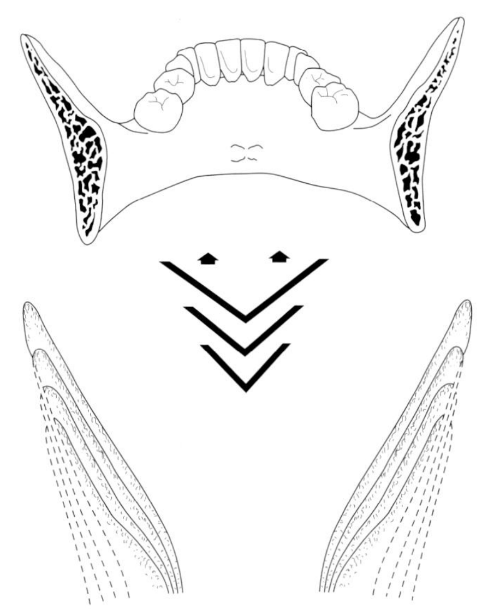

그림 3-31. 하악 근돌기의 수직, 수평적 성장 'V' 원칙(Enlow DH, Hans M. *Essentials of Facial Growth*. Philadelphia: WB Saunders, 1996. p. 64)

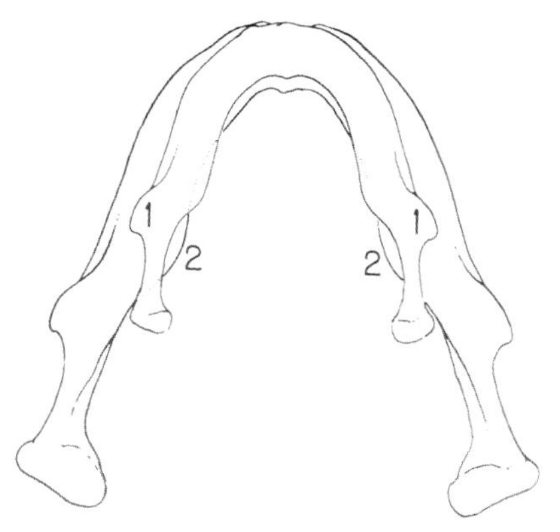

그림 3-32. 하악의 출생 후 성장(Enlow DH, Hans M. *Essentials of Facial Growth*. Philadelphia: WB Saunders, 1996. p. 64).

의 후면에서는 골흡수가 일어난다(그림 3-33).

하악지 전체가 후상방으로 성장하는 동안 하악공(mandibular foramen)의 앞쪽으로는 골침착이 뒤쪽으로는 흡수가 일어나 하악공이 후상방으로 재배치되지만 소아에서 노인까지 하악공은 하악지의 전후 경계면의 중간 부위에 항상 일정한 위치를 점하고 있다.

④ **하악과두**

과거에 과두는 하악성장의 속도, 정도, 성장 방향, 하악의

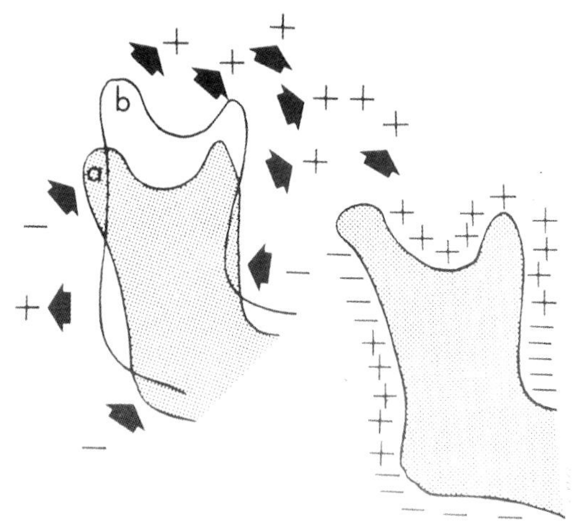

그림 3-33. 하악지의 개형 회전(Enlow DH, Hans M. *Essentials of Facial Growth*. Philadelphia: WB Saunders, 1996. p. 75)

전체 크기, 하악의 전반적 모양을 궁극적으로 결정한다고 생각하였지만 현재 과두가 성장 중심이라고는 생각지 않는다. 하지만 과두는 중요한 성장 *위치*임에는 분명하다고 할 수 있다. 하악 발달시 하악은 국소 성장 환경이 서로 다른 영역들이 각기 다른 성장을 통하여 전체 하악의 독특한 모양을 만들어 가는데 이중 하나의 영역이 과두부인 것이다. 여러 부위에서 독립적으로 국소적 성장들이 이루어지지만 이것들이 모여 전체 하악의 성장 조화를 이루는 것이다.

하악과두의 연골은 측두부와의 관절면에서 오는 압력을 견딜 수 있어야 하므로 특수화된 비혈관성 조직으로 구성되어 있고 연골의 세포간 기질들은 압력에 견고히 견딜 수 있게 친수성이 크다. 이렇게 압력에 견디면서 성장하려면 연골내골화 과정이 적합한데 왜냐하면 압력이 지속적으로 작용하는 부위는 혈관성 골막을 통한 막내골 형성은 이루어 질 수 없기 때문이다. 사실 연골에 접해 있는 과두부의 골수(medullary) 부분(b)만 연골내골형성이 일어나고 주변의 골피질 부분(c)은 압력에 상관없기 때문에 골막과 골내막을 통한 골화과정을 거친다(그림 3-34). 이와 같이 과두의 일부분이 주변 특수 상황에 따른 성장 과정을 거치는 것뿐이고 이 연골 자체가 어떤 유전적으로 결정된 성장을 유도하는 성장 중심이라고 보기에는 무리가 있는 것이다. 즉 과두가 하악의 성장 정도나 속도를 조절하는 것이라고는 볼 수 없다(Enlow와 Hans, 1996).

다시 말해서 과두는 성장 중심이라기보다는 압력에 내성이 있는 관절면을 가지고 국소적 영향에 반응하여 다방면으로의

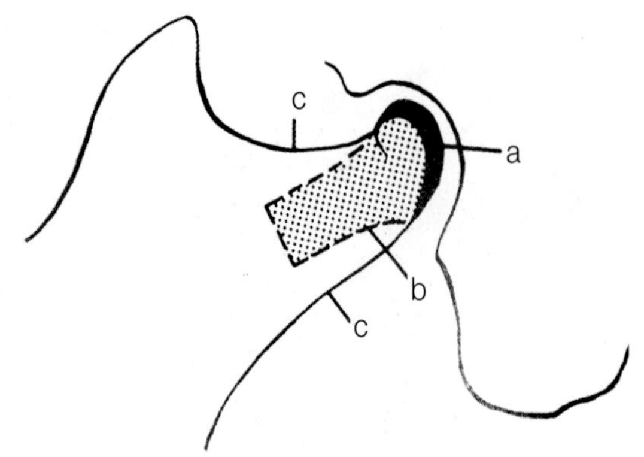

그림 3-34. 과두의 성장. a; 과두 연골, b; 연골내골화 성장 부위, c; 골막골화 성장 부위(Enlow DH, Hans M. *Essentials of Facial Growth*. Philadelphia: WB Saunders, 1996. p. 66)

성장 능력을 지니고 있다. 과두의 성장 방향은 상방과 후방으로 일어나는데 과두의 설측과 협측면은 골흡수가 일어나기 때문에 과두경(neck)은 좁게 되고 과두경이 점진적으로 좀 더 넓은 과두 부위로 재배치가 일어나 과두가 후상방으로 재배치되는 것이다. 즉 이것도 또 하나의 성장의 'V' 원칙으로 설명할 수 있다. 하악 성장의 주체는 과두만이 차지하는 것이 아니라 앞서 설명한 바와 같이 하악지가 중요한 역할을 담당하고 과두는 하악지의 성장을 주도하는 것이 아니라 따라가는 양상을 보이는 것이다(그림 3-28, 33).

⑤ **하악지와 중두개와간 관계**

중두개와의 수평 성장은 비상악복합체를 전방 전위시켜 인두의 수평 길이를 증가시키는데 두개기저의 바닥이 인두의 천장이기 때문에 인두의 길이는 중두개와의 크기에 따라 결정된다. 이때 하악지도 그만큼 크기가 증가하여야 한다. 즉 하악지와 중두개와의 전후 길이는 서로 상응하게 된다.

⑥ **하악지의 직립(uprighting)**

하악지는 성장하면서 좀더 수직으로 되는데 하악지의 후방성장이 위 부위보다는 아래 부위에서 많이 일어나고 하악지의 앞쪽 면에서의 골흡수가 위보다는 아래에서 많이 일어나 하악지의 개형 회전이 일어나기 때문이다(그림 3-28, 33). 이와 같이 하악지가 점점 수직으로 되는 이유는 인두 혹은 중두개와가 수평으로 커지면서 하악지가 따라 길어지면 비상악복합체의 수직 길이 성장에 맞추어 교합면을 정상으로 유지하기 위해 하악각(gonial angle)이 작아져야 하기 때문이어서 필연적으로 하악지의 수직화가 일어나야 한다. 이때 하악지의 수직 길이 성장은 수평 길이 성장이 느려지거나 멈춘 후에 이루어지고 과두의 성장이 좀 더 수직으로 일어나 도움을 주게 된다(그림 3-33).

3) 비상악 복합체(nasomaxillary complex)의 출생 후 성장

(1) 비상악 복합체의 성장 개요

하악이 주로 후상방으로 개형이 일어남과 동시에 전하방으로 전위가 일어나는데 비상악복합체는 일반적으로 이와 필적하는 성장을 한다. 상악의 수평 성장은 상악조면에 골침착이 일어남으로써 이루어지고 상악동내면에서는 골흡수가 일어나 상악의 후방 재배치가 일어나고 상악 측면에는 골침착이 일어나 상악궁이 넓어지게 된다. 이와 같이 상악조면은 상악 성장의 주된 장소이나 상악 전체를 성장하게 하는 것은 아니고 상악궁의 후방 성장이 주로 일어나는 곳이다(그림 3-35). 비상악복합체의 모든 부위에서 개형이 일어나 상악 전체가 성장하게 되는 것이다(그림 3-36).

상악 전체는 후방으로 성장하면서 동시에 전하방으로 일차 전위를 일으키는데 그 기전은 과거의 개념에서는 상악조면에 골침착이 되면서 커지므로 상악을 밀어 앞으로 움직이게 된다고 하였으나 골형성막은 골을 밀어낼 정도의 압력에 견딜 수 없는 혈관성 조직이므로 이는 타당하지 못하다. 또 하나의 가설은 상악내의 여러 봉합선 성장들로 인하여 골을 밀어 전하방으로 전위가 일어난다는 것인데 이것도 마찬가지로 봉합 결

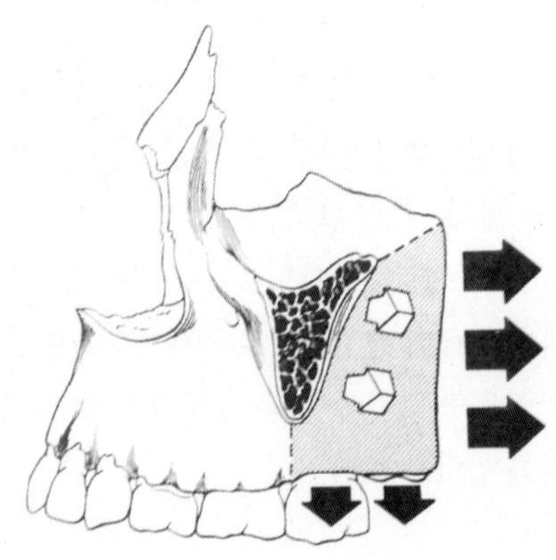

그림 3-35. 상악조면은 상악 성장의 주된 장소(Enlow DH, Hans M. *Essentials of Facial Growth*. Philadelphia: WB Saunders, 1996. p. 80)

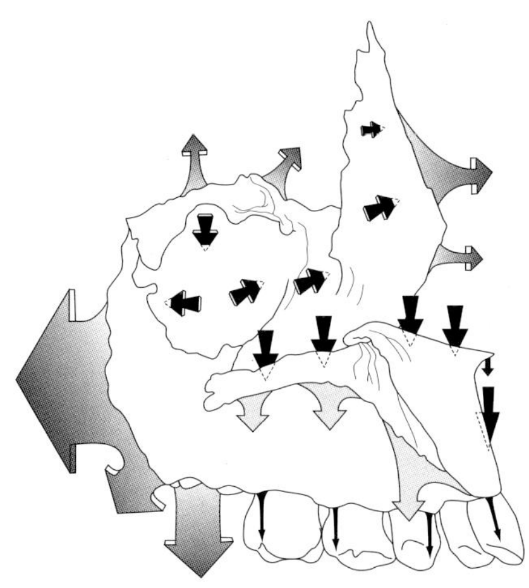
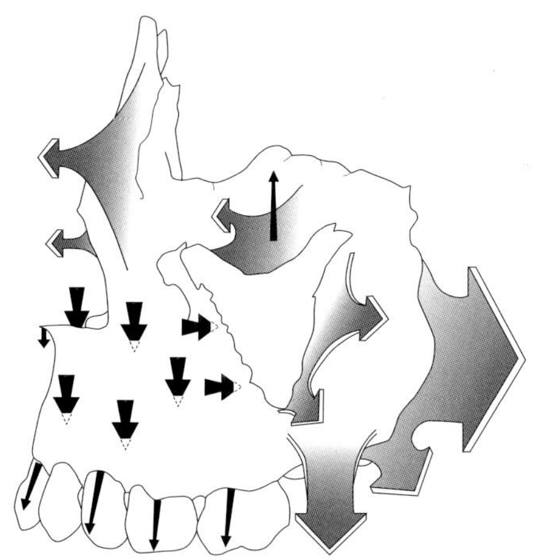

그림 3-36. 상악의 개형. 화살표가 들어가는 부위는 골침착이 화살표가 나오는 부위는 골흡수가 일어나는 부위이다(Enlow DH, Hans M. *Essentials of Facial Growth*. Philadelphia: WB Saunders, 1996. p. 81).

합 조직은 골을 밀어낼 정도의 압력에 견디지 못하며 오히려 인장과 관련된 성장을 하는 조직이라 할 수 있기 때문에 현재에는 인정을 받지 못하고 있다. 즉 중안면부의 연부 조직들이 성장하면서 골들을 전위시키고 동시에 봉합선 골 성장이 일어나 골과 골 접촉을 항상 유지하고(그림 3-37) 또한 상악 전반적인 국소적 개형이 일어나면서 다양한 방향으로의 상악 성장이 일어나는 것이다.

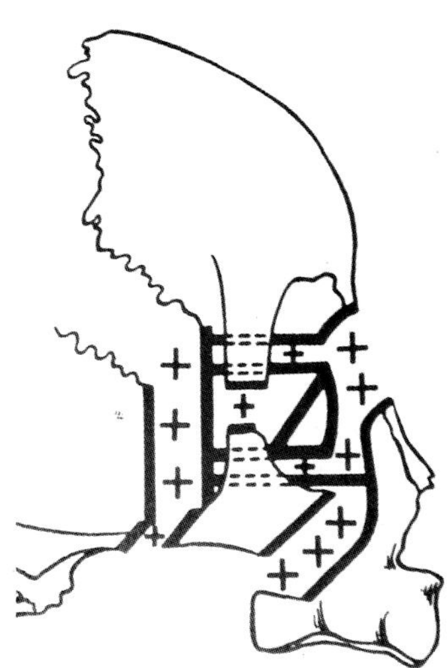

그림 3-37. 비상악복합체의 여러 봉합선에서 전위가 일어나면서 골침착이 일어난다(Cohen MM, MacLean RE. : *Craniosynostosis; diagnosis, evaluation, and management*. New York: Oxford University Press, 2000 p.40).

(2) 비상악 복합체 성장 가설

상악 전위에 대한 생물역학적 힘에 대한 가설로는 Scott에 의한 비중격 가설(Scott, 1953 ; Scott, 1956)을 들 수 있다. 이것은 앞서 설명한 봉합 가설과는 다른 개념으로 연골은 압력을 받는 부위에서 성장할 수 있는 능력을 가진 특수한 조직으로 장골의 성장판이나 두개기저의 연골결합부, 하악골 과두등에 존재하는데 이것은 연골내골화에 의해 길이 성장을 하도록 해준다는데 근거를 두고 있다. 그중에서 비중격연골은 사실적은 양의 연골내 성장을 하지만 압력에 따른 팽창으로 인해 상악을 전하방으로 밀어내는(전위) 물리적 힘의 근원이라는 것이다. 이로 인해 상악내의 봉합선에 긴장이 가해지면서 거의 동시에 봉합부에 골형성이 일어난다는 것이다. 하지만 현재의 개념으로는 비중격이 비부를 떠받치는 중요한 역할을 하고 있지만 상악을 전위시키는데 능동적인 역할을 한다고 보지는 않는다. 그 이유는 상악을 전위시키는 근원은 다양하여 비중격이 관여를 일부 하지만 많은 다른 요인도 복합적으로 작용하여 일어나는 것이기 때문이다.

또 하나의 가설은 다중 보장(multiple assurance) 가설(Latham 과 Scott, 1970)로 성장을 이루는 과정과 기전은 다양한데 성장 과정중 일부가 결여되면 다른 과정이 이를 보상해주어 성장 결과가 비슷해지도록 해준다는 것이다.

다음은 기능적 기질(functional matrix) 가설(Moss, 1969)로 골과 주변 연부 조직들이 기능적 관계를 통하여 골 성장이 이루어진다는 것이다. 즉 골 자체는 골 성장의 속도나 정도를 유전적으로 조절하지 못하고 기능적 연부 조직 기질이 골 성장 과정을 조절하는 것으로 연부 조직의 성장이 조절 인자(pacemaker) 역할을 하게 되며 기능적 기질내의 골과 연골은 다시 기질에 되먹이기 정보를 전달하여 골 혹은 연골형성 조직들이 개형의 정도를 조절하게 하여 기질과 골 사이의 기능과 기계적인 평형을 이룬다는 것이다. 이 가설이 현재로는 가장 타당성이 있다.

(3) 비상악 개형

상악의 모든 부위 내측, 외측, 표면 모두에서 직접 성장에 참여하고 있다.

① 누골 봉합(lacrimal suture)

누골은 여러 골들과 인접해 있는 작은 골이지만 중요한 성장 장소로서의 역할을 한다. 주변의 분리된 여러 골들은 서로 다른 성장 속도와 시간 차이를 두면서 성장하여 서로 다른 방향으로 전위되는데 여러 골들과의 누골 봉합선이 이들 골들이 미끄러지듯 전위되게 하는데 예를 들어 안와 접촉면을 따라 상악이 미끄러지게 하여 상악 전체가 하방 전위가 일어나도록 해준다. 이런 누골주변봉합체계(perilacrimal sutural system)로 인해 주변 여러 성장골 들로 인한 성장 병목현상을 없애 주는 성장 중재자(growth mediator)의 역할을 수행하는 것이다.

누골은 윗부분은 비교(nasal bridge)와 연접해 있어 적게 팽창하고 아래쪽은 사골동과 함께 밖으로 많이 팽창하므로 개형 회전을 하게 된다(그림 3-38).

② 상악조면(tuberosity)

상악의 주된 성장 세 방향은 그림 3-35에서 보는 것과 같이 조면에 골침착이 일어나면서 후방으로 길이 성장이 되고 협측면에서는 골침착으로 측방으로 성장하여 상악궁 후방이 넓어지게 되며 치조골과 측방을 따라 골침착이 되어 하방으로 성장하는 것이다. 골내면에서는 흡수가 일어나 상악동이 확장하게 된다(그림 3-35).

상악 표면 윤곽은 관골 돌출부 바로 아래에 수직 능선(vertical crest)이 있는데 이 부위(key ridge)는 골침착과 흡수가 반전되는 부위로 앞쪽은 주로 흡수가 일어나 표면이 오목하게 되고 상악궁 개형이 하방으로 일어나게 하고 구개도 하방으로 성장하게 된다. 반면 수직능선의 뒤쪽은 골침착에 의해 하방으로 성장하게 된다(그림 3-39, 40).

③ 치아의 수직 유동(vertical drift)

치아의 수직 유동은 상악과 하악의 형태 발생에 있어 중요한 역할을 하는데 이는 내인적 성장 요소이다. 치아는 근심측(mesial) 혹은 원심측(distal) 유동뿐만 아니라 치조골의 개형에 따른 수직 유동도 일어나기 마련인데 치조강(alveolar socket)과 치아가 하나의 단위로 같이 유동하게 된다. 이때 치주결합조직(periodontal connective tissue)도 유동하는 치아와 같이 움직임으로써 그 자체 내에서 개형과 재배치가 가능하게 해준다. 치주결합조직은 골막내골화에 의한 개형으로 치조강의 위치가 변화할 수 있도록 해주고 치아 자체도 이동이 가능하도록 해준다.

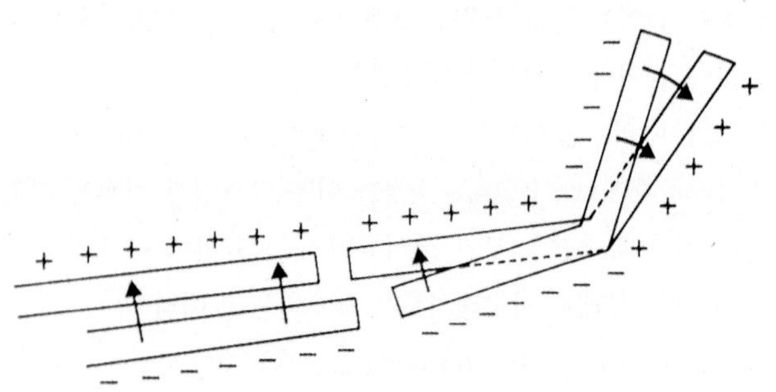

그림 3-38. 누골의 개형 회전(Enlow DH, Hans M. *Essentials of Facial Growth*. Philadelphia: WB Saunders, 1996. p. 87)

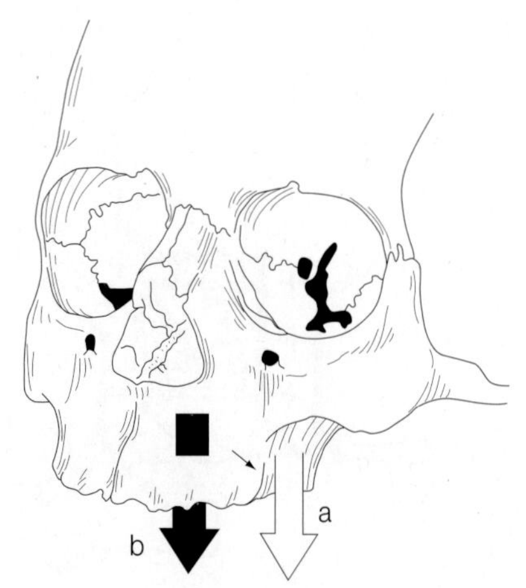

그림 3-39. 상악의 개형. 화살표가 반전이 일어나는 수직능선을 가리킨다. 앞쪽(b)은 흡수로 인해 상악전면이 오목하게 되고 하방 개형이 되도록 해주며 뒤쪽(a)은 골침착이 일어난다(Enlow DH, Hans M. *Essentials of Facial Growth*. Philadelphia: WB Saunders, 1996. p. 87).

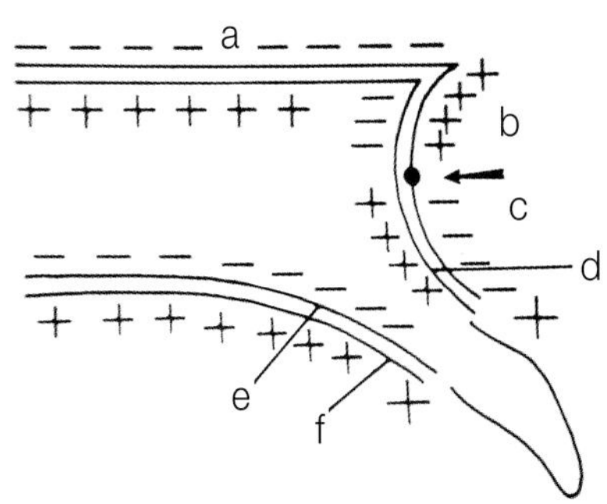

그림 3-40. 상악의 개형. a; 흡수, b; 침착, c; 흡수, d; 침착, e; 흡수, f; 침착, 화살표는 반전이 되는 점으로 두개골 계측상 'A' 점에 해당된다(Enlow DH, Hans M. *Essentials of Facial Growth*. Philadelphia: WB Saunders, 1996. p. 88).

④ **비강**

비강의 안쪽은 후각와(olfactory fossae)의 비측면을 제외하고는 모두 골흡수가 일어나 비강의 측방과 전방 확장이 되고 구개가 하방 재배치된다(그림 3-1). 이와 같이 어떤 특정 부위만이 성장하는 것이 아니라 모든 표면에서 전반적으로 일어나 상악의 모양, 크기가 결정된다. 사골비갑개(ethmoidal conchae)는 일반적으로 측면과 하면은 골침착이 상방과 내측면은 흡수가 일어나 비부가 팽창함에 따라 하방과 측방으로 움직이게 된다. 상악동 내면은 내측 비면을 제외하고 모두 흡수가 일어난다. 내측 비면은 골침착이 일어나 측방으로의 비부 확장을 수용하게 된다(그림 3-41).

전두골비골 봉합부 바로 아래의 비교는 어른이 되어도 많이 성장하지 않지만 더 아래의 양측 안와 사이는 비강의 외측 팽창에 따라 상당히 커지게 되어 사골동이 매우 커지게 된다.

⑤ **구개의 개형**

상악의 전면은 주로 흡수가 일어나고 상악궁의 내측은 침착이 일어나 상악궁이 넓어지게 되는데 이것도 'V' 원칙에 해당되며 개형에 의해 하방으로 전위가 이루어진다(그림 3-41). 또한 중구개 봉합(midpalatal suture)에서의 성장도 구개와 상악궁이 넓어지는데 관여한다.

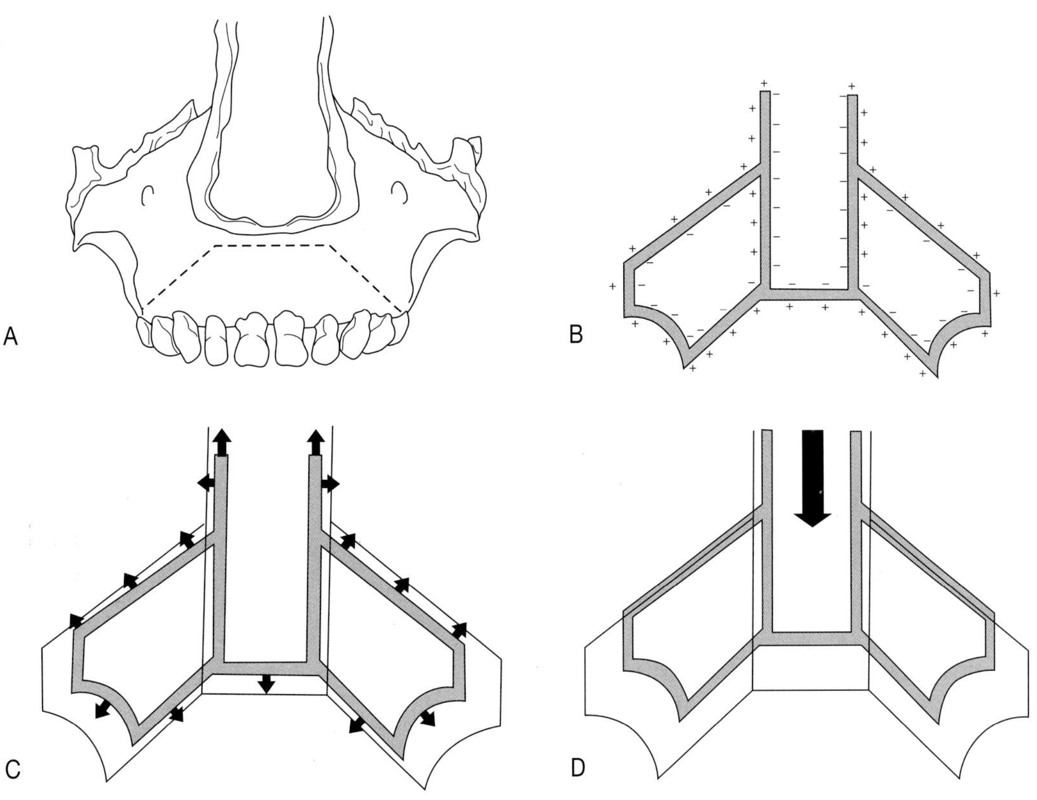

그림 3-41. 비강의 개형(Enlow DH, Hans M. *Essentials of Facial Growth*. Philadelphia: WB Saunders, 1996. p. 83)

⑥ **상악의 하방 전위**

비상악복합체는 모든 부위에서 개형이 일어나면서 동시에 하방으로 일차 전위가 일어나는데(그림 3-41) 이때 상악내 모든 봉합에 생긴 공간내에 신생골이 형성된다. 봉합내 골성장이 비상악복합체를 밀어내는 것이 아니라 주변 연부조직에 의해 전위가 일어나는 것이다. 일단 전위가 일어나면 거의 동시에 봉합골성장이 일어나는 것이다(그림 3-4, 37). 또한 상악 전방과 후방부에서의 개형 성장과 전위사이의 균형은 중두개와의 하방 및 전방 성장에 의한 시계 방향이나 반시계방향의 전위 회전에 대응하게 된다. 비상악복합체는 주변 골과의 관계를 유지하기 위해 보상성 개형 회전을 하여야 한다(그림 3-10~13).

⑦ **상악내 봉합들**

앞서 누골 봉합에서 설명한 바와 같이 안면부의 대부분의 봉합선에서의 성장은 단순히 봉합선의 직각방향으로 성장하는 것이 아니라 골이 마주하는 면에 따라 미끄러지듯이 일차 전위가 일어난다. 이때 봉합 조직내의 교원질성 섬유의 조정과 재배치가 일어난다. 하지만 봉합 자체만으로는 모든 골 성장을 감당 할 수는 없고 골 표면의 전반적인 골 침착이 일어나야 한다.

4) 관골과 관골궁의 출생 후 성장

관골은 상악의 성장과 유사한 성장 변화를 보인다. 측두와(temporal fossa)내의 관골 돌출부의 후면은 골침착이 일어나는데 앞면은 흡수가 일어나 관골이 성장하면서 후방으로 재배치된다(그림 3-6, 11). 안면이 전방과 하방으로 성장하는 것을 보면 관골의 전면이 주로 골흡수가 일어나는 것이 이치에 맞지 않는 것 같으나, 관골궁이 후방으로 재배치가 일어나면 필연적으로 관골도 후방으로 움직이게 되지만 관골의 후방 재배치 정도가 관골궁의 재배치 정도보다 작기 때문에 가능한 것이다. 상악의 관골 돌기는 하악지의 근돌기와 유사한 방식을 보이는 것이다. 즉 성장하면서 상악궁 하악궁이 후방으로 재배치되어 서로 만나게 되는 것이다. 관골의 아래면은 골침착이 많이 일어나서 관골과 관골궁의 전방부가 수직으로 커지게 된다. 관골궁의 내면은 흡수가 일어나고 바깥쪽은 침착이 일어나 관골궁이 측방 이동이 되어 측두와가 넓어져 하악이나 안면과의 비율을 유지하게 되고 두개나 뇌의 성장에 따른 변화도 수용하게 되는 것이다. 측두와의 앞쪽면은 'V' 원칙에 의해 후방으로 재배치된다. 관골이 후방 재배치가 되는 동안 비부는 반대로 전방으로 성장이 일어나 안면의 전후 길이가 커져 윤곽이 뚜렷하게 된다(그림 3-42).

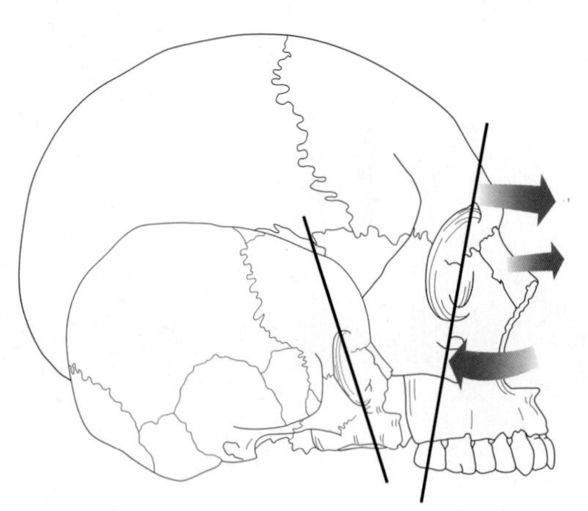

그림 3-42. 관골과 비부의 성장 방향(Enlow DH, Hans M. *Essentials of Facial Growth*. Philadelphia: WB Saunders, 1996. p. 95)

상악이 전하방으로 일차 전위함에 따라 관골도 같은 방향으로 전위가 일어나 전두관골봉합과 관골측두골봉합에서 골 성장이 일어나게 된다.

5) 안와의 출생 후 성장

안와의 개형 변화는 좀 더 복잡하게 일어나는데 이것은 안와가 많은 골들(상악, 사골, 구개골, 누골, 전두골, 관골과 접형골)로 구성되어 있기 때문이며 이들의 개형 및 전위의 속도, 시기, 방향 및 정도를 서로 달리 하기 때문이다. 누골과 사골이 이루는 안와의 내측은 앞서 설명하였고 안와의 천정(roof)과 바닥(floor)은 대부분 골침착이 일어난다. 약 5~7세까지 전두엽이 전하방으로 성장이 일어나면 두개내는 흡수가 두개밖(안와쪽)은 골침착이 일어나 안와 천정도 같이 전하방으로 개형이 일어난다. 천정과 바닥에서 모두 골침착이 일어나 안와강이 줄어들 것 같지만 사실 성장하면서 안와강이 넓어지는데 그 이유는 첫째, 안와는 'V' 원칙에 따라 성장하기 때문에 원추 형태의 안와가 넓은쪽(전방)으로 이동하고 둘째, 확장하면서 전위가 직접 개입하기 때문이다. 즉 안와 안과 밖의 봉합 성장이 일어나고 안와 바닥이 비상악복합체를 따라 전하방으로 전위되기 때문이다(그림 3-43).

소아에서 안와 바닥은 비강 바닥과 거의 같은 위치에 있으

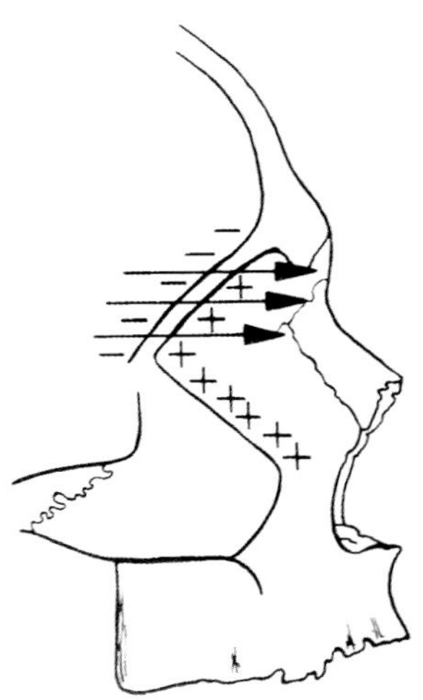

그림 3-43. 안와의 성장 'V' 원칙(Enlow DH, Hans M. *Essentials of Facial Growth*. Philadelphia: WB Saunders, 1996. p. 109)

나 성장하면서 비강 바닥이 현저히 아래에 위치하게 된다. 이것은 상악의 봉합 성장에 따른 상악 전체가 하방으로 전위가 일어나는데 안와 바닥 대부분이 상악골이기 때문이다. 그리고 안와 바닥의 상부 즉 안와강쪽은 골침착이 일어나고 하부 즉 상악동쪽은 골흡수가 일어나 상방으로 개형이 일어나므로 안구의 위치에 적절한 안와 바닥을 유지할 수 있는 것이다. 비강 바닥은 하방으로 개형이 지속적으로 일어나 비강 및 안와 바닥은 같은 방향으로 일어나지만 개형에 의한 재배치는 서로 반대 방향으로 일어나게 된다(그림 3-44).

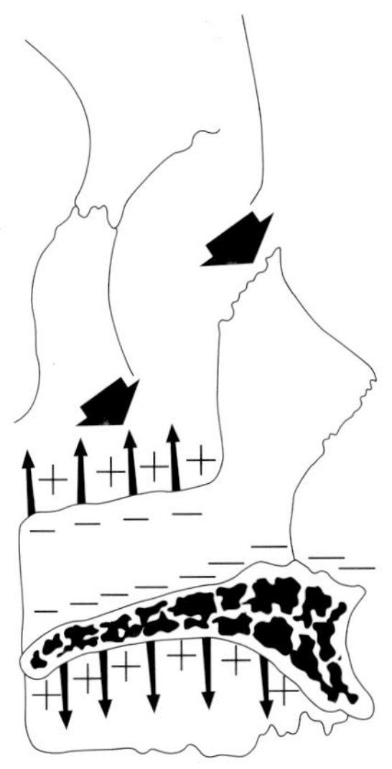

그림 3-44. 안와 및 비강 바닥의 개형 재배치(Enlow DH, Hans M. *Essentials of Facial Growth*. Philadelphia: WB Saunders, 1996. p. 96)

안와 바닥은 또한 측방으로 개형 재배치가 일어나는데 안와연(rim)의 측벽에서 내측은 골흡수가 외측은 골침착이 일어나기 때문이다. 안와강내의 골흡수는 안와 천정의 전외측까지 지속되어 안와의 측방 확장을 일으키게 되고 안와상연의 바깥쪽은 골침착이 되어 튀어 나와 안와하연보다 전방으로 돌출되게 되어 성인의 모습을 하게 된다.

3. 안면골 출생 후 성장 요약

안면골의 측면을 보면 소아에서 성인으로 성장하면서 시계방향으로 회전이 일어나게 되는데 이것은 비부와 안와 상연이 전방으로 개형이 일어나고, 안와 하연과 관골부가 후방으로 개형이 진행되고, 상악부가 하방으로 개형이 일어남으로써 안면 중상부가 개형 회전을 하게 되는 것이다(그림 3-42). 이와 같이 각 영역별 개형의 방향과는 상관 없이 전체적인 중상 안면부는 전하방으로 전위가 일어난다(그림 3-37). 외측 안와연은 후방과 측방으로 경사지게 성장이 일어나고 측방으로의 성장은 안와 사이의 크기가 증가시키게 되고 후방으로의 성장은 관골의 후방 성장과 보조를 같이 하게 되는 것이다. 이와 같이 안와 상연과 비부가 전방으로 개형이 일어나고 외측 안와연과 관골의 후방 개형은 성인에서 안와연이 전방으로 경사지게 되는데 이는 다른 포유류 동물과 다른 점이다. 또한 관골 표면부는 주로 골흡수가 일어나고 비부의 표면은 골 침착이 일어나 소아에서 비교적 편평하던 얼굴이 성인에서는 볼륨감 있게 변하게 된다(그림 3-7, 36). 안와 내연은 비부의 전방 성장과 함께 앞으로 돌출되고 안와 외측연의 후방 이동으로 안와연은 내측과 외측이 서로 앞뒤로 벌어지게 된다. 안와는 성장의 'V' 원칙에 의해 전방으로 재배치가 일어나고 안와강이 넓어지는데 이것은 안와를 구성하는 여러개의 골들이 서로 전위를 일으키고 골사이의 봉합부에 골 침착이 일어나기 때문이다(그림 3-43).

비상악복합체와 하악골은 출생 첫 3~4년 후에 주로 후상방으로 개형이 일어나고 상악 후면의 주된 성장 장소는 상악조면이다(그림 3-35, 36). 하악의 후방 개형의 주된 장소는 설측조면이고 체부가 늘어나게 하는 곳이며 하악지가 체부로 개형성 전환을 통하여 길어지게 된다(그림 3-28~30). 하악지의 체부로의 개형성 전환과 치조궁의 성장이 결국 상악의 성장과 수평과 수직의 기능성 교합이 되도록 성장하고 하악지의 수직 성장은 인두강의 수직 성장과 치아 발육을 수용하도록 조정하고 상악은 전하방으로 전위하게 된다. 상악이 하방으로 전위되어 안구를 수용하는 안와강이 너무 내려가는 것을 상쇄하기 위하여 안와 바닥은 상방으로 개형이 일어나고 비강 바닥은 하방으로 개형이 일어나 같은 상악골내에서도 재배치가 서로 다른 방향으로 일어나 성장 조정이 일어난다(그림 3-44).

이상과 같이 두개기저, 비상악복합체 및 하악골의 주된 세 가지 두개안면골 구성원이 서로 독립적인 성장을 하지만 서로가 서로 긴밀한 상관관계를 유지하면서 성장을 완성하게 된다.

남녀 사이의 골격 성장에도 차이가 있는데 여자의 경우 사춘기 이후에는 안면 성장이 상당히 둔화되지만 남자의 경우 늦은 청년기까지도 성장 변화가 지속된다. 소아 때에는 남녀 사이의 차이가 없어 좀 더 수직이고 둥근 이마에 상안와연의 돌출이 작고, 코는 작고 덜 돌출 되어 있으며 편평하고 다소 넓은 안면에다 수직으로 짧은 상악을 가지고 있다가 10대가 되어 성장하면서 서로 다른 특징을 가지게 되는 것이다.

V. 두개안면 성장의 조절 과정

성장 조절에 대한 여러 가지 가설들을 소개 하고자 한다.

1. 유전 인자 조절(genetic control) 가설

유전자의 내재된 미리 예정된(preprogramming) 인자가 두개안면 성장과 발달을 유도한다는 가설로 이것만으로 골격의 영역별 성장 속도, 정도, 모양 등을 외부의 해부학적 생리적 조건 하에 모두 조절 할 수 있는 독창적 조절자 혹은 결정자(determinant) 역할을 수행하여 골 성장에 관련된 다양한 세포들을 모두 조절한다는 것(Weismann, 1892)으로 이것만으로는 설명하기는 부족하고 여기에 어떤 후성적(epigenetic) 인자가 보조적인 역할을 수행하여 이것에 의하여 조절된다고 하는 것이 오히려 타당하다 하겠다.

2. 생체역학적 힘(biomechanical force)

골에 작용하는 물리적인 힘이 골 성장을 조절하고 변형을 유도한다는 것(law of bone transformation)으로 (Wolff, 1989) 현재까지 어느 정도 인정되고 있지만 어떻게 성장을 조절하는지에 대한 설명이 부족하고 또한 골에 작용하는 물리적 힘과 골형성 조직(골막, 성장연골, 봉합선등)에 작용하는 힘에 대한 차별을 하지 못했다는 것이 주된 결점이다. 그렇지만 이런 물리적 힘이 골형성 조직들을 활성화시키는 여러 가지 전달자(messenger)들 중의 하나임은 부인할 수 없다.

3. 개형(remodeling) 가설

두개안면 성장에 있어 골흡수와 골침착이 관여한다고 1920년대 및 1930년대부터 주장되기 시작하였고(Murray와 Selby, 1930) 이것만으로 모든 두개안면성장을 설명하기는 부족하지만 개형이 중요한 역할을 하는 것은 앞서 설명한 바 있다.

4. 봉합 가설(Sicher' s or sutural theory)

1940년대에 들어와 개형 가설에 대한 반론으로 Weinmann과 Sicher(1947)에 의하여 봉합 가설이 제기되었다. 이것은 두개안면내의 관절들은 장골의 골단과 같이 골성장의 주된 장소라는 것이다. 두개관 성장은 봉합선 결체조직의 내재된(intrinsic programming) 증식성 팽창 성장에 의한 것이고 상악내의 봉합선 결체조직의 증식이 상악을 전하방으로 성장하도록 하는 힘을 제공한다는 것이며 두개기저의 연골봉합부의 성장도 마찬가지라는 것이다. 안면 봉합을 중안면 성장의 조절 중심으로 보았고 골의 모양, 크기와 골성장에 의한 전위를 일으키는 힘과 시기를 결정해주는 유전적 형틀(genetic template)로 생각하였다. 또한 주변의 환경 즉 호르몬이나 근육작용등이 내재된 성장 결정자들(gene-dominant growth determinants)을 더욱 증폭시키는 역할을 해준다고 하였고 성장을 유도하고 조절 할 수 있는 성장 중심(growth center)의 개념도 포함되었으나 앞서 설명한 바와 같이 현재의 개념은 지배적 성장 중심(master growth center)보다는 국소적 환경과 조건에 따른 영역별 성장 장소(regional sites of growth)라고 표현하는 것이 옳다고 할 수 있다. 그리고 봉합은 압박(pressure)에 적응된 것이 아니라 견인(traction)에 적응된 조직이어서 골들을 서로 밀어낼 수가 없다는 점이 원래 가설과의 차이점들이라 할 수 있다.

5. 비중격 가설(Scott' s or nasal septum theory)

봉합은 압박이나 밀어내는 힘에 견디기는 어려운 혈관성 조직이기 때문에 봉합이 비상악복합체를 전하방으로 밀어낼 수는 없기 때문에 이를 설명하기 위해 좀 더 압박에 잘 견디고 성장하면서 비상악복합체를 밀어낼 수 있는 원동력을 가진 구조물로 비중격을 지목한 것이 1950년대에 등장한 유명한 비중격 가설이다(Scott, 1953; Scott, 1956). 이 개념에 대한 실험적 증명은 실험 조건을 표준화하기 어렵기 때문에 연구자 마다 결과 해석이 달라 증명하기 어려웠으며 현재로서는 이 가설을 전적으로 받아들이기에는 어렵다는 것이 지배적이다. 그러나 최근에는 가설을 일부 수정하여 비중격이 조기에는 성장에서 전위를 담당하지만 기능이 감소하여 소아 후기에는 멈추며 전위를 일으키는 힘은 미는 힘(pushing action)에 의한 것이 아니라 중격전상악인대(septopremaxillary ligament)을 통한 중격을 잡아당기는 힘(pulling action)에 의하여 상악전구골(premaxilla)이 전방으로 당겨지게 된다는 것이다(Latham, 1970). 이와 같은 효과는 양측 구순열 환자에서 볼 수 있는데 비내측 돌기(nasomedial process) 즉 상악전구부가 전상악골과 상악골 봉합(premaxilla-to-maxillary suture) 없이도 전방으로 돌출 되지만 상악은 돌출 되지 못하고 오히려 후퇴되어 있는 것에서 볼 수 있다. 하여간 비중격이 전위의 주도자이건 아니건 간에 그 기능 일부를 담당하는 것은 사실이라 할 수 있겠다. 과거에는 성장 과정을 하나의 주된 고정 관념으로만 해석하는 오류를 범하였지만 최근의 개념은 다중 원인에 의한 상호관계(multifactorial interrelationship)를 통하여 성장 과정을 해석하고 있다.

6. 기능적 기질 가설(Moss' or functional matrix hypothesis)

1960년대에 지금까지의 가설들에 강한 충격을 주었다고 할 수 있는 기능적 기질 가설이 Moss에 의해 제기 되었다(Moss와 Young, 1960 ; Moss, 1962). 기능적 기질 가설에 의하면 두개안면을 포함한 모든 골격은 외인적, 후성적(epigenetic) 요인에 의해 성장하는 것으로 '골 자체가 성장하는 것이 아니라 골은 성장되어진다(bones do not grow; bones are grown)고 하였다. 즉 골의 내인적(intrinsic) 성장 조절을 부인하였다. 골성장을 이해하기 위해서는 외인적 요소인 기능적 두개 요소(functional cranial components)를 우선 알아야 하는데 이것은 기능적 기질과 골격 단위(skeletal unit)의 두 가지로 구성되어 있다. 기능적 기질이라 함은 주변 연부조직과 공간들을 지칭하고 골격 단위는 기능적 기질을 지지하는 골 구조로서 기능이 가능하도록 해주는 구조물을 말한다. 기능적 기질은 두 가지로 나뉘는데 골막 기질(periosteal matrix)은 근육, 혈관, 신경과 연관되어 있는 골에 직접 영향을 미치는 국소적 기능 환경을 말하고 피막 기질(capsular matrix)은 공간을 차지하는 두뇌나 안구와 같은 장기나 비인두강이나 구강 같은 공간이라 하였다. 골격 단위도 미세골격 단위(microskeletal unit)와 거대골격 단위(macroskeletal unit) 두 가지로 분류하였는데 국소적으로 근육 활성도가 증가된 부위(근육이 붙는 조면이나 능선)에 따라 그 부위의 골막 기질에 변화가 생기고 이것이 미세골격 단위에 영향을 주어 변환적(transformational) 골 성장을 유도한다는 것이다. 변환이란 미분화된 결체조직 세포가 골 형성 세포로 변환되어 골 형성이 된다는 것을 의미한다. 또한 거대골격 성장은 피막 기질의 성장에 따른 확장으로 이루어진다고 하였다. 이와 같이 두개안면의 성장은 골 자체가 성장하는 것이 아니라 주변 연부 조직의 성장 확장에 따른 이차적으로 오는 것이라 하였다. 또한 주변 기능적 기질에서 오는 신호가 골형성 세포의 세포 활성도를 증가 혹은 감소시키는 되먹이기 기전으로 조절하고 골은 다중적 주변 환경에 지속적이고 정밀하게 적응한다고 하였다. Moss의 개념이 유전인자에 의해 미리 결정된 성장을 한다는 고정 관념에서 기능적 발생 관념으로 생각의 변화를 준 것임에는 틀림없지만 원래의 가설에서는 연부 조직만의 중요성만을 내포하고 있고 실제 골격의 크기 성장에서 골형성조직 자체의 신호도 중요한 요소임을 간과해서는 안 된다(표 3-2).

7. 제어체계 가설(servosystem theory)

1970년대에 Petrovic에 의해 주장된 것으로 두개안면골 성장에서 다양하고 많은 요인(연골, 근육, 혀, 봉합, 호르몬, 신경의 고유수용(neural proprioception)들이 작용한다고 하였다(Petrovic, 1974). 즉 두개기저 및 비중격 연골의 일차 영향하에서 중안면이 전하방으로 성장하는 것은 우선적으로 이들 연

표 3-2. 두개안면 성장에서 구조적, 기능적 평형 유지

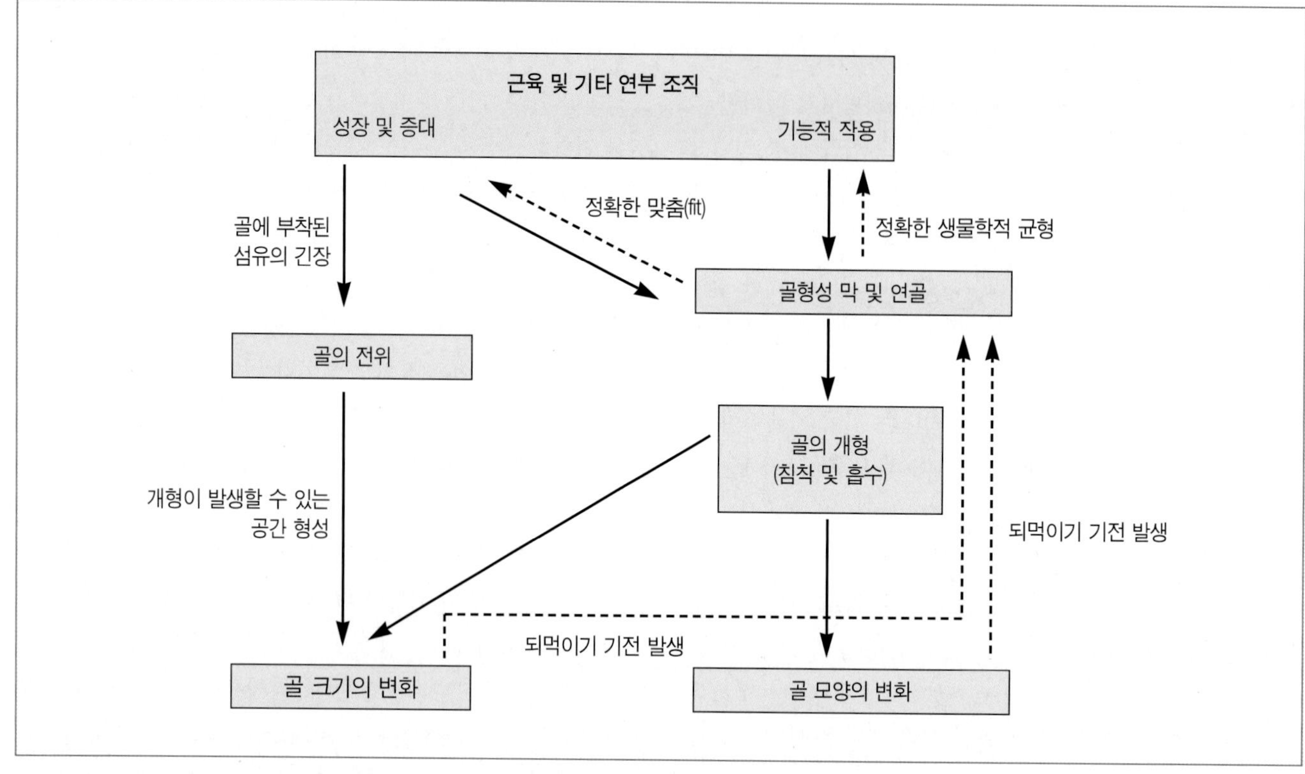

골들의 내재된 능력에 의한 것이고 여기에 외인적 호르몬의 영향으로 이루어지는 것이고 치아 주변과 측두하악관절의 고유수용체가 교합을 조절하고 또한 하악돌출근을 활성화시킴으로써 과두연골에 직접 자극하여 성장을 유도하고 또는 주변의 혈류를 증가시킴으로써 간접적으로 성장을 일으킨다. 이때 근육의 직간접 영향이외에도 호르몬의 영향도 관여하게 되는데 이상과 같이 이런 여러 요인들이 성장이 끝날 때까지 순환을 이루며 서로 보완 제어한다는 것이다.

8. van Limborgh의 절충안

대부분이 기능적 기질 가설을 인정하나 내인적 유전 요인도 중요함을 강조하여 연골성신경두개는 주로 내인적 유전 요소에 의해 성장이 조절되고 막성두개에는 내인적 요인은 일부만 작용하고 여러 가지 외인적 요인들 중 특히 국소적 후성요인과 국소적 환경요인(물리적 힘)이 주된 성장 조절 인자라고 하였다(van Limborgh, 1982). 즉 제어체계 가설과 같이 다양한 조절 인자가 복합적으로 성장을 조절한다고 주장하였다(표 3-3).

9. 조절 전달자(control messengers)

성장 조절이란 국소적 발생과정과 다른 성장부위의 발생과정이 서로 상호작용을 이루는 것이라 할 수 있고 성장은 특이한 여러 영역들이 서로 다른 성장 속도, 방향, 정도, 시기를 보이면서 이루어진다. 각기 영역별 다양한 세포군들은 세포내와 세포외에 존재하는 활성화된 신호들에 반응을 하게 되는데 세포 표면 수용체에 작용하는 세포외 활성체가 일차 전달자(first messenger)라고 할 수 있고, 여기에는 생체역학적, 생체전기적 인자, 호르몬, 효소, 산소, 이산화탄소 등이 해당된다. 일차 전달자의 자극에 의해 세포내의 이차 전달자의 다단계 반응(cascade)을 유발하여 세포나 세포소기관의 기능을 변화시켜 섬유 생성, 프로테오글라이칸 분비, 석회화, 인산분해효소(phosphatase) 분비 및 세포분열등을 일으키는데 이차 전달자는 아데닐사이클라제(adenyl cyclase)와 환상 아데노신 일인산(cAMP, cyclic adenosine monophosphate)이다. 골모

표 3-3. van Limborgh의 절충안. 두개안면 형태 발생에 관여하는 조절인자에 대한 모식도

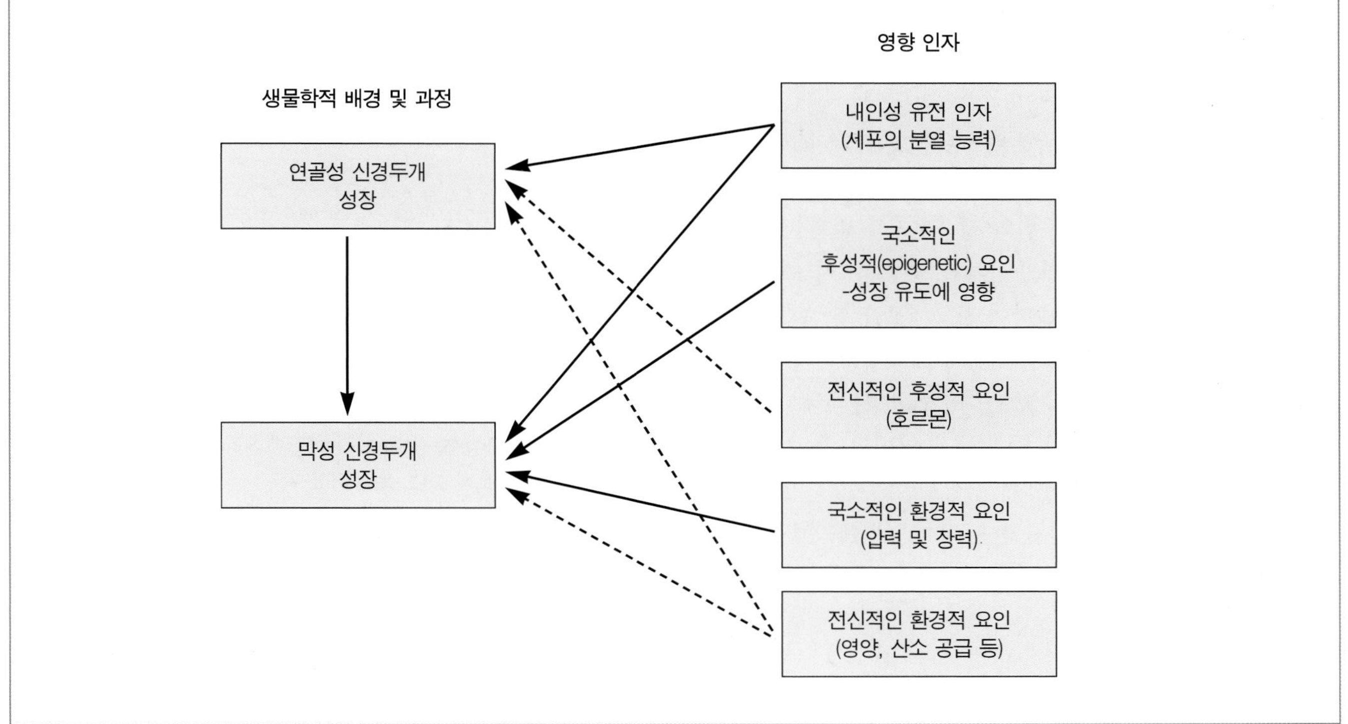

세포와 파골세포에 직접 영향을 주는 일차 전달자 호르몬이나 효소, 생체전기적 잠재 전하(potential charge), 압박/긴장 인자가 세포 표면막의 수용체에 작용하여 이차 전달자인 세포막의 아데닐사이클라제를 활성화시켜 세포질내의 아데노신삼인산(ATP)을 환상 아데노신일인산(cAMP)으로 전환시켜 이것이 결국 골침착이나 흡수에 관여하는 효소를 활성화시키고 칼슘 이온이 사립체(mitochondria)내로부터 동원하게 된다. 골형성과정 중에 골모세포는 아미노산, 포도당과 황산염(sulfate)을 취하여 당단백(glycoprotein)과 교원질(collagen)을 합성한다. 골모세포의 세포질내 세포소기관은 모교원질(tropocollagen)과 뮤코다당 기질(mucopolysaccharide ground sunstance)과 골 기질의 무기질 상태인 수산화인회석(hydroxyapatite)을 형성하는 이온들의 형성, 저장 및 분비를 담당하고 알칼리성 글리세로인산효소(alkaline glycerophosphatase)는 골형성과 관계 있고 산성 인산효소(acid phosphatase)는 골흡수와 관계 있다. 파골세포는 다량의 사립체, 용해소체(lysosome)등이 있어 골 파괴와 관련 있는 아교질분해효소(collagenase)나 산들을 형성, 저장, 분비한다. 용해소체는 산성 인산효소를 저장, 이동시키는데 관여하고 부갑상선 호르몬이나 생체전기적 부하와 같은 일차 전달자가 세포막의 수용체를 자극하면 아데닐사이클라제가 세포질의 아데노신일인산을 증가시키고 용해소체막의 투과성을 증가시켜 용해소체내의 내용물이 세포외유출(exocytosis)을 일으킴으로써 골흡수를 일으킨다.

10. 생체전기적 신호(bioelectric signals)

1960년대 이후로 압력이 골 성장을 조절하는 요소의 하나로 제기된 것으로 기계적 긴장이 골 기질의 작은 변화를 야기하여 변화된 인접부위의 생체전기적부하를 만들어(piezo-electric effect) 골내의 교원질 결정을 변형시킨다는 것이다. 이들 변화된 전기적 부하가 직간접적으로 골형성이나 골파괴 반응을 시작케 한다. 이런 기계적 힘이 작용하는 표적은 두 가지가 있는데 그 하나는 골의 골형성막이나 연골로 이들 세포의 막에는 압력과 같은 일차 전달자에 예민한 수용체가 존재하고 두 번째의 표적은 골내의 석회화된 교원성 기질이다. 기

계적 힘이 골형성막의 혈관성 구조물이나 세포에 작용하여 모세혈관 압력 이상을 넘으면 산소 분압에 이상을 초래하여 골 파괴로 전환되게 되고 반면 연골은 압력에 좀 더 내성이 있으므로 연골내골형성의 속도와 정도를 조절하게 된다. 그와는 다르게 골 기질에 작용하는 압력은 다른 효과를 일으키는데 작은 국소적 세포외 교원성 기질의 변화가 피질골의 안과 밖, 해면골 그리고 혈관 통로 주변의 생체전기적 변화를 일으켜 골모세포나 파골세포의 표면 수용체를 활성화시켜 오목한 곳(concavity)은 음 전하를 방출하여 골모세포를 활성화시켜 골 형성이 되도록 하고 볼록한 곳(convexity)은 양 전하를 띄어 골파괴가 일어나도록 해준다고 한다(Robert 등, 1982). 그 결과 조화된 국소적 개형이 골 안 밖에서 일어나 골 모양과 크기가 변화된다는 것이다. 기계적 평형을 이루면 전기적 부하가 중화되어 개형 활동이 정지된다. 이런 압력에 의한 전기적 효과(piezo-electric effect)는 장골의 개형을 설명하는데 좋은 가설로 알려져 있다.

11. 분자 생물학 발전에 의한 최근의 접근

분자 생물학의 발전으로 신경능세포(neural crest cell)의 역할이나 발생 과정 중 어떤 조절 유전인자나 Hox(homeobox) 유전인자에 대한 연구가 활발히 진행되고 있으며 이중 Hox 인자는 두개안면구조의 출생전 초기 발달과정에서 다른 유전인자의 발현을 조절하는 전사(transcription) 인자나 신호 분자의 하나로 생각된다(Hunt 등, 1991). 앞으로 Hox 인자와 다른 조절 인자들에 대한 분자 생물학적 연구가 진행되면 두개안면 성장의 기본적인 기전이 완성되리라 생각된다. 또한 인간 유전자 지도의 완성으로 두개안면 발생과 성장에 관한 유전자와 이들을 조절하는 후성(epigenetic) 인자들의 위치와 기능이 밝혀 질 것으로 생각되어 유전인자에 암호화되어 있는 조절 인자들이 두개안면의 출생 전 발생과 형성에 많은 역할을 담당하고 있고 염색체 내에 존재하는 이들 인자가 후성의 외부 환경과 상호 작용한다는 점과 출생 전 발생과 출생 후 발생이 성장 과정 중 수정될 수 있다는 사실들이 분자 생물학적으로 밝혀질 것으로 생각된다.

참고문헌

1. Enlow DH, Hans M. *Essentials of Facial Growth.* Philadelphia: WB Saunders, 1996
2. Sarnat BG. Effects and noneffects of personal environmental experimentation on postnatal craniofacial growth. *J Craniof Surg* 12: 207, 2001
3. Marsh JL, Vannier MW. *Comprehensive Care for Craniofacial Deformities.* St. Louis, CV Mosby, 1985
4. Sarnat BG. A retrospective of personal craniofacial research and clinical practice. *Plast Reconstr Surg* 100:132-153, 1997
5. Enlow DH. *The Human Face.* New York, Harper & Row, 1968
6. Posnick JC. *Craniofacial and Maxillofacial Surgery in Children and Young Adults.* Philadelphia: WB Saunders, 2000
7. Hans M, Enlow DH, Noachtar R. Age-related diffrences in mandibular ramus growth: A histologic study. *Angle Ortho* 65:5, 1995
8. 권흥식. *인체 해부학.* 서울: 수문사, 1992 P. 48.
9. Noden DM. Origins and patterning of craniofacial mesenchymal tissue. *Craniofac Genet Dev Biol* 2:15-31, 1986
10. Cohen MM Jr.: *Craniosynostosis; diagnosis, evaluation, and management.* New York: Raven Press, 1986
11. 최현. *인체 해부 생리학.* 서울: 수문사, 1992 P. 37
12. Moore KL, Persaud TVN. The Developing Human; Clinically oriented embryology(7th Eds.) Philadelphia :Saunders, 2003 p.392
13. Blinkov SM, Glezer II : *The human brain in figures and tables: A quantitative handbook.* New York: Basic Books, 1968
14. 이동환. *한국 소아 및 청소년 신체 발육 표준치 세부자료.* 대한소아과학회 서울. 광문출판사 1998
15. Nellhaus G. Composite international and interracial graphs. *Pediatrics* 41: 106, 1968
16. Cohen MM, MacLean RE. : *Craniosynostosis; diagnosis, evaluation, and management.* New York: Oxford University Press, 2000 p.37
17. Moss ML. Inhibition and stimulation of sutural fusion in the rat calvaria. *Anat Rec* 136: 457-467, 1960
18. Smith DW, Tondury G : Origin of the calvaria and its sutures. *Am J Dis Child* 132: 662-666, 1978
19. Opperman LA, Sweeney TM, Redmon J, *et al.* Tissue interactions with underlying dura mater inhibit osseous obliteration of developing cranial sutures. *Dev Dynam* 198: 312-322, 1993
20. Opperman LA, Passarelli Rw, Morgan EP, *et al* : Cranial sutures require tissue interactions with dura mater to resist osseous

obliteration in vitro. *J Bone Miner Res* 10: 1978-1987, 1995

21. Achauer BM, Eriksson E, Guyuron B, Coleman III JJ, Russel RC, Kolk CVK. *Plastic Surgery : Indication, operations, and outcomes*. St. Louis : Mosby, 2000. p.622-624
22. Opperman LA, Nolen AA, Ogle RC. TGF-β1, TGF-β2, and TGF-β3 exhibit distinct patterns of expression during cranial suture formation and obliteration in vivo and in vitro. *J Bone Miner Res* 12; 301-310, 1997
23. Opperman LA. Cranial sutures as intramembranous bone growth sites. *Dev Dynam* 219: 472-485, 2000
24. Yamaguchi T, Kendraprasad H, Henkemeyer M, Rossant J. FGFR-1 is required for embryonic growth and mesodermal patterning during mouse gastrulation. *Genes Dev* 8(24): 3032-3044, 1994
25. Scott JH : The cartilage of the nasal septum *Br Dent J* 95: 37-43, 1953
26. Scott JH : Growth at facial sutures *Am J Orthod* 42: 381-387, 1956
27. Latham RA, Scott JH : A newly postulated factor in the early growth of the human middle face and the theory of multiple assurance. *Arch Oral Biol* 15; 1097, 1970
28. Moss ML : The primary role of functional matrices in facial growth. *Am J Orthod* 36 :481, 1969
29. Weismann A. In: Scott W. *The germplasm: a theory of heredity*. London: Walter Scott, 1982
30. Wolff J. Die lehre von der funktionellen knochengestalt. *Virchows Arch Pathol Anat Physiol* 155: 256-315, 1899
31. Murray PDF, Selby D. Intrinsic and extrinsic factors in the primary development of the skeleton. *Roux Arch* 15(2): 197-234, 1930
32. Weinmann JP, Sicher H. *Bone and bones. Fundamentals of bone biology*. St. Louis: The C. V. Mosby Co., 1947
33. Latham R. Maxillary growth and development: The septopremaxillary ligament. *J Anat* 107: 471-478, 1970
34. Moss ML, Young R. A functional approach to craniology. *Am J Phys Anthrop* 18; 281-292, 1960
35. Moss ML. The functional matrix. In: Kraus B, Reidel R, Eds. *New vistas in orhtodontics*. Philadelphia: Lea & Febiger, 1962. Pp. 85-98
36. Petrovic A. Control of postnatal growth of secondary cartilages of the mandible by mechani는 regulating occlusion. Cybernetic model. *Trans Europ Orthod Soc* 69-75, 1974.
37. van Limborgh J. *Factors controlling skeletal morphogenesis. In Factors and Mechanisms Influencing Bone Growth*. edited by AD Dixon, BG Sarnat. New York: Alan R. Liss, 1982
38. Robert WE, Smith RK, Cohen JA : *Change in electrical potential within periodontal ligament of a tooth subjected to osteogenic loading. In: Factors and mechanisms influencing bone growth*, edited by AD Dixon, BG Sarnat. New York: Alan R. Liss, 1982, Pp 527-534.
39. Hunt P, Gulisano M, Cook M : A distinc Hox code for the branchial region of the vertebra head. *Nature* 353: 861-864, 1991

제4장 구순구개열의 발생

Embryogenesis of Cleft Lip and Palate

김용욱

구순열과 구개열의 발생은 서로 밀접히 연관되어 있으며, 그 결과도 개열의 정도에 따라 환아마다 다르게 나타날 수 있다. 발생원인은 모든 과정이 명확하게 규명되어 있지는 못하나 다른 선천성기형처럼 임신 중 산모의 질환, 약물복용 혹은 유전적인 요인 등이 관여된다고 보고 있으며, 여러 가지 원인에 의한 다요인적 결과로 발생된다고 생각된다.

I. 구순열의 발생

구순열 발생의 기전에 대해 여러 가지 학설이 있으나 중배엽 세포의 형성부족, 증식 부족, 돌기들의 성장 장애 및 이동 장애에 의해 발생한다는 기전이 일반적으로 인정되고 있다[1]. 안면부의 발달에 관계있는 중배엽(mesoderm)은 배종세포(germ cell)와 비슷한 외배엽에서 기원하는 분리된 조직으로 알려져 있다. 이 특화된 조직은 임신 21일 경에 분화되기 시작해 신경판(neural plate)이 함몰되면서 스스로 접혀져 외배엽(ectoderm)이 안쪽으로 덮힌 신경관(neural turbe)를 형성하게 된다. 이 시점에서 배아(embryo)는 약 3mm의 길이가 된다(그림 4-1, 2). 신경관(Neural tube)이 그 형체를 갖추어 감에 따라 융기부(neural crest)의 세포들은 분화되어 피부외배엽(cutaneous ectoderm)과 신경외배엽(neural ectoderm)을 효과적으로 분리시켜 준다. 이때 신경판(neural plate)의 경계부의 외배엽(ectoderm)으로 부터 발생되는 신경융기부 세포(neural crest cell) 가 향후 안면 및 두개골의 골조직 및 연조직을 형성하게 된다. 이 신경융기부 세포(neural crest cell)는 외배엽으로부터 발생하였지만, 대부분 중배엽과 연관된 부분으로 발생하기 때문에 이들에 의해 형성된 조직은 외배엽성 중간엽(ectomesenchyme) 으로도 불리운다. 이 외배엽성 중간엽은 외배엽, 중배엽, 내배엽 사이의 원래 분리된 평면을 따라 이동하면서 조직을 형성하게 된다(그림 4-1). 이러한 이동시 확실하고 미리 정해진 이동의 형식(pattern)을 가지고 있지는 않다. 복잡하지만 고도로 조직화된 이 이동의 형태는 대부분 국소적인 환경에 의해 영향 받는다고 알려져 있다[2]. 두경부에서의 이러한 외배엽성 중간엽의 이동은 안면돌기(facial process)들의 발달에 필수적이기 때문에 이의 이동 형식이나

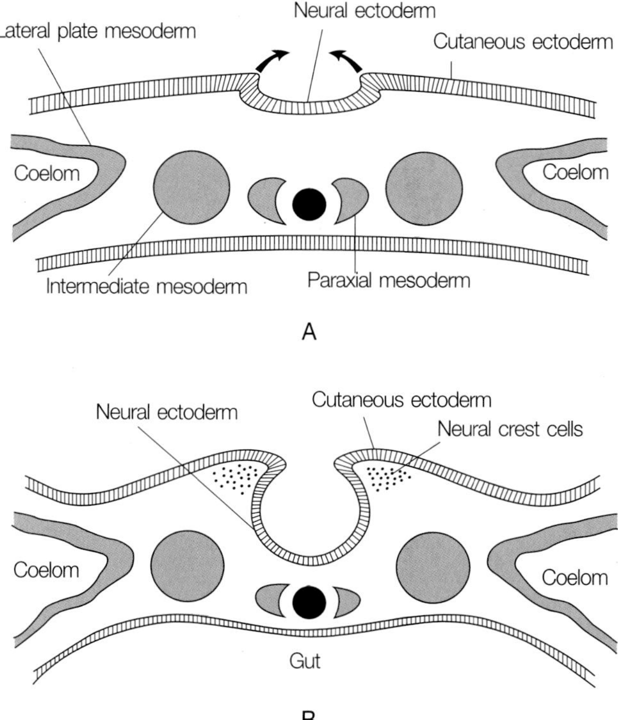

그림 4-1. Formation of the neural tube in the developing embryo. (A) Begining involution of the nerual ectoderm. (B) Neural crest cells differentiate into ectomesenchyme.

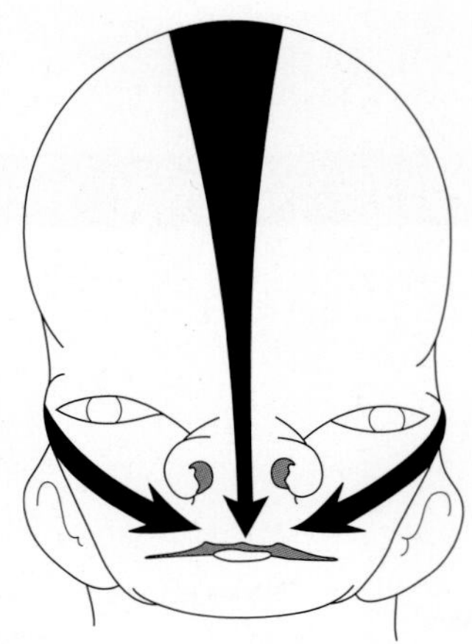

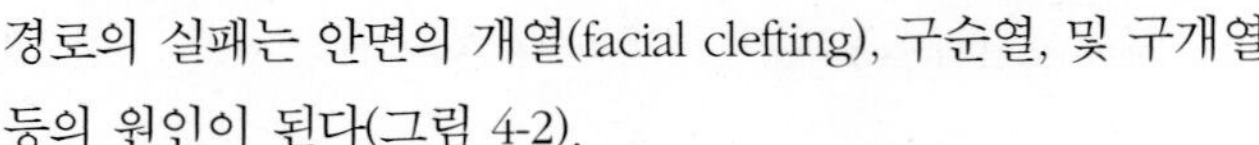

그림 4-2. Migratory pattern of ectomsenchyme to form the facial processes(Reprinted with permission from Millard DRJR: Cleft Craft - The evolution of its Surgery. I. The Unilateral Deformity. Boston, Little Brown, 1976)

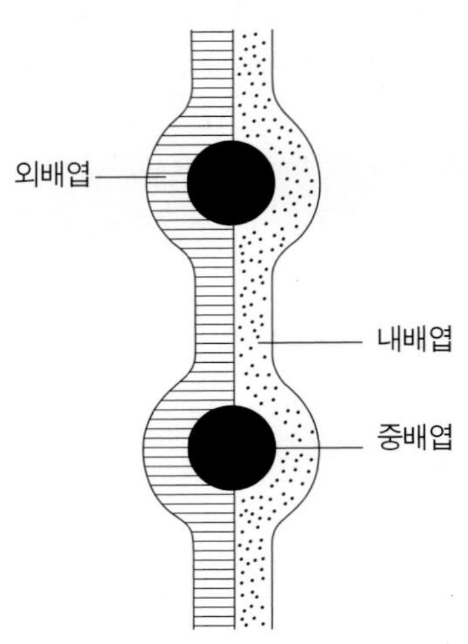

그림 4-3. 중배엽이 새막(branchial membrane)을 보강해주지 못하면 새막이 파열되어 개열이나 누공이 생긴다(Stark RB (ed) : *Plastic Surgery of the Head and Neck*, NY, Churchill Livingstone, p. 1168, 1987).

경로의 실패는 안면의 개열(facial clefting), 구순열, 및 구개열 등의 원인이 된다(그림 4-2).

배아(embryo)가 자랄 때 머리부분이 앞으로 구부러져 있다. 이때 얼굴 부분의 표면에 있는 외배엽이 움푹 들어가게 되며, 이 중 장차 구강이 될 움푹 들어간 곳이 생기는데 이를 구도(stomodeum, oral plate)라 부른다. 구도는 두 겹으로 된 새막(branchial membrane)인데 한쪽면은 외배엽으로 덮여 있고 다른쪽 면은 내배엽으로 덮여 있다. 새막(branchial membrane)은 배자성장의 구성요소이며 대개는 일시적으로 존재하는 것이다. 중배엽이 새막의 두개겹 사이로 들어 감으로써 두께가 두꺼워지게 된다. 중배엽이 새막을 보강해 주지 못하면 성장함에 따라 새막이 당겨져 새막이 파열되어 개열이나 누공이 생기게 된다(그림 4-3). 새막인 고막과 처녀막 만은 출생시까지도 존속한다. 이 과정 후 신경관(nural tube)를 형성하고 신경융기부세포(neural crest cell)를 형성하여 외배엽성 중배엽(ectomesenchyme)이 이동하게 된다.

여기에서 안면열(facial cleft)의 발생학에 대한 2가지 이론을 살펴볼 필요가 있다.

고전적인 이론은 1869년 Dursey 와 His 가 지지하는 이론으로 외배엽과 중배엽의 요소들이 창상의 경계부의 치유 과정과는 다르게 융합(fusion)의 방식으로 발생한다는 가정에서 출발한다[3,4]. 이에 의하면 내측비돌기(nasomedial process)가 구순열의 발생에 있어 중심적인 구조물이 된다(그림 4-4). 다시 말해 구순열은 내측비돌기(medial nasal process)가 상악돌기(maxillary process)와 융합되지 못해서 발생한다는 것이다. 반면 Pohlmann , Veau, Stark 등에 의해 주장되는 중배엽 침투(보강)이론(mesenchymal penetration theory)는 이들 돌기들이 만남으로서 생기게 되는 통로를 가정하고, 이 통로를 따라 중배엽이 이동함으로서 완성된다고 함으로서 이 통로를 중심적인 구조물로 생각하는 이론이다[5,6,7]. 이 이론에서는 외배엽성 중배엽(ectomesenchyme, neuroectoderm)이 머리의 양측방과 머리의 정중선을 경유하여 이동하여, 세 방향으로 부터의 이동이 합쳐짐으로서 장차 구도 및 상구순을 형성하게 된다는 것이다(그림 4-2). 즉 내측과 양측으로 중배엽이 이동해 와서 새막(branchial membrane)을 보강하는 것이다. 이 과정 중 상구순에 중배엽이 보강되는 과정은 처음 절치공(incisive foramen)에 보강된 후 앞쪽으로 계속 보강되어 비공저(nostril floor)가 닫히게 된다. 이 후 상구순 아랫쪽으로 내려가서 홍순에 이르기까지 보강됨으로 상구순의 형성이 이루어 지게 된다(그림 4-5). 다시 말해 이 이론은 구순열이나 구개열의 발생의 원인이 중배엽이 통로를 뚫고 들어가 보강하지 못해서 상피세포의 단절이 생기고 분리가 생긴다는 것이다. 많은 동의하는 융합 방식의 고전적인 이론은 이차 구개(secondary palate)의 봉합(closure)에 대한 이론으로는 적절하지만, 일부 형태의 일차성 구개(primary palate)의 봉합은 후자의 중배엽 침투 또는 보강이론에 의해 더 적절히 설명되고

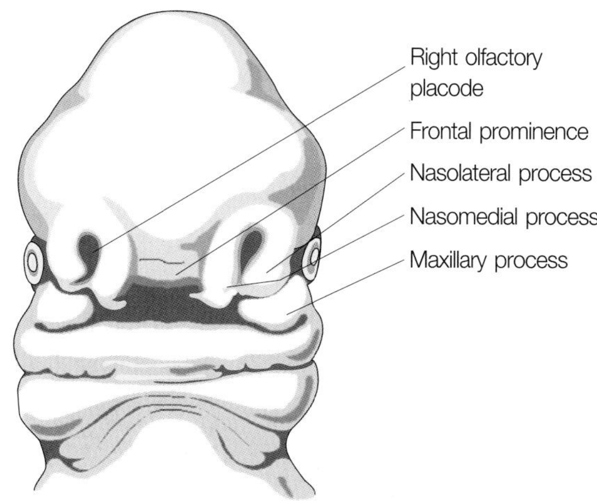

그림 4-4. Some features of the human embryo at 5 to 6 weeks of gestation(Copyright 1976, CIBA Pharmaceutical Co, a division of CIBA-Geigy Corporation. Reprinted with permission from Clinical Symposia, illustrated by Frank H Netter, MD. All rights reserved. Legends adapted)

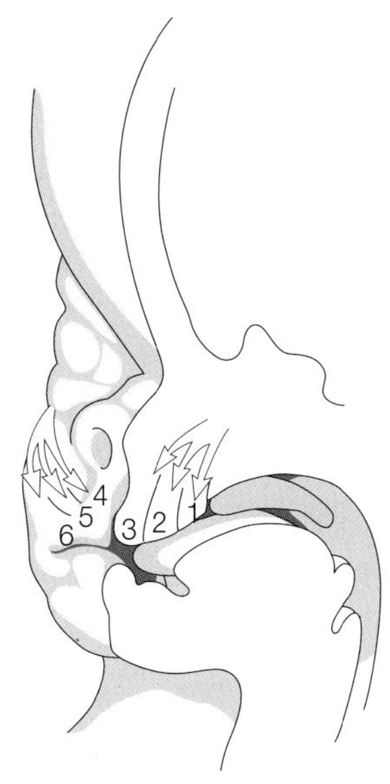

그림 4-5. 상구순에 중배엽이 보강되는 순서와 시기를 보면, 처음에는 절치공 부위가 보강되고, 그 다음에는 그 앞쪽이 잇따라 보강되어 비공저가 막힐 때 까지 보강된다. 그 후에는 새막을 하방으로 가면서 보강하여 정상 상구순을 형성한다(Stark RB (ed): *Plastic Surgery of the Head and Neck*. NY, Churchill Livingstone, p 1168, 1987).

있다. 또한 Schendel, Pearl, 그리고 De' Armond는 역시 구순열과 연관된 특정의 형태적 기형은 발달의 중요한 시기에 안면돌기에의 중배엽의 보강(reinforcement)이 실패했기 때문이라 주장한다[8]. 또한 중배엽의 역할에 대해서는 Brudi가 경구개(hard palate)에서만 상피세포 융합(epithelial fusion) 의 증거를 발견함으로서, 이 발견은 연구개가 상피세포 융합 보다는 중배엽(간엽, mesenchymal)의 merging에 의해 발달되는 것이라고 보고하였다[9]. 또한 Brudi 등은 66명의 구순열 환자에서 수술 시 수집한 근육에서 그 정도가 다양한 비신경성 근위축(non-neurogenic muscle atrophy)이 관찰되고, 구술열에 가깝게 위치한 근육이 가장 많이 위축되고 무질서하게 배치되어 있음을 관찰되었다고 보고하였다[9]. 이 역시 안면 중배엽의 미토콘드리아(mitochondria)에 근질환(myopathy)가 있다거나 최소한 성숙(maturation)에 문제가 있음을 시사한다 할 수 있다. 이에 대한 연구는 Raposio 와 그 동료들로 이어져 일측 구순열 환자에서 구륜근(orbicularis oris muscle)의 초미세구조를 연구하여 근섬유 크기의 차이, 미토콘드리아(mitochondria) 숫자의 증가, 그리고 모든 표본에서의 당(glycogen) 침착의 이상 등의 구조적 이상을 발견하였다[10]. 저자들은 이를 증가된 산화대사의 결과이거나 아직 알수 없는 근육의 유전자적인 염증상태라고 기술하였다. 반면, 이들은 구순구개열 환아를 임신한 사람의 양수(amniotic fluid)에서 lactate dehydrogenase나 creatinine phosphokinase와 같은 효소(enzyme)가 증가하였다는 것도 관찰함으로서 구순구개열에 있어 국소적인 대사의 이상이 원인이 될 수 있다고 주장하였다.

따라서 구순에 있어 중배엽의 보강이 전혀 없으면 새막이 완전히 갈라져 영아는 절치공(incisive foramen)에 이르기까지 열려있는 개열을 갖게 되며, 양 측방으로부터의 중배엽 보강이 없는 경우에는 양측완전구순구개열이 생기게 된다고 설명될 수 있다.

뿐만 아니라 머리의 정중부위를 통해서 이동해 오는 중배엽 보강이 부족하면 전뇌발육불량(forebrain maldevelopment), 무후뇌증(arhinencephaly), 뇌의 후엽변형(olfactory lobe deformity), 단안증(cyclopia), 정중구순열(median cleft lip)등이 발생하게 된다. 이와 함께 중배엽은 협부와 하악부위도 보강하게 된다. 이 과정 중 관골부위에 중배엽 보강이 부족하게 되면 Treacher-Collins 증후군이 생기고, 제1새궁 부위에 중배엽 보강이 부족하게 되면 거구증(macrostomia), 반악증(hemignathia), 이개전방부 쥐젖(preauricular tag)이 생긴다.

제2새궁 부위에 중배엽 보강이 부족하면 귓바퀴와 안면신경에 발육불량(maldevelopment)이 생기고, 제1 및 제2새궁 부위에 중배엽 보강이 부족하면 소이증(microtia)이 생기고, 경부에 중배엽 보강이 부족하면 경부누관(cervical fistula)이 발생하게 된다[11].

두 가지 이론 모두 다 임신 4주경에 시작하여 7주경에 완성되는 구순의 형성에 있어 중배엽, 또는 간엽조직(Mesenchymen, mesenchymal cell)의 융합(merge) 및 투과(penetration)가 정상적으로 일어나지 못함으로서 발생하게 되는 조직의 결손이라는 점은 일치한다 할 수 있다. 상구순에 있어 이 과정은 임신 3주경 전뇌(forebrain) 전방의 전두비부융기(frontonasal prominence)가 생긴 후, 양측으로 비판(비원기, nasal placode, olfactory palcode)이 형성되고 제1 새궁(the first branchial arch; mandibular arch)의 상부로 부터 상악돌기(maxillary process)가 분리되어 점차 증대된다. 이와함께 비판의 하연으로 부터 중배엽(mesoderm)이 상방으로 올라와 말굽 형태로 비판을 감싸게 된다. 말굽 형태의 양측의 비돌기를 내측비돌기(medial nasal process, MNP)와 외측비돌기(lateral nasal process, LNP)라 한다. 이 두 비돌기가 전두비부돌기(frontonasal prominence)와 융합하여 전두돌기(frontal process)를 형성한다. 임신 6주에 양측의 내측비돌기가 정중선에서 서로 융합하고 이것이 하방으로 길어져 구상돌기(globular process)를 형성하여 구도(stomodeum) 직상방에서 확대되어 전악골(premaxilla), 전순(prolabium), 비주(columella), 비첨(nasal tip), 비중격연골, 일차구개(primary palate)가 생겨나게 된다. 비근부(nasal root)와 비배부(nasal dorsum, nasal alar)는 구상돌기 상방의 전두돌기가 좁아져 형성되게 된다.

내측비돌기와 외측비돌기는 임신 6-7주경에 상악돌기와 융합되고(그림 4-6). 여기에 간엽대치(mesenchymal replacement)와 상피화(epithelization)가 일어나서 상구순이 형성된다.이 과정에서 간엽대치의 장애가 있으면 구순열이 발생하게 되며 그 기전에 관해서는 여러 학설이 있지만, 중간엽 세포의 형성부족(failure of mesodermal reinforcement), 증식부전, 돌기들의 성장 장애 등으로 구순열이 발생한다.

제 1새궁(first branchial arch, 하악궁 mandibular arch)의 상부로부터 분리되어 나온 상악돌기(maxillary process)는 전방으로 점차 증대하면서 구상돌기(globular process)의 중배엽과 융합하여 일차구개(primary palate)를 형성하게 된다(그림 4-7).

이 일차구개는 구강(oral cavity)과 비강(nasal cavity)을 분리하는 최초의 중배엽 구조물로서, 이로부터 상구순, 상악 치조돌기(maxillary alveolar process) 및 절치공(incisive foramen) 전방의 구개(palate)를 형성하게 된다.

이 과정 중 외측비돌기와 상악돌기의 융합이 이루어지지 못하면 구순열(cleft lip)과 치조열(alveolar cleft)이 생기게 되는 것이다(그림 4-8).

또한 내측비돌기와 상악돌기가 정상적인 융합을 시작한 후 융합이 중단되어 후반부의 90%정도에서 융합이 일어나지 못한 경우에 시모나트대(Simonart's band)라 하는 구조물이 남게된다. 불완전 구순열(incomplete cleft lip) 역시 처음에는 내측비돌기와 상악돌기가 융합된 후 상구순이 될 부분이 전방으로 성장해 나오는 동안에 상악돌기가 내측돌기로부터 떨어지면서 발생하게 된다.

II. 구개열의 발생

경구개의 발달은 태생 5주에 시작하여 12주까지 지속된다[12].

외측구개돌기(lateral palatine process)가 점차적으로 중앙을 향해 자라들어와 구개(palate)의 전방 1/3과 만나 접촉하여 태생 8주에 절치공(incisive formamen)이 형성된다. 그리고 이 융합(fusion)이 후방으로 지속되어 태생 12주가 되어야 목젖(uvula)이 형성되는 것이다. 이때 구개 돌기(palatine raphe)가 이 융합(fusion)의 흔적이다. 절치공(incisive foramen)을 중심으로 그 전방을 일차성 구개(primary palate), 후방을 이차구개(secondary palate)라 하며 이 후방부위는 임신 7주에서 시작하여 12주경에 완성된다. 일차 구개(primary plate)는 전두돌기(frontonasal process)와 상악돌기가 접촉하여 융합(fusion)이 되면서 형성된다. 이 일차성 구개는 태생 4주에서 8주 사이에 닫히게 된다.

Secondary palate는 horizontal palatal shelves에서 발생한다. 중간엽에서 유래된 좌우측 구개(palatal shelves)는 임신 7주부터 혀 양편에서 안쪽으로 사선으로(inward, oblique) 자라는 외측구개돌기(lateral palatine process)는 배아(embryo)의 목이 굴곡상태에서 신전됨에 따라 혀가 구강내로 내려오게 되면서 혀가 하방(downward)로 자라게 되면 수평적 위치를

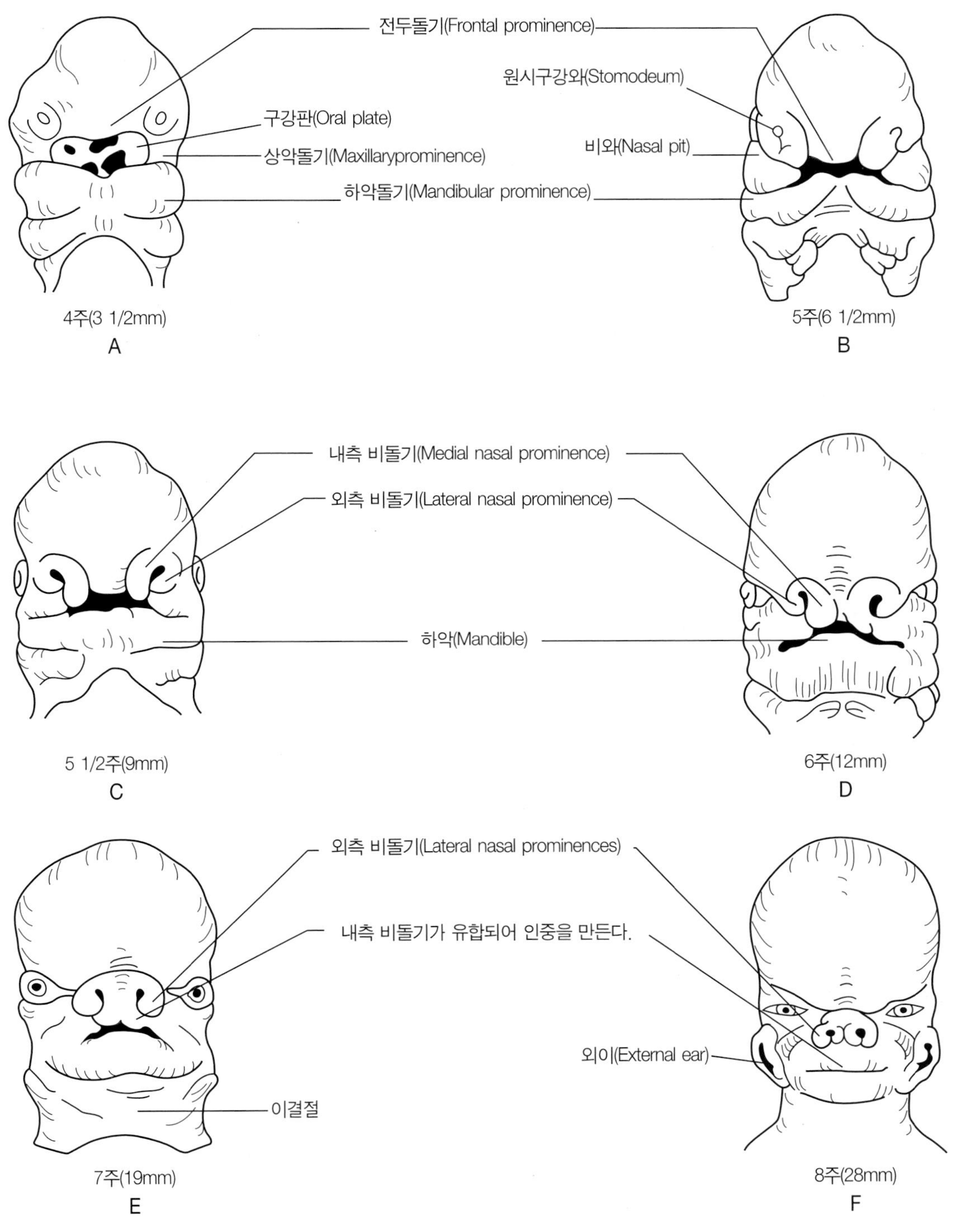

그림 4-6. 태아의 윤곽 형성도

취하게 되는 것이다[13]. 수직위치에 있던 구개가가 수평위치로 옮아가는 기전을 확실히 알 수는 없다. 그러나, Brinkley 등은 친화성 하이알루론산(hydrophilic hyaluronic acid)이 특별히 구개가에 축적됨으로써 수분이 세포외기질(extracellular matrix)에 선택적으로 공급되어 구개가의 크기와 배향(orientation)에 변화가 일어나기 때문으로 추측하였다[14]. 이 과

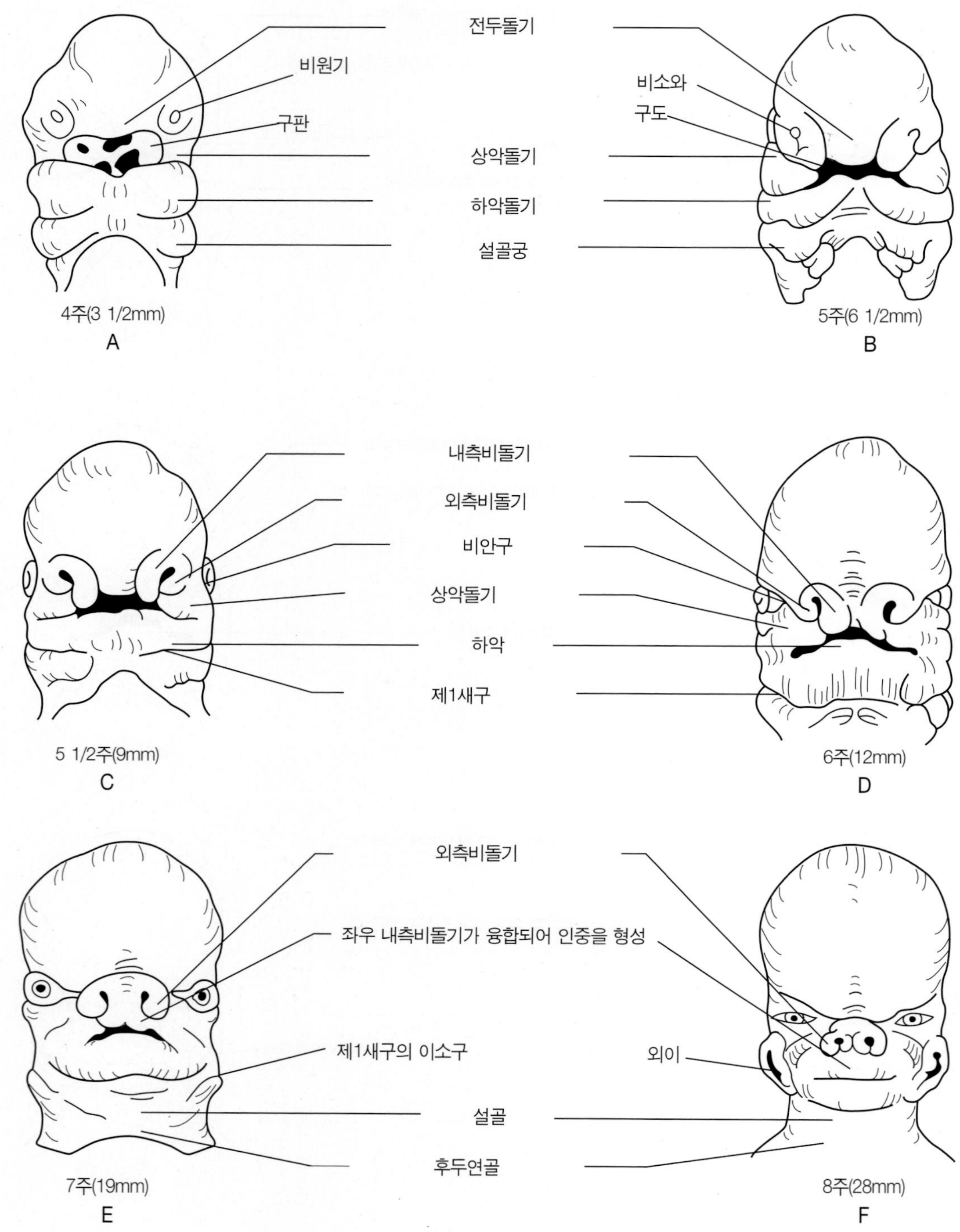

그림 4-7. 안면부의 발생 단계 (Pattern BM (ed) : *Human Embryology*, ed 3. Philadelphia, Blackiston Division of McGraw-Hill Book Co, 1968.)

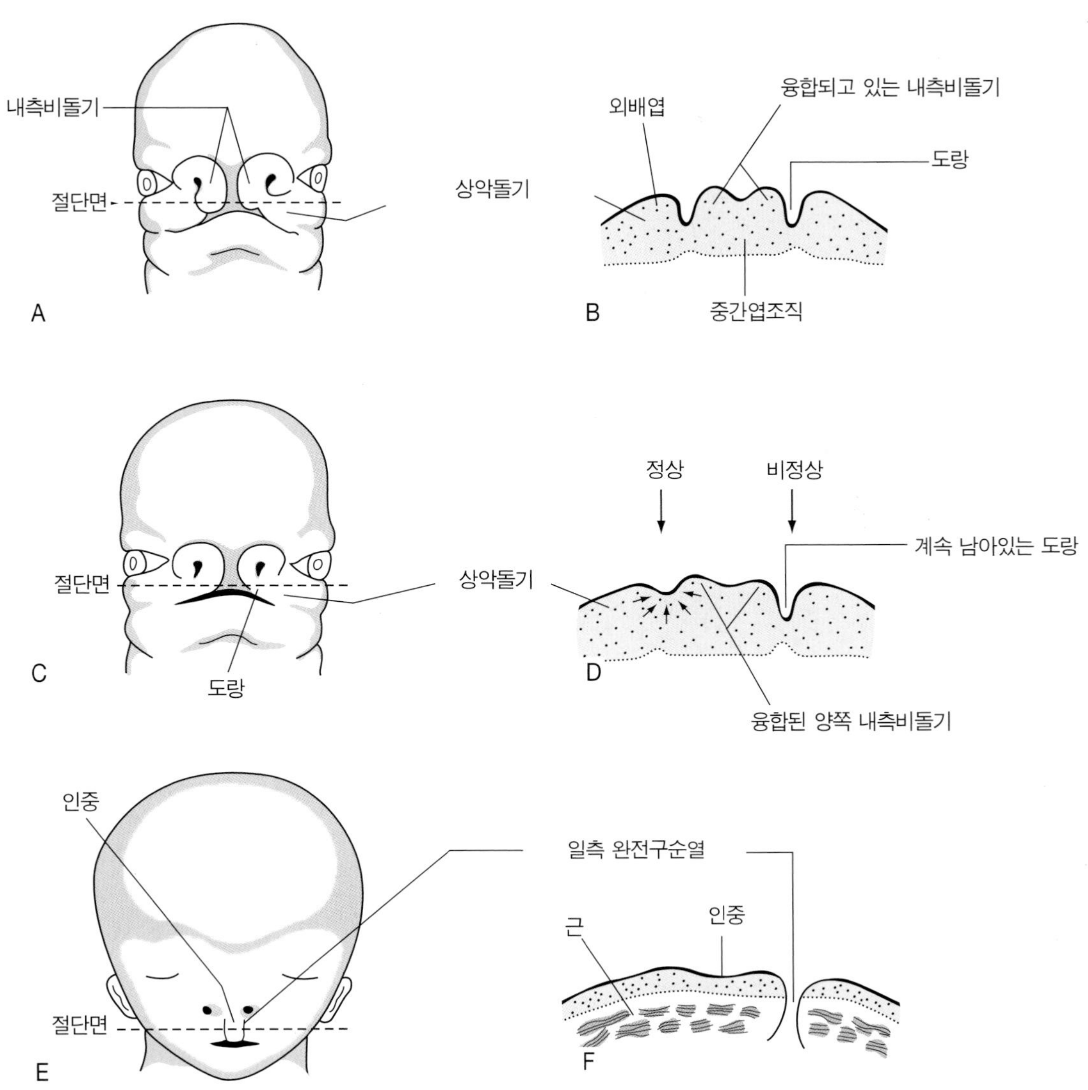

그림 4-8. 일측 완전구순열의 발생. (A) 5주 배아. (B) 머리를 수평으로 절단해 보면 융합하고 있는 상악돌기와 내측비돌기 사이에 도랑이 있다. (C, D) 6주 배아의 머리를 수펴으로 절단해 보면 우측 상구순의 도랑은 중간엽 조직 증식으로 점차 메꿔지고 있다. 좌측 상구순의 도랑은 계속 남아 있다. (E, F) 이 경우 10주 때 태아의 머리를 수평으로 절단해 보면 좌측 상구순에 완전 구순열이 있다.

정은 표피성장요소(epidermal growth factor)와 β전환성장정요소(epidermal growth factor beta)에 의해서 자극된다[15]. 구개가(palatal shelf)가 수평위치에 놓이게 되는 시기는 남자는 7주, 여자의 경우는 8주경이 되며 이와 같이 여성에서 구개가 열려있는 시간이 더 긴 현상은 구개열의 발생빈도가 여자에게서 더 많은 이유를 발생학적으로 설명할 수 있다. 구개가(palatal shelf) 가 혀 상방으로 이동하는 방식은 전방부와 후방부가 다르다. 전방부는 문짝의 경첩처럼 이동하며, 후방부는 아메바처럼 이동한다(그림 4-9). 이렇게 이동한 양편 구개가는 중앙 방향으로 이동하여 경구개 앞쪽 1/3이 먼저 만나 전방으로 치조공과 접촉된다. 이후 후방으로 목젖(uvula)까지 접촉된다(그림 4-10). 이것이 드물게 볼 수 있는 경구개의 전방부 누공이 생기는 이유이다(그림 4-11). 이러한 접촉과정의 장애나 접촉 후에 발생되는 중배엽의 간엽대치가 결여되면 구개열이 초래된다. 하악골의 발육이 정상적으로 일어나지 않을 경우, 혀가 정상 위치로 떨어질 수 없게 된다. 양측 구개가

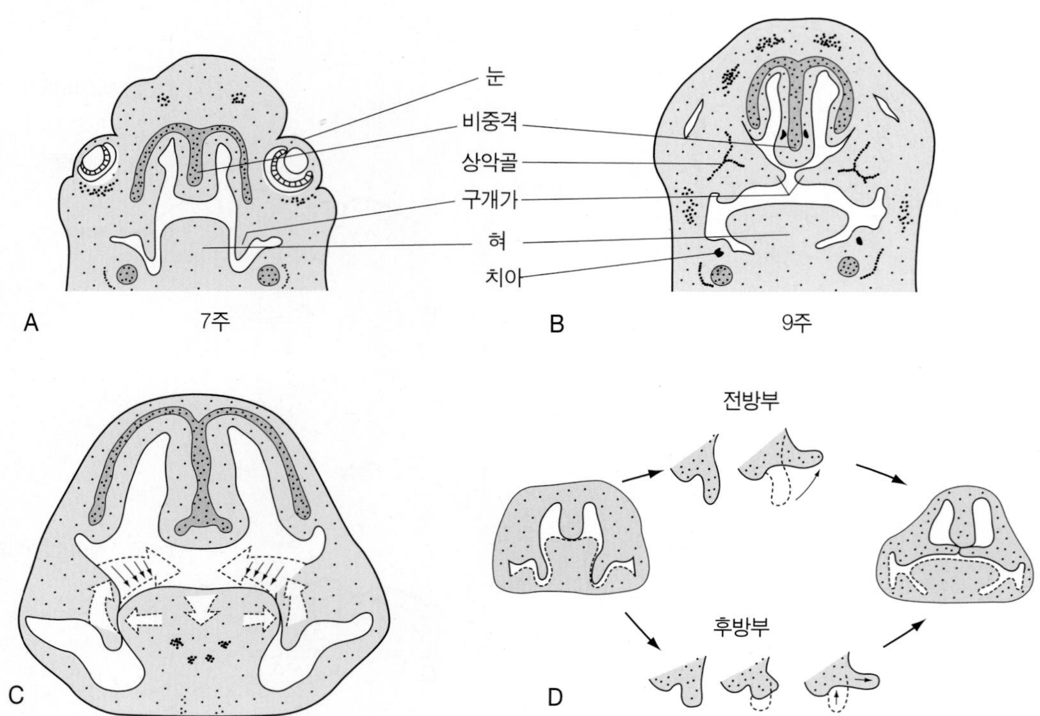

그림 4-9. 이차 구개의 형성과정. (A) 7주 배아의 머리를 절단해 보면 구개가가 혀의 양편에 수직으로 드리워져 있다. (B) 9주에 보면 구개가가 혀의 상방으로 옮아가서 양편 것이 융합되고 있다. (C) 구개가 형성되고 있는 과정 중 구개가와 혀가 이동하는 방향. (D) 구개의 전방부는 경첩처럼 혀의 상방으로 옮아 가는데 반해 후방부는 아메바처럼 옮아간다.

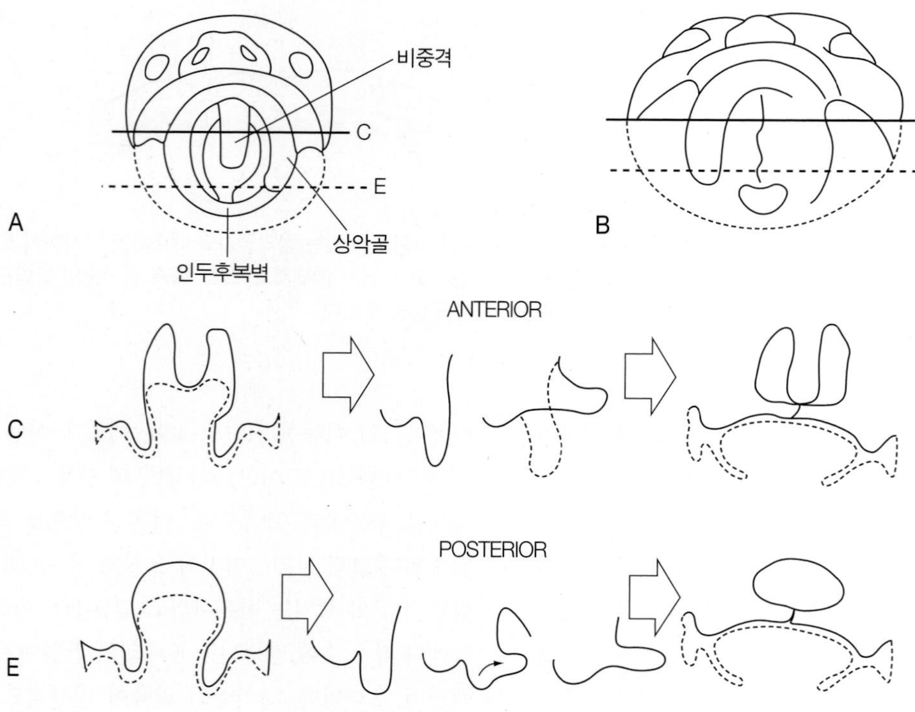

그림 4-10. 구개의 발생 모식도

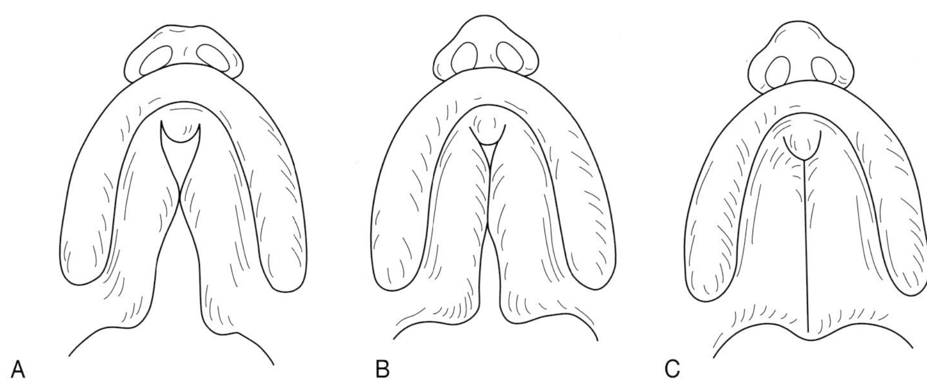

그림 4-11. (A) 구개가가 수평위치로 옮아와서 정중선으로 자라 경구개의 후 1/3 부위가 제일 먼저 맞닿아 융합한다. (B) 전방으로 점차 융합해 나가서 절치공에 이르기까지 융합한다. (C) 후방으로 융합해 나가서 구개수에 이르기까지 융합한다(Stark RB (ed): *Plastic Surgery of the Head and Neck*. NY, Churchill Livingstone, p. 1278, 1987).

의 접촉 및 융합장애가 발생하고, 그 결과 구개열이 발생되는 Pierre-Robin sequence가 이러한 기전의 예라 할 수 있다. 양편 구개가가 전혀 융합하지 못하면 절치공에서부터 목젖에 이르기까지 완전구개열(complete cleft palate)이 생기게 되고, 구개가가 부분적으로 융합한 경우에는 불완전구개열(incomplete cleft palate)이 생기게 되며, 대부분이 유합한 경우에는 목젖이 갈라지는 구개수열(bifid uvula)이 발생하게 된다. 쥐를 이용한 실험에서 보면 우편 구개가가 좌편구개가 보다 먼저 수평위치로 옮아가므로 좌편 구개가가 외적 방해를 받을 가능성이 더 많다. 이는 일측 구개열(unilateral cleft palate)이 우편보다 좌편에 더 흔한 이유가 될 수 있다.

참고 문헌

1. Johnson M: The neural crest in abnormalities of face and brain. In: Bergsma D(ed), *Morphogenesis and Malformation of the face and brain*, p 1, 1975.
2. Sperber GH: *Craniofacial Embryology*, 2nd Ed. Chicago, Year Book Med Publ, 1976.
3. Dursey E: *Zur Entwicklungsgeschichte des Kopfes des Menschen und der Hogren Virbeltheire*. Tubingen, H Lauppschen, 1869.
4. His W: *Unsere Koerperform und des physiologische Problem ihere Entstohung*. Leipzig, Verlag von Vogel, 1874.
5. Pohlmann FE: *Die embryonale Metamorphose der Physionnomie und der Mundhohle des Katzenkopfes*. Morphol Sb 41: 617, 1910.
6. Veau V: Harelip of human embro 21-23 mm long. *Ztsschr Anat Entscklng* 108:459, 1938.
7. Stark RB: The pathogenesis of harelip and cleft palate. *Plast Reconstr Surg* 13: 20, 1954.
8. Schendel SA, Pearl RM, De'Armond SJ: Pathophysiology of cleft lip muscle. *Plast Reconstr Surg* 83: 777, 1989.
9. Brudi AR: Section I. Epidermiology, etiology, and pathogenesis of cleft lip and palate. *Cleft Palate J* 14:262, 1977.
10. Raposio E, Bado M, Verrina G, Santi PL: Mitochondrial actiity of orbicularis oris muscle in unitlateral cleft lip patients. *Plast Reconstr Surg* 102: 968, 1998.
11. Stark RB: Embryology of the lips and chin, in Stark RB(ed): *Plastic Surgery of the Head and Neck*. NY, Churchill Livingstone, p 1167, 1987.
12. Pantaloni M, Byrd HS: Cleft Lip I : Primary Deformities. *Selected Read Plast Surg* 9(21), 2001.
13. Sadler TW: *Langman's Medical Embryology*, Baltimore, Williams & Wilkins, *p* 297, 1990.
14. Brinkley LL, Morris-Wiman J: The role of extracellular matrices in palatal shelf closure *Curr Top Der Biol* 19:17, 1984, in McCarthy JG(ed): Plastic Surgery. Philadelphia, WB Saunders Co, *p* 2541, 1990.
15. Fergusson W: Observations on cleft palate and on staphylorrhaphy. IN: McDowell F(ed), *The Source Book of Plastic Surgery*. Baltimore, Williams & Wilkins, *p* 302, 1977.

제5장 구순구개열의 안면성장

Facial Growth in Cleft Lip and Palate

조백현

구순구개열을 가진 소아는 안면성장이 만족스럽지 못하며 미용 및 기능적인 문제점을 갖게 된다. 이는 안면계측법을 이용한 많은 연구를 통해 잘 알려져 있으며 일측 및 양측, 그리고 구순열, 구개열 및 구순구개열 등에서 모두 관찰된다. 이런 안면성장의 문제점과 치료법의 성공 가능성을 보다 쉽게 이해하기 위해서는 관계된 여러 요소를 고려하여야 한다. 안면성장과 관계된 주요 요소는 내인적 요소(intrinsic factor), 기능적 활동성(functional activity), 의인성 요소(iatrogenic factor)를 들 수 있으며, 내인적 요소로는 안면부의 초기 발달과 성장 잠재력이, 기능적 활동성은 정상측과 비정상측의 전위를 유발할 수 있는 요소가, 그리고 의인성 요소로는 안면성장에 미치는 치료의 효과가 포함된다.

I. 내인적 결함

내인적인 결함에 의해 발생한 비정상적인 구조는 교정이 어려우나 이차적인 환경적 영향에 의해 발생한 비정상적인 전위는 교정이 쉽고 원인 요소가 제거된다면 스스로 교정이 되기도 한다. 그러므로 치료 계획을 세우는데 있어서 이 두 가지를 구분하는 것이 도움이 된다.

구순구개열은 다인자병인론(multifactorial etiology)으로 설명되고 있다. 소인적 요소(predisposing factor) 중 한 가지는 태생기의 안면 중앙부위의 중간엽의 결손인데 환아의 부모는 정상적인 상악을 가지고 있는 경우가 대부분이므로 단순한 유전 양식에 의해 발현된다고 보기는 어렵다.

상악의 구조를 세밀하게 조사하기 전에 다른 안면골들의 상태를 파악하여 참고하는 것이 좋다. 대부분의 하악골은 출생시에 크기와 모양이 정상적이다. 구순구개열 환아의 하악골도 정상인처럼 많은 변이가 있으며 일반적으로 개열(cleft)에 무관하지만, Pierre Robin sequence를 가진 환아는 예외적으로 하악골이 작고 후방으로 이동된 양상을 보인다. 안와는 양안격리증(orbital hypertelorism) 정도는 아니지만 안와사이의 거리가 증가하게 되는데(Psaume, 1957; Graber, 1964; Moss, 1965; Ross and Coupe, 1965; Farkas and lindsay, 1972), 이는 환경적 영향에 의해 발생하는 이차적 특성이다. 그러나 관골(Harvold, 1954; Subtenly, 1955; Coupe and Subtelny, 1960), 접형골의 익상돌기(Van Limborgh, 1964; Atkinson, 1966) 및 두개저골(Ross, 1965; Bishara and Iverson, 1974)은 대개 정상적인 소견을 보인다.

II. 출생전 환경의 영향

출생 시까지 구순구개열을 가진 태아의 안면부는 자궁내의 환경에 따라 각 부위의 모양이 변하게 되며 이 부위들은 서로에게 영향을 미치게 된다. 외력에 대한 안면골의 변화는 개열의 유형과 정도에 따라 다르게 나타난다.

1. 일측 완전구순구개열(그림 5-1)

일측 완전구순구개열을 가진 영아는 상악의 치조골과 구개골 및 상악기초골이 결손되어 있다. 치조골은 치아가 있어야만 성장할 수 있기 때문에 치조골의 결손은 개열 부위의 치아 부재 및 발달 이상과 무관하지 않다. 출생시의 구개선반(palatal shelves)의 크기에 대해서는 여러 가지 견해가 있으나 구개선반의 작은 폭은 임상적으로 중요하지 않고 나중에 정상적으로 성장하게 된다. 혀는 양측구개선반 사이를 밀고 들어

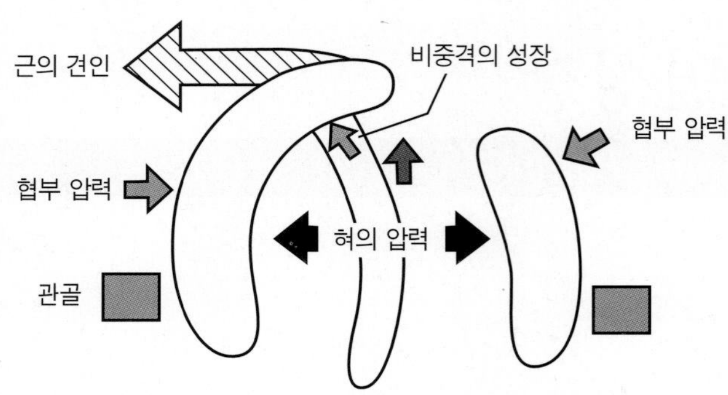

그림 5-1. 일측 완전구순구개열에서 상악골의 변위를 일으키는 힘. 주된 요소는 상악골의 전방부에 부착된 상구순과 협부의 근육들이 외측으로 당기는 힘과 상악 분절을 외측으로 밀어내는 정상적인 혀의 힘이다 (Ross, RB. Facial growth in cleft lip and palate. In JG McCarthy (Eds), *Plastic Surgery*. Philadelphia: WB Sauders Company, 1990. P 2555).

가서 구개선반의 내측으로의 성장을 방해하여 구개선반의 내측연이 구부러지도록 한다(Subtelny, 1955).

일측 완전구순구개열을 가진 영아의 가장 두드러진 특징은 정상측 상악 분절이 개열부위로부터 외방으로 심하게 변위되어 있고 비중격을 포함한 비부의 변위가 동반되는 것이다. 이것은 비정상적으로 부착되어 있는 협부 근육의 대분절(larger segment)을 회전시키는 힘과 전방으로 내미는 혀의 힘에 의해 발생하며(Ross and Johnston, 1972), 억제되지 않은 비중격의 성장과도 연관된다(Latham and Bruston, 1964). 그러나 개열측의 소분절(small segment)에는 비교적 적은 힘이 작용하므로 변위의 정도도 적다.

비익저를 제외한 비부는 정상측으로 기울어져 있기 때문에 개열측 비공은 잡아당겨지고 편평한 모양이 되는데 이는 태생 초기에 이미 형성된다(Atherton, 1967; Latham, 1969). 개열측 비익저(alar base)는 개열측 상악분절과 상악골 전벽이 후방 또는 외방에 위치해 있기 때문에 정상측 비익저 보다 낮은데, 이는 정상측 상악분절이 비정상적으로 붙어 있는 구륜근과 협부의 근육들에 의해 외방으로 당겨지고 있고, 혀가 이것을 전방으로 밀어내고 있으며, 비중격이 성장하면서 이것을 안쪽에서 바깥쪽으로 밀어내고 있기 때문이다. 개열측 상악분절은 정상측 상악분절보다 안쪽에서 바깥쪽으로 적게 밀리고 있기 때문에 정상측 상악분절보다 후방에 위치해 있다. 이런 모양으로 양측 상악분절이 벌어지게 되어 있기 때문에 상악치궁(maxillary dental arch)의 폭이 정상보다 더 넓으며(Peyton, 1931; Harding and Mazaheri, 1972), 개열이 심해지면 전체적인 안면의 폭도 약간 넓어지게 된다(Subtelny, 1955; Ross and Coupe, 1965).

2. 양측 완전구순구개열

양측 완전구순구개열을 가진 영아는 일측 완전구순구개열을 가진 영아와 상악의 외양에 있어서 차이가 많은데 여기에는 부착된 근육의 역할이 크다. 전상악골(premaxilla)은 상악골에 붙어있지 않고 비중격에 붙어 있기 때문에 혀가 앞으로 내미는 힘에 의해 전방으로 돌출해 있는 것이 특징적이다. 그러나 전비극(anterior nasal spine)은 비중격과 코에 어느 정도 붙어 있기 때문에 전방 돌출이 어느 정도 제한되어 있다(그림 5-2). 만약 습관적으로 혀를 어느 한 쪽으로만 내밀면 전상악골은 혀가 내미는 반대측으로 밀려나게 된다. 그러나 내인적인 비중격의 과도한 성장이 전상악골을 돌출시킨다는 견해도 있다(Latham, 1969, 1973; Pruzansky, 1971).

전상악골보다 후방에 위치해 있는 양편 상악분절은 일측 완전구순구개열 때와 마찬가지로 내방 또는 외방으로 변위되어 있고 성장이 억제되어 있다. 양편 치조분절의 내측단은 일측 구순구개열 때와 마찬가지로 상방으로 변위되어 있다.

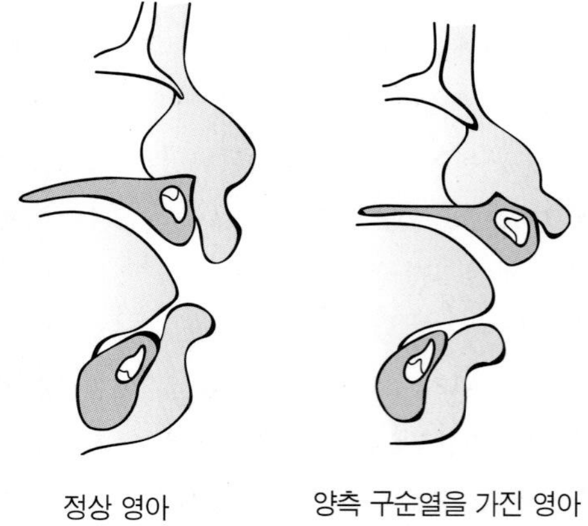

그림 5-2. 양측 완전구순구개열에서 전상악부의 전위. 강한 지지 구조가 없는 전상악골은 혀의 압력에 의해 전방으로 기울어지지만 전비극의 전방 전위는 미약하다(Ross, RB, and Johnston, MC (Eds): *Cleft Lip and Palate*. Baltimore, Williams & Wilkins Company, 1972).

3. 일측 구개열

개열측 구개분절(palatal segment)은 내방으로 회전되어 있고 정상측 구개분절은 상외방으로 회전되어 있어서 개열측 구개분절이 정상측 구개분절보다 후방에 치우쳐 있다. 양편 상악결절(maxillary tuberosity)간 거리는 정상보다 넓지만 얼굴 모양은 정상이다.

4. 치조열이 동반된 구순열

일측 구순열과 구개열이 있는 경우와 비슷한 변형을 갖고 있기는 하지만 골이 연결되어 있어서 골분절이 뒤틀리지 않기 때문에 안면의 모양은 전반적으로 정상에 가깝다.

5. 불완전구순구개열

구개 또는 전상악부(anterior maxilla)에 병변이 없으므로 변위가 적다. Simonart's band는 안면 특히 비부의 변형을 방지하는 역할을 한다. 그러나 혀와 안면 근육들의 비정상적인 힘에 의해 상악의 회전은 일어난다.

III. 일반적인 성장

구순열, 구개열 및 구순구개열을 가진 소아는 정상인에 비해 작고(Johnson, 1960; Drillien, Ingram, and Wilkinson, 1966), 골연령(skeletal age)이 늦을 수 있다(Menius, Largent, and Vincent, 1966; Przezdziak, 1969). 안면 구조물들의 사춘기 성장이 지연되며(Shibasaki and Ross, 1969), 두개저골들의 모양이나 상대적인 크기는 적당하지만 두개저골의 전체 크기가 작아서 두상은 작아지게 된다(Ross, 1965).

초기의 성장 지연은 수술 전의 영양 장애(feeding difficulty)와 수술에 의한 외상과 관련이 있는 것으로 알려져 있으며 내인적 결함이나 따라잡기 성장(catch-up growth)이 일어나지 않으므로 어떤 연령에서나 안면부가 작게 된다(Dahl, 1970).

IV. 정상 소아의 안면 성장

골은 모든 방향으로 균등하게 성장하는 것이 아니라 주로 한 두 방향으로 성장하는데 복잡한 유전적 프로그램과 얼굴 자체의 환경적 요인에 따라 어떤 골은 성장하고 어떤 골은 그대로 정지해 있으며, 한편에서는 골첨가(bone deposition)가 일어나고 반대편에서는 골흡수(bone resorption)가 일어난다. 그렇기 때문에 안면골격의 성장을 정확히 예측하기가 어려우며 대체적으로 골첨가가 안면골 후방에서 일어나기 때문에 안면은 두부에 대해 전하방으로 성장한다.

1. 하악기초골(nandibular basal bone)

신체의 다른 골들과 마찬가지로 하악골도 특수한 기능에 따라 발달하는 여러 구성 성분을 갖고 있는데 주요 구성 요소는 기초골(basal bone or central core), 관상돌기(coronoid process), 하악각(gonial area), 치아치조돌기이다. 기초골의 크기와 모양은 강한 유전적 지배를 받고, 관상돌기의 모양과 크기는 측두근(temporal muscle)의 기능과 기초골의 위치에 영향을 받으며, 하악각은 교근(masseter muscle) 과 내익돌근(medial pterygoid muscle)의 기능에 영향을 받고 치조돌기는 치아의 발달 정도에 따른다.

하악골의 성장은 주로 관절돌기(condylar process)의 후방 및 상방으로의 성장에 의한다. 그리고 하악지(mandibular ramus)는 후면의 골첨가와 전면의 골흡수에 의해 후방으로 성장하고 또한 치조골(alveolar bone)과 하악골 하연의 골첨가에 의해 수직으로 성장한다. 그러므로 하악골은 전체적으로는 전하방으로 성장하게 된다.

하악골은 다른 골에는 단단히 부착되어 있지 않고 악관절(temporomandibular joint)을 통해 두개골에 간접적으로 붙어 있기 때문에 하악골의 위치와 모양은 하악골에 작용하는 근육, 연조직 및 기타 외력에 의해 변하게 되어 있다(Weinstein, 1967). 하악골에 어떤 외력이 오랫동안 가해지거나 치아치조돌기에 어떤 변동이 있으면 기초골의 모양과 크기에는 영향이 미치지 않으나 하악골 모양은 크게 변화하는데 구순구개열이 있는 경우에도 하악골의 위치와 모양에 변화가 일어난다.

2. 상악기초골(maxillary basal bone)

상악골의 기능적 구성성분은 하악골처럼 명확하지는 않지만 기초골, 안와돌기, 전두돌기, 관골돌기, 치아치조돌기로 나누어 볼 수 있다.

상악골은 두개골에 단단히 부착되어 있음에도 불구하고 강한 외력이 작용하면 위치 변동이 쉽게 일어나며, 골봉합과 비중격 등의 성장장애가 하악골보다 더 쉽게 일어난다(Wieslander, 1963; Jacobsson, 1967; Droschl, 1973).

다른 골과 마찬가지로 상악골도 변위(displacement)와 재형성(remodeling)에 의해 성장한다. 상악골은 전체적으로는 후상부의 성장에 의해 전하방으로 성장하지만, 부위별로 보면 비부는 하방으로 성장하며, 상악골이 하방으로 성장하더라도 안와부는 안구를 제자리에 유지하기 위해 상방으로 성장하게 되고, 경구개는 하방으로 성장한다.

상악골 앞부분에 골흡수가 있음에도 불구하고 상악골이 전방으로 성장하는 것은 상악결절(maxillary tuberosity)의 후면에 골첨가가 일어나기 때문이다(Enlow and Bang, 1965 ; Bjork, 1966). Koski(1968) 등은 안면부에서의 성장 부위는 상악골을 전방으로 향하게 하는 일차적 성장중심(primary growth center)이 아니라고 결론지었다. 상악골의 성장에 비중격이 약간의 영향을 미친다고 하지만(Moss and associates, 1968; Stenstrom and Thilander, 1970) 확실하지는 않다.

상악골 저부의 폭은 2세때까지는 정중구개봉합선(midpalatine suture)에 골첨가가 일어나므로 증가하나 그 이후에는 이 봉합선에 골첨가가 일어나지 않으므로 상악골 전방 저부의 폭은 일정하다. 그러나 상악골 후방 저부의 폭은 상악결절에 계속 골첨가가 일어나므로 증가한다(그림 5-3). 골재형성에 의해 상악치열궁(maxillary dental arch) 전방부와 경구개는 직하방으로, 관골과 안와외연은 후방으로, 비전두부(nasofrontal portion)와 안와상연은 전방으로 성장한다.

3. 치아치조돌기(dentoalveolar process)

치조돌기는 치아가 있으면 발달하고 치아가 없으면 퇴행한다. 교합은 치아가 예정된 거리와 경로를 이동해서 이루어지는 것이 아니라 상악과 하악이 서로의 부조화를 보상하는 기전을 통해 완성된다

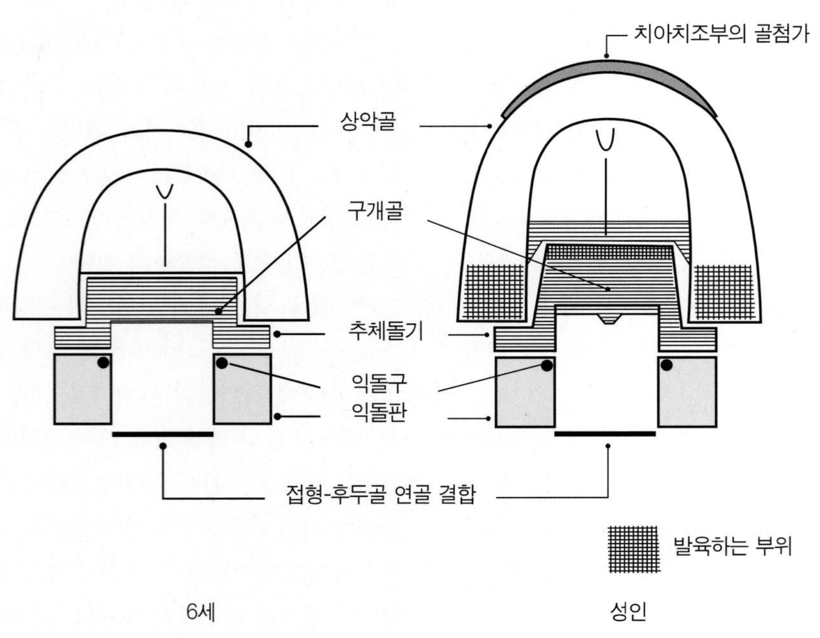

그림 5-3. 상악기초골의 길이 성장은 상악결절의 후면의 골첨가에 의해서 일어나며 상악골 전방부, 구개골의 추체돌기 및 접형골의 익상판과는 무관하다(Ross, RB, and Johnston, MC (Eds): *Cleft Lip and Palate*. Baltimore, Williams & Wilkins Company, 1972).

치아는 저항을 받게 될 때까지 솟아오르게 된다. 이 저항은 혀, 손가락, 입술 등에 의해 방해를 받을 수 있으나 정상적인 과정에서는 상악과 하악의 치아에서 발생한다. 일단 상악과 하악의 치아가 접촉하게 되면 평형 상태가 유지 된다.

치아에 작용하는 힘은 한쪽 치아에는 압박으로, 다른 한쪽 치아에는 신장력으로 작용하며, 치조주위섬유(periodontal fiber)를 통해 치조골에 전달된다. 치조골은 압력에 의해 흡수되고 신장력에 의해 강화되므로 치아는 압력이 작용하지 않는 방향으로 이동하게 된다. 솟아나는 치아는 혀, 입술, 안면 근육 등 연부 조직의 낮은 정도의 압력에 의해 방향을 잡게 된다. 교정을 하는 치과의사는 이러한 정상적인 생물학적 기전을 이용해서 부정교합(malocclusion)을 교정한다.

상구순 하부가 치아치조돌기를 압박하고 있으면 치아치조돌기는 후퇴하지만 상구순 하부의 압박이 상악 기초골에는 직접적인 영향을 미치지 않는다. 그러나 비저(nasal floor)와 상구순 상부의 압박은 상악 기초골 성장에 직접적인 영향을 미칠 수 있다(그림 5-4).

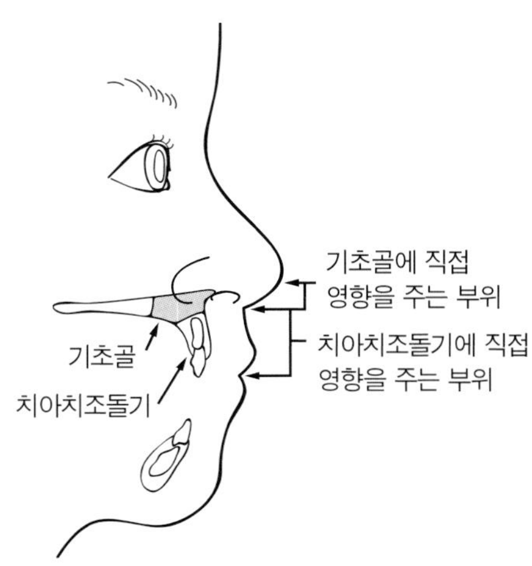

그림 5-4. 상구순과 상악의 해부학적 관계. 상구순 하부가 치아와 치조골에 압력을 가하게 되는데 압력이 심하면 이 구조물들이 후퇴하게 된다. 상구순부 하부의 압력은 상악기초골에 직접적인 영향을 미치지 않는다. 그러나 비공저와 상구순 상부의 압력은 상악기초골의 성장에 직접적인 영향을 미칠 수 있다(Ross, RB. Facial growth in cleft lip and palate. In JG McCarthy (Eds), *Plastic Surgery*. Philadelphia: WB Sauders Company, 1990. P 2566).

V. 구순구개열의 안면성장 잠재력

구순구개열 환아에서 상악의 성장 잠재력은 외력의 영향이 전혀 없는 상태에서만 알 수 있는 것인데 교정수술은 성장에 영향을 미치는 주요 인자이므로 성장 잠재력에 대한 자료를 얻기는 쉽지 않다. 그러나 구순구개열을 가졌으나 의료 혜택을 받지 못한 채 성장해 버린 환자의 자료들은 이들의 안면성장에 관한 많은 의문점에 대한 답을 제공해 줄 수 있다. 이 자료들을 살펴보면 구순구개열 환아의 안면 모양은 내인적 결함, 그에 따른 환경의 영향 그리고 안면골의 성장 잠재력의 상호작용에 의한 결과물임을 알 수 있다.

교정수술을 시술 받지 않은 환자는 안면의 폭이 모든 부위에서 넓어져 있는데 그 이유는 개열로 인해 상구순과 상악골이 연결되어 있지 않아서 안면의 확장을 억제하는 요소가 감소한데 반해서 혀의 압력과 안면성장에 따른 안면의 확장 요소는 유지되기 때문이라 생각된다. 또한 선천적인 요소도 관여하고 있으리라고 여겨진다.

구순구개열에서 중안면의 전후 길이(midface depth)는 가장 중요한 안면성장의 척도이다. 교정수술을 시술 받지 않은 성인 환자에서 상악 기초골은 다른 안면부와 정상적인 관계를 유지하므로(Graber, 1951; Ortiz-Monasterio and associates, 1959, 1966; Mestre, DeJesus, and Subtelny, 1960; Hagerty and Hill, 1963; Boo-Chai, 1971) 골성장 부위는 개열에 의해 방해받지 않음을 알 수 있다.

안면의 수직 길이에 관한 자료는 충분하지는 않으나 구순구개열에서 수직 길이는 정상이며 중안면 수직 길이가 짧아진다는 증거는 없다. 정상 상악골의 수직 길이는 치아치조돌기의 성장과 경구개의 하방 이동에 의해서 길어지는데(Enlow and Bang, 1965) 구순구개열에서도 구조적인 결함은 있으나 성장은 이루어진다.

구순구개열 환아에서는 상악 치열궁의 폭이 좁아지고, 또 상악 전방치아는 하악 전방치아에 닿지 못해 입천장쪽으로 기울어져 있는데, 그 이유는 상악분절이 내방으로 쏠리게 되고 구순구개열 환아에서 흔히 보는 구강호흡과 수술로 인해 낮아진 입천장이 혀를 전방으로 나오게 하기 때문이다. 정상 소아에서는 상악이 하악보다 먼저 성장이 완료되어도 상악치조돌기가 갖고 있는 대상성 자체조정 능력에 의해 정상교합이 이루어지지만, 구순구개열 환아에서는 상악의 전방치아들이 이 같은 대상성 자체조정 능력을 발휘할 수 없으므로 개방교합(open bite)이 발생한다.

하악골은 구순구개열의 직접적인 영향을 받지는 않지만, 관절돌기가 정상에서 보다 약간 전상방에 위치해 있고 하악각이 둔각이어서 턱 끝이 후퇴해 있고 더 낮게 위치해 있는 것이 보통이다. 그러므로 상악 전방부의 수직 길이는 정상이거나 짧은데도 불구하고 얼굴 길이는 길어지게 된다(Kang, 1995).

VI. 교정수술후 구순구개열의 안면성장

교정수술을 시술 받은 구순구개열 환아는 성장함에 따라 기능 및 미용적으로 심한 안면성장의 변화를 보인다. 여기에는 종족간 및 가족간의 유전적 배경, 개열의 유형, 그리고 수술과 교정치료의 유형에 따라 차이가 있다. 그러나 수술이 안면과 치아의 문제를 유발하는 주요 요소라는 것은 안면계측법을 통한 여러 연구에서 확인되었다.

1. 하악의 성장

하악기초골의 크기는 유전적 요소에 의해 결정된다. 구순구개열에서 하악의 길이가 감소한다는 보고도 있으나(Ross, 1987a) 정상이라는 의견이 주류이다(Ross and Johnston, 1967; Dahl, 1970; Narura and Ross, 1970; Nakamura, Savara, and Thomas, 1972; Smahel, 1984). 그러나 하악의 위치에는 변화가 있는데 끝이 후하방으로 변위되고 상악의 수직 길이는 정상이거나 감소함에도 불구하고 안면의 수직 길이가 증가하게 되는데 이러한 수직 길이의 변화는 나이가 어린 소아에서 보다 나이가 많은 소아에서 저명하다. 하악의 관절돌기는 약간 전상방에 위치한다.

구순구개열에서 정상인에서 보다 하악이 자주 열려있으므로 턱끝은 후하방으로 운동하게 되고 하악골 평면(mandibular plane)은 수직 방향으로 기울어지게 된다. 하악각(gonial angle)은 후하방으로 이동하지만 하악각점(gonion)의 위치는 정상이거나 높게 된다. 그 이유는 하악의 위치 변화가 근육의 길이를 항구적으로 변화시키지는 못하지만 근육이 적절한 기능을 할 수 있도록 골부착 부위가 재형성되기(remodel) 때문이다. 하악각은 구순구개열 환자에서 둔각으로 변하며 정상인과는 반대로 연령이 증가하면 각도가 커진다(Narula and Ross, 1970; Munroe, 1966).

2. 상악의 성장

1) 구순열

상구순과 상악골 전방부에만 개열이 있는 환아는 안면 변형의 정도가 적으나 치아가 고르지 못하고 전비극의 변위가 있다(Harvold, 1954; Graber, 1964; Ross and Coupe, 1965; Dahl, 1970). 양측으로 상구순과 치조골의 개열이 있는 경우 변형은 양측 구순구개열과 비슷하나 정도는 약하게 발생한다.

2) 구개열

구개열만 있는 경우 상악의 길이 감소와 상악 전방부의 후퇴가 특징이며(Graber, 1954; Jolleys, 1954; Ross and Coupe, 1965; Osborne, 1966; Shibasaki and Ross, 1969; Dahl, 1970; Bishara and Iverson, 1974) 나이가 들수록 심해진다(Osborne, 1966; Shibasaki and Ross, 1969). 상악골 후방의 수직 발달은 저하된다.

3) 일측 완전구순구개열

상악골의 길이가 감소하고 상악골이 후방으로 전위되므로 상악골 전방부는 후퇴하며 성장하면서 더욱 심해진다. 상악골 전방부의 수직 발달은 정상이거나 약간 감소되어 있으나 후방부의 발달은 감소된다(Graber, 1954; Jolleys, 1954; Foster, 1962; Ross and Coupe, 1965; Osborne, 1966; Ross and Johnston, 1967; Dahl, 1970; Smahel and Brejcha, 1983; Ross, 1987a).

4) 양측 구순구개열

대부분의 상악복합체는 후퇴하지만 분리된 전악골 기저부는 약간 전방으로 돌출된다. 출생시에 존재하던 치조골의 심한 돌출은 감소하는데 상구순을 봉합한 직후에는 빠르게 감소하지만 성장하면서 그 속도는 느려지며(Ross and Johnston, 1972; Narula and Ross, 1970) 성인에서 전상악골의 위치는 정상이다(Birch, Ross, and Lidsay, 1967). 돌출에 관한 여러 연구에서 돌출의 양상은 비슷하지만 수술 방법이나 개인 차이에 따라 수치상의 결과에는 차이가 있다(Friede and Pruzansky,

1972). 성장 장애가 심하고 성장이 끝났을 때에는 대부분 전상악골이 다른 안면부에 비해 후퇴해 있으며 대부분의 경우 초기의 돌출이 성인이 될 때까지 유지되지는 않는다. 상악골의 후방은 후퇴하지만 크기는 정상이다(Narula and Ross, 1970).

3. 턱과 치아의 관계

구개열과 일측 구순구개열에서 상악기초골의 후퇴는 하악의 회전과 턱의 후퇴로 어느 정도 균형을 맞추게 된다. 턱의 전후 관계는 나이 어린 소아에서는 만족할 만 하지만 연령이 증가할수록(Ross, 1987b), 수술에 의한 외상이 심할수록 악화된다. 교합관계는 일차생치기(primary dentition period)에는 전치 교차교합(incisor crossbite)은 있을지라도 대체로 만족할 만 하지만 영구생치기(permanent dentition period)에는 교합이 무너진다. 양측인 경우 상악전치가 구개 방향으로 기울어져 전상악골이 돌출한 경우에도 전치 교차교합이 발생한다. 상악의 폭은 다양하지만 수술 후에 치궁은 좁아지고 후방 교차교합이 흔하다. 하악을 벌리고 있기 때문에 안면의 수직 길이가 증가하게 되는데 이를 보상하기 위해 상악 후치와 하악 전치가 과도하게 솟아난다.

4. 구순성형술이 상악골에 미치는 영향

상구순이 심한 장력을 받지 않도록 시술된 경우에는 상악의 폭과 중안면부의 성장이 정상이지만, 상구순이 심한 장력을 받는 경우에는 이로 인한 압박 때문에 중안면부의 골이 전방으로 성장하는데 지장이 있다. 또 개열 부위에 골결손이 넓은 경우에는 상악분절이 내방으로 쏠려서 상악골이 작아지게 된다.

1) 일측 구순성형술이 미치는 영향

수술하기 전에 외방으로 변위(deviation)되어 있던 상악분절들이 구순성형술을 받고 나면 2~3개월 내에 양측 상악분절이 접근하여 개열이 좁아지고, 정상측 상악분절이 개열측 상악분절에 포개어지며, 양측 상악분절이 접근하지만 하비갑개(inferior turbinate)가 비중격과 먼저 접촉하므로 양측 상악분절이 서로 접촉하지는 못한다(Aduss and Pruzansky, 1967).

구순성형술 후에 양측 상악분절이 접근되는 것은 첫 3개월 내에 일어나고 그 후 개열 간격이 추가로 좁아지는 것은 추가적인 골 성장(appositional bone growth)에 의한다. 상악분절의 추가적 골 성장은 1세 동안에 가장 빠르고 그 후에는 서서히 느려진다(Berkowitz, 1985).

전비극은 어느 정도 변위된 채로 남아 있고 비중격은 특이한 모양으로 굽어 있다(그림 5-5). 수술 후에 비저는 정상 비저와 대칭이 되며, 비주(columella)는 정중선에 위치하게 된다. 그러나 비익연골은 별도로 교정해 주지 않는 한 대개는 비대칭이 된다(Kang, 1995).

2) 양측 구순성형술이 미치는 영향

전방으로 돌출해 있던 전상악골은 수술 후 상구순의 압박에 의해 점차 후퇴하게 된다. 일측 구순구개열 및 양측 구순구개열에서 개열측 상악분절의 앞부분이 내후면으로 회전되기 때문에 유치기의 견치에는 교차교합(crossbite)이 있다. 3세 때까지 전상악골이 양측 상악분절과 접촉하므로 구개열의 앞부분과 치조열은 거의 폐쇄된다.

양측 구순열의 양측 외측구순을 내방으로 당겨다가 전순(prolabium) 후면에서 봉합해 주면 상구순의 과도한 압박 때문에 치아치조돌기는 후퇴하게 된다. 그러나 양측 외측 구순

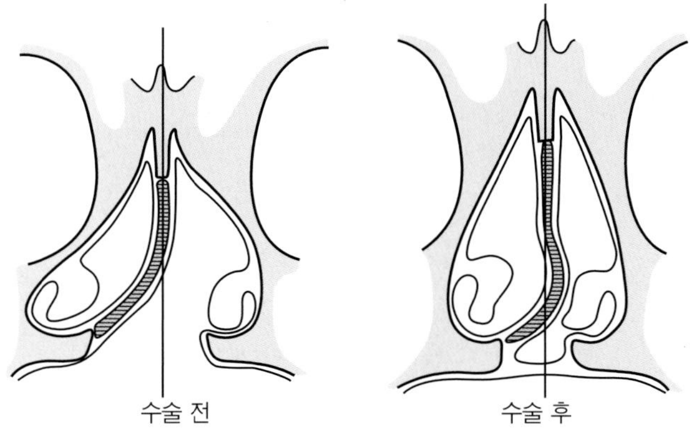

그림 5-5. 일측 완전구순구개열에서 정상측 상악 분절의 전위는 부착된 비중격의 전위를 유발하는데 전방부에서 보다 심하게 작용한다. 구순과 구개가 봉합된 후 상악골의 분절은 안면 중앙부에 근접하게 되고 비중격은 휘어진 특징적인 모양을 보인다(Ross, RB, and Johnston, MC (Eds): *Cleft Lip and Palate*, Baltimore, Williams & Wilkins Company, 1972).

을 당겨다가 전순 양측에 봉합해 주면 비록 상구순의 수직 길이는 짧아지더라도 압박이 심하지 않으므로 치아치조돌기의 성장은 양호하다.

구순성형술에 의해 상구순의 수직 길이가 너무 짧아지게 되면 치조돌기가 전방으로 돌출된 채로 남아 있게 되고, 치아는 저항을 받지 않아 전방으로 돌출하여 하구순이 상악 치아의 후방에 있게 된다(Kang, 1995).

5. 구개성형술이 상악골에 미치는 영향

구개성형술 때는 양측구개에서 점막성골막판(mucoperiosteal flap)을 작성하여 이것을 내후방으로 당겨다가 정중선에서 봉합해 주기 때문에 구개골 중 치조돌기에 가까운 부위에는 골막이 없게 되고, 이 부위는 결국 반흔 조직으로 채워지게 된다(그림 5-6).

수술로 인한 조직손상과 수술 반흔이 상악골 성장에 지장을 초래하므로 상악의 앞부분은 후퇴하며, 상악의 뒷부분의 높이는 낮고, 치조궁의 폭은 좁아져 후방 교차교합(posterior crossbite)이 발생한다(Harding and Mazaheir, 1972). 또한 수술 반흔은 치아주위섬유(periodontal fiber)를 당겨 치아가 내후방으로 기울어지게 하는 역할을 한다(그림 5-7, 8).

구개성형술을 조기에 시행할수록, 수술 횟수가 많아질수록, 그리고 조직에 손상을 많이 줄수록 상악골의 변형이 심하게 된다. 그래서 연구개열만 먼저 수술하고 경구개열은 성장함

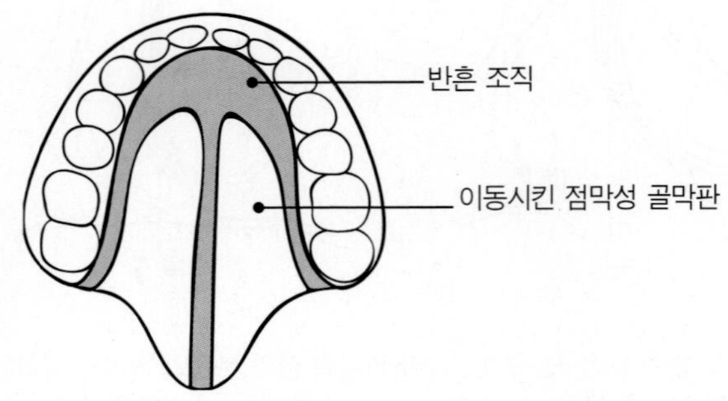

그림 5-6. 광범위한 피판을 이용하여 구개를 봉합하면 치조돌기 주변의 구개에 반흔 조직이 발생하고 이 반흔은 전체적인 치아의 구개 방향으로의 발달을 저해한다(Ross, RB, and Johnston, MC (Eds): *Cleft Lip and Palate*. Baltimore, Williams & Wilkins Company, 1972).

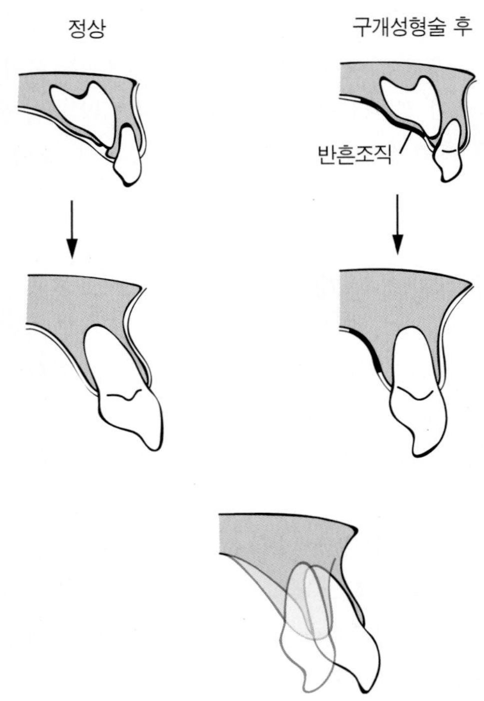

그림 5-7. 상악 전치는 정상적으로는 전하방으로 솟아나지만 치조돌기 주변에 반흔 조직이 있으면 치아주위섬유의 장력에 의해 전치는 구개방향으로 향하게 된다(Ross, RB, and Johnston, MC (Eds): *Cleft Lip and Palate*. Baltimore, Williams & Wilkins Company, 1972).

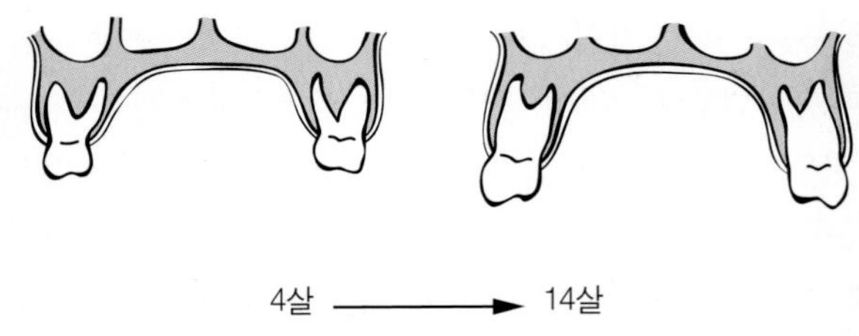

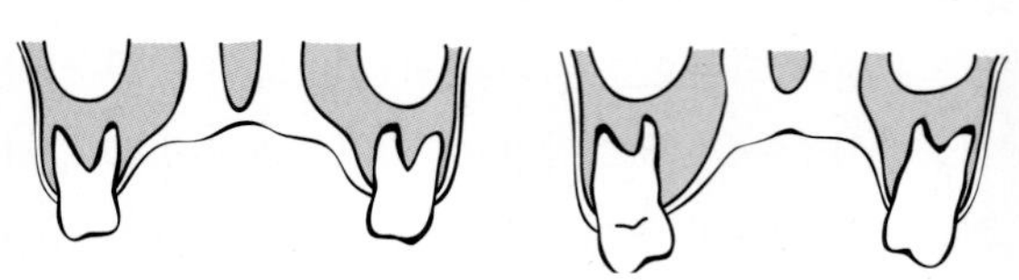

그림 5-8. 정상적으로는 상악의 후치는 하전외방으로 솟아나지만 치조돌기 주변에 반흔조직이 있으면 상악 후치는 내후방으로 향한다(Ross, RB, and Johnston, MC (Eds): *Cleft Lip and Palate*. Baltimore, Williams & Wilkins Company, 1972).

에 따라 저절로 상당히 좁아졌을 때, 즉 5~9세경에 가서 점막성골막판을 넓게 일으키지 않고 정중선에서 조금만 일으켜서 닫아 주면 치아 부근에 반흔이 생기지 않게 되어 치아치조돌기의 대상성 자체조정능력에 지장을 주지 않을 뿐만 아니라, 치조궁에 변형이 일어나지 않게 된다는 설이 제기되었다(Schweckendiek, 1955). 그러나 여러 학자들은 이 방법이 상악 성장은 경구개열을 일찍 닫아 주었을 때보다 더 좋았으나 언어는 오히려 좋지 않았다고 하였다(Cosman and associates, 1980).

6. 골이식이 안면성장에 미치는 영향

상악골 개열부위에 골이식이 안면성장에 미치는 영향에 대해서는 논란이 있으나 일반적으로는 영아기에 상악골 개열 부위에 골이식을 해 주게 되면 안면성장에 지장이 있다고 알려져 있다(Jolleys and Robertson, 1972 ; Rebertson and Fish, 1972 ; Hogeman and associates, 1972).

VII. 교정치과적 치료가 안면성장에 미치는 영향

교정치과적 치료(orthodontic treatment)가 치아치조돌기의 변형을 교정해주는 데는 효과가 있으나 상악 기초골, 하악 기초골, 다른 안면골 성장에는 영향을 미치지 않는다(Kang, 1995).

VIII. 구순구개열의 안면성장에 관한 개념

구순구개열의 주요 치료 목표는 기능적인 언어 기전의 재건, 구순과 비부의 미용적 재건, 구강과 비강의 분리 및 안면골의 적절한 성장 유도라고 할 수 있다. 이런 관점에서 안면골과 치아의 비정상적인 발달 및 성장에 대한 여러 가지 보고 내용을 요약하면 다음과 같다.

1. 구순구개열을 가진 환아의 내인적 결함은 개열 부위를 제외한 다른 부위에서는 저명하지 않다.
2. 상악복합체의 성장 잠재력은 상악골이 다른 골격과 조화를 이룰 수 있을 만큼 충분하다.
3. 상악의 결함이 심하지 않으므로 치아와 치조골은 이를 극복하고 만족스러운 교합을 이룰 수 있는 여력이 있다.
4. 수술 후에 발생하는 반흔 조직이 구순구개열을 가진 환아에서 상악골의 성장을 심하게 억제할 수 있다.
5. 수술 후에 발생하는 구개 부위의 반흔 조직은 치아의 자유로운 조정을 방해하며 치아의 편향을 조장하여 치궁의 만곡을 유발한다.
6. 혀 위치의 이차적인 변화는 하악골의 변위와 변형을 일으킨다.
7. 골이식의 여부와 상관없이 치조골을 조기에 봉합하는 것은 안면성장에 이롭지 않다.
8. 구개열 수술에 있어서 가장 중요한 변수는 외과의사이며 전통적인 수술 방법들이 안면성장에 영향을 미치지는 않는다.
9. 경구개부의 봉합 시기를 10세 이전으로 하는 것은 결정적인 기준이 아니며 4세 내지 7세까지 봉합을 연기하는데 따른 장점은 없다.

참고문헌

1. Aduss, H, Pruzansky, S. The nasal cavity in complete cleft lip and palate. *Arch Otolaryngol* 85: 53, 1967.
2. Atherton, JD. Morphology of facial bones in skulls with unoperated unilateral cleft palate. *Cleft Palate J* 4: 18, 1967.
3. Atkinson, SR. Jaws out of balance. II. *Am J Orthod* 52: 371, 1966.
4. Berkowitz, S. Timing in cleft palate closure: Age should not be the sole determinant. *J Craniofac Genet Dev Biol* 1: 69, 1985.
5. Birch, J, Ross, RB, Lidsay, WK. The end result of growth and treatment in bilateral complete cleft lip and palate. *Panminerva Med* 9: 391, 1967.
6. Bishara, SE, Iverson, WW. Cephalometric comparisons on the cranial base and face in individuals with isolated clefts of the palate. *Cleft Palate J* 11: 162, 1974.
7. Bjork, A. Sutural growth of the upper face studied by the implant method. *Acta Odontol Scand* 24: 109, 1966.
8. Boo-Chai, K. The unoperated adult bilateral cleft of the lip and palate. *Br J Plast Surg* 24: 250, 1971.

9. Cosman, B, Falk, AS. Delayed hard palate repair and speech deficiences: A cautionary report. *Cleft Palate J* 17: 27, 1980.
10. Coupe, TB, Subtelny, JD. Cleft palate-deficiency or displacement of tissue. *Plast Reconstr Surg* 26: 600, 1960.
11. Dahl, E. Craniofacial morphology in congenital clefts of the lip and palate. *Acta Odontol Scand* 28(suppl. 57): 11, 1970.
12. Drillien, CM, Ingram, TTS, Wilkinson, EM. *The Causes and Natural History of Cleft Lip and Palate*. Edinburgh: E & S, Livingstone, 1966.
13. Droschl, H. The effect of heavy orthopedic forces on the maxilla in the growing Saimiri sciureus(squirrel monkey). *Am J Orthod* 43: 129, 1973.
14. Enlow, DH, Bang, S. Growth and remodeling of the human maxilla. *Am J Orthod* 51: 446, 1965.
15. Farkas, LG, Lindsay, WK. Morphology of the orbital region in adults following the cleft lip-palate repair in childhood. *Am J Phys Anthropol* 37: 65, 1972.
16 .Foster, TD. Maxillary deformities in repaired clefts of the lip and palate. *Br J Plast Surg* 15: 182, 1962.
17. Friede, H, Pruzansky, S. Longitudinal study of growth in bilateral cleft lip and palate, from infancy to adolescence. *Plast Reconstr Surg* 49: 392, 1972
18. Graber, TM. The congenital cleft palate deformity. *J Am Dent Assoc* 48: 375, 1954.
19. Graber, TM. A study of craniofacial growth and development in the cleft palate child from birth to six years of age. In R Hotz (Eds), *Early Treatment of Cleft Lip and Palate*. Bern, Hans Huber, 1964. P 30.
20. Hagerty, RF, Hill, MJ. Facial growth and dentition in the unoperated cleft palate. *J Dent Res* 42: 412, 1963.
21. Harding, RL, Mazaheri, M. Growth and spatial changes in the arch form in bilateral cleft lip and palate. *Plast Reconstr Surg* 50: 591, 1972.
22. Harvold, E. Cleft lip and palate. Morphologic studies of the facial skeleton. *Am J Orthod* 40: 493, 1954.
23. Hogeman, KE, Jacobsson, S, Sarnus, KV. Secondary bone grafting in cleft palate: A follow up of 145 patients. *Cleft Palate J* 9: 39, 1972.
24. Jakobsson, SO. Cephalometric evaluation of treatment effect on Class II, Division I malocclusions. *Am J Orthod* 53: 446, 1967.
25. Johnson, R. Physical development of cleft lip and palate children. In MA Cox (Eds), *Five Year Report(1955-1959) of the Cleft Lip and Palate Research and Treatment Centre*. Toronto: Hospital For Sick Children, 1960. P 104.
26. Jolleys, A. A review of the results of operations on cleft palates with reference to maxillary growth and speech function. *Br J Plast Surg* 7: 229, 1954.
27. Jolleys, A, Robertson, NR. A study of the effects of early bone-grafting in complete clefts of the lip and palate-a five year study. *Br J Plast Surg* 25: 229, 1972.
28. Kang, JS. *Plastic Surgery*. Vol 2. Taegu, Korea: Keimyung University Press, 1995. Pp 1202-1211
29. Koski, K. Cranial growth center: Facts or fallacies. *Am J Orthod* 54: 566, 1968.
30. Latham, RA. The pathogenesis of the skeletal deformity associated with unilateral cleft lip and palate. *Cleft Palate J* 6: 404, 1969.
31. Latham, RA. Development and structure of the premaxillary deformity in bilateral cleft lip and palate. *Br J Plast Surg* 26: 1, 1973.
32. Latham, RA, Burston, WR. The effect of unilateral cleft of the lip and palate on maxillary growth pattern. *Br J Plast Surg* 17: 10, 1964.
33. Menius, JA, Largent, MD, Vincent, CJ. Skeletal development of cleft palate children as determined by hand-wrist roentgenographs: a preliminary study. *Cleft Palate J* 3: 67 1966.
34. Mestre, J, DeJesus, J, Subtelny, JD. Unoperated oral clefts at maturation. *Angle Orthod* 30: 78, 1960.
35. Moss, ML. Hypertelorism and cleft palate deformity. *Acta Anat (Basel)* 61: 547, 1965.
36. Moss, ML, Bromberg, BE, Song, IC, Eisemnan, G. The passive role of nasal septal cartilage in midfacial growth. *Plast Reconstr Surg* 41: 536, 1968.
37. Munroe, N. Radiographic cephalometric study of mandibular morphology at gonion and its relation to tongue posture in cleft palate and normal individuals(abstract). *J Can Dent Assoc* 32: 478, 1966.
38. Nakamura, S, Savara, B, Thomas, D. Facial growth of children with cleft lip and/or palate. *Cleft Palate J* 9: 119, 1972.
39. Narula, J, Ross, RB. Facial growth in children with complete bilateral cleft lip and palate. *Cleft Palate J* 7: 239, 1970.
40. Ortiz-Monasterio, F, Rebeil, AF, Valderrama, M, Cruz, R. Cephalometric measurements on adult patients with nonoperated cleft palates. *Plast Reconstr Surg* 24: 53, 1959.
41. Ortiz-Monasterio, F, Serrano, A, Barrera, G, Rodriquez-Hoffiman, H. A study of untreated adult cleft palate patients. *Plast*

Reconstr Surg 38: 36, 1966.

42. Osborne, HA. A serial cephalometric analysis of facial growth in adolescent cleft palate subjects. *Angle Orthod* 36: 211, 1966.
43. Peyton, WT. Dimensions and growth of the palate in the normal infant and in the infant with gross maldevelopment of the upper lip and palate. *Arch Surg* 22: 704, 1931
44. Pruzansky, S. The growth of the premaxillary-vomerine complex in complete bilateral cleft lip and palate. *Tandlaegebladet* 75: 1157, 1971.
45. Przezdziak, B: Somatic development of chlidren with cleft palate. *Pediatr Pol* 44: 1279, 1969.
46. Psaume, J. A propos des anomalies faciales associées àdes divisions palatines. *Ann Chir Plast* 2: 3, 1957.
47. Robertson, NRE, Fish, J. Some observations on rapid expansion followed by bone grafting in cleft lip and palate. *Cleft Palate J* 9: 236, 1972.
48. Ross, RB. Treatment variables affecting facial growth in complete unilateral cleft lip palate: Part 1. *Cleft Palate J* 24: 5, 1987a.
49. Ross, RB. Treatment variables affecting facial growth in complete unilateral cleft lip palate: Part 7, An overview. *Cleft Palate J* 24: 71, 1987b.
50. Ross, RB, Coupe, TB. Craniofacial morphology in six pairs of monozygotic twins discordant for cleft lip and palate. *J Can Dent Assoc* 31: 149, 1965.
51. Ross, RB, Johnston, MC. The effect of early orthodontic treatment on facial growth in cleft lip and palate. *Cleft Palate J* 4: 157, 1967.
52. Ross, RB, Johnston, MC. *Cleft Lip and Palate*. Baltimore: Williams & Wilkins Company, 1972.
53. Ross, RB. Facial growth in cleft lip and palate. In JG McCarthy (Eds), *Plastic Surgery*. Philadelphia: WB Sauders Company, 1990. P 2553.
54. Schweckendiek, H. Zur zweiphasigen Gaumenspalten Operation bei primare Velum Verschluss. In K Schuchardt, M Wassmund, (Eds), *Fortschritte der Kiefer- und Gesichts-Chirurgie*. Stuttgart: Georg Thieme Verlag, 1955. P 73.
55. Shibasaki, Y, Ross, RB. Facial growth in children with isolated cleft palate. *Cleft Palate J* 6: 290, 1969.
56. Smahel, Z. Craniofacial morphology in adults with bilateral complete cleft lip and palate. *Cleft Palate J* 21: 159, 1984.
57. Smahel, Z, Brejcha, M. Differences in craniofacial morphology between complete and incomplete unilateral cleft lip and palate in adults. *Cleft Palate J* 20: 113, 1983.
58. Stenstrom, SJ, Thilander, BL. The effects of nasal septal cartilage resections on young guinea pigs. *Plast Reconstr Surg* 45: 160, 1970.
59. Subtelny, JD. Width of the nasopharynx and related anatomic structure in normal and unoperated cleft palate children. *Am J Orthod* 41: 889, 1955.
60. Van Limborgh, J. Some aspects of the development of the cleft-affected face. In R Hotz (Eds), *Early Treatment of Cleft Lip and Palate*. Bern: Hans Huber, 1964. P 25.
61. Weinstein, S. Minimal forces in tooth movement. *Am J Orthod* 53: 881, 1967.
62. Wieslander, L. The effect of orthodontic treatment on the concurrent development of the craniofacial complex. *Am J Orthod* 49: 15, 1963.

제5장 구순구개열의 안면성장

수술하지 않은 구개열에서의 안면성장

손대구

구순구개열을 수술 받은 환자들에게서 두개 및 안면구조의 비정상적인 성장과 발달이 나타나는 것은 잘 알려진 일이다. 수술 받은 일측 구순구개열 환자 중 70%에서 12세가 되었을 때 중안면의 후퇴(retrusion)가 관찰되었고, 40%의 환자에서 턱교정수술(orthognathic surgery)이 필요할 정도의 심각한 중안면형성저하증(hypoplasia)이 나타남을 보고하고 있다(Williams et al., 2001). 전 세계적으로 15개 센터에서 수집한 538개의 측면두개골조영술(cephalogram)을 비교 조사했을 때, 전방 성장 억제와 상악골의 변형이 가장 흔한 소견이었다고 한다(Ross, 1987). 임상적으로 보았을 때에도, 수술 받은 구순열 환자의 안면은 측면 윤곽(facial profile)이 오목하고, 중안면부 결손이 있으며, 3급 부정교합을 보이는 경우가 많은데, 이러한 비정상적인 성장은 경미한 정도부터 심각한 정도까지 다양하게 나타난다.

중안면형성저하증은 일반적으로 광범위하고 장기간에 걸친 치과 교정치료를 필요로 한다. 환자들은 평균 6세가 되었을 때, 즉 초기 혼성치열 시기에 교정치료를 시작하여, 성인이 되기까지 계속한다. 후방 교차교합을 교정하기 위해서 구개골 확장이 필요한 경우도 종종 있고, 중안면형성저하증을 치료하기 위해 신장헤드기어(protraction headgear)를 사용하기도 하며 심한 경우에는 LeFort I 절골술과 같은 외과적 수술이 필요한 경우도 있다.

구순구개열 환아에서 비정상적인 상악 성장을 야기하는 세가지 주요 요인들은 첫째; 개열 자체에 따른 내재성 결손(intrinsic deficiency), 둘째; 유년기 초에 시행한 구순구개열 교정수술로 인한 성장 억제, 셋째; 양쪽 부모로부터 받은 중안면부 성장 유전이다. 유전과 연관된 개열은 대략 15 - 50%(Fogh-Anderson, 1971; Gabka, 1982)정도이며 이러한 소인에 환경적인 악영향이 더해져 개열이 나타나거나 혹은 더욱 더 심한 기형으로 나타나게 된다. 수술 받지 않은 환자의 중안면부 성장은 인종에 따라서도 다소의 차이가 있다(Isiekwe and Sowemimo, 1984; Bishara et al., 1986; Yoshida and Nakamura, 1992).

외과적 수술이 어느 정도로 안면 성장에 영향을 미치는지는 치료하지 않은 개열환자를 살펴보면 잘 알 수 있다. 선진국에서는 대부분의 구순구개열 환자들은 태어난 지 얼마 되지 않아 수술을 받기 때문에, 이러한 연구들은 대부분 개발도상국에서 수집된 두개골조영술이나 석고모델의 분석을 통해서 연구되어 왔다. 그렇기 때문에 표본의 숫자가 적고, 연령의 차이가 크며, 여러 종류의 개열들이 혼합되어 있는 등의 단점이 있다(Lambrecht et al., 2000). 그렇지만 이러한 연구들은 구순구개열을 지닌 환자들의 안면 성장에 대한 귀중한 정보를 제공해 주고 있다. 그러면 수술을 받지 않은 성인 개열 환자의 두개 및 안면성장은 어떤지 구체적으로 알아보자.

I. 상악골

상악골은 개열로부터 영향을 받는 첫 번째 골격이기 때문에 성장과 관련해서 가장 큰 문제점을 나타낸다. 두개저와 관련하여 상악골의 전후방 위치는 측면두개골조영술을 그리고 그 폭은 전후두개골조영술 및 치과용 석고모델을 사용해서 대부분 분석한다.

수술하지 않은 일측 구순구개열환자의 측면두개골조영에서, SNA 각도는 정상으로 나타나거나 (Ortiz-Monasterio et al., 1959; Mestre et al., 1960; Bishara, 1973) 혹은 정상인 보다 돌출한 것으로 나타난다(Mars and Houston, 1990; Capelozza et al., 1993). 개열이 없는 쪽 분절이 돌출되어 있는 반면, 개열이 있는 쪽 분절은 조직의 부족으로 인해 개열이 없는 쪽 보다 하방에 위치한다. 다시 말하면, 수술을 받지 않은 일측 완전구순구개열 성인 환자들의 상악골은 정상적 위치에 있거나 혹은 돌출되어 있는데, 개열이 없는 쪽으로 한정되어 있어 반안면상악돌출의 원인이 된다.

상악돌출의 원인이 되는 주된 원인은 두 가지로 생각해 볼 수 있다. 첫째는 입술과 골격이 연속성을 잃기 때문에 이들에 의한 제지요소(restraining factor)가 저하되는 반면에 안면성장력과 혀에 의한 신장요소(expansive factor)는 그대로 작용하기 때문이다. 다시 말하면, 입 주위 근육과 잇몸이 정상적으로 연결되어 있지 않으므로 상악을 누르는 힘이 적게 작용하고 혀로는 치아와 잇몸을 전방으로 밀어내기 때문에 상악이 앞으로 돌출한다는 것이다. 개열분절(cleft segment)에서는 위로 끌어당기는 힘이 작용하기 때문에 치아가 하방교합(infraocclude)되는 경향이 있어 전방개방교합의 원인이 된다. 반대 측 무개열분절(noncleft segment)에는, 이 힘이 훨씬 더 커서 그 분절을 위쪽으로, 그리고 바깥쪽으로 당겨낸다. 잇몸 부위의 조직 결손으로 인해 개방교합은 훨씬 더 눈에 띄게 된다. 상악돌출의 두 번째 요인이 되는 것은 수술을 하지 않았기 때문에 수술흉터가 없다는 것이다. 왜냐하면 구개열을 수술하면 그 때 생긴 골봉합부의 흉터 조직은 상악골의 전하방 이동을 방해하며, 구개를 가로지르는 흉터 조직은 상악궁의 수축을 야기 하여 전후방교차교합의 원인이 되는 중안면부 결손을 초래하기 때문이다. 그러나 구순성형수술만 한 경우에는 상악골의 성장에는 거의 영향을 주지 못하며, 치아에만 작은 영향을 준다고 한다(Shetye, 2004).

환자 개인의 유전적 경향 역시 수술 결과에 중대한 영향을 준다.

II. 하악

개열로부터 직접적인 영향을 받는 것은 아니지만, 수술을 받지 않은 환자들은 하악의 형태에 다소의 차이를 보여 왔다. 두개골조영술 분석에서 SNB 각도가 정상 대조군에 비해 작아서 조금 후퇴해 있고(Bishara et al., 1985; Yoshida and Nakamura, 1992), 하악각 각도(gonial angle)는 둔각이며 두개저-하악 평면 각도는 증가해 있다(Mars and Houston, 1990; Capelozza et al., 1993). 따라서 하악의 경미한 후퇴는 하악이 작기 때문이 아니라, 두개골저와 관련한 하악 평면의 큰 각도 때문일 것이다. 이것은 아마도 환자가 혀를 개열 밖에 두려고 하기 때문에 혀가 구강 바닥에 더 낮게 위치하기 때문일 것이다(Shetye, 2004).

III. 상악-하악 관계

수술하지 않은 개열 환자는 개열이 없는 쪽의 상악이 돌출되어 있고 하악이 약간 후방에 위치하기 때문에 ANB 각도가 정상인에 비해 증가해 있다(Enlow, 1982; Mars and Houston, 1990; Capelozza et al., 1993). 따라서 환자의 안면이 상당히 불룩하게 보인다. 이러한 정도는 개열이 없는 쪽에서 더 뚜렷하게 나타나며 개열이 있는 쪽은 조직 결손으로 인해 약한 후퇴해 보인다.

IV. 상악 및 하악의 치아 발생

수술하지 않은 개열 환자들의 경우, 상악의 치아 발생은 정상적이거나 앞으로 튀어나와 있다. 이는 일차적으로는 입술이 누르는 힘이 없기 때문이다. 또한 비정상적인 입주위 근육으로 말미암아 치아는 입술 쪽으로 누워있고(labial flaring) 수직으로는 들어가(vertical intrusion) 있다. 개열 바로 옆의 영구치아는 하방맹출(infra-eruption)을 보인다. 혀를 밀어내는 습관을 가진 개열 환자들에게서는 심한 전방개방교합이 함께 관찰된다. 구순성형수술만 받고 구개수술은 받지 않은 환자들은 앞니가 조금 더 수직인 것 외에는 구순 및 구개열을 전혀 수술 받지 않은 환자들과 비교해 보았을 때 별 차이점이 없다(Mars and Houston, 1990; Shetye, 2004). 구개열 수술을 받지 않은 환자에서 후방에서의 교합은 정상이다(Crabb and Foster, 1977; Potniz and Sspyropoulos, 1979).

참고문헌

1. Bishara SE. Cephalometric evaluation of facial growth in operated and nonoperated individuals with isolated clefts of the

palate. *Cleft Palate J* 10: 239, 1973.

2. Bishara SE, Sosa-Martinez de Arrendono R, Patron Vales H, Jakobson R. Dentofacial relationship in person with unoperated clefts: comparison between three cleft types. *Am J Orthod* 87: 481, 1985.
3. Bishara SE, Jakobsen JR, Krause JC, Sosa-Martinez R. Cephalometric comparisons of individuals from India and Mexico with unoperated cleft lip and palate. *Cleft Palate J* 23: 116, 1986.
4. Capelozza L, Taniguchi SM, Da Silva OG. Craniofacial morphology of adult unoperated complete unilateral cleft lip and palate patients. *Cleft Palate J* 30: 376, 1993.
5. Crabb JJ, Foster TD. Growth defects in unrepaired unilateral cleft lip and palate. *Oral Surg Oral Med Oral Pathol* 44: 329, 1977.
6. Enlow DH. Introductory concepts of the growth process. In: Enlow DH, editor. *Handbook of facial growth*. Philadelphia: WB Saunders; 1982. P 24.
7. Fogh-Andersen P. Epidemiology and etiology of clefts. *Birth Defects* 7: 50, 1971.
8. Gabka J. Familienuntersuchungen bei Lippen-Kiefer-Gaumenspalten. In: Pfeifer G, editor. Lippen-Kiefer-Gaumen-Spalten, Behandlungskonzepte-Spätergebnisse-Teamwork und Fürsorge-Teratologie. 3. Internationales Symposium Hamburg 1979. Stuttgart: Thieme, 1982. Pp 271-272.
9. Hagerty RF, Hill MJ. Facial grwoth and dentition of the unoperated cleft palate. *J Dent Res* 42: 412, 1963.
10. Isiekwe MC, Sowemimo GO. Cephalometric findings in a normal Nigerian population sample and adult Nigerians with unrepaired clefts. *Cleft Palate J* 21: 323, 1984.
11. Lambrecht JT, Kreusch T, Schulz L. Position, shape and dimension of the maxilla in unoperated cleft lip and palate patients: review of the literature. *Clinical Anatomy* 13: 121, 2000.
12. Mars M, Houston WJB. A preliminary study of facial growth and morphology in unoperated male unilateral cleft lip and palate subjects over 13 years of age. *Cleft Palate J* 27: 7, 1990.
13. Mestre JC, DeJesus J, Subtelny JD. Unoperated oral cleft at maturation. *Angle Orthod* 30: 78, 1960.
14. Ortiz-Monasterio F, Rebeil AS, Valderrama M, Cruz R. Cephalometric measurements on adult patients with non-operated cleft palate. *Plast Reconstr Surg* 24: 53, 1959.
15. Potniz PV, Sspyropoulos MN. The dental occlusion in treated and nontreated cleft lip and palate. *Eur J Orthod* 1: 181, 1979.
16. Ross RB. Treatment variables affecting facial growth in complete unilateral cleft lip and palate. Part 6: technique of palate repair. *Cleft Palate J* 24: 64, 1987.
17. Ross RB. Treatment variables affecting facial growth in complete unilateral cleft lip and palate. Part 7: an overview of treatment and facial growth. *Cleft Palate J* 24: 71, 1987.
18. Shetye PR. Facial growth of adults with unoperated clefts. *Clin Plast Surg* 31: 361, 2004.
19. Williams AC, Bearn D, Mildinhall S, Murphy T, Sell D, Shaw WC, et al. Cleft lip and palate care in the United Kingdom: the clinical standards advisory group (CSAG) study. Part 2: dentofacial outcomes and patient satisfaction. *Cleft Palate J* 28: 24, 2001.
20. Yoshida H, Nakamura A. Cephalometric analysis of maxillofacial morphology in unoperated cleft palate patients. *Cleft Palate J* 29: 419, 1992.

제6장 구순구개열의 안면골

Facial Skeleton in Cleft Lip and Palate

오갑성, 임소영

구순구개열 환자의 안면골은 해부학적 연구를 통해 기초 이론이 정립되었고(Veau, 1926, 1931, 1935), 태생학적 연구를 통해 그 병인론이 밝혀져 왔다(Veau and Polizer, 1936). 일측 및 양측 구순구개열에는 각각의 특징적인 양상의 골격변형이 있다는 것이 밝혀졌고, 이는 초기 태생기에 구개형성의 실패와 이에 따른 성장 이상에 의한 것으로 밝혀졌다. 즉 전상악 분절의 돌출 이유는, 서골(vomer)과 전상악골(premaxilla)로 구성된 중격 줄기세포(stem cell) 골부분의 성장이 억제되지 못하고 계속됨에 따른 것이라고 하였다. 그리고 전상악서골 봉합선(premaxillovomeral suture)은 장골의 성장판과 유사하게 성장 잠재력을 갖고 있다고 하였다.

전상악은 태생기 일부에만 일시적으로 존재하는 개념이지만, 구순구개열 환자에서 전상악이라는 용어는 상악의 '절치봉합선(incisive suture)과 송곳니'의 앞쪽을 정의하는데 사용된다. 일차구개열은 상악골과는 구분되는 전상악골의 열(cleft)을 말하며 일반적으로 구순열이라 일컫는 것은 이 의미에 속한다. 이차구개의 열은 일반적인 구개열을 뜻한다.

I. 양측 구순구개열

1. 전상악(premaxilla)

양측 완전구순구개열은 출생시 다음과 같은 특징적 기형을 보인다. 전체 전상악골이 연골성 비중격보다 돌출되어 있으며, 치조돌기가 돌출되어 있다. 전상악골이 돌출되어 있기 때문에 비주(columella)의 윤곽을 알수 없게 되고, 따라서 상구순이 비첨에 직접 닿아 있는 모양이 된다(그림 6-1). 돌출의 요소를 세가지로 요약할 수 있다. 1) 전상악 치조골(alveolar bone)이 비정상적으로 전방 전위되어 있고; 2) 전상악 기저골(basal bone)이 비정상적으로 전진되어 있고 ; 3) 전체적인 상악 분절의 저성장 가능성(송곳니 앞쪽에 다소 국한된 저형성을 포함)이 있다는 것이다.

전상악골은 가로 방향으로 기저골과 치조골로 나누어 볼 수 있는데, 위쪽에 해당하는 기저골은 골격 기능을 하고 아래쪽의 치조골은 절치를 보유하고 지탱해주는 역할을 한다. 기저골은 위쪽으로는 연골성 비중격과 닿아있고 뒤쪽으로는 서골과 닿아있다. 이 기조골은 또한 정상인에서는 외측(lateral)으로는 상악골과 연결되어있다. 정상적인 구조에서는 치조골은 기저골의 바로 아래에 있지만, 양측 구개열에서는 치조골은 기저골보다 수평으로 앞쪽에 있다(그림 6-1C, D, E). 정상에서는 전상악의 기저골과 전비극(anterior nasal spine)이 비중격의 앞아래 꼭지점보다 뒤쪽에 있지만, 양측 구개열에서는 이 기저골이 앞쪽으로 전진되어 있으므로 비중격의 앞아래 꼭지점과 닿아있게 되고 전비극도 위로 들린 듯 비중격의 전연(anterior border)을 따라 올라가 있다(그림 6-1D, E).

옆에서 보면, 일차 중앙 절치는 연골성 비중격보다 앞에 위치한다. 전상악 측면 방사선 사진 상에서 비중격의 측면중 일부가 보일 수 있고 그것은 전비극의 뒤쪽 경사와 만난다. 일반적으로 절치가 앞쪽, 그리고 위쪽으로 회전되어 있다고 생각하지만 그렇지 않고 비교적 정상적인 수직 방향을 갖게 된다(그림 6-1E). 얇고 돌출된 치조 돌기가 이 절치들을 지지하고 있는데, 이 치조 돌기는 전비극 부위에서 시작하여 앞쪽으로는 발달중의 절치근(incisor root)까지 뻗치고 위로는 비익연골의 내측각까지, 아래로는 치아 있는 곳까지 해당된다.

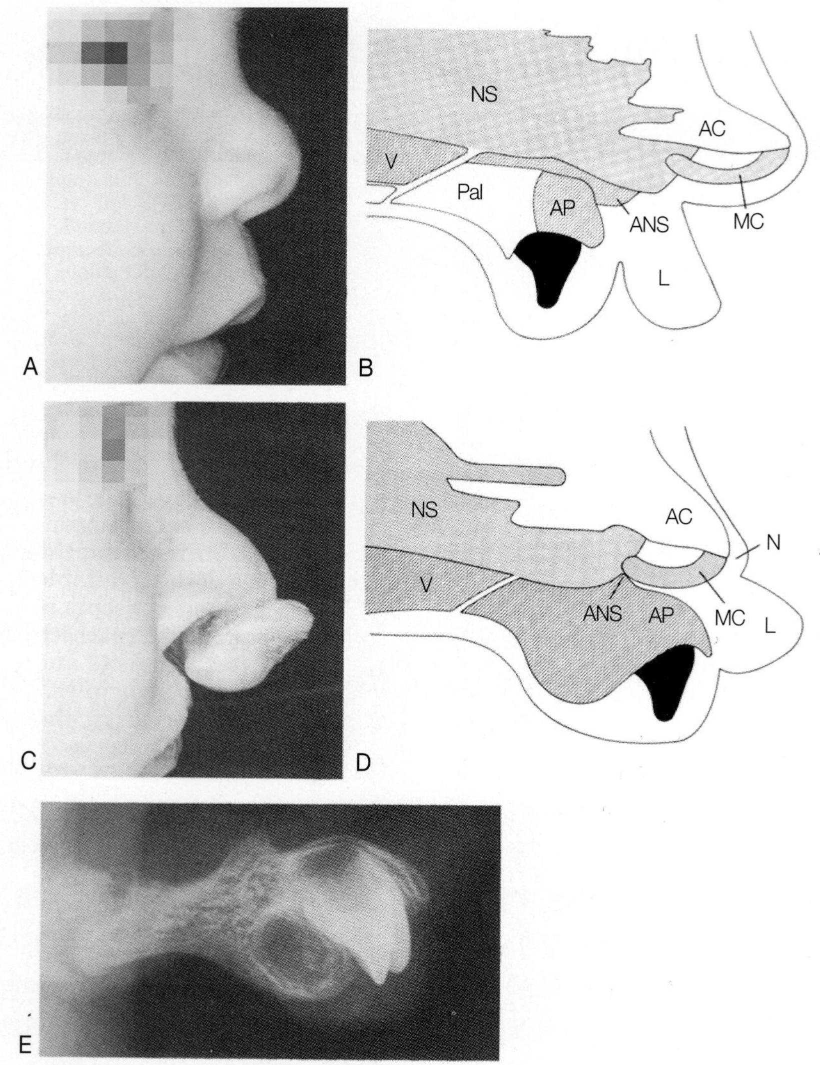

그림 6-1. (A) 생후1개월 된 정상 남아의 비구순 옆모습. (B) 정상 신생아의 골격 및 연부 조직 관계. 비익 연골(AC)의 내측각(MC, medial crura)이 비주와 코를 지지해주고 있다. 비중격(NS)의 전방하연각(septal angle)보다 아래에 입술(L)이 위치한다. 전비극(ANS)과 치조돌기(AP)는 비중격의 전방하연각보다 뒤쪽에 있다. Pal과 V는 각각 구개골과 서골의 단면이다. (C) 생후2개월 된 양측 완전구순구개열 환아의 옆모습. (D) 양측 구순구개열 신생아에서 전상악 기저골과 치조골의 돌출 모습. 치조돌기(AP)가 비익 연골 내측각(MC)에 맞닿아 있고, 입술(L)은 전방으로 전위되어 있다. 전비극(ANS)은 비익 연골 내측각의 갈라진 사이에 있고 비중격(NS)의 전연까지 닿아 있다. (E) C의 환아의 옆모습 방사선 사진으로서 전상악의 변형을 볼 수 있다.

2. 구순 및 비주(lip and columella)

정상적인 상구순의 특징적인 모양인 인중(phitrum), 인중비주각(philtrocolumellar angle), 큐피드의 활(Cupid's bow)은, 주로 근육부에 의해 모양이 결정된다(Latham and Deaton, 1676). 구순 근육섬유들은 인중 외측부의 피부에 집중적으로 부착된다. 이런 부착이 없는 인중 중앙부는 움푹하게 패인 모양을 나타내게 된다(제7장 참조). 구륜근의 하연은, 다른 구순근들과 함께 홍순연(vermilion border)에 부착되어 인중 하방의 홍순 결절(vermilion tubercle)의 모양을 만들어 낸다. 구순근들은 비공바닥(nostril floor)과 비주 기저에 단단히 부착되며, 그 피부를 아래의 골에 연결시켜 주는 기능을 한다. 이런 해부학적 배열들이 인중비주각 형성의 주요 요인이다.

양측 구순열에서 상구순의 중앙 분절은 외번(eversion)되어 있다. 때문에 그 뒤의 전상악 분절도 아마도 비중격으로부터 전상방으로 회전되어 있으리라고 잘못 생각되기도 한다. 중앙 구순 분절이 외번되는 것과 비주 피부가 저형성되는 이유 중의 일부는 전상악의 돌출 때문이기도 하다. 그러나 역으로, 매달려 당겨지고 있는 입술 때문에 치조골이 돌출된 위치로 전방성장을 하게 되기도 한다. 이 밖에 입술이 외번되는 이유로는 양측 완전구순구개열에서 중앙부 구순 분절은 근조직이 없어(Veau, 1926; Latham, 1973) 근육에 의하여 만들어져야 하는 부피나 형태 자체가 당연히 부족한 것과, 혀나 하악, 아랫입술 같은 간접적인 요소들 등이 영향을 미칠 수 있다.

비주는 임상적으로는 관찰되지 않을 수 있으나, 해부학적으로는 존재하고 있다. 비주란 '비중격의 외부 말단 살 부위로서, 비익연골의 내측 다리에 의해 지지되고 피부로 덮인 부위' 로 정의된다. 재건 수술을 받은 양측 구순구개열 환아를 대상으로 시행된 연구에 따르면, 비익연골의 내측 다리는 코와 연골성 비중격의 위치와 놓고 볼 때 비교적 정상적인 위치와 비율을 차지하는 것으로 나타났다(Latham and Workman, 1974). 그러나 비익 연골의 내측 다리는 돌출된 치주돌기 때문에 거의 완전히 겹쳐지고 비주의 피부는 이에 상응하여 저형성되었다(그림 6-1C, D). 따라서 전상악골을 빨리 집어넣어도 비주의 피부가 내측 다리(medial crus)들을 덮을 수가 없기 때문에 그 결과 비첨부가 처지게 된다.

3. 비중격, 전상악, 서골 (nasal septum, premaxilla, vomer)

양측 구개열에 있어서, 비중격 연골부의 하연은 뼈에 의하여 보강되며 이 뼈는 깃대처럼 전상악구획을 지지한다. 이 지지대 역할의 뼈는 주로 서골로 이루어지며 서골의 앞부분이 전상악이다. 전상악서골 관절(premaxillovomeral joint)은 전상악 치주돌기의 후방부에, 중격길이의 대략 1/3지점에 위치한다. 전상악 분절의 앞부분은 한쌍의 전상악골로 이루어지며 양쪽 전상악골은 중앙에서 전상악간 봉합선(interpremaxillary suture)으로 연결되어 있는데 이봉합선은 정상적인 중앙구개 봉합선의 앞쪽 1/3부위에 상응한다. 전상악 분절의 뒷부분에는 전상악의 서골하 돌기(infravomerine process)라는 구조물 한쌍이 중앙에서 봉합선으로 연결되어져 있다. 이 서골하 돌기는 서골을 감싸고 있고 서골은 점차 앞쪽 모서리가 가늘어 지면서 비중격과 가깝게 닿아 있다(그림 6-1D, E). 따라서 전상악서골 관절은 서골이 볼록한 부분이고 전상악의 서골하 돌기가 오목한 부위를 이루며 맞물림 형태의 관절(tongue-and-groove type)로 완성된다.

서골은 연골성 비중격의 하연에 닿아 있으며 뒤쪽으로는 접형골과 관절을 이룬다. 출생전 표본의 단면에서 서골은 U자 모양이나, 출생 후에는 그 외측부가 흡수되면서 아래에 분명한 꼭지점을 갖는 얇은 V자 모양이 된다(그림 6-2).

치주돌기 바로 뒷쪽 비중격 하연에 종종 약간의 팽창이 일어나는데, 이부위는 전상악서골 봉합선의 위치와 일치되는 자리이다. 전상악서골 봉합선 자체가 팽창을 일으키는 것은 불가능하고, 가장 가능성 있는 이유는 중격 주변 연골(paraseptal cartilage)이 존재하기 때문인데 이 연골은 중격 연골의 하연과 붙어있는 아가미같은 구조물로서 서골의 양측에서 아래쪽으로 나뉘어 있다. 봉합선 근처의 전상악서골 분절은 중격주변 연골의 바로 측면에 위치한다.

4. 상악 분절(maxillary segments)

양측 구개열을 가진 영아의 상악 부분의 잇몸은 잇몸성 점막(gingival mucosa)으로 덮여 있다. 잇몸성 점막(gingival mucosa)은 구개열(groove)을 감싸고 지나며 내측의 구개성 점막(palatal mucosa)과 연결된다. 성장하는 치아는 잇몸의 구개열의 외측, 즉 잇몸성 점막으로 덮인 부위에만 위치하는데 그 이유는 이 구개열보다 내측(medial)의 부위는 두꺼운 구개성 점막으로 덮여 있어 치아가 자랄 수 없기 때문이다. 이는 이 구개열보다 내측(medial)부분이 상악골과 구개골의 수평돌기에 해당됨을 보여주는 것이다(그림 6-3A).

상악의 구개 돌기의 크기와 모양을 보면 이따금 태내에서 혀에 의해 모양이 변했음을 알 수 있다. 그림 6-3A의 구개골 레벨에서의 횡단면 소견이 그림 6-3B이다. 구개골의 수평 돌기가 위쪽으로 젖혀져 있는데, 이는 배아기 때에는 구개 돌기들이 실제로는 수평적 위치로 닿아있었다가 이후 혀가 아래쪽에서 압력을 주어 위쪽으로 젖혀졌음을 암시한다. 비록 구개열이 존재하여 비중격과 서골이 서로 갈라져 있기는 하지만, 구개골의 성장 양식은 이에 영향 받지 않고 정상적으로 이루어 진다. 즉 비측면(nasal aspect)에서 뼈 흡수(bone resorption)가 일어나고, 구강면(oral aspect)에서 뼈 형성

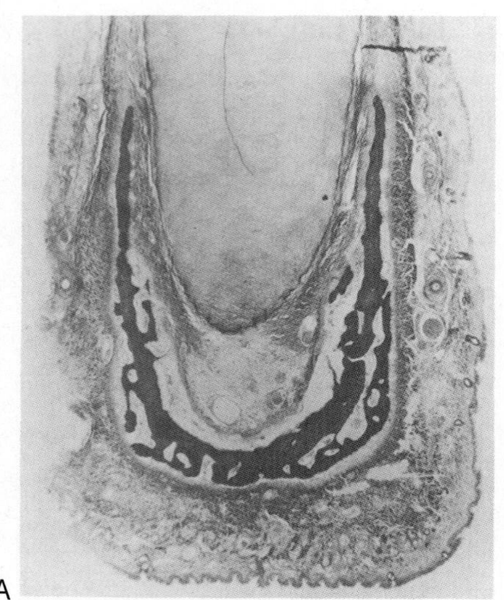

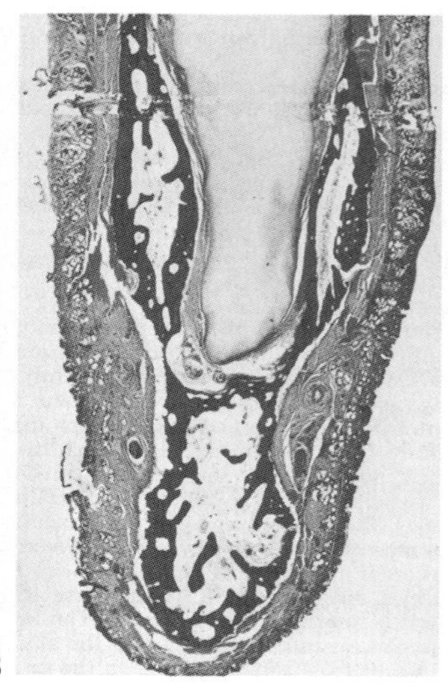

그림 6-2. (A) 양측 완전구순구개열의 태생 20주 시기의 서골 단면도. 둥근 U 자 모양의 서골. (B) 양측 완전구순구개열의 생후 6개월 시기의 서골 단면도. 출생 이후 서골 양쪽 외측에서 골흡수가 시작되어 서골의 넓이가 좁아지면서 아래에 뾰족한 각을 형성하여 V자 모양이 된다.

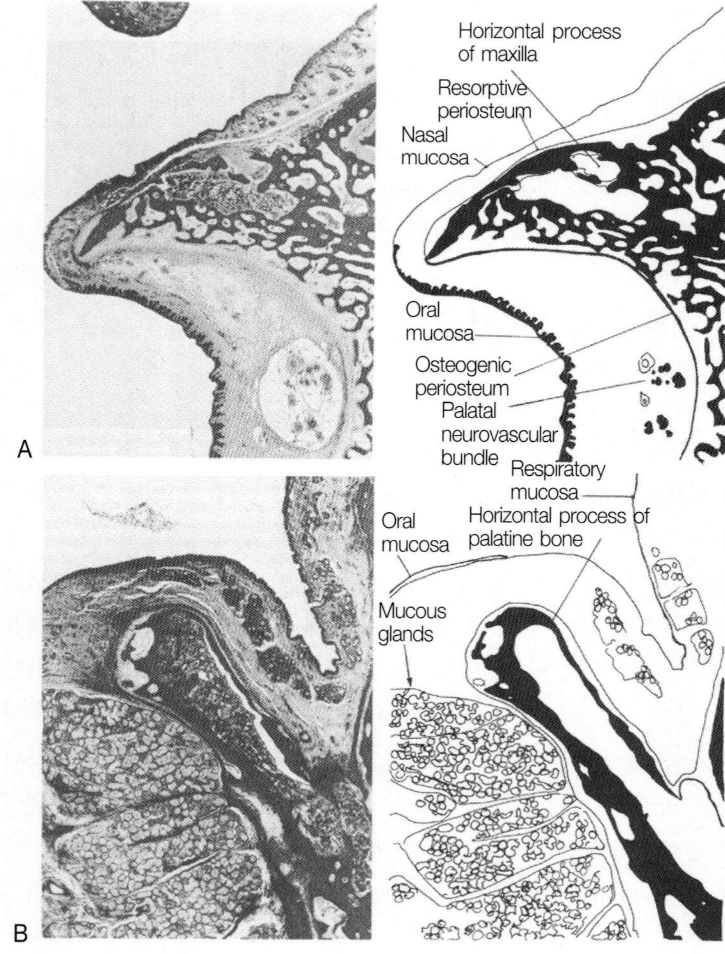

그림 6-3. (A) 양측 구순구개열의 생후 6주 시기의 상악 수평 돌기의 단면. (B) 같은 환아에서 구개골의 관상(coronal)단면으로서 혀의 미는 힘에 의해 구개 돌기가 위로 들린 것을 볼 수 있다.

(bone formaion)이 일어난다. 구개 점막의 모양이 변형되어 있거나 위쪽으로 젖혀져 있는 경우, 그리고 상악골 수평돌기(구개골)의 높이가 비중격 하연보다 위쪽에 위치하는 것 등도 흔히 나타난다.

상악 분절의 궁형(arch form) 형태 자체는 출생 직후에는 정상적이다. 하지만 상악 분절의 위치는 출생시에도 이미 비대칭적일 수 있다. 주로 혀 등에 의한 태내에서의 변형 때문이다. 혀가 한쪽 비강에 박혀 있을 수 있으며 따라서 비중격을 약간 휘게 할 수도 있고 한쪽 상악 분절을 상당히 외측으로 전위시켜 그 쪽 비강을 넓어지게 하기도 한다(그림 6-4). 출생 후 양측 상악 분절들은 내측으로 꺼지게 된다(medial collapse).

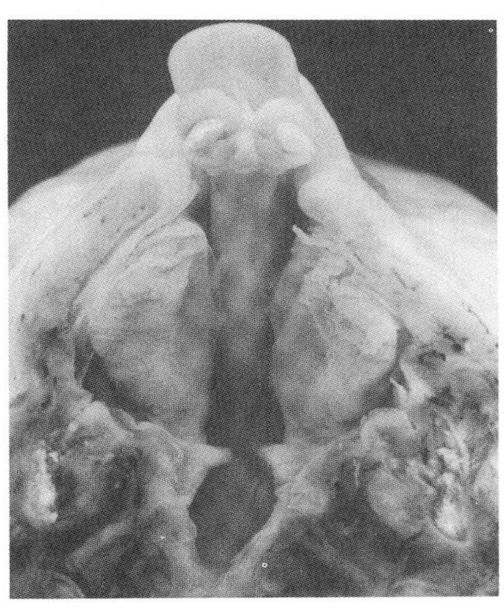

그림 6-5. 양측 구순구개열의 태생 13주 시기의 구개 모습. 이미 전상악 분절이 상대적으로 매우 심하게 돌출되어 있다.

5. 변형의 진행

양측 구순열을 가진 배아가 크라우스 등에 의해 연구되었다(1966). 각각 41일, 43일 된 배아에서는 전상악 돌출의 증거는 볼 수 없었다. 그러나 47일 된 배아에서 전상악의 돌출이 나타나기 시작했고, 9주된 배아에서 뚜렷해졌다. 수정 후 8.5주된 배아에서 진행된 골성 변형을 동반한 양측 구개열도 보고된 바 있다. 13주된 배아는 전상악과 상악의 심한 상호위치 이상을 보여준다(그림 6-5).

이러한 관찰들로부터 배아기에 양측 구개열이 생기고 난 이후에야 전상악의 돌출이 나타나는 것으로 여겨진다. 일차 구개는 정상적으로 35일 경까지 형성되고 구개열도 이 무렵 생긴다. 이후 구개의 상호 위치 이상이 빠르게 진행되기 시작하여 10주 경에 이르면 출생 후 나타나는 변형 비율과 비슷한 정도의 변형이 이루어진다.

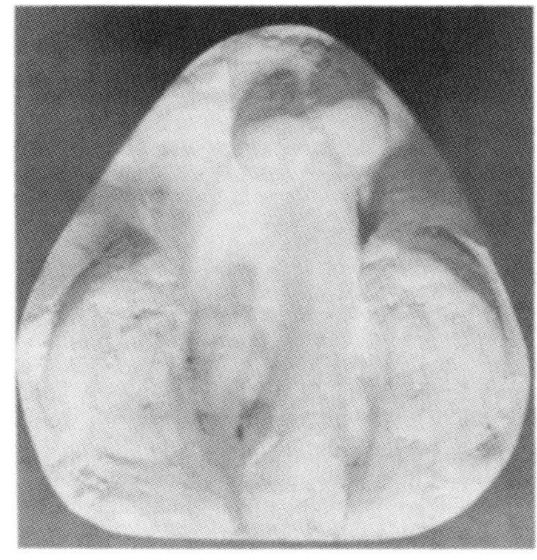

그림 6-4. 양측 구순구개열 신생아에서 상악 모델. 태내에서 이루어진 혀에 의한 molding으로 인해 양 상악 분절이 비대칭적으로 전위된 것을 볼 수 있다.

13주 된 태아의 변형을 통해, 비정상적인 배아기 성장 기전을 알 수 있다(그림 6-5). 상악 분절은 비중격에서 유리되면서 정상적인 전방 이동을 할 수 없게 된다. 전상악골은 앞쪽으로 중격 전상악 인대(septopremaxillary ligament)에 의해 비중격 전하방 꼭지점에 연결되어 당겨지게 되고(Latham, 1971,1973), 이 때문에 전상악 기저골(basal premaxillary bone)의 돌출은 13주 경 태아에서 완전히 확립된다. 시간이 지날수록 치아의 발달과 함께 구순 잇몸 돌기(labial alveolar process)의 점진적 전방 이동이 진행된다. 17주 태아의 시상단면 사진에서(그림 6-6) 구순 잇몸 돌기가 약간 앞쪽으로 볼록하게 나온 것을 볼 수 있는데 이는 전방으로의 성장이 조기에 나타남을 보여준다. 연골성 비중격의 전하방 꼭지점에 전상악 분절이 위치하는 것도 뚜렷이 볼 수 있다. 중격 전상악 인대(septopremaxillary ligament)는 중격의 앞쪽 모서리에서 나와 전비극(anterior nasal spine)과 전상악 봉합선에 부착한다. 이 영향으로 전비극은 위쪽으로 성장하게 된다. 입술이 외번된 것(eversion)도 볼 수 있는데 이는 입술의 점막 부분이, 돌출된 구순 잇몸 뼈(labial alveolar bone)에 부착되어 있기 때문인 이유도 있다. 또한 이 그림에서 입술에 근육이 없음을 볼 수 있다(그림 6-6).

전상악 기저골의 돌출은 약 10주경에 뚜렷해진다. 치아 잇몸 돌출(dentoalveolar protrusion)은 태내에서 7개월에 걸쳐 천천히 진행되며 출생 후에도 수 달간 계속되어 첫째 분절치의 치아 성장이 완료될 때 끝난다.

6. 전상악 돌출(premaxillary protrusion)의 원인

Veau(1934)는 전상악골 줄기(stem)의 과도한 성장에 의해 전상악 분절이 앞쪽으로 당겨진다고 주장했다. 하지만 서골 전상악 줄기 자체의 성장에 의한 전상악골의 전방 성장이라는 그의 생각은 더 이상 현재 이론들과 맞지 않는다(제4장 참조). 뼈는 간질로(interstitially) 자랄 수 없으므로 새로운 어떤 힘이 전상악서골 봉합의 성장의 원인으로 여겨진다. 전상악서골 봉합선은 태생 10주까지 형성이 안 되는데도 이때 이미 전상악 기저골의 돌출은 완성되어 있으므로 이에 대한 다른 설명이 필요한 것이다.

이에 중격전상악 인대(septopremaxillary ligament)가 중요한 역할로 떠오르게 되었다. 정상에서는 전상악골은 상악골과 유합되어 한 뼈가 됨으로써 연속적 연결이 되고 따라서 점막잇몸궁(mucogingival arch)도 연속성을 띠며, 성장하는 치조궁 또한 연속성을 갖게 된다. 또한 정상에서는, 치조 돌기는 치아의 성장과 더불어 기저골로부터 아래 방향으로 성장한다. 입술 역시 치아 잇몸 형성에 영향을 준다.

완전구개열에서는 이와는 정반대 이다. 즉, 전상악골과 상악골, 잇몸 또는 입술의 연속성이 구개열 부위에서 다 끊기게 되어 연속성을 나타내지 않으며 따라서 성장하는 전상악 분절은 주변 부분들로부터 전혀 구속을 받지 않는다. 결국, 중격전상악 인대를 통한 비중격만이 전상악과 연결이 유지되어 주요한 구속 요인이 된다. 배아기 6주 경부터 인대는 짧아지기 시작하면서 전상악 분절이 비중격보다 앞으로 돌출된다.

정상인의 경우에는, 비중격과 상악의 성장이 서로 다르다. 즉 연골성 중격은 상악골보다 전방으로 자라게 되고 그 위치 차이가 생기는 것을 그림 6-1A, B에서 확인할 수 있다. 반면에 양측 구개열에서는 전상악은 인대 때문에 뒤쪽으로 이동할 수 없으므로 비중격이 성장함에 따라 같은 정도로 앞으로만 당겨진다. 중격의 성장은 전상악 서골 봉합선을 자극하여 전상악 분절을 더욱 길어지게 한다. 게다가 잇몸 돌기의 전방 성장은 변형을 더욱 증가시킨다.

구개열로 인한 분리가 생겨, 주변 조직과 정상적인 연결이 없으므로, 변형에 대한 원인들은 다음과 같이 요약될 수 있다. 1) 전상악 기저골의 돌출은 중격전상악 인대에 의해 결정된다. 2) 전상악 서골 줄기의 신장 또는 과도한 성장은 비중격 때문이다. 3) 잇몸 돌기는 저항이 최소인 방향으로 성장, 돌출된다.

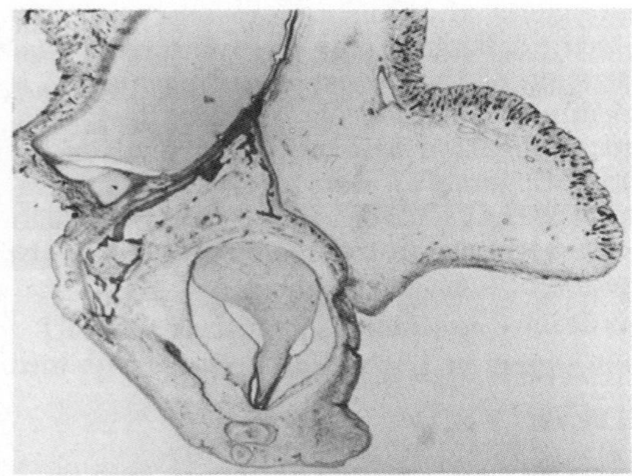

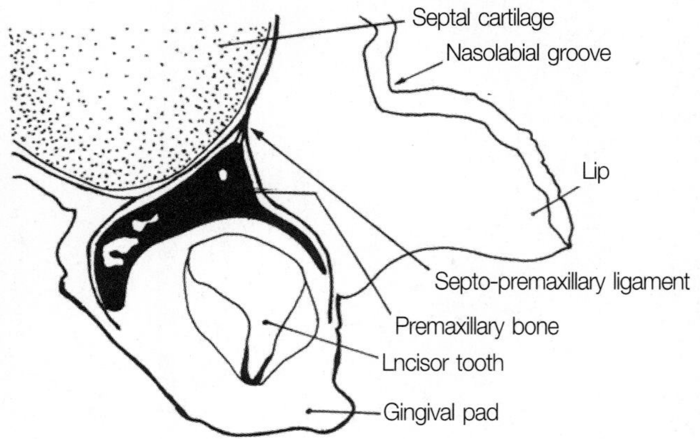

그림 6-6. 양측 구순구개열의 태생 17주 시기의 전상악의 시상(sagittal)단면. 전상악 기저골(basal bone)이 비중격 연골의 전방 하연 모서리에 닿아 있으며 비중격전상악인대(septopremaxillary ligament)에 의해 지지된다. 치아와 치조골은 전방으로 자라나기 시작하며 이로 인해 추후 입술의 외번이 초래될 것이다.

II. 일측 구순구개열

일측 구순구개열에서 나타나는 공통적 골성 변형은, '비개열측(non-cleft side, 건측) 상악전상악 분절의 외측 전위, 코의 변형, 비중격의 외측 만곡' 으로 나타난다(그림 6-7).

1. 전상악 분절과 비중격 (premaxillary segment and nasal septum)

정면에서 보아 전상악 분절은 위쪽으로 기울어져 있으며 환측(cleft side)으로 향해 있다. 전상악간 봉합도 그림 50-8의 관상 단면에서 보이듯이 뚜렷하게 돌아가 있는데, 이로 보아 전상악 분절이 위쪽으로 돌아가 있는 이유는 단지 개열부 잇몸 결손 때문이 아니라 전상악 전체가 돌아가 있기 때문임을 알 수 있다. 연골성 비중격 또한 건측(non-cleft side)을 향해 심하게 외측 전위, 상방 전위되어 있다. 연골성 비중격은 전비극(anterior nasal spine)부위를 통해 건측 분절과 연결되어 있다. 위쪽으로 비뚤어진 전상악 분절 속에 포함된 절치는 나중에 치관(crown)이 기울어지고 교합면이 환측으로 기울어 진채 생치한다. 나이 든 환자에서도 이런 부정교합이 나타나는 것으로 보아 태어날 때부터 있었던 골성 변형은 지속적인 것임을 알 수 있다.

비중격이 휜것과 전상악 분절이 비정상적으로 돌아간 것은 중안면 1/3 부위의 길이와 밀접한 관련이 있다. 정상적으로 전체적인 위쪽 얼굴의 길이라 함은 비중격이 곧고 가운데 면에 위치했을 때 판단하는 것이다. 그러므로 일측 구개열 환아의 비중격 자체는 정상적인 길이라 하더라도 한쪽으로 휘어 있기 때문에 얼굴에서 차지하는 수직 길이는 짧은 것이 된다(그림 6-9). 그래서 연골성 비중격이 휘어져 있는 한 그것이 연결되어 있는 전상악 분절도 짧아진 수직 길이의 영향을 받게 된다. 비중격 만곡이 심한 경우 이와 같은 현상을 전후축상으로도 관찰할 수 있다(그림 6-7B). 만약 비중격이 곧았다

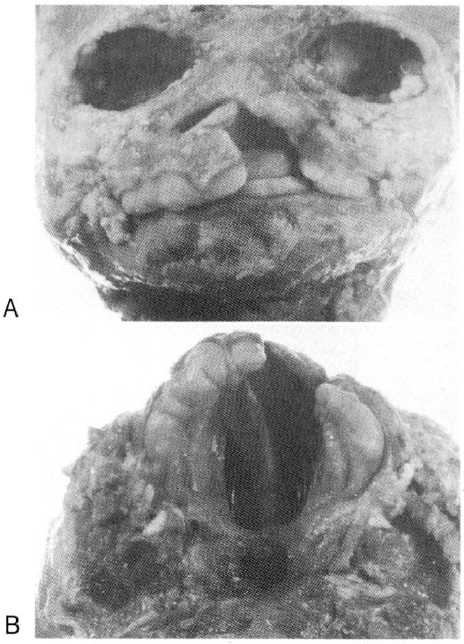

그림 6-7. (A) 일측 구순구개열의 신생아. 연부조직은 제거된 상태. (B) 같은 환아의 구개측 모습. 건측(비개열측) 상악전상악 분절이 외측 전위되어 있고, 비중격도 외측으로 휘어 있다.

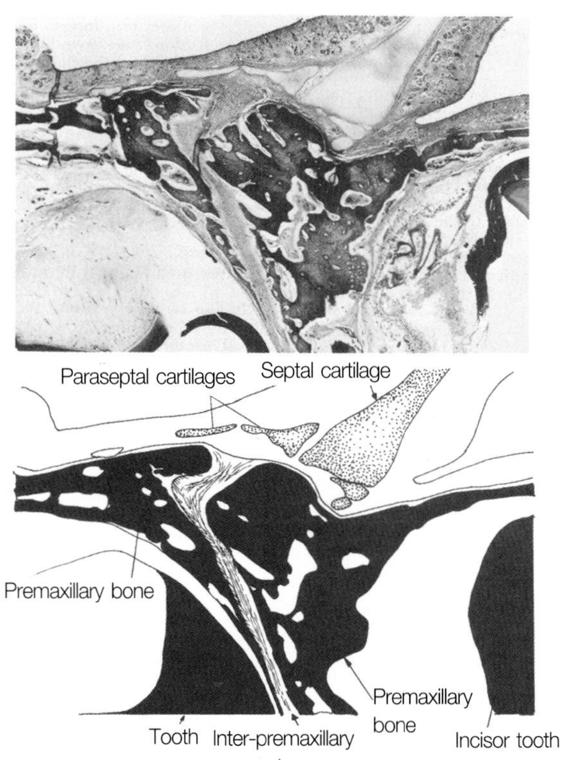

그림 6-8. 그림 6-7에서 보인 환아의 전상악분절의 관상 단면도. 전상악간 봉합선이 비뚤어져 있고, 더불어 전상악분절 전체가 개열을 향해 위로 돌아간 모습을 보인다.

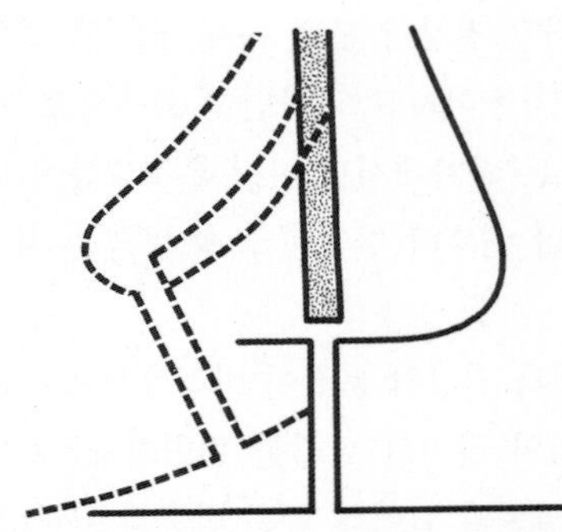

그림 6-9. 비중격 자체의 길이는 정상이더라도 이것이 한쪽으로 휘게 되면 수직 길이는 단축되는 결과를 낳는다.

면 더 앞쪽까지 비중격이 뻗어나갔을 것이고 이 비중격과 인대로 연결된 전상악 분절 또한 좀더 돌출이 가능했을 것이다. 그러므로 10 내지 12세 경의 환아에서 보이는 중안면부 후퇴 현상은 원래 있던 골성 변형 때문일 것이다.

건측 콧구멍은 좁아져 있고 기능적으로는 막혀 있을 수 있다. 이것은 연골성 비중격이 바닥쪽으로 휘어 있고 콧구멍 피부를 들어올리는 효과를 내기 때문이며, 또한 콧구멍 바닥과 비주가 밀착해 있기 때문에 나타난다. 환측 콧망울은 대개 당겨진 것처럼 편평하다.

2. 입술과 비주(lip and columella)

만약 건측 구순근들이 정상이라고 가정한다면 그 부위의 큐피드 활과 인중 능선(philtral ridge)도 확인이 가능할 것이다. 그러나 전상악 분절부위에 해당하는 입술의 근육들은 한쪽(건측)에서만 당겨지고 있기 때문에 환측 잇몸 점막에서 멀어지게 되고 구순의 모양도 뒤틀리게 된다. 즉 구륜근이 홍순연(vermilion border)의 갈라진 변연을 따라 부착하므로 구순열부에서는 구륜근의 부착 형태가 위로 올라가는 셈이 되는 것이다(제8장 참조).

건측 비공에서 보면 비주가 확인 가능하나 환측에서는 비주가 늘어난 콧망울과 융합되어 있어 잘 확인할 수 없다. 비주의 피부는 양측 구개열 환아에서보다 더 발달되어 있지만 휘어진 비중격과 비대칭적인 비익 연골 때문에 비주가 대칭적으로 성장할 수는 없고 정상적 코 지지 기능도 하기 어렵다.

일측 구순구개열 환아는 비저(nasal base)의 비대칭이 특징적으로 나타나는데, 이에 작용하는 변형을 분석해 보면, 1)비주저(columellar base)가 건측으로 휘어 있고, 2)환측 비익저(alar base)가 건측 비익저보다 후방에 놓여 있으며, 3)건측 비익저가 환측 비익저보다 중앙선에서 멀리 떨어져 있고, 4)환측의 이상구 연(pyriform margin)이 건측 이상구 연보다 훨씬 후방에 위치한다는 것이다(Fisher, 1999).

3. 서골과 구개 돌기(vomer and palatal process)

이차 구개에서 구개열(cleft)은 비중격에 관해서는 일측성일 수도 있고 양측성일 수도 있다. 양측성일 때는 서골은 완전양측 구순구개열에서와 같은 구조이다. 즉 서골은 비중격연골의 하연에 대칭적으로 부착되어있고, 자라면서 바깥쪽에서부터 얇아져서 뾰족한 아래 꼭지점을 갖는 V 모양이 된다. 이차 구개열이 일측성인 경우 일차 구개의 변형과 유사하기 때문에, 비중격의 중앙부위 1/3은 구개열측 비강내로 넓어져 늘어지게 된다.

비중격과 이차 구개 돌기의 유합이 한쪽에서만 일어나게 되면서 비저(nasal floor)가 형성되므로, 이 비저는 바깥쪽으로 뻗어나며 두가지 요소에 의해 비강을 확장시킨다. 건측 상악은 구개열로부터 멀어지게 되며, 연골성 비중격은 환측의 비강내로 늘어지게 된다. 수평 구개 돌기는 뻗어나가서 서골이 비저 내로 끌어당겨지게 한다(그림 6-10). 이렇게 해서 서골과 상악의 구개 돌기사이의 봉합선은 비강저 중앙에 위치하게 된다. 서골의 구강면을 덮고 있는 점막은 섬모 원주 상피로 이루어진다. 서골은 수직으로 서있는 연골성 비중격과 뚜렷한 직각을 이루게 된다.

서골이 구개 돌기와 결합되는 곳인 이차 구개의 정상측은 항상 일차 구개의 정상측에 해당한다. 구개 형성이 이루어지는 6~7주의 배아에서, 일차 구개의 일측 구개열은 건측 이차 구개의 유합을 촉진하는데, 이는 비중격이 건측으로 구부러지며 전위되어 있기 때문이다. 반대로 비중격과 환측 구개 돌기와의 거리는 멀어지기 때문에, 환측에서의 유합은 더욱 저해된다. 출생시 양측의 비강은 기능적으로 막혀있다. 건측은 앞쪽에서(콧구멍), 환측은 뒤쪽(이각, concha)에서 막혀있다(그림 6-11C).

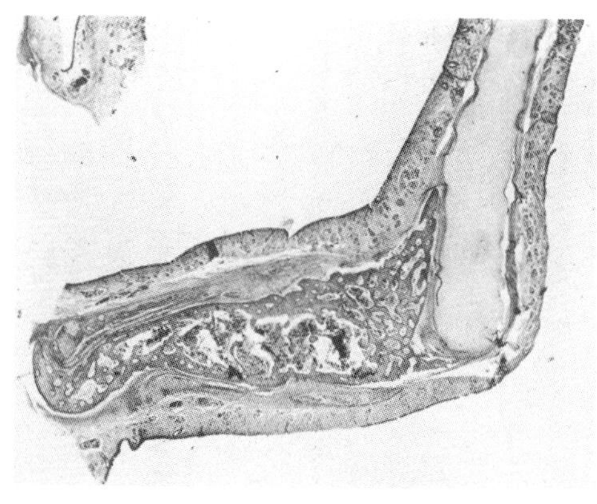
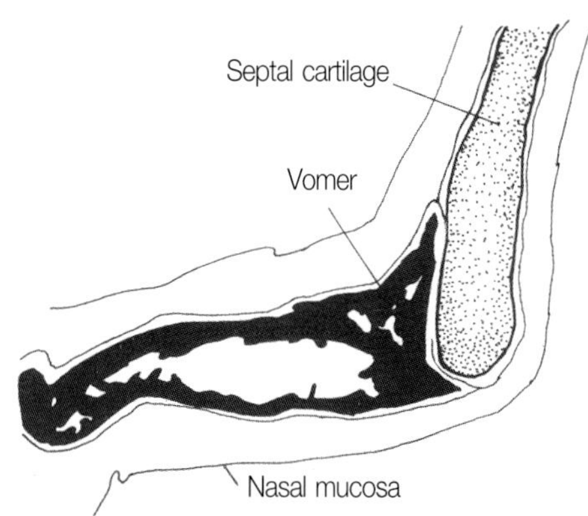

그림 6-10. 그림 6-7에서 보인 환아의 비중격과 서골의 조직 단면도. 서골은 수평면으로도 변형되어 있다.

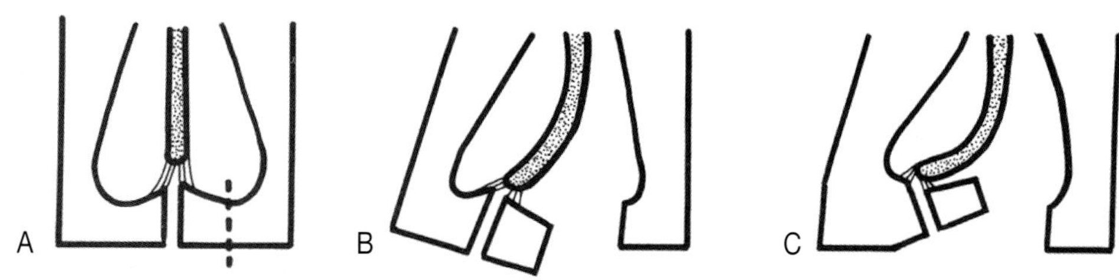

그림 6-11. 일측 구순구개열에서 변형이 진행되는 과정. (A) 태생 37-39일 사이의 비중격과 골격의 모습. 첫 분화된 시기이며 아직 변형은 없다. (B) 태생 41일째(약6주) 배아의 비중격 관상단면도. 전상악 분절은 하방 전위되어 있고, 전상악간 봉합선은 환측으로 기울어져 있으며 비중격은 건측으로 구부러져 있다. (C) 출생시의 모습. 전상악 분절은 이제 환측을 향한 상방으로 돌아가 있고, 전상악간 봉합선은 건측으로 기울어져 있다. 건측 비공은 nostril level에서 기능적으로 막혀있고 환측 비공은 concha level에서 기능적으로 막혀있다. 이는 비중격이 그 끝은 건측으로 돌아가 있고, 중앙부는 확장되어 환측으로 늘어져 있기 때문이다.

4. 변형의 진행

일측 구순구개열 태아 표본연구에 기초한 내용에서 전상악부의 관상면(coronal section)에서 보이듯이, 변형의 과정을 두단계로 나누어 볼 수 있다. 6주 된 인간 배아의 일측 완전구개열에서(Veau, Politzer, 1936), 출생시 보이는 것과는 다른 몇몇 중요한 변형을 보인다. 건측으로의 비중격 만곡은 경한 정도이며 이후에 관찰되는 것과 유사한 정도로 보인다. 그러나 전상악간 봉합선은 환측으로 기울어져 있어, 환측 전상악은 하방 전위되어 있다(그림 6-11A,B). 12주된 태아에서는, 전상악부의 회전 방향은 반대가 된다. 즉 전상악간 봉합선은 건측으로 기울어지며, 환측 전상악부는 구개열을 향해 상방으로 전위된다(그림 6-11C). 건측으로 전상악이 전위되는 현상은 81/2주 시기인 것으로 확립되어 있다(Atherton, 1967). 이와 더불어 비중격의 앞쪽이 건측으로 구부러 진다. 일단 비중격 앞쪽이 구부러지면 중격의 중간1/3 부위는 환측 비강내로 확장되어 진다. 이것은 12주된 표본에서도 관찰되며 이보다 더 일찍 발생할 것이다. 이런 식으로 비중격 만곡때문에 환측에서는 비강이 좁아지고 건측에서는 비강이 넓어지게 된다. 비중격의 확장으로 인해 비중격과 서골의 접합부, 비중격과 전상악간 봉합선의 접합부도 변형된다(그림 11-8). 정상적으로 비중격은 중앙구개 봉합선의 직상부에 위치한다. 그러나 봉합선이 건측으로 전위되고, 비중격은 반대 방향으로 확장되기 때문에, 중격과 골이 단단히 유합되어 있는 전비극(anterior nasal spine)의 근처를 제외하고 중격과 전상악간 봉합선간의 탈구가 일어나게 된다.

5. 발달의 시기와 속도

가장 어린 인간배아로부터 얻어진 결과를 보면, 원시 안면(primordial face)시기까지는 대칭적(33~35일)이나, 이후 안면 골격이 발생하는 시기부터 구순구개열등의 변형이 발생한다는 것을 알 수 있다. 애초에 변형이 구개열의 형태로 작게 있어 안보이다가 발생한 후 점차로 크기가 증가하는 것일 수도 있고, 초기에는 정상이나 이후 발달함이 따라 추가적으로 변형이 생기는 것일 수도 있다. 41일의 배아에서도 경한 정도의 변형이 발견되는데, 이것은 안면골격의 변형이 형성 초기에 이루어진다는 것을 나타낸다. 그러므로 변형은 구개열이 생긴 직후인 6주 후반에 나타나는 것으로 생각된다.

12주된 태아에서 뚜렷한 골격의 변형을 보이나 전상악 분절의 상방 전위는 아직 보이지 않고 12주 이후가 되어야 나타난다. 골격의 변형은 배아기와 초기 태아기에 급속히 발달하며 이후에 태아가 성장하면서 서서히 정도가 심해진다.

6. 시모나 띠(Simonart's band)

일차 구개열에서 구순열을 가로 질러 양쪽 입술을 연결하는 띠 같은 연부 조직이 나타나는 경우가 있는데 이를 시모나의 바(bar) 혹은 띠(band)라고 한다(그림 6-12). 구순열을 가로지르는 이런 연부조직의 연결은 그 크기에 따라, 완전구순구개열에서 나타날 수 있는 골격의 변형을 많이 예방할 수 있다.

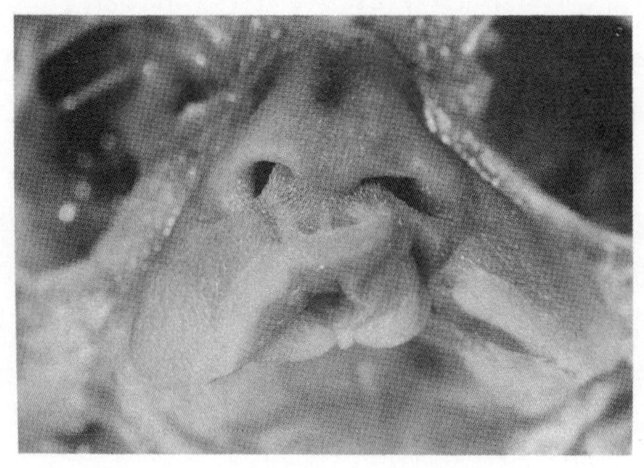

그림 6-12. 18주된 일측 불완전구순열 태아. 구순열은 연부 조직의 다리인 시모나 띠로 연결되어 있고 이 안에는 소동맥, 신경, 근육 섬유가 포함되어 있다.

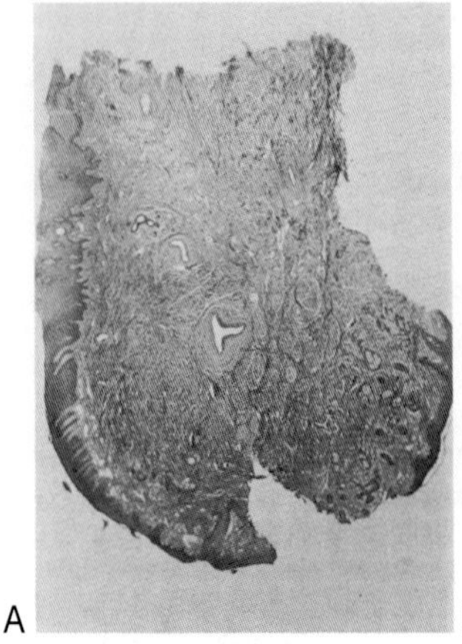

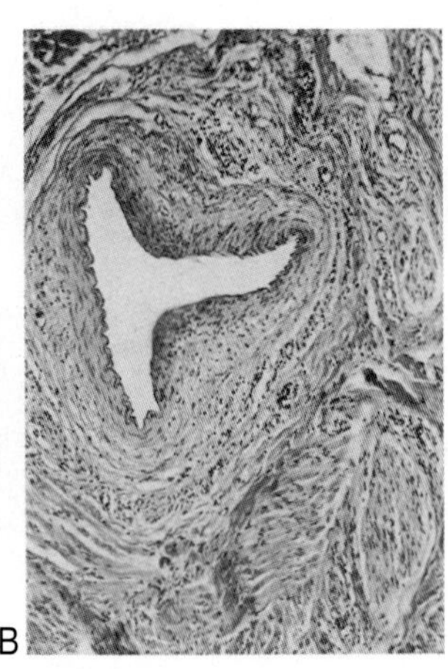

그림 6-13. (A) 생후 2개월된 환아에서 시모나 띠의 조직학도. (B) 고배율 모습으로서 동맥, 신경, 근육 섬유들이 보인다. 이들은 다양한 크기를 갖으며, 시모나 띠의 크기에 따라 다양한 조성을 나타낸다.

대개는 이 띠는 입술에서 입술로 건너간다. 가끔은 좁은 띠의 형태로 외측 분절의 입술에서 내측 분절의 치주점막까지 건너가기도 한다.

시모나 띠의 조직학적 구성은 근육 섬유와 많은 양의 소동맥 및 신경으로 이루어져 있다(제8장 참조). 이 혈관들 중 일부는 수술시 보존을 해 줄 가치가 있을 만큼 큰 굵기를 가진 것도 있다(그림 6-13).

일차 구개열에 있어서 시모나 띠의 병태생리에 대해 많은 논의가 있어 왔다. Maurer(1936)는 이 띠를 조직 붕괴 후의 치유과정의 산물이라고 설명했다. Veau와 Politzer(1936)는 이 띠가 상피세포 벽 혹은 코 지느러미(fin)가 일부만 침투한 결과라고 설명했다. 즉 먼저 상악돌기와 전두비돌기를 분리하고 그 다음엔 정상적으로는 중배엽이 침투하여 일차구개를 형성한다 하였다. Tondury(1961)는 시모나 띠는 상피세포벽의 부분적인 형성에 의한 결과라고 하였다.

III. 구개열

구개열의 범위는 뒤로 목젖돌기부터 앞으로는 일차구개와의 경계지점까지이며 이는 경구개와 연구개를 모두 포함하는 것이다. 일차 구개와 이차 구개의 경계점이라 함은 정상 두개골에서 절치공(incisive foramen)의 위치를 말한다. 구개돌기의 융합은 정상적으로 대략 47일 때 전방 1/3에서 시작하여 후방으로 진행, 54일경 맨 후방의 목젖융합이 완결된다. 따라서 구개열의 경중도는 전후방으로의 발달진행 정도에 의해 결정되며, 맨 뒷부위는 맨 마지막에 융합하므로 목젖의 개열(cleft)은 불가피하게 모든 구개열에서 나타나게 된다. 경구개의 결손은 경한 경우에는 후비극(posterior nasal spine)에 해당하는 부위인 경구개 후방연 중앙부의 홈(notch)으로 나타나는 것에서부터, 경구개 전반에 걸친 v자형 결손의 형태로 이차구개의 전방 한계점까지 확장된 구개열로 나타나기도 한다. 출생하면서 목젖돌기는 짧아지고 비뚤어지게 되는데, 이는 구개골의 수평돌기의 후방연에서 일부 기시하는 목젖 근육의 수축의 결과로 추정된다.

혀의 움직임은 구개열의 크기와 모양에 큰 영향을 끼치는데, 이는 Pierre Robin sequence의 환자에서 가장 명확하게 드러난다(Latham, 1966). 이 중후군은 하악골 저형성, 설하(glossoptosis)에 의한 발작적 기도폐쇄, 구개열을 보이나, 구개열이 이 증후군의 필수 진단 요소는 아니다. 때때로 이차 구개 전체의 구개열이 있는 경우에서 이 구개열을 통해 윗쪽의 비강으로 혀가 밀려 들어가 있기도 한다(그림 6-14). 이런 경우에 구개가(palatal shelve)는 아래쪽으로 경사지게 되는데, 이런 모습은 구개형성의 기전을 보여주는 것이다. 즉 양쪽 구개가는 정상적으로 수평적으로 올라가서 중앙에서 서로 융합되어야 하는데, 작은 하악 때문에 밀려 올라온 혀가 양쪽 구개가 사이에 끼어서 구개가의 상승 및 융합이 이루어지지 못한 것으로 풀이된다(Davis and Dunn, 1933). 저양수증처럼 자궁강내의 압력 이상이 있는 경우 혀와 하악 모두의 성장에 문제가 생길 수 있다(외부적 요인). 심한 하악저형성증의 경우에는 내부적 요인 즉 하악궁 연골(Merkel's cartilage)내의 이상을 갖는 경우가 많다. 하악궁 연골의 저형성의 발생학적 원인은 신경능(neural crest)의 세포 이상이 있는 경우다. 이유가 무엇이든, 발달이 미약한 하악궁 연골은 반드시 하악의 발달저하를 초래한다. 이 결과로 나타난 하악은 초기에는 작지만 하악관골구(mancidular condyle)의 성장 속도에는 문제가 없다. 관골구는 나중에 배란 12주 후쯤 발달하기 때문이다.

점막조직과 골조직의 부족은 경구개열의 주된 특징이다. 연구개에서 점막조직의 부족은 연구개 근육의 길이 단축과 비정상적인 부착 형태와 관련이 있다(Latham, Long, and Latham, 1980)(제8장 참조). 구개조직의 부족을 두가지 요소로 생각해 볼 수 있다. 첫째, 정상적 구개 형성 시기에 구개 중간엽(mesenchyme)의 량이 부족했을 것이다. 둘째, 구개돌기의 융합 실패로 결정적 부족함이 생겼을 것이다. 만약 중앙선에서 구개 조직이 연결되어 있는지의 여부가 구개의 정상 발육에 영향을 준다면, 구개열은 항상 구개돌기의 발육저하를 초래할 것이기 때문이다.

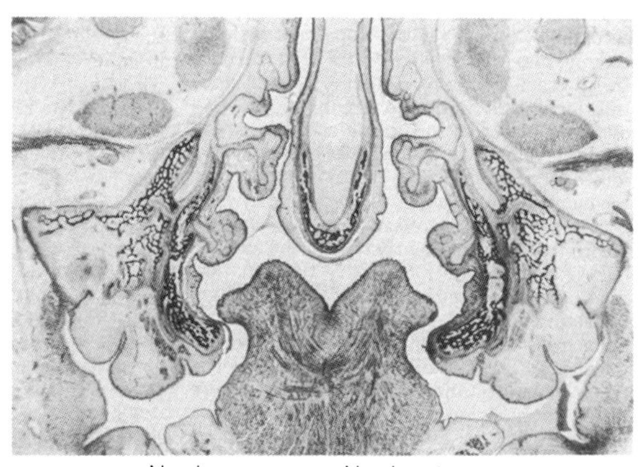

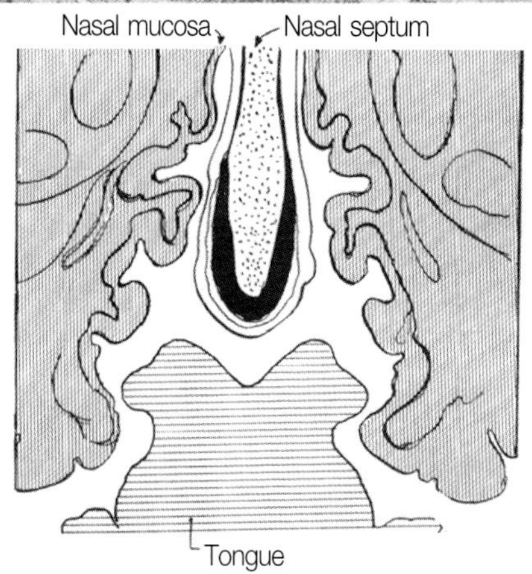

그림 6-14. 태생기 17주의 관상단면도. 소하악증과 구개열이 있어 혀가 비강내로 들어와 있는 모습이다. Pierre Robin sequence 환아로서 비강내에 차있는 혀 때문에 호흡기 폐쇄를 유발한다.

사산된 일측 구순구개열 환아를 대상으로 한 연구에 의하면(Dado, Kernahan, 1986), 상악, 상악동, 비 이상구(nasal pyramid), 안와골, 비강내 구조물 등을 포함한 구개열측(환측)의 전체 골격 구성이 비구개열측(건측)보다 19% 감소되어 있었다고 했고, 상악의 최대 전후경도 환측이 건측보다 16% 감소해 있었다고 하였다. 구개가(palatal shelf)의 넓이도 건측은 20mm, 환측은 12.5mm의 값을 나타내었으며, 이와 같은 결론들을 통해 구개열 환자는 비정상적인 기능적 기질(abnormal functional matrix)과 결손의 성향을 타고나는 것임을 증명하였다.

1. 정중 구개 봉합선(midpalatal suture)의 부재

정상적인 발달에서는 상악의 수평 돌기사이의 융합선인 정중 구개 봉합선은 배아기 12주쯤 이루어진다. 특히 정중구개 봉합선중 일차 구개의 전상악사이 부분은 약 6주반 정도에 형성된다(Latham, 1971). 이 봉합선이 상악의 넓이(구개 넓이)의 성장 원동력이라는 개념은 현재의 개념과 맞지 않는다. 정중구개 봉합선에서 골이 성장하는 이유는 그 곳 자체의 힘으로 성장하는 것이 아니라 주위 여러 다른 곳에서 기원하는 힘들에 의해서 이차적으로 양쪽 상악이 서로 벌어지려는 반응으로 생각되어야 한다. 일차 구개와 이차 구개에서 골형성 시기가 다섯주가 차이 나는데, 이는 정중구개 봉합선에서 경구개가 성장하는 것이 악골 성장에 기본적인 중요한 과정이라기보다는 이차적인 과정중의 하나로 이곳이 채워진다는 것을 의미한다.

그러므로 이차 구개의 구개열이 상악골의 기초적인 발달 과정을 망가뜨리지는 못한다. 이차 경구개의 주요한 기능 중 첫째는 저작기능과 관련하여 비강과 구강의 구획을 나누기 위한 기계적인 지지를 해주는 것이다. 두번째 기능은 내측(medial)과 외측(lateral)의 힘들에 맞서며 어금니 분절의 지주 역할을 하는 것이다. 일차구개에 구개열이 있을 때에 상악 분절이 함몰(maxillary collapse)되는 것을 보면 두 번째 기능을 이해할 수 있을 것이다. 이런 경우, 이차 구개중 구개열이 없는 부위가 상악 분절의 함몰 현상(maxillary collapse)을 보상하려 한다.

참고문헌

1. McCarthy JG: Plastic Surgery:Chapter 50 Anatomy of the Facial Skeleton in Cleft Lip and Palate. Philadelphia: W.B.Saunders, 1990
2. Fisher DM, Lo LJ, Chen YR, Noordhoff MS: Three-dimensional computed tomographic analysis of the primary nasal deformity in 3-month-old infants with complete unilateral cleft lip and palate. Plast Reconstr Surg 103:1826, 1999
3. Dado DV, Kernahan DA: Radiographic analysis of the midface of a stillborn infant with unilateral cleft lip and palate. Plast Reconstr Surg 78:238, 1986

제7장 구순구개열의 근육

Musculature of Cleft Lip and Palate

이승찬, 양정열

구순구개열 근육의 구조적인 해부학적인 차이점은 태생기에 외측에서 내측으로 자라 정중선에서 만나 서로 유합되지 못해 비전형적인 부착을 한다는 점이다. 비전형적인 근육의 부착은 근육의 기능과 성장을 불완전하게 만든다. 구순구개열의 근육조직은 이러한 비전형적인 부착과 다양한 정도의 저형성이 주요한 병리소견을 이룬다.

I. 입술의 근육

상구순에는 구륜근(orbicularis oris muscle), 구순거근(levator labii superioris muscle), 코근(nasalis muscle)의 기본적인 세가지 근육이 있다(그림 7-1). 이중에서 상구순의 중요한 기본 근육은 구륜근이다(그림 7-2). 이 구륜근의 일부가 구강입구인 입술틈새(oral fissure)를 지나가고 있고 뒤쪽의 점막과 앞쪽의 피부와 접하고 있다. 구륜근은 해부학적 또는 기능적으로 천부(superficial orbicularis oris muscle)와 심부(deep orbicularis oris muscle)로 이루어져 있다(그림 7-3). 심부는 가장자리부분(marginal part)과 변두리부분(peripheral part)으로 구성되어 있고 천부는 하부의 코입술다발(nasolabial bundle)과 상부의 코다발(nasal bundle)로 구성되어 있다(Nicolau, 1983)(그림 7-4, 5, 6).

상구순에서 구륜근의 근섬유들이 중앙선에서 교차하여 반대편 인중으로 들어간다. 구륜근은 얼굴 표정근들과 만나게 되는데 이완하거나 안정시키는 역활을 분담하게 된다. 이 들과 함께 전비극(anterior nasal spine), 비중격악간골(septal-premaxillary ligament), 비공문턱(nostril sill)에 부착해 있는 구륜근의 천부는 주위의 여러 표정근들에게 부착할 곳을 제공하여 입을 벌리는 기능(retractor)을 하며 표정짓는데 관여한다. 일측 굴대(modiolus)에서 대측 굴대까지 연결되어 있는 심부는 입의 둘레를 전체적으로 둘러싸며 입을 오므리는 기능(constrictor)을 한다. Latham과 Deaton(1976)은 인중(philtrum)과 입술(vermilion) 경계에 대한 기초적 연구결과로 상구순의 근육은 기본적으로 구륜근(orbicularis oris muscle), 상구순거근(levator labii superioris muscle), 코근(nasalis muscle)인 세 근육으로 이루어져 있음을 규명했다. 이 연구는 구륜근의 윗부분이 중앙지점에서 교차되어지고 반대편 피부로 들어가면서 인중 고랑의 가쪽까지 이어짐을 보여준다. 인중고랑에 근육이 없는 부분이 있는데 인중의 작게 패인 부분이다. 인중의 아랫 부분은 구륜근과 상구순거근으로 이루어져 있으며 윗 부분은 구륜근과 코근으로 이루어져 있다. 인중능(philtral ridge)에는 인중주 전체 길이를 수직으로 달리는 근육섬유가 없으며 인중오목부(philtral dimple)에 부착하는 근육섬유도 없다(그림 7-7).

코근은 중절치(central incisor)와 외절치(lateral incisor) 상방의 치조골(alveolar bone)로부터 기시하여 전내방으로 주행하여 구륜근의 위쪽 근섬유와 혼합되어진다. 또한 중앙선에서 일부교차하기도 하면서 비주(columella)의 피부와 비익 연골(alar cartilage)의 안쪽다리(medial crura)의 족판으로 들어간다(Zide, 1985). 약간의 근섬유들은 코의 두 안쪽다리 사이를 올라가 비첨(nasal tip)까지 연결된다(Vogot, 1983). 이 근육이 수축했을 때 코끝이 낮아지는데 이는 비익 연골의 안쪽다리 족판 뿐 만아니라 코끝까지 들어가는 근 섬유들이 더 많을 때 이 근육이 당겨지기 때문이다. 이근은 코중격내림근(depressor septi nasi muscle)과 함께 코끝을 낮추고 코길이를 길게 하면서 콧구멍을 넓게 한다.

인중주의 아래 부분은 구륜근의 교차되는 섬유뿐만 아니라 약간의 상구순거근으로도 구성되어 있다. 상구순거근은 구륜

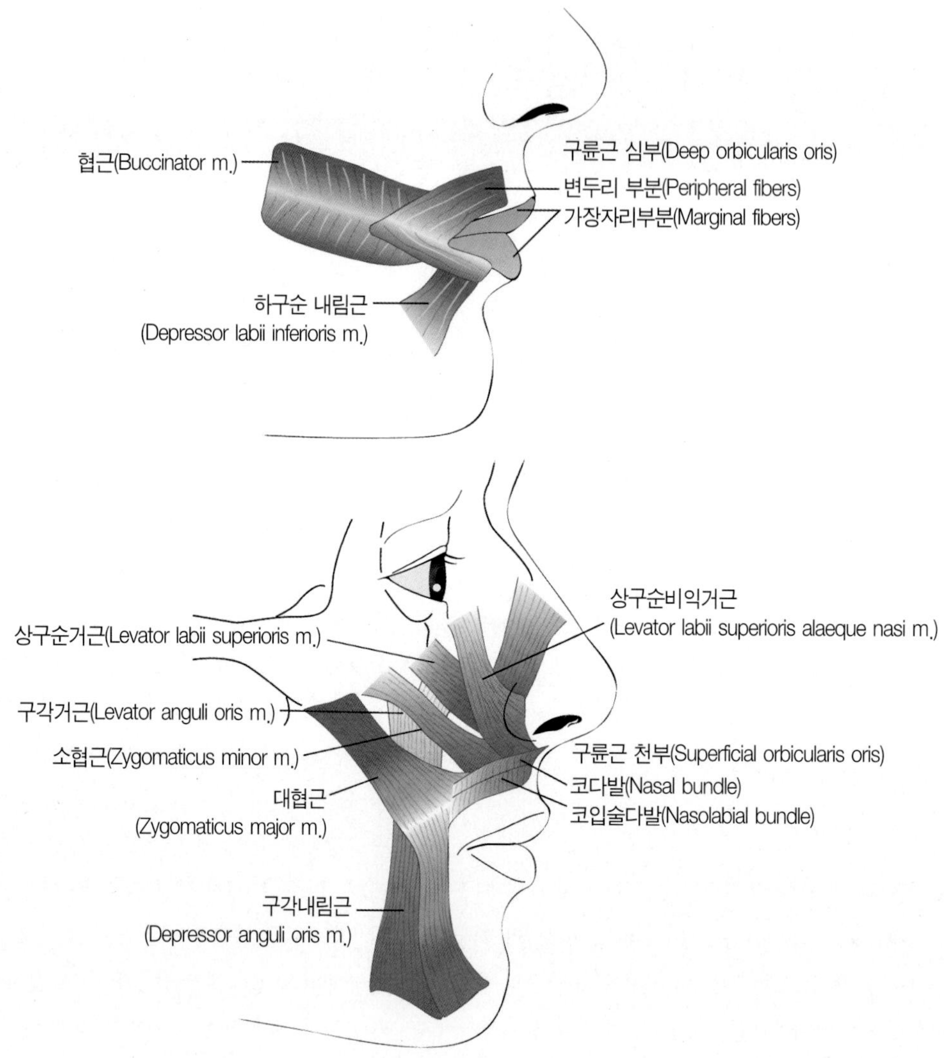

그림 7-1. 입술주변 근육들의 해부학적 구조(Nicolau PJ: The orbicularis muscle: a fuctional approach to its repair in the cleft lip, *Br J Plast Surg* 36: 141-153, Fig 8, 1983)

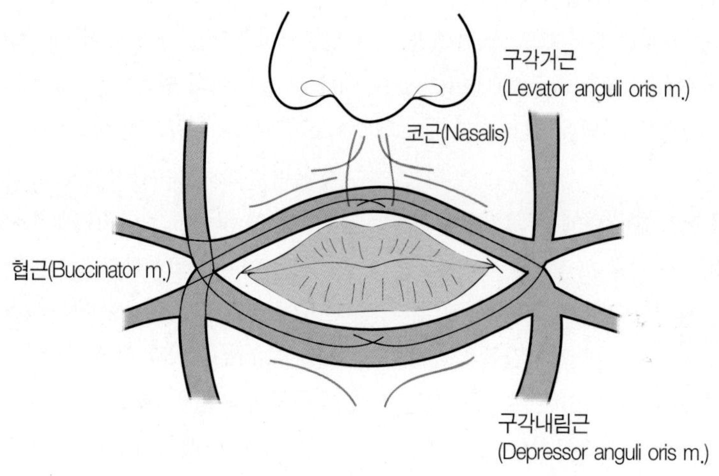

그림 7-2. 구륜근의 도식적인 표현(in Gray' s anatomy)

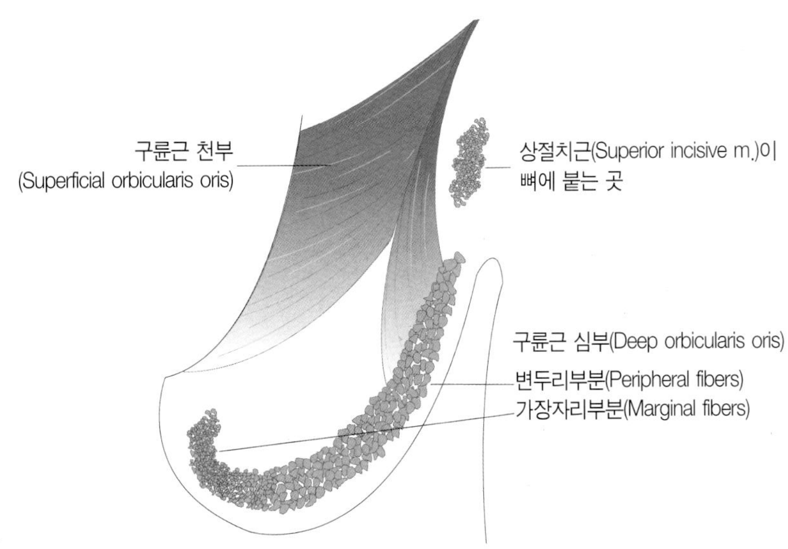

그림 7-3. 상구순 시상절단면상에서의 구륜근의 천부와 심부

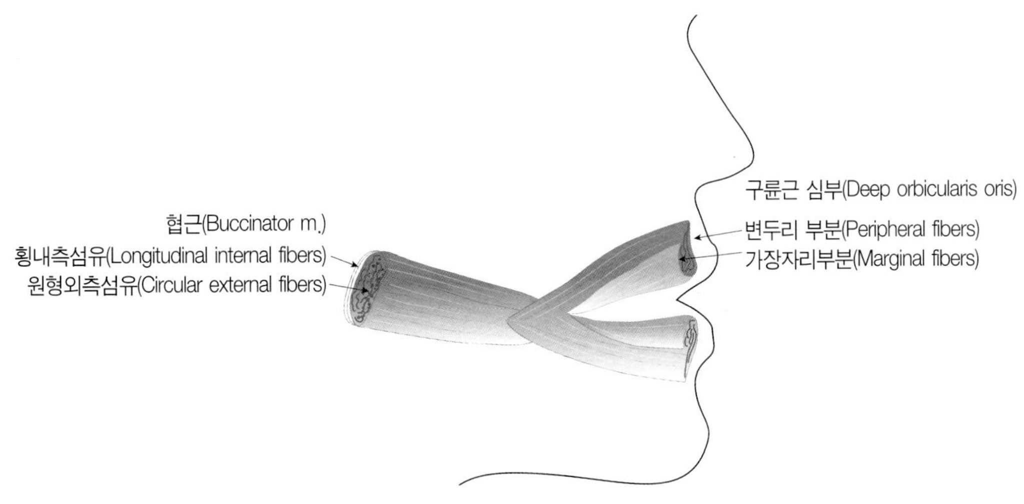

그림 7-4. 구륜근의 심부(Nicolau PJ: The orbicularis muscle: a fuctional approach to its repair in the cleft lip, *Br J Plast Surg* 36: 141-153, Fig 3, 1983)

근의 표면 위에서 상방으로 지나간다. 이 근섬유는 인중주 아래부분과 큐피드 활(Cupid' s bow)의 꼭지점의 붉은입술(vermilion) 경계까지 내측으로 들어간다. 구순 결절(tubercle)은 구륜근 가장자리부분(pars marginalis)이라고 불려지는 구륜근의 한 특정부분이 입술의 하연을 따라 외반(eversion)되어서 생기는 것이다. 가장자리부분은 홍순에 가장 가깝게 발견되는 구륜근의 한 부분에 해당된다.

인중주의 전장에 걸쳐서 수직으로 주행하는 수직근섬유는 관찰되지 않는다. 특별하게 구순거근같은 비스듬하게 주행하는 내측근섬유들이 인중능(philtral ridge)의 아래쪽 1/3로 들어가면서 인중주를 형성하는데 기여하게 된다. 앞에서 서술했듯이, 구륜근 하방의 가장자리부분은 앞으로 돌출하면서 홍순변연에 최근접하며 들어가서 인중아래의 내측 홍순결절을 외반시켜서 홍순결절을 만들게 된다. 요약하면 정상 인중능을 이루는 중요한 근육은 구륜근, 상구순거근, 코근이며 이 근섬유들이 합쳐져 인중주를 이루게 된다. 구륜근의 근섬유들은 중앙선에서 교차하여 반대편 인중주로 들어가면서 인중주를 이루는데 일조하게 된다. 아래 부분에서는 상구순거근이

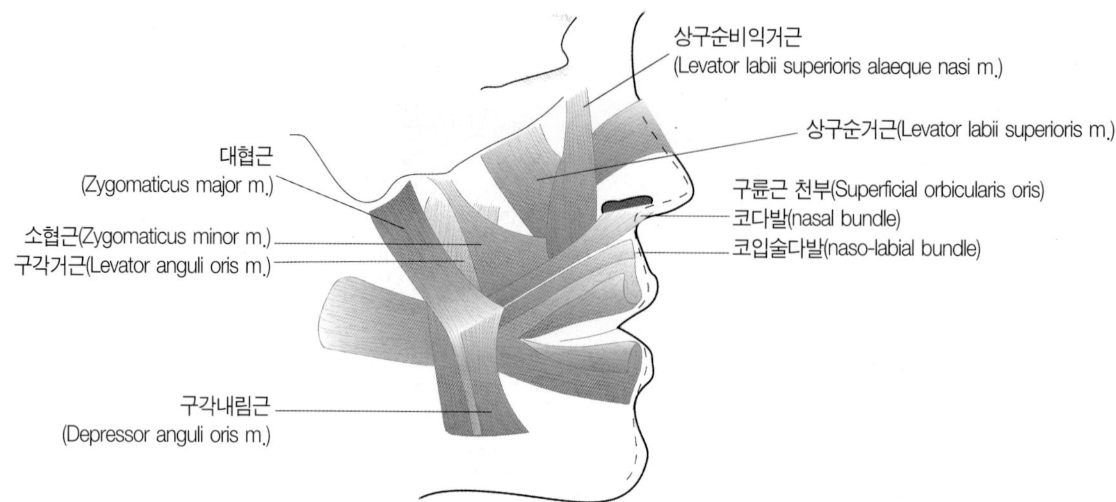

그림 7-5. 구륜근의 천부(Nicolau PJ: The orbicularis muscle: a fuctional approach to its repair in the cleft lip, *Br J Plast Surg* 36: 141-153, Fig 4, 1983, Latham RA, Deaton TG: The structural basis of the philtrum and the contour of the vermillion border: a study of the musculature of the upper lip. J Anat 121:151, 1976)

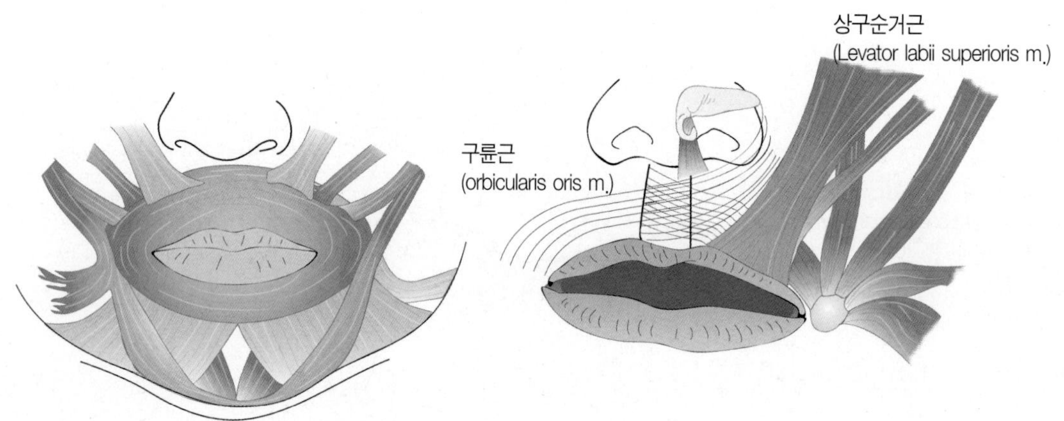

그림 7-6. 입주변의 근육들(Redrawn from Latham RA, Deaton TG: The structural basis of the philtrum and the contour of the vermillion border: a study of the musculature of the upper lip. J Anat 121:151, 1976)

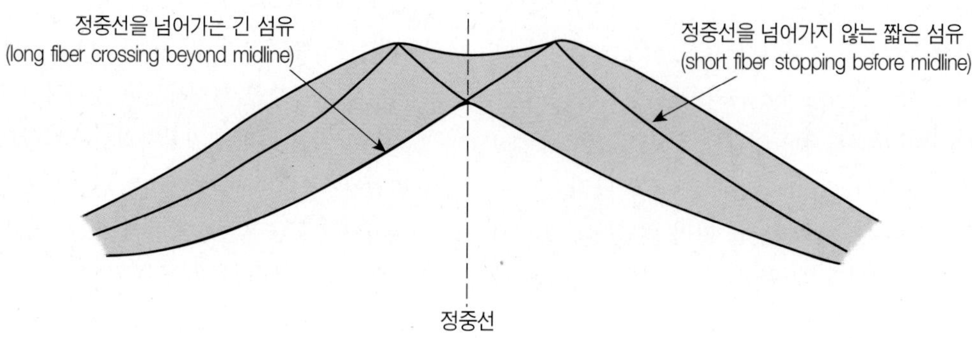

그림 7-7. 상구순 수평절단면상에서의 인중주의 형성(Nicolau PJ: The orbicularis muscle: a fuctional approach to its repair in the cleft lip, *Br J Plast Surg* 36: 141-153, Fig 5, 1983)

인중주 아래쪽의 용적(bulk)을 만드는데 일조하게 되고 일부는 큐피드 활(Cupid' s bow)안으로 들어간다. 인중주의 윗부분은 코근, 특히 비중격내림근으로 구성되어 있다. 1976년 Latham과 Deaton은 한쪽편 굴대에서 다른쪽으로 완전하게 주행하는 구륜근의 섬유다발은 관찰되지 않았지만 중앙선에서 근섬유들이 교차하고 있다고 보고하였다.

II. 구순열

1. 일측 구순열(unilateral cleft lip)

일측 완전구순열(complete unilateral cleft)에서 구륜근의 섬유는 입구석(commissure)으로부터 중앙선까지 수평으로 진행하다가 순열연을 따라 상방으로 주행한다. 그 섬유들은 외측에서는 코의 비익기저부위 아래에서 끝나게 되며 내측에서는 비주(columella)의 기저부위아래에서 끝나는데, 그 곳에서 대부분은 상악골(maxilla)의 골막에 붙고 소수는 피하에서 사라진다(그림 7-8). 더 발달된 불완전구순열에서는 단지 좁은 윗입술 교량(bridge)을 형성하며 근육은 비슷한 특징을 가지고 있다. 갈라진 틈새(cleft)가 입술 높이의 3분의 2를 넘지 않는 경한 불완전구순열에서는 근육섬유들이 틈새 끝을 넘어 외측에서 내측입술부분으로 주행한다. 그러나, 틈새내에서 근육은 콜라젠 결합조직의 섬유주(trabeculae)에 의해 산재되어 있다.

완전 및 불완전구순열에서 갈라진 틈새의 외측면에서 과도한 근육돌출이 관찰되고 촉지될 수있다. 이는 근육들의 수축과 뭉침때문에 일어나며 정상 길이로 되는것을 방해한다. 반면 내측의 근육은 발육이 저하되어있고 외측면에서와 같이 틈새연전방으로 뻗어있지 않는다. 매우 경한 한쪽입술갈림증이라도 그 부위를 덮는 피부는 털과 땀샘이 없고 잠열 일측구순열(abortive unilateral cleft lip)의 피부고랑(furrow)아래에는 조직학적으로 확진될 수 있는 입술 근육 연결의 단절이 존재한다.

2. 양측 구순열(bilateral cleft lip)

양측 완전구순열(bilateral complete cleft lip)에서 외측구순분절(lateral segment)에 있는 구륜근의 주행방향과 동맥의 주행경로는 일측 구순열때와 비슷하다. 그러나 내측구순분절(medial lip segment)격인 전순(prolabium)에는 붉은입술이 저형성 상태이고 구륜근 성분이 전혀없고 오직 콜라젠결합조직으로만 구성되어 있다.

외측구순분절과의 결합후에 전순의 변화를 보기위한 조직학적 연구에서 외측구순분절로부터 전순으로 분화된 많은 근육섬유들이 복원된 구순열의 가까운 곳에서 발견되어 졌다. 양측 구순열의 경우 양측 구순열복원술(bilateral cleft lip repair)로 외측구순분절과 전순을 봉합하고나면 외측구순분절에 있는 근육섬유가 전순으로 방사상으로 자라 들어가는데 평

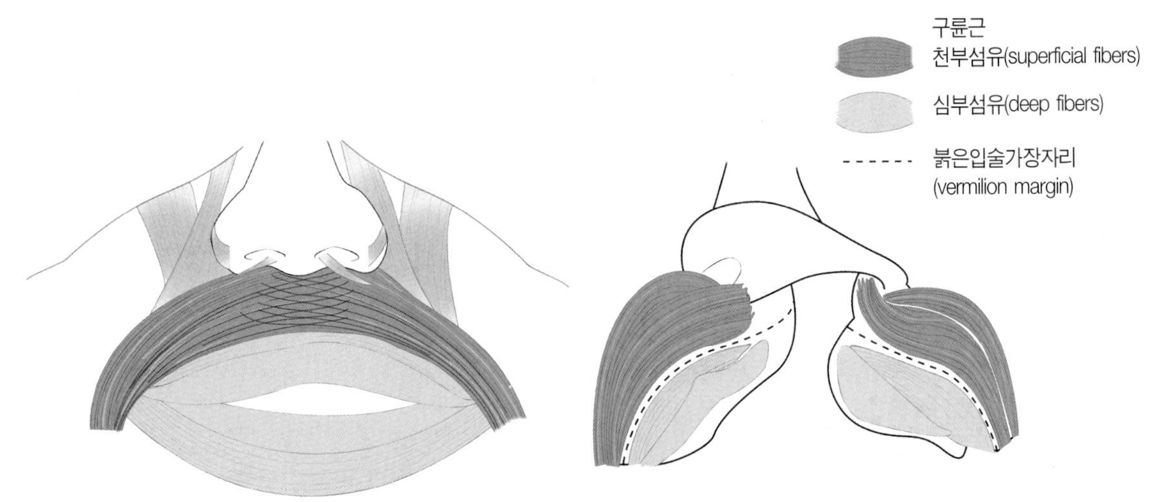

그림 7-8. 정상에서와 일측 완전구개열에서의 구륜근의 비교

균적인 전순 폭의 1/3에서 1/4인 봉합선으로부터 평균 2-5mm 정도까지 자라 들어간다(Fara, 1990).

양측 불완전구순열에서 외측구순분절의 근육섬유는 갈라진 틈새위의 교량(bridge)를 넘어 내측구순분절로 자라들어간다.

일측 및 양측 불완전구순열에서 연부조직 교량사이에는 두드러진 차이점이 있다. 일측 불완전구순열에서 근육섬유들은 교량처럼 존재하는 부분의 수직길이가 적어도 상구순 수직거리의 1/3을 초과하지 않으면 근육섬유가 이부분으로 자라들어가지 못한다. 반면에 양측 불완전구순열에서 교량처럼 존재하는 부분들은 대개 근섬유들로 잘 채워져 있고, 심지어 이 부분들이 좁을 때도 그러하다. 그래서 일측 불완전구순열에서는 갈라지지 않고 교량처럼 존재하는 윗입술 상부가 얇지만, 양측 불완전구순열에서는 이 부위가 얇지 않다.

III. 구개의 근육들

연구개열(soft cleft palate, cleft velum)의 주요한 병적 특징은 구개범인두폐쇄(velopharyngeal closure)에 관여하는 근육들의 저형성(hypoplasia)과 비정상적 부착이며 이 상태가 구개열(cleft palate)의 심한 정도와 상관관계가 있다(그림 7-9).

1. 구개긴장근(tensor veli palatini muscle)

구개긴장근은 안쪽날개판(medial pterygoid plate) 기저부의 배오목(scaphoid fossa), 나비뼈(sphenoid)의 각가시(spina angularis), 그리고 이관(eustachian tube)연골의 전외측에서 기시한 편평한 근육이다. 이 근은 전하방으로 뻗어나가 몇몇

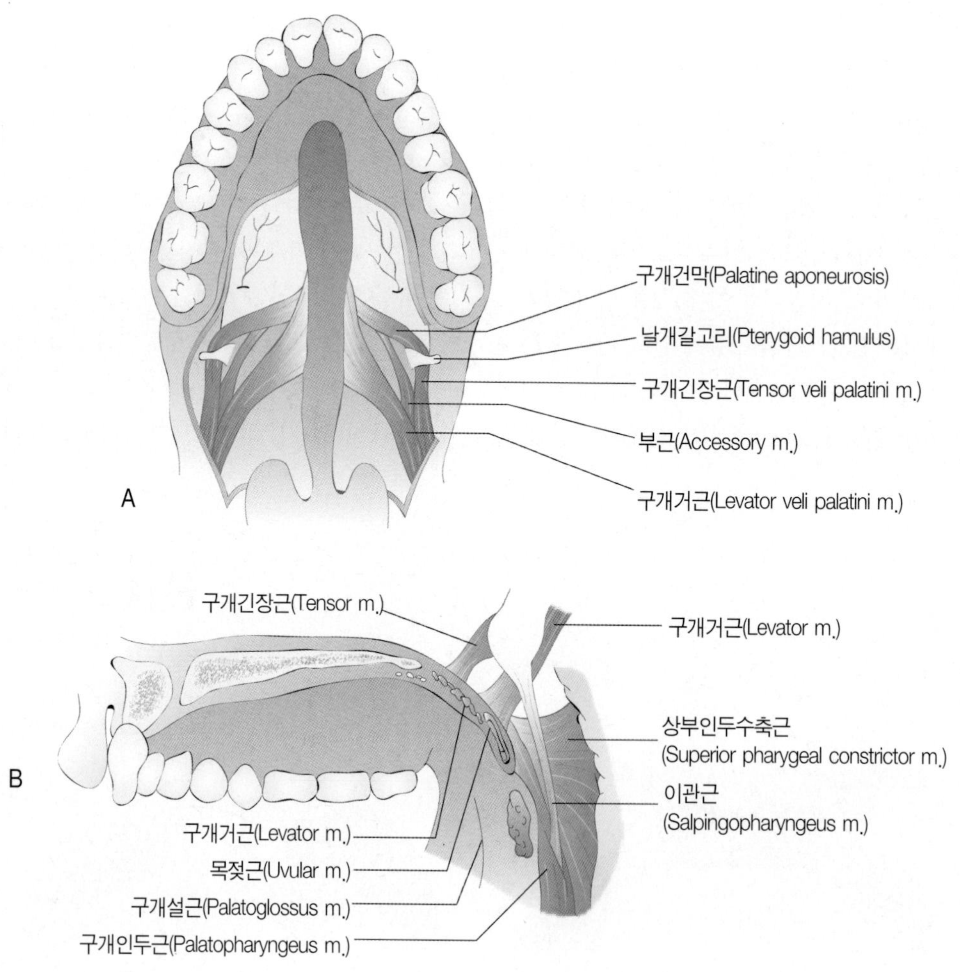

그림 7-9. (A) 정상 구개와 구개열에서의 근육들의 배열(Kaplan EN: Soft palate repair by levator muscle reconstruction and buccal mucosal flap. Plast Reconstr Surg 56:129, 1975). (B) 시상면(矢狀面, sagittal plane)에서 본 연구개의 근육과 인접해 있는 상부인두수축근(superior pharyngeal constrictor muscle)(McCarthy JG (ed): *Plastic Surgery*. Philadelphia, WB Saunders, p 2727, 1990).

근육섬유들이 날개갈고리(pterygoid hamulus)쪽으로 가면서 부착하면서 가늘어진다. 그러나 대부분의 근육섬유들은 건으로되어 날개갈고리를 직각으로 지나 구개 중앙으로 부채처럼 펼쳐져 지나간다. 구개긴장근은 양쪽 구개(velum)전방 1/3을 차지하는 건막(aponeurosis)구강측(oral side)에서 끝나거나, 혹은 건막에서 직접 끝나기도 한다(그림 7-10). 구개열에서 구개긴장근의 형태와 기원은 정상이다. 구개긴장근과 고막긴장근(tensor tympani muscle)의 신경지배는 동일하고, 고막긴장근에는 구개긴장근에서 기시한 근육섬유가 있다. 이 근육들이 함께 이관에 직접 작용하여 구개긴장근의 수축(contraction)과 동시에 고막긴장근의 복사뼈(malleolus)에 대한 수축으로 이개관청소(auditory tube clearance)에 기여한다고 추측된다. 이 근육들에 대한 근전도검사에서 고막긴장근은 연하시에 동시적으로 반응하고 두 긴장근은 유사한 지연반응시간(latency response time)을 가지고 있다(Kamerer, 1978). 이것은 중이(middle ear)와 비인두(nasopharynx)의 균형잡힌 압력은 구개긴장근과 고막긴장근사이의 반사 수축(reflex contraction)에 의해 얻어질수 있음을 암시한다. 간단

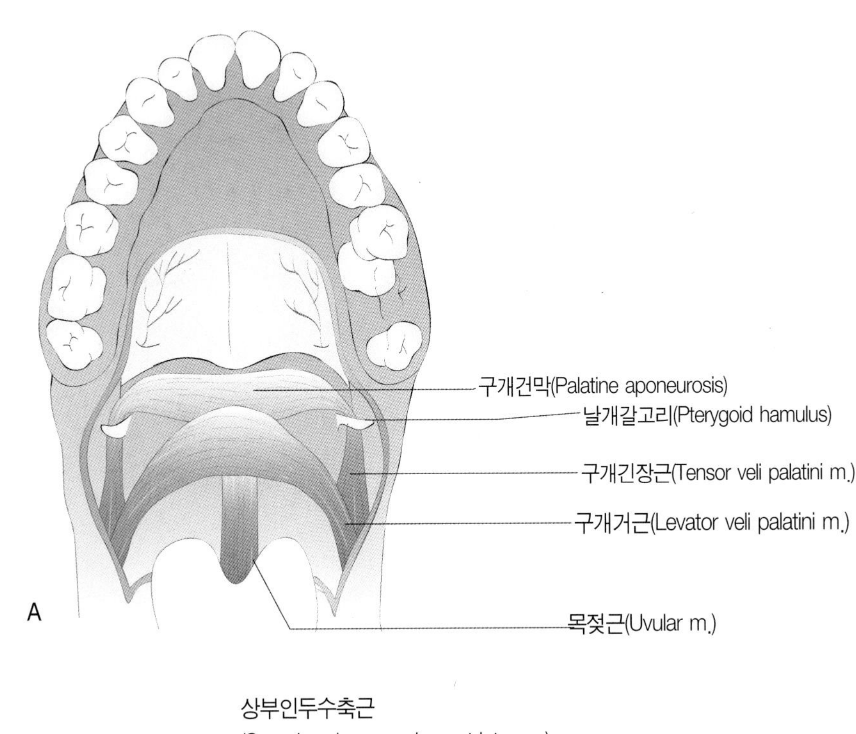

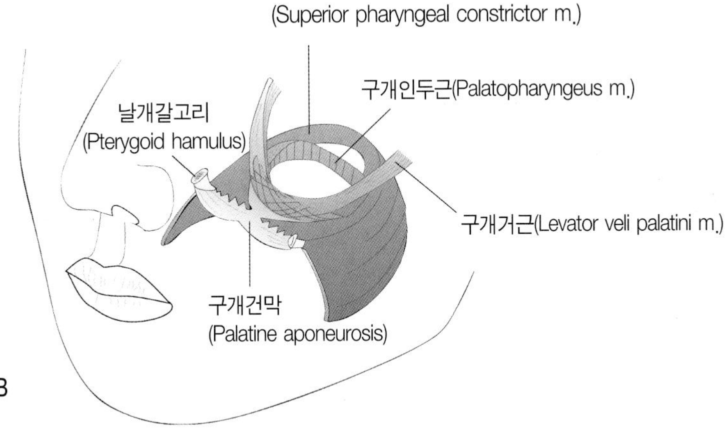

그림 7-10. (A) 구개긴장근과 구개거근의 주행방향. (B) 근육걸이 (muscular sling)를 이루는 세 가지 근육(Millard DR Jr: *Cleft Craft*. vol III. Little, Brown & Co, p 25, 37, 1980).

히 말해서, 구개긴장근은 구개에 대한 역할이 없고 주로 이관을 확장시키는 역할을 한다. 따라서 구개긴장근과 이관 외측벽 사이의 각도가 좁을수록 이관이 열리기 어려워서 구개열환자에서는 이관 기능이현저히 감소된다(Sibahara,Sandos, 1988)

2. 구개거근(levator veli palatini muscle)

구개거근은 원통형의 근육인데 후방 근육섬유는 측두골(temporal bone)의 추체부 꼭대기(apex of petrous portion) 밑면과 전내측근육은 내경동맥(internal carotid artery) 통행관(canal)의 가장자리로부터 기시한다. 앞쪽 근육섬유는 연골성이관(cartilagenous eustachian tube)의 내측벽에서 일어나서 하내전방으로 주행하여 연구개중심부에서 구개건막(palatine aponeurosis)에 부채꼴 양상으로 부착한다. 이 근육은 17mm폭으로 경구개에 부착되고 연구개의 40%를 차지한다(Edgerton과Dellon, 1971). 구개거근은 연구개를 들어올려 후방으로 이동시키고 이관의 모양에도 영향을 미쳐 이관의 입구를 수축시킨다(그림 7-11). 한 쌍의 구개거근은 말할 때 연구개의 중간부와 후반부를 상후방으로 당겨올려서 아데노이드에 닿게 하고 인두가 내측으로 이동하는데도 관여하여 범구개인두피판막(velopharyngeal valve)에서 가장 중요한 역할을 한다(Frankelstein 등, 1990)(그림 7-12). 이 근육은 이관을 여는데 의의 있는 기능은 하지 않는다. 이 근육은 눈 깜짝할 사이에 힘들이지 않고 수축한다. 구개열에서는 이 근육의 형성저하로 부피가 정상보다 훨씬 작으며 그 정도는 구개열의 심한 정도와 비례한다.

이관의 길이나 넓이도 정상에서보다 짧고 좁다(Sibahara와 Sando, 1988).

이 근육에 분포하는 혈관과 신경은 측방에서 들어오므로 이 근육을 내측에서 분리하고 양쪽 것을 다시 연결하면 기능에는 아무런 지장이 없다. 구개 보조개(palatal dimples)는 정상인에서 "아" 소리를 낼때 연구개의 구강쪽에서 관찰된다. 볼록함은 구개의 최대한 이탈된 부위에서 발생하고 이것은 정상인에

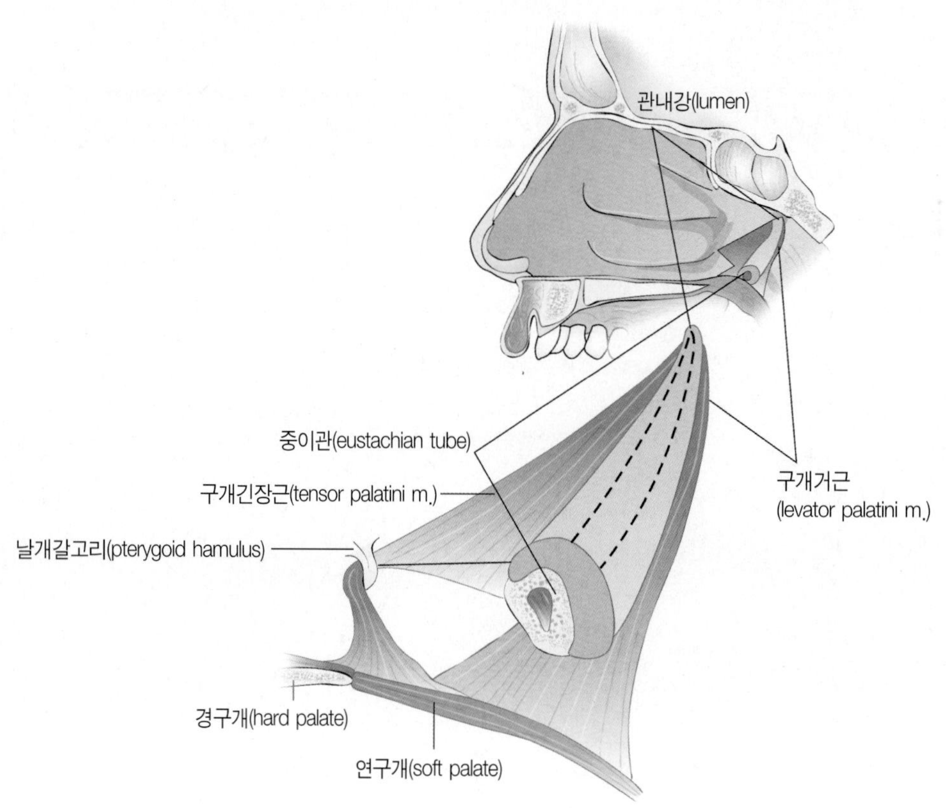

그림 7-11. 중이관과 구개거근 및 긴장근과의 관계

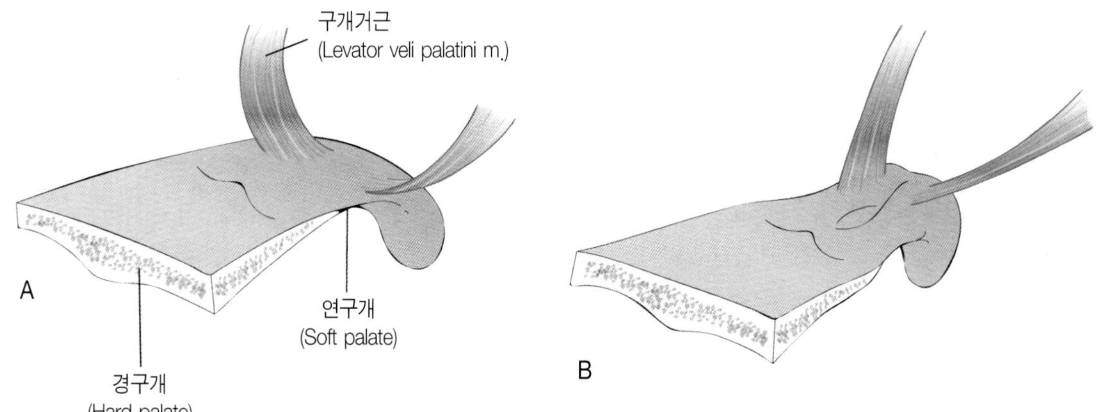

그림 7-12. 구개거근은 연구개를 약 45° 상후방으로 당겨 올리며, 구개인두폐쇄(velopharyngeal closure)에 가장 중요한 역할을 한다. (A) 휴식 상태. (B) 수축 상태(McCarthy JG (ed): *Plastic Surgery*. Philadelphia, WB Saunders, p 2727, 1990).

서 항상 존재하며 연구개의 중앙과 후방 1/3지점의 중심선에서 약간 벗어난 곳에서 일어난다. 구개열에서는 이러한 보조개가 없었지만 개열근육(cleft muscle)의 방향과 일치하여, 경구개의 후연를 향해 전방으로 비스듬하게 지나가는 고랑(groove)이 있다. 정상인에서 구개 길이는 30에서 50 mm으로 평균 40mm이고 구개거근에 대한 최대한의 이탈부분인 보조개의 위치는 우선적으로 경구개의 가장자리로부터 약 25mm 부위에 있으며 구개거근의 부착(insertion)은 경구개로부터 17mm 부위에서 시작한다. 구개거근을 후방으로 이동시켜 적당한 위치에 둠으로써 정상의 중요한 범구개인두판막기전(velopharyngeal valving mechanism)을 재건하는 것이 된다(Katsuki, 1975).

3. 구개인두근(palatopharyngeus muscle)

구개인두근은 일반적으로 세 부분으로 나뉜다.

1) 구개부분(palatine part)

이 부분은 갑상선연골(thyroid cartilage)과 인두벽(pharyngeal wall)으로부터 구개인두궁(palatopharyngeal arch)을 통해 봉선(raphe)에서 구개인두근(palatopharyngeus)의 부채꼴 모양의 부착부로 나아간다.

2) 날개인두부분(pterygopharyngeal part)

이 부분은 인두의 후방과 외측(lateral part)에서 기시하고 갈고리(hamulus)와 구개건막(palatine aponeurosis)에 부착되며 상인두수축근(superior pharyngeal constrictor)의 날개인두부분으로 고도로 교차하며 부착한다.

3) 이관 부분(salpingopharyngeal part)

가장 약한 부분이다. 근육 뭉치는 이관입구(eustachian tube orifice)의 연골 하방연에 부착한다.

구개인두근의 기능은 구개인두궁(palatopharyngeal arch)을 함께 가져오므로써 인두비강협부(pharyngonasal isthmus)를 좁혀주는 것이다. 구개거근(levator veli palatini muscle)과 협동적으로 수축하여 연구개를 후하방으로 끌어당겨 범구개인두폐쇄(velopharyngeal clusure)에 도움을 준다(Latham 등, 1980)(그림 7-13). 동시에 갑상선부분(thyroid portion)은 주로 삼키는(deglutition)동안 후두(larynx)와 인두(pharynx)를 들어올린다. 관부분(tubal portion)은 이관(eustachian tube)의 연골(cartilage)을 안정화 시킴으로서 확장을 촉진시킨다.

4. 구개설근(palatoglossus muscle)

구개설근은 혀의 횡근육다발(transverse bundle)에서 기시한 가느다란 근육이다.

구개설근은 구개설궁(palatoglossal arch)을 지나 부채모양

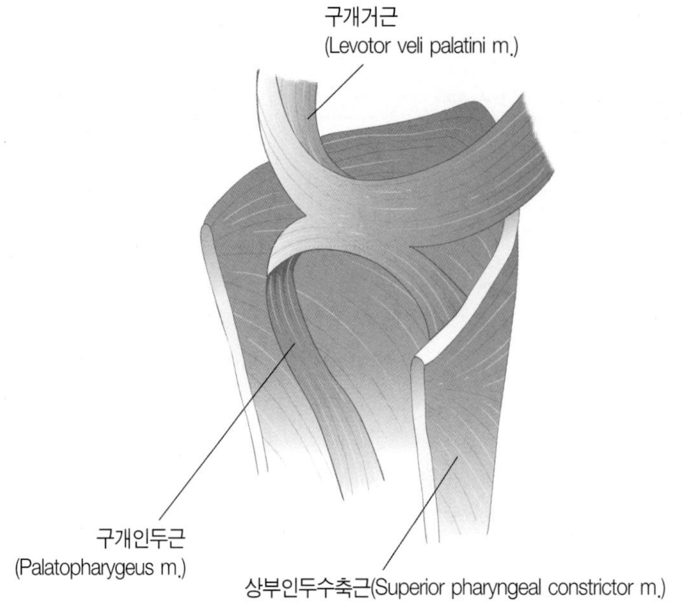

그림 7-13. 구개거근과 구개인두근이 연구개를 후방으로 끌어당기는데 서로가 어떻게 협동하는지를 보여준다. 이들 근육이 수축하는 동안에 상부인두수축근은 인두 옆벽을 내방으로 움직여 인두(pharynx)를 좁혀주고, 인두 뒷벽을 전방으로 불룩하게 하여 연구개와 닿도록 한다(Braithwaite F: Cleft palate repair, In: Gibson T (ed): *Modern Trends in Plastic Surgery*. Washington, Butterworths, 1964).

으로 연구개에 있는 근육들에 부착한다. 반대쪽 근육과 함께 전편도전방괄약근(anterior pretonsillar sphincter)를 형성하는데 이것은 귀인두의 협부(pharyngo-oral isthmus)를 좁히게 된다. 이것은 구개거근과 길항작용을 한다. 삼킬때 혀의 중간부를 끌어올려 편도 전방에서 비인두협부(nasopharyngeal isthmus)가 좁아지게 한다.

5. 목젖근(uvular muscle)

목젖근은 원통형 짝(cylindric pair)을 이루고 있고, 구개건막(palatine aponeurosis)과 후비극(posterior nasal spine)에서 기시하여 다른 구개근육들로부터 목젖의 끝까지 주행하여 부착한다. 이 근은 목젖을 후방으로 구부려 들리게 하고 연구개의 전체 길이를 짧게 한다.

범구개인두해부학(velopharyngeal anatomy)의 Dickson' review(1975)에서 이 근육의 수축(contracture)은 범구개(velum)의 3/4을 부풀게(humping)하고, 거근융기(levator eminence)를 만들어낸다. 목젖은 중간사이막(median septum)에 의해서 분리된 두개의 구별된 다발로 쌍으로 이루어진다(Azzam,Kuehn, 1977). 분리된 근육섬유는 뒤쪽으로 가다가 내측에서 모이고, 거근걸이(levator sling)를 넘어 원통형으로 서로서로 근접한다. 대부분의 앞쪽 섬유는 경구개에 직접 부착하지 않는다. 거근융기가 목젖근에 의해 생긴다는 가설은 코내시경과 비디오형광경(video fluoroscopy)을 사용함으로써 입증된다. 과다콧소리(hypernasality)를 가진 환자는 비부쪽(nasal surface)에 중앙틈(central velar gaps)이 있고, 이곳에는 목젖근돌출(uvular muscle bulge)이 없다. 과다콧소리를 내는 사람들의 11%에서 작은중앙선틈(small midline gap)이 있음을 발견했다(Shprintzen, 1976). 목젖근에 신경분포는 사체(Broomhead, 1951)와 태아(Broomhead, 1957)에서 연구됐고, 인두총(pharyngeal plexus)이 아닌 작은 구개신경(lesser palatine nerve)에 의해 지배된다. 인간배아의 연구에서도 같은 결론에 도달했다(Domenech-Ratto, 1977). 작은 구개신경의 차단은 발성의 어떤 변화도 야기하지 않고, 또한 말하는 동안 범구개인두기전(velopharyngeal mechanism)의 코내시경상의 형상(nasoendoscopic appearance)도 변화되지 않는다. 이런 소견은 개열이 없는 환자에서 정상 발성에 목젖근이 필수적이지 않다는 것을 의미한다. 그들은 거근육(levators)이 범구개인두폐쇄(velopharyngeal closure)동안 구개 비부쪽(nasal surface)의 정상적인 볼록함(normal convexity)에 어느 정도 관여하고 있다는 것을 발견했다.

6. 상부인두수축근(superior pharyngeal constrictor muscle)

상부인두수축근은 인두벽의 윗쪽 3분의 1을 뒤쪽과 외측으로 감싸는 사각모양의 근육으로 나비뼈(sphenoid)의 날개돌기(pterygoid process)와 날개갈고리(pterygoid hamulus)에서 기시하여 인두 측방을 돌아 인두 뒷벽에 부착한다. 이 근은 인두수축근(pharyngeal constrictor)의 가장깊은부분이며 부착하는 곳에 따라 네부분으로 나뉘는데 구개인두(pterygopharyngeal), 볼인두(buccopharyngeal), 악인두(mylopharyngeal), 설인두(glossopharyngeal)로 나뉜다. 이 근육이 수축하면 상부에서는 인두 옆벽이 내방으로 이동하여 선반모양의 돌출인 파싸반트능선(Passavant's ridge)을 형성한다. 이는 구개성형술(palatoplasty)을 받지 못한 구개열환자나 구개성형술을 받았으나 구개길이가 매우 짧은 환자에서 특유하게 볼 수 있다.

이러한 현상은 부족한 연구개 기능을 보충하려는 노력으로 나타난다. 상부인두수축근이 연구개를 연장하는데 중요한 역할을 하고 있으므로 인두피판수술(pharyngeal flap)시 유의해야 한다.

IV. 구개열에서의 근육들의 배열

구개열에서 연구개의 정중선으로 향하는 양쪽의 근육들은 연구개의 봉선(raphe)의 부착부에 붙지 못하고 비정상적인 곳에 가서 붙기 때문에 제대로 발육하지 못함은 물론이고 벌어진 연구개의 양쪽에서 제각기 잡아당기기만 하고 정상적인 제기능을 다하지못하므로 갈라진 틈새가 더욱 넓어지게 된다. 구개설근(palatoglossus)과 구개인두근(palatopharyngeus muscles)은 매우 급한 각도로 부착한다. 이것들의 근육다발은 갈라진 연구개의 변연(margin)을 우회(bypass)하여 경구개의 후연에 부착한다(그림 7-14). 약간의 근육섬유들은 개열근육(cleft muscle)처럼 경구개의 개열연(cleft margin)을 따라 앞쪽으로 선행한다. 개열 근육은 출생후에 더 두꺼워진다. 왜냐하면, 대체근육부착(substitute muscular insertion)의 수요가 증가하기 때문이다. 구개설근과 구개인두근의 중심부는 얇고 촘촘한 구조를 가지고, 끝은 부채꼴모양을 가진 근육 걸이(muscular sling)을 형성하는 근육이라는 점에서 비슷하다. 이 두 근육의 끝은 움직이는 장기(mobile organ) 즉 연구개, 혀, 인두로 방사(radiate)한다. 구개열에서 구개설근의 주요 부착부가 구개판(palatine plate)의 후연에 있으므로 연구개입천장의 각각의 절반에 어떤 영향도 가지지 않고 있다. 그러나 힘살(belly)의 두께와 경구개 후연에 설근육(tongue muscle)의 단단한 고정은 혀의 기저부를 들어올리는데 기능적으로 중요하다는 것이 입증됐다.

거근(levator)은 정중선의 부착부분에 접근하지못하고 가능한 개열의 변연에 접근한다. 그러나 견고한 부착부위를 제공하는데 실패하고, 앞쪽으로 긴장근(tensor)의 힘줄다발(tendinous bundle)과 뒤쪽으로 구개인두근(palatopharyngeus), 목젖(uvulus)과 연계된다. 이런 연구개(soft palate)의 세 주요근육의 상호적인 연관은 봉선(raphe)에서 근육 부착이 없는 전형적인 구개열의 배열이다. 거의 기능을 할 수 없는 이런 배열은 각각 쌍을 가지고, 새로운 기능적 단위 즉 이중힘살근육(double-bellied muscle)같은 근육걸이(muscular sling)를 형성하지만 거근(levator)은 기능을 할 수 없고, 위축된다.

이런 상황은 긴장근(tensor)의 경우에도 유사하다. 부채모양건(fan-shaped tendon)이 부착할 정중선에 부착부위의 부재는 힘줄자체에 불완전하고 비정형적인 성장을 야기하고, 구개건막의 심한 저형성(severe hypoplasia)을 야기하게 된다. 건막의 존재는 긴장근이 안쪽으로 침투(penetration)하거나, 확장되기 때문이다. 외측건막은 짧고 개열에 의해 개열부위로 접근하지만 기능은 사라진다. 둥근인두근육(circular pharyngeal muscle)의 부착되는 근육섬유를 잡아당기는 것은 건막의 외측발달(development)을 촉진시킨다. 구개인두근(palatopharyngeus)의 날개인두부분(pterygopharyngeal part)의 아래다발(lower bundle) 상부 끝이 상부 수축근(superior constrictor)에 상응하는 곳으로 통과한다. 이것은 인두근(pharyngeal muscle)이 기원하는 구개근육생성과 조화를 이룬다. 구개인두근(palatopharyngeus)은 형태학적, 기능적, 신경학적 관점상 인두의 근육과 근본적인 연관을 유지한다.

근육의 비정형적 배열때문에 뼈 변화가 개열에서 보여진

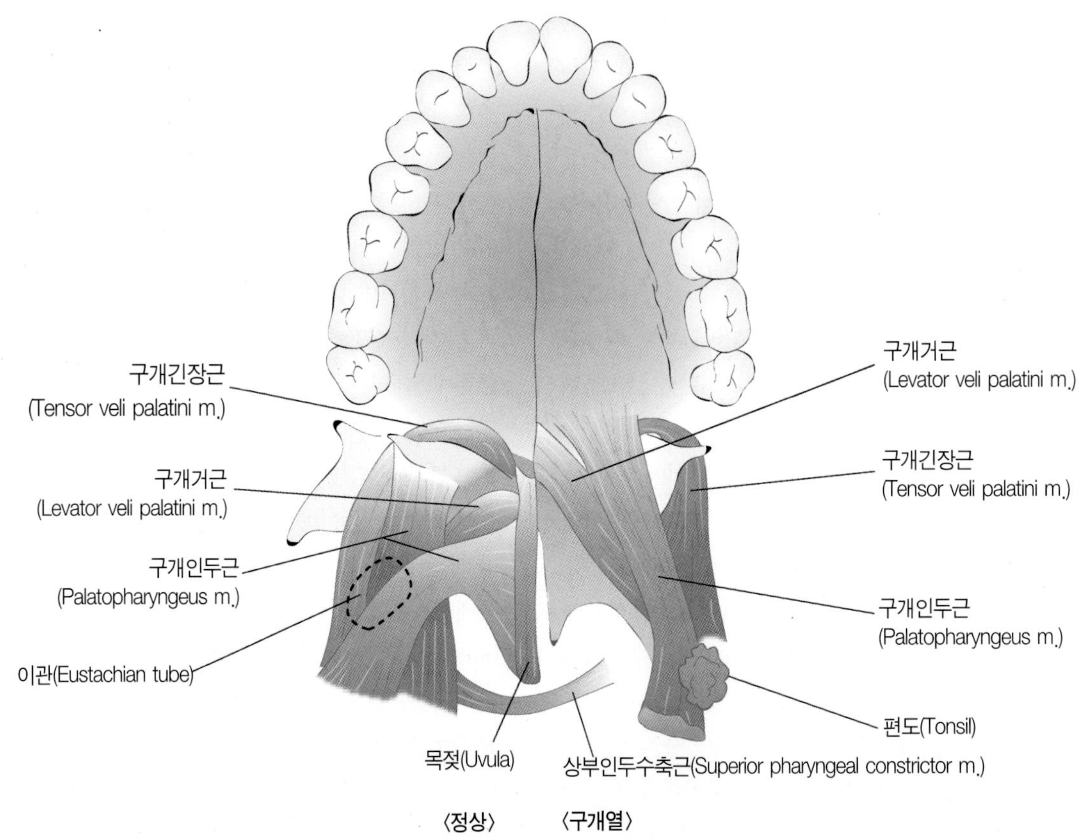

그림 7-14. 구개열에서 연구개 근육들의 배열. 구개거근은 전후방으로 비스듬하게 놓여있으며, 구개뼈의 후연과 갈라진 경구개의 틈새 가장자리 뼈에 부착해 있다(Kaplan EN: Soft palate repair by levator muscle reconstruction and buccal mucosal flap. *Plast Reconstr Surg* 56: 129, 1975).

다. 그것에 부착된 근육섬유의 당김과 개열로 인해 인두괄약근(pharyngeal sphincter)에 부과된 긴장도 때문에 비후성 갈고리(hypertrophic hamulus)를 형성하게 된다. 연구개의 거상이 정상에서 범구개인두폐쇄(velopharyngeal closure)에서 주요 부분의 역할을 할지라도 개열에서 구개인두근(palatopharyngeus)의 날개인두부분(pterygopharyngeal part)과 상부수축근(superior constrictor)은 인두쪽(pharyngeal side)에서 연구개의 기능적 손실을 보상한다. 신생아에서 구강점막은 골막으로부터 쉽게 분리될 수 있지만, 소아에서는 이층이 견고히 달라붙어있어 외과적 관점상 골점막(mucoperiosteum)이라는 한 단위(one unit)을 이룬다.

거근(levator)의 저형성 정도와 구개열의 심한정도는 정비례한다. 구개열에서 거근은 양적 질적관점에서 볼때, 기능에 대한 형태학적 이상을 보여준다. 구개열에서 이런 근육 활동성의 영향은 정상에서는 정반대이다. 양쪽의 근육들이 봉선(raphe)에 모아져 구개를 상방으로 들어올리는데 반해 구개열에서는 각각의 근육들이 연구개의 절반을 다른방향 즉 상외측으로 개열을 넓히는 방향으로 잡아당긴다.

따라서 연구개의 양쪽에 붙어 있으면서 엉뚱한 곳에 부착되어 있는 근육 부착부를 떼어서 정중선으로 옮겨다가 접합해 주는 것이 구개성형술(palatoplasty)의 기본원리이다.

참고문헌

1. 대한성형외과학회 : Chap.5. 구순열 및 구개열. 표준성형외과학, 군자출판사, 1999, p.127
2. 강진성: 성형외과학, 군자출판사, vol.5, 2004, p.2300
3. Millard DR Jr : *Cleft Craft-The evolution of its surgery. I. The Unilateral Deformity.* Boston, Little Brown, 1976.
4. Nicolau PJ : the orbicularis oris m. ; A functional approach to its repair in the cleft lip. *Br. J Plast surg* 36 :141, 1983

5. Mulliken JB, Pensler JM, Kozakewich HPW : The anatomy of cupid's bow in normal and cleft lip. *Plast Reconstr Surg* 92:395. 1993
6. Noordhoff MS: Reconstruction of vermilion in unilateral and bilateral cleft lips. *Plast Reconstr Surg* 73:52, 1984
7. Slaughter WB : Changes in blood vessel pattern in bilateral cleft lip. *Plast Reconstr Surg* 26: 166, 1960
8. Thompson HG, Delpero W : Clinical evaluation of microform cleft lip surgery. *Plast Reconstr Surg* 75:800, 1985
9. Byrd HS : *Unilateral cleft lip.* In Aston SJ, Beasley RW, Thorne CHM(eds): Grabb and Smith's Plastic surgery. 5th ed, Philadelphia, Lippincott-Raven Publishers, 1997, p.246.
10. Brauer RO: Repair of unilateral cleft lip ; Triangular flap repair. *Clin Plast Surg* 12:595, 1985
11. Saunders DE, Malik A, Karandr E : Growth of cleft lip following a triangular flap repair. *Plast Reconstr Surg* 77:227,1986
12. Millard DR Jr : Extensions of the rotation-advancement principle for wide unilateral cleft lips. *Plast Reconstr Surg* 42:535, 1968
13. Millard DR Jr : Earlier correction of the Unilateral cleft lip nose. *Plast Reconstr Surg* 70:64, 1982
14. Muller W : Differentiated reconstruction of the orbicularis oris muscle in unilateral labioplasty. *J craniomaxillo surg* 17:11, 1989
15. Park CG, Ha B : The importance of accurate repair of the orbicularis oculi muscle in the correction of unilateral cleft lip. *Plast Reconstr Surg* 96:780, 1995
16. McComb H : Primary repair of the bilateral cleft lip nose ; A 15 year review and a new treatment plan. *Plast Reconstr Surg* 86:882, 1990
17. Salyer KE : Primary correction of the unilateral cleft lip nose.: 15- year experience *Plast Reconstr Surg* 77:558, 1986
18. Furnas DW : Straight line closure : A preliminary to Millard closure in unilateral cleft lips. (with a history of the straight line closure, including the Mirault misunderstanding) *Clin Plast surg* 11:701, 1984
19. Millard DR Jr : *Cleft Craft - The evolution of its surgery. II. The Bilateral and rare deformities.* Boston, Little Brown, 1977
20. Griswold ML Jr, Sage WF : Extraoral traction in cleft lip. *Plast Reconstr Surg* 37:416, 1996
21. Georgiade N, Latham R : Maxillary arch alignment in the bilateral cleft lip and palate infant, using pinned coaxial screw appliance. *Plast Reconstr Surg* 41:240, 1968
22. Millard DR Jr, Latham RA : Improved primary surgical and dental treatment of clefts. *Plast Reconstr Surg* 86: 856. 1990
23. Georgiade NG : Preoperative positioning of the protruding premaxilla in the bilateral cleft lip patient. *Plast Reconstr Surg* 83:32, 1989
24. Cutting C, Grayson B, Brecht L : Presurgical columellar elongation with one stage repair of the bilateral cleft lip and nose. Proc. Am. *Cleft Palate- Craniofac. Assoc.* 52:58, 1995
25. Grayson B, Cutting C, Wood R : Preoperative columellar lengthening in bilateral cleft lip and palate.(brief communication) *Plast Reconstr Surg* 92:1422, 1993
26. Byrd HS : Cleft Lip I : Primary deformities(overview). *Selected Read Plast Surg* 8:23, 1997
27. Cronin TD, Penoff JH : Bilateral clefts of the primary palate. *Cleft Palate J* 8:349, 1971
28. Manchester WM : The repair of bilateral cleft lip and palate. *Br J. Surg* 52:878. 1965
29. Manchester WM : Bilateral cleft lip and palate. In J Bardach and H Morris (eds.), *Multiolisciplinary management of cleft lip and palate.*. Philadelphia, Saunders, 1990, p.227
30. Millard DR Jr : *Adaptation of the rotation-advancement principle in bilateral cleft lip.* In Transactions of the International Society of Plastic Surgeons (second congress). Edinburgh : Livingstone, 1960
31. Noordhoff MS : Bilateral cleft lip reconstruction. *Plast Reconstr Surg* 78:45, 1986
32. Bardach J, Salyer K : Muscle repair in bilateral clefts In Bardach J and Salyer K (eds.). *Surgical techniques in cleft lip and palate.* St. Louis, Mosby. 1991. p.120
33. Millard DR Jr. : A primary compromise for bilateral cleft lip. *Surg Gynecol Obstet* 11:557, 1960
34. Millard DR Jr. : Closure of bilateral cleft lip and elongation of columella by two operations in infancy. *Plast Reconstr Surg* 47:324, 1971
35. Cronin TD : Lengthening columella by use of skin from nasal floor and alae. *Plast Reconstr Surg* 21:417, 1958
36. Pigtt R : Aesthetic consideration related to repair of bilateral cleft lip nasal deformity. *Br. J. Plast. surg.* 41:593, 1988
37. Mulliken JB : Correction of the bilateral cleft lip nasal deformity. Evolution of a surgical concept. *Cleft Palate Craniorfac J* 29:540, 1992
38. Mulliken JB : Bilateral complete cleft lip and nasal deformity : An Anthropometric analysis of staged to synchronous repair. *Plast Reconstr Surg* 96:9, 1995

39. Mulliken JB : Principles and Techniques of bilateral complete cleft lip repair. *Plast Reconstr Surg* 75:477, 1985
40. Cutting C, Grayson B : The prolabial unwinding flap method for one stage repair of bilateral cleft lip, nose, and alveola. *Plast Reconstr Surg* 91:37, 1993
41. Trott JA, Mohan N : A Preliminary repair on one stage open tip rhinoplasty at the time of lip repair in bilateral cleft lip and palate. The Alorsetar experience. *Br. J. Plast. Surg.* 46:215, 1993
42. Leipziger LS : Facial skeletal growth after timed soft tissue undermining. *Plast Reconstr Surg* 89:809, 1992
43. Kapucu MR : The effect of cleft lip repair on maxillary morphology in patients with unilateral complete cleft lip and palate. *Plast Reconstr Surg* 97:1371, 1996
44. Ross RB : Treatment variables affecting facial growth in unilateral cleft lip and palate : part 4 : repair of the cleft lip. *Cleft Palate J* 24:45, 1987
45. Ross RB : Treatment variables affecting facial growth in complete unilateral cleft lip and palate. part 1 : Treatment affecting growth. *Cleft Palate J* 24:5, 1987
46. Ross RB : Treatment variables affecting facial growth in unilateral cleft lip and palate. part 2 : *Presurgical Orthopaedic Cleft Palate J* 24:24, 1987
47. Ross RB : Treatment variables affecting facial growth in complete unilateral cleft lip and palate. part 3: Alveolus repair and bone grafting. *Cleft Palate J* 24:33, 1987
48. Ross RB : Treatment variables affecting facial growth in complete unilateral cleft lip and palate. part 7: An overview of Treatment and facial growth. *Cleft Palate J* 24:71, 1987
49. Ross RB : Treatment variables affecting facial growth in unilateral cleft lip and palate. part 5: Timing of palate repair. *Cleft Palate J* 24:54, 1987
50. Ross RB : Treatment variables affecting facial growth in complete unilateral cleft lip and palate. part 6; Techiques of palate repair. *Cleft Palate J* 24:64, 1987
51. Smahel I, Mullerova I : Effects of primary periosteoplasty on facial growth in unilateral cleft lip and palate.: 10-year follow-up. *Cleft Palate J* 25:356, 1988
52. Wood RJ, Grayson BH, Cutting CB : Gingivoperiosteoplasty and midfacial growth. *Cleft Palate Craniofac J* 34: 17, 1997
53. Lehman JA Jr et al : One-stage closure of the entire primary palate. *Plast Reconstr Surg* 86: 675, 1995.
54. Smith WP, Markus AF, Delaire J : Primary closure of the cleft alveolus : a functional approach. *Br J Oral Maxillofac Surg* 33:156, 1995
55. Molsted K et al : A six-center international study of treatment outcome in patients with clefts of the lip and palate : Evaluation of maxillary asymmetry, *Cleft Palate Craniofacial J* 30:22, 1993
56. McComb H : Primary correction of bilateral cleft lip nasal deformity : A 10-years review. *Plast Reconstr Surg* 75:79, 1985
57. .McComb H : Primary correction of bilateral cleft lip nose : a 10-years review *Plast Reconstr Surg* 77:701, 1986
58. Takato T, Yonehara Y, Susami T : Early collection of the nose in unilateral cleft lip patients using an open method : a 10-year review. *J oral maxillofacial* 53:28, 1995
59. Cutting CB, Bardach J, Pang R : A comparative study of the skin envelope of the unilateral cleft lip nose subsequent to rotation-advancement and triangular flap lip repairs. *Plast Reconstr Surg* 84:409, 1990
60. Coghlan BA, Boorman JG : Objective evaluation of the Tajima secondary cleft lip nose correction. *Br J Plast Surg* 49:457, 1996
61. Trott JA, Mohan N : A preliminary report on open tip rhinoplasty at the time of ip repair in unilateral cleft lip and palate : The Alor Setar experience. *Br J Plast Surg* 46:363, 1993
62. Matsuo K et al : Repair of cleft lip with nonsurgical correction of nasal deformity in the early neonatal period. *Plast Reconstr Surg* 83:25, 1989
63. Cenzi R, Guarda L : A dynamic nostril splint in the surgery of the nasal tip : Technical innovation. *J Craniomaxillofac Surg* 24:88, 1996
64. Nakajima T, Yoshimura Y, Sakakibara A : Augumentation of the cleft lip nose. *Plast Reconstr Surg* 85:182,1990
65. Furlow LT Jr : Cleft palate repair by double opposing z-plasty. In Vistnes LM(ed), *How they do it : Procedures in plastic and reconstructive surgery*. Boston, Little Brown, 1992.
66. Dorf D, Curtin JW, : Early cleft palate repair and speech outcome.. *Plast Reconstr Surg* 70:75, 1982
67. Penslar JM, Bauer BS : Levator repositioning and palatal lengthening for submucous clefts. *Plast Reconstr Surg* 82:765, 1988
68. Lewis M : *Secondary soft tissue procedures for cleft lip and palate*. Mastery of Plastic and Reconstructive Surgery. Boston, Little Brown & co. vol.1, chap.44, 1994
69. El Deeb M et al : Canine eruption into grafted bone in maxillary alveolar cleft defects. *Cleft Palate J* 19:9, 1982

70. Marsh JL : Cleft lip and Palate : *Residual deformity. Decision making in plastic surgery.* In Marsh, St. Louis : Mosby-yearbook, 86:1993
71. Lehman JA : Maxillary deformities : Orthognathic surgery. Chap.52, Mastery of plastic and Reconstructive surgery, 1994, p.720.
72. Johns D, Caunito M, Rohrich B, Tebetts J : The self-lined superiorly based pull-through velopharyngoplasty : Plastic surgery-speech pathology interaction in the management of velopharyngeal insufficiency. *Plast Reconstr Surg* 94:436, 1994
73. Johns D, Tebbetts J, Cannito M : *Cleft lip and Palate : Longterm results and future prospects. Manchester* : Manchester University Press, 1990
74. Peat BG et al : Tailoring velopharyngeal surgery : The influence of etiology and type of operation. *Plast Reconstr Surg* 93:948, 1994
75. Marsh IL, Wray RC : Speech prosthesis versus pharyngeal flap : A ramdomized evaluation of the management VPI. *Plast Reconstr Surg* 65:592, 1980.
76. Hogan VM : A biased approach to the treatment of velopharyngeal incompetence. *Clin Plast Surg* 2:319, 1975.
77. Hollier L : Cleft palate and velopharyngeal incompetence(over view). *Select Reading Plast. Surg* 8:25, 1997.
78. Seyfer AE, Prohazka D, Leahy E : The effectiveness of the superiorly based pharyngeal flap in relation to the type of palatal defect and timing of the operation. *Plast Reconstr Surg* 82:760, 1988
79. Jackson IT : Sphincter pharyngoplasty. *Clin Plast Surg* 12:711, 1985.
80. Mixer RC, Ewanowski : *Sphincter pharyngoplasty.* Mastery of Plastic and Reconstructive Surgery. Little, Brown & Company, 643:1994.
81. Witt TDD, Antonio LL : Velopharyngeal insufficiency and secondary palatal management.. A new look at an old problem. *Clin Plast Surg.* 4:707, 1993.
82. Davies D : The repair of the unilateral cleft lip. *Br J Plast Surg* 18:254, 1965.
83. Malek R, Psaume J : *A new operative sequence and technique in the treatment of left lip and palate.* Presented at the first international meeting of the craniofacial society of Great Britain, Birmingham, July 1983.
84. Veau V : Discussion on treatment of cleft palate by operation. *Proc R Soc Med* 20:156 (part III), 1926-1927
85. Krause CJ, Tharp RF, Morris HG : A comparative study of results of the Von Langenbeck and the V-Y Pushback Palatoplasties. *Cleft Palate J* 13:11, 1926.
86. Cronin TD : Method of preventing raw area on nasal surface of the soft palate in pushback surgery. *Plast Reconstr Surg* 20:474, 1957.
87. Rohrich RJ, Byrd HS : Optional timing of cleft palate closure, speech, facial growth, and healing considerations. *Clin Plast Surg* 17:27, 1990.
88. Atkins WR, Byrd HS, Tebetts JD : Some observations relative to the levator veli palatini muscles in the cleft palate. *Cleft Palate J* 19:268, 1982.
89. Bardach J : Two-flap palatoplasty : Bardach' s technique. Op. Tech. *Plast Reconstr Surg* 2:211, 1995
90. Morris HL et al : Results of two-flap palatoplasty with regard to speech production. *Eur J plast surg* 12:19, 1989
91. Furlow LT Jr : Cleft Palate repair by double opposing z-plasty. *Plast Reconstr Surg* 78:724, 1986
92. Horswell BB et al : The double-reversing z-plasty in primary palatoplasty : operative experience and early results. *J Oral Maxillofac. Surg.* 51:145, 1993.
93. Randall P et al : Experience with the Furlow double reversing z-plasty for cleft palate repair. *Plast Reconstr Surg*77:569, 1986.
94. Spauwen PHM, Goorhuis-Brouwer SM, Schutte HK : Cleft palate repair : Furlow versus von Langenbeck. *J Craniomaxillofac Surg.* 51:145, 1993.
95. Schendel SA, Pearl RM, De'Armond SJ : Pathophysiology of cleft lip muscle. *Plast Reconstr Surg* 83:777, 1989

제8장 구순구개열의 역학

Epidemiology of Cleft Lip and Palate

박대환

구개열을 동반하거나 동반하지 않는 구순열(CL/P)과 구개열 단독(CP)은 전세계적으로 약 신생아 600명중 1명의 비율로 나타나는 심각한 선천성 기형이다. 미국의 인구조사국 통계조사 기준으로 전 세계적으로 시간당 15,000명의 출생률로 볼 때 세계 어디에선가 구순구개열(cleft)을 가진 신생아가 매 2.5분당 한 명씩 태어난다. 출생에서부터 성년까지, 구순구개열을 가진 소아는 일생을 불행하게 살아야 하고 경우에 따라 가족에 폐를 끼치게 되며 가족전체의 불행을 초래하는 경우도 있다. 구개구순열 소아는 여러 과에서 여러 가지 수술적, 비수술적 치료과정을 거치게 된다.

선천 기형의 빈도를 기록하려는 노력이 수년에 걸쳐 이루어져 왔고 역학에 대한 정확한 자료는 공중보건행정 계획과 관련하여 매우 중요하다. 이는 또한 원인에 대한 연구의 기본 자료를 제공한다. 이러한 노력의 궁극적 목적은, 과학적이고 인간적인 관점에서, 원인적 인자에 대한 지식과 이해를 증진시키고 일차적인 예방 대책을 설립하는데 있어야 한다. 이러한 목적을 달성하는데 있어 장벽이 되는 것 중 (1) 구개구순열의 다양성, (2) 자료 수집의 표준적인 기준의 부족, (3) 국제간의 유사한 구개구순열 분류 장애 등이 있다.

I. 제출된 자료에 관련된 방법론적인 쟁점

구개구순열 빈도의 정확성은 근거자료 출처의 모집단 수와 유형, 출산 결과의 유형(출산, 유산, 사산), 여타 선천성기형 증후군에 포함 시키느냐, 시키지 않느냐에 따라 국가별로 다를 수 있다. 이러한 자료의 다양성은 빈도의 정확성에 상당한 영향을 끼친다. 역학적인 자료는 구순구개열의 실제 빈도 수와 차이가 있을 수 있는 구순구개열 등록자료나 수술 기록 등으로부터 얻어진다.

또 다른 필수적인 요구사항은 관찰자가 기형의 빈도를 측정하는 인구를 정확하게 정의하는 것이다. 중요한 논점은 모든 태아, 모든 출산, 또는 모든 출생을 보고하거나 계산하느냐 하지 않느냐 하는 것이다.

구순구개열 빈도의 정확성 확인을 위해서는, (1) 출산 대 사산, (2) 동반 기형, (3) 구개열단독(CP)의 빈도에 영향을 줄 수 있는 인자 등을 고려해야 한다.

1. 출산대 사산

심각한 기형의 비율이 출산보다 사산에서 높다. 따라서 사산의 포함은 단순히 출산만 고려되어 얻어진 것보다 구순구개열 유병률이나 발생율이 높은 경향이 있다. 또한 유산과 낙태의 자료가 포함되면 단순히 출산과 사산만이 분석되어 얻어진 것보다 비율이 더 증가한다.

구순구개열이 발생할 위험성은 사산이나 유산의 경우 출산의 경우보다 약 세배나 빈도가 높다. 또한 관련 기형을 동반한 구순구개열은 기형을 동반하지 않은 구순구개열과 비교하여 역학적으로 차이가 있다.

출산(live birth)과 사산(still birth)간의 구순구개열 유병률 차이는 구순열(CL), 구개열 단독(CP) 혹은 동반(CLP)된 경우보다 다른 기형이 동반된 구순구개열에서 유병률의 차이가 더 많이 난다.

출산뿐만 아니라 사산과 혹은 유산(induced abortion)까지 총괄한 합산의 경우 출생만 포함한 합산의 경우와는 비교할 수 없다. 만약 태아사망(fetal deaths) 또는 초기유산(earlier losses)이 비율정리에 포함된다면, 이것은 특별하게 보고되어져야 하며 이러한 비율은 출생에서 그리고 배아, 태아 사망에서 분리되어 계산되어져야 한다.

2. 동반 기형

일반적으로 CP보다 CLP를 가진 영아의 경우 동반기형의 발생 비율이 낮으며 단독 CL(isolated CL)의 경우 더 낮은 것으로 알려져 있다. 예를 들면, 프랑스 북동부에서 17년간의 연구결과에 따르면, 동반 기형의 비율이 CP의 경우 46.7%, CLP 36.8%, CL 13.6%로 보고되었다(Kallen, 1996). Cornel 등은 CL/P의 경우 23%에서 단독 구개열(isolated CP)의 경우 52%에서 동반이상을 가진다고 보고되었다.

일부의 연구에서는 동반 기형을 연구할 때 일측성(unilateral)과 양측성(bilateral) 집단으로 세분하였고, 양측성에서 동반기형의 비율이 증가한다고 보고하였다.

3. 단독 구개열의 유병률

단독 구개열(isolated CP)의 빈도가 보고 될 때에는 상당한 다양성과 모호성이 있다. 단독 구개열에 대한 많은 기록을 보면 포함/배제 기준(inclusion/exclusion criteria)에 대한 적절한 설명 없이 기록된 경우가 많다. 예를 들어 단독 구개열의 외형상의 가장 흔한 증후군은 Pierre Robin 증후군이고 구개열 유병률에서 Pierre Robin 중후군의 포함 또는 배제는 빈도의 결과에 따라 차이가 난다. 점막하구개열 유병률이 정확하게 진단되기 어려워 이것을 포함시키느냐 않느냐에 따라 결과가 많이 달라진다.

단독 구개열에 대한 앞으로의 연구에서는 2차적인 구개열 내의 원인적 다양성을 밝히기 위한 시도로써 경구개, 연구개 그리고 점막하 경구개를 구분하는 것이 좋은 것으로 사료 된다.

II. 구순구개열의 역학에서 국내 및 세계 지역학적 편차

출생률에 따른 구순열 및 구개열의 발생 빈도는 Ross & Johnston(1972)이 여러 학자들의 통계를 분석한 결과 동양인에서는 1000명당 1.14명에서 2.13명으로 가장 많고 다음으로 코카시안이 0.77에서 1.4명을 나타내었으며 미국 흑인이 0.31명이라고 하였다. Fukuhara(1965)는 이러한 각 인종에 따른 발생 빈도의 차이를 보이는 것은 각 인종간의 문화적, 환경적, 유전적 차이에 기인한다고 하였다. 우리 나라의 경우 1967년 유의 발표이후 여러 저자들이 발생 빈도와 발생 요인 등을 발표하여 김 등(1987)은 1000명당 0.82명으로 발표하여 빈도가 가장 낮았으며 정 등(1988)은 2.5명으로 가장 높은 빈도를 보고하였으나 그 대상을 1개 병원으로 하였다. 민 등(1996)은 1000명당 1.04명의 발생 빈도를 보여 기존 보고에 근접한 수치를 보였다.

김 등(2002)은 1000명당 1.81명의 발생빈도를 보여 다른 저자들보다 다소 높았는데 이유는 구개열의 빈도가 다른 저자들보다 높았던 데서 기인한다(표 8-1, 2).

표 8-1과 8-2는

1) 논문 검색

2) 유럽의 선천성 기형과 쌍둥이 등록 제도 자료

3) 미국의 국내 선천성기형예방 Network에서 수집한 자료를 근거로 작성된 것으로 각 대륙이나 나라마다 편차가 심하다.

III. 다른 구순구개열 형태의 상대적 비율

구순구개열의 형태에 따른 비율은 임상가들에게 중요한 의미를 갖고 있을 뿐 아니라 근본적인 구순구개열 원인에 대한 단서를 제공한다. 증후군적 구순구개열(syndromic cleft)과 동반된 다른 선천성기형의 상대적인 비율은 또한 원인 인자를 조사하는데 중요하다. 유럽과 미국의 비증후군적 구순구개열 유형에 대한 연구는 일측성 CLP가 구순구개열의 가장 흔한 단독 형태이며 이는 약 30~35%의 비율이라고 주장한다. isolated CL & CP는 각각 20~25%를 차지하고 양측성 CLP는 가장 드물며(약 10%), 점막하와 다른 형태가 나머지를 차지한다(표 8-3). 각 질환별 빈도의 경우 대개의 보고자들은 구개열의 발생 빈도가 가장 낮았고 구순구개열의 빈도가 가장 높아 구순열, 구개열과 구순구개열의 비가 1-2:1:1.2-2.3으로 보고하였다. 김 등(2002)은 구개열이 가장 많고 그 다음이 구순열이었으며 구개구순열이 가장 적었다. 구개열과 구개구순율의 비율이 2.05로 구개열이 월등히 많은 것으로 나타났다. 민 등(1996)의 경우 그 비가 1.4:1:2.9로 기왕의 다른 보고자들과 비슷한 결과를 보였으나 구순구개열이 다소 많았다. 국내 통계

표 8-1. 구순구개열(CL/P) 유병률

Continent/Country	Total Births	Prevalence (per 1000 births)	Reference
Europe			
N. Netherlands	60,584	1.46	Cornel et al.(1992)
France (Rhone-Alpes-Auvergne)	813,513	0.67	Long et al.(1992)
United States and Canada			
USA California	13,545	1.99	Croen et al.(1999)
USA New York (*Native America*)	344,929	0.29	Conway and Wagner (1966)
Central and South America			
Bolivia	79,296	2.28	Castilla et al.(1999)
Caribbean (Santo Domingo)	704,410	0.42	Garcia-Godoy (1980)
Oceania			
Australia (*Aborigines*)	9,695	2.27	Bower et al.(1989)
New Zealand (*Maoris*)	178,240	0.39	Chapman (1983)
Far East			
Japan (Hiroshima, Nagasaki)	63,806	2.13	Neel (1958)
Japan	55,103	0.97	Kondo (1987)
Korea(1984-1994)	323,652	0.84	Min et al.(1996)
Korea(1991-1995)	715,817	0.87	Kim et al.(2002)
Middle East			
Saudi Arabia	62,557	1.89	Borkar et al.(1993)
Israel (*Jews*)	47,768	0.37	Azaz and Koyoumdjisky-Kaye (1967)
Indian Subcontinent			
India (Maharashtra)	3014	2.32	Chaturvedi and Banerjee (1989)
India (Madurai)	11,619	0.77	Kamala et al.(1978)
Africa			
Kenya (Nairobi)	3061	1.63	Khan (1965)
South Africa (Johannesburg,*blacks*)	29,633	0.20	Kromberg and Jenkins (1982)

(from Diegof F, Wyszynski. Cleft lip & palate. Oxford university press, 2002, p130)

표 8-2. 구개열(CP) 유병률

Continent/Country	Total Births	Prevalence (per 1000 births)	Reference
Europe			
Finland	2,258,850	0.97	Rintala (1986)
Denmark	1,631,376	0.36	Fogh-Andersen (1961)
United States and Canada			
USA Native Americans	13,545	1.11	Croen et al.(1998)
New York (*nonwhite*)	344,929	0.22	Conway and Wagner (1966)
Central and South America			
Chile	297,583	0.46	Castilla et al.(1999)
Peru	72,864	0.06	Castilla et al.(1999)
Oceania			
Australia (*Whites*)	170,760	0.67	Bower et al.(1989)
New Zealand (*Maoris*)	178,240	0.39	Chapman (1983)
Far East			
Japan (Tokyo)	49,645	0.73	Mitani (1954)
China	1,243,284	0.15	Xiao (1989)
Korea(1984-1994)	323,652	0.19	Min et al.(1996)
Korea(1991-1995)	715,817	0.93	Kim et al.(2002)
Middle East			
Kuwait	53,786	0.42	Srivsatva (1993)
Israel (*Jews*)	47,768	0.17	Azaz and Koyoumdjisky-Kaye(1967)
Indian Subcontinent			
Kanpur	4150	0.48	Mital and Grewal (1969)
New Delhi	7590	0.32	Singh and Shama (1980)
Africa			
Tunisia	10,000	0.40	Khrouf et al.(1986)
Zaire	56,637	0.02	Ogle (1993)

(from Diegof F, Wyszynski. Cleft lip & palate. Oxford university press, 2002, p130)

에서 김 등(2002)은 구순구개열이 30.1%(90/299), 구순열이 34.1%(102/299), 구개열이 35.8%(107/299)를 차지한다고 했고 민 등은 구순구개열이 54.6%(183/335), 구순열이 26.6%(89/335), 구개열이 18.8%(63/335)라고 하였다.

통계적으로 모든 CLP 중에서, 80%가 일측성이며 20%가 양측성이다. 결국 모든 구개구순열의 약 15%는 증후군(12% of CL/P & 25% of CP)이다. 구순구개열과 같이 발생되는 300개 이상의 증후군(구강, 심장, 근골격 그리고 다른 신체 부위를 포함하여)이 발표되었다. 다른 증후군이 동반되지 않은 나머지 85%에서도 전체수의 반 정도는 비교적 알려지지 않은 사소한 기형을 가진다.

표 8-3은 CL/P의 전체 유병률만이 아니라 CL과 CLP의 상대적 빈도를 나타내는 연구를 선택해서 모은 것이다. 일반적인 경향은 세계에서 구순구개열 유병률이 가장 높은 지역에서 CLP와 CL의 비율도 가장 높다. 그리고 유병률이 낮은 지역에서는 심한 형태의 구순구개열의 비율이 상대적으로 낮은 것으로 나타났다.

Ⅳ. 다양한 형태의 구순구개열에서 성비율

CL/P와 isolated CP간의 일반적인 역학적 차이 중 현재 가장 널리 받아들여지는 것이 CL/P의 남성 우세와 CP의 여성 우세 경향이다.

환아의 성별은 Cooper등(1979)이 여러 학자의 통계를 분석하여 남녀의 비가 구순열 및 구순구개열에서 1.6:1, 구개열에서는 1:1.3으로 보고하였다. 국내의 여러 학자들은 각 질환에 있어 남녀의 비를 구순열의 경우 1.1-3.4:1, 구순구개열의 경우 1.7-6.8:1로 남자에서 더 많이 발생한 것으로 보고하였고 구개열의 경우 1:1-6으로 여자에서 더 많이 발생하는 것으로 보고하였다. 민 등(1996)의 경우 구순열, 구순구개열의 경우 각각 2:1, 1.2:1로 남자에서 많이 발생하였고 구개열의 경우 1:1.1로 여자에서 더 많이 발생하였으나 구순열의 경우 통계적 의미에 있어 차이가 있었으나 구순구개열과 구개열의 경우 통계적 의미는 없었다. 김 등(2002)도 구순열 및 구순구개열은 남자에서 2배 내지 2.5배가 많고 구개열에서는 여자가 약

표 8-3. Cleft Lip Subtype 의 비율

Country	Relative proportions of cleft types (%)				Reference
	Prevalence CL/P	CL	CLP	Ratio CLP:CL	
New York City (nonwhites)	0.29	27.0	31.0	1.15	Conway and Wagner (1966)
Africa (Nigeria)	0.34	49.0	32.0	0.65	Iregbulem (1982)
Israeli Jews	0.37	31.0	38.0	1.23	Azaz and Koyoumdjisky-Kaye (1967)
Caribbean (Santo Domingo)	0.42	36.4	31.4	0.86	Garcia-Godoy (1980)
Africa (Zaire)	0.44	50.0	46.0	0.92	Ogle (1993)
New York City (whites)	0.60	33.0	37.0	1.12	Conway and Wagner (1966)
Iran	0.85	35.0	48.0	1.37	Rajabian and Sherkat (2000)
USA Wisconsin	0.86	26.0	44.0	1.69	Gilmore and Hofman (1966)
Denmark	1.08	33.5	41.7	1.27	Fogh-Andersen (1961)
Bohemia	1.21	24.3	42.5	1.75	Tolarova (1987)
Thailand	1.22	26.0	48.0	1.84	Chuangsuwanich et al.(1998)
British Columbia	1.23	23.0	39.0	1.70	Lowry et al.(1989)
Australia (non-Aboriginal)	1.24	21.0	44.0	2.09	Bower et al.(1989)
Iceland	1.33	25.0	43.8	1.75	Moller (1965)
Japan	1.43	41.3	46.0	1.11	Natsume and Kawai (1986)
Australia (Aboriginal)	2.27	17.0	59.0	3.47	Bower et al.(1989)
Canadian Native Americans	2.73	8.0	78.0	9.75	Lowry et al.(1989)
Korea (1984-1994)	0.84	26.6	54.6	2.05	Min et al.(1996)
Korea (1991-1995)	0.87	34.1	30.1	0.88	Kim et al.(2002)

(from Diegof F, Wyszynski. Cleft lip & palate. Oxford university press, 2002, p137)

간 많다고 하였다. 구순열 및 구순구개열과 구개열에 있어 남녀 비의 역전에 대해 Fogh-Andersen(1942)은 이 두 선천성 기형이 구개열과는 유전적으로 무관하다는 가설을 제시하였고, Meskin(1968)은 남자의 경우 구순 및 일차구개의 접합시에 방해가 되어 결손을 일으키나 이때는 이미 이차 구개는 접합되어 있는 상태이므로 구개열을 일으킬 소지가 적어진 반면 여자의 경우 같은 시기에 이차 구개의 접합이 이루어지므로 구개열을 일으킬 소지가 커지기 때문에 구개열의 경우 여자에서 더욱 많이 발생한다고 하였고 Burdi & Silver(1969)가 인간의 태아를 조직학적으로 잘라 실험한 결과 Meskin(1968)의 가설을 실험적으로 입증하였다.

백인을 대상으로 한 모든 연구에서 CL/P는 남성에서 더 흔히 발생하고 평균 남녀비는 2:1이다(Wyszynski, 1996). 일본의 연구에서는 CLP집단에서 유의할 만한 남성우세가 있으나 CL 단독 집단에서는 그렇지 않았다(Fujino, 1963). 백인 인구집단에서, CL/P 집단의 남성 우세는 구순구개열의 심한 정도가 증가할수록 더욱 명백하고(Fogh-Andersen, 1942), 가족 중 한명의 형제 이상에서 발생할 때 덜 명백하다(Niswander, 1972). 백인과 일본인에서 CP집단에서는 여성이 근소한 우세를 보인다(Fraser, 1970; Wyszynski, 1996).

두개안면 발달 과정 중 중요한 안면구조의 발달 단계에서 장기 발달의 시간적인 남녀 차이가 이러한 문제를 나타낸다고 생각되어지나(Burdi and Silvey, 1969), 이러한 성별간의 차이에 대해 이론적인 근거나 일반적으로 인정되는 가설은 없다.

일반적으로 동반기형을 가진 구순구개열은 동반기형이 없는 구순구개열과는 역학적으로 다르다고 생각되어진다(Vanderas, 1987).

V. 부모나이 및 출생순위와의 연관성

각 질환과 출생 순위 및 부모의 나이와 연관성에 대해서는 학자들간의 의견이 상반되어 있으나 연관성이 없다고 하는 사람도 있고, 35세 이상의 모친에서 높은 발생 빈도를 이야기하는 경우도 있다. 부친의 연령이나 출생 순위는 연관성이 없다고 보고하였으나, Mazaheri(1972)는 모친의 연령이 증가할수록, 출생 순위가 늦을수록 빈도가 높아진다고 하였다. 국내의 여러 저자들은 출생 순위에 있어서 모두 첫째 아이에서 많이 발생한다고 보고하였고 부모 연령과의 연관성은 국내에서 발표된 보고에서는 모두 20대 모친과 부친에서 발생 빈도가 높은 것으로 보고하였다. 민 등(1996)의 경우도 출생 순위의 경우 첫째 아이에서 많았으나 통계적 의미는 없었고 부모의 연령과 관련성은 모친의 경우 국내의 다른 저자들과 같이 20대 모친에서 통계적으로 의미 있게 많이 발생하였고 부친의 경우 30대에서 초발 하였으나 통계적 의미는 없었다. 이는 출생 순위의 경우 가족 계획의 성공으로 인한 자녀수의 감소로 인한 것으로 생각되며 부모의 연령과의 상관 관계는 결혼 적령기 때문인 것으로 생각된다.

VI. 일측 구순구개열과 편측성(laterality)

대부분의 일측성 CL은 왼쪽 편측성 CL이다. 전체 CL의 80-85%를 차지하는 편측성 CL의 2/3가 성별, 인종, 심한 정도 등에 관계없이 왼쪽 편측성 CL이다(Fogh-Andersen, 1942; Fraser and Calnan, 1961) 김 등(2002). 구순열과 구개열등 모든 경우에서 좌측이 많다고 하였다(표 8-4).

현재까지 이러한 차이에 대한 확실한 설명의 발전은 없었다. 그러나 제시된 가설은 태아 머리의 오른쪽을 지배하는 혈관들이 왼쪽보다 심장과 더 가까이에서 대동맥궁을 떠나므로 더 좋은 혈류를 받지 않을까 하는 것이다. 그래서 이러한 왼쪽 편측성 경향은 남녀에 관계없이 동일하며 또한 일측성 CL, CL/P 모두에서 확인되었다.

표 8-4. Laterality pattern of the cleft deformities

	Left	Right	Bilateral	Uncertain	Total
Cleft lip	60(58.8%)	31(30.4%)	7(6.9%)	4(3.9%)	102
Cleft lip and palate	42(46.7%)	19(21.1%)	21(23.3%)	8(8.9%)	90

(from J Korean Med Sc: 2002:17:49-52)

Ⅶ. 유전적 환경적 요인과 구순구개열 역학과의 관계

전세계적으로 두개안면 외형의 전체적인 다양성은 민족성과 관련되고 유전적인 특성(예로 부모의 두개안면 특성)은 민족성과 연관이 있다. 무수한 환경적 요인은 생활 방식과 환경적 요인이 매우 다른 전세계적, 각 국가와 국가의 각 지역간에 동일하지 않다. 유전적 경향을 살펴보면 박 등(2002)은 구순열에서 10.8%(11/102)로 가장 가족력이 강하고 구개열에서 가장 3.7%(4/107)로 가족력이 약하다고 하였으며 가족력이 있는 경우가 7%라고 하였다.

모성 흡연과 알콜 남용은 구순구개열의 가장 타당한 환경적 요인으로 여겨진다. 그러나 증거는 불충분하며 CP 와 C/P 간의 차이가 있다. 유전적 환경의 상호작용은 역시 중요한 역할을 한다. 그리고 흡연은 growth factor αTaqIC_2 allele를 변형시키는 것과 관련하여 더욱 유력한 위험 인자로 증명되어 왔다(Hwang, 1995: Shaw, 1996).

유전자형의 다양성은 민족성과 관련이 있으므로 유전자-환경의 상호작용의 영향이 민족 집단간에 상당히 차이가 있다. 이것이 구순구개열의 역학에서 민족적, 지역적 편차의 일부를 설명할 수 있다.

Ⅷ. 선천성 기형 동반

구순열과 구개열의 환아가 다른 선천성 기형을 동반할 확률은 Fogh-Andersen(1942)은 10%, Oldfield(1949)는 20%, Holdsworth(1970)는 29%라고 하였다. 합병된 기형으로는 수부 기형, 선천성 심장병등을 들고 있다. 국내의 경우 대부분의 연구자들이 4.7-6.4%의 동반 기형을 보고하였고 10% 이상의 보고를 하는 경우도 있었다. 민 등(1996)은 12.5%의 동반율을 보여 외국의 보고 보다는 낮았으나 국내의 다른 보고들 보다는 높았다. 박 등(2002)은 299명중 25명이 다른 동반기형을 갖고 있어 기형 동반 확률이 8.4%라고 하였다(표 8-5). 동반기형은 국내의 모든 보고자들이 설소대 단축증과 선천성 심장병 등이 가장 호발 한다고 보고하였으나 민 등(1996)의 경우 수부 기형이 28.6%로 가장 호발 하였고 그 중 다지증(20.4%)이 가장 많이 동반되었다고 하였다. 박 등은 동반기형 25명 중 16명이 선천성 심장병으로 선천성 심장병이 가장 흔히 동반된다고 하였고 그 다음이 설소대 단축증이라 하였다. 민 등(1996) 발표에 의하면 각 질환별 기형의 동반율은 구개열에서 15.9%, 구순구개열에서 12.6%, 구순열에서 10.1%였으나 통계적 의미는 없었다. 국내의 다른 보고자들도 민 등(1996)과 같이 구개열에서 많이 발생한다고 하였다.

Ⅸ. 사회경제적 상태와 구순구개열 역학과의 관계

다수의 연구는 사회경제적 상태에 초점을 두고 있다. 그러나 일반적으로 CP 또는 CLP와 사회 경제적 상태의 상호관계를 정확하게 기록하거나 분석하려는 시도는 거의 없었다. Croen et. al.(1998)는 캘리포니아, 하와이 그리고 필리핀의 필리핀인들 사이에서 CP와 CL/P의 유병률을 조사했다. 그리고 필리핀에서 가장 높은 유병률을, 하와이에서 중간 유병률 그리고 캘리포니아에서 가장 낮은 유병률을 나타내는 변화도를

표 8-5. Associated anomalies

Anomalies	Frequency	Percent
Congenital heart disease	16	5.4
Short frenulum	5	1.7
Hernia	1	0.3
Accessary ear lobe	1	0.3
Congenital megacolon	1	0.3
Extremity malformation	1	0.3
None	274	91.6

(from J Korean Med Sc :2002 : 17 : 49-52)

제시했다. 그들은 이러한 차이가 산모의 비타민 섭취량의 부족과 같은 환경적인 위험요인의 차이를 나타내는 것일 수 있다고 주장했다.

Womersley & Stone(1987)은 주거와 사회특성에 따른 Greater Glasgow 내의 안면열의 유병률을 조사했다. 가장 높은 비율은 높은 실직이나 불량거주, 비숙련자들의 지역에서 관찰되었고 반면에 가장 낮은 비율은 큰 집을 소유하고 전문직 또는 사무직을 하는 부유한 지역에서 발견되었다. 조사된 대부분의 경우는 CP이며 CL/P의 경우도 큰 차이를 보이지 않았다. 저자들은 박탈된 환경이 CP에 대한 감수성을 항진시키고 낮은 사회경제적 상태 또는 가난한 환경과 기형발생물질간의 상호작용이 Glasgow의 높은 CP 유병률을 설명할 수 있다고 결론지었다. 식이, 감염, 약물도 사회경제적 상태와 구순구개열 역학과 관련이 있다.

Sivaloganathan(1972)는 1969년 9월부터 1971년 5월 까지 말레이시아 쿠알라룸푸르에서 병원 환자를 대상으로 사회 계층과 구순구개열 발생 관계를 연구했다. 그들은 구순구개열의 65%가 하류층이며 28%가 중산층, 7%가 상류층임을 밝혀냈고 이는 구순구개열은 낮은 사회경제 상태와 환경적 요소등과 연관성이 있거나 유전적 소인이 있다는 것을 암시한다.

X. 결론

이 장에서 나타나는 자료들의 총괄적인 결론은 다음과 같다

1) CL/P와 CP간에 성상의 확연한 차이에 대한 충분한 증거가 있고 구순구개열의 세부집단(subtype) 내에서도 확실한 차이가 있다는 증거가 있다.
2) 상당한 지리학적 편차가 있으며, 이는 CP보다 CL/P의 경우에서 더욱 잘 나타난다.
3) 구순구개열에서 동반 이상이나 증후군은 상당히 다양한 비율로 나타난다. 동반기형으로는 수부, 신경계, 심장, 혀 등에 많이 나타난다.
4) 한정된 유용한 자료에서 이민 집단의 CL/P의 비율이 원 지역에서의 발생비율과 유사하게 나타남을 보여준다.
5) 시간적 경향이나 사회경제 상태 또는 계절별로 일관적인 편차는 없다. 그러나 이러한 영역들은 적절히 연구되지 않았다. 이러한 매개변수들에 대해 인구집단내 뿐만 아니라 서로 다른 인구집단 간에도 연구되어질 필요가 있다.
6) 구순구개열의 발생의 빈도에 있어 상당한 국제적 편차가 있다. 국내에서는 1000명당 1.81명과 1000명당 1.04명 등 두 가지 다른 보고가 있었다. 그러나 다양한 요소들에 의해 이러한 자료의 타당성과 비교성이 부정적인 영향을 받아 신뢰성을 떨어뜨린다. 다양한 요소는 모인구집단(병원 vs 대중), 시간 경과, 확인 방법, 포함/배제 기준 그리고 표본선정의 차이 등이다.
7) 세계적으로 구순구개열의 빈도에 대한 자료가 부족하거나 거의 없는 지역이 많이 있다. 즉 아프리카, 아시아 그리고 동유럽의 특정지역이다.

참고문헌

1. Burdi AR and Silvey RG, Sexual differences in closure of the human palatal shelves. Cleft Palate J 6:1, 1969
2. Cooper HK, Cleft palate and cleft lip : A team approach to clinical management and rehabilitation of the patient, Philadelphia WB Saunders Co., 1979
3. Cornel. MC, Some epidemiological data on oral clefts in the northern Netherlands 1981-1988. *Cleft Palate Craniofac J* 37: 274, 1992
4. Croen, LA, Shaw, GM, Wasserman, CR, Tolarova, MM. Racial and ethnic variations in the prevalence of orofacial clefts in California, 1983-1992. *Am J Med Genet* 79: 42, 1998
5. Fujino H, K Tanaka Y. Sanui, Genetic study of cleft lip and cleft palate based on 2, 828 japanese cases. 14 : 317, 1963
6. Fukuhara T, New method and approach to the genetics of cleft lip and cleft palate, *J Dent Res* 44 : 259, 1965
7. Fogh-Andersen, P. *Inberitance of Harelip and Cleft Palate.* Copenhagen: Arnold Busck. 1942
8. Fraser, FC. The genetics of cleft lip and cleft palate. *Am J Hum Genet* 22: 336-352. 1970
9. Fraser, GR, Calnan, JS. Cleft lip and palate: seasonal incidence, birth weight, birth rank, sex, site, associated malformation and parental age. Arch Dis Child 36: 420, 1961
10. Holdsorth WC. Cleft lip and palate. New York, Grune & Stratton, Inc., 1970
11. Hwang, SJ, Beaty, TH, SR, Association study of transforming growth factor alpha (TGF α) Taq1 polymorphism and oral cleft:

indication of gene-environment interaction in a population-based sample of infant with birth defects. *Am J Epidemiol* 141: 629 1995.

12. Kallen, B, Harris, J, Robert, E. The epidemiology of orofacial cleft. 2. Associated malformation. *J Craniofac Genet Dev Biol* 16: 242, 1996
13. Kim SH, Kim WJ, Changhyun Oh, Jae-Chan Kim, Cleft lip and Palate Incidence Among the Live Births in the Republic of Korea, *J Korean Med Sci* 17, 49, 2002
14. Leck, I. Fetal malformation. In: *Obstetrical Epidemiology.* London: Academic Press. 1983
15. Mazaheri M, Statical analysis of patient with congenital cleft lip and/or palate at the Lancaster cleft palate clinic. *Plast & Reconst Surg* 27:261, 1961
16. McMahon, B. Pugh, TF. *Epidemiology: Principle and Methods.* Boston: Little. Brown. 1970
17. Meskin LH, Spruzansky, WH, Gullen, An epidemiological investigation of factors related to the extent of facial clefts. I.Sex of patient. *Cleft Palate J* 5 : 23, 1968
18. Oldfield M, Modern trends in harelip and cleft palate surgery with review of 500 cases. *Brit J Surg,* 37: 178, 1949
19. Ross RB and MC Johnstone, Cleft lip and palate. Baltimore, The Williams and Wilkins Co., 1972
20. Sivaloganarhan, V. Cleft lips in Malaysians. Plast Reconstr Surg 49: 176, 1972
21. Vanderas, AP. *Social and Biological Effect on Perinatal Mortality.* Budapest: WHO, 1987
22. Womersley, J, Stone, DH. Epidemiology of facial cleft. Arch Dis Child 62: 717, 1987
23. Wyszynski, DF, Beaty, TH, Maestri, N Genetics of Non-syndromic Cleft Lip with or without Cleft Palate Revisited. Cleft Pal Craniof J 33: 406, 1996
24. 김명래 : 대학병원의 선천성 구순열 및 구개열 발생 빈도, 대한구강 악안면외과 학회지 13 : 165, 1987
25. 김유방, 류재만 : 선천성 구순열 및 구개열 환자의 발생빈도 및 발생 요인에 대한 임상적 연구. 대한성형외과학회지 9 : 407, 1982
26. 민도원, 장효죽, 홍인표, 김종환, 이세일 : 최근 10년간 구순열, 구개열 및 구순구개열의 발생 빈도, 대한성형외과학회지 23 : 1337, 1996
27. 유재덕 : 선천성 안면 기형, 대한의학 협회지 10 : 212, 1967
28. 정일봉, 이강일, 박길용 : 선천성 구순열 및 구순구개열의 임상적 고찰, 대한성형외과 학회지 15 : 499, 1988

제9장 구순구개열의 환경위험인자

Envirometal Risk Factors in Cleft Lip and Palate

황 건

입갈림증(oral cleft)의 원인에 대한 논문이 많은데도, 유일한 원인인자는 아직 알려져 있지 않다. 입갈림증에 대한 강한 위험인자는 아직 밝혀지지 않았으나, 몇 가지 가능성 있는 환경위험인자들이 연구되고 있는 바 흡연, 음주, 카페인, 벤조디아제핀류, 스테로이드 등이 있다.

I. 모성 흡연

흡연과 입갈림증에 대한 몇몇의 연구를 메타분석한 결과로는 입술갈림증의 교차비(odd ratios)는 1.29이며 입천장갈림증의 교차비는 1.32로서 모성흡연(maternal cigarette smoking)과 입갈림증 사이에 약한 연관이 있는 것을 나타냈다(Wyszynski, 1997).

임신기간 중 흡연한 어머니에서 태어난 입갈림증 신생아에게서 전환성장인자알파의 C2맞섬유전자(C2 allele of TGF-α)가 나타난다는 사실로 보아 '유전자-환경 상호작용' 이 제안되기도 하였는데(Hwang 1995, Shaw 1996, Beaty 1997, Romitti 1999), 이것이 입갈림증의 다인성 원인을 보여주는 첫 경험적 증거라고 하겠다.

한편 전향연구(prospective whort study)의 결과로는 흡연이 갈림증의 하위범주(subcategory of clefts)를 유의한 정도로 증가시키지 않는다는 보고가 있다(Shiono 1986).

정리하면 여태까지 발표된 논문들을 정리해보면 임신 첫 삼분기의 흡연은 자식의 입갈림증 위험과 약한 관련(weak association)이 있다고 말할 수 있다. 그러나 임신중 흡연하는 여성의 수가 많은 것을 생각해보면, '약한 관련' 도 공중보건에는 심각한 영향을 미칠 수 있다고 생각된다.

II. 음주

음주(alcohol)와 입갈림증의 연관에 대한 논문들에서 연구자들은 모성 '음주' 에 대해서 한달에 4잔부터 한달에 5잔 혹은 5번까지로 정의하였다. 대부분의 연구에서 음주와 입술입천장갈림증(cleft lip and palate) 사이에는 2.8~4.0 사이의 교차비를 보였다(표 9-1).

III. 카페인

카페인과 입갈림증에 대한 연구 중 어떤 연구결과에서도

표 9-1. Oddratios (95% CIs) for Alcohol intake and Oral Clefts

Reference	Level of Alcohol Intake	CL/P (95% CI)	CP (95% CI)
Werler et al.(1991)	≥5 drinks/drinking day	3.0 (1.1-8.5)	0.9 (0.1-7.2)
Munger et al.(1996)	10 drinks/month	4.0 (1.1-15.1)	1.8 (0.3-12.1)
Shaw and Lammer (1999)	≥5 drinks≥once/week	3.4 (1.1-9.7)	1.0 (0.23-8.5)
Romitti et al.(1999)	≥4 drinks per month	2.8 (1.2-6.6)	1.7 (0.5-6.4)

1.0이상의 교차비를 나타낸 결과가 없으며 이는 카페인은 입갈림증과 관련 없다는 것을 의미한다.

IV. 간질(epilepsy)

발작장애(Seizure disorder)를 가진 어머니에서 입갈림증이 생기는 기전은 잘 밝혀져 있지 않다. 그러나 발작장애를 가진 어머니에서 태어난 어린이들에서 발작장애가 없는 어머니에서보다 입갈림증이 4배에서 11배정도 높다는 사실이 보고되어 있다(Dansky 1991).

가족력상 강한 연관관계가 없다는 것을 보면 간질과 입갈림증 사이에 환경인자가 중요한 역할을 한다는 것을 할 수 있다.

정리하면, 어머니의 발작장애와 자녀의 입갈림증과는 강한 연관관계가 있는데 이는 아마 항경련제의 사용때문인 것으로 생각된다.

V. 벤조디아제핀

임신중 벤조디아제핀의 사용과 입갈림증의 관계에 대한 연구에 대한 메타분석결과는 다음과 같다.

전향연구에서는 벤조디아제핀과 입갈림증사이에 연관이 없었다(교차비 1.19). 그러나 환자대조군연구에서는 약간의 위험이 있다고 나타났다(교차비 1.79).

벤조디아제핀과 입갈림증과 관계에 대한 가능한 기전으로는 이 약물이 배아발달을 조절하는 신경전달물질의 기전을 붕괴시킨다는 설이 있다. 생쥐모델에서 감마아미노부티르산이 입천장선반의 결정(orentation)을 억제한다는 보고가 있으며 디아제팜이 감마아미노부티르산과 같은 작용을 하여 입갈림증이 생기게 한다는 가설이 있다(Zimmerman 1984).

이 가설이 그럴 듯 하기는 하지만 아직까지 사람에서 디아제팜의 사용이 입갈림증의 위험을 증가시킨다는 증거는 아직 없는 실정이다.

VI. 스테로이드

스테로이드 사용과 입갈림증에 대한 연구들을 종합하여 보면, 임신중에 스테로이드를 사용한 경우 입술갈림증/입천장갈림증은 3배에서 9배까지 위험도가 증가한다고 보고되었다.

VII. 유기용매/취약들

여러 유기용매 중에서, 불화지방족용액(halogenated aliphatic solutions)들에서만 입갈림증 및 입술입천장갈림증의 위험도가 유의하게 증가하였다(입갈림증; 교차비 4.4, 입술입천장갈림증; 교차비 4.0).

유기용매들에 노출되는 여러직업 중에서 입천장갈림증의 위험도가 높은 직업은 주부(교차비 2.8)와 미용사(교차비 5.1)이라는 보고가 있다(Lorente 2000).

요약

입갈림증을 일으키는 위험요인으로는 ① 음주, ② 스테로이드, ③ 항경련제의 사용이 연관이 있다. 대부분의 경우에 이러한 연관은 입술입천장갈림증(CL/P)과는 경도에서 중증도의 연관이 있으나 입천장갈림증(CP)과는 연관이 없었다.

이를 보면 입술입천장갈림증이 입천장갈림증보다 원인인자에서 더 강한 환경요인을 가지고 있다는 것을 알 수 있겠다.

참고문헌

1. Beaty, TH, Maestri, NE, Hetmanski, JB, et al.(1997). Testing for interaction between materal smoking and TGFA genotype among oral cleft cases born in Maryland 1992-1996. Cleft Palate Craniofac J 34:447-454.
2. Dansky, LV, Finnell, RH (1991). Parental epilepsy, anticonvulsant drugs, and reproductive outcome: epidemiologic and experimental findings spanning three decades. 2: Human studies. Reprod Toxicol 5:301-355.
3. Hwang, SJ, Beaty, TH, SR, et al.(1995). Association study of

transforming growth factor alpha(TGFA) Taq1 polymorphism and oral clefts: indication of gene-environment interaction in a population-based sample of infants with birth defects. Am J Epidemiol 141:629-636.

4. Lorente, C, Cordier, S, Bergeret, A, et al.(2000). Maternal occupational risk factors for oral clefts. Scand J Work Environ Health 26:137-145.
5. Munger, RG, Romitti, PA, Daack-Hirsch, S, et al.(1996). Maternal alcohol use and risk of orofacial cleft birth defects. Teratology 54:27-33.
6. Romitti, PA, Lidral, AC, Munger, RG, et al.(1999). Candidate genes for nonsyndromic cleft lip and palate and maternal cigarette smoking and alcohol consumption: evaluation of genotype-environment interactions from a population-based case-control study of orofacial clefts. Teratology 59:39-50.
7. Shaw, GM, Wasserman, CR, Lammer, EJ, et al.(1996). Orofacial clefts, parental cigarette smoking, and transforming growth factor alpha gene variants. Am J Hum Genet 58:551-561.
8. Shaw, GM, Lammer, EJ (1999). Maternal periconceptional alcohol consumption and risk for orofacial clefts. J Pediatr 134:298-303.
9. Shiono, PH, Klebanoff, MA, Berendes, HW (1986). Congenital Malformations and maternal smoking during pregnacy. Teratology 34:65-71.
10. Werler, MM, Lammer, EJ, Rosenberg, L, Mitchell, AA (1991). Maternal alcohol use in relation to selected birth defects. Am J Epidemiol 134:691-697.
11. Wyszynski, DF, Duffy, DL, Beaty, TH (1997). Maternal cigarette smoking and oral clefts: a meta-analysis. Cleft Palate Craniofac J 34:206-210.
12. Zimmerman, EF(1984). Neuropharmacologic teratogenesis and neurotransmitter regulation of palate development. Am J Ment Defic 88:548-558.

제10장 미세형 구순열

Microform Cleft Lip

김석권

구순열은 나타나는 정도에 따라서 완전형 구순열에서부터 코나 입술에 미세한 변형만 있는 경우까지 매우 다양한 모습을 보인다. 그 중 상구순이나 비부의 변형이 미세한 부류를 미세형 구순열이라 부른다(Onizuka, 1978). 저자에 따라서는 불완전 구순열의 경증형으로 분류하기도 한다(Pashayan, 1971; Parkas, 1979). 이들 변형에 따라 코와 입술의 구조가 뚜렷해질 때 발견되어 늦게 성형외과를 찾는 경우가 많다. 부모들은 이것을 구순열이라 인정하지 않는 경우가 많으며 이런 환자의 보호자를 대할 때 여간 주의를 기울이지 않으면 곤란한 경우도 있다(변태호 등, 1995).

I. 미세형 구순열의 정의

미세형 구순열의 정의나 분류는 아직 확실히 정립되어 있지 않다. 이 변형에 속하는 몇가지 요소를 지닐 때 미세형 구순열이라고 정의할 수 있으며, 변형의 특징은 보통 3가지의 주된 요소로 세분하여 설명 할 수 있는데 첫째, 상구순 홍순의 작은 결손(절흔이나 작은 크기의 순열로 나타남)이 보이며 둘째, 홍순연에서 비공저(nostril sill)에 이르는 인중릉에 함몰되어 있는 섬유조직의 띠가 있고 셋째, 절흔이나 함몰된 띠가 있는 쪽의 비익과 비공에 변형이 있다(Cosman, 1966; Thompson, 1985).

이러한 변형들은 동시에 나타나기도 하지만 세가지 요소가 모든 환자에서 항상 나타나는 것은 아니며, 변형의 정도도 매우 다양하기 때문에 치료방법이 환자마다 다를 수 밖에 없지만, 구륜근의 연속성을 복원해 주는 것이 매우 중요한 치료의 기본이다.

II. 원인과 발생빈도

1. 원인

구순열의 원인은 일반적으로 Stark의 학설이 인정되고 있다. 상구순은 임신 4주경에 발생하기 시작하며 임신 7주경에 완성되는데 임신 3주경 신경판(neural plate)에서 발생한 전두돌기(frontal process)는 전두비부의 표면이 융기하여 비원기(nasal placode)가 형성되고 제1새궁의 상부로부터 상악돌기(maxillary process)가 분리되어, 점차 증대된다. 비원기의 중심부는 점차 함몰되고 그 가장자리는 융기되어 내측 비돌기(medial nasal process)와 외측 비돌기(lateral nasal process)로 둘러 싸이게 된다. 내측 비돌기와 외측 비돌기는 상악돌기와 임신 6-7주경에 융합되고 여기에 간엽대치(mesenchymal replacement)와 상피화(epithelialization)가 일어나 상구순이 형성된다. 이 과정에서 간엽대치의 장애가 있으면 구순열이 발생하게 되며 그 기전에 관해서는 다양한 학설이 있지만 중간엽 세포의 형성부족(failure of mesodermal reinforcement), 증식부전(failure of mesodermal proliferation), 돌기들의 성장 장애 등으로 구순열이 발생한다고 알려져 있다.

Burian(1966)에 의하면 미세형 구순열은 태내에서 구순열이 저절로 치유되어 나타난 결과라고 하였다. Castilla(1995)는 선천성 치유된 구순열(Congenital healed cleft lip)이라는 용어를 사용하였으며 Grech(2000) 또한 태내에서 치유된 구순열의 양상이라고 주장하여 태내 구순열의 자연 치유설을 뒷받침하고 있다.

2. 발생빈도

미세형 구순열의 발생빈도에 대한 정확한 통계는 없으나 Castilla(1995)는 생존 출생아 10,000명당 0.065명 정도라고 보고하였다. 박병윤(2003)은 23년간 2500명의 구순구개열 환자 중 83명의 미세형 구순열 환자를 경험하였는데, 남과 여의 비는 51 대 32로 남자에서 다소 많았으며, 양측성 대 편측성은 6대77로 편측성이 월등히 많았다고 보고하였다. 박철수(1999)는 1993년도부터 1998년까지 5년간 64례의 미세형 구순열을 경험하였고, 성비는 남자가 29명 여자가 36명으로서 여자가 다소 많은 것으로 보고 하였다. 차병훈등(2001)은 1992년부터 2000년 까지 8년간 23례의 미세형 구순열을 경험하였으며, 남자가 12명 여자가 11명으로 성비는 거의 같았다고 보고하였다.

박병윤의 보고를 토대로 한국인의 미세형 구순열의 발생빈도를 유추해 보면 구순구개열 환자의 3.32%가 미세형 구순열이며 출생아 21,000명당 1명(출생아 10.000명당 0.47명)으로 추산할 수 있으나 Castilla와는 많은 차이가 있어 정확한 통계치라고는 볼 수 없지만 출생아 21,000명당 1명이 더 타당한 발생빈도라고 생각된다.

III. 미세형 구순열의 임상양상

미세형 구순열은 일측성, 양측성, 일측은 미세형 다른 일측은 불완전 또는 완전형 구순열 등 매우 다양하게 나타난다.

1. 비 변형

비공의 경미한 비대칭에서부터 불완전형 구순열에서 나타나는 변형까지 다양하다. 비익이 벌어져 있고(flaring) 비익연골이 함몰되거나 변위되어 있으며, 비공저의 함몰을 볼 수 있다. 심한 경우는 비중격의 만곡이 동반된다.

2. 구순 변형

큐피드 활과 홍순의 절흔이 다양한 정도에서 나타나며 반흔과 유사한 띠(striae) 또는 구(groove)가 인중릉의 위치에 나타나며 이 구는 매우 얇은 피부로 덮혀있고 모낭이나 한선이 없다. 이 때 아래의 구륜근은 연속성이 다양하게 결손되어 있다.

3. 치조 및 치아

상외절치의 결손 또는 변형이 있을 수 있으며 치조에 절흔이 있을 수 있다.

동반되는 기형으로서는 수두증(hydrocephalus), 선천성 심장병, 구개열, 안면열 등이 있다.

IV. 용어

미세형 구순열의 용어는 매우 다양하다.

Le Mesurier는 Minor notch of the lip이라 하였고 Fara는 Minor incomplete clefts, Cosman, 김용배등은 Minimal cleft lip(최소 구순열), Weinberger, Sigler, Onizuka, Thaller, Crech, 박병윤, 엄기일, 김석권 등은 Microform cleft lip이라 하였으며, 그 외에도 Congenital healed cleft lip(Castilla, 1995), Occult cleft lip, Rudimentary, Abortive cleft lip, Frome foruste, Vermilion notch, Congenital lip scar 등으로 불리워져 왔으나 근래에 와서 미세형 구순열이라는 용어가 가장 많이 사용되고 있다.

V. 분류

1. Onizuka의 분류

Onizuka(1982)는 구순열을 1도에서 5도까지 분류하였다. 1도는 구순열비 변형만 있고 구순의 변형은 없다고 하였으며, 2도는 흔적(traced)구순열로서 홍순의 하연에 절흔이 있거나 홍순의 상연에 절흔이 있으며 구순에 띠(striea)가 있다고 하였다.

3도는 불완전 구순열로서 전체 구순의 1/4이상, 1/2이상 또는 3/4이상의 구순열이 있는 경우라고 하였으며, 4도는 완전 구순열로서 Simonart 띠를 가진 1차성 구순열과 이것이 없는 1차성 구순열이라 하였으며 5도는 완전 1차성 구순구개열이라고 하였다(그림 10-1). 이중 1도(그림 10-2)와 2도(그림 10-3)를 미세형 구순열이라고 하였다.

2. 박철수의 분류

박철수 등(1999)은 미세형 구순열을 3개의 형태로 나누고 각 유형에 따른 치료방법을 제시하였다(표 10-1).

1) 제1형

구순열비의 변형이 주된 요소인 형태로 입술의 변형이 없거나 극히 미세한 입술 길이의 단축이 있는 경우를 말한다.

구순열비의 변형은 비저부 연부조직과 골조직의 결손으로

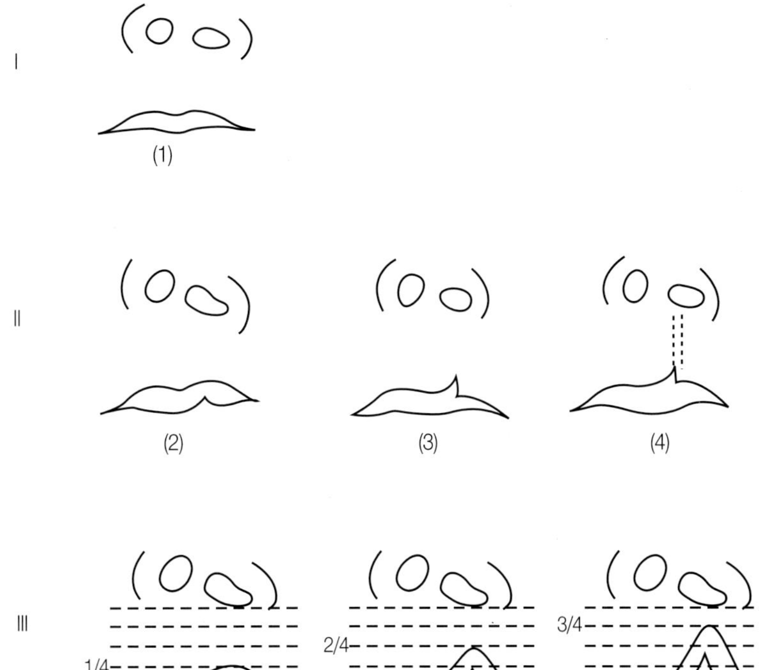

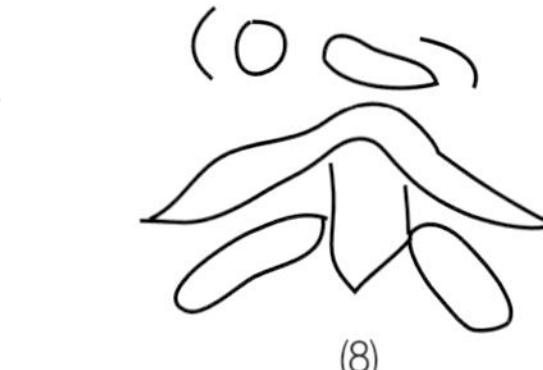

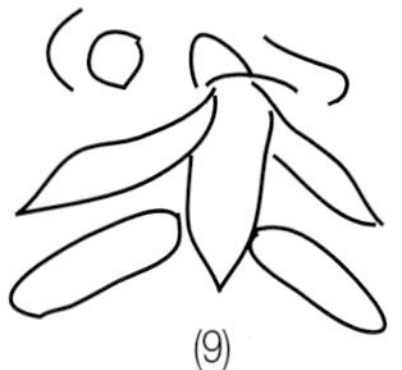

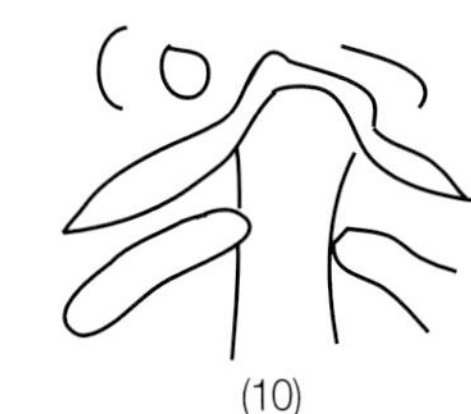

그림 10-1. Onizuka의 구순열 분류
I. 1도 구순열(구순의 변형은 없는 구순열)
II. 2도 구순열(흔적 구순열)
(2) 홍순의 하연에 절흔이 있는 경우
(3) 홍순의 상연에 절흔이 있는 경우
(4) 구순에 띠가 있는 경우
III. 3도 구순열(불완전 구순열)
(5) 전체 구순의 1/4이상 구순열이 있는 경우
(6) 전체 구순의 1/2이상 구순열이 있는 경우
(7) 전체 구순의 3/4이상 구순열이 있는 경우
IV. 4도 구순열(완전 구순열)
(8) Simonart 띠를 가진 완전 1차성 구순열
(9) 완전 1차성 구순열
V. 5도 구순열(완전 구순구개열)
(10) 완전 1차성 구순구개열

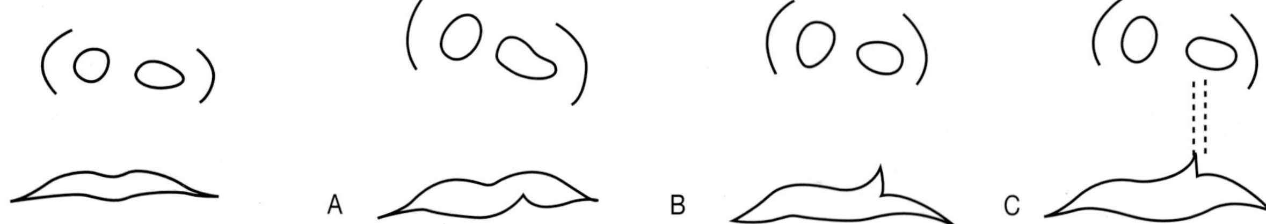

그림 10-2. Onizuka의 분류에 의한 1도 구순열. 구순의 변형은 없는 구순열

그림 10-3. Onizuka의 분류에 의한 2도 구순열. (A) 홍순의 하연에 절흔이 있는 경우, (B) 홍순의 상연에 절흔이 있는 경우, (C) 구순에 띠가 있는 경우

표 10-1. 미세형 구순열의 분류

분류	변형의 특징
I	극히 미세한 입술의 변형이 있는 구순열
II	홍순의 절흔이 없는 미세한 구순열
III	미세한 홍순의 절흔이 있는 가벼운 입술의 변형

비공저의 함몰이 있고, 비익연골의 변형으로 비공이 찌그러지고 비익의 형태가 아래쪽으로 내려 앉는 평평한 모습으로, 비중격 기저부가 정상측으로 편위되고 심할 경우 비골의 편위를 보이기도 한다(그림 10-4A).

2) 제2형

크지는 않으나 교정이 필요한 정도의 구순열이 입술에 보이는 것으로 큐피드 활측의 백색선이 희미하고 큐피드 활의 정점에 예각의 V자 형태로 갈라져 있고 인중릉의 발달이 미약하며, 심할 경우 함몰된 구(groove)나 띠(striae)의 형태로 나타나는 경우로서 구순열비의 변형이 함께 동반하기도 한다(그림 10-4B).

3) 제3형

1형이나 2형보다 더욱 심한 해부학적, 임상적 변형을 보이는 경우로 큐피드 활의 비대칭적 변형과 짧은 입술변형이 심하고 홍순하단에는 절흔이나 작은 순열이 보이며, 구순열비 변형은 물론 인중릉의 위치에 함몰된 구나 띠가 더욱 명확해 보인다(그림 10-4C). 함몰된 띠의 피부는 매우 얇고 정상피부의 피지선이나 모낭이 잘보이지 않고 때로는 착색되어 주변의 피부와는 확연히 다른 뚜렷한 변형을 보이게 된다(Lehman, 1976).

3. 저자의 분류

저자는 미세형 구순열을 1, 2, 3급으로 분류하되 2급을 a와 b형으로 나누어 설명하고자 한다(표 10-2).

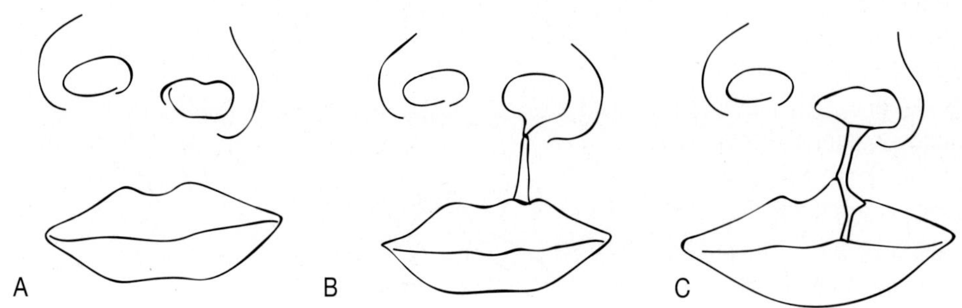

그림 10-4. 박철수의 미세형 구순열 분류. (A) 극히 미세한 입술의 변형이 있는 구순열, (B) 홍순의 절흔이 없는 미세한 구순열, (C) 미세한 홍순의 절흔이 있는 가벼운 입술의 변형

표 10-2. 미세형 구순열에 대한 저자의 분류

분류	변형의 특징
I	경미한 비익의 함몰 및 전위, 미세한 입술 길이의 단축 및 비공저의 함몰과 확장이 있는 경우
IIa	구순변형과 함께 경미한 비변형 존재, 희미한 큐피드 활, 구륜근의 연속성은 유지되어 있지만 홍순의 절흔 및 입술 피부의 구(groove)가 있는 경우
IIb	IIa에서 구륜근의 연속성이 결여된 상태
III	IIb에서 입술 길이의 단축 및 큐피드 활과 홍순에 심한 절흔을 가진 경우

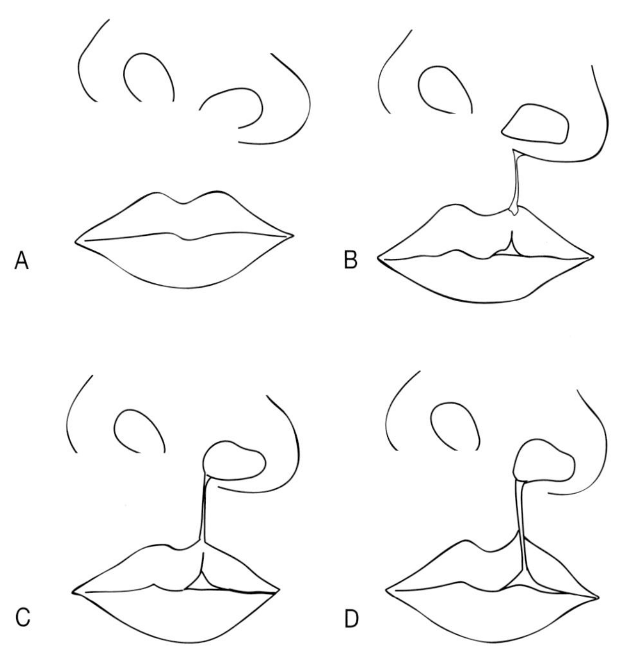

그림 10-5. 저자의 미세형 구순열 분류. (A) I급, 경미한 비익의 함몰 및 전위, 미세한 입술 길이의 단축 및 비공저의 함몰과 확장이 있는 경우, (B) IIa급, 구순 변형과 함께 경미한 비 변형 존재, 희미한 큐피드 활, 구륜근의 연속성은 유지되어 있지만 홍순의 절흔 및 입술 피부의 구(groove)가 있는 경우, (C) IIb급, IIa급에서 구륜근의 연속성이 결여된 상태, (D) III급, IIb급에서 입술 길이의 단축 및 심한 절흔을 가진 큐피드 활과 홍순을 가진 경우

1) 1급(class I)

구순열비 변형이 주된 형태이며, 입술의 변형은 없거나 경미한 형태이다. 구순열비 변형은 비익이 함몰되거나 변위되어 있고, 미세한 입술 길이의 단축과 다소 넓고 함몰된 비공 문지방이 특징이다(비중격의 경미한 편위가 있을 수 있다)(그림 10-5A).

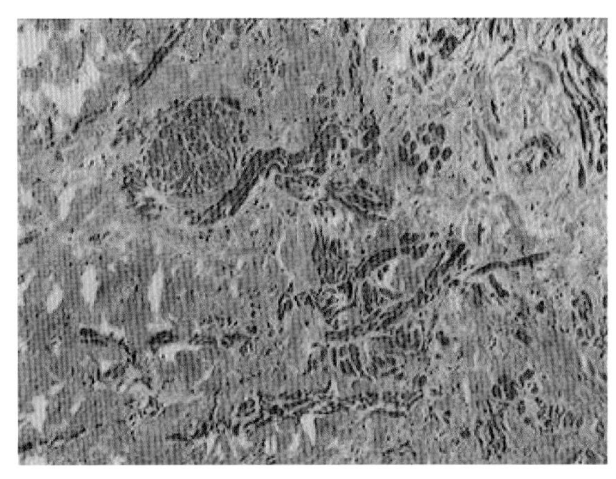

그림 10-6. 미세형 구순열에서 보이는 구륜근 결핍의 현미경 사진. 구륜근의 위축 및 섬유화가 관찰된다.

2) 2급a(Class IIa)

경미한 구순열의 형태가 입술에 나타나는 경우로 구순 변형과 함께 비 변형이 있는 형태로서, 임상적으로 구륜근의 연속성이 유지되고 있으며, 큐피드 활의 형태가 완전하지 못하고, 홍순의 하연과 상연에 경미한 절흔이 있고, 입술 피부에 아주 옅은 구(groove)가 형성되어 있다(그림 10-5B).

3) 2급 b형(class IIb)

임상적으로 구륜근의 연속성의 결여 유무에 따라 구륜근의 연속성이 결여된 경우를 2급b형으로 나누었다. 이택종의 연구에 의하면 경미한 미세형 구순열이라도 현미경적으로 구륜근의 결핍이 있다고 하였으나(그림 10-6) 저자는 임상적인 판단으로 분류하였다(그림 10-5C).

4) 3급

II급 b가 포함된 형태이며 큐피드 활의 비대칭이 명확하고,

짧은 입술변형은 물론 인중릉의 함몰된 띠가 더욱 선명하고, 홍순의 절흔이 보다 심하여, 피부와 점막의 연속성이 유지된다 하더라도 구륜근이나 골조직의 결손이 필연적으로 존재하기 때문에, 그 변형은 불완전형 구순열에 가깝다(그림 10-5D).

VI. 수술

미용적으로 코와 상구순이 조화를 이루게 하고, 구순의 기능을 향상시키기 위해 구륜근의 연속성을 확립시켜 주는 것이 수술의 목적이다(Lehman, 1976). 이러한 목적을 달성하기 위해서 회전전진법을 사용한다. 반흔은 상구순의 자연적인 해부학적 위치(Landmark)에 따라 놓이게 하고 근육의 결손, 짧은 비주와 퍼진 비익을 동시에 교정한다(Lehman, 1976).

1. Onizuka의 수술방법

Onizuka(1991)는 그림 10-1에서 보여준 것과 같이 1도와 2도의 미세형 구순열의 4가지 다른 변형에 따라 미세형 구순열을 각각 다른 술기로 치료하였다.

1) 함몰된 비익저

Z-plasty로 비익저를 교정하였다. 그림 10-7A에서 보는 바와 같이 절개를 도안하였는데, Z-plasty는 장지를 비주의 외측에

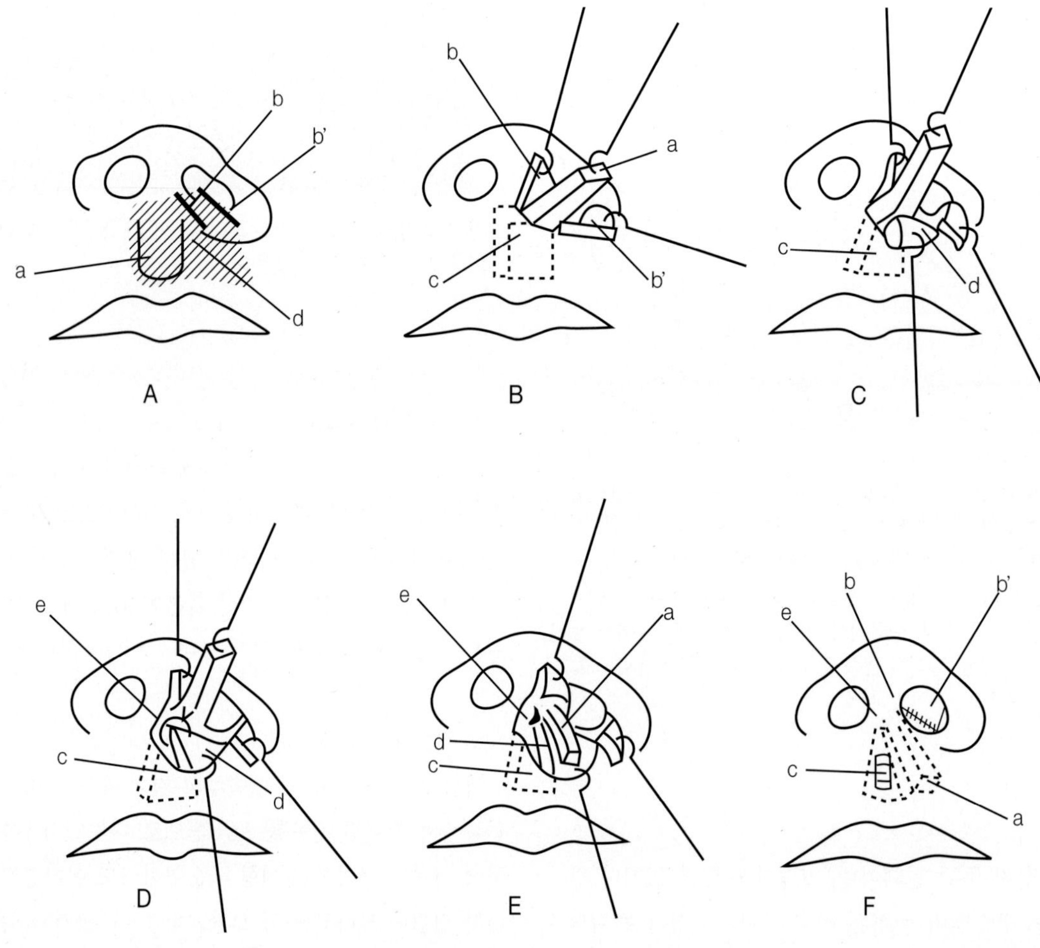

그림 10-7. 함몰된 비익저를 교정하는 방법. (A) 실선은 절개선이며 비주의 외측에 Z-plasty의 장지를 비주의 외측에 위치시킨다. 사선은 박리할 부분을 나타내며 점선은 근육층의 절개선이다. 중앙의 근피판(a)은 피부절개 후 비주저를 경으로 한다. (B) Z-plasty의 피판(b,b')과 중앙의 근피판(a)이 거상된 모습. 점선은 근층의 결핍부분을 나타낸다. (C) 외측의 근피판(d)이 박리된 모습 (D) 외측의 근피판이(d) 전비극(e)에 고정된다. (E) 중앙의 근피판(a)은 인중릉을 만들기 위해 외측의 근육층(d)과 결합된다. (F) 술후 절개선 및 중앙의 근피판(a), 인중와에서 근층의 결핍부분, Z-피판(b,b')과 전비극(e)과의 관계를 보여준다. 인중와는 bolster로 고정한다.

위치시키고, 단지를 비주와 비공의 접합점에, 그리고 다른 단지를 비공의 내면에 위치시킨다. 구순피부는 구순열쪽의 외측 또는 인중릉에서부터 정상 인중릉까지 절개를 통해 박리한다. 절개선이 박리하기에는 과도하게 짧으면 수직 점막절개와 결합할 수 있다.

가운데 점막피판(그림 10-7B)은 비주저에서 경(pedicle)으로하여 올릴 수 있다.

외측근(그림 10-7C)은 점막하로 박리된다(Onizuka, 1978). 점막박리가 기술적으로 어렵다면 추가절개를 구강점막에 종으로 가한다.

외측 근육층(그림 10-7D)은 내측으로 잡아당겨 3-0 nylon 봉합사로 전비극에 고정한다. 이것은 피부 긴장을 감소시키고 인중릉과 인중와를 만들기 위한 잉여 피부를 제공한다(Onizuka, 1978). 중앙 근육피판(그림 10-7E)은 인중릉을 만들기위해 외측 근육층과 결합된다. 비공 피판은 내측의 두께움을 줄이기 위해 비주연에 전위한다. 하외측 연골(비익연골)의 내지(medial crus)에 의해 두꺼워진다. 구순열에서 이 연골이 저성장하여 비주저에 결핍을 초래한다. 상구순의 중앙부는 5-0 Nylon 봉합사와 bolster를 이용하여 인중와를 형성하도록 바닥에 고정된다. 모든 피부는 6-0 Nylon 봉합사로 닫는다(그림 10-7F).

2) 비익연의 이상

구순열비 변형에서 비공의 상연은 비익연골의 변형에 기인된 아래쪽 또는 함몰된 위치로 된다. 비익연의 변형이 심하지 않다면 변연에 W-plasty(그림 10-8)가 적응이 되며, 중등도라면 비익연골을 재위치시킨다. 정도가 심하다면 비익연골을 박리하여 상외측 연골에 고정한다.

3) 큐피드 활의 절흔

큐피드활의 정점(peak)은 피부의 모양이 2부분으로 분리된다. 이 변형을 고치기 위해(그림 10-9)에서 보는 것과 같이 Z-plasty를 이용한다. 절개는 홍순을 따라하고, 홍순의 그 밖의 것은 백색 선을 교정하기 위해 남기거나 백색선 피부는 홍순에 포함될 수 있다.

4) 홍순 하연(free margin)의 절흔

홍순은 그림 10-10에서 보는것과 같이 Z-plasty로 교정한다.

5) 비정상적인 피부띠 또는 구

어떤 미세형 구순열에서 인중릉의 피부가 꺼져있고 구처럼 보인다. 이 수직 피부구는 홍순 언저리에서부터 비공저까지 연결된 섬유조직의 띠이다(Millard, 1976; Thomson, 1985). 이 변형은 치료하기가 매우 까다롭다. 이 피부띠 혹은 구를 교정하기 위해 상구순 피부는 비익저 또는 홍순을 통해 박리하고 심부 진피는 비정상적인 띠를 완화시키기 위해 서너개의 평행선(parallel line)을 따라 절개한다. 피부는 절개해서는 안된다. 중앙 근육판은 이 피부 아래로 삽입하고 bolster 봉합으로 교정한다(그림 10-11).

2. 박병윤의 수술방법

박병윤(2003)은 Onizuka와 유사하게 미세형 구순열의 변형에 따라 수술법을 분류하였다(그림 10-12, 13).

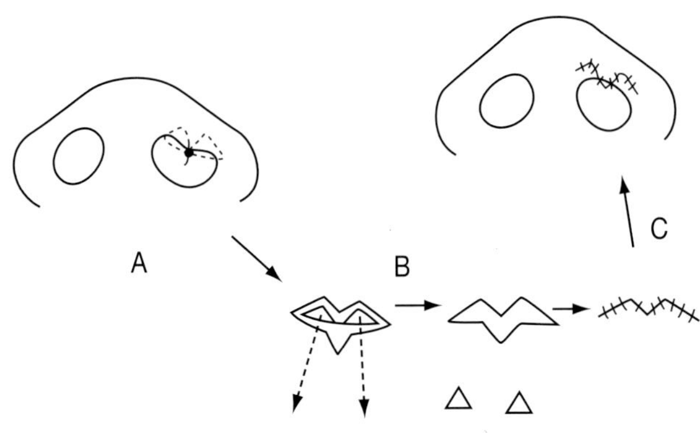

그림 10-8. 경한 비익연의 함몰을 W-plasty로 교정하는 방법. (A) 점선은 절개선 (B) 절개 후 피부를 삼각형 모양으로 절제함 (C) 봉합한 모습

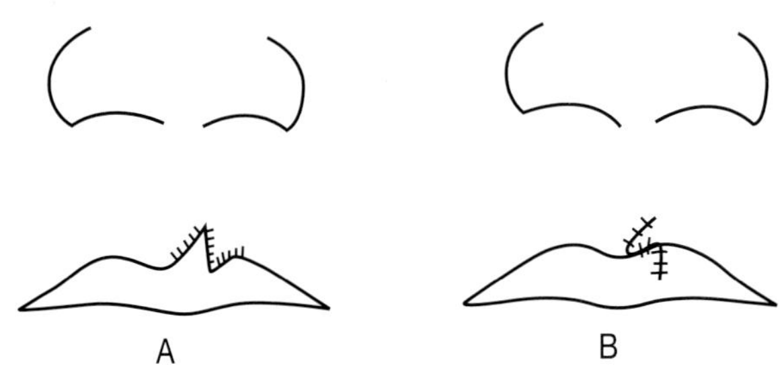

그림 10-9. 큐피드 활의 절흔을 교정하는 법. Z-plasty를 이용하여 홍순과 홍순에 포함된 피부를 전위시킴. (A) 절개선 (B) 술후모습

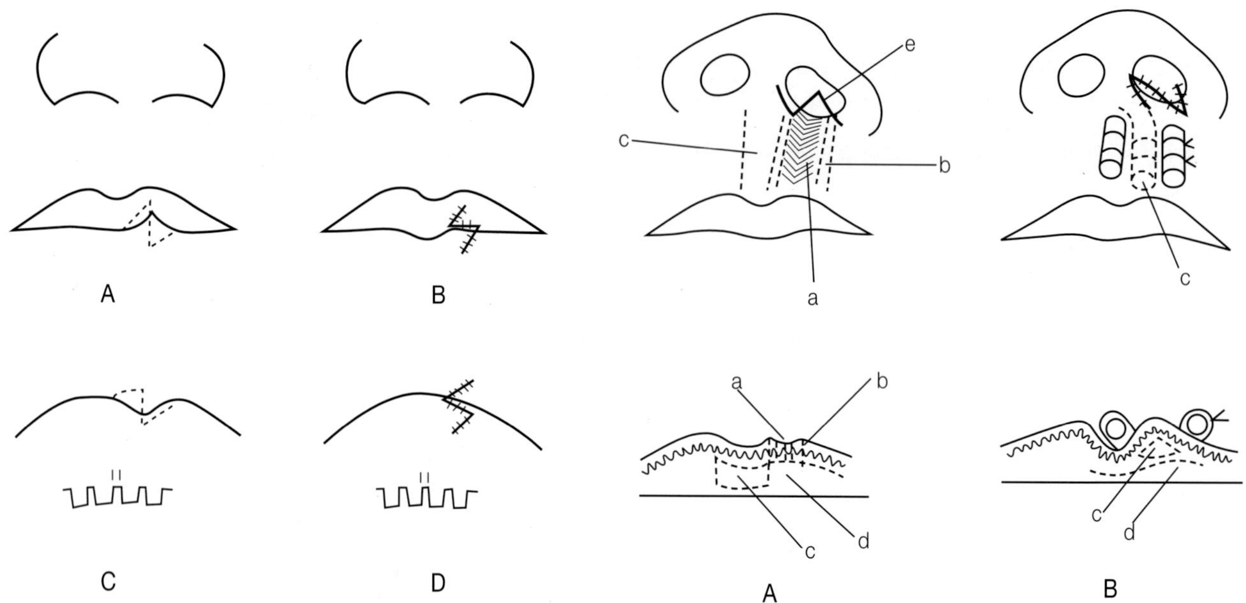

그림 10-10. 홍순 하연의 절흔을 Z-plasty로 교정하는 방법. (A, B) 술전 디자인 및 술후 봉합선. (C, D) 구순의 안쪽 모습

그림 10-11. 미세형 구순열에서 비정상적인 피부띠를 교정하는 방법. (A) 절개선의 도안. (B) 술후 모습. a: 피부가 꺼져있고 구처럼 보이는 인중릉. b: 수직 피부구. c: 중앙 근육판. d: 결핍된 구륜근

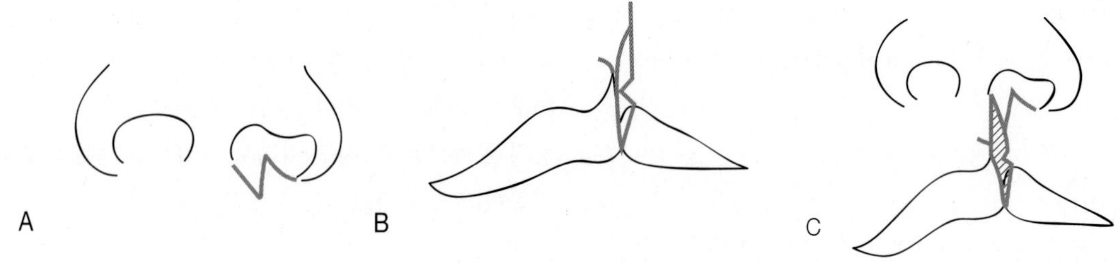

그림 10-12. 미세형 구순열의 각 유형에 따른 술전 디자인. (A) I형, Z-plasty에 의한 비공저의 축소 및 융기. (B) II형, 작은 삼각형 피판을 이용한 큐피트 활의 정점 및 변형의 교정. (C) III형, 변형된 Onizuka 방법

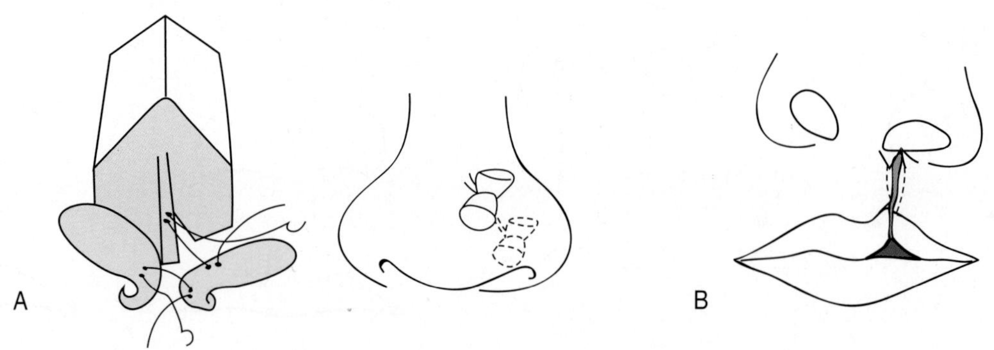

그림 10-13. 저자의 수술방법, I급, IIa급. (A) 역 U 절개를 통한 비 성형, 비익연골의 함몰과 변위를 교정하기 위해 처진 비익 연골을 반대측 돔과 고정하고 동측 상측 연골에 현수고정한다. (B) 넓고 함몰된 비공문지방은 Z-plasty, 타원형 절제, 당김봉합을 하여 퍼진 비익을 모아주고, 희미한 큐피드 활 모양과 홍순의 절흔은 Z-plasty로 교정한다.

1) 비첨 이상

수술을 하지 않거나 비익연골의 내지를 올려준다.

2) 비저의 함몰

발판(foot plate)을 들어 올리거나, 피부보존법(Skin sparing method)을 통한 진피지방이식, 또는 피부보존법을 통한 구륜근의 재배치로 교정한다.

3) 큐피드 활의 비정열(malalignment)

절제 및 직선봉합법, Z-plasty, 홍순의 회전술로 교정한다.

4) 상구순의 구

피부보존법을 통한 구륜근의 재배치나 진피지방 이식을 시행한다.

5) 상구순의 띠

피부보존법을 통한 구륜근의 재배치 또는 여러 개의 작은 사각피판법(multiple small rectangular flap)으로 교정한다.

6) 홍순 언저리의 절흔

Z-plasty로 교정한다.

이상에서 보는 바와 같이 Onizuka와 박병윤의 미세형 구순열 치료는 매우 보존적인 치료방법을 이용하여 효과적인 치료를 하려고 하였다.

3. 박철수의 수술방법

박철수 등(1999)은 미세형 구순열을 전기한 바와 같이 각 유형으로 나누고 그 유형에 따라 치료를 하였다.

제1형에서는 구륜근의 연속성에는 이상이 없으므로 입술을 교정할 필요가 없고 구순열비 변형에 초점을 맞추어 수술 계획을 세우는데, 넓고 함몰된 비공저의 변형을 Z-plasty를 이용하여 비공을 좁히고 비공저를 융기시킬 수가 있고(그림 10-12A) 비익연골의 심한 변형의 경우 비공연 절개를 통해 이환부의 비익연골간 연조직제거술 및 비익연골봉합고정술을 시행하여 교정하였다. 비골의 편위가 심할 때는 비중격의 교정만으로는 비편위를 더욱 두드러지게 할 수 있으므로 비교정술로 교정하였다.

제2형에서는 환측부 홍순 상연에 작은 삼각형피판을 도안하여 내측부의 수직길이 연장과 명확하고 대칭적인 큐피드활의 정점과 함께 홍순상연의 전체적 굴곡도 정상적인 역 U자 모양을 얻을 수 있었으며(그림 10-12B) 구순열비 변형이 동반된 경우 그 정도에 따라 제1형 교정에서와 같이 비 변형을 교정하였다.

제3형의 경우 구륜근이나 골조직의 결손이 필연적으로 존재하게 되고, 조직학적 소견에서도 이부위의 교원질 섬유의 농도가 매우 높으며 근섬유의 미량만 산재되어 있으므로 (Lehman, 1976; Fara, 1968) 불완전형 구순열 치료에 입각하여 치료를 하였다. 변형된 Onizuka법(1991)을 사용하여 피부절개를 통한 구륜근의 재배열 후 전진 피판과 삼각형피판을 이용하여 교정하였다(그림 10-12C).

4. 저자의 수술방법

저자는 미세형 구순열의 치료목적인 미용적으로 코와 상구순이 조화를 이루게 하고 구순의 기능을 향상시키기 위해 구륜근의 연속성을 확립시킬 수 있는데 치료의 주안점을 두었다. 전기한 바와 같이 미세형 구순열을 I급, II급a와 II급b, III급으로 나누었는데 치료는 구륜근의 연속성의 결여 유무에 따라 대별하였다.

1) I급, II급a

비변형은 Tajima법을 변형한 역U절개를 통하여 비익연골의 함몰과 변위를 교정하는데 처진 비익연골을 반대측 돔과 고정하고 동측 상측연골에 현수고정을 하는데 약간 과교정되도록 한다. 필요한 경우 bolster를 이용한 현수고정을 추가하고(그림 10-13A) 변위된 비중격 연골은 자유롭게 박리하여 정상위치가 되도록 하며 골막에 고정한다. 넓고 함몰된 비공 문지방은 Z-plasty로 교정하고 당김(cinching)봉합을 하여 퍼진 비익을 모아준다.

큐피드 활과 홍순의 절흔은 Z-plasty로 교정하고 피부띠는 타원절개를 하여 짧은 구순의 인중릉을 정상측 인중릉의 길이와 같게 해준다(그림 10-13B, 14, 15).

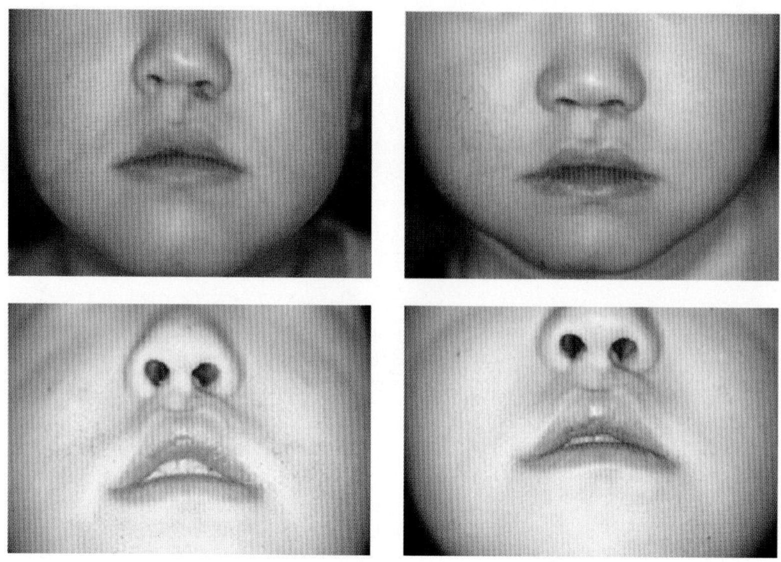

그림 10-14. 미세형 구순열 I급 환아의 술전(좌)과 술후(우) 모습

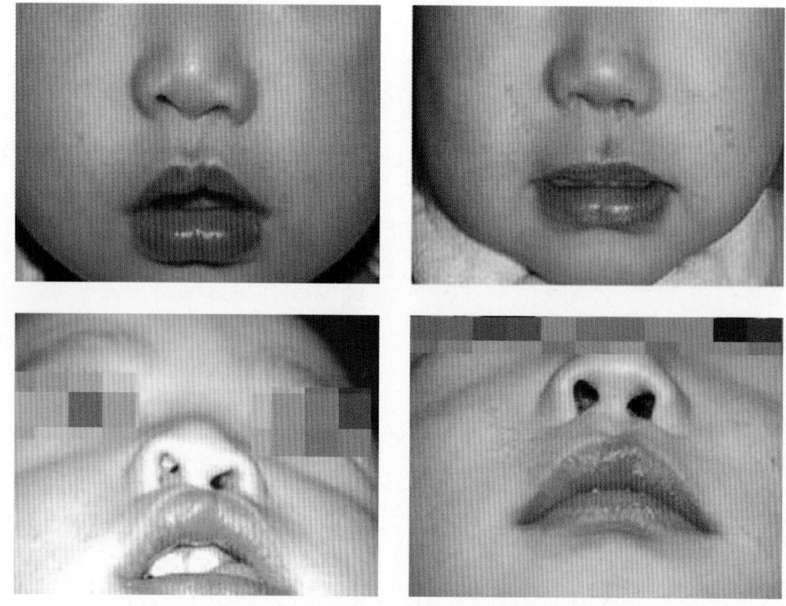

그림 10-15. 미세형 구순열 IIa 급 환아의 술전(좌)과 술후(우) 모습

2) II급b, III급

구륜근의 연속성이 결여된 미세형 구순열로서 이열된 구륜근의 교정을 위해 회전전진법을 이용한 근치술(radical operation)이 시행된다(그림 10-16).

구순열비변형은 변형된 Tajima의 역U절개를 통해 과교정하여 치료하며 구순은 Millard법 또는 Mulliken법 으로 교정한다 (그림 10-17, 18).

VII. 결론

미세형 구순열은 상구순이나 비부의 변형이 매우 미세하기

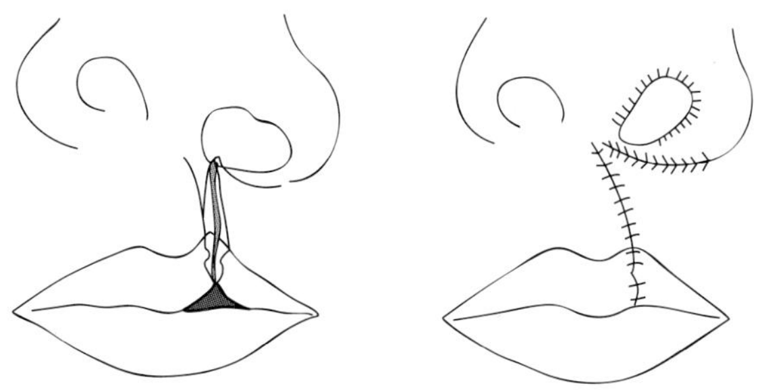

그림 10-16. 저자의 수술방법, IIb급, III급. 회전전진법을 이용한 구순성형술(Mulliken법, Millard법)

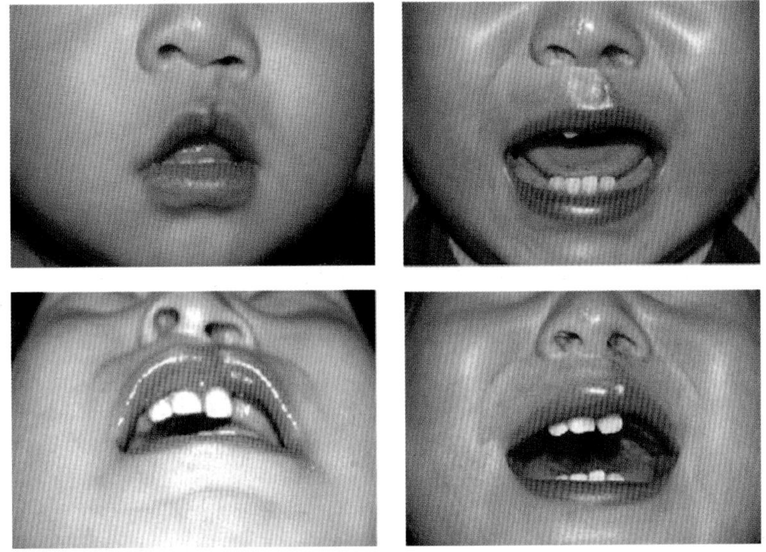

그림 10-17. 미세형 구순열 IIb급 환아의 술전(좌)과 술후(우) 모습

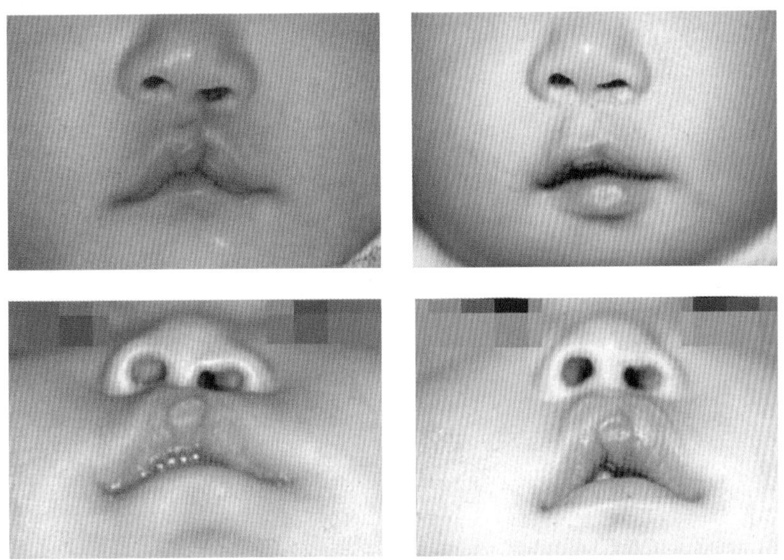

그림 10-18. 미세형 구순열 III급 환아의 술전(좌)과 술후(우) 모습

때문에, 출생시 진단이 안되는 수도 많고 대부분 늦게 성형외과를 찾게된다. 미세형 구순열의 형태에 따른 분류를 정확히 하여, 미용적으로 코와 상구순의 조화를 이루게 하고, 구순의 기능을 향상시키기 위해 구륜근의 연속성을 확립시킬 수 있는데 치료의 주안점을 두어야한다.

저자가 분류한 미세형 구순열의 I급과 II급a 에서는 보존적인 치료를 하되, II급b와 III급에서는 회전전진법에 의한 근치술로써 미세형 구순열의 치료를 하여 치료의 목적을 달성하는 것이 옳을 것으로 사료된다.

참고문헌

1. Onizuka T. *Operative plastic surgery*. Tokyo, Nankodo Co. 1978, p552
2. Pashayan H, Fraser FC. Nostril asymmetry not a microform of cleft lip. *Cleft Palate J*. 8:185-8, Apr, 1971
3. Farkas LG, Cheung GC. Nostril asymmetry: microform of cleft lip palate? An anthropometrical study of healthy North American caucasians. *Cleft Palate J*. 16(4):351-7. Oct, 1979
4. Byun TH, Uhm KI. Classification and treatment of the microform cleft lip. J *Korean Soc Plast Reconstr Surg* 22:788, 1995
5. Cosman B, Crikelair GF. The minimal cleft lip. *Plast Reconst Surg*. 37:334, 1966
6. Thompson HG, Delpero W. Clinical evaluation of microform cleft lip surgery, *Plast Reconst Surg*. 75:800, 1985
7. Burian F. The nomenclature for cleft lip and/or palate. *Acta Chir Plast*. 8(2):85-90, 1966
8. Castilla EE, Martinez-Frias ML. Congenital healed cleft lip. *Am J Med Genet*. 28:58(2):106-12. Aug, 1995
9. Grech V, Lia A, Mifsud A. Congenital heart disease in a patient with microform cleft lip. *Cleft Palate Craniofac J*. 37(6):596-7. Nov, 2000
10. Park BY. Micoroform cleft lip I. Korean Cleft Palate- Craniofacial Assocoation Symposium. p41, 2003
11. Park CS, Uhm KI, Hwang SH, Ahn DK, Kim IG. The treatment of Microform Cleft Lip Patimts According to the Classification. *J Korean Soc Plast Reconstr Surg* 26:433, 1995
12. Cha BH, Park SH, Kim JH, Kim JT, Kim SK. Classification and Operation of Microform Cleft Lip. *Korean Cleft Palate Craniofac J*. 2:1, 2001
13. Onizuka T. *Operative plastic surgery*. Tokyo, Nankodo Co. 1978, p552-553.
14. Lehman JA Jr, Artz JS. The minimal cleft lip. *Plast Reconstr Surg*. 58(3):306-9. Sep, 1976
15. Onizuka T, Hosaka Y, Aoyama R, Takahama H, Jinnai T, Usui Y. Operations for microforms of cleft lip. *Cleft Palate Craniofac J*. 28(3):293-300. Jul, 1991
16. Millard R Jr. *Cleft craft I, The Unilateral deformity*. Boston, Little Brown & Co. p23, p303. 1976
17. Fara M. Annatomy and arteriography of cleft lips in stillborn children. *Plast Reconstr Surg* 42:29, 1968

제11장 일측 구순열비

Unilateral Cleft Lip Nose

김석화

I. 구순열 발생률

구순열과 구개열은 두경부의 선천성 기형 중에서 가장 흔하다. 발생 빈도는 인종간의 차이가 다소 있고, 백인에서는 1.16:1000의 빈도로 발생하며 흑인에서는 0.43~1.34:1000의 빈도로 발생하고 있다. 동양인에서는 2.1:1000의 빈도로 발생하여 인종별로는 발생률이 가장 높다[1]. 서아시아에서 최근 행해진 통계는 1.91: 1000의 빈도의 발생률을 보여주고 있다[2]. 한국인의 구순구개열의 빈도는 1.81:1000이며, 구순열 : 구순구개열 : 구개열의 비율은 1.13 : 1 : 1.19이다. 또한 남자가 2.1:1로 여자보다 높은 발생률을 보였다[3].

구순구개열의 발생 빈도는 최근에 증가하고 있다. 덴마크의 Poul Fogh-Anderson의 보고에 의하면 구순구개열 발생률이 1941년에 1:770에서 1971년 1:500으로 발생 빈도가 급격하게 증가하고 있다. 50년 전의 발생 빈도와 비교하면, 발생률은 두 배가 되었으며, 100년 전과 비교하면 세 배가 되었다. 구순구개열의 원인은 다양하며, 최근에 발생률이 상승하는 이유는 유전적인 요소보다는 환경적인 요소에서 찾아볼 수 있다. 의학이 발달함에 따라 주산기 사망률은 감소하였으며, 구순구개열의 생존 가능성은 증가하였다. 과거에는 구순구개열이 출생시 보고되지 않고 사망하는 경우가 많아서, 발생률에서 누락되는 경우가 빈번하였으나, 최근에는 수술에 의한 생존율의 증가로 누락되는 경우가 감소하였기 때문이다[1].

II. 구순열의 역사와 수술의 변천 과정

기형을 정상으로 만들고자 하는 의사들의 노력은 수세기 동안 계속되어 왔다. 마취와 수액요법, 화학요법 등의 도입으로 수술의 위험성이 감소되어, 의사들은 수술의 결과와 정상상태와의 차이를 줄이는 방법에만 집중할 수 있게 되었다. 1971년 David Davies는 Melbourne 국제학회 보고서에서 편측구순열의 수술방법의 발달에 관한 계보를 요약하였다. 이 계보는 후에 약간의 변형을 거쳤지만 기본골격은 그대로 유지되었으며 우리가 확인할 수 있는 것은 수술방법의 발전은 연대기적 순서를 따르지 않는다는 것이다. 수술방법의 발전을 이해하려면 각 방법의 기본원칙을 알아보고 그 기본 개념과 완성된 수술법을 이해하는 것이 필요하다. 기존의 방법에 대한 만족스럽지 못한 결과가 기존의 방법을 포기하고 새로운 방법을 모색하는 원동력이 되었다(표 11-1).

1. 봉합술에 의한 구순열 교정

최초로 구순열을 수술한 사람이 누구인지는 알려져 있지 않으나 A.D 1세기경 로마의 의사 Aurelius Cornelius Celsus 라는 설이 유력하다.

1) 진 왕조의 구순열 수술

구순열 수술에 관한 최초 문헌 기록은 진 왕조때 Wei Yang Chi 라는 구순열 환자에 관한 것이다. 변연(edge)부위를 절개 후 봉합하고 100일간 수술부위를 고정하여 수술을 성공시킨 당시 수술 방법에 대한 기록이 남아있다. 당 왕조 때는 "입술박사(the doctor of lip)"이라는 명성을 얻었다는 Fang Kan에 대한 기록이 있다.

2) Leeches 에서 중세까지

Blair O. Rogers는 '성형 및 재건 수술' (plastic and reconstruction surgery) 라는 책에서 구순열 수술의 역사를 집

표 11-1. 구순열 수술의 분류 및 발전과정

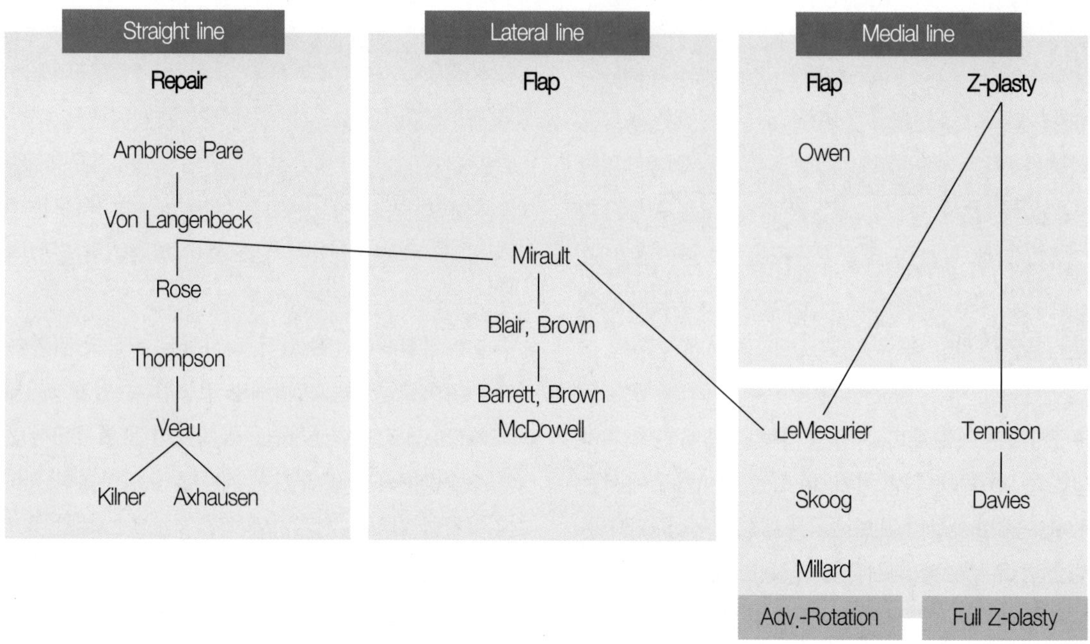

대성하였다. 중세 구순열 수술의 전문가로서 'leeches' 라고 불리웠던 영국 Saxon족 surgeon들부터 18세기에 이르기까지 유럽에서 구순열의 수술은 갈라진 경계부를 깍아서 깨끗이 하고 변연부를 접근시켜 융합이 되도록 하는 것이었다[21].

3) 소작법(The method of cautery)

산스크리트 교과서에는 소작법을 상처를 치유하는 방법으로 소개하고 있으며 B.C 6,7 세기에 힌두 의사들은 이 방법을 전수하였다. 아랍에서는 소작법이 출혈을 줄일 수 있다는 점에서 칼을 이용한 방법보다 선호되었고 구순열의 치료에 사용되었으리라고 생각되고 있다.

4) 프로망스 지방의 8자 모양 봉합(Flemish Figure-of-Eight)

14세기 초 Jehan Yperman에 의해 처음으로 양측성, 편측성 구순열이 자세히 언급되었다. Jehan Yperman은 삼각 바늘(triangular needle)과 왁스 봉합사를 이용한 구순열 수술을 처음으로 시행하였다. 또, 봉합을 강화하기 위해 봉합부에서 약간 떨어진 위치에 긴 바늘을 이용하여 변연부를 근접시킨 후 8자 형태로 실을 이용하여 고정하였다.

5) 단단봉합(Interrupted sutures)

Heinrich von Pfolsprundt는 저서 Buch Der Bundth-Ertznei에서 수술용 가위를 이용하여 변연부를 잘라내어 정상 조직을 노출 시킨 후 입술 전체 두께로 봉합하는 방법을 제시하였다.

6) Franco and Pare

16세기 Pierre Franco와 Ambroise Pare는 구순열 수술에 많은 기여를 한 프랑스 의사들이다. Pierre Franco는 마취가 도입되기 전에 합착법(adhesion method)을 도입하여 환자의 동통을 줄이고 술 후 반흔 생성을 최소화하였다. 또 그는 입술을 상악에서 분리하여 넓은 구순열의 봉합을 용이하게 하였는데, 이 방법은 Dieffenbach 에 의해 콧구멍 하방에서 광범위하게 박리하고 측면 절개를 하는 방법으로 발전하여 최근에도 변형되어 사용된다.

Ambroise Pare는 최초로 문헌화된 구순열 수술의 원칙을 정립하기도 하였다.

1. 불필요한 것은 없애라(To take away what is superfluous).
2. 변위된 것은 제 위치로 회복시켜라(To restore to their places things which are displaced).

3. 합쳐진 것은 분리시켜라(To separate those things which are joined together).
4. 분리된 것은 합쳐라(To join those things which are separated).
5. 자연의 결함을 보충하라(To supply the defects of nature).

7) Tagliacozzi

Pare의 영향을 받은 볼로냐의 Gaspar Tagliacozzi는 구순열의 변연을 박리하여 단단봉합(interrupted suture)로 봉합하는 방법을 묘사하였다.

8) 교착성 밴드(Retention bandage)

Hieronymus Fabricius는 협측 점막과 치조재 조직을 구순열의 수술에 사용하기를 추천하였다. 그는 넓은 구순열의 경우 교착성 밴드를 이용하는 방법도 도입하였다.

9) 독일 교과서(German Textbook)

18세기 독일의 Lorenz Heister는 실을 이용하여 구순열을 봉합한 경우 넓은 순열의 경우에는 실패의 가능성이 높음을 지적하였다.

10) 미국 식민지(Colonial America)

Blair Roger는 이 시기의 구순열 수술에 관한 흥미로운 뉴스 기사를 수집하였는데 이 중에 성공적인 구순열 수술에 관한 기사와 광고를 발견하였다.

11) 봉합침과 실(Needles and pins, threads, and stitches)

18세기에는 "8자 봉합법"으로 보강한 언청이 핀(harelip pin)을 사용하는 감싸기 기법(wrap around technique)과 단단봉합(interrupted suture) 방법 중 어느 것이 좋으냐에 관한 논란이 있었다.

12) 봉합침 제거(Needle removal)

LeClerc 은 수술 후 3일간 드레싱을 한 다음 바늘을 느슨히 조절하고 유아인 경우 수술 후 8일째에 중간 부분의 바늘을 제거하는 방법을 설명하였다. 기본적으로는 순열이 완전히 폐쇄되기 전까지는 바늘을 제거하지 않아야 하나 너무 오래두어 바늘구멍이 남지 않도록 하라고 추천하고 있다.

2. 구순열 변연부의 수직 길이 증강

1) Von Graefe

구순열 수술의 발전에 있어서 다음 단계는 변연부의 수직 길이를 증가시키기 위한 시도로 1816년 Carl Ferdinad Von Graefe는 곡선 절개법을 고안하였다(그림 11-1).

2) Husson

입술조직을 절개하고 절개된 변연부를 근접시켜 조직의 수축을 방지하고 풍부함을 유지하기 위한 곡선 절개법을 제시하였다(그림 11-2).

3) Nelaton

Auguste Nelaton은 구순열이 콧구멍까지 연장되지 않은 경

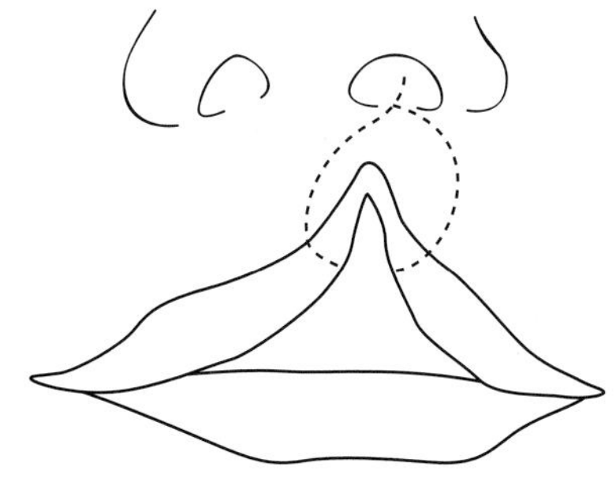

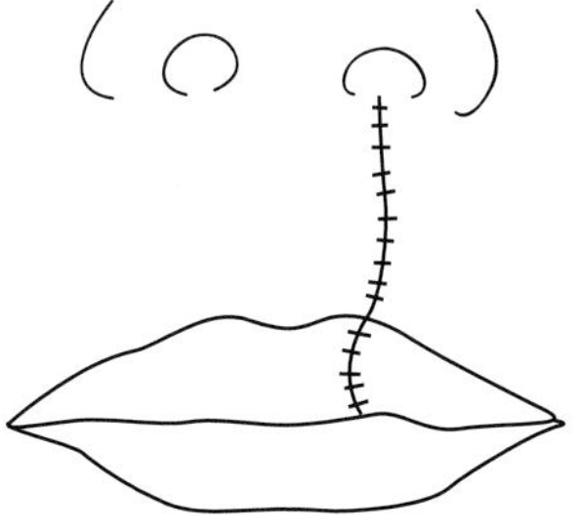

그림 11-1. 좌측 그림의 점선과 같이 도안 및 절개하여 수직 길이를 연장한 뒤 봉합하였다.

우에 사용되는 수술방법을 개발하였다.

4) Rose

Willam Rose는 Husson의 방법과 유사한 60도 각도의 곡선 절개법(curved incision) 방법을 개발하여 흉터 조직을 줄임으로써 심미적인 결과를 얻어 이 방법이 대중화되는데 기여하였다.

5) Thompson

James Thompson은 마름모 모양의 절개에 의한 노출법(paring technique)을 사용하고 콤파스를 이용해 반대편과 일치되도록 사선 절개하여 심미적인 결과를 얻고자 노력하였다.

6) Mayo

Charles H. Mayo는 불완전 구순열에서 사용되는 수술 디자인을 고안하였다. 비익이 넓고 콧구멍이 벌어진 경우 고착점에서 비익을 분리하고 장력을 줄임과 동시에 입술을 하방으로 당겨 비익과 입술의 기형을 동시에 해결하였다.

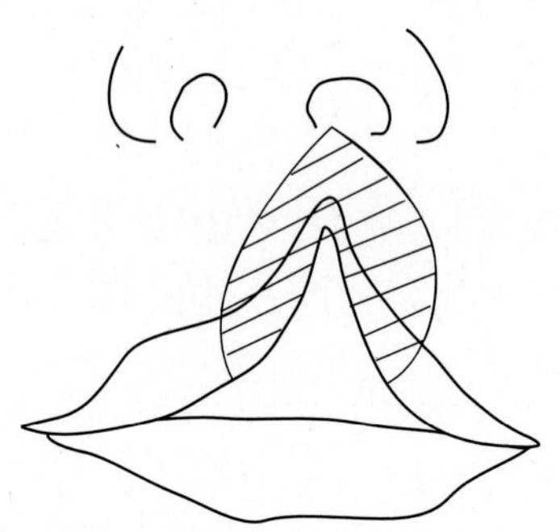

그림 11-2. 충분한 봉합면적을 얻기 위해 빗금친 부분을 절제한다.

7) Ladd

Willam E. Ladd는 구순의 수직절개와 직선 노출법(paring technique)을 통해 구순열의 수직 길이를 늘이는 수술방법을 개발하였다(그림 11-3).

8) Brown

구강외과는 구순열 수술의 발전에 중요하며 1918년 G.V.I Brown 등은 Ladd 방법과 유사한 점막 피판을 직선으로 돌리는 방법을 설명하였다.

9) Veau

1925 년 Veau는 직선 봉합술(straight line closure)을 기재한 구순열 수술법을 소개하였는데 그의 수술법은 노출법(paring)을 이용한 구순열 변연부의 수직 연장술로 Mirault의 방법과 유사하나, Veau는 비익의 기저부를 박리하여 갈라진 부위를 맞은 편으로 위치시키도록 하였고 이 방법은 그 후에도 사용이 되고 있다. 그의 방법은 대칭적으로 큐피트 활(Cupid' s bow)를 회복시키지는 못하지만 술식의 간편함으로 최근에도 여러 영역에서 응용되고 있다(그림 11-4).

10) Limberg

Veau의 직선 디자인을 근대화하여 코의 형태를 수정하고 큐피트 활(Cupid' s bow)을 형성한 Limberg의 술식은 상악 협측 전정(buccal sulcus)의 긴장을 감소시킨다. 직각의 Poker 절개법을 통하여 입술의 측면은 골면에서 분리하여 긴장이 없는 전진을 가능하게 한다[22].

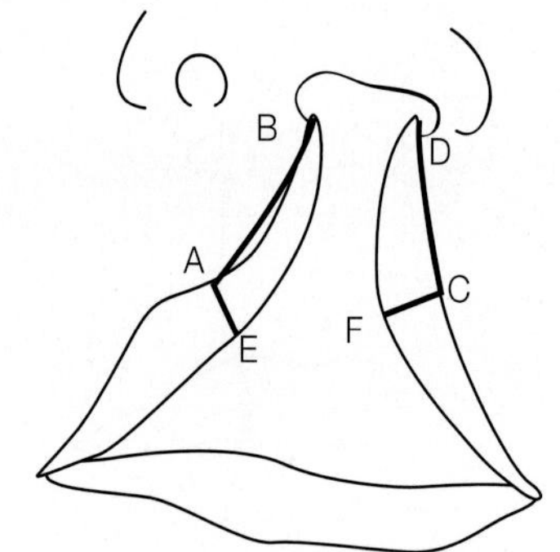

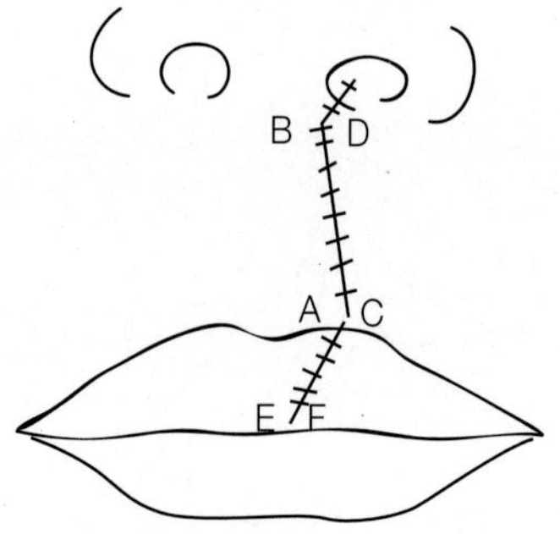

그림 11-3. 좌측 그림처럼 수직방향 절개선을 도안 후 직선 노출법으로 수직 길이를 늘렸다.

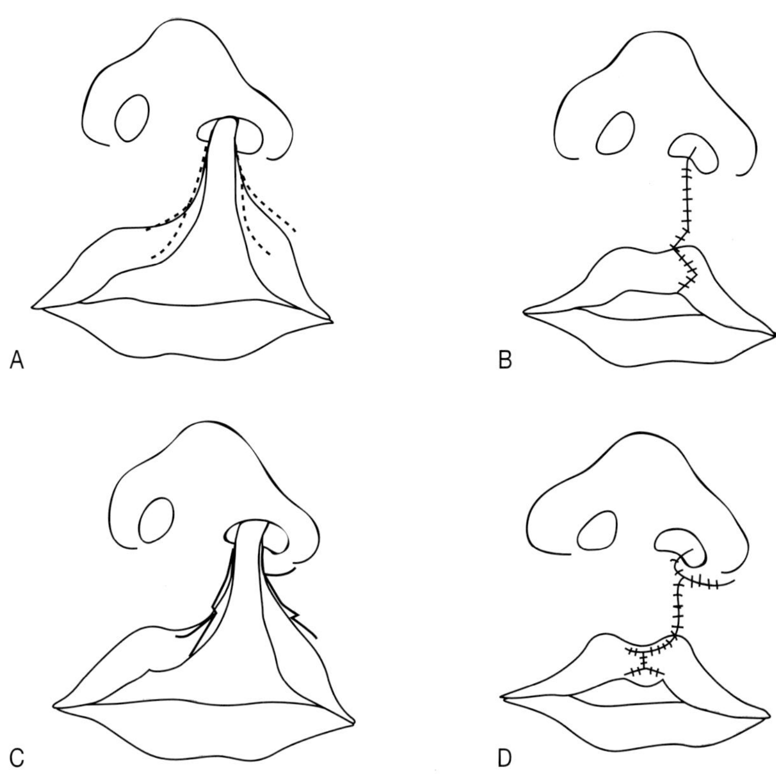

그림 11-4. (A, B) 노출법과 수직연장술에 의한 수술법을 보여준다. (C, D) 비익 기저부를 박리하여 이용하는 수술법의 도해이다.

11) Kilner

Thomas Pomfret Kilner는 구순열의 일차수술에서 심미적인 결과를 얻기 위해서는 조직손상을 최소로 하고 근육을 적절한 위치에 재배열하여 입술이 적절히 가능하고 성장한 후에 재수술을 하는 것을 주장하였다[23].

12) Fara

입둘레근의 중요성을 주장하였다[24].

13) Peet

큐피트 활(Cupid' s bow)에 대한 중요성을 인식하고 직선절개로 인한 조직수축을 보상하기 위해 이차적인 Z-성형술을 도입하였다[25].

14) Masters

변형된 직선 봉합으로 90도의 Z-단단봉합술(interlocking Z-suture)을 고안하였다(그림 11-5)[26].

15) Bartlers

측면절개의 각도를 달리한 Z-단단봉합술(interlocking Z-suture)을 고안하였다.

3. 구순열 변연부의 수직 연장을 위한 전층 피판술

전층 피판술을 통한 구순열 수술의 시도는 파리를 중심으로 일찍부터 행해졌다.

1) Malgaigne

직선봉합의 한계를 발견하고 이중 피판술을 개발하였다[27].

2) Mirault

Malgaigne법을 수정하여 한 개의 수평절개만을 시행하여 결절의 발생을 피하는 방법을 시도하였다. 이는 반대편과 겹치는 삼각 피판으로 그 중요성을 인정받았고 많은 변형된 방법들이 시도되었다[28].

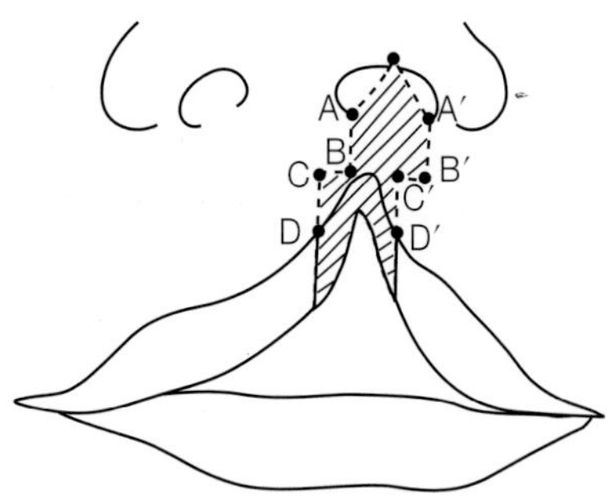

그림 11-5. 90도의 Z 단단봉합술 모식도이다.

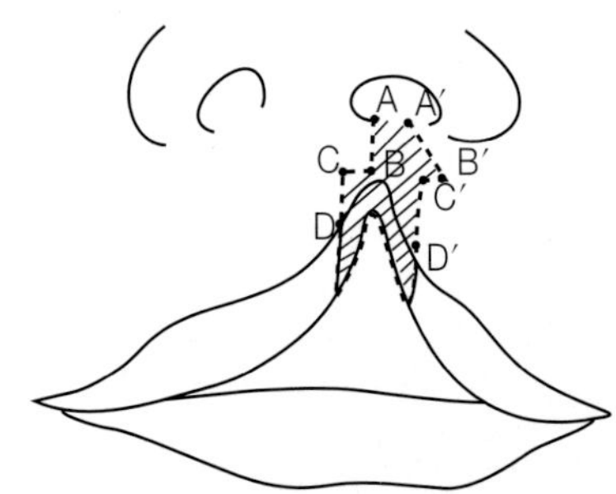

그림 11-6. 측면 절개의 각도를 변형한 Z-단단봉합술의 모식도이다.

3) 변법(An Irish modification)

M.H Collin' s 는 Mirault 방법의 변형하여 콧구멍 하방의 조직을 보존함으로써 보다 심미적인 결과를 얻었다(그림 11-7).

4. 삼각피판의 완성

Mirault의 방법은 Vilray Papin Blair와 James Barrett Brown에 의해 개선되었다.

1) Blair

당시 사용되었던 Mirault 수술법의 기본 개념은 입술의 결함은 삼각형이고 이 결함은 조직이 풍부한 입술의 상부에서 여분의 조직을 얻어 조직이 부족한 하부에 이식한다는 것이었다. Blair와 Brown은 이에 근거하여 다음의 수술법을 창안하였다. 수술의 첫 단계는 절개할 입술의 경계를 정확히 표시하는 것으로, 메틸렌 블루용액으로 절개선을 표시하여 출혈시에도 확인이 가능하도록 하여 수술의 정확도를 높이는 것이다. 다음에는 변위된 조직 하부를 박리하여 이동이 가능하게 한 후 기저부의 골조직과 분리한다. 입술이나 코 기저부가 과도하게 절개되지 않도록 하여야 하며, 봉합에 의해 생성되는 흉터가 생기지 않도록 하는 것이 중요하다. 이 방법은 구순열이 있는 콧구멍의 횡축 교정에 대하여 정의하고, 이를 교정하기 위한 첫 번째 시도이었다. 그러나 인중을 재건하기에는 용이하지 않다는 단점이 있었다(그림 11-8)[29].

2) 보스톤의 선구자(A Bostonian soothsayer)

Varaztad H. Kazanjian은 당시에 사용되고 있는 여러 방법 중 수술 방법을 선택할 때의 원칙을 언급하였다. 1) 수술에 의한 손상이 작아야 하며 2) 정상적인 해부학적 형태를 회복해서 성장 후 정상적인 형태를 가질 수 있어야 하며 3) 조직 절개가 최소로 이루어져 손상으로 인한 조직의 수축으로 상악의 전방 성장을 방해하지 않아야 하며 4) 콧구멍의 교정도 고려해야 한다[30].

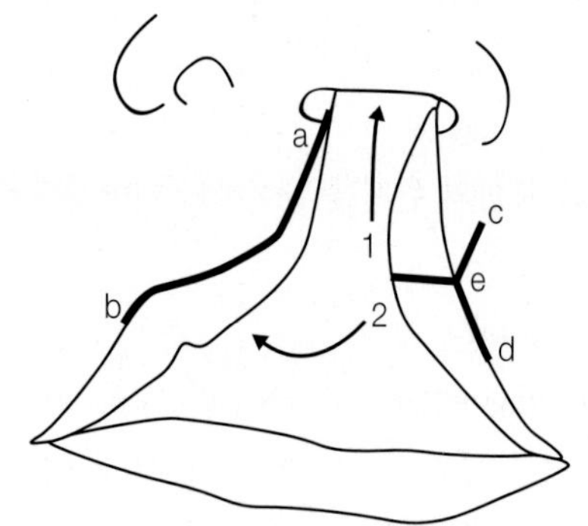

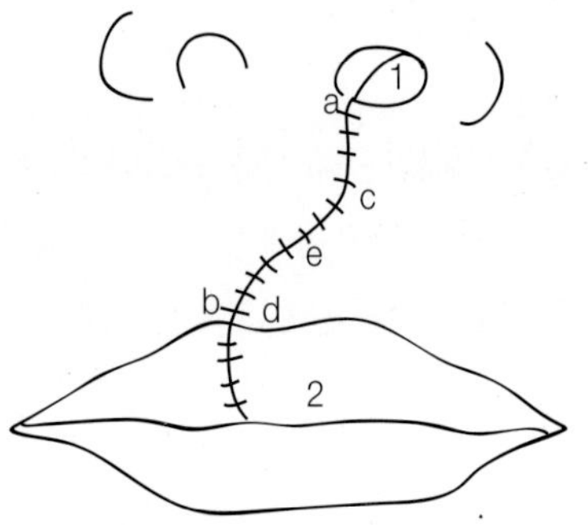

그림 11-7. 좌측 그림에서와 같은 도안으로 우측 그림에서처럼 콧구멍 하방의 조직을 보존하여 봉합하였다.

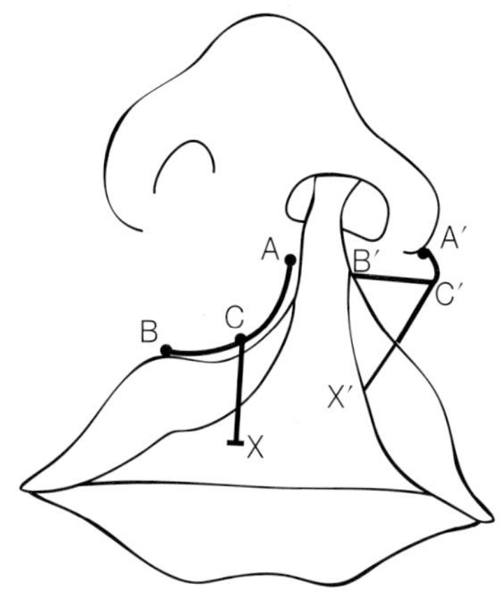

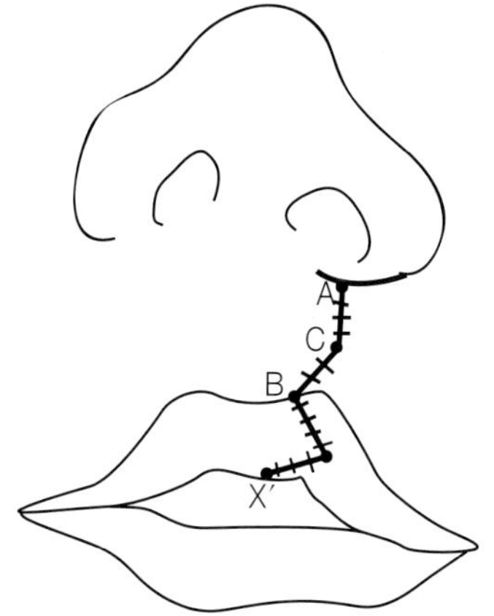

그림 11-8. 정상측의 BCX 삼각 피판이 순열측으로 들어오는 구순열 봉합의 모식도이다.

3) Brown

James Barrett Brown은 1930년에 발표한 Mirault-Blair 수술 방법을 비판하여 McDowell과 함께 작은 피판을 이용하는 것이 입술 하부 조직의 풍성함을 얻는데 도움이 된다고 주장하였다. 큰 피판을 사용하는 경우 조직의 희생과 그에 따른 수축의 양이 많아 입술 중앙 부분이 비정상적으로 전방으로 돌출될 수 있음을 지적하였다[29].

4) McDowell

완전한 삼각 피판(perfected triangular flap)의 개발자로 그의 수술 증례들은 우수한 결과를 보여 주었다[31].

5) 큐피트 활의 부재(No Bow)

Mirault-Blair-Brown-McDowell 방법에 대한 비판은 큐피트 활(Cupid' s bow)를 회복할 수 없다는 것이다.

5. 큐피트 활(Cupid's bow)의 재건

Konig, Hagedorn 등이 초기에 사각 외측 피판 수술기법(quadrilateral flap operation)을 개발하여 큐피트 활(Cupid' s bow)를 회복하려 시도하였으나 만족할 만한 결과를 얻지는 못했다. A.B LeMeasurier가 1945년 미국성형외과학회에서 이 방법을 재조명하여 관심을 얻게 되었다. 사각외측 피판(quadrilateral flap)을 이용한 수술이 성공적으로 행해진다면 기존 방법에 비해 대칭적인 큐피트 활(Cupid' s bow)를 회복하게 되는 장점이 있지만 이 방법에 대한 단점도 지적되었다. 단점은 상순의 중간에 형성되는 흉터가 자연스럽지 못하며 성장에 따라 구순열측의 입술이 정상측보다 길어진다는 것이다. 그후 Trauner, Grignon, Wundere, Shaw 등에 의해 LeMesurier의 사각외측 피판을 변형한 여러 방법들이 시도가 있었다[32].

6. 큐피트 활의 보존

1) Tennison

1952년 Z-성형술에 관한 중요사항을 기술하였다[33].

1. 입술 근육의 근접 고정에 있어서 횡측 배열에 주의한다.
2. 봉합시 흉터 형성이 최소가 되도록 한다.
3. 큐피트 활(Cupid' s bow)를 포함한 입술의 정상적인 형태가 회복되도록 한다.
4. 입술 경계부가 정상적으로 회복되도록 한다.
5. 콧구멍의 기저부와 코의 변형을 일차 수술에 회복시킨다.
6. 절개를 간단히 하여 술식의 표준화가 가능하게 한다(그림 11-9).

2) Marcks Remark[4]

Marcks는 Tennison 방법을 응용이 쉽도록 변형시켜 대중화하였다. 그는 켈리퍼를 사용하여 기준점을 측정 후 표시하고 절개 후 위치시키기를 추천하였다. 점막 피부 능선은 이 수술 방법의 중요 요소이며 Tennison type의 Z 성형술을 사용하였

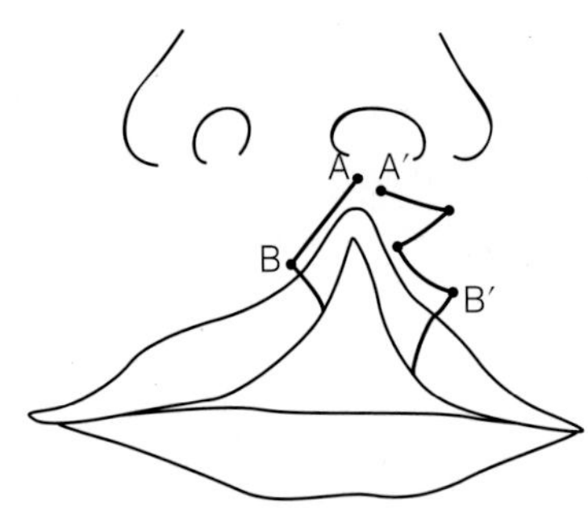

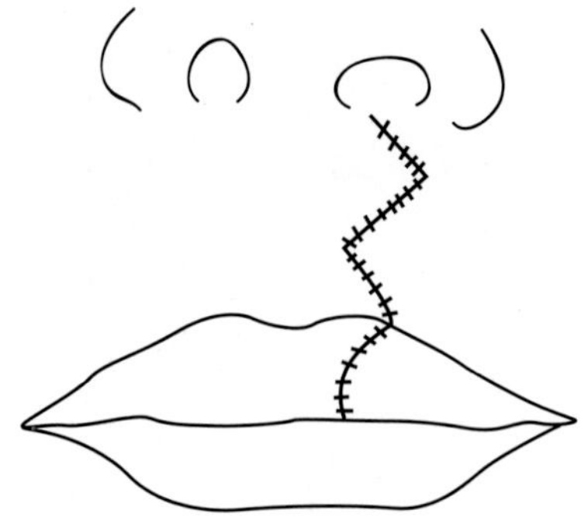

그림 11-9. Tennison에 의한 Z-성형술의 도안 및 결과

으며, Z 성형술의 각도를 LeMersurier의 사각외측피판(quardlateral flap)의 형태와 유사하게 조절하였다.

3) Obukhova

Tennison 수술법의 원칙을 바탕으로 Collis-Blair과 유사한 입술 피판을 확장시켜 코의 바닥을 재건하였다(그림 11-10)[34].

4) 러시아식 변법(another Russian rendition)

A.A Kloesov는 1970년 저서에서 구순열의 수술방법을 직선 봉합(linear closure), 삼각 피판(triangular flap), 사각외측 피판(quadrilateral flap)로 구분하고 삼각 피판법을 추천하였다. 구순열과 비변형이 동반된 경우 Kolsov는 Limberg 법을 이용하여 측정한 후 Obukhova의 하방 삼각 피판과 Limberg의 상방 삼각 피판을 혼합하여 사용하였으나 심미적으로 만족스러운 결과를 얻지는 못하였다.

5) Hagerty

Tennison의 수술법과 비슷한 하방에 위치한 구순 피판을 고안하였다[34].

6) Randall

Tennison- Marcks 원칙을 단순화하고 4mm 이하의 작은 삼각 피판을 사용하여 순열이 크지 않은 유아 환자의 경우 더 나은 결과를 얻을 수 있음을 주장하였다[5].

7) Trauner

코의 입구 부분에서 Z 성형술을 하는 LeMesurier 변형법을 고안한 Trauner는 순열측에서 입술의 길이가 길어지는 것을 발견하고 입술하방 수술법을 Tennsion-Randall 법으로 대치하였다[35].

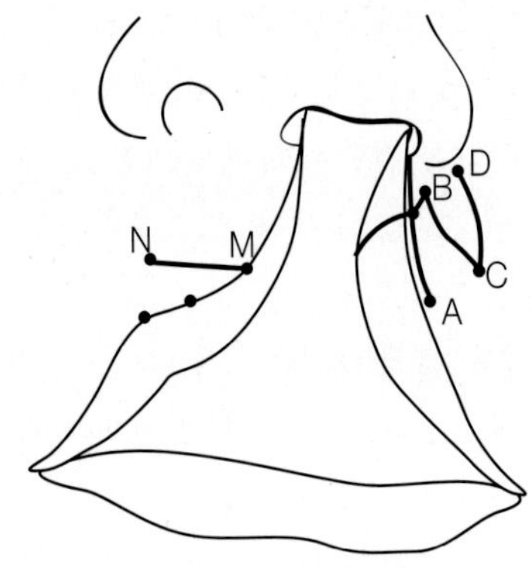

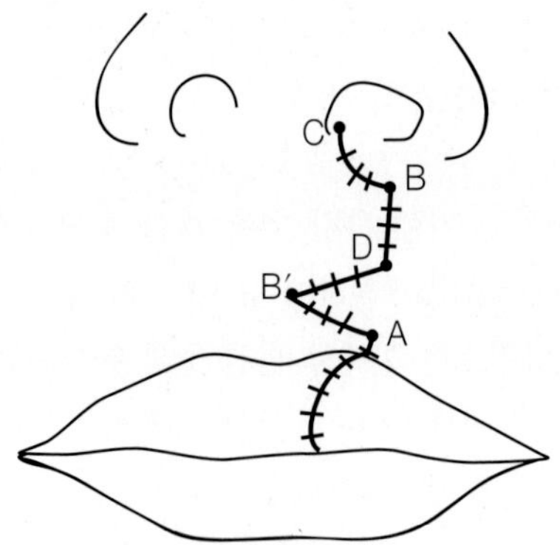

그림 11-10. 확장된 입술 피판을 이용한 구순열 수술례를 보여준다.

8) A. Z Francais

두 번의 Z 성형술을 시행하고 두 피판이 서로 변위되도록 하여 코가 내측으로 이동되고 입술이 이완되도록 하였다. 이 방법은 기하학적인 정확성에도 불구하고 큐피트 활(Cupid's bow)이 형성되기 어렵다는 단점이 있다.

9) 단순 Z 성형술

Perseu Castro는 구순 Z-성형술을 고안하여 잔존한 큐피트 활(Cupid's bow)를 보존하고자 하였다. Victor Spina 와 Lodovii 는 큐피트 활(Cupid's bow)를 보존하는 시도로서 구순열 측면에서 Z-성형술을 시행하여 수직 길이를 연장시키는 방법을 도입하였다.

10) Wang

Wang은 LeMesurier방법과 Tennison법의 장점을 결합하고자 노력하였다[37].

11) Davis

60도 의 Z-성형술를 이용하여 동일한 크기의 두 피판을 형성함으로써 수술 전 계획된 입술 높이와 동일하게 구순열을 수술하는 방법을 고안하였다[38].

12) Cronin

Thomas Cronin은 Tennison법을 변형하여 내측에서 횡단 절개하고 입술 경계부에서 수직 절개하는 '돌출된 외측 삼각 피판법' 을 고안하였다[39].

13) Z성형술의 대중화(Popularity of the Z)

1959년 Raymong Brauer는 Tennison법이 LeMesurier 법에 비해 우수하다고 결론을 내렸다. 그 이유는 1) 큐피트 활을 보존하며 2) 입술 하방부가 아니라 전체에서 입술 길이의 부족을 보완하며 3) 흉터가 측면에 생성되어 눈에 덜 띄기 때문이라고 하였다[40].

14) Clifford and Pool

1959년 미국 성형 외과 학회에서 LeMesurier법과 Tennison법을 탐침 비교 분석(probing comparative analysis)를 이용하여 비교하였다[41].

15) 수직 길이의 연장(Increase in vertical length)

사각외측 피판을 사용하는 LeMesurier법 뿐 아니라 삼각 피판을 사용하는 Tennison법에서도 구순열 측에서 입술의 수직 길이가 연장되었다. Pool 등은 이를 보상하기 위해 수술 시에 입술의 길이를 2mm 짧게 형성하여 주는 것을 추천하였다.

16) 설계의 간소화(Simplifying the design)

Chandler Sawhney 는 입술 길이가 증가되는 것이 비정상적인 성장 때문이 아니라 복잡한 피판의 설계에 있다고 보았다. 수술시의 작은 착오가 입술이 성장하고 조직이 수축함에 따라 명확해 지는 것이라 생각하고 Tennison 법을 정확하게 적용할 있는 디자인을 고안하였다.

17) 원칙에 근거한 비판(Criticism based on Principle)

Tennison 법의 원칙은 큐피트 활(Cupid's bow)을 보존하고 이를 정상적인 위치로 두고자 하는 중요한 진보를 이루었다. 이는 구순열측에서 형성된 삼각 피판을 반대측에서 형성한 하방 이완 절개와 접합시키는 시도이다. 하지만 이 방법은 외과 수술의 기본원칙이 간과되었다는 비판이 있다.

1. 입술 하방 1/3 에 결함이 있다는 잘못된 가설에 근거한다.
2. 삼각 피판은 조직이 부족한 구순열 측에서 절개되어야 한다.
3. 조직의 손상이 크다.
4. 코의 변형을 동시에 치료하기 어렵다.
5. Z-성형술이 입술 하방에서 형성된다.

7. Millard 의 구순열 교정

구순열의 교정에 있어 그 형태에 관계없이 반드시 지켜야 하는 원칙이 있다. 첫 번째는 구순열 측과 비구순열 측에서 큐피트 활(Cupid's bow)의 높이가 다르고 비대칭일 때, 피판의 회전(rotation)과 역절개(back-cut)을 통해 그 높이와 대칭성을 맞추어 주어야 한다. 두번째는 외측 입술 절편(segment)의 수직 길이를 정확히 측정하여 근접시켰을 때 반대편 입술 피판 측과 길이의 차이가 없어야 한다. 마지막으로 구각(commissure)에서 큐피트 활(Cupid's bow) 정점까지의 거리를 반드시 측정하여 외측 입술의 부분도 역시 수직 길이의 조정에 이용되어야 한다. 회전과 역절개(back-cut)의 조작을 통해 3-4mm 이상의 차이를 교정할 수 있으며, 외측 입술 부분의 이용으로 1-2mm 정도의 수직 길이 차이를 맞추어 줄 수 있다.

1) 회전 전진법(Rotation-advancement)

정상측의 활 모양 절개선은 정상측 변연의 4mm 정도를 포함하게 되고, 비주(columella) 쪽으로 연장선은 3mm 정도까지 갈 수 있다. 이때 절개선은 정상측 인중(philtrum)을 넘어가서는 안 된다. 이 절개선만으로 양측 피판간의 길이차를 극복하지 못할 때는 정상측 인중주(philtrum column) 안쪽으로 평행하게, 이전 절개선과 90도의 각도로 절개선을 연장할 수 있다.

회전 전진법은 Millard가 1953년부터 1955년까지 한국에서 수술하면서 고안한 방법이다. "정상조직을 정상 위치로 되돌린다(return normal to normal position)" 는 Gillies[13]의 원칙에 충실한 이 방법은 정상측 피판을 비주 기저부(columella base)로부터 아래쪽으로 회전(rotation)시키면서 입술의 3분의 2를 구성하게 하고, 구순열측 비공저(alar base)에 수평 절개를 가해 내측으로 전진(advancement)시켜 나머지 3분의 1을 구성하는 방식이다. 1956년 제 1회 International Congress of Plastic Surgery에서 발표된 이 방법은 이후 학계에 큰 반향을 일으키며 구순 성형술의 표준이 되었다.

피판 C는 비주(columella)를 근접시키고, 구순열측의 짧은 비주 기저부(columella base)를 보충하며, 역절개(back-cut)으로 인한 결손을 보충해 준다.

적절한 계측과 절개후 피판을 접근시키고, 근육을 박리한다.

완전 일측 구순열이나 불완전성일 때에도 정도가 심한 경우에는 비익저 조이기 기법(alar base cinching)을 통해 외측 입술 부분(lip segment)의 접근을 돕고 코의 모양도 교정할 수 있다. 비익주위 절개(circumalar incision)으로 비익저(alar base)를 입술에서 자유롭게 하고 표피를 제거한 피판(de-epithelized flap)을 비주 기저부(columellar base)쪽으로 근접시킨다.

전진하는 측의 피판의 첨부의 근육과 회전하는 피판의 역절개(back-cut)의 첨부 사이에 봉합(key suture)을 한 다음 점막, 근육, 입술의 순서로 봉합한다.

(1) 회전(Rotation)

회전 피판의 도안은 비주저의 절개를 통하여 순열측 인중릉의 길이를 연장시켜 양측 인중릉의 길이를 동일하게 만드는 것에서 시작한다. 절개는 상악골까지 깊게 넣어 입술 전층이 회전할 수 있도록 한다. 이 절개에 의해서 생기는 삼각형 모양의 피판은 비주저 절개 선 안쪽으로 회전되어 비주를 높이는데 사용된다.

(2) 전진(Advancement)

전진 피판은 회전 피판에 맞추어 도안한다. 정상측 구각과 큐피드활 최고점까지의 거리를 측정하여 개열측 외측구순분절의 백선상에 같은 거리의 점을 잡고 절개를 시작한다. 비익저에 수평절개를 가하여 피판이 자유롭게 전진될 수 있게 한다. 너무 넓은 완전 구순열의 경우 이 과정에서 외측 구순 분절이 지나치게 많이 절제 되어 비대칭을 초래할 수 있다. 회전 피판에 맞추어 섬세한 교정을 가한다.

(3) 근육 박리(Muscle Dissection)

비정상적으로 배열되어 있는 외측구순분절의 구륜근을 피부와 점막으로부터 박리해 내어 수평 위치로 정상 배열되게 한다.

(4) 비익 기저부 조이기(Alar base cinching)

피판을 전진시키면서 넓게 벌어진 비공저를 좁히는 효과를 동시에 거둘 수 있다.

이 표준 Millard 방법은 수술 과정 중에 도안을 조정하여 정상 조직을 소량만 절제해도 된다. 수술 반흔이 인중릉 위에 있어 눈에 잘 띄지 않으며 이차 교정술이 용이하다는 장점이 있다. 그러나 완전 구순열에서 비대칭을 초래하거나 수술 후 반흔 구축 등의 단점이 있어 이후 여러 변형법이 출현하게 된다.

(5) 회전법의 변형(Modification in rotation)

Skoog(1958) [6,7]은 아래쪽의 작은 삼각형 모양의 피판을 작도하여 인중(philtrum)을 지나 반대쪽과 깍지끼듯 하여 큐피드활의 균형을 맞추려는 시도를 하였다. 이 방법은 Sasaki(1972)[8], Onizuka(1966)[9] 등에 의해 시도되기도 하였다.

Mohler(1986)[10]는 회전 피판의 역절개선(line of back-cut)이

정상적인 선을 넘어가서 비주 기저부(columella base)까지 연장되고, 외측 피판이 전진되어 오는 디자인을 이용했다. 이는 인중주(philtrum column)가 콧구멍 바닥(nostril floor)쪽으로 연장되어 있는 경우 이용될 수 있는 방법으로 반흔의 상부를 보다 외측으로 위치시킬 수 있다.

이런 변형된 방법들은 각각의 장점을 가지고는 있으나 이득보다는 술기의 어려움을 더 동반하여 널리 선호되지는 않고 있다.

(6) Skoog(1958)[6, 7]

회전 피판에 삼각형 피판을 끼워 넣어 회전 양을 증가시키는 방법이다. Millard법에 Tennison[3]의 방법을 접목시킨 것으로서 수술반흔이 눈에 더 띄지만 구축은 덜 일어난다. Bernstein(1970)[14], Onizuka(1966)[9] 등도 이 방법을 사용했다(그림 11-11).

(7) Meyer(1966)

Skoog의 방법을 변형하여 아래쪽 삼각형 피판을 홍순 경계부에 만들었다(그림 11-12)[42].

(8) Wynn(1960)

전진 피판에서 수직 피판을 들어 비주저 쪽으로 90도 회전하였다. 부자연스러운 방향으로 전진하게 되어 한계가 있는 방법이다(그림 11-13)[43].

(9) Mustarde

비익이 수술 후에 다시 넓어지는 것을 방지하기 위해 전진 피판에서 수직 피판을 들어 정상측 비공에 고정 시키는 방법이다. 비익이 넓어지지는 않지만 입술 성장의 비대칭과 눈에 띄는 반흔이 남게 된다(그림 11-14)[44].

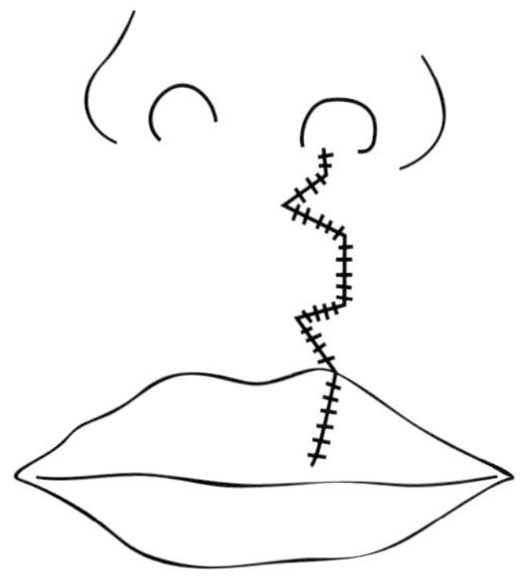

그림 11-11. 삼각 피판을 이용하여 회전 피판의 회전량을 증가시켜 구순열을 봉합하였다.

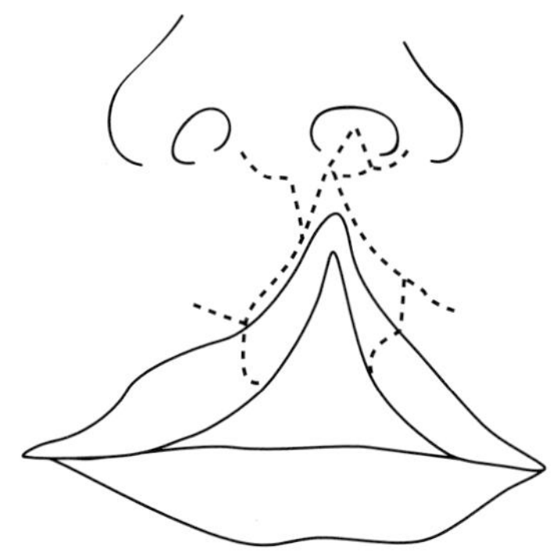
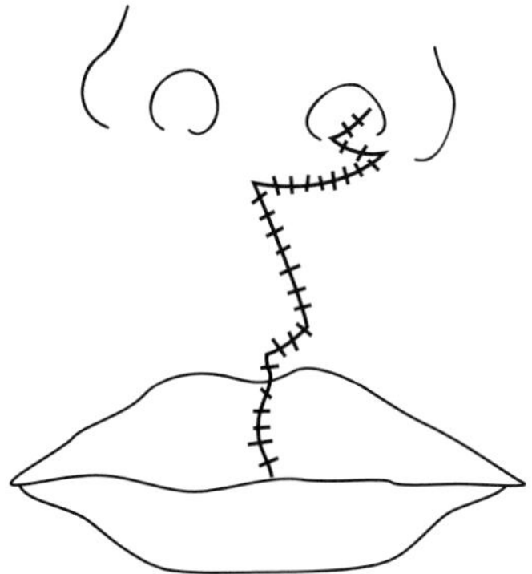

그림 11-12. Meyer의 구순열 봉합방법으로 아래쪽 삼각 피판이 홍순 경계부 쪽으로 내려와 있다.

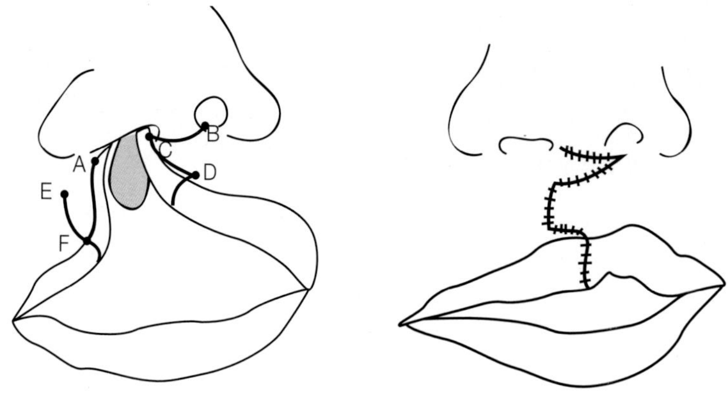

그림 11-13. 전진 피판에서 90도 회전하는 수직피판을 이용한 구순열 수술례이다.

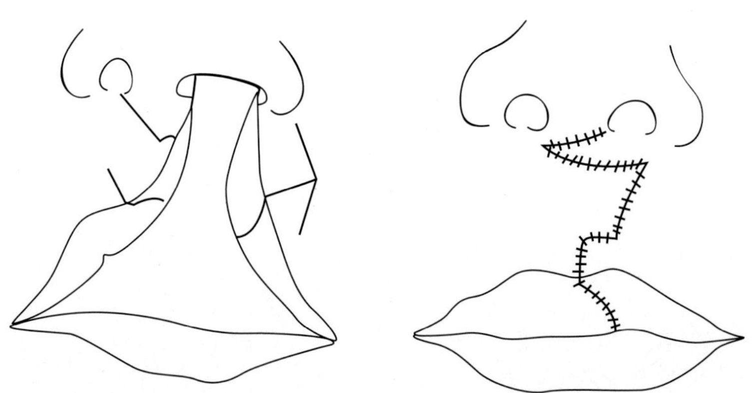

그림 11-14. 전진피판에서 들린 수직피판을 정상측 비공에 고정하는 수술례를 보여준다.

(10) Talaat(1967)

Millard 법에서 비주저의 절개를 사선모양으로 만들어 Z 성형술이 되게 하였다.

(11) Mohler(1986)[10]

회전 피판의 비주저에서의 연장 절개를 반대편 인중릉을 향하게 한 Millard와는 달리 비주 내부로 향하게 도안하였다. 정상측 인중릉을 침범하지 않게 하려는 의도지만 충분한 회전양을 얻을 수 없다(그림 11-15).

2) 조기 비익 연골 거상법(Early alar cartilage lift)

5세 이전 입학하기 전 시기에서 변형된 비익 연골을 교정하는 것도 고려해 볼 수 있다.

변연부 절개(marginal incision)을 통해 비익 연골을 덮고 있는 피부와 연부조직으로부터 연골을 박리하여 움직임을 자유롭게 만든다. 비익은 매우 얇기 때문에 박리에 특히 주의가 요구된다. 비익연골을 비주(columella)와 비중격으로부터 박리하면 비익연골의 외측 부분을 제외한 내측 3/4 부분이 자유롭게 된다. 대칭성과 코끝의 모양(tip contour)를 고려하면서 구순열 측의 비익 연골을 비중격에 봉합해 준다. 비익 말단의 남는 피부는 절제하여 균형을 맞춘다(그림 11-16).

또는 절제해 주는 대신 삼각형 피판이나 V-Y 근접 등의 방법으로 코안뜰 사이막의 피부(vestibular web skin)을 제거하고 비주(columella) 상부 쪽을 늘려줄 수 있다(그림 11-17).

3) 일차 비 성형술

입술 성형술을 시행하면서 동시에 일차적 코 성형을 시행할 수 있다. 1900년대 초에는 성장에 방해가 된다는 이유로 비 성형술을 나중에 시행하는 게 원칙이었으나 아직까지 논란이 많다. 구순 성형술과 동시에 비교정술을 할 경우는 연골이 미

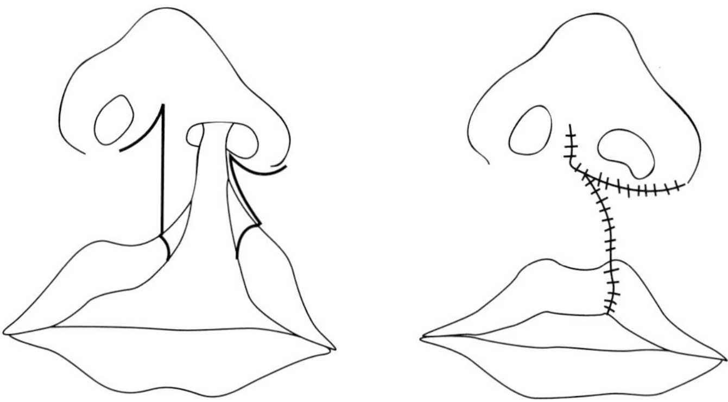

그림 11-15. 회전피판의 연장 절개가 비주 내부로 도안 되있는 Mohler의 구순열 수술례이다.

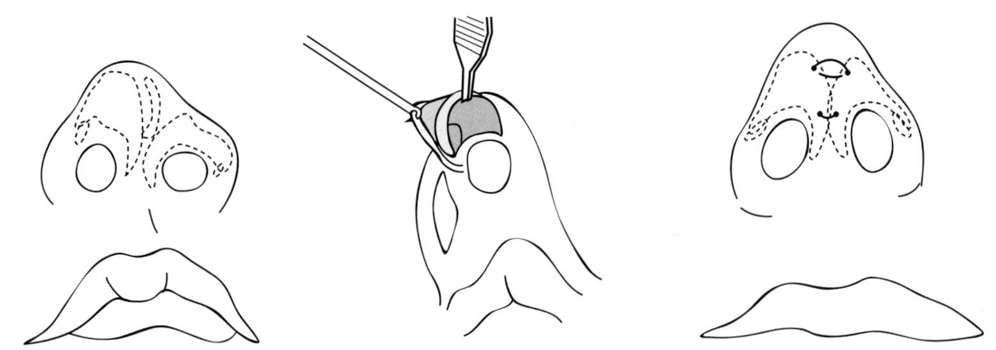

그림 11-16. 중앙의 그림에서처럼 비익 연골을 박리하여 자유롭게 한 뒤 우측의 그림에서와 같이 연골 봉합을 해주었다.

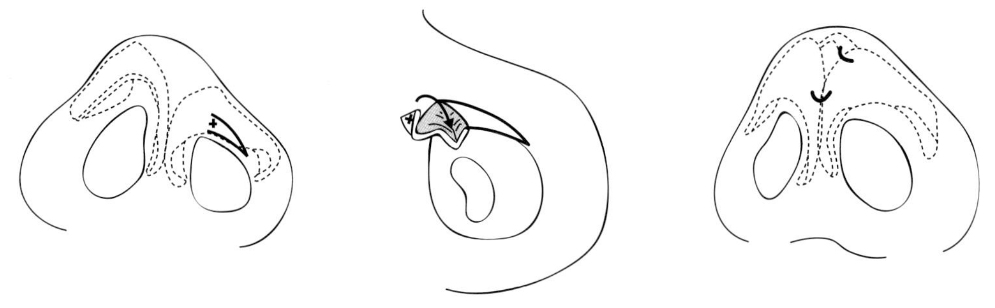

그림 11-17. 비익 연골 거상후 남는 피부를 이용하여 비주 상부를 늘리는 수술례이다.

성숙하고 코의 성장에 반흔이 방해가 된다는 이유로 근치적 비성형술은 성장이 멈춘 후에 해야 한다는 주장도 있으며 1930년대의 Brown[15]과 1940년대의 McDowell[15]이 구순 성형술과 동시에 시행하는 일차 비 성형술이 성장을 방해하지 않고 오히려 이 때 교정되지 않은 코의 변형이 성장에 더 나쁜 영향을 미칠 수 있으며 남아 있는 변형은 이차 교정술이 매우 어렵다고 주장하였다.

이들은 외부의 절개를 통해 비익 연골과 피부를 박리하고

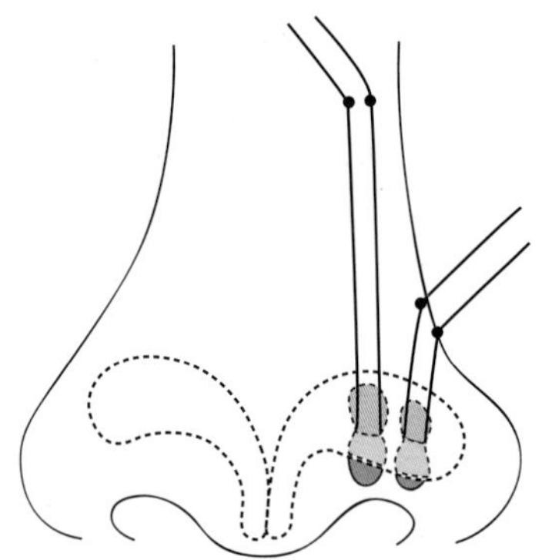

그림 11-18. 두 개의 긴 매트리스 봉합을 이용한 McComb의 비 성형술 방법을 보여준다.

비주 쪽 접근을 통해 비익 연골을 완전히 노출시켜 거상하기 쉽도록 근치적으로 박리했다. 후에 Dibbell[12]이 이차 비 성형술에 이 방법을 응용했으나 코의 모양을 완전히 교정하지는 못했다. 1949년 Huffman과 Lierle는 순열측의 비익연골의 다양한 변형에 주목했으며 같은 일측 구순열 환자라도 비익 연골의 상태에 따라 수술 결과는 다양하게 나타날 수 있다.

McComb(1984)[16]는 순열측의 비익 연골을 반대편 비익-중격 접합부에 묶어준 Broadbent와 Woolf와는 달리 두개의 긴 매트리스 봉합을 이용에 비배부와 비익부의 피부에 대각선으로 묶어 주었다. 이들은 모두 비익연골에 어떠한 절개나 절제도 가하지 않았으며 혈류공급을 좋게 하기 위해 점막을 비익 연골에서 박리해 내지 않았다(그림 11-18).

Salyer[17]도 비슷한 방법을 사용했으며 피부 박리를 좀더 광범위하게 시행해 비익연골이 보다 정상적 위치로 거상될 수 있도록 하였다. 아울러 술전 치아 교정술의 중요성을 강조해 비성형술이 행해 질 수 있는 기반이 대칭이 된 상태에서 수술을 해야 한다고 주장했다. 하지만 장기 관찰 결과 비익 연골 변형이 아직도 남아 있었으며 수술 당시 비익 연골이 정상위치까지 거상되지 않았거나 모양이 뒤틀린 상태에서 거상되었기 때문이라고 생각하였다.

Salyer(1986) [11]는 피부 바깥에서 일시적인 봉합을 이용해 비익연골을 거상해 주고, 외측 점막의 유착도 풀어 주었다. Salyer가 이 방법을 적용한 환아를 15세 때까지 추적 관찰해 남아있는 변형과 비대칭을 확인하였다.

보다 근치적인 방법으로는 Dibbel(1982)[12] 등에 의한 비익 가장자리(alar rim) 내측을 따른 절개선을 통해 피판을 시계방향으로 회전해주는 방법이 있으나 이 역시 모든 문제를 해결해 줄 수는 없었다(그림 11-19).

4) 인중융선 재건

인중은 상구순부의 미용에 있어서 매우 중요한 역할을 하는 부위이다. 1930년대 Veau가 처음으로 구순성형술에서의 인중 재건의 중요성을 역설하였다. Monie와 Cacciatore(1962)가 인중은 상구순의 중앙부의 고밀도 결합조직과 연관되어 형성된다고 보고한 이래 여러 연구가 행해졌고 Namnoum(1997)은 진피 조직이 인중 융선을 형성한다고 하였다[45]. 이러한 인중을 만들어주기 위해 O'Connor와 McGregor(1958)은 상구순 가운데에서 일으킨 회전 피판을 홍순-피부 접합부에 넣는 방법을 이용했고[46], Schmid(1964)는 피부연골 복합이식으로 인중을

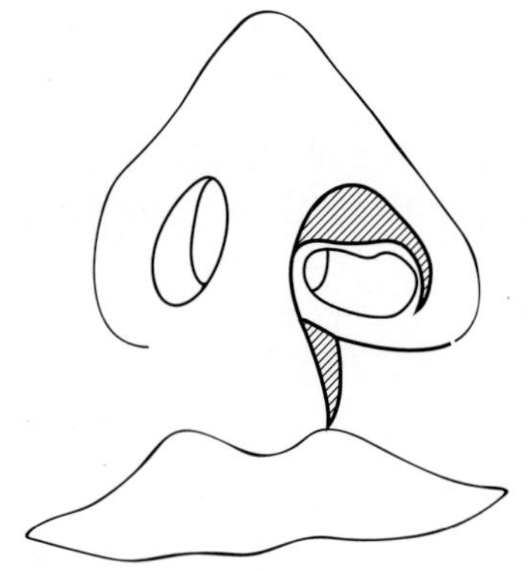

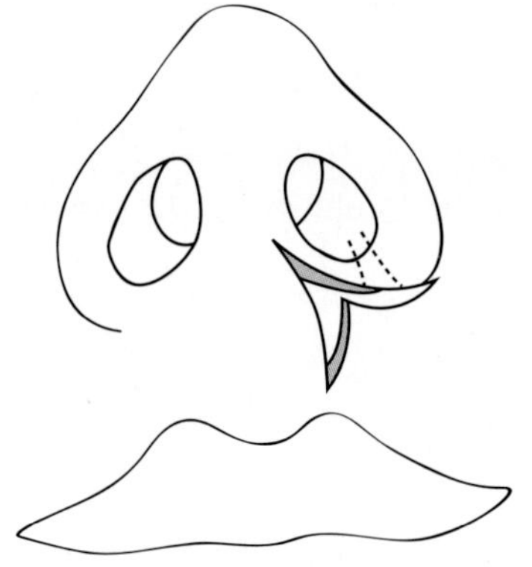

그림 11-19. 비익 가장자리 내측을 절개하여 시계방향으로 회전시키는 비성형술례이다.

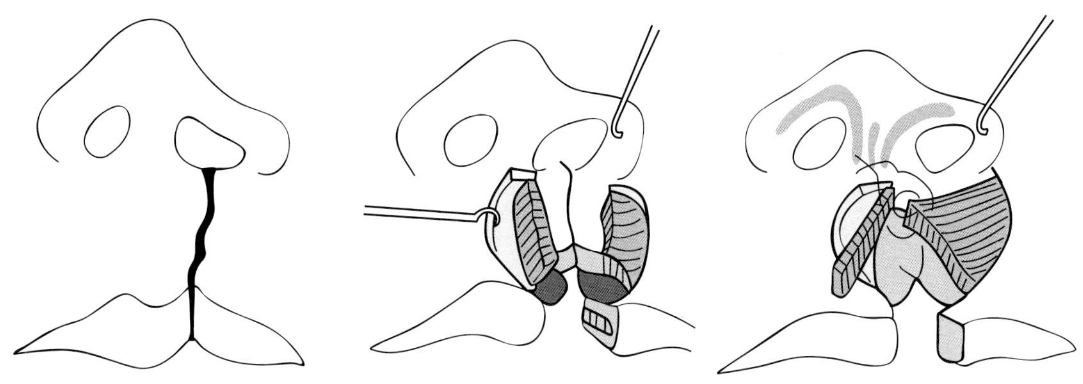

그림 11-20. 입술 주위 근육을 이용한 인중 융선 재건 수술례이다.

만들어 주고자 했으나 추적관찰에서 좋은 결과를 보여주지는 못했다[47]. 인중융선 재건의 가장 큰 문제점은 피부조직 자체가 부족한 상황이기 때문에 그 긴장 하에 어떠한 조직으로 인중융선을 만들어 줘도 결국에는 흡수되므로 여러가지 방법이 시도되어왔다. Millard(1967)은 진피를 골막까지 깊이 봉합하는 방법을 사용했다. Onizuka(1975)는 근육을 이용하여 근피판법, 근이식법, 근절제법, 근삽입법 등 여러가지 방법을 제시했으나 근육층 봉합이 불완전하거나 연속성이 없어지는 단점이 있다[9]. 1977년 근층 견인법을 발표했는데 견인 고정을 이용해 피부 긴장을 해소하는 방법이므로 좋은 결과를 얻었다. Jackson(1980)은 Abbe 피판을 이용했고[48] Tange(1997)가 이를 응용했다(그림 11-20).

5) 홍순(vermilion) 재건

일측 구순열에서 순열측의 홍순(vermilion)은 순열측 가장자리(cleft edge)쪽으로 오면서 적색선(red line)과 백색선(white skin roll)과의 거리가 좁혀지기 시작하는 지점 직전이 가장 넓다. 이 지점의 중앙 쪽(medial side)의 홍순을 이용하여 순열측 큐피드 활의 홍순의 부족한 정도를 해결하는 방법을 Noordhoff(1984)는 제시하였다.

순열측에서의 홍순 큐피드 활 부분을 백색선 1~2mm 정도 밑에서 삼각피판(triangular flap)이 생기도록 절개한 후 이를 중앙입술의 순열측 절개한곳에 넣어준 뒤 장력을 적게 하면서 8-0 nylon으로 봉합하였다. 이때 윗입술의 중앙 결절(central prolabial tubercle)을 남기기 위해서 삼각피판 밑쪽 여분의 점막을 손질(trimming)할 수 있다.

적색선이 순열측으로 오면서 백색선(white skin roll)과의 거리가 좁아지기 시작하는 기준점은 회전 전진 피판(rotation advancement flap)의 길이 결정에 있어서 유용하다. 이 지점을 중앙쪽으로 이동하면 순열측 입술의 연장, 홍순이 얇아지는 효과, 회전피판이 짧아지는 효과 등을 만들 수 있고 순열쪽으로 이동한다면 그 반대의 효과를 얻을 수 있다(그림 11-21)[17].

6) 근육 교정(muscle repair)

일측 완전 구순열의 경우 구륜근은 양쪽 구각에서 중앙으로 진행하면서 수평방향에서 순열측 가장자리 선과 평행하게 위쪽으로 방향이 바뀌게 된다. 구륜근(orbicularis oris muscle)은 비익 기저부(alar base) 밑과 비주 기저부(columella base)밑에서 대부분이 상악(maxilla)의 골막에 붙는다.

일측 구순열의 순열측 구륜근은 정상의 경우보다 두꺼워져 있는데 이는 적당한 길이를 이루지 못하고 구륜근이 겹쳐져 있고 수축하기 때문이다. 이와는 반대로 인중부(philtral side)의 구륜근은 저성장되어 있음을 알 수 있다[19].

Ernest N. Kaplan(1978)은 112명의 수술을 받지 않은 일측 구순열 환자들에게서 신생아부터 성인까지의 성장 잠재력(growth potential)을 측정하여 근육 교정의 중요성을 밝혀주었다. 그 결과는 정상측 입술의 경우 가로방향(구륜근의 평행방향)이 100%, 세로방향(인중의 방향)이 80%로 성장잠재력이 측정되었던 것에 반하여, 순열측은 입술의 가로방향이 82% 세로방향이 50%으로 세로방향(vertical direction)의 성장잠재력이 더 작다는 것을 알 수 있다.

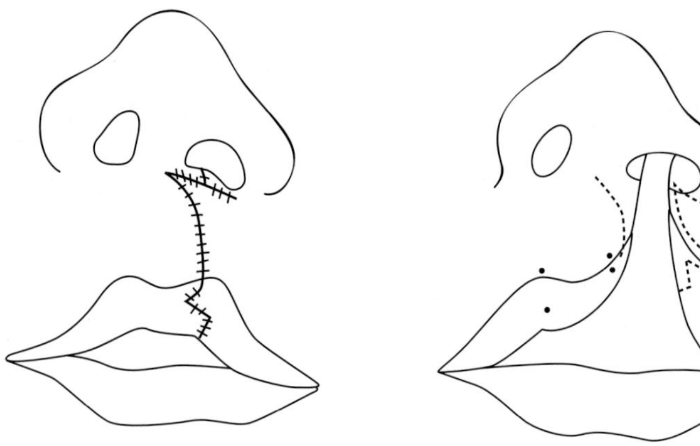

그림 11-21. 삼각피판을 이용한 홍순 재건례를 보여준다.

결국 구순열로 인하여 잘못 위치하고 있는 순열측 근육 방향을 세로방향(vertical direction)으로 전위(transposition)하여 다시 교정(repair) 해주는 것이 성장 잠재력을 증가시켜 짧은 입술(short lip)을 예방하고 순열측의 충분한 성장을 가능케 하는 방법일 것이다[18].

근육 교정(muscle repair)을 하는 수술 방법은 피부 절개(skin incision)후 구륜근을 피부와 점막으로부터 완전히 분리해내는 것으로 시작된다. 순열측은 코입술주름(nasolabial fold)까지 중앙부(medial side)는 인중와(philtral groove)전까지 박리한다. 이상구(piriform aperture) 및 비익(nasal alar)쪽에 잘못 붙고 있는 부분들을 완전히 분리한다.

구륜근의 얕은 층과 깊은 층을 구별한뒤 깊은 근층은 한쪽 끝과 다른쪽 끝을(end to end) 연결한다. 얕은 근층은 한쪽 끝과 다른쪽 가측을(end to side) 연결해주면서 가측 근육을 중앙측 근육 밑에 위치시켜 인중기둥(philtral column)을 만들 수 있다(Park 1994)(그림 11-22)[20].

7) Author' s method(완전 일측 구순열; unilateral complete cleft lip)

(1) 피부 표식 및 측정(Skin marking and measuring)

갈라지지 않은 쪽의 큐피트 활의 최고 지점(peak of Cupid's bow) (2)와 큐피트 활의 중앙 지점(mid-point of the Cupid's bow) (1)을 Gentian violet으로 입술 가장자리에 표시하고, 표시된 두 점 사이의 거리를 측정한다. 중심점에서 같은 거리의 점 (3)을 갈라진 쪽으로 표시한다. 갈라진 쪽의 큐피트 활의 최고 지점(peak of Cupid's bow) (8)은 구순열의 홍순이 가장

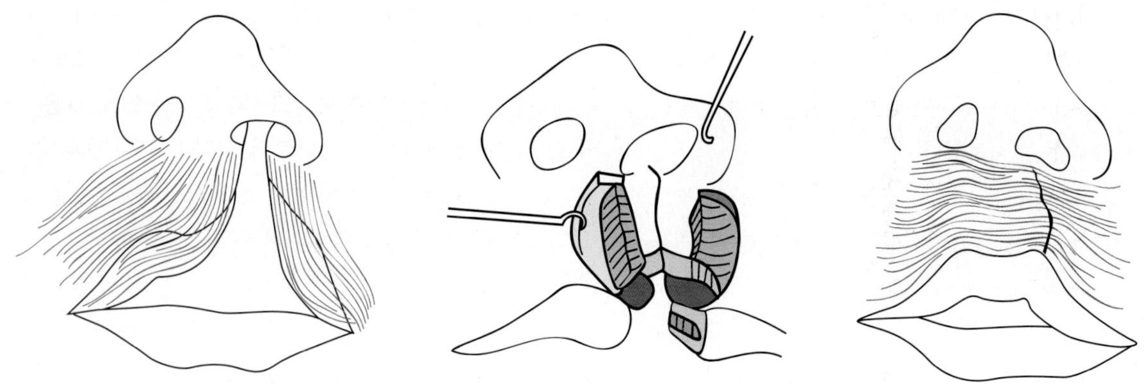

그림 11-22. 그림에서와 같이 근육을 따로 박리하여 근육층의 교정을 시행해주어야 한다.

두꺼운 곳으로 정하고 표시한다. 입술의 높이는 (2-4, 5-8)은 콧방울 기저부와 큐피트 활의 최고 지점(peak of Cupid's bow) 사이의 거리로 정한다.

(2) 수술 방법(Design and Incision & Closure)

비주(columella)의 기저부로부터 큐피트 활의 최고 지점(peak of Cupid's bow)까지 곡선으로 절개선을 정한다. 국소

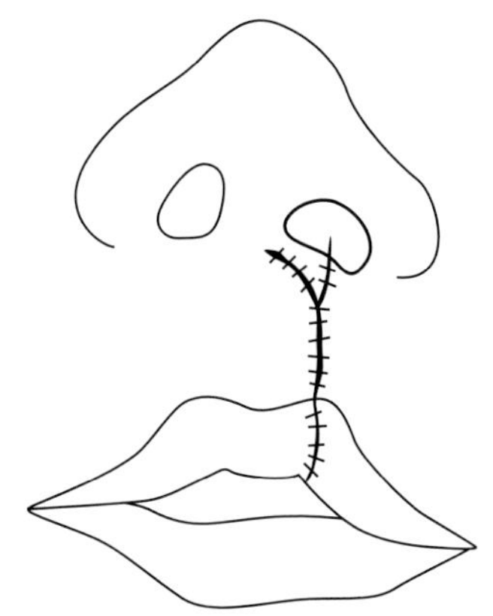

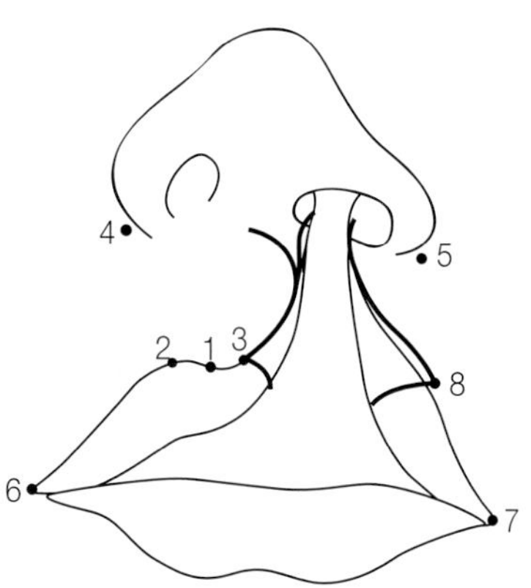

그림 11-23. 좌측 그림과 같이 점을 표시(dot marking)하고 순열측의 가장 두꺼운 부위에 6번 점을 잡아 정상측 큐피드 활의 3번 지점과 만나게 한다. 최종적인 피부 봉합은 우측 그림과 같다.

case 1)

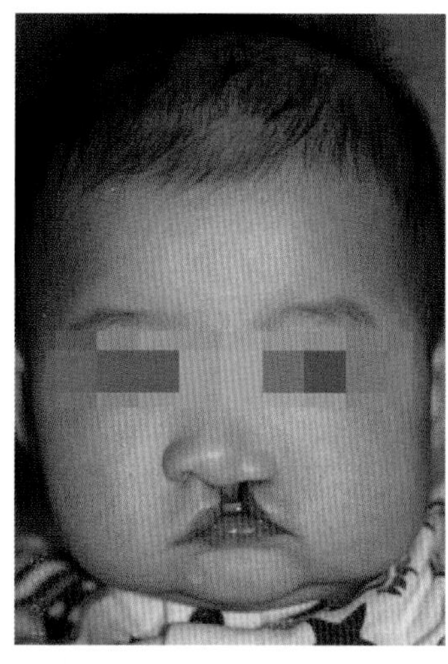

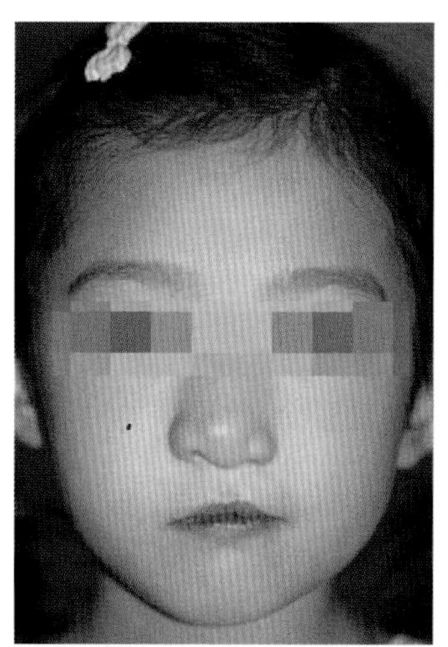

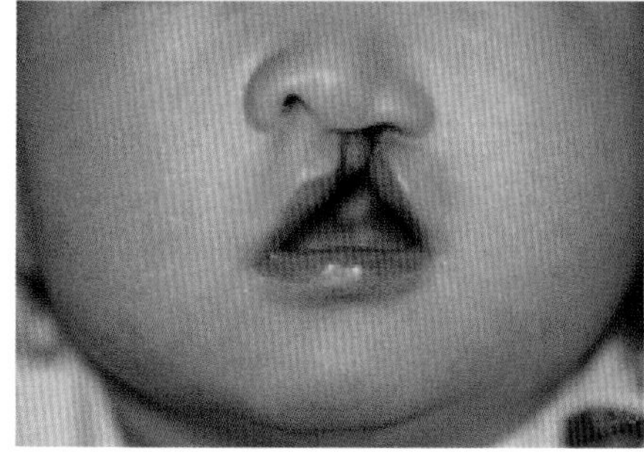

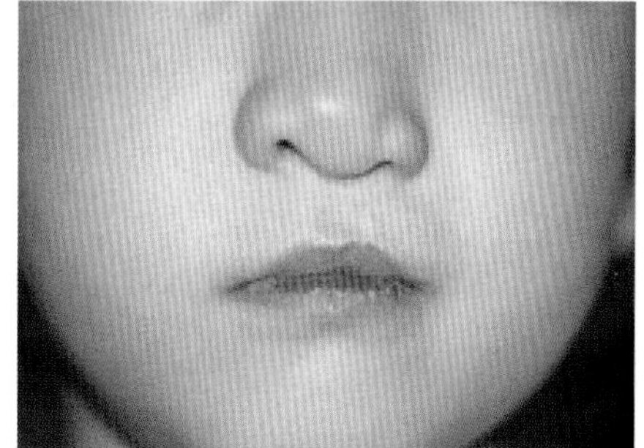

그림 11-24. 완전 일측구순열을 보이는 여아로 생후 10개월에 구순성형술을 시행하였다. 좌측은 술전, 우측은 수술후 5년째 추적관찰한 사진이다.

case 2)

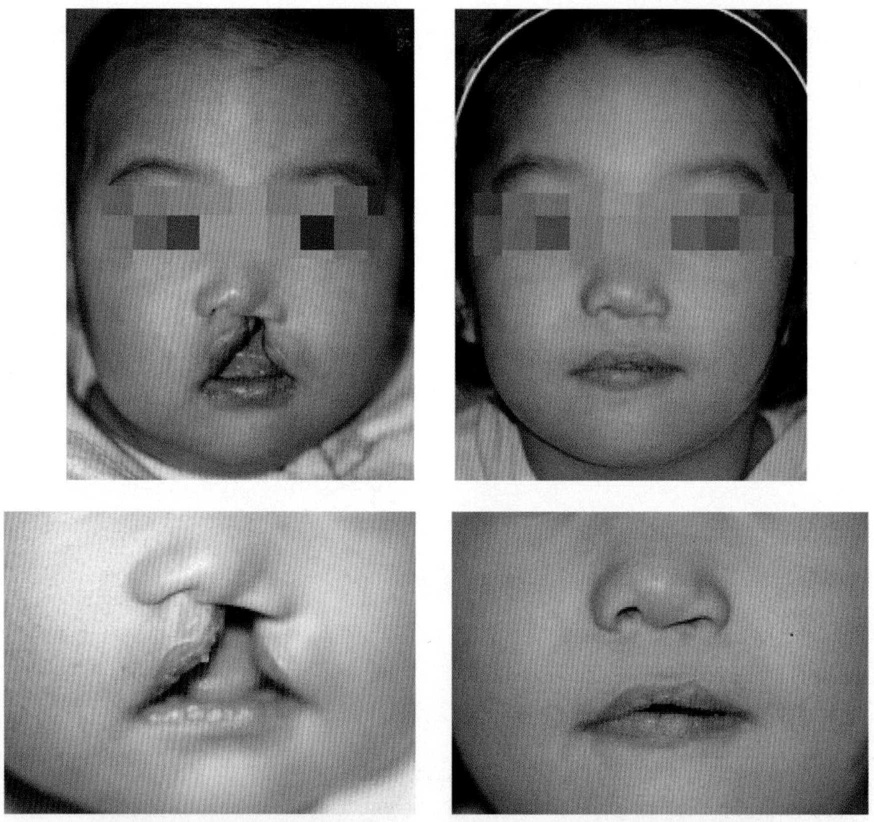

그림 11-25. 완전 일측구순열을 보이는 여아로 생후 7개월에 구순성형술을 시행하였다. 좌측은 술전, 우측은 수술후 6년째 추적관찰한 사진이다.

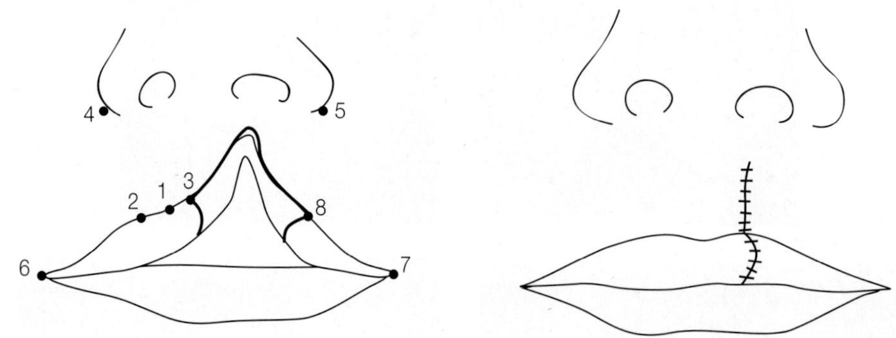

그림 11-26. 좌측 그림과 같이 점을 표시(dot marking)하고 순열측의 가장 두꺼운 부위에 8번 점을 잡아 정상측 큐피드 활의 3번 지점과 만나게 한다. 최종적인 피부 봉합은 우측 그림과 같이 일직선이 된다.

case 1)

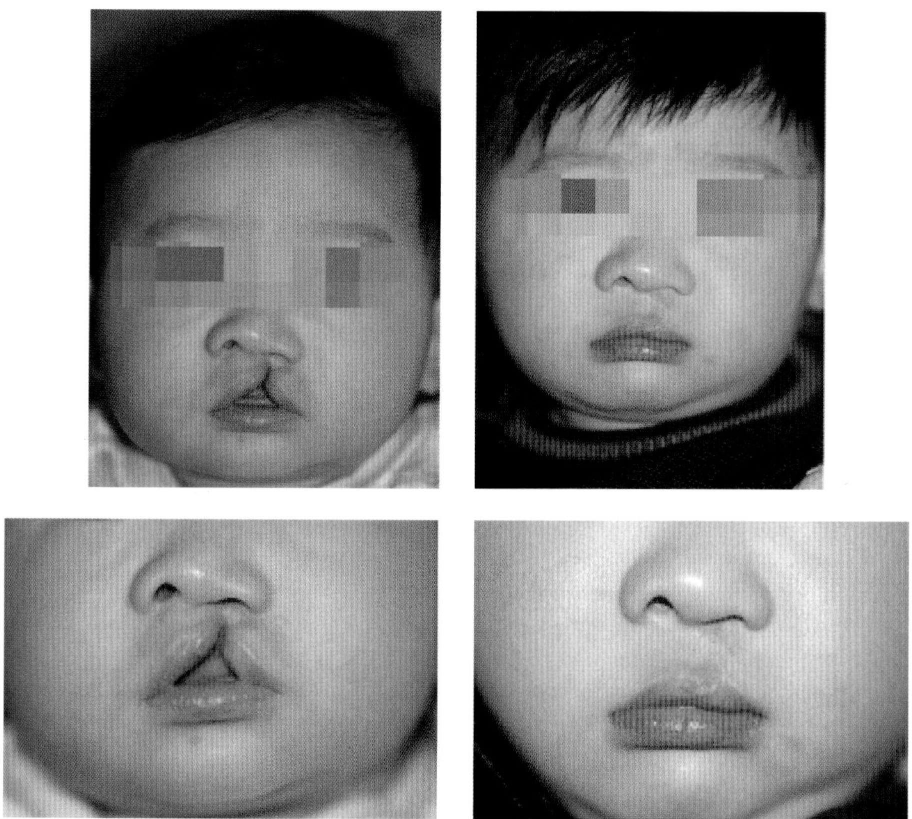

그림 11-27. 불완전 일측구순열을 보이는 남아로 생후 6개월에 구순성형술을 시행하였다. 좌측은 술전, 우측은 수술 후 4년째 추적 관찰한 사진이다.

case 2)

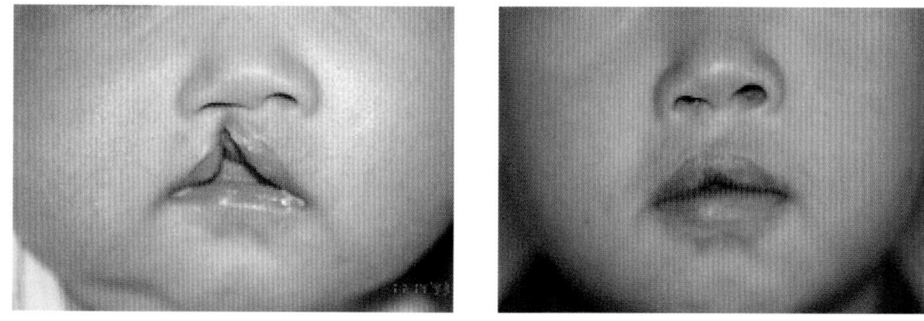

그림 11-28. 불완전 일측구순열을 보이는 남아로 생후 3개월에 구순성형술을 시행하였다. 좌측은 술전, 우측은 수술후 7년째 추적 관찰한 사진이다.

마취 용액(1:100000 epinephrine mixed with 2% lidocaine) 을 주입한 다음, 수 분 후에 67번 칼날으로 3번 포인트에서 회전 절개와 백색선(white roll)을 따라서 절개를 가한다. 절개선을 통해 조직 절개용 가위(sharp scissors)로 인중 능선이 될 피부에 회전절개와 백색선(white roll) 절개 사이에 피하층을 박리하여 C-피판(triangular skin flap)을 들어 올렸고 입술점막을 점막하 박리하여 양쪽 입술 점막 피판을 들어올린다. 구순열 쪽 코 전정과 잇몸 사이의 절개로 비익기저를 전방으로 위치할 수 있게 박리한다. 구순열 쪽의 l-피판(lateral vermilion mucosa flap) 을 회전시켜 잇몸과 코 사이를 메꾼다. 나머지 l-피판과 m-피판(medial vermilion mucosa flap)으로 치조열과 코전정을 메꾸는 데 사용한다. 진피하 박리를 인중 쪽은 인중의 오목한 부분의 정중선까지 최소한의 박리를 하고, 구순열의 바깥쪽 입술부위를 해당 점까지 당겨서 입술과 코입술 고랑에 당김이 없는 부위까지 반대쪽보다 조금 더 박리하여 회전할 피부 피판과 전진시킬 피부 피판을 들어 올린다. 입술의 피판을 아래쪽으로 돌린 후 노출된 구륜근에 절개를 가하여 내측과 외측 입술 부위가 수직으로 아래 쪽으로 더 내려올 수 있게 한다. 내측의 입술을 피부 갈고리(skin hook)로 아래로 당겨 인중 부위의 내측 입술 부위를 아래쪽으로 회전시키면서, 구순열 쪽 콧방울을 피부 갈고리(skin hook)로 올려 반대쪽과 같은 높이로 맞춘 상태에서 양측 큐피트활(Cupid's bow)이 같은 높이가 되고 회전시킨 피판을 전진시킨 전진 피판의 길이와 맞도록 후방 절개(back-cut)을 2mm 연장하고 입둘레근 부분의 횡절개를 조절한다. 피부 점막 경계에서 근육에 절개를 가하고 더 회전을 시켜 구순열 쪽의 짧아진 입술의 길이를 조절한다. 그리고 blade holder를 가지고 코중격을 이동시켜 비갑개능선, 즉 정중위에 중격이 위치되도록 한다. 양쪽 입술 피판의 내측 부위에 피부 갈고리(skin hook)를 걸어 대칭으로 근사(접근)시킨 상태에서 근육층 교정은 4-0 monocryl로 세 번의 봉합을 한다. 하나는 후방 절개선상(back-cut level)에서 수직형 단단봉합(vertical mattress suture)하고, 하나는 정중 인중선에서 인중 능선과 인중의 오목한 부분을 만들기 위해 수직형 단단봉합(vertical mattress suture)한다. 하나는 점막피부 접합부에서 단순 단단봉합(simple interrupted suture)을 실시한다. 유리된 입술 경계 부위에서 6-0 PDS로 진피내 봉합를 시행한다. C-피판(triangular skin flap)의 끝을 정돈한 후 회전간극(rotation gap)인 X-포인트에 끼워 넣어 6-0 prolene으로 가장 중요한 부위의 봉합(key suture)을 시행한 후 구순열 부위의 콧기둥을 연장시키고, 양쪽의 피부 점막 경계가 일치되게 6-0 chromic catgut으로 봉합하여 큐피드 활의 정점(peak of Cupid' s bow)을 형성한다. 피부는 6-0 prolene으로 교정하고 바깥쪽 입술은 길이를 조절하고, 6-0 chromic catgut으로 봉합한다. 비강내 거치대(nasal stent)를 환자별 크기에 맞게 끼워 준다.

8) Author' s method(불완전 일측 구순열; unilateral incomplete cleft)

절개선을 통해 가위(sharp scissors)로 피부하 박리하여 양측 피판을 들어올리고, 진피하 박리를 내측은 인중의 오목한 부분의 정중선까지 최소한의 박리를 하고 외측은 전진 피판을 해당 지점까지 당겨서 당겨지는 지점이 없을 때까지 반대쪽보다 조금 더 박리하여 회전할 피부 피판과 전진시킬 피부 피판을 들어 올린다. 반흔 조직을 절제하고 잠식된 양쪽 피판을 전진시켜 피부의 각 층을 맞추어 봉합한다.

참고문헌

1. McCarthy J. G : Epidemiology and Genetics.: *Plastic surgery*. Philadelpia, W.B. Saunders Company, 1990, p. 2445-2447,
2. Elahi, Mohammed Mehboob M.D., : Epidemiology of cleft lip and cleft Palate in Pakistan. *Plast. Reconstr. Surg.* 113(6):1548-1555, 2004.
3. Suk-Hwa Kim : The Cleft Lip and Palate Incidence among the live births in the republic of Korea. *j Lorean Med Sci* 17 : 49, 2002
4. Marcks, K. M., Trevaskis, A. E., and DaCosta, A. : Further Observation in cleft lip repair. *Plast. Reconstr. Surg.*, 12 : 392, 1953
5. Randall, P : A triangular flap operation for the primary repair of unilateral clefts of the lip. *Plast. Reconstr. Surg.*, 23 : 331, 1959
6. Skoog, T : A design for repair of the unilateral cleft lips. *Am. J. Surg.*, 95 : 223, 1958.
7. Skoog, T : Repair of the unilateral cleft lip deformity, maxilla, nose and lip. *Scand. J. Plast. Reconstr. Surg.*, 3 : 109, 1969
8. Sasaki, M : Repair of cleft lip. Jpn. *J. Oral Surg.*, 18 : 148, 1972
9. Onizuka, T : My experience with cleft lip repair: Part I on Millard' s method. *Jpn. J. Plast. Reconstr. Surg.*, 9 : 268, 1966
10. Mohler, L. R. : Unilateral cleft lip repair. Presented at Am.

Assoc. *Plast. Surg. meeting*, May, 1986a

11. Salyer, K. E. : Primary correction of the unilateral cleft lip nose: a 15-year experience. *Plast. Reconst. Surg.*, 77 : 558, 1986
12. Dibbell, D. G. : Cleft lip nasal reconstruction: correcting the classic unilateral defect. *Plast. Reconstr. Surg.*, 69 : 264, 1982
13. Gillies, H. D., and Kilner, T. P. : Operations for the correction of secondary deformities of cleft lip, *Lancet*, 2 : 1369, 1932
14. Bernstein, L. : Modified operation for wide unilateral cleft lips. *Arch. Otolaryngol.*, 91 : 11, 1970
15. Brown, J. B. and McDowell, F.,: Simplified design for repair of single cleft lips. *Surg. Gynecol. Obstet.*, 80 : 12, 1945
16. McComb, H.: Discussion. Primary correction of the unilateral cleft lip nose: a 15-year experience. *Plast. Reconstr. Surg.*, 77 : 567, 1986.
17. M. Samuel Noordhoff, M.D.,: Reconstruction of vermillion in unilateral and bilateral cleft lips. *Plast. Reconstr. Surg.*. 73 : 72, 1984
18. Ernest N. Kaplan, M.D..: Growth of the unilateral cleft lip. *Cleft Palate J.* 15 : 202, 1978
19. Miroslav Fara, M.D..: The anatomy of cleft lip. *Clinics in Plastic Surgery*. 2 : 205, 1975
20. Chul Gyoo Park, M.D., PhD.,: The importance of accurate repair of the orbicularis oris muscle in the correction of unilateral cleft lip. *Plast. Reconstr. Surg.* 96 : 780, 1995
21. Rogers B O. Harelip repair in Colonial america. *Plast. Reconstr, Surg.* 34:142 1964
22. Limberg AA. Remote result of the surgical treatment of congenital fissure of the cleft lip, *Vestn Khir Im II Grek.* 1963 Jun;90:67-73
23. Kilner TP. The management of the patient of Cleft lip. *Am J Surg.* 1958 Feb;95(2):204-10
24. Fara M. The importance of folding down muscle stumps in the operation of unilateral clefts of the lip. *Acta Chir Plast.* 1971;13(3):162-9
25. Peet. The Oxford technique of cleft palate repair. *Plast Reconstr Surg.* 1961 Sep;28:282-94
26. Bartler. Variations of masters interlocking Z-cheilorrhaphy. *Plast Reconstr Surg.* 1970 Feb;45(2):189-90
27. McDowell. The classic reprint: Du bec-de-lievre(new method for the harelip operation) Dr. J.F. Malgaigne, Paris, France, (J. de Chir. de Paris, 2: 1-6, 1844). *Plast Reconstr Surg.* 1976 Mar;57(3):359-66
28. Ivv RH. Lettre sur l' operation du bec-de-lievre. *Plast Reconstr Surg.* 1976 Apr;57(4):502-7
29. Honey LM. Secondary unilateral cleft lip repair: combining rotation-advancement principles with a cross-lip muscle-vermilion flap. *Ann Plast Surg.* 1979 Sep;3(3):241-9.
30. Kazanjia VH. Treatment of median cleft lip associated with bifid nose and hypertelorism. *Plast Reconstr Surg.* 1959 Dec;24:582-7.
31. Mcdowell. Late results in cleft lip repairs. *Plast Reconstr Surg.* 1966 Nov;38(5):444-76
32. Trauner. Repair of unilateral cleft lip; advantages of LeMesurier technique use of mucous membrane flaps in maxillary clefts. *Plast Reconstr Surg.* 1953 Jan;11(1):56-68
33. Tennison. The repair of the unilateral cleft lip by the stencil method.. *Plast Reconstr Surg.* 1952 Feb;9(2):115-20
34. Obukhova. Use of the Obukhova method of treating unilateral cleft lip. *Zhonghua Wai Ke Za Zhi.* 1963;11:824-6.
35. Hargerty RF. Cleft lip. *J S C Med Assoc.* 1954 Jan;50(1):12-7
36. Trauner R. Results of surgery for cleft lip and palate *Osterr Z Stomatol.* 1951 Aug;48(8):412-28
37. Wang.MK. A modified LeMesurier-Tennison technique in unilateral cleft lip repair. *Plast Reconstr Surg.* 1960 Aug;26:190-8
38. Davis AD. Management of the wide unilateral cleft lip with nostril deformity. *Plast Reconstr Surg.* 1951 Sep;8(3):249-57
39. Cronin. TD. A modification of the Tennison-type lip repair. *Cleft Palate J.* 1966 Oct;3:376-82.
40. Brauer. Design for unilateral cleft lip repair to prevent a long lip. *Plast Reconstr Surg.* 1978 Feb;61(2):190-7
41. Clifford RH. The analysis of the anatomy and geometry of the unilateral cleft lip. *Plast Reconstr Surg.* 1959 Oct;24:311-20
42. Meyer. Clinical cleft lip and palate research.*Plast Reconstr Surg* 1988 Jul;82(1):201-2
43. Wynn. Lateral flap cleft lip surgery technique. *Pr Lodz Tow Nauk* [IV]. 1960 Nov;26:509-20
44. Mustarde A fresh look at Le Mesurier: the problem of the drifting ala. *Br J Plast Surg.* 1971 Jul;24(3):258-62
45. Namnoum Three-dimensional reconstruction of the human fetal philtrum. *Ann Plast Surg.* 1997 Mar;38(3):202-8.
46. O' Connor, McGregor. Reconstruction of the philtrum in cases of cleft lip. *J Int Coll Surg.* 1959 Jun;31(6):705-9
47. Schmid.E. The covered implantation of composite grafts. Indications, techniques, and operative results. *Panminerva Med.* 1969 Jan-Feb;11(1):31-5
48. Jackson The sandwich Abbe flap in sceondary cleft lip deformity. *Plast Reconstr Surg.* 1980 Jul;66(1):38-45

제11장 일측 구순열비

Millard 법

엄기일

I. 구순열비의 해부학

다른 일반적인 구순열 변형의 해부학은 이미 다른 저자의 기고에서 집필되었을지 알고 본 저자가 강조하는 특별한 구순열의 해부학에 관하여만 기술하고자 한다.

1. 구순열비 해부학

구순열 해부학에서 본 저자가 강조하는 여러 변형들은 그림에서와 같이 콧대가 정상측으로 휘어져 있으며 비중격도 정상측으로 휘어져있고 정상측의 비공은 오히려 성인 모양의 세워진 비공을 형성하고 있고 순열측의 비공은 설사 비공저가 갈라져 있지 않은 경우에 있어서도 낮고 바닥의 수평 길이가 넓어진 특성을 보인다(그림 11-29).

순열측에서는 비공저의 턱이 없으며(nostril sill) 비주의 방향도 비주의 하부는 정상측으로 편위되어 비주의 축은 정상측에서 순열측으로 기울은 모양을 보인다. 물론 순열측의 콧날개는 아래쪽으로 찌그러져 낮아 보이며 콧날개 안쪽에 물칼퀴 모양의 web을 형성한다(그림 11-30).

2. 구순열의 해부학

구순열에서 갈라진 입술의 모양은 대부분 익히 잘 알려져 있고 다른 집필자의 기술에도 나와 있는 것으로 사료되어 중복기술을 피한다.

구순열의 구륜근(orbicularis oris)의 모양은 정상측에서는 Fara의 기술과 같이 솔기(raphe)에서 기시하여 잇몸의 상부의 뼈에 부착한다. 그러나 순열측의 구륜근은 솔기에서 기시하여 일부분은 잇몸 뼈의 상부에 부착하나 대부분의 순열측 구륜근

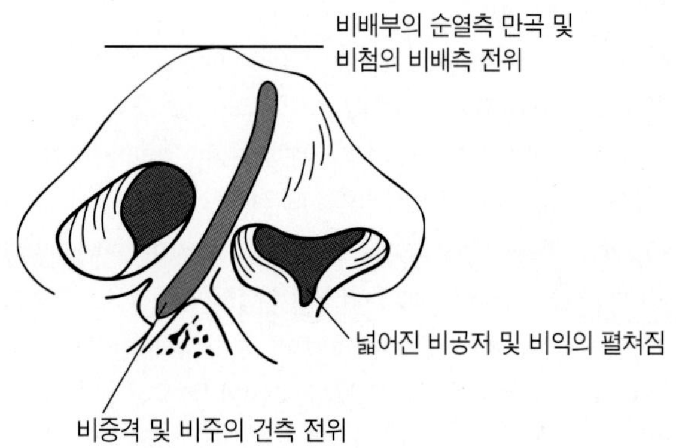

그림 11-29. 콧대는 정상측으로 휘어져있으며 비중격 및 비주도 정상측으로 휘어져 있다. 정상측의 콧구멍이 세워진 반면 순열측 콧구멍은 낮고 수평길이가 넓은 특성을 보인다. 순열측의 콧날개는 아래쪽으로 찌그러져 낮아 보이며 콧날개 안쪽으로 물갈퀴모양의 web을 형성한다.

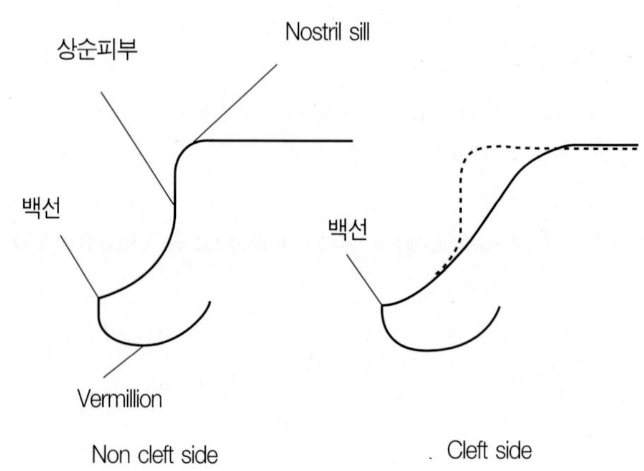

그림 11-30. 순열측의 비공저는 명확한 턱이 없는 함몰된 양상을 보인다. 비공저에서 백선에 이르는 가상의 선은 실선보다 길다.

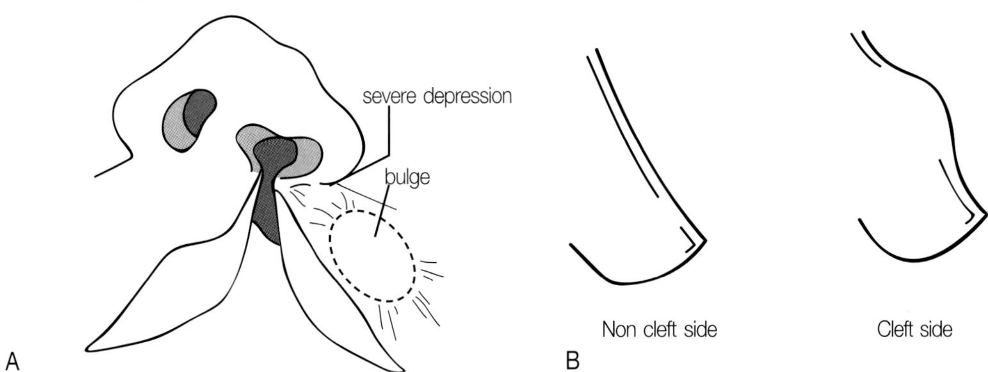

그림 11-31. (A) 순열측 상순의 천층구륜근에 의해 이루어진 외측근육돌출과 돌출직상방의 콧날개 하단부위의 심한 함몰이 관찰된다. (B) 상순의 건측 및 순열측 측면도. 순열측의 상순피부는 외측상순 근육뭉침으로 인하여 돌출되어있다.

의 근육섬유는 Kenahan과 Dado의 기술에서와 같이 순열측 구순에 외측근육돌출(lateral muscle bulge)이 있어 근육이 뼈에 부착하는 것이 아니라 근육이 외측근육 돌출부위에서 실타래처럼 근육섬유가 서로 얽혀 돌출을 보이며 외측근육돌출 바로 직상부 콧날개 하단부위는 심한 함몰을 보인다 (그림 11-31).

II. 구순열 교정술

지금까지 발표된 여러 구순열 교정술기가 있었지만 크게 나누면

1. 직접봉합법(Rose & Thompson)
2. Z-plasty (Hagedom, Tennison & Randall 등)
3. Rotation-advancement method (Millard, Noordhoff, Mulliken, Onizuka 등)로 나눌 수 있다.

Mulliken, Noordhoff의 수술법도 약간의 수술법의 변형을 추가하였으나 근본은 Millard 수술법이며 Millard 수술법의 아류이다. Noordhoff는 구순열 수술 후 나타나는 적순의 white vermillion이 짧고 red vermillion이 밖으로 노출되어 보이는 것을 교정하고자 white vermillion flap을 이용하여 적순 봉합부의 white vermillion의 길이를 늘려 red vermillion의 노출을 없애고자 하였으나 경미한 구순열 외에는 적용이 불가능하다.

Noordhoff의 수술법은 Millard의 수술법의 개선에 대하여 여러 가지 열거하였으나 Millard 수술법 자체를 이해하지 못한 감이 있다.

III. Millard 구순열 교정술

Millard 구순열 교정술은 여러 교과서에 모두 다 기술되어 있으나 심지어 일부 교과서의 수술법에 대한 기술까지(죠지 에이드 교과서) 오류가 있다.

저자는 1988년부터 1989년까지 Millard의 fellow를 역임하여 술기에 대한 기술의(특히 초기) 오류에까지 언급하고자 한다. Millard의 술기는 도해 및 그에 대한 부연설명을 첨부한다 (그림 11-32, 33).

Millard의 술기도 Peter Randall은 triangular flap 수술법은 입술 하단부의 Z-plasty이며 Millard의 R-A 수술법은 입술 상단부의 Z-plasty라 언급한 적도 있으나 Millard의 수술법은 인중단위(Philtral unit)의 하방으로의 회전과 순열측의 비익연과 잉여상순 백선부위에 절개선을 가하여 C-flap을 만들고 비익면구(alar rim furrow)에 절개를 가하고 C-flap을 삽입하여 비익을 정중부 쪽으로 끌어당기고 또한 비주를 정중부로 끌어당기는 전진(advancement)을 혼합한 수술법이다. 수술 작도(design)시 회전부의 작도는 여기에 인용한 Millard 본래의 작도법의 회전피판작도 보다는 좀 더 상상의 인중주에 가깝게 작도하는 것이 추후 인중형성 및 좀 더 자연스러운 입술 형성에 도움이 된다.

본래의 인중주는 비주하단 외축에서 활시위 정점부위에 이르므로 작도도 상상의 인중주에 작도하여야 하며 따라서 심한 구순열의 작도에서는 직선에 가까운 C-자 모양의 작도보다는 ㄱ자 모양에 가까운 작도가 유리하다. 만일 심한 구순열에서

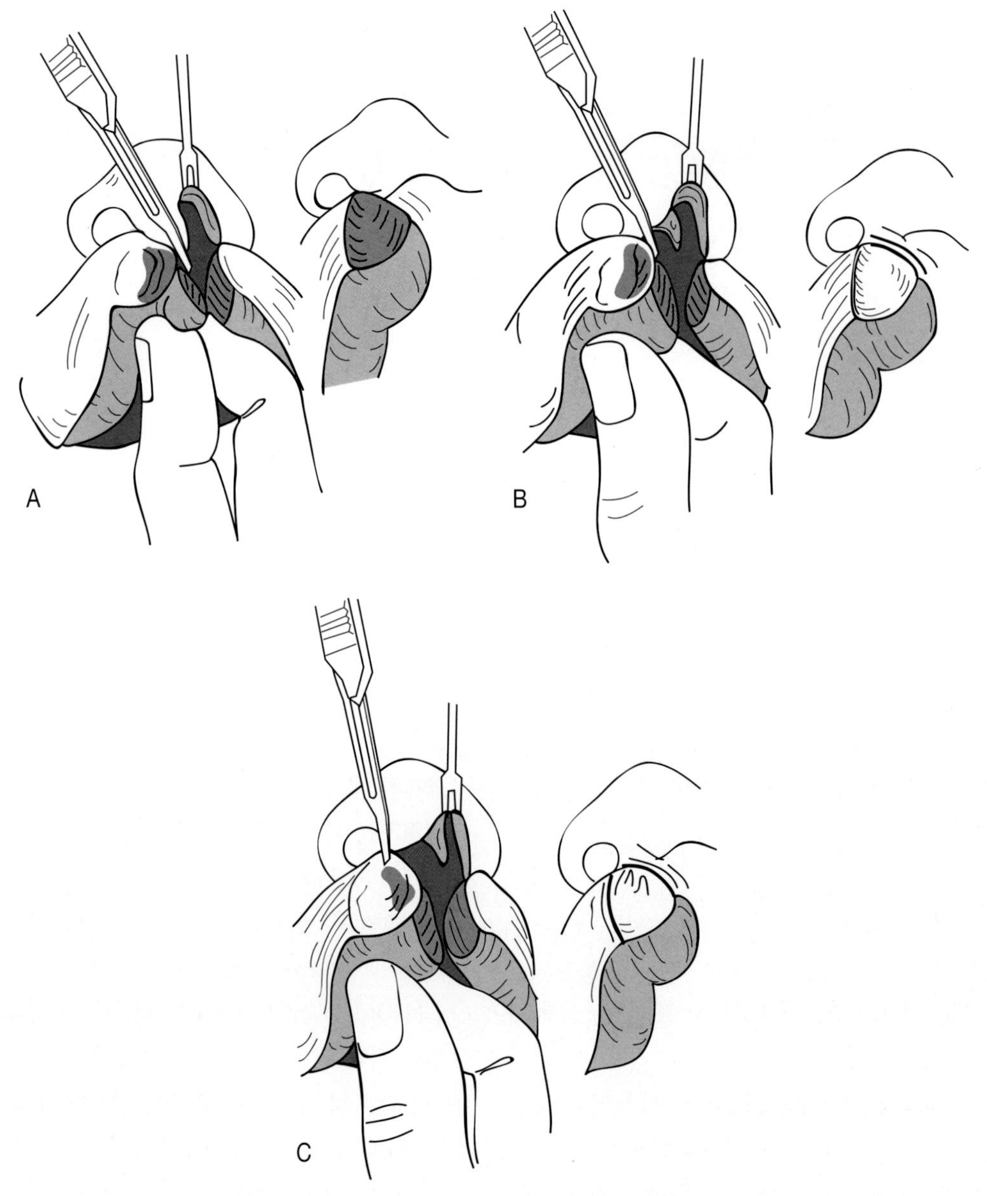

그림 11-32. (A) 건측 활시위궁의 피부,점막 경계부위를 따라 1, 2, 3 포인트를 작도한다. 구순접합수술을 한 경우엔 그 반흔을 따라 절개를 가한 후 비주하단과 2를 잇는 인중주(건측)와 상응되는 회전피판작도를 시행한다. 건측 인중주의 길이가 10mm 정도인 반면 순열측의 인중주는 보통 3-4mm의 길이를 갖는다. (B) 회전피판절개는 비주를 감싸고 돌아 비주하단부의 2/3 까지 이루어지며 이로 인해 약 3mm 정도의 길이 연장을 얻게 된다. C-flap은 상순에서 분리 되어 비주쪽에 붙게 된다. (C) back cut 절개는 90도 각도로 건측 인중주와 평행을 이루며 내측으로 가한다. 이로 인해 약 3mm 정도의 추가적인 길이 연장을 얻을 수 있다. 이로서 건측 인중주의 길이와 같은 10mm의 순열측 인중주길이를 확보하게 된다.

직선에 가까운 C자모양의 회전피판 작도 및 절개를 하였을 시에는 최종 봉합시 정상측의 인중에서 순열측의 활시위 정점부위에 이르는 직선의 인중구조가 완전히 파괴된 입술을 얻게 된다. 흔히 잘못 알려진 오류 중에 하나인 회전피판의 작도 시 절개부위의 끝이나 back cut의 위치는 상순부의 정중선을 넘어서는 안 된다고 하는 가설이 통용 인식되고 있으나 이는 사실과 다르다.

정상측 인중주의 2-3mm 내연을 넘지 않으면 충분하며 이렇게 작도절개 하여야만 인중단위 피판의 충분한 회전이 가능하다. C-flap은 전혀 피부의 소실이 없도록 입술 백선을 따라

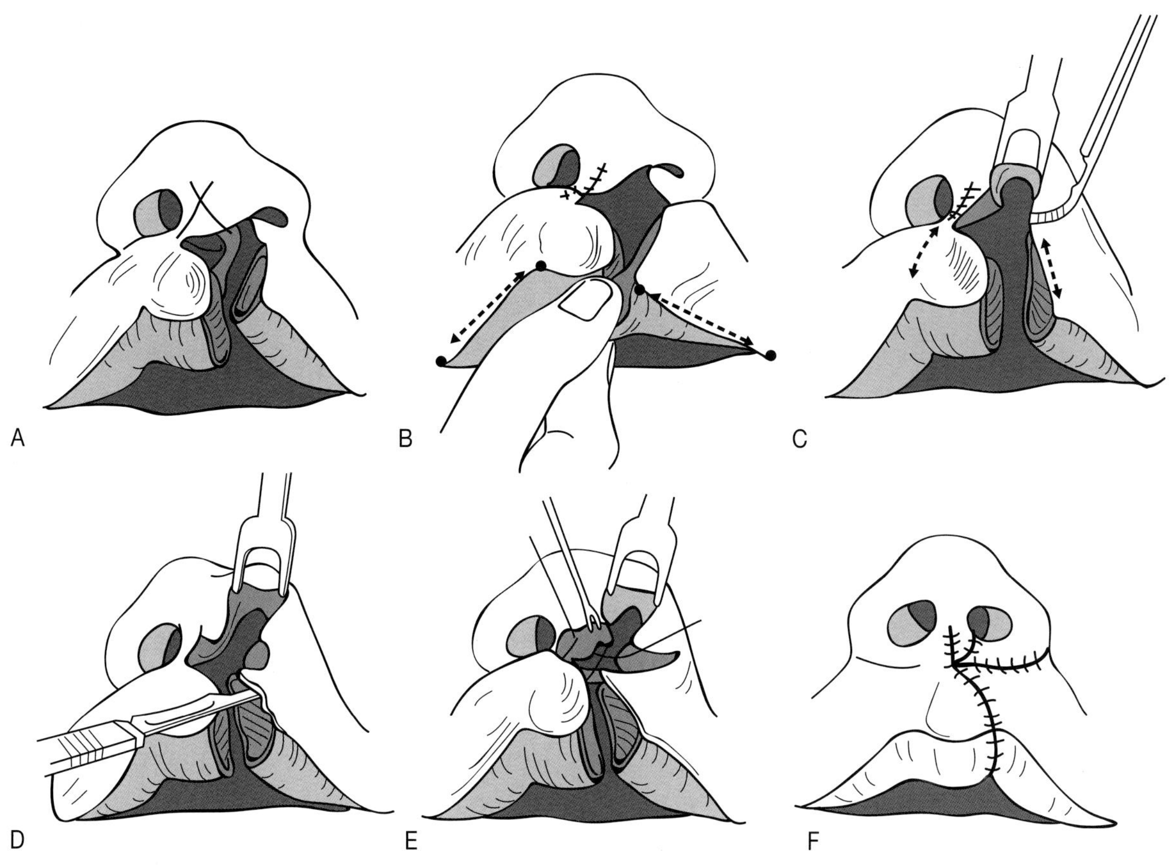

그림 11-33. (A) C-flap은 back cut 절개 후 얻어진 공간으로 전위되어 비주의 길이연장에 기여하게 된다. (B) 순열측 외측상순의 최고점 에 6 을 표시한 후 비익구연을 따라 외측으로 절개를 가한다. 건측의 3 - 4 간의 거리와 상응하는 지점을 7 로 정하며 이때 2 - 5 간의 거리와 7 - 8간의 거리가 일치 되도록 양측 절개연의 봉합 시 생기는 긴장을 고려하여 작도 한다. (C) C-flap은 back cut 된 공간으로 막성비중격 상의 절개를 따라 전진이동 봉합 한다. 비익은 상순에서부터 절개박리 한다. 외측상순의 수직길이는 회전피판으로 얻어진 내측상순연의 길이 즉, 10mm 가 되며 이는 또한 정상측 인중주의 길이와 같게 된다. (D) 외측근육의 뭉침은 피부 및 점막으로부터 광범위하게 박리 되어 펼치도록 하여 반대편 내측구륜근과 봉합해줌으로써 해결된다. 비익저부의 첨부는 표피를 제거한다. (E) 표피가 제거된 비익저첨부는 전비극(Anterior nasal spine)부근의 비중격에 전진 봉합 해줌으로 해서 펼쳐진 콧날개를 내측으로 잡아 당기게 된다; Cinching. Key 봉합은 우선 외측 전진피판의 구륜근 첨부를 개열을 가로질러 back cut 된 공간으로 잡아 당겨 봉합을 하게 된다. (F) cinching 과 Key 봉합을 하게 되면 전반적인 상순의 조직들이 제자리에 놓이게 되며, 점막, 근육, 피부의 3중 봉합을 통해 마무리 하게 된다.

작도, 절개하며 백선 끝을 지나 잇몸 상부와 비중격연골 하단 부위까지 절개한다. 근육절개 전에 상순 안쪽의 점막샘과 구륜근 사이에서 점막 피판이 박리되어져 있어야 하며 피부의 작도 절개선의 수직방향으로 구륜근을 절개, 박리한다. 이때 인중구조 부위 회전피판의 피부와 근육사이 박리가 필요하며 보통은 정중부를 넘지 않게 박리한다.

순열측의 B-flap의 작도는 B-flap tip부위는 바로 비공저 턱 예상부위에 위치하게 하며 만일 이 부위를 넘어 비공저 턱 안쪽으로 B-flap tip부위가 있도록 작도 절개하여 봉합하였을 시는 B-flap tip 부위에 추후 털이 나는 현상이 발생할 수 있으나 이것은 이차 구순열 수술시 그리고 모근 제거술로 치료가 가능하다. 심하게 조직이 부족한 경우에는 위의 수술방법을 일부러 이용할 수도 있다.

비익연의 B-flap 작도 절개는 비익연구를 따라 작도 절개하나 일반적으로 콧날개(비익)외측까지 긴 비익연구를 따른 절개가 필요한 경우가 대부분이다. 그 이유는 충분한 콧날개 당김(alar inversion)을 위함이다.

콧날개가 안쪽으로 꺼지는 것을 방지하기 위하여는 그림에서와 같이 충분한 코 밑바닥 수직 길이의 피부가 필요하다. 따라서 충분한 비공저 부위의 수직 길이의 피부를 얻기 위하여는 콧날개를 콧구멍 안쪽으로 말아 넣어주어 C-flap 콧속 절개 끝 부위와 콧날개연 내측 절개 끝 부위를 봉합하여 봉합부위를 길게 함으로 하여 콧바닥 부위의 긴 피부의 수직 길이를 얻을 수 있다.

충분한 콧날개 당김(alar inversion)이 가능한 것은 콧구멍의 비익연의 길이가 늘어져 있기 때문에 가능하다. 수술 전에 정상측의 비익연구는 깊게 파여 있으나 순열측의 비익연구는 펼쳐져있다. 순열측의 비익연구가 깊게 파여지게 하기위해서도 콧날개 당김(alar inversion)은 필요하다.

Millard법 수술시 근육의 기시부는 이상구연(pyriform aperture margin)까지 골막 바로 직상부에서 박리하며 이때 비중격 저점을 전비극(anterior nasal spine) 부위에서 뼈와 박리하여 비중격을 순열측의 외연 비익절개부와 봉합하며 이것을 Cinching이라 부른다. 이때 코 밑바닥 부위의 구륜근도 중복 봉합하여 낮아진 코 밑바닥 부위가 융기되도록 한다.

Millard는 충분한 회전과 전진으로 순열측 봉합부위의 수직 길이가 정상측에 비하여 짧다고 말하는 것은 회전전진피판술에 대한 충분한 이해가 없기 때문이라고 언급하였으나 실제적으로 심한 구순열인 경우 회전전진 피판술 후 순열쪽 입술이 짧은 경우가 많다. 이것을 보완하기 위하여 Onizuka는 Millard 회전전진 피판술 작도에 첨가하여 작은 삼각 피판을 백선 바로 직상부에 작도, 절개하여 봉합부 수직 길이를 늘릴 수 있다고 발표 하였고 실제적으로 3-4mm 이내의 작은 삼각피판을 Millard 수술법에 첨가하여 삼각 피판법을 이용하였을 시에는 삼각 피판의 반흔도 뚜렷하지 않으며 봉합부위 백선 주위의 함몰도 개선시킬 수 있다(그림 11-34).

Millard 수술법에 의한 구순성형술시 콧구멍이 좁혀지게 되는 현상이 있다. 콧날개 당김(alar inversion)이 필요하지 않거나 불완전 구순열의 경우에 있어서는 수술 후 콧구멍이 좁아지지 않게하기 위하여 작도시 큰 그림 작도와 달리 작도의 변형이 필요하다. 작은 변형의 구순열에서 C-flap의 작도는 상상의 인중주에 유사하게 작도하며 C-flap의 폭을 좁게 하고 B-flap 수직절개부 작도를 될 수 있는 한 정중선 쪽으로 이동시키는 것이 수술 후 콧구멍이 좁아지지 않게 하는 방법이다.

Millard는 백선 직상부의 그리고 백선 부위의 함몰을 교정하기 위하여 2mm정도의 Slit flap을 삼각피판법과 같은 방법으로 회전피판 백선부위에 절개, 삽입하였으나 수직 길이를 늘이기 위함은 아니었다.

B-flap에서도 피부와 근육의 박리는 필수적이며 광범위한 박리가 필요하며 근육을 따로 외측근육뭉침(latral muscle bulge)은 풀어주고 적절한 긴장 봉합을 통하여 순열외측부의 근육 뭉침이 나타나 보이지 않도록 하는 것이 중요하다. C-flap은 B-flap과 비익연 절개사이로 들어가 비익연과 백선 사이의 피부 수직 길이를 증가시키고 넓은 콧구멍 밑바닥을 줄이고 비주를 정중앙에 위치하도록 하며 C-flap 자체가 수평방향으로 위치하므로 해서 비공저 턱(nostril sill)이 된다(그림 11-35).

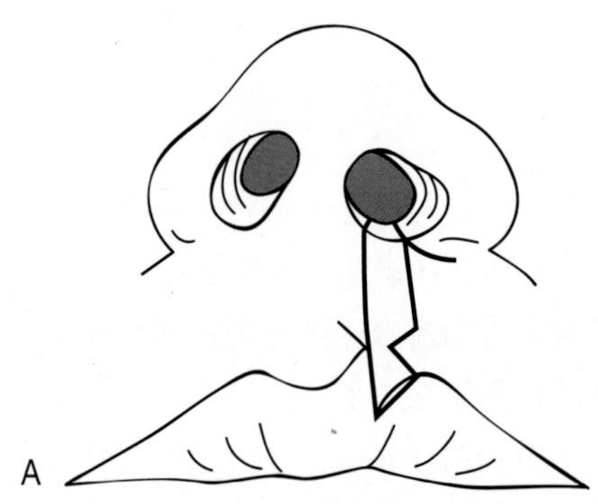

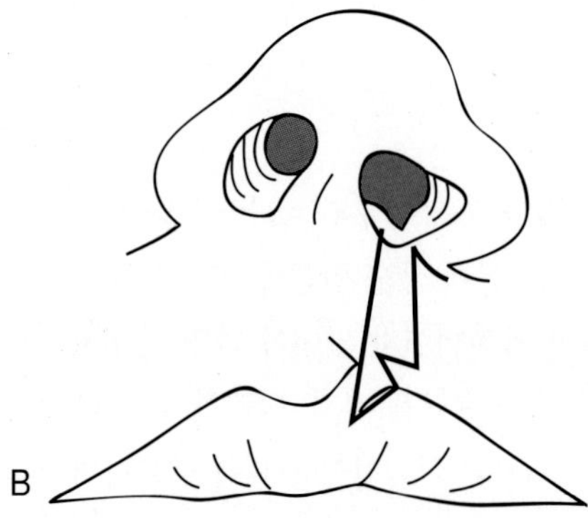

그림 11-34. 첨가순장. 흔적성구순열에서 삼각피판의 작도시에는 ↲ 모양의 작도를 하여 순열측 봉합부 수직길이의 증가없이 활시위궁 부위의 수직길이만을 증가시키는 작도가 필요하며 심한 구순열에서 순열측 비익하부부터 백선까지의 수직길이가 짧아져 있는 경우에는 봉합부 내외 양측의 수직길이가 길어져야 하므로 삼각피판의 작도는 ↳ 모양의 작도를 하여야 한다. 이때 ↳ 모양의 삼각피판은 봉합후에는 ↲ 모양의 형태를 이루어 삼각피판의 길이만큼의 봉합부 내외측 수직길이 증가를 가져오게 된다.

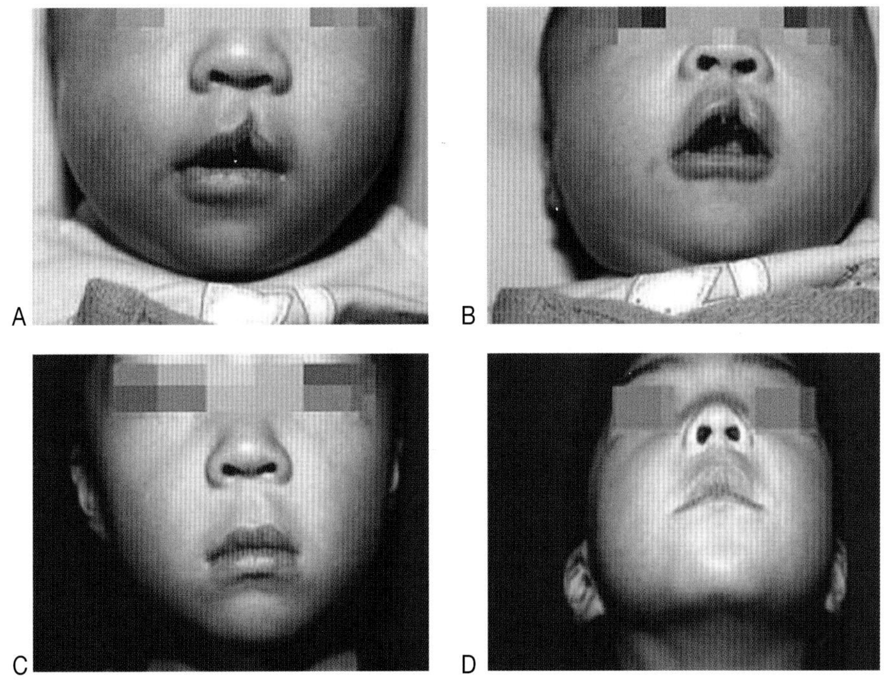

그림 11-35. Incomplete unilateral cleft lip. preoperative frontal view (A) and worm's eye view (B). 4 years 6 months postoperative frontal view (C) and worm's eye view (D)

참고문헌

1. McCarthy JG. *Plastic surgery, Vol 4.* Philadelphia, Pensylvennia: W.B. Saunders Company, 1990.
2. Millard DR Jr. *Cleft Craft I: The Unilateral Deformity.* Boston: Little, Brown, 1980
3. Millard DR Jr. *Principalization of Plastic Surgery.* Boston: Little , Brown, 1986
4. Uhm KI. Analysis of philtral unit and method of philtral column formation in unilateral cleft lip repair. *J Korean Soc Cleft Palate Craniofacial Assoc 1:1,2000*

제11장 일측 구순열비

Mulliken 법

김석권

외과의사의 성숙도에 대한 척도는 원리(principle)와 술기(technique)를 구별하는 능력이다. 외과적 원리는 확실한 영구성을 확보하기위해 느리게 진화하며 재평가가 필요하다. 외과적 술기는 빠르게 진화하며 빈번하게 바뀌고 지속적인 정제가 필요하다(Chase, 1983). Millard가 고안한 일측 구순열의 치료를 위한 회전전진술의 원리의 기술, 설명 그리고 선포에 대하여 완전한 신뢰를 받을만하다고 하겠다(Millard,1960; 1976; 1990; 1964; 1968).

이 수술법이 세계적으로 널리 사용됨에도 불구하고 수술의 결과가 다양하며 술자의 의존도가 매우 높은 것은 사실이다. 회전전진술의 개념은 사려깊은 술기와 예술가적인 안목을 필요로 한다. 이 술기에 대한 많은 변법(modification)이 있는데 (Pool, 1966; Asensio, 1974; Kaplan, 1982; Tajima, 1983; Anderl, 1985; Salyer, 1986; Mohler, 1987) 이 변법이 유용하고 필요할 수도 있지만 그러한 기술적 뉘앙스의 효과에 대하여 객관적으로 접근하기는 어렵다.

Mulliken(1999)은 1981년 이후 20년이상 일측 구순열과 비변형을 Millard 회전전진술로 치료해 왔으며 그의 기술적 변법에 대하여 설명하였으며 그 술기는 매우 유용성이 있다고 하였다.

술기

1991년 이전까지 Mulliken은 일측 완전구순열의 모든 환자에서 구순열비접합술(lipnasal adhesion)은 술후 1개월째 시행하였으나 그 이후에는 Latham 치조교정장치를 모든 완전형 구순구개열환자에 시행하고 3-4개월까지 구순열비접합술을 연기하였다. 그러나 저자의 경우 Latham 치조교정장치를 시행한 경우 대부분 구순열비접합술을 시행하지 않고 3-4개월에 결정적인(definitive) 구순성형술을 시행하고 있다.

I. 구순열비접합술(lipnasal adhesion)

1. 도안

정상적인 구순 지표내에 점을 찍고 홍순피부 접합점에서 1-2mm 아래의 내측 구순상에 6-8mm의 선을 도안한다. 이에 상응하는 선을 외측 구순에 도안하고 또다른 절개선을 전정이상구(vestibular piriform aperture)를 따라 도안하여 외측 구(sulcus)까지 연장한다.

이 선은 외측 구순절개선과 역 'T' 형을 만든다(그림 11-36).

2. 절개

구순 절개는 점막아래까지 하여 근이 충분히 노출 되도록

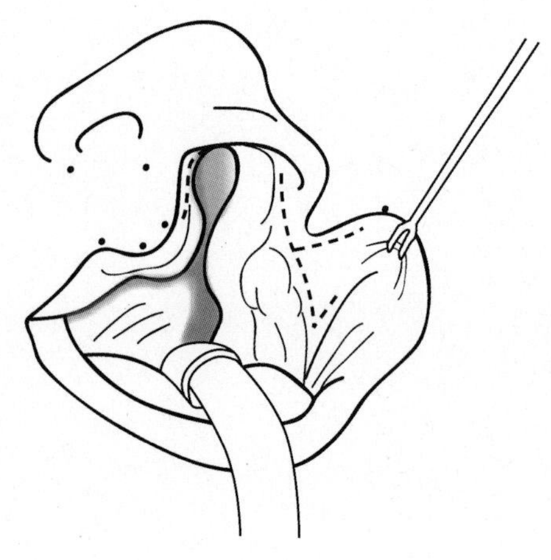

그림 11-36. 비구순 접합술. 전진회전술을 위한 도안을 작도한 후 내측 및 외측 구순 피부점막 접함점 아래로 절개를 가한다.

한다. 구순열의 어느쪽이든지 구륜근을 박리하려고 노력할 필요는 없다. 외측 구순은 골막판 위에서 상악으로부터 박리해 올린다. 절개는 내측전위가 가능하게 하고 내측구순에 긴장없이 당겨지도록 충분히 연장한다. 점막 뒷절개(back cut)는 외측 구순을 전진시키는데 도움을 준다. 수술가위를 코의 내측 연골다리(crura)사이로 상콧날(supra ala) 포켓을 형성하기위해 비첨과 연골돔위로 슬머시 밀어넣어 박리한다. 이절개는 외측과 내측 구순이 접근되고 콧날무릎(alar genu)궁이 타원형의 비공연을 형성하도록 충분히 해야한다. 저자의 경우 구순열비접합술을 할때 비변형의 교정은 하지 않는다.

3. 봉합

술전 치조의 치료가 성공적이라면 치은 골막 봉합이 가능하다. 외측 구순은 전구(anterior sulcus)와 접근된 후 점막층으로서 전진되어 봉합된다. 5-0 PDS 봉합사로 구순열의 양쪽으로부터 근육을 봉합한다. 홍순점막연은 가는 chromic 봉합사로 봉합한다.

비공연이 처지면 동측 비골위에 작은 절개를 가해 비익연골이 동측 상외측 연골에 polylactin 봉합사로 현수고정한다(그림 11-37). 비공연이 타원형을 이루고 있으면 이 현수고정은 불필요하다.

환아가 코 호흡이 필수라면 (약 3개월까지) 호흡 'stent'(19게이지 폴리에틸렌 관에 xeroform strip을 둘러싼 것)를 구순열비공에 삽입한다. 이 말은 거즈 드레싱은 일시적으로 비익연골을 지지하고 전정부종을 최소화하며 코의 분비물을 예방한다. 술 후 48시간에 제거한다.

II. 회전전진술 및 비변형의 동시 교정

완전한 구순열의 치료는 구순열비접합술 후 2개월 전에는 시행하지 않는다. 술기에 있어서의 변법과 봉합순서는 표준 회전전진술과는 다르다.

1. 도안

회전절개는 비주의 기저로 확장되는 과도한 곡선을 그린다. 이 절개선이 반대측 인중능까지 가도록 할 필요는 없다. 외측에 기저한 삼각 홍순피판은 내측의 결핍된 홍순을 보충할 수 있도록 도안된다(그림 11-38).

2. 절개

외측 전정절개는 점막피부 접합점을 따라 비익-이상구 경계의 중도에서 끝나고 막성중격절개는 전정내면의 중도에서 끝

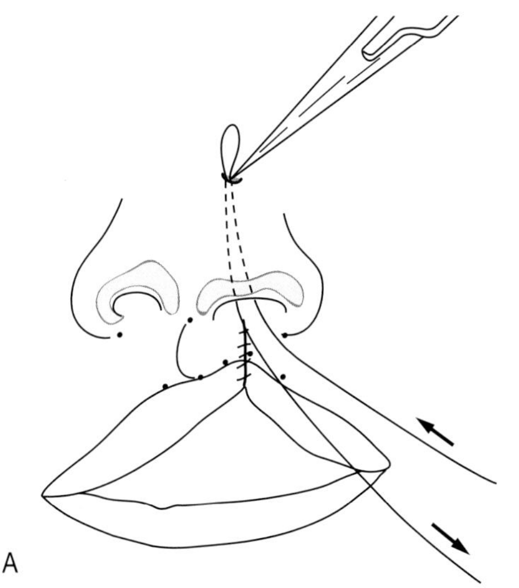

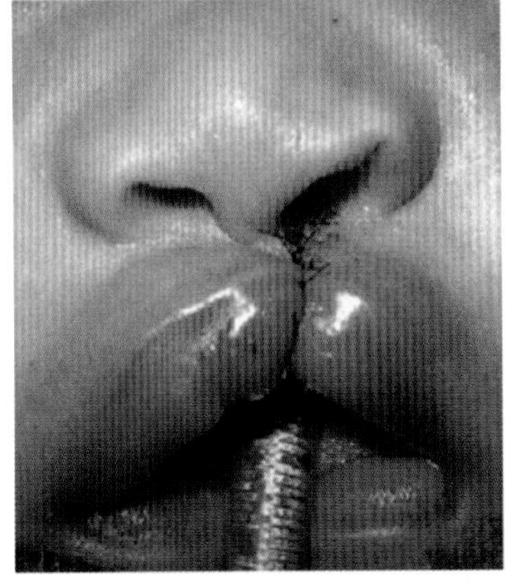

그림 11-37. 비구순 접합술. (A) 세 개의 구순층을 봉합한 후 내려 앉은 콧날무릎(alar genu)을 흡수성 봉합사로 동측외측연골 위에 현수고정한다. (B) 비구순 접합술 후 모습

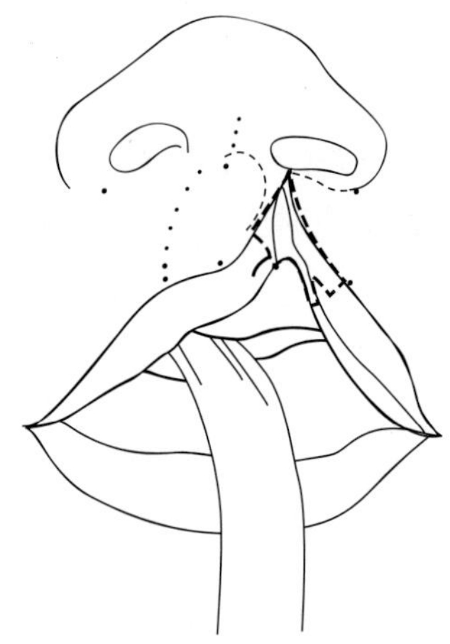

그림 11-38. 회전전진법을 위한 도안. 회전을 위한 절개선은 활모양으로 비주의 기저에 이르도록 하며 내측의 홍순 결핍을 교정하기 위해 외측 삼각 홍순 피판을 그린다. 피부 홍순 접합점에 있는 해부학적 중요 위치점에는 30게이지 바늘로 표시한다.

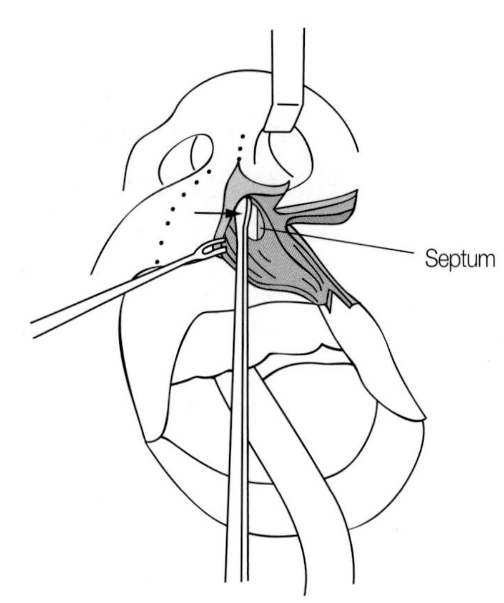

그림 11-39. 전후 비중격의 박리와 노출 및 중앙 전위. 비중격은 전 비극(nasal spine) 위의 골막에 고정한다.

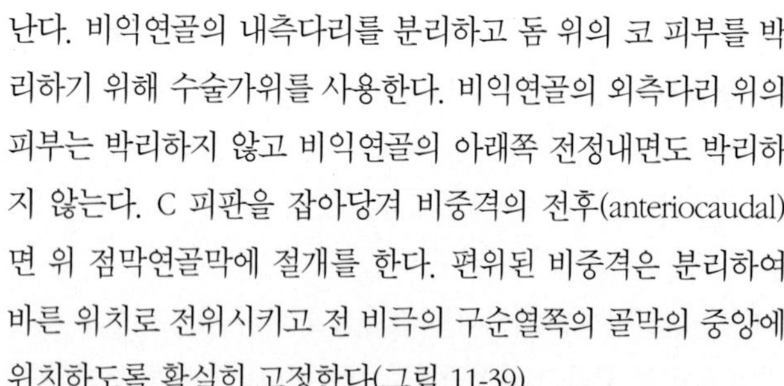
난다. 비익연골의 내측다리를 분리하고 돔 위의 코 피부를 박리하기 위해 수술가위를 사용한다. 비익연골의 외측다리 위의 피부는 박리하지 않고 비익연골의 아래쪽 전정내면도 박리하지 않는다. C 피판을 잡아당겨 비중격의 전후(anteriocaudal)면 위 점막연골막에 절개를 한다. 편위된 비중격은 분리하여 바른 위치로 전위시키고 전 비극의 구순열쪽의 골막의 중앙에 위치하도록 확실히 고정한다(그림 11-39).

비공을 위로 당기고 내측 구순을 아래로 당기는 동안 회전절개의 상단에서 비주피부면에 작은 절개를 연장하므로써 긴장을 이완시킨다(Millard 뒷절개의 90'각도, 보통 비주의 중앙으로 절개를 연장한다). 이 이완(releasing)절개는 보통 큐피드 활의 내측정점과 같은 수위까지는 하지 않는다(그림 11-40).

3. 봉합

C-피판은 이완절개에 의해 생긴 간격에 회전하지 않고 위쪽으로 우회하며 비주의 이완된 내면과 막성 비중격에 side-to-side로 봉합된다. 이렇게 하여 비주기저와 내측 문지방(sill)을 만든다(그림 11-41).

비익피판은 내측으로 전진되어 외측전정부를 봉합하는 동안 회전된다. 비익저 피판의 끝과 C-피판의 끝은 근육을 봉합할때까지 변연절제를 하지 않는다.

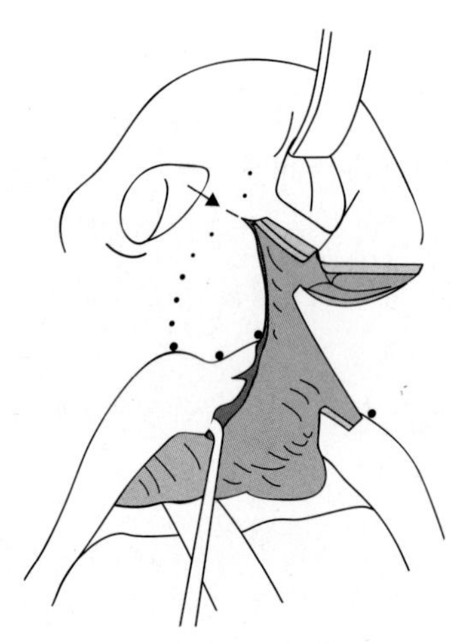

그림 11-40. 반비주(hemicolumella) 연장법. 비주의 기저에 절개를 가해 이완시킨다(90도의 각도로 뒷절개를 가한다).

외측구순은 치은구순구로서 전진되어 봉합한다.

이완절개를 구순소대(frenulum)에 가하여 전진된 외측 점막을 수용할 수 있도록 절흔(notch)을 만든다. 이 점막의 맞물림(interdigitation)은 피부봉합과 상응된다(전진피판의 끝이 회전간격에 들어감).

이 조작이 내측면을 이완시키고 구순의 외번(pout)을 강조하고 구강 전정의 내측을 연장시킨다(Koch, 1970).

근육은 피부와 구순열 양면의 점막에서 박리한다. 구륜근의

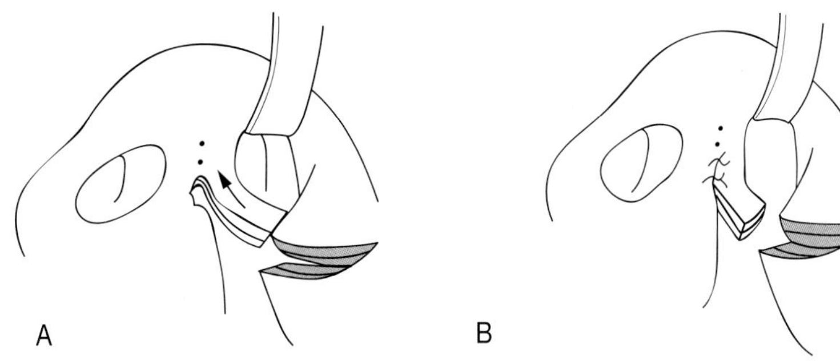

그림 11-41. 반비주(hemicolumella) 연장법. (A) C-피판을 연장된 반 비주(hemicolumella)로 후퇴시킨다. (B) C-피판은 후퇴된 채 내측 비주에 봉합된다.

심부(pars marginalis)를 먼저 봉합하는데 수직석상봉합으로 하고 인중능이 형성되도록 구륜근의 천부(pars peripheralis) 밑에서 위로 당겨져 외번되도록 한다(그림 11-42).

비공 문지방 아래에 잘 생기는 함몰을 교정할 수 있도록 위쪽의 구륜근을 단단하게 봉합하도록 주의한다. 마지막으로 구륜의 상단을 전비극의 골막에 봉합한다(Delaire, 1978).

수직과 수평축의 비익저의 적당한 위치에 봉합을 추가하며 비익저의 작은 비내회전(Z축)이 일어나도록 한다. 비익피판의 끝을 적당히 절개하여 문지방을 형성되도록 C-피판과 side-to-end로 봉합한다. 비익저에서 아래근육에 깊은 봉합을 하여 문지방이 정상적인 반곡선(cymal curve)이 되도록 한다.

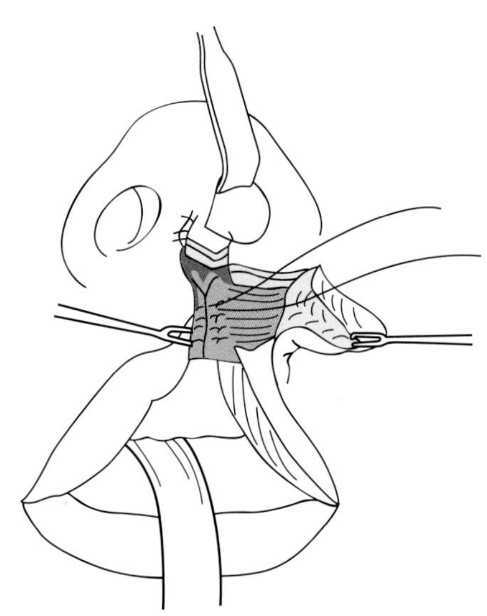

그림 11-42. 구륜근의 봉합. 구륜근의 심부가 먼저 봉합된다. 수직선상 봉합은 근육층을 조금 포함시켜 인중능을 만들 수 있게 한다. 가장 위쪽 봉합은 구륜근의 천부를 통해 전 비극위의 골막에 한다.

연 삼각 (soft triangle)에서 처진 비익연골을 노출하기 전에 작은 반달형 피부 절제를 시행한다. Millard(1964)는 이것을 "Kilner crescent"라고 하였으며 2차 비교정시 흔히 절제한다.

상비익을 박리하여 코 피부가 연골 골격에서 자유롭게 하며 직접시야에서 비익연골(중, 외 다리사이 이행부)동측의 상외측 연골(배부중격과의 접합점 근처)에 확실하게 고정한다.

무릎(genua, middle crura)이 벌어져있다면 일측 구순열비 변형의 치료와 같이 돔에 봉합하여 교정한다.

외측전정주름은 비익저를 위치시켜 비익연골을 현수고정한 후 만들어주는데 이 물칼퀴(web)는 연골사이선의 외측면에서 반달형 절개를 하여 교정한다(그림 11-43).

봉합은 외측 다리를 올려주고 외측전정부를 확대시킨다.

수직 구순길이의 조정은 근육을 봉합하고 비익저를 위치시킨 후 시행한다. 봉합은 홍순피부접합점에서 시작한다. 대칭적인 큐피드 활을 형성하기위해 작은 unilimb Z-plasty를 사용한다.

이완절개를 내측 홍순 피부접합점에 만드는데 활의 점점이 정상측의 높이가 되도록한다.

상응하는 작은 삼각 피판을 외측 구순에 만들어 내측의 이완절개 간격에 채워넣도록 한다. 전진피판은 이 unilmb Z-plasty를 만드는 동안 변연절제를 한다(그림 11-44).

유사하게 외측 홍순피판은 전진되어 내측 홍순점막 접합점에 생긴 절흔에 삽입된다. 이 조작은 홍순의 중앙결절의 결핍을 교정한다(그림 11-44).

인중접합점이 정상쪽의 인중능과 대칭이 되도록 하기 위해 회전피판의 상면의 작은 절제가 필요할 수도 있다. 인중봉합은 아래로부터 위로한다. 각 진피내 봉합은 외측 피판이 더 높게 비스듬히 한다(그림 11-45).

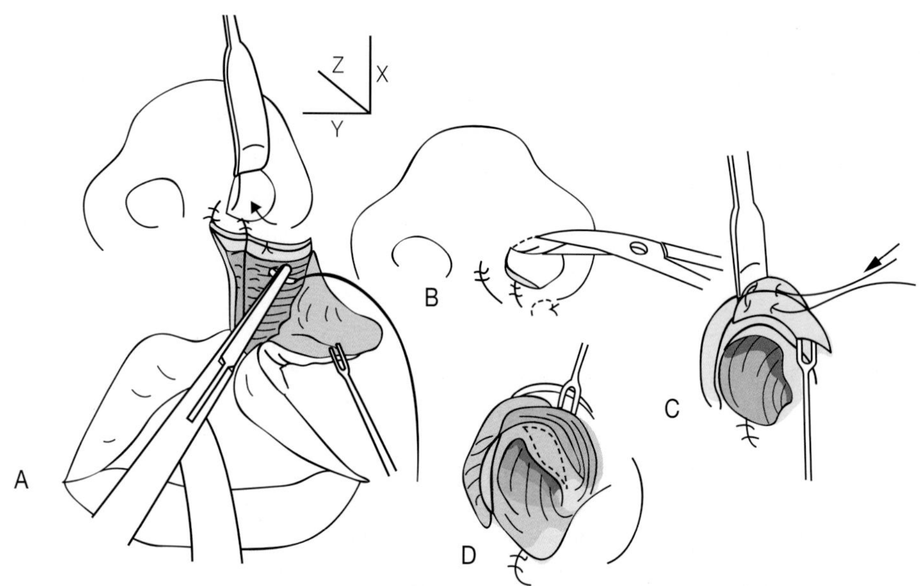

그림 11-43. 비익 기저의 대칭과 문지방(sill)의 형성. (A) 기저 피판을 변연절제하고 Z축으로 작은 회전을 하며 3차원적으로 위치시킨다. (B) 반월상으로 절제된 상비익연은 코의 피부측에 과현수된다. (C) 무릎(genu)은 올려서 동측의 상외측 연골에 고정된다. (D) 물갈퀴(web)는 반달형 절개를 통해 교정한다.

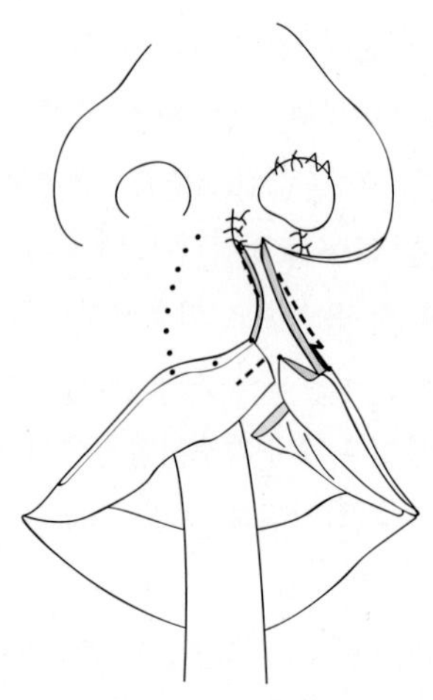

그림 11-44. 큐피드 활의 조정. 내측 홍순 피부접합점에 절개(1.5-2mm)를 함으로써 활의 정점을 낮추어 준다.

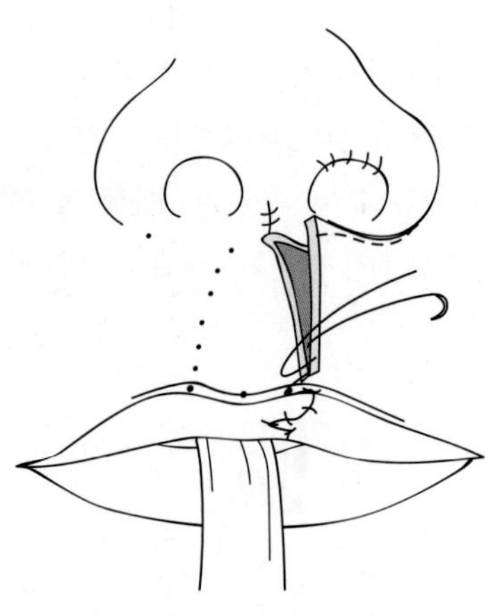

그림 11-45. 인중의 봉합과 수술 완성도

일측 완전구순열을 치료하는데 있어서 전진피판의 상연을 변연절제하는 것은 드물지만 필요하다면 비익저의 위치와 상응하도록 반곡선형으로 한다(그림 11-45). 구순문지방 접합점은 협구순주름(melolabial furrow) 비익구, 상부인중능이 강조되도록 외측에서 내측으로 봉합한다. 전진피판의 끝은 마지막에 잘라서 긴장없이 맞춘다(그림 11-46).

III. 결론

Mulliken의 일측 구순열 수술법은 회전전진법의 수술원리를 기술적으로 변형시킨 방법으로서 구순열과 비변형을 동시에 교정한다.

저자는 이 방법으로 일측 구순열 수술을 시행한 결과 비공과 비첨의 돌출이 보다 대칭을 이루며 코의 뒤틀림과 비익의 퍼짐이 더욱 잘 교정되었다.

비익과 돔이 균형적인 성장을 하였으며 코의 성장장해는 없었다. 구순열과 비변형을 동시에 교정함으로써 2차 구순열비 변형의 교정의 필요성이 줄어들었을 뿐만 아니라 2차 구순열비변형의 교정결과도 만족스러웠다(그림 11-47~50).

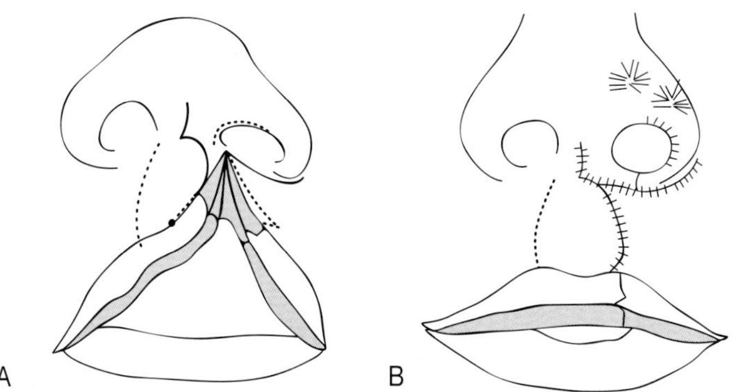

그림 11-46. 술전 도안 및 수술 완성도. (A) 위쪽 회전 절개는 비주의 중앙까지 이르며 외측 삼각 홍순피판이 내측의 결핍된 홍순을 보충할 수 있도록 도안된다. (B) Unilimb Z-plasty가 외측 구순의 점막피부능에 만들어지고 전정에서부터 비익구와 비 등부에 추가적으로 bolster 봉합을 시행한다.

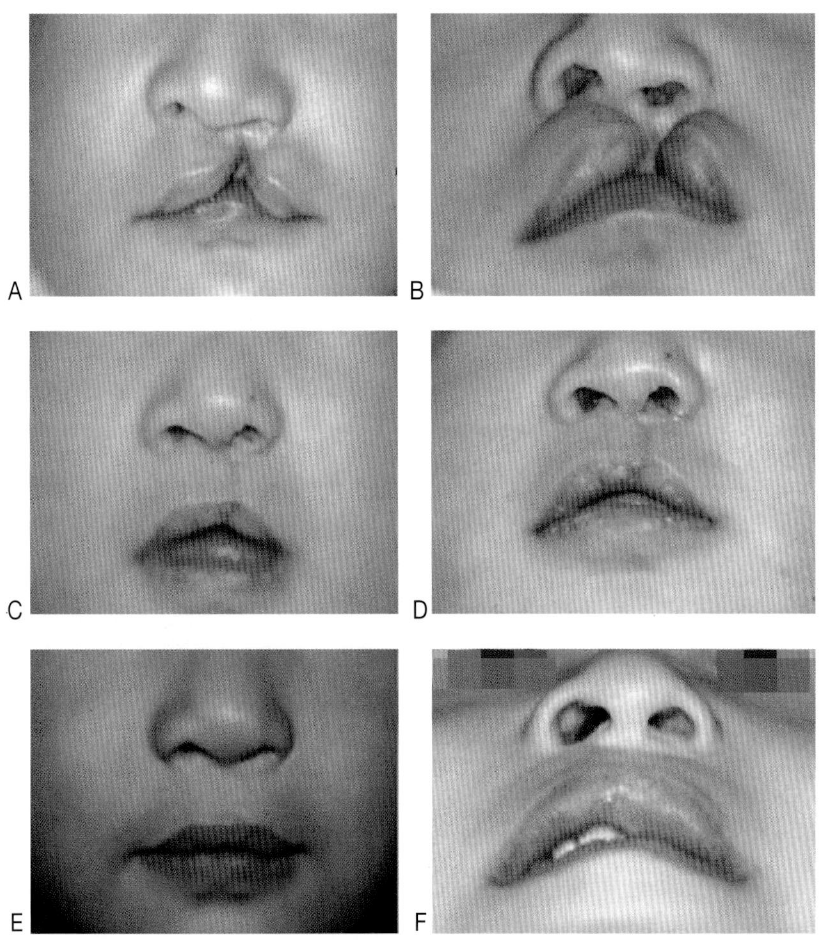

그림 11-47. (A, B) 3개월된 불완전 구순열 환아의 사진. (C, D) 술후 3주째 모습. (E, F) 술후 4년째 모습

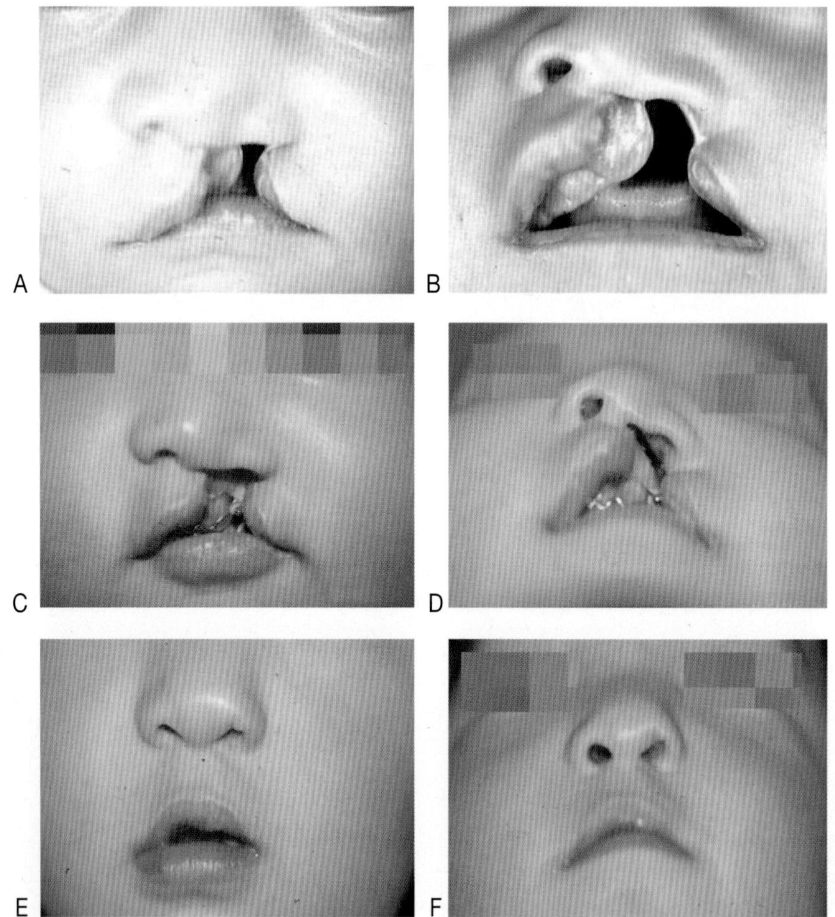

그림 11-48. (A) 2개월된 완전구순열 환아의 술전모습. (B) 2개월째 Latham 교정장치를 시행한 모습. (C) 일차교정술후 2년째된 모습

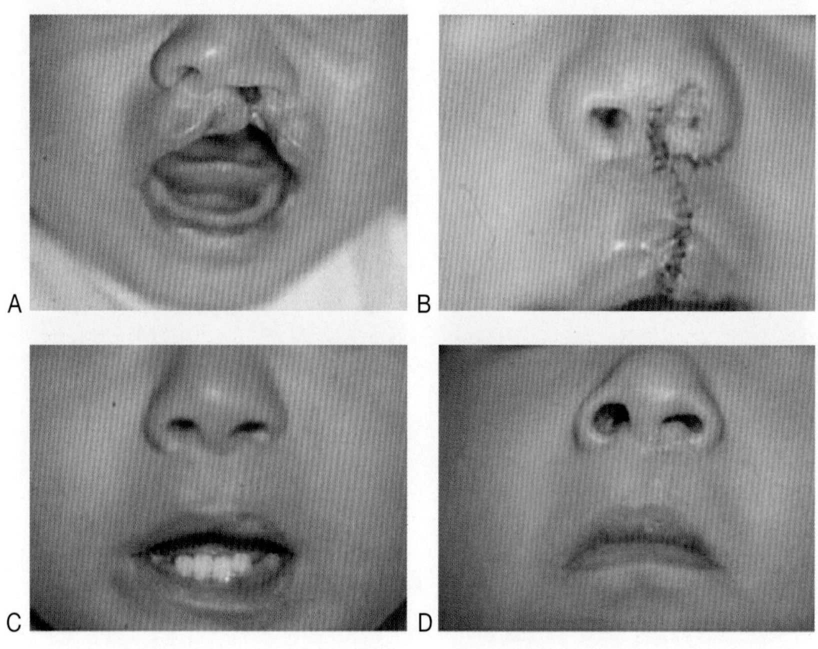

그림 11-49. (A) 3개월된 완전 구순열 환아의 술전모습. (B) 일차 교정술 후 3개월된 모습. (C, D) 술후 3년된 모습

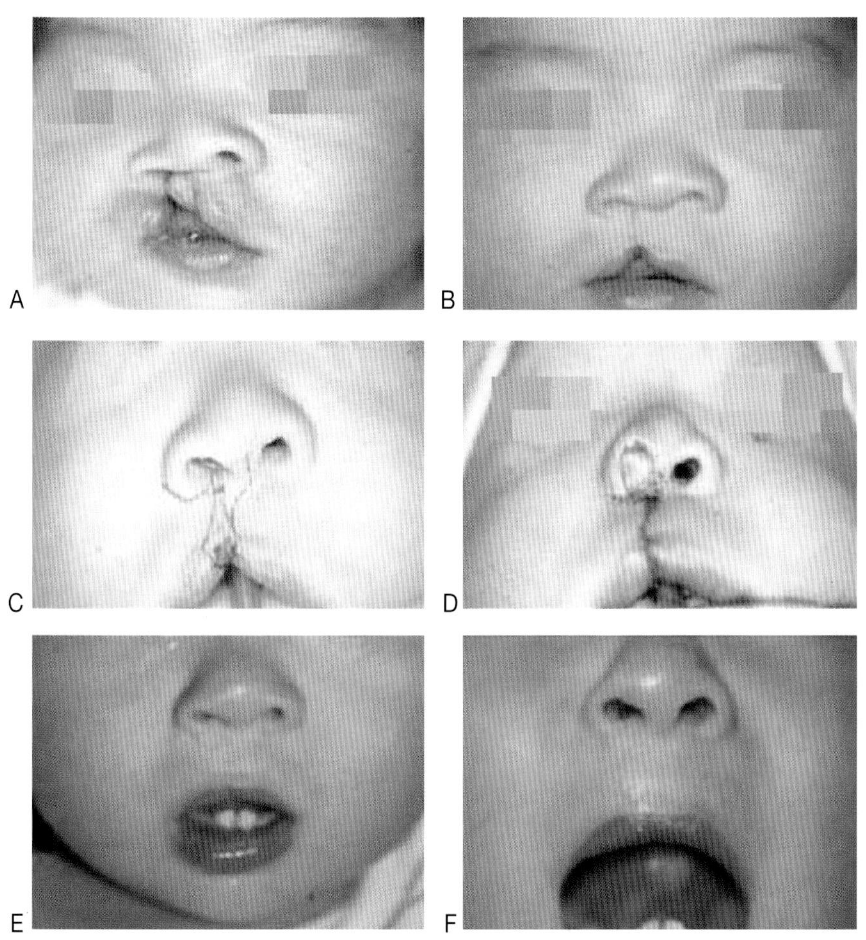

그림 11-50. (A) 2개월된 완전 구순열 환아의 술전모습. (B) 비구순 접합술 후 모습. (C, D) 비구순 접합술 후 4개월째 비구순성형술을 시행하는 술중 모습. (E, F) 술후 2년뒤 모습

참고문헌

1. Chase, R. A. Belaboring a principle. *Ann. Plast. Surg.* 11: 255, 1983.
2. Millard, D. R., Jr. Complete unilateral clefts of the lip. *Plast. Reconstr. Surg.* 25: 595, 1960.
3. Millard, D. R., Jr. Cleft Craft: *The Evolution of its Surgery. Vol. 1. The Unilateral Deformity.* Boston: Little, Brown, 1976.
4. Millard, D. R., Jr. Unilateral Cleft Lip Deformity. In J. G. McCarthy (Ed.), *Plastic Surgery*, Vol. 4. Philadelphia: Saunders, 1990.
5. Millard, D. R., Jr. Refinements in rotation-advancement cleft lip technique. *Plast. Reconstr. Surg.* 33: 26, 1964.
6. Millard, D. R. Extensions of the rotation-advancement principle for wide unilateral cleft lips. *Plast. Reconstr. Surg.* 42: 535, 1968.
7. Pool, R. The configurations of the unilateral cleft lip, with reference to the rotation advancement repair. *Plast. Reconstr. Surg.* 37: 558, 1966.
8. Asensio, O. A variation of the rotation-advancement operation for repair of wide unilateral cleft lips. *Plast. Reconstr. Surg.* 53: 167, 1974.
9. Kaplan, E. N. Lip Repair: Problems and Solutions. In D. A. Kernahan, H. G. Thomson, and B. S. Bauer (Eds.), Symposium on Pediatric Plastic Surgery. St. Louis: Mosby, 1982.
10. Tajima, S. The importance of the musculus nasalis and the use of the cleft margin flap in the repair of complete unilateral cleft lip. *J. Maxillofac. Surg.* 11: 64, 1983.
11. Anderl, H. Simultaneous Repair of Lip and Nose in the Unilateral Cleft (a Long Term Report). In I. T. Jackson and B. C. Sommerlad (Eds.), *Recent Advances in Plastic Surgery, Vol.*

3. New York: Churchill Livingstone, 1985.

12. Salyer, K. E. Primary correction of the unilateral cleft lip nose: A 15-year experience. *Plast. Reconstr. Surg.* 77: 558, 1986.

13. Mohler, L. R. Unilateral cleft lip repair. *Plast. Reconstr. Surg.* 80: 511, 1987.

14. Mulliken JB, Martinez-Perez D :The priciple of rotation advancement for repair of unilateral complete cleft lip and nasal deformity: Technical variations and analysis of results. *Plast. Reconstr. Surg.* 104: 1247, 1999

15. Koch, J. Zur Bildung des Mundvorhofes beim Verschluss der Lippen-und Lippen-Kiefer-Spalten. Dtsch. Stomatol. 20: 492, 1970.

16. Delaire, J. Theoretical principles and technique of functional closure of the lip and nasal aperture. *J. Maxillofac. Surg.* 6: 109, 1978.

제11장 일측 구순열비

Noordhoff 법

현원석

Noordhoff의 일측 구순열 교정법은 그 기본 개념을 Millard의 'Rotation-Advancement법'에 기반을 두고 있다[1,2]. 따라서, 1984년 이후 점차적으로 개선되어 온 Noordhoff의 일측 구순열 교정법은 초기에는 몇 가지 사항을 제외하면 Millard의 방법과 크게 다르지 않았으나[3], 점차 Noordhoff 가 독자적으로 개선시켜온 세부 수술방법의 가지 수가 늘어남에 따라 현재는 Noordhoff 법을 별도로 소개할 필요가 있다. Noordhoff는 수술전에 교정치과의에게 의뢰하여 presurgical passive orthopedic을 시행한 후에 생후 3~4개월경에 구순열 수술을 하는 것을 원칙으로 하고 있다.

I. 측정 및 표시

환자가 마취되면 가장 먼저 측정과 표시가 시행된다. 표시는 해부학적 기준점에 잉크를 사용하여 시행한다. 변형이 심한 환아의 경우에 종종 이러한 해부학적 기준점을 알아보기 어려운 경우가 있다. 이런 경우에는 알아보기 쉬운 기준점을 먼저 표시한 후에, 측정을 통하여 non-cleft측을 기준으로 삼아 cleft쪽의 기준점을 표시하기도 한다. 피부-점막 경계부인 white skin roll의 Cupid's bow의 기준점들을 가장 먼저 표시한다. 그리고, vermilion mucosal junction인 red line을 표시한다. 그 외에, ala의 기저부와 commissure를 표시한다(그림 11-51).

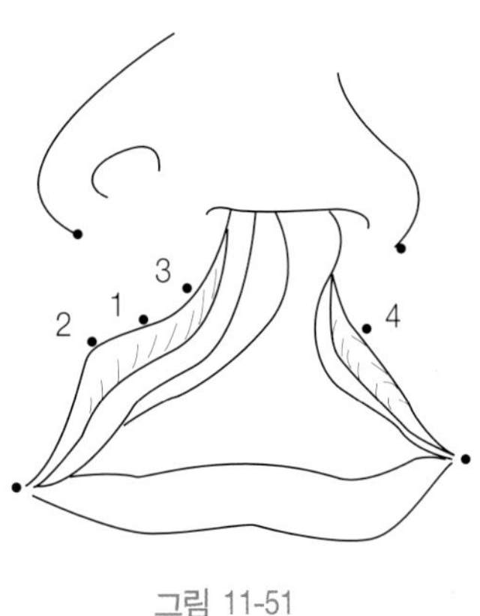

그림 11-51

1. 홍순(vermilion)

Vermilion은 피부와 점막사이의 독특한 상피구조물이다. Epidermal vermilion junction은 white roll로 구별된다. Vermilion mucosal junction은 white roll만큼 중요하며, Noordhoff에 의해 red line이라고 명명되었다. White roll과 red line은 정상 입술에서 서로 평행하며 Philtral column의 기저부에서 그 사이가 가장 넓다(그림 11-52).

2. 홍순 결손 및 표시

Vermilion mucosal junction인 red line을 따라 잉크로 표시

그림 11-52

한다. Cleft side에서 red line은 Cupid's bow 아래 부분에서 white roll과 합쳐져서 사라진다(그림 11-53). 그림에서 기준점 2와 기준점 3에서의 Vermilion의 두께 차이가 non- cleft side에 비하여 cleft side의 부족한 vermilion 두께를 의미한다. 이러한 두께 차이를 교정해 주어야 수술 후에 wet vermilion이라고도 불리우는 mucosa가 외부로 노출되는 것을 방지하여 정상에 가까운 입술 모양을 만들 수 있다. 부족한 vermilion은 cleft side의 vermilion을 삼각형 모양으로 작도하여 non-cleft side 에 쐐기모양으로 끼워 넣어 교정할 수 있다(그림 11-54).

3. Cupid's bow 표시

Cupid's bow의 기준점들은 white skin roll에 표시한다. 변형이 심한 환아여서 중앙 기준점 1을 알아보기 어려운 경우에는 윗 입술의 frenulum을 참고하여 기준줌을 정할 수 있다. 그림 11-51에서 기준점 1-3 사이의 거리와 기준점 1-2 사이의 거리가 일치하게 도안하여 기준점 3을 정한다.

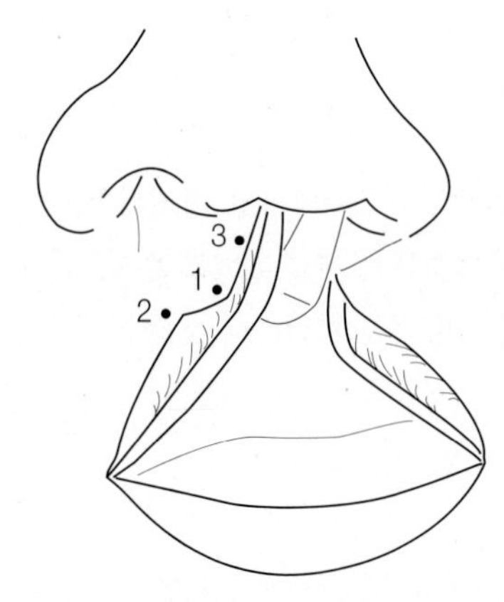

그림 11-53

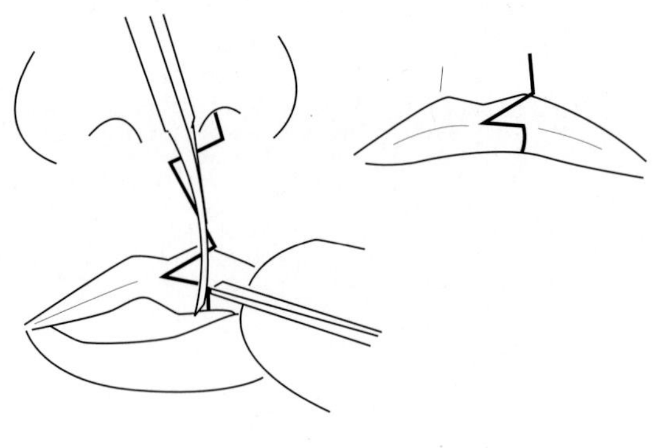
그림 11-54

4. 개열측 philtral column base의 표시

개열측(cleft side)의 philtral column base(기준점 4)를 정하는 것이 가장 어렵고 중요하다. Cleft side의 vermilion이 외측으로 가면서 가장 넓어지는 부분을 찾아서 그 부분을 cleft side의 philtral column base로 표시한다. 이 부분은 보통 white roll과 red line이 만나는 내측 지점으로부터 3-4mm정도 외측에 위치한다. 이 지점에서의 vermilion의 두께는 non-cleft side의 philtral column base(기준점 2)에서의 vermilion 두께와 비슷하여야 한다. 이 기준점 4를 내측으로 움직이면 cleft side의 상순의 수직길이가 감소하는 대신 수평길이는 증가한다. 반대로 기준점 4를 외측으로 움직이면 cleft side의 상순의 수직길이는 증가하는 대신 수평길이는 감소한다. Cleft side의 상순의 수평길이보다는 수직길이를 non-cleft side의 상순에 맞추도록 하는 것이 술후에 입술의 대칭을 이루는 데에 중요하다.

5. 회전피판의 작도

회전피판의 작도는 columella-lip crease에서부터 기준점 2에 이르는 곡선으로 그려진다. 이 곡선은 non-cleft side의 philtral column을 침범하지 않아야 한다. Noordhoff법에서의 이 피판의 작도는 Millard법과 동일하므로 자세한 설명은 생략한다.

이 회전피판을 곡선으로 작도하는 대신 직선으로 작도하는 방법도 있다[4](그림 11-55). Mohler가 기술한 이 방법은 cleft

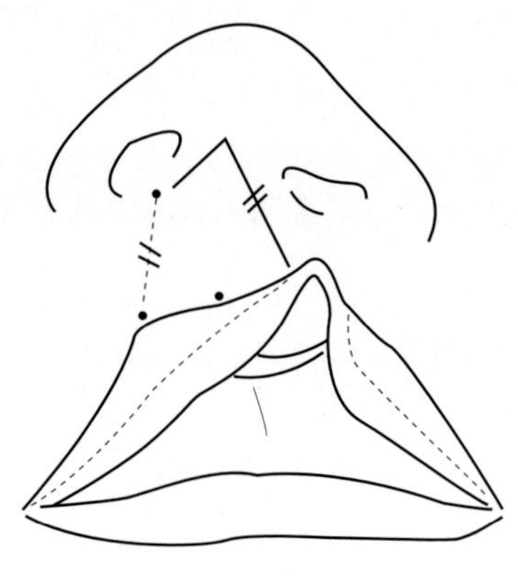
그림 11-55

side의 philtral ridge의 모양을 non-cleft side의 philtral ridge 모양에 좀 더 대칭적으로 만들 수 있고, columella incision을 통해 코의 피부와 연골사이의 박리를 손쉽게 할 수 있다는 장점이 있으나, C-피판이 항상 columella base의 결손을 메우는데 사용되어야 하며, columella가 좁은 환아에서는 사용하기 어렵다는 단점이 있다[5].

6. C-피판의 작도

C-피판은 기준점 3에서부터 피부와 점막사이를 따라서 premaxilla skin의 가장자리에 작도한다. 이 절개선을 columella skin과 septal mucosa사이를 따라서 위쪽으로 5mm 정도 연장한다. 이 절개선과 평행하게 premaxilla에 기저를 둔 m-피판을 작도한다(그림 11-56).

7. l-피판의 작도

Cleft side의 기준점 4에서부터 피부-점막 사이를 따라서 코의 내측으로 향하는 선을 작도한다. 이 선과 평행하게 점막에 선을 작도하여 l-피판을 작도한다.

8. 표시의 측정

필요한 주요 표지점들이 표시 되었으면 alar base에서 부터의 수직 거리 및 commissure로 부터의 수평 거리등이 좌우가 대칭적으로 일치하는지 측정한다. 이러한 표시점간의 거리는 좌우가 일치하지 않는 경우가 대부분이므로 술자의 경험에 의지하여 표지점들을 몇 mm정도 좌우로 이동시켜 다시 표시하는 작업이 필요할 수 있다.

II. 절개

1. 회전 절개(rotation incision)

회전해야할 피판의 절개는 Millard에 의한 수술법에서의 절개와 동일하므로 설명을 생략한다[1,2]. 필요한 경우에는 back cut 절개를 사용할 수 있다.

2. C-flap 절개(그림 11-56)

Columella 기저부에 위치하는 premaxilla의 모든 피부는 C-flap에 포함되어야 하며, 이 C-flap은 nostril floor를 재건하는데 사용된다. 피부와 점막사이의 경계를 잉크로 표시한 후에 절개를 시행한다. 절개는 경계선을 따라서 columella skin과 septal mucosa의 경계선에 이르기까지 수직으로 연장한다. 이 절개를 통해 columella를 premaxilla로부터 release시킨다.

Premaxilla에 기저를 둔 C-mucosal flap을 거상하여 이미 만들어 놓은 columella skin과 mucosa 사이의 절개부에 위치시킨 후에 흡수성 봉합사를 이용하여 봉합한다(그림 11-57).

3. Orbicularis marginalis(OM) 피판

미리 측정해 놓은 non-cleft side vermilion의 부족한 두께는

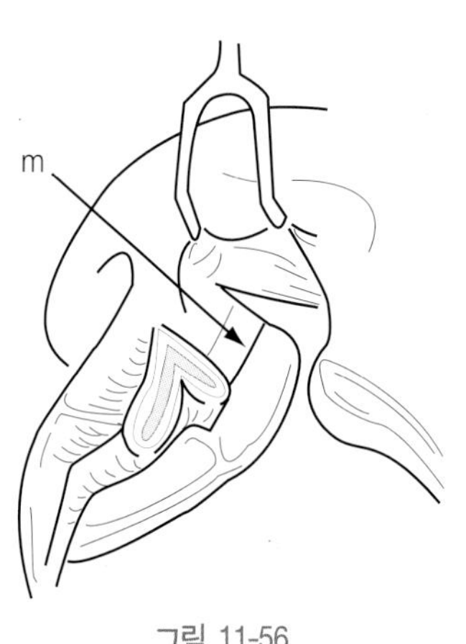

그림 11-56

그림 11-57

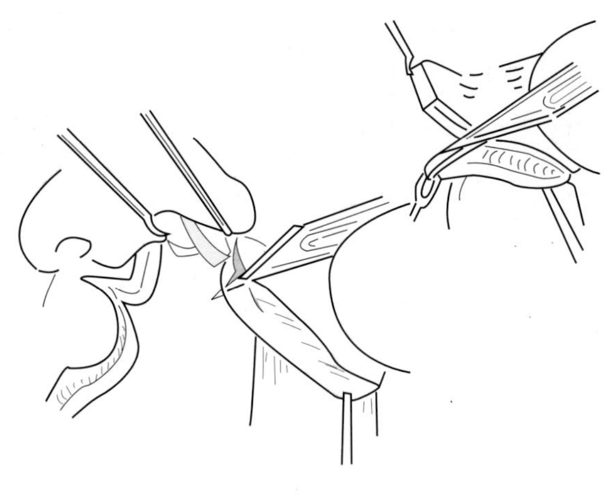

그림 11-58

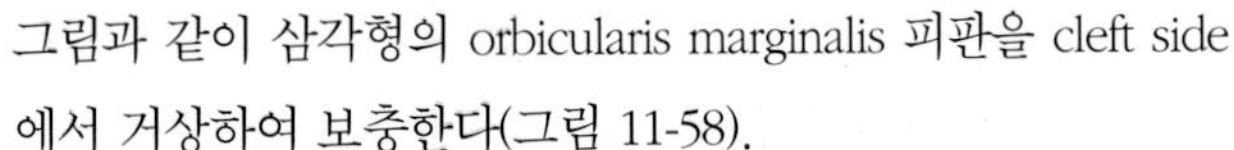

그림과 같이 삼각형의 orbicularis marginalis 피판을 cleft side 에서 거상하여 보충한다(그림 11-58).

4. Lower lateral cartilage(LCC)의 박리

LCC과 pyriform rim사이의 fibrous attachment를 완전히 유리시킨다. Tenotomy scissor를 이용하여 피부와 LLC사이를 박리한다.

5. 홍순 절개(vermilion incision)

Non-cleft side의 vermilion에 수평으로 절개를 가해 삼각형의 OM 피판이 위치할 수 있도록 한다.

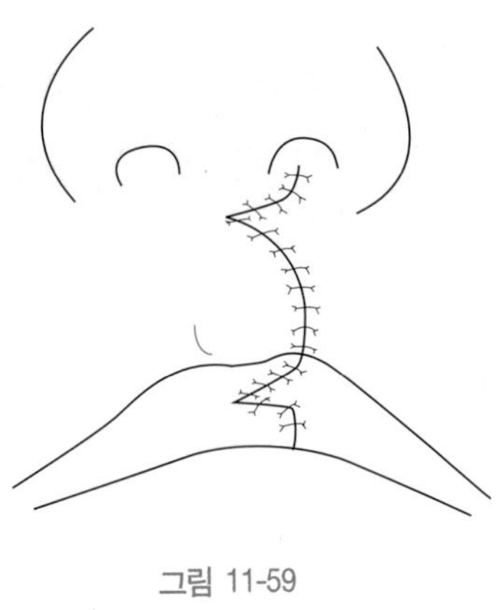

그림 11-59

III. 봉합(그림 11-59)

봉합하는 순서 및 방법은 Millard 수술법과 동일하다.

참고문헌

1. Millard DR Jr. Refinements in Rotation-Advancement cleft lip technique. *Plast Reconstr Surg* 33: 26, 1964.
2. Millard DR Jr. Rotation-Advancement principle in cleft lip closure. *Cleft Palate J* 12: 246, 1964.
3. Noordhoff MS. Reconstruction of vermilion in unilateral and bilateral cleft lips. *Plast Reconstr Surg* 73: 52, 1984.
4. Mohler LR. Unilateral cleft repair. *Plast Reconstr Surg* 80: 511, 1987.
5. Cutting CB., and Dayan JH. Lip height and lip width after extended Mohler unilateral cleft lip repair. *Plast Reconstr Surg* 111: 17, 2003.

제11장 일측 구순열비

구심구순성형술(centripetal cheiloplasty)

이윤호, 이의태

I. 배경

1. 반드시 갈라진 윗입술의 인중부위(philtrum on medial segment of cleft lip)를 늘이기 위해서 주위의 조직을 보충해야 하나? 즉, 보충(replacement)인가 재배치인가(reposition)?

지금까지의 일측 구순열 수술법들은 갈라진 윗입술의 길이를 늘이는데 치중하였다. 즉, 갈라진 윗입술의 인중부위가 정상측 인중보다 짧기 때문에 이를 늘리기 위한 방법으로 삼각형모양의 피판을 빌어와서 이를 내측부에 넣어주거나(삼각피판법, Tennison-Randall 법, 1952, 1959)[1,2] 내측부에 회전하는 디자인을 함으로써 회전선이 일직선으로 바뀔 때 생기는 길이의 소득(gain)을 이용하여 인중의 길이를 늘려주는 방법을 시행해 왔다(회전-전진술식, Rotation-advancement flap, Millard, 1980)[3].

가장 보편적으로 쓰이는 회전-전진술식의 경우, 구순열을 재건하기 위해 볼 부위 피부를 끌어 당김으로써 수술시 대칭일 경우 장기적으로는 볼의 무게에 의해 긴 입술, 부자연스러운 코와 인중 및 홍순의 변형 등을 초래하게 된다. 윗입술의 조직부족을 메꾸기 위해 이렇게 주위의 조직을 가져오는 것은 불필요하며 피해야 한다.

실제로는 윗입술의 조직이 부족하다기 보다는 갈라진 구륜근이 당기기 때문에 바깥쪽으로 변위된 것이며(Displacement rather than Difficiency) 따라서 이때 변위된 윗입술의 연부조직, 특히 구륜근을 정상위치에 돌아오도록 재배치해 주면 되는 것이지 부족한 조직을 보충하는 것은 아니다(Reposition rather than Replacement). 이렇게 연부조직을 재배치해 주면 아이의 성장에 따라서 정상측과 대칭을 이룰 수 있게 된다(Functional matrix theory, Moss, 1981, Carstens, 2004)[4,5].

2. 도미노 현상에 대한 만회(Reversal of Domino Effect)를 위해 구순열 수술시 순서를 구심적인 순서(Centripetal or Reverse-Domino sequence) 를 쓸 것인가? 또는 그냥 도미노 현상을 따르는 원심적인 순서(Centrifugal or Domino sequence) 를 쓸 것인가? 즉 절개와 박리 및 교정을 입술에서부터 시작할 것인가 아니면 주변 조직에서부터 시작할 것인가?

구순열 수술에서 수술진행의 순서는 아주 중요하다. 구순열에서 주된 기형은 윗입술이 갈라진 것이지만 여기서 시작된 변형이 마치 도미노 현상처럼 코, 잇몸뼈, 상악골 등 주변 조직에 광범위한 영향을 나타낸다(그림 11-60).

만약 구순열 수술시 갈라진 입술 자체를 재건하기 전에 이런 주변 조직들을 먼저 교정하면(구심적인 순서 또는 역도미노 순서) 변위되었던 연부조직이 가운데 쪽으로 재배치되고(Central repositioning of displaced soft tissue) 입술의 변형을 최소로 만든 상태(최소의 표현형)에서 수술을 할 수 있기 때문에 작은 조작으로도 좋은 결과를 얻을 수 있다. 따라서 굳이 갈라진 윗입술의 인중부위를 늘이기 위해 주위의 조직을 보충하지 않고도 구순열의 교정이 가능하다. 또한 쓸데없이 절개를 길게 할 필요도, 많이 박리를 할 필요도, 나중에 조직을 잘라 버릴 필요도 없다. 반대로 잇몸이나 코의 위치를 바로 잡기 전에 먼저 입술부위에 절개를 가하고 박리를 해 놓을 경우(원심적인 순서 또는 도미노 순서) 이미 변형되어 있는 잇몸과 코의 위치가 더욱 비틀어지게 되고(또는 그만큼 교정에 대한 저항이 커지게 되므로) 결과적으로 입술부위에 더 많이 절개를 하고 더 많이 박리를 하고 더 많이 뺨의 피부를 당겨야 하고 더 많은 유용한 입술조직을 잘라 버리게 되는 결과를 가져온다.

따라서 저자들은 아래와 같은 구심구순성형술(Centripetal

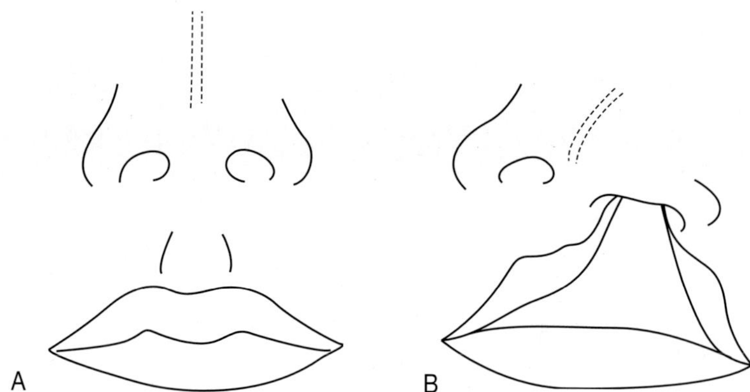

그림 11-60. 도미노 현상(Domino Effect). (A) 정상. (B) 좌측 일측 완전구순열. 일측 구순열에서 윗입술이 갈라진 일차적 기형은 구륜근 및 다른 볼근육과 연부조직, 혀의 작용에 따라 코, 잇몸뼈, 상악골등 주변 조직에 이차적 변형을 일으키게 된다.

Cheiloplasty)의 개념을 제안하고자 한다.

II. 구심구순성형술(centripetal cheiloplasty)의 개념

1. 일차구개 전체의 동시 교정(total simultaneous correction of primary palate - one embryonic unit)

일차구개는 발생학적으로 하나의 단위이므로(one embryonic unit) 동시에 교정을 해야 차후 비례가 서로 맞는 성장(proportional growth)을 기대할 수 있다.

2. 수술 흐름의 순서는 주변부에서 중심부로 (centripetal cheiloplasty - flow of operative procedure from periphery to center)

윗입술이 갈라져서 잇몸뼈, 코 등의 기형이 파생되었기 때문에(centrifugal or Domino progression of deformity) 수술을 할 때는 반대로 입술을 성형하기 전에 잇몸뼈와 코, 특히 비익저를 삼차원적으로 알맞은 위치에 놓이도록 먼저 교정한다. 즉, 아직 입술에 절개 및 박리를 하지 않은 상태에서 먼저 잇몸과 코에 대한 절개, 박리, 교정을 시행한다. 그후 입술성형을 시작한다(centripetal or reverse-Domino correction of deformity, 구심구순성형술이라는 이름은 이렇게 주변 조직을 먼저 수술하고 중심조직인 입술을 나중에 수술하는 것을 의미한다). 이렇게 함으로써 입술의 변형이 가장 줄어든 상태에서 뺨 부위의 피부를 당기지 않고, 절개, 박리, 및 절제를 최소한으로 할 수 있다(그림 11-61).

3. 절개, 박리, 절제의 최소화(minimization of incision, dissection, and excision)

위와 같이 수술을 구심적인 순서 또는 역도미노 순서로 진

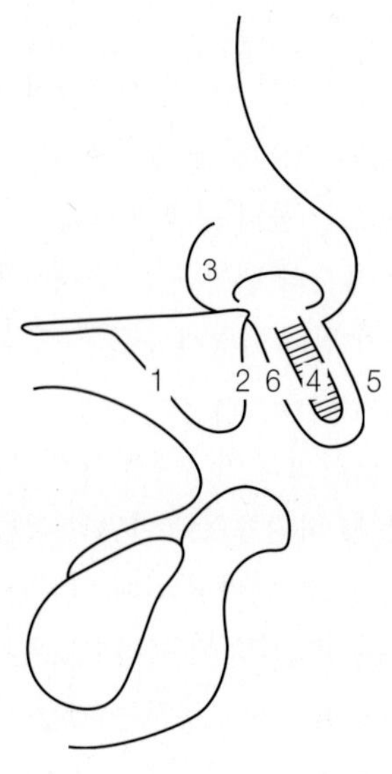

그림 11-61. 구심구순성형술(Centripetal Cheiloplasty). 수술의 순서는 주변부에서 중심부로, 1. 잇몸의 뒤쪽, 2. 잇몸의 앞쪽, 3. 비익저, 4. 입술의 근육, 5. 입술의 피부, 6. 입술의 점막 순으로 진행한다.

행시킴으로써 절개, 박리, 절제를 최소화할 수 있다. 피부 절개의 범위를 구순열 변연부에만 국한시킨다면(안쪽으로 비주저, 바깥쪽으로 비익저쪽으로는 연장을 시키지 않으면) 특히 불완전구순열의 경우 절개의 길이를 줄일 수 있을 뿐 아니라 인중의 모양을 보다 더 자연스럽게 만들 수 있다. 박리를 적게 함으로써 볼 부위 피부를 당기지 않게 되고 장기적으로 자연스러운 입술모양을 얻을 수 있다.

4. 일차잇몸골막성형술 (primary gingivoperiosteoplasty)

갈라진 잇몸을 재건하는 과정에서 일차잇몸골막성형술을 시행할 수 있다. 일차잇몸골막성형술을 하여 치조열을 재건하는 경우의 장점은 다음과 같다. 첫째, 구강비강루(oronasal fistula)가 생기지 않고, 둘째, 치조열의 앞쪽은 볼쪽 점막으로 막더라도 뒤쪽에만 잇몸점막이 제대로 재건되면 정상적으로 이돋이가 되며, 셋째, 따라서 차후 치조열골이식술이 필요없고, 넷째, 바깥쪽부위(lateral segment) 의 높이와 바깥쪽 홍순의 돌출(bulging of lateral vermilion)을 줄여서 안쪽부위(medial segment) 와 대칭이 되게 만들 수 있고, 다섯째, 발생학적으로 하나의 단위인 일차구개를 한꺼번에 교정할 수 있다. 이렇게 일차잇몸골막성형술을 해 준 경우 나중 혼합치아기(mixed dentition) 때의 치아교정이 중요할 것으로 생각된다.

5. 비익저의 확대와 모아주기 (augmentation and cinching of alar base)

코를 재건하는 과정에서 비익저를 융기하고, 모아줄 수 있다. 이렇게 3차원적으로 비익저의 위치를 바로 잡으면 입술을 수술하는 것이 쉬워질 뿐 아니라, 시간이 흐르면서 아이의 성장에 따라서 정상측 비익저와 대칭을 이룰 수 있게 된다(Functional matrix theory에 따른 remodelling)[4,5]. 단지 이렇게 비익저의 위치를 바로 잡아주어도 하외측연골이 수동적으로 재위치하게 되어(passive repositioning of lower lateral cartilage) 대부분의 경우 코의 모양을 바로 잡을 수 있었고, 향후의 코 성장을 고려하여 능동적인 일차비성형술(primary active rhinoplasty)은 피할 수 있다.

6. 구륜근의 수직 연장과 피부의 직선봉합 (interdigitation and vertical lengthening of orbucularis oris and straight line closure of skin)

입술수술에 있어서 가장 중요한 구륜근 양쪽에 3개씩의 수평절개를 넣어서 깍지끼는 식으로 봉합하면 근육이 수직으로 연장된다. 이렇게 근육이 수직으로 연장되면 변위된 윗입술의 연부조직을 보충하는데 충분하다. 따라서 피부는 단순한 직선봉합을 한다. 다만 이때 큐피드 활 위쪽에 작은 삼각형 피판을 넣어서 피부를 늘이고 큐피드 활의 모양을 자연스럽게 한다.

7. 구륜근의 삼분(3 subdivisions of orbucularis oris)

근육을 연장시키는 수평절개를 넣을 때는 저자들의 개념에 따라 구륜근을 세 부분으로 나누어 각 부분을 재건하였다. 가장 위쪽 부분은 코 바로 아래쪽 인중이 희미한 부위로 코주위 근육링(paranasal muscle sling)에 해당한다. 중간부위는 인중이 있는 부분으로 양쪽 modiolus에서 시작한 구륜근의 주변부위가(orbicularis oris peripheralis) 서로 엇갈리면서 인중선(philtral column) 부위의 피부에 부착된다. 맨 아래부위는 홍순부위로 구륜근의 변연부위가(orbicularis oris marginalis) 서로 중간에서 만나서 홍순결절(vermilion tubercle)을 이룬다(그림 11-62).

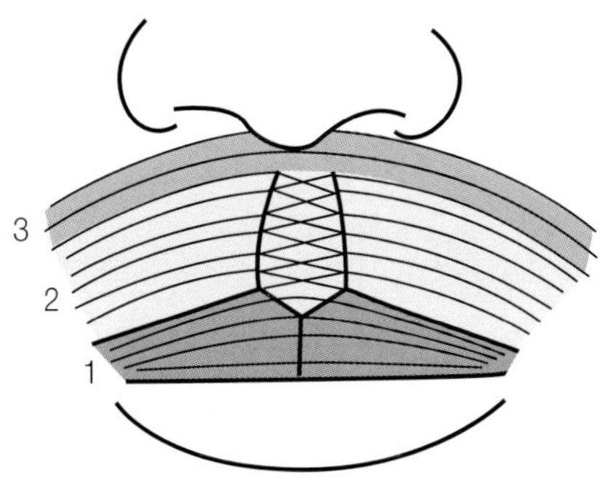

그림 11-62. 구륜근의 삼분(3 subdivisions of Orbucularis oris). 구륜근은 1. 코 바로 아래쪽 인중이 희미한 부위(코주위 근육링, paranasal muscle sling), 2. 인중이 있는 부위(구륜근의 주변부위, orbicularis oris peripheralis), 3. 홍순부위(구륜근의 변연부위, orbicularis oris marginalis) 이렇게 세 부분으로 나눌 수 있다. 구순열을 수술할 때는 이 세 부분을 반대쪽 부분과 잘 맞추어 재건해 주어야 한다.

III. 수술방법

1. 1단계(치조열의 교정, 일차잇몸골막성형술, primary gingivoperiosteoplasty, 그림 11-63)

우선, 뒤쪽에 기저를 둔 잇몸점막골막피판을 갈라진 잇몸의 양쪽에서 경첩모양으로 일으켜서(posteriorly based gingivomucoperiosteal hinge flap) 치조열의 뒤쪽을 재건해준다. 이때 피판 끝을 비교적 앞쪽까지 만들어야 재건을 쉽게 할 수 있다. 다음, 안쪽에 기저를 둔 입술쪽 점막피판을 볼쪽 점막(buccal mucosa)에서 일으켜서 전위시킴으로써(medially based buccal sulcus labial mucosal transposition flap) 치조열의 앞쪽을 만든다. 이 피판을 만들때 위쪽 절개선이 볼 고랑(buccal sulcus) 과 약 5 mm 간격이 되도록 하며 아래쪽 절개선은 전위할 때 당기는 정도에 따라 뒤쪽으로 연장을 해서 쉽게 피판이 치조열 앞쪽을 메울 수 있도록 해준다. 이때 볼쪽 점막피판의 폭만큼 바깥쪽부위(lateral segment) 의 높이를 안쪽부위에 맞게 줄여서 대칭으로 만들 수 있고 홍순의 돌출(bulging of lateral vermilion)을 조절할 수 있다.

2. 2단계(비익저의 융기, augmentation of alar base, 그림 11-64)

1단계에서 일으킨 볼쪽 점막피판의 절개부위를 통해 바깥쪽 비익저를 광범위하게 골막상 박리하여(supraperiosteal dissection) 우형 해면골 이종이식물(bovine cancellous bone xenograft, Luboc®)을 집어 넣는다(문구현, 김진환, 1997)[6]. 초생달 모양으로 비익저에 잘 맞도록 깍고 또 비강저(nasal floor) 의 골 결손부위를 건너갈 수 있도록 한다. 이때 우형 해면골을 넣는 이유는 생착을 기대하는 것이라기 보다는 흡수될 때까지 비익의 위치를 잘 유지하도록 하기 위함이다. 융기가 끝나면 볼쪽 점막전위피판의 공여부를 닫는다.

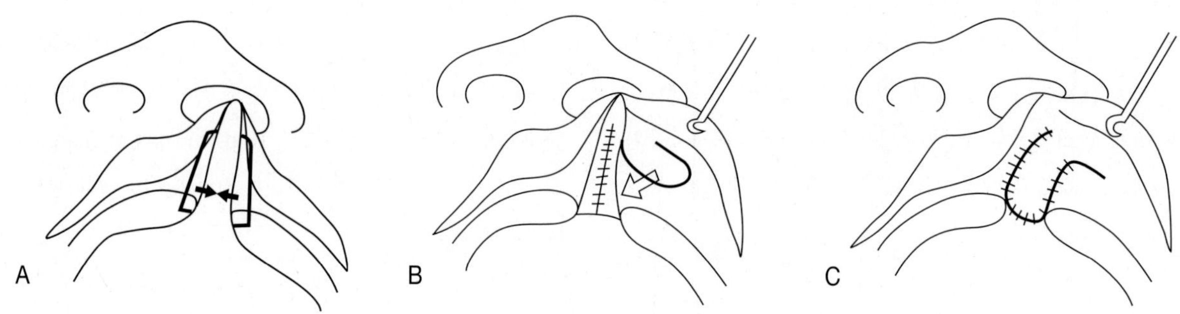

그림 11-63. 1단계 : 일차잇몸골막성형술(Primary Gingivoperiosteoplasty). (A) 치조열 뒤쪽 재건을 위한 뒤쪽에 기저를 둔 경첩모양의 잇몸점막골막피판. (B) 치조열 앞쪽 재건을 위한 안쪽에 기저를 둔 입술쪽 점막의 전위피판. (C) 치조열 재건후의 모습

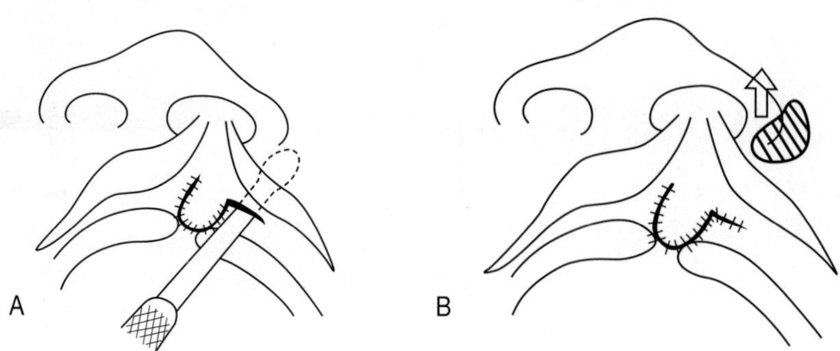

그림 11-64. 2단계 : 비익저의 융기(Augmentation of Alar Base). (A) 볼쪽 점막피판의 절개부위를 통한 비익저의 광범위한 골막상 박리. (B) 우형 해면골 이종이식물의 삽입

3. 3단계(수평석상봉합을 이용한 비익모아주기, Alar cinching by horizontal mattress sutures, 그림 11-65)

비익고랑(alar groove) 부위에 3개의 작은 찔림절개(stab incisions)을 넣고 긴 공바늘(empty needle)을 이용하여 2개의 가는 비흡수성 봉합사를 그림 11-65와 같이 앞쪽 비극(anterior nasal spine) 쪽으로 통과시켜 매몰수평석상봉합(buried horizontal mattress suture)이 되도록 한다. 다음 이 실을 적절한 힘으로 비익이 모일 때까지 당긴후 묶는다.

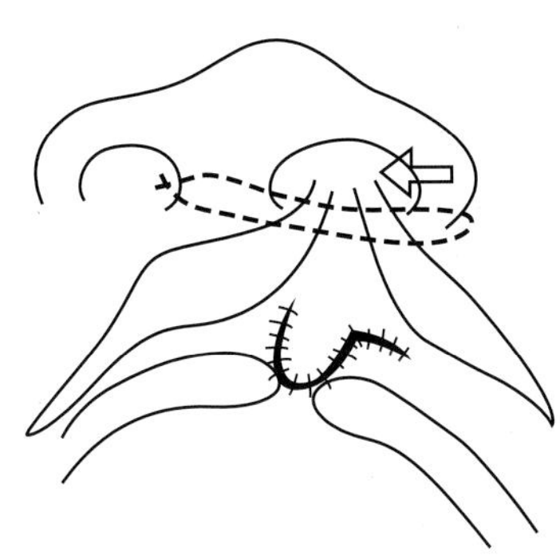

그림 11-65. 3단계 : 수평석상봉합을 이용한 비익모아주기(Alar cinching by Horizontal Mattress Sutures)

4. 4단계(구순성형술, 그림 11-66)

이 단계에 오면 잇몸과 비익저의 교정에 따라 윗입술의 기형이 많이 줄어들어 있다. 먼저, 근육을 재건하고 그 후 피부, 점막의 순으로 봉합을 진행한다. 구순열의 갈라진 끝을 따라서 절개를 가한 후 구륜근 위아래쪽 평면에서 피하 및 점막하 박리를 하여 구륜근을 분리한다. 이때 피하박리의 양은 갈라진 양쪽 근육을 봉합할 때 피부가 너무 당기지 않고 자연스럽게 봉합이 될 수 있을 정도까지 하고 점막하박리는 최소한으로 한다. 양쪽 구륜근에 세 군데 수평절개를 넣어서 구륜근을 세부분으로 나누고 위쪽 두 부분은 양쪽의 대응되는 부분을 깍지끼는 식(interdigitation)으로 봉합하여 인중선(philtral

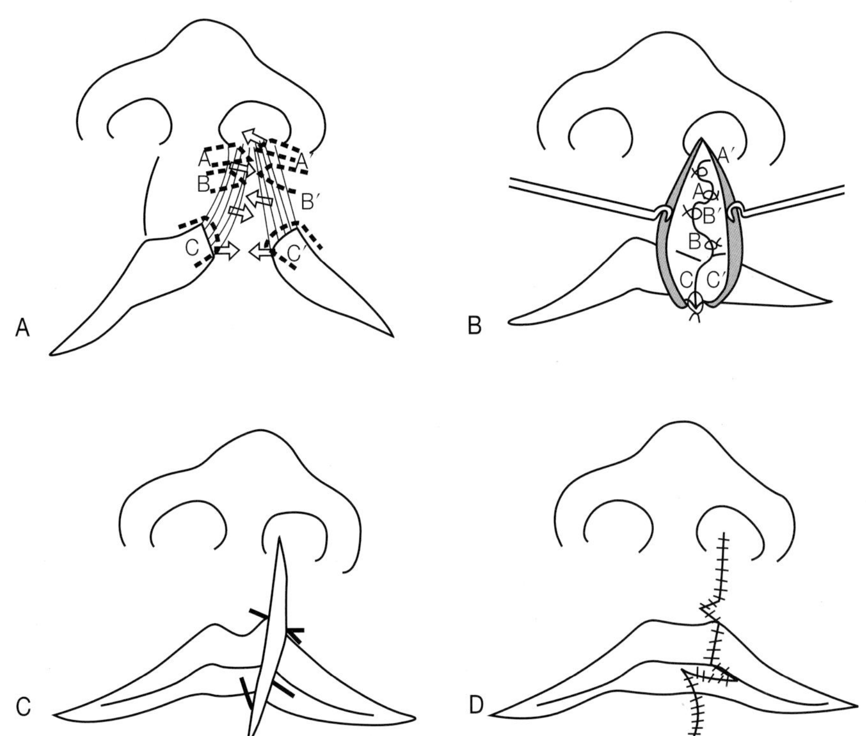

그림 11-66. 4단계 : 구순성형술. (A) 근육재건 : 양쪽 구륜근을 세 부분에 따라 세 개의 수평절개를 가하고 반대쪽 부분과 깍지끼는 식으로 봉합하여 수직으로 길이를 늘여준다. (B) 근육재건후의 모습. (C) 피부 및 점막재건 : 피부는 직선봉합을 하면서 백선(white roll) 부위에 3 mm 크기의 작은 삼각형 피판을 한다. 점막은 적선(wet line) 부위에 비대칭적 Z성형술을 해서 홍순의 절흔과 바깥쪽 홍순의 돌출을 교정한다. (D) 구순성형술후의 모습

column)을 만들고 맨 아래쪽 한 부분은 중간선에서 외번되도록 봉합하여 홍순결절을 형성할 수 있도록 한다. 필요에 따라서 양쪽 인중선(philtral column)의 중앙에 해당하는 부위 근육에 상하방향으로 부분 절개를 넣어서 인중고랑(philtral groove)을 강조해 줄 수 있다. 근육재건이 제대로 이루어지면 피부를 직선으로 봉합할 수 있다(straight closure of skin). 마지막으로 입술안쪽과 홍순부위의 점막을 봉합해 준다. 이때 백선(white roll), 적선(red line or wet line) 등 주요 구조물들을 정확히 이어줄 수 있도록 한다. 백선 부위 피부에는 작은 삼각형 피판을 만들어서 큐피트의 활(Cupid's bow)의 첨예화(peaking)를 막고 입술을 연장해 준다. 이 작은 삼각형피판은 3 mm 크기 정도로 인중고랑(philtral groove)을 넘지 않도록 한다. 적선(red line or wet line) 부위에는 대개 비대칭적 Z성형술(asymmetric Z-plasty) 을 넣어서 홍순의 절흔(notching)과 바깥쪽 홍순의 돌출(bulging)을 교정할 수 있도록 한다(그림 11-66).

Ⅳ. 결과

저자들은 1997년부터 2003년까지 60예의 완전 및 불완전 일측 구순열 환자에게 위와 같은 개념에 따라 구심구순성형술을 시행하였다. 수술 직후에는 많은 환자들에게서 경도의 홍순절흔(vermilion notching)을 보였으나 1년 이상 추적관찰이 가능한 48예 중 40예에 있어서 개선을 보였다. 시간의 경과와 발육에 따라 자연히 교정이 안되는 홍순절흔은 학교 입학전 쉽게 이차 수술로 교정이 가능하였다. 지금까지 최장 경과관찰은 7년 정도이지만, 이 기간동안 장기적으로 작은 흉터와 대칭적 코를 가지는 자연스러운 입술을 얻을 수 있었고 잇몸성형술후 이돋이도 경험하였다(그림 11-67~69). 이렇게 일차잇몸골막성형술을 해 준 환자들은 이제 혼합치아기때의 치아교정이 중요하게 될 것으로 생각되어 경과관찰을 하고 있다.

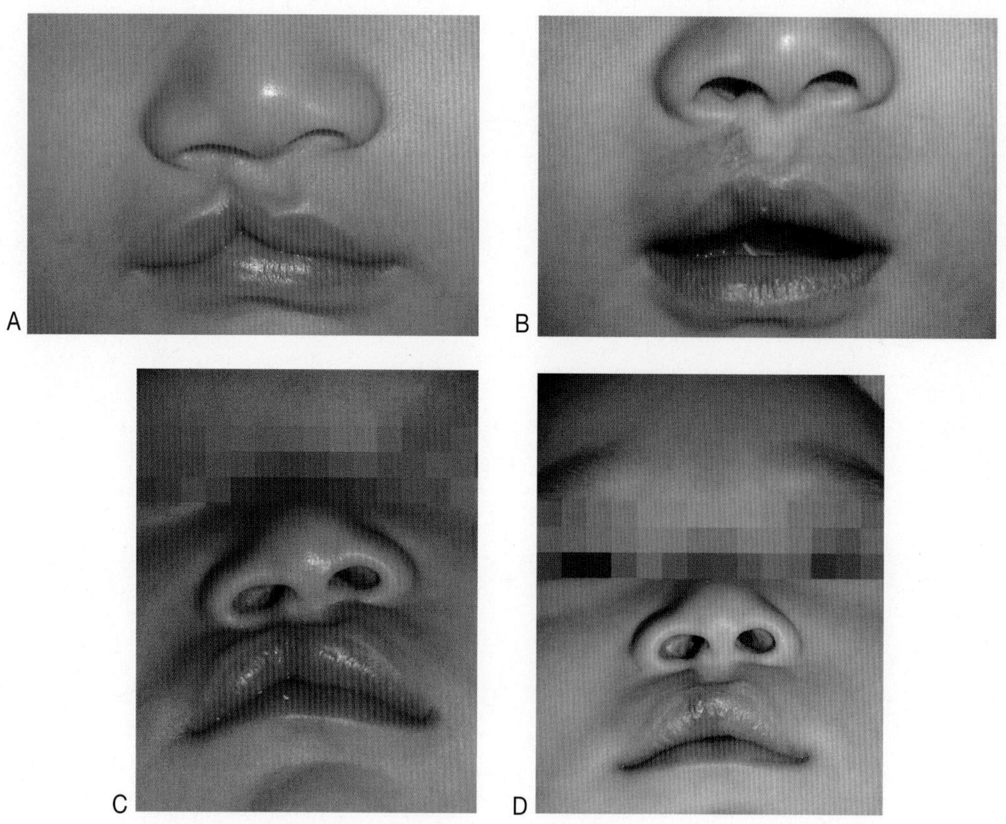

그림 11-67. 일측불완전구순열. (A) 수술전 정면 (B) 수술후 정면 (C) 수술전 worm's eye view (D) 수술후 worm's eye view

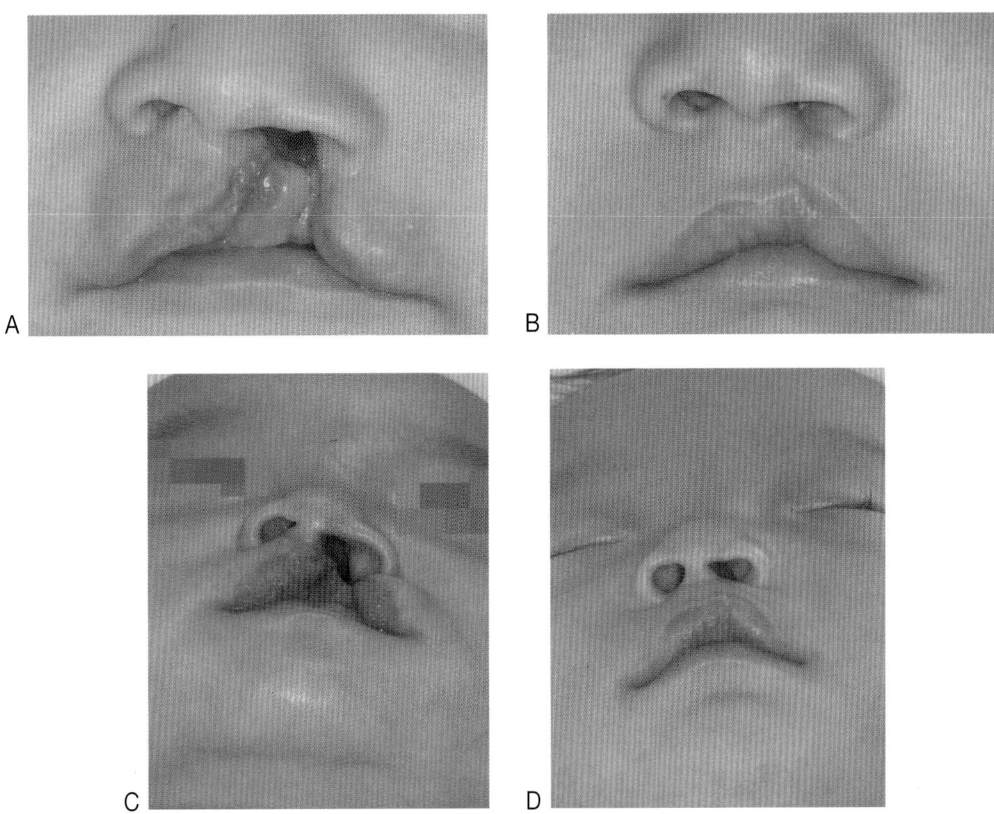

그림 11-68. 일측완전구순열. (A) 수술전 정면 (B) 수술후 정면 (C) 수술전 worm's eye view (D) 수술후 worm's eye view

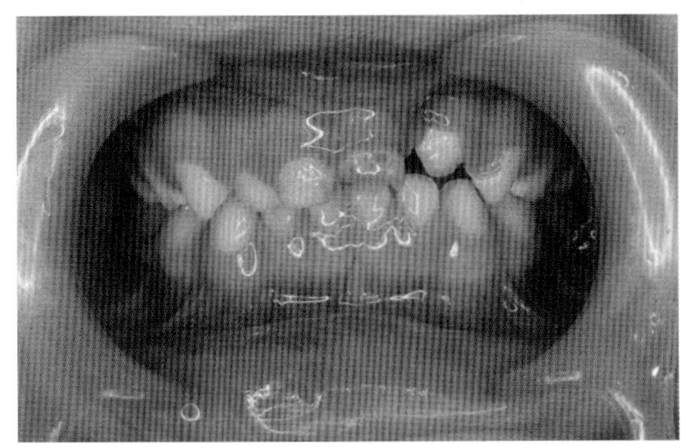
그림 11-69. 일측완전구순열에 대한 구심구순성형술 후의 이돋이

V. 결론

이 방법의 장점은

1. 구순열에 의해서 일어난 넓은 범위의 모든 기형을 한번의 수술로 포괄적으로 교정할 수 있다.
2. 주위조직을 무리하게 끌어오지 않기 때문에 더 자연스러운 모양을 얻을 수 있다.
3. Functional matrix theory에 따라 아이의 성장에 따라서 점점 정상적인 형태로 개선이 될 수 있다.
4. 절개선, 박리 및 조직절제가 최소화된다.
5. 잇몸성형술후 이돋이가 된다.
6. 코, 특히 비익저의 위치를 적절한 곳에 안정화시킬 수 있기 때문에 성장에 따른 코 전체 기형의 진행을 막을 수 있다.

단점은

1. 수술 직후 일시적으로 경도의 홍순절흔과 큐피드 활 부위의 첨예화(peaking)가 있을 수 있지만 시간이 지남에 따라 회복되었다.
2. 앞으로 장기간의 경과관찰이 필요하다. 특히 상악골의 발육에 대한 우려가 있을 수 있는데 현재로서는 Functional matrix theory에 따라 자라면서 상악골 발육의 문제도 해결을 할 수 있을 것으로 기대를 하고 있다.

참고문헌

1. Tennison CW. The repair of unilateral cleft lip by the stencil method. *Plast Reconstr Surg* 9: 115, 1952
2. Randall P. A triangular flap operation for the primary repair of unilateral clefts of the lip. *Plast Reconstr Surg* 23: 331, 1959
3. Millard DR Jr. *Cleft Craft: The Evolution of Its Surgery*, Vols 1-3. Boston: Little, Brown, 1980.
4. Moss ML, Vilmann H, Das Gupta G, Skalak R. Craniofacial growth in space-time. In Carlson DS, editor. *Craniofacial Biology*. Ann Arbor, MI: Center for Human Growth and Development, University of Michigan, 1981
5. Carstens MH. Functional matrix cleft repair: principles and techniques. *Clin Plastic Surg* 31: 159, 2004
6. 문구현, 김진환. 정제된 우형해면골을 이용한 비익 기저부의 증강. *대한성형외과학회지* 24: 116, 1997

제11장 일측 구순열비

기능적 기질 개열 수술 : 원칙과 기술

홍인표

기능적 기질(functional matrix) 수술의 개념은 개열(cleft)을 가진 환자의 분석과 관찰로부터 시작된다. 초기의 잘 이루어진 수술이 시간이 지남에 따라 나빠지는 것은 기술적인 문제가 아니라 개념적인 문제이다. 개열의 이해는 150년 전의 Whilhelm의 광학현미경의 관찰로부터 발전된 안면의 "발생(process)"에 기초하고 있다. 전통적인 발생학은 Sanskirt와 관련이 있다. "분자생물학적 혁명(molecular revolution)"은 새롭고 임상적으로 적절한 안면발생 모델을 만들기 위해 발생과 유전학에 기초를 두고 있다.

I. 기초 과학적 개념

1. 발생학 분야에서의 신경분절 모델

안면은 각각 구체적인 세포단계의 구조와 유전학적 정의를 가진 발생학의 한 분야이다. 모든 분야는 기존에 생각했던 것보다 훨씬 전 단계의 태아의 분리된 해부학적 영역으로부터 시작된다. 이러한 해부학적 영역은 신경분절(neuromere)이라고 불려지며 이것은 신경계의 분절 모델과 관련이 있다(그림 11-70).

신경관(neural tube)내에서는 유전자 표현의 독특한 양상이 각각의 영역의 해부학적 경계를 나눈다. 이러한 많은 유전자는 homeobox라고 불리는 동일한 염기쌍 서열(base pair sequence)을 공유하고 있다. 이러한 hox 유전자에 의해서 만들어진 모든 단백질은 동일한 61-아미노산 서열(amino-acid sequence)을 가지며 DNA를 해독한다. 유전자의 독특한 생산물(즉, 단백질)은 신경분절 구역(neuromeric zone)내에서 발견되며 "화학적 문신(chemical tattoo)"의 한 종류로 생각되어진다. 신경분절(neuromere)로부터 유래한 모든 세포는 이러한 문신을 그들이 어디에 존재하든지 일생동안 가진다.

신경관(neural tube)밖에서는 신경능(neural crest), 외배엽(ectoderm), 중배엽(mesoderm)들이 이와 같은 방법으로 조직되어 있다. 신경능(neural crest)은 신경관(neural tube)내에서와 같이 신경분절 구역(neuromeric zone)에 해당되는 같은 유전학적 문신을 가진 신경 주름(neural fold)으로부터 방산된다. 만약 각각의 신경분절 구역(neuromeric zone)의 문신이 색부호(color code)로 표현된다면 신경능(neural crest) 세포들의 운명을 유전자 지도화 할 수 있다. 예를 들어 하악을 만드는 신경능(neural crest)은 3번째 능뇌절(rhombomere)에 해당되고 r3 부호(color)와 r3 부호(color; green)를 지닌다. r3 안의 V3의 핵도 마찬가지이다. 모든 신경능은 제1인두궁의 하악부분에 해당되며(PA1; 하악, 망치뼈(malleus), 모루뼈(incus), 유스타키안관의 내측부분) 녹색이다. 모든 근육을 만드는 근모세포(myoblast)는 r3 바로 맞은편에 위치하는 축방의 중배엽(mesoderm)으로부터 유래하며 체분절(somitomere)3(Sm3) 군으로 구성된다. 그러므로 저작근(구개긴장근, tensor veli palatini), 앞힘살근(anterior digastric muscle)은 모두 녹색이다.

특별한 신경분절 구역(neuromere zone)의 세포내용물(cellular content)에 영향을 주는 사건은 구역(zone)으로부터 기원되는 이 분야에 이상성을 만들어낼 것이다. 특별한 부분의 결핍상태(deficiency state)는 개열(cleft) 또는 부피(volume) 감소로 표현된다.

결핍 부분(deficient field)과 접해있는 해부학적 정상 부분(normal field)에서 이 병리(pathology)의 효과(effect)는 결핍으로 유도된 부분 개체의 잘못된 짝짓기(deficiency-induced field mismatch)라 불리우는 기계적 변형과 이후의 시간에 따

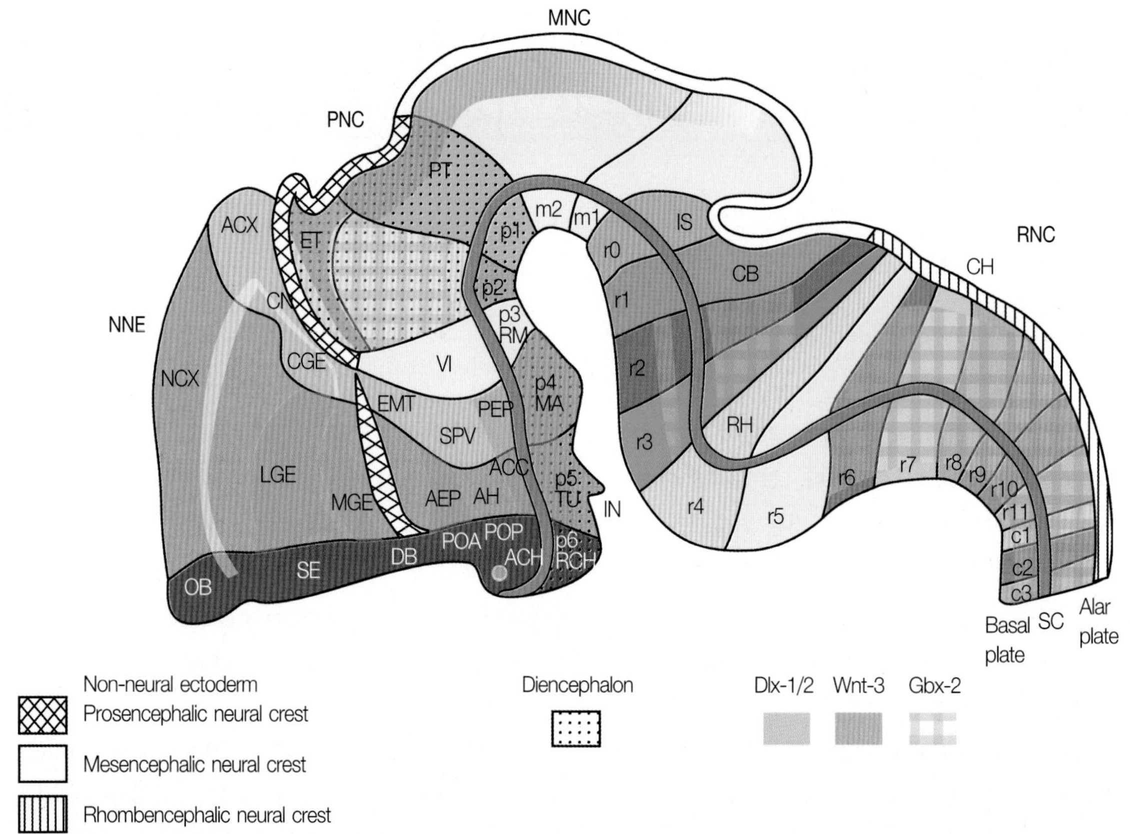

그림 11-70. 배아기 쥐뇌의 도식화된 색채 신경분절 지도. 뇌발달의 이전 모델은 전뇌를 4개의 신경분절 단위로 나누었다. Rubenstein-Puelles 모델에서는 전뇌를 6개의 전뇌절로 분류한다. 실제 기저 혹은 익상구역이 후뇌의 전방에 없다 할지라도 전뇌가 이 구역들의 동등량을 가진 것으로 간주하는 것이 편리하다. 이 구조에서는 간뇌가 지저 p1-p6와 익상 p1-3으로부터 기원한다. 종뇌는 익상 p4-6에서 기원한다. 기저구역 p6는 후뇌를 포함한다. 시각컵은 기저구역 p5에서 나온다. 익상 구역 p6, p5, p4는 대뇌를 구성한다. 2개 중할구는 중뇌를 생산한다: m1은 상소구를 포함하고 m2는 하소구를 포함한다. 능뇌는 12개의 능뇌절을 포함한다. 이들은 5개의 인두궁과 5개의 후두 체절을 생산한다. 인두궁의 기원은 다음과 같다: PA1=r2-r3, PA2=r4-r5, PA3=r6-r7, PA4=r8-r9, 그리고 PA5=r10-r11.(발생학 교과서에서는 PA5를 6번째로 간주하지만 5번째 궁의 소실에 대해서는 설명을 하지 않는다) 후두체절의 기원은 다음과 같다: r7=O1, r8=O2, r9=O3, r10=O4, 그리고 r11=O5. 척추를 생산하는 진성 경부체절은 첫 번째 수절과 그 이하에서 기원한다.

른 변화의 원인으로 여겨진다.

2. 코와 입의 해부

외과적으로 유효한 두개 안면골(craniofacial bone)과 연부조직(soft tissue)의 지도는 신경분절(neuromeric) 이론으로부터 유추할 수 있다. P5 신경능(neural crest)으로부터 그 진피층(dermis)을 얻는 이마와 코(비주(columella)와 인중(philtrum)을 포함한)의 표피는 내경동맥(internal carotid artery)의 말단분지에 의해 공급된다. 이것은(r2신경능(neural crest)으로부터 진피를 얻는) V1에 의해 신경지배가 된다.

r2신경능(neural crest)으로부터 진피를 얻는 전비 단위(frontonasal unit)를 둘러싸는 상순(upper lip)과 협부(cheek)의 표피는 외경동맥에 의해 공급(supply)되며, v2(제2 능뇌절(2nd rhombomere)에 위치한 핵)에 의해 신경지배가 된다. 비공(nostril)과 인중(cloumella) p5 피부(상부 부리 외배엽; upper beak ectoderm, UBE)는 p6 비 외배엽(nasal ectoderm, NE)과 결합한다. 휴지점(break point)은 비익 연골(alar cartilage)의 미부 가장자리(caudal margin)이다.

성형외과의사는 이 배아적인 상부 부리 외배엽/비 외배엽(upper break ectoderm/nasal ectoderm, UBE/NE) 이행 구역(transition zone)을 연골하 절개(infracartilagenous incisions)

를 사용할 때 이용해야 한다. 비익 연골(alar cartilages)은 p6 신경능(neural crest)으로부터 기원한다.

이들의 형태와 크기는 p6NE에 의해 프로그램 되어진다.

코의 초기 해부학적 분포를 보면 후각신경과 부신경(olfactory와 accessory neuron)을 포함하는 중심의(central) p6 판(placode)을 둘러싼 p5신경능(neural crest)으로부터 퍼져나가는 도너츠 모양과 같았다. 판(placode) 잔존체는 확실히 뇌에 인접해 있다. 신경능(neural crest) 증식(multiplies)으로서 p5 비골 피부 덮개(nasal skin envelope)는 외부로부터 밀리게 된다. 이 과정은 p6NE chamber를 만들고 소매에 내면(sleeve에 lining)되어 있는 것처럼 p5내부로 당겨진다. 또한 후에 p6 비(nasal) 연골이 p6NE 위에 생존해있는 반면 p5비골(nasal bone)은 p5 UBE아래에 남아있게 된다.

두개의 모든 골은 신경능(neural crest)으로부터 기원된다. 전체 Tessier(개열 일련,cleft series)을 포함한 많은 두개안면의 이상(abnomalities)은 신경능(neural crest)의 구역결함(zonal defects)으로 이해될 수 있다. 이 모형(model)에서 개체와 각각의 유도체들은 다음으로 요약될 수 있다.

전뇌 신경능(Prosencephalic neural crest, PNC)은 얼굴과 두개골 정상(skull roof; p6, p5, p4)의 비신경성 외배엽(ectoderm)으로 모여지는 판(sheet)로서 증식된다. 이것은 사골 복합체(ethmoid complex)와 비연골, 모든 전비골 진피(frontonasal dermis)와 골(bone) , 상내 안와(superomedial orbit)와 누골(lacrimal bone)을 만든다. 중뇌 신경능(Mesencephalic neural crest, MNC)은 분리된 줄기로 증식된다. 중뇌 신경능(Mesencephalic neural crest, MNC)은 각막(sclera)과 외안근의 근막, 내외 안와(inferolateral orbit), 접형골(sphenoid bone)을 만든다 .대부분의 후방 구역(posterior zone)으로부터 기원되는 세포는 서골(vomer)과 전상악골(premaxilla)을 만든다. 능뇌(Romboencephalic) 신경능(RNC)은 각각의 인두궁과 안와 체절(somite)을 제한하는 부분(segments)으로 증식된다(그림 11-71).

비(nose)의 내면(lining)은 정확히 경계(demarcated)된 형태를 갖는다. 격막(septum)과 직각의 사형판(ethmoid plate)을 덮고 있는 p6NE는 내경동맥(ICA)과 V1에 의해 공급(supply)된다. 그러나 서골(vomer)를 덮고 있는 점막(mucosa)은 r2'로부터 유래되며, 이것은 외경동맥(ECA), 접형구개골동맥(sphenopalatine artery)으로부터 공급되고 V2에 의해 신경지

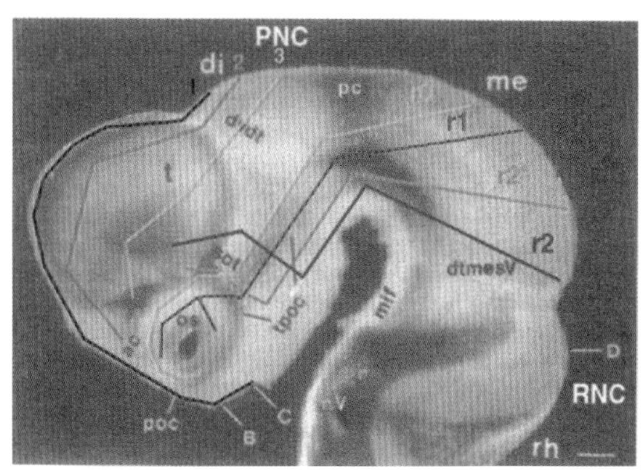

그림 11-71. 쥐 배아의 신경능 이동 경로

배(innervation) 된다.

구순열(cleft lip)의 일반형태에서 보여지는 외측(lateral) 이상구 오목(pyriform fossa)의 변형은(deformity) 혈액공급(blood supply), 신경지배(innervation), 배아 신경능 세포 기원(embryonic neural crest cell origin)의 접점(watershed)에서 발생한다.

골연골 비골 원개(nasal vault)의 신경능에서 기원하는 신경능(neural crest)은 필연적으로 두드러지게 된다.

상내벽[upper medial wall; 수직사골판(perpendicular ethmoid plate, PPE)과 septum]은 P6에서 유래된다. 하내벽[lower medial wall; 서골(vomer)과 전악골(premaxilla)]은 r2'에서 유래된다. 개열(cleft) 수술에서 가장 중요한 점은 원위 상악전방[distal; 전악골(premaxilla)(APm)]으로부터 기원되는 골격판(bony lamina) 이다.

상외벽(upper lateral wall)은 p6 유도체, 상비갑개(superior turbinate), 중비갑개(middle turbinate)를 포함한다. 사골미로(ethmoid labyrinth)의 앞에 위치한 것은 전두골(frontal bone)의 p5비골 돌기(nasal process)이다.

하외벽(lower lateral wall)은 r2' 유도체를 포함한다.

하비갑개에 접해있는 구개골(palatine bone)은 측상방돌기(lateral ascending process, API)라고 알려진 원위 상악(distal maxilla)의 판(lamina) 위쪽으로 돌출한다.

정상적인 비골바닥(nasal floor)의 봉합동안 r2' APm은 r2AI와 결합된다. 공통개열(common cleft)은 이 정확한 위치(site)에서 발생한다. 공통개열(common cleft)의 원인은 신경능 결합으로부터 조장된다. 이는 대부분 제2능뇌절(2nd rhombomere)로부터 방사되는 두개부분 세포로부터

발생된다.

이는 중뇌(mesencephalon)를 덮고 있는 r2' 중뇌 신경능(Mesencephalic neural crest, MNC)라 불리는 "live" 세포가 첫 인두궁(pharyngeal arch) 형성에 참여하지 않기 때문이다.

세포집단(cell population)의 변형(abnormalities) 또는 r2' 중뇌 신경능(Mesencephalic neural crest, MNC)의 역할은 중간 악골(premaxilla)의 형성에 최고의 영향을 준다.

기능적인 기질적 결핍은 하외측 이상구오목(inferolateral pyriform fossa)에 국한된 골 결핍 상태(osseous deficiency state) 그 자체로서 표현된다. 이 결핍상태 위치(deficiency state site)의 재구성은 기능적 기질 회복(Functional matrix repair, FMR)의 생리학적인 원리이다. 기능적 기질 회복(Functional matrix repair, FMR)은 신경분절 분야 모형(neuromeric field model)에 바탕 해서 구성되어 있다.

특별한 분야에서 이 결핍상태(deficiency state)는 개열(cleft)의 발생 또는 분할(division)의 원인이 될 수 있다. 이는 인접한 부분의 연쇄반응을 통해 개열의 원인이 될 수 있다[예, 구개에 의한 해부학적 부분의 잘못 짝짓기(cleft-induced field mismatch)].

해부학적 위치 교정이나 부피(volume) 회복을 위한 정리되지 않은 부분(deranged field)의 재배열(reassignment)은 기능적 기질 수술(functional matrix surgery)의 기본이 된다.

이미 정상적으로 발생된 부분의 구조(developmental field)를 이해함으로써 수술의 절개(incision)가 그들의 정상적인 관계를 잘 유지하고 잘못된 부분을 분리해 내도록 고안될 수 있다.

특별한 결핍구역(deficiency zone)으로부터 개열 문제(cleft problem)를 국한시킴으로서 재구성이 수행될 수 있다. 이 결과는 4차원적으로 인접 상대와 함께 더 오랫동안 정상적인 성장형태를 유도 해낼 수 있다.

II. 기능적인 기질 결함 : 개열의 병리

두개미부(craniocaudal) 형태로 발전되는 신경능(neural crest) 세포는 미부 전뇌(caudal prosencephalon)에서 시작된다. 또한 신경능(neural crest)은 일반적으로 이주(migration)로서 기술된다. 이러한 개념은 잘못된 것일 수 있다.

신경능(neural crest)에서 정착되는 길(pathway)은 단순히 해부학적 계획(plan)에 의해 확장(expansion) 되는 선택 집단(selective population)으로서 표현될 수 있다.

r1 신경능(neural crest) 뒤에 r2'로부터 안면을 향하여 앞으로 흐르는 전악골 신경능(premaxillary neural crest)의 경우에는 이미 내측안와(medial orbit)와 접형골(sphenoid)이 형성되어 있다. 이것이 r2' 중뇌 신경능(Mesencephalic neural crest, MNC)을 확장하는 안와의 뒤쪽에 이를 때는 어느 곳도 가지 않는다.

이것은 안와의 아래쪽에 국한되고 그래서 접형골골체전부(presphenoid)의 배(belly) 아래에 이른다. 그러므로 접형골골체전부(presphenoid)는 volumerine 구(groove)를 갖는다. 여기서 전악골(premaxilla)과 p6 수직사골판(perpendicular ethmoid plates) 아래 "catches a ride" 서골(vomers)의 신경능(neural crest)은 안면중선(facial midline)에 이르러 이들 아래를 향하여 자란다.

완전전뇌증(holoprosencephaly)로 알려진 전뇌 발달이상은 구역 p6에서 발생하고 일반적으로 수직 사골판(perpendicular ethmoid plate, PPE)의 부재를 포함한다. 완전전뇌증(holoprosencephaly)의 경우에는 단방향(unilateral) 또는 양방향개열(bilateral cleft)을 예상할 수 있다. 이는 r2' 전악골(premaxillary) 신경능이 적절히 발달 될 수 있는 능력이 없기 때문이다(그림 11-72).

전악골(premaxilla)은 두개의 독립적인 발달 구역(developmental zone)을 갖는다. 두 가지 모두 절치공(incisive foramen)에서 시작되는 공통 신경능 아체(common neural crest blastema)로부터 방사 된다.

구역 1은 내측 절치(medial incisor)를 포함하는 반면 zone 2는 외측 절치(lateral incisor)를 포함한다.

zone 2의 원위면(distal aspect)은 수직적으로 APm으로 알려진 판골(lamina bone)로 방향지어진다.

AP1과 유사한 구조는 상악골(maxilla)이 선도하는 변두리(leading edge)에 의해 생성된다.

영장류(primates)와 인류(humans)에서 APm과 AP1은 공통 외측 이상구(common lateral pyriform)로 융합되고 형성된다.

발달 과정상 늦은 r2' 신경능의 결함은 퍼올려진 하외(scooped-out inferolateral) 이상구(pyriform rim)를 남길 것이다. AP1은 정상이기 때문에 이상(pyriform)은 완전(intact)하

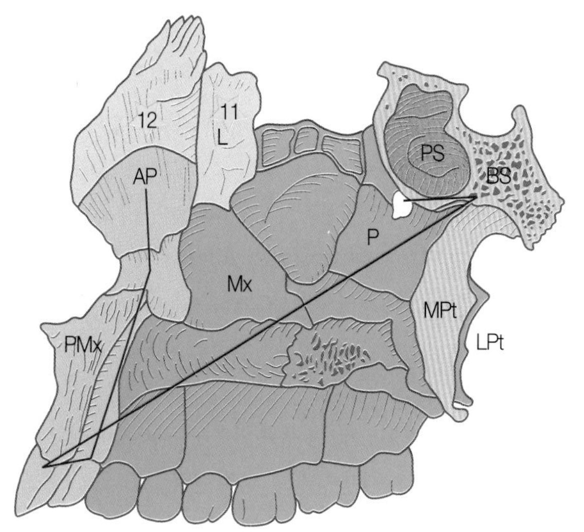

그림 11-72. 서골과 전상악골 형성. 이 r2' 신경능 덩이는 협부 근처에서 기원한다(중뇌와 후뇌의 경계). 이는 내상악동맥(접형구개돌동맥)의 종말 분지 근처에서 형성된다. 이는 발달중인 r2 구개골 위를 지나고 후자가 절흔을 형성하도록 촉진하여 2개의 돌기를 만든다(접형돌기와 안구돌기). r2' MNC 은 p6 수직 사골 판과 관계된다. 전상악골은 r2'서열의 가장초기 영역이다. 따라서 서골 결핍은 치조궁이 정상인 상태에서도 존재할 수 있다.

게 남아있다.

치주의 물질(substance)도 영향을 받는다. 그 결과 일차 구개(primary palate)의 개열(cleft)이 초래된다.

덮어 있는 연부조직은 또한 r2'의 결핍에 의해 영향을 받는다. 코와 인중(philtrum)의 피부(skin)와 진피(dermis)는 p5 외배엽과 신경능 간엽조직(mesenchyme)으로 부터 합성된다(그림 11-73, 74).

분야 해부학(field anatomy)은 연부조직 구개열의 분야를 이해하는데 중요한 열쇠가 된다(그림 11-75, 76).

원시 비공(primitive nostril)은 내(inner) p6 전정(vestibule)과 P5의 외 원형 돌기(outer circular prominence)로 구성된다.

후에 세포는 비골 전정(nasal vestibule)의 바닥(bottom)를 따라서 죽는다. 비강은 원시 구강(primitive oral cavity)과 합쳐지게 된다. 이 과정은 원시 후비공(primary nasal choana)을 형성한다.

입술 폐쇄(lip closure)를 위한 예비 경우(preparatory event)는 안쪽으로는 P5 내비 종괴(medial nasal mass)와 결합되고 원시 후비공(primary choana)의 간격(gap)을 교차하도록 고

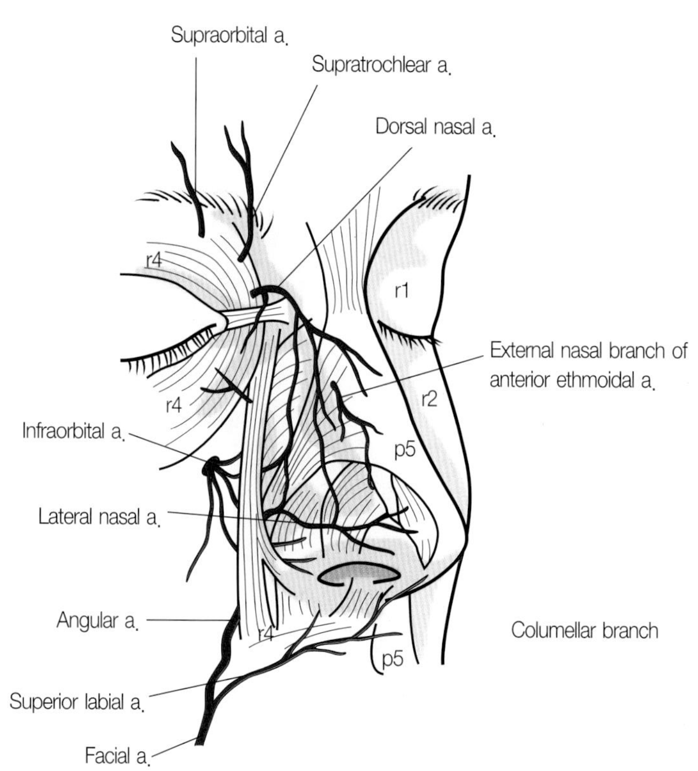

그림 11-73. 얼굴중간의 연부조직 영역. 전정 상피는 끝부분의 전뇌(p3영역)로부터 나오는 신경능에 의해 공급된 전정하 진피를 지지하면서 신경주름의 p6 비신경 외배엽으로부터 기원한다. 이마, 코, 소주, 인중의 피부가 p5 상피로부터 만들어 진다; 진피는 PNC(p2 구역)로부터 만들어진다. 얼굴 상부 피부(V2)=r2 외배엽 + r2 RNC 진피. 얼굴 하부 피부(V3)= r3. 얼굴 상부 근육= r4 축방 중배엽. 얼굴 하부 근육=r5 축방 중배엽. 얼굴 근육은 2단면이 있다. 심부 눈둘레(DOO)는 p5 인중과 r2' 점막사이의 면을 형성하고 연속적이다. 표층 눈둘레(SOO)는 p5 진피와 접하고 불연속적이다. 이 둘은 하부 입술에서 불연속적이다. 색: p6, 적색;p5, 옥색;r2' 청색/회색;r3, 녹색;r4, 오렌지색;r5 노랑색.

Trans-columellar inosion violates A0 fields

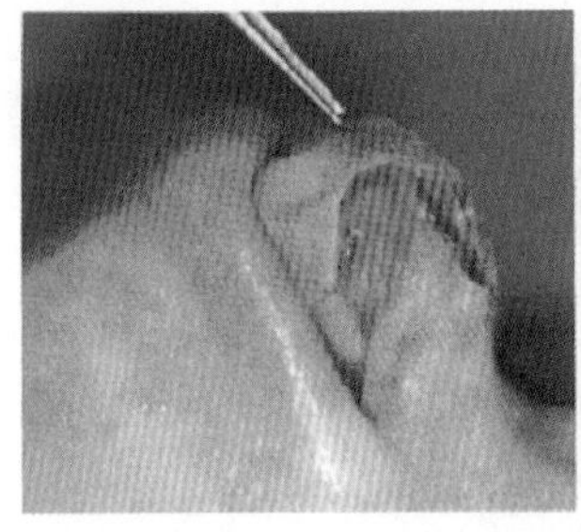

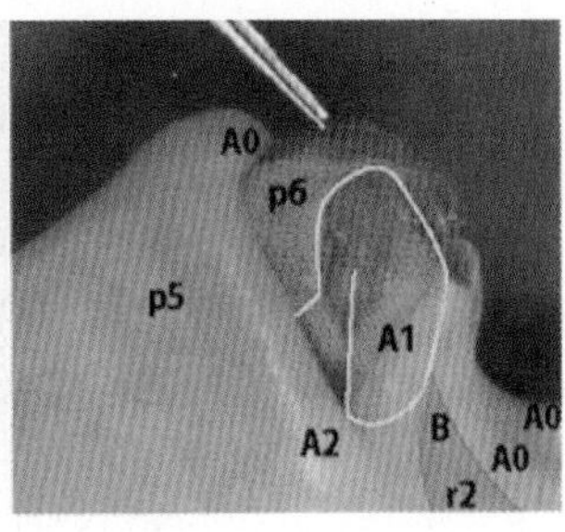

그림 11-74. 소주 해부학. 전사골동맥은 소주와 인중의 p5 피부를 공급한다. 소주를 가로질러 인중에 back-cut 절개를 가하면 이 발달상의 영역의 연속성이 파괴된다.

안된 조직 연결(tissue bridge)의 p5 외비 종괴(lateral nasal mass)에 의해 형성된다. 쥐(mice)에서 이 과정은 단지 4 시간 지속되고 대사 폭발(metabolic burst)을 포함한다. 더하여 이것은 저 산소 손상(hypoxic insult)에 매우 민감하다.

시모나트 밴드(Simonart's band)의 형성은 외 입술 요소(lateral lip element) B에 의해 구성되는 "연결(bridge)"로 구성된다.

이는 P5 간엽조직(mesenchyme)을 포함하는 전순(prolabial) A0 field에 이른다. 성장하는 과정으로서 B는 A0를 아래로 끌어당긴다. 연결(bridge)의 실패는 완벽한 구순열(cleft lip)에 이르게 한다.

그러나 B-field 이동이 없는 연결(bridge) 형성은 시모나트 밴드(Simonart's band)와 구순열(cleft lip)을 형성한다.

A0 없이 불완전한 B-분야 이동(field migration)은 시모나트 밴드(Simonart's band)를 두껍게 한다. 그러나 구순열(cleft lip)은 지속된다.

A0와 접해 있는 B-field는 동측외측(ipsilateral)으로 전순분야(prolabial field) 아래방향으로 당겨진다.

이 과정은 불완전하며, 불완전한 구개열이 초래된다.

p5 연부조직 구개열의 모든 형태는 r2' 신경능의 결핍, 비순개열(cleft lip nose, CLN) 결함(deformity)으로부터 초래된다.

일차적으로 입술 재건시(primary lip repair) 이 문제가 교정되지 못하면 필수적으로 재발이 초래된다.

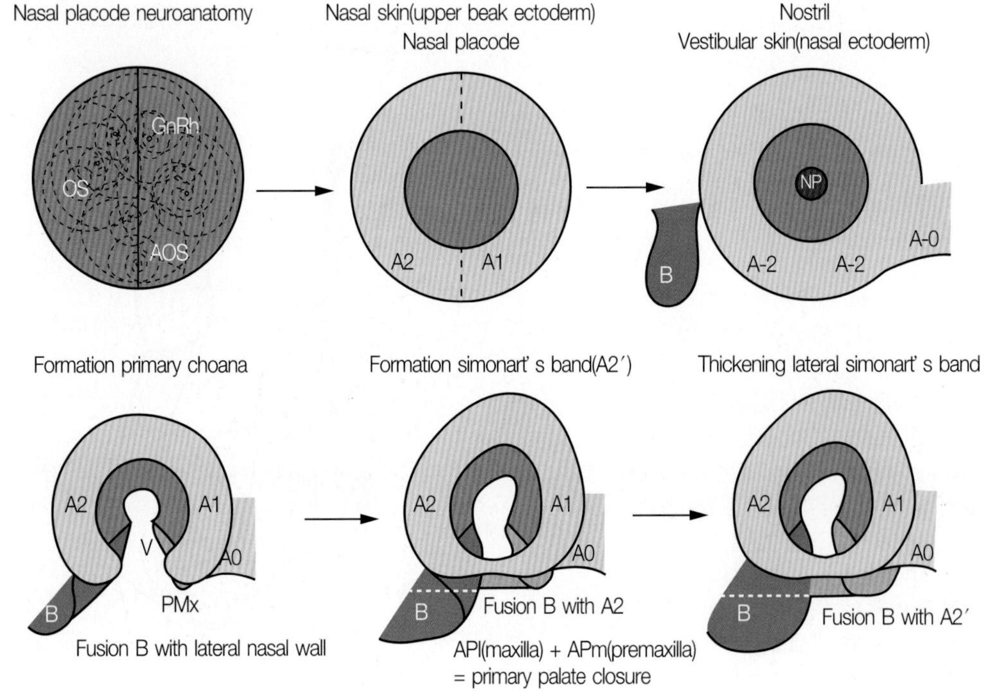

그림 11-75. 연부 조직 개열의 스펙트럼. r2'의 결핍은 코측부 간엽조직 A2의 p5 연부 조직 덥개에 영향을 준다. 후비공의 틈을 가로지르는 A2에서 A1까지 상피교형성은 측부 입술 요소B가 중간 p5 전순 영역(A0)에 도달하는데 필요하다. 개열 표현의 스펙트럼은 이과정의 각 시기에서 결함을 나타낸다.

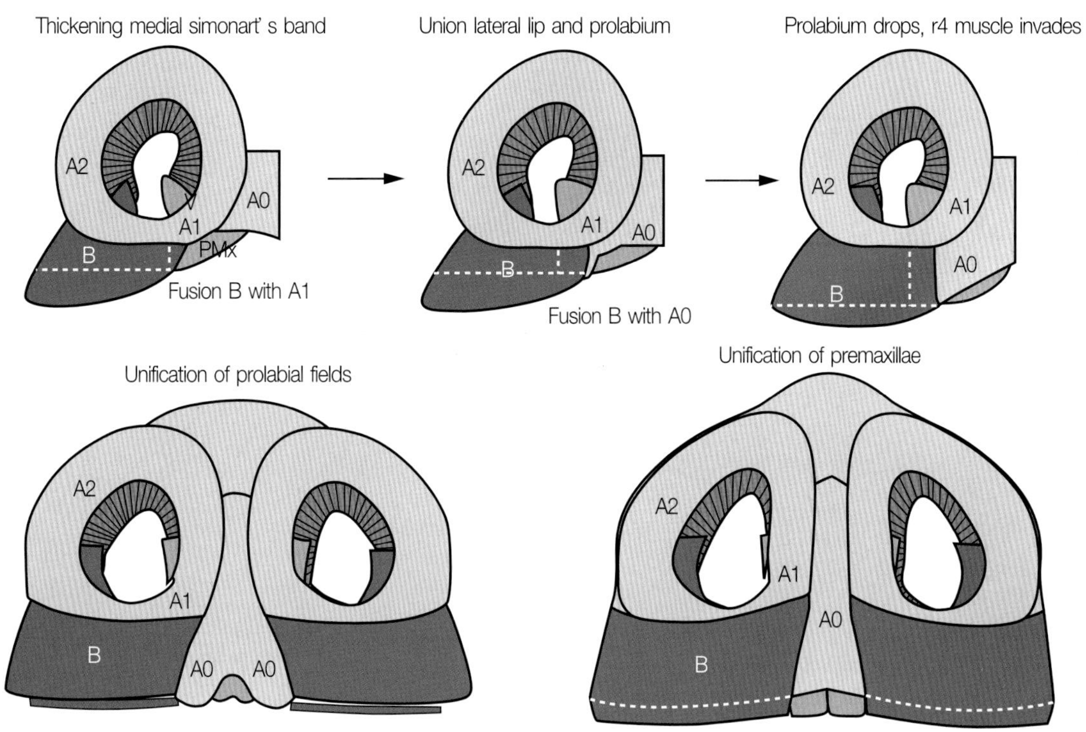

그림 11-76. 연부조직 개열의 스펙트럼(그림 11-75 참고)

III. 개열 위치의 병리 해부: 기능적 기질 수술의 해부 기초

일반적인 단방향, 양방향 cleft의 해부학적 특징은 이전에는 현재의 권위자들에 의해 기술되어졌다.

구순 상악 개열(labiomaxillary cleft)은 전악골(premaxillary)의 결핍상태로 발생되었으며, r2' 신경능으로부터 형성되었다(그림 11-77).

특별히 이것은 전악골(premaxillary)의 외측 절개 구역(lateral incisor zone)으로 포함된다.

결핍(deficiency)의 형성줄기는 분리된 비순개열(cleft lip nose, CLN) 결함(deformity)을 초래하는 전악골(premaxilla) 내상방 돌기(medial ascending process, APm)의 상향돌기(ascending process)에서 발생된다.

내상방 돌기로부터 결핍(deficiency)은 근위(proximal)의 구순 대 입술 방식(labial-to-lingual fashion)으로 있는 구역2의 치조골(alveolar bone)로 퍼져나간다.

구역2의 완벽한 상실은 이차구개(primary palate)에서 완전한 개열(cleft)을 생성해낸다.

APm 결핍은 비익저(alar base) A2의 연부조직(soft tissue) 수행에 영향을 준다. 특별히 A2의 능력은 일차 후비공(primary choana)의 간격을 교차(cross)하는 A1과 재결합할 수 있는 상피의 연결을 생성해내는 것이다.

또한 골의 연부조직의 모든 형태는 이 발달 부분(developmental fields)의 다양한 변이를 설명할 수 있다.

두 가지 예에서 결함(defect)의 위치는 전하 외 비벽(anteroinferior lateral nasal wall)에 위치한다.

비공 A2'의 피부에 내재되어 있는 외 비벽(lateral nasal wall) 결핍은 비익 저(alar base) A2의 원위연장(distal extension)을 형성한다.

이는 A2'가 이상구(pyriform rim)의 바로 내부에 삼각형 판으로서 파괴되어 남아있어 A1이 다다를 수가 없기 때문이다.

이 삼각형은 인접해있는 삼각형 피부판(triangular skin flap)의 원의 끝(distal tip) 바로 위, 외 구순 요소(lateral lip element) B의 원위 가장자리에 위치해있다.

A2', A2, B는 모두 외비벽(lateral nasal wall)에 내재되어 제거되고, 연부조직(soft tissue) 결핍으로 열려지게 된다. 이 과정은 정확히 기능적 기질 결핍(functional matrix deficit)으로

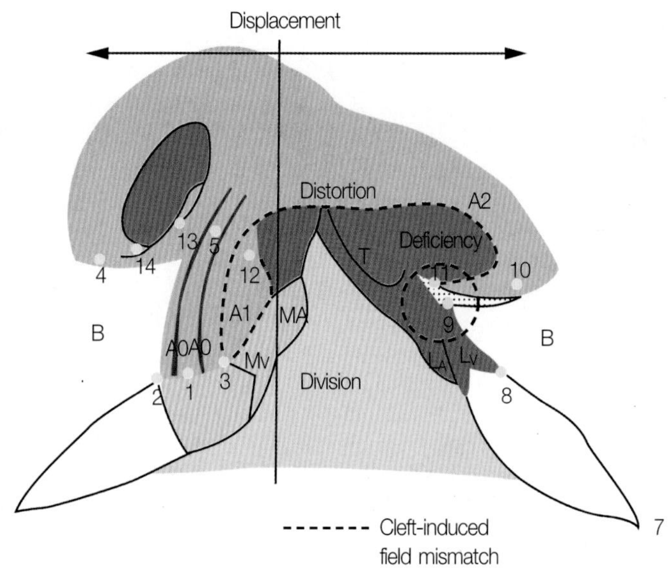

그림 11-77. 완전 구순열과 치조열의 병리 해부학적 구조는 r2' APm 구역위의 코측벽 결핍, 양측 익상 기저부의 비대칭적인 측부 전위, 중앙과 측부 입술 구성요소의 분리, 그리고 조직관계(p5/p6 개열로 인한 영역의 잘못된 짝짓기)와 구조(격벽)의 시간차에 의한 왜곡으로부터 기인한다. FMR에서 사용된 숫자가 표시되어 있다.

표현되어진다.

혈관화(vascularized)된 연부조직(soft tissue)으로 대치되는 것은 구역(zone)의 적절한 성장이 예상된다면 회복의 중요한 단서가 된다.

외측의 비간엽조직(lateral nasal mesenchyme)A2의 내측비간엽조직(medial nasal mesenchyme) A1의 결합실패는 A1이 인중으로부터 적절히 분리되지 못하게 한다. 그러므로 A1은 인중의 일부분으로서 융합되어 표현되어질 것이다. 또한 수술자에게 혼란을 주게 될 것이다.

A1는 코의 바닥에 위치하는 것으로 예상된다. 오랫동안 이 부분은 잘못된 발생을 해왔다.

왜냐하면 비익연골(alar catilage)의 발판(foot plate)은 A1 피부의 바로 아래에 위치해있고, 이는 또한 전악골(premaxilla)를 향하여 안쪽(medial), 아래쪽(inferior)으로 이끌어지기 때문이다.

개열(cleft)의 검은 구멍으로서 내각(medial crus)의 잘못된 위치(displacement)는 익상의 둥근지붕(alar dome)의 tip-defining 점을 주저하게 했다. 발전적으로 교정하기 위한 A1과 A0의 재배열은 자동적으로 비연골(alar cartilage)이 정상적인 진행방향으로 돌아오게 한다.

이는 비익연골(alar cartilage)/전정내면(vestibular lining)이 single p6 developmental unit이기 때문에, 이 plane에서 광범위 McComb-type 절개가 p5/p6 잘못 짝짓기 상황을 자유롭게 하며 기술적으로도 간단하고, 태생학적으로도 정확하기 때문이다.

왜냐하면 신경능(neural crest) 비연골(alar cartilage)은 그들의 프로그램을 p6 전정상피(vestibular epithelium)로부터 받고, 이들을 분리해내기 위한 수술적 시도는 기술적으로 어렵고, 또한 태생학적으로도 잘 알려져 있지 않기 때문이다.

연골전정단위(chondrovestibular unit)로서 비연골의 완전한 이동성은 하측연골(lower lateral cartilage, LLC)의 실제적인 모양이 Koken 부목으로서 수동적으로 재형성될 수 있게 한다.

비형성(nasal shaping)의 마지막 고려사항은 양 비익저(alar base)의 골막하이동(subperiosteal mobilization)이다.

양 비익(alar)은 빠르게 개열(cleft) 형성에 영향을 주고 또한 주위 연부조직(soft tissue)에 의한 발달동안에도 계속된다.

또한, 상악(maxilla)을 둘러싼 전체 연부조직(soft tissue)의 양방향변위(bilateral displacement)는 뼈의 형성에 중요하게 발생한다.

골과 연부조직(soft tissue)은 측면화 상태(lateralized state)

로 가상적으로 함께 묶여있다.

골막하(subperiosteal)의 노출은 공간(space)에서 기질적 기질(functional matrix)를 재위치시키며, 긴장(tension) 없이 안면(face)에 적절히 위치시킬 수 있게 한다.

막성화 뼈(membranous bone)는 빠르게 새로운 환경에 이를 적응하게 하는데 이에 따라서 골막하 완화(subperiosteal release)는 두 가지 부가적인 목적을 이루게 한다. 첫 번째는 그것의 뻗쳐진(stretched out) 상태로부터 비익연골(alar catrilage)의 외각(lateral crus)을 정확하게 노출시키는 것이고, 두번째는 정확한 근육의 인지(identification)와 재건(reconstrution)을 가능하게 하는 것이다.

이전의 의사소통은 외과적 디자인의 중요성과 골막하의 생물학적 구조를 포함한 기초과학을 묘사했었다.

협고랑 절개(Buccal sulcus incision)와 상위골막절개(supraperiosteal dissection)는 코의 막성뼈(membranous bone) 침착과 흡수가 발생하는 골막(periosteum)의 형성층(cambium layer)의 혈류공급(blood supply)에 손상을 주었다.

Veau-Wardill 구개성형(palatoplasty) 절개(incision)는 치조(alveolus)와 치주낭(dental sac), 맥관계 손상과 같은 유형으로 영향을 준다.

그러므로 모든 골절과 연조직 개열(cleft)은 이러한 발전 단계에서 변형으로 설명된다. 이 두 가지의 경우에서, 문제의 장소(locus)는 코의 전하측면벽(anteroinferior lateral nasal wall) 비익 연골(alar cartilage)에 남게된다(즉, 이상와 내부와 하비갑개의 맞은편의 기능성 매트릭스).

비외측면(Lateral nasal wall)의 결함은 비익저(alar base) A2의 말초 연장으로 형성된 콧구멍 A2'의 피부에 문제를 야기시킨다. 그것은 A1에 도달할 수 없기 때문에, A2'는 이상구(pyriform) 테두리 안에서 삼각형의 피판(triangular flap)으로 "난파" 되어 남게 된다. 이 삼각형은 측면 입술 요소 B의 말초 가장자리(distal margin)인 인근의 삼각형 피부 피판(flap)의 가장자리 첨부(distal tip)의 위에 위치하게 된다. A2', A2와 B가 측면 코벽 위에서 잡히게 된 위치로부터 모두 제거될 때, 연조직 결함이 열리게 된다. 이 과정은 기능성 기질 결함을 정확하게 보여주는 것이다. 이 지역에서 적절한 성장이 앞으로 예상된다면 치료에 중요한 열쇠가 된다.

코의 측면 간엽조직(lateral mesenchyme) A2가 코의 중간 간엽조직(intermediate mesenchyme)A1과 결합하지 못하는 것은 A1이 인중(즉 동측의 A0 부위로부터)에서 적절하게 분리되지 못하는 결과를 가지고 온다. 그래서 A1은 인중의 일부로서 보이게 되어 수술자를 혼동시킨다. A1은 코의 바닥에 남으려고 한다. 시간이 지남에 따라, 이 맞지 않는 부위는 늘림과 뒤틀림을 만든다. A1의 피부 아래에서 비익 연골(alar cartilage)의 발판이 남아있기 때문에, 그것은 아래로 끌려가서 전악골(premaxilla) 쪽으로 안으로 들어가게 된다. 개열(cleft)의 검은 구멍 안으로 내각(medial crus)의 이동은 비익돔(alar dome)의 tip-defining 점로 이동시킨다. 정확한 전개 관계로 A1과 A0의 재배치는 자동으로 비익 연골(alar cartilage)을 정상적인 진행방향으로 돌려놓는다.

코의 해부는 A1 부위 방출과 연계하여 연골하(infracartilagenous) 절개에 관여한다. 비익 연골(alar cartilage)/전정 내면(vestibular lining)이 단일 P6 전개 단위이기 때문에 이 단계에서 넓은 McComb-type 해부는 p5/p6 부조화 상태를 풀어주게 되고 이는 기술적으로 간단하고 발생학상으로 정확하다. 신경관 코 연골이 p6 전정상피(vestibular epithelium)에서 그들의 프로그램을 받기 때문에, 그것들을 분리하려는 의학적인 시도는 기술적으로 어렵고 발생학적으로 타당하지 않다.

연골전정(Chondrovestibular) 단위로서 비익(alar) 연골의 완전한 동원으로 하부 측면 연골(lower lateral cartilage, LLC)의 실제 모양이 Koken 부목(Porex Corp., Newman, Georgia)으로서 수동적으로 회복된다. 이 모든 것이 봉합(suture)의 지원을 위해 올바른 위치로 내각(medial crura)과 결합할 수 있도록 돕는다.

코의 모양(nasal shape)을 위한 마지막 고려는 양쪽 비익저(alar base)의 하부 골막성(perimembranous)동원이다. 두 개의 비익(alae)과 개열(cleft) 생성 위에 둘러싼 연조직에 의해 전개 중에 빨리 영향을 준다. 게다가, 전체 연조직의 양쪽 자리 이동은 뼈의 생성 이전에 상악(maxilla)이 상당히 발생하는 중에 전개된다. 골질과 연조직은 설명하자면 잘못된 상태에서 같이 움직이지 못하게 된다. 하부 골막성 완화(release)는 공간에 기능적 기질을 다시 위치시키고 긴장 없이 적절한 중앙화를 이루게 된다. 막을 형성하는 골질은 이 새로운 환경에 빨리 적응한다. 하부 골막성 완화(release)는 두 가지의 추가적 목적을 달성한다. 첫 번째로 그것은 그 "팽창된" 상태에서 비익(alar) 연골조직의 측면 각(crus)을 확실하게 풀어준다. 두

번째로 그것은 정확한 근육의 인식(identification)과 재구성을 허용한다.

예전에는 하부 골막성 생태에 속하는 기본적인 과학과 외과 다지인의 중요성에 대해 상세하게 다루어왔다. 협부 고랑(Buccal sulcus) 절개와 하부 골막성 해부는 비해부학적이며 막을 형성하는 골질 위치 이동과 흡수가 정확하게 일어나는 곳에서 골막(periosteum)의 형성층(cambium)의 피 공급에 도움을 주지 못한다. VeauWardill 구개성형(palatoplasty) 절개는 치조(alveolus)와 치주낭(dental sac)에 같은 유형의 맥관구조(vasculature) 분열에 영향을 준다. 이 두 가지 절개의 조합은 Schweckendieck의 중요한 연구결과를 설명한다. 치조확장 구개성형(Alveolar extension palatoplasty,AEP)은 이러한 사안에 답이 될 수 있고 동시에 전체 점막성 골막(muco-periosteal) 전개 분야를 사용하여 상당히 큰 피판(flap) 길이를 제공한다. AEP 피판(flap)은 문제가 있는 전방 누공(anterior fistulae)의 발생을 예방한다.

치조열(Alveolar cleft)의 외과적 통일은 기능성 기질 수술의 목표이다. 개열 장소에 가공되지 않은 뼈는 반드시 문제를 일으킨다. 그러므로, 치조열(alveolar cleft)의 가장자리(margin)는 빠진 치조의(alveolus) 생산을 위하여 대부분의 고유의 형성층(cambium)을 포함하고 있다. 그들의 잘못된 측면으로 이동된 위치에서 점진적인 점막성골막 피판(mucoperiostea flap)의 하부 골막성 융기는 치조 점막골막(alveolar mucoperiosteum)과 같이 연속적으로 수행될 수 있다.

위에서처럼, 빠진 내면(lining)은 안쪽으로 돌아갈 수 있고, 반면 바깥 쪽의 피판(flap)은 커튼처럼 가운데 선으로 같이 모아진다. 결과의 점막골막(mucoperiosteal) "상자(box)"는 살아있는 뼈세포(osteocyte)와 혈괴(clot)를 포함하게 된다. 활주 고랑(Sliding sulcus) 치료로 설명되는 이 골막성형술(periosteoplasty)기술은 긴장 없이 넓은 개열(cleft)의 봉합을 가능하게 한다. 수술 후 부목(Postoperative splinting)이 궁상 형태를 위하여 사용될 수 있다.

미래를 위하여 상자(box) 개념은 흥미로운 암시를 준다. 지연되는 치조열(alveolar cleft) 재구성의 경우, Dr. Martin Chim 등에 의한 재조합 인간뼈 유전자 단백(recombinant human bone morphogenetic protein, rh BMP-2)의 성공적인 적용은 같이 이식하는 장골능 뼈(iliac crest bone)를 제거하는 가능성을 제공한다. 장소에서의 골질의 품질은 또한 다를 수 있다. 막을 형성하는 치조골질(Membranous alveolar bone)과 순수한 골세포는 신경관에서 파생된다. 늑골과 장골은 측면 판 중배엽(mesoderm)에서 형성되는 연골(chondral bone)이다. 적은 양의 Rh BMP-2가 최초 골막성형술(periosteoplasty)에 있어서 궁상의 단일화에 부속으로 사용될 수 있다.

Ⅳ. 수술 원칙 및 기술

개열(Cleft) 수술은 실제로 4차원의 접근이다. 그러므로, "새로운 개열(cleft) 수술"의 목표는 생물학적인 견지에서 접근해야 한다. 즉, 골격의 발달을 통한 유아 시기부터 해부학적 내용물의 복원과 모든 발달 분야의 성장 가능성이 그것이다. 다음의 원칙이 치료의 지식적 기본을 형성한다:

원칙 1: 개열(cleft) 상태에 관련 있는 모든 병리적 과정을 정정한다. 그것들은 다음과 같다 (순서별로). (1) 연조직의 결합 상태와 (결과적인) 골질, (2) 달리 결합된 구성의 분야 (3) 개열부위에서 활동하는 비균형적인 힘의 방향에 의해 야기되는 조직의 이동, 그리고 (4) 시간이 감에 따른 조직의 뒤틀림. 이러한 모습을 단순히 병리학으로 다루지 말고 그 이유를 다루기 바란다.

원칙 2: 태아분리계획(embryonic separation plan)을 존중한다. 얼굴의 막을 형성하는 골자체로는 "스스로 성장하지" 않는다. 그들은 골막(periosteum)의 형성층(cambium layer) 내에서 신경관 세포에 의해 생성된다. 골막은 골질이 아니라 기능성 기질에 속한다. 그러므로, 정확한 태아 절개의 위치는 하부 골막성(subperiosteal)이다.

원칙 3: 골합성 형성층(osteosynthetic cambium layer)의 혈액 공급을 준수한다. 골막상면(Supraperiosteal plane)의 절개는 그 정상적인 혈관해부학(vascular anatomy)을 파괴한다. 전통적인 협부고랑(buccal sulcus)의 연속적인 사용과 구개성형술(palatoplasty) 절개로 일어나는 층의 혈관 분리(vascular isolation)는 Scheckendieck에 의해 보고된 연구결과를 설명한다.

원칙 4: 개열부위(Cleft site)에서 작용하는 모든 힘의 방향을 정상으로 위치한다. 특히 치조의 선반(alveolar shelf)과 같은 분리된 해부 조직의 재결합은 상악골 성장(maxillary development)을 위해 중요하다. 성장 요인은 분리의 상황에서 같을 수 없다.

원칙 5: 그 올바른 위치로 모든 전개 분야를 재배치한다.

원칙 6: 정상적인 성장을 얻기 위하여 완전히 기능적 매트릭스를 재구성한다. 이것은 원칙 1에서 원칙 5까지의 요약이다.

수술은 표기(marking), 5단계의 절개, 그리고 5단계의 봉합으로 구성된다.

표기

부종(swelling)의 방지를 위한 위한 스테로이드(corticosteroid)와 항생물질이 투여된다. Tegaderm 패취는 눈을 보호하지만, 전체 얼굴의 시각화(visualization)을 허용한다. 인후두충전을 시행한 후 비강 수술을 준비하기 위하여 마취 준비 한다. 본 저자는 epinephrine (1cc/kg = 최대 투여량)과 같이 0.25%의 Marcaine(bupivacaine hydrochloride)을 사용하여 익돌구개와(pterygopalatine fossa)에서 V2를 막는 것을 선호한다. 측면 당 약 3~4cc 정도면 충분하다.

정정된 Millard 기호 시스템이 사용된다. 끌어낼 첫 번째 지점은 흰색 원통과 같이 정상적 인중관(philtral column)의 접합부인 점 2이다. 점 3은 흰색 원통을 따라 점 2에 중앙으로 6-8mm에 위치한다. 점 2와 3의 거리는 인중(人中, 즉 2개의 A0 field의 폭)의 폭이다. 점 1은 단지 인중의 중심점이다. 측면 입술 요소 9의 끝부분은 측면 코벽 피부의 끝 부분에 위치한다. 이것은 전비갑개(anterior turbinate)를 하비갑개로 유발시킨다. 이 시스템에서 추가적인 점들은 점 11에서 14까지이다. 이 모든 것들은 콧구멍 바닥을 계획하는 것과 관련이 있다. 점 11은 미래의 콧구멍 문턱의 끝을 표시한다. 이 피부 피판(flap)은 측면 코벽에서 들러붙어 남게 된다. 이것은 비익저(alar base) A2와 연속성을 가지기 때문에, 콧구멍 문턱 피판(flap)은 A2'라고 불린다. 점 12는 경계표로서 하퇴발판(inferior crus footplate)의 돌출부(bulge)를 사용하여 지주(columella)의 "어깨"를 표시한다. 이 포인트는 다른 면 위의 발판인 점 13에 관련하여 꼬리쪽으로 그리고 안으로 위치된다.

점 14를 이용하여, 의사는 매우 정확한 삼각형 문턱을 측정할 수 있고, 이 삼각형을 개열(cleft)면 측면 코벽에 이동시킨다. 개열(Cleft)면 위의 인중의(philtral) 높이는 확인이 가능하다. 점 13에서 2까지의 거리는 점 12에서 3까지의 거리와 같아야 한다.

V. 수술 순서

1. 측면벽 절개

측면 입술을 긴장시키기 위하여 하나의 고리(hook)를 사용하여, 전비갑개(anterior turbinate)에서 하비갑개(inferior turbinate)로 점 8에서 점 9까지 피부 점막 끝자리를 절개한다. 그리고 나서 비익저(alar base)의 중앙점인 점 10 부분에서 절개가 행해진다. 이 과정은 비익저(alar base) A2에서 측면 입술 요소 B를 분리시킨다. 이 절개는 긴장을 잃지 않게 하기 위하여 피부를 통해서만 진행된다. 입술에서부터 내측홍색피판(medial vermillion (Mv) flap)이 잘리고, 치조열(alveolar cleft) 가장자리로 절개되어 내려간다. 결절(tubercle)이 나중에 형성되는 것을 돕기 위하여, 삼각형 Noordhoof 홍색피판(vermillion flap)이 입술가장자리(lip margin) 위에 남게 된다. 그런 다음, Lv 절개가 치조(alveolus)로 수행되어 그곳에서부터 연속성의 점막성골막판(mucoperiosteal flap) L_A가 올라가게 된다. 결합된 L 피판은 이제 개열(cleft)로 돌아간다. 그런 다음 측면 이상구(pyriform) 벽의 남은 피부로 다시 주의를 돌린다. 삼각형 콧구멍 문턱 피판 A2'는 콧구멍 문턱에서 만들어진 측정을 사용하여 측면 코벽에서 절단된다. A2'의 바닥은 비익점(alar base) A2의 연속선 상에 있다. 피판이 접힐 때, 점 10에서 11까지의 거리는 점 4에서 14가지의 거리와 같다.

측면 입술 가장자리(margin)는 이제 입력되었고 입둘레근(orbicularis oris)은 그 깊은 수축제(constrictor)와 추상적인 확장제(dilator) 요소 Park과 Ha가 설명한 대로 분할된다. 지방층은 편리하게 기저의 표피적인 입둘레근(overlying superficial orbicularis oris, SOO)에서 J-모양의 심층의 입둘레근(deep orbicularis oris, DOO)을 분리한다. 이 두개 근육면(muscle plane)의 미부 가장자리(caudal margin)는 흰색의 원

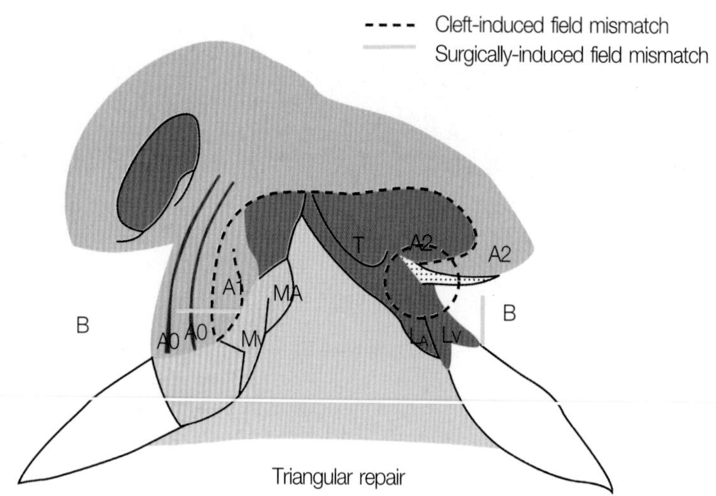

그림 11-78. FMR과 삼각모양 수복과의 비교. 전통적인 기하학적 디자인은 개열 병리를 설명하지 못하며, 수술적으로 야기된 영역 잘못 짝짓기를 내포하며, 소주-인중 단위의 혈관완전성을 파괴한다.

통에 부합한다.

2. 중앙벽 절개

미래의 개열면 인중주(cleft-side philtral column)의 모든 중요한 위치는 정상적인 인중주(philtral column)에서 6-8mm 정도 떨어져서 점 3을 표시함으로 결정된다. 인중(각각 은 전접형동맥(anterior ethmoid artery)의 개별적 가지에서 공급됨)의 두 개 A0 field는 점 2와 3 사이에 놓일 것이다. 긴장을 주면, 피부와 점막은 점 3에서 작은 기둥(columella)의 기저부로 절개된다. Mv의 절개된 피판은 그 점막성골막(mucoperiosteal)의 파트너인 M_A와 연속적으로 절개된다. 여기서 M_A의 폭은 L_A의 폭을 보완하기 위하여 의도된다. 다시, 남은 입술 가장자리(margin)는 Noordhoff 피판을 견디게 된다. 결합된 L 피판은 개열가장자리(cleft margin)로 반영된다. 전순(Prolabial) 입술 요소가 피상적 입둘레근(orbicularis)층을 포함하고 있지 않

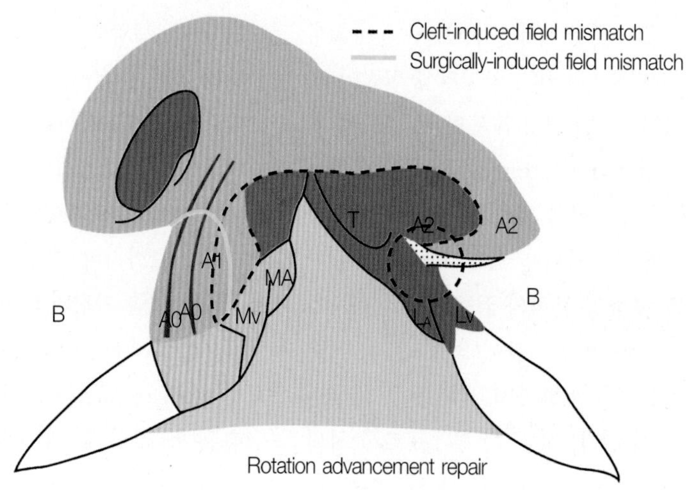

그림 11-79. FMR과 회전-진행 수복과의 비교. 전통적인 기하학적 디자인은 개열 병리를 설명하지 못하며, 수술적으로 야기된 영역 잘못 짝짓기를 내포하며, 소주-인중 단위의 혈관완전성을 파괴한다.

더라도, 심층의 입둘레근을 덮고 있는 피하 연조직에서 분리되어, 그것은 결국 그 측면 상대물에 봉합될 수 있다.

3. 전순 코 절개

A1 콧구멍 바닥에서 A0 전순(prolabium)을 분리하면서 정확하게 표시하고 절개하려면 Cronin 비견인기(Padgett Instruments, St. Louis, Missouri)를 사용하여 해부 위치에 코의 끝을 조심스럽게 위치시켜야 한다. 동시에, 단일 고리(hook)를 사용하여 전순(prolabium)은 아래 쪽으로 직각 방향으로 긴장된다. 점 3으로부터의 절개는 비주(Columella)의 바닥으로 실행되고, 그리고 그 측면으로 수행된다. 절개는 비익(alar) 연골조직의 내각(medial crus)의 미측 경계선(caudal border)을 따라 정확하게 진행된다. (즉, 비주의 "코너" 뒤에서 2-3mm). 비주(Columella)의 등 부위 끝(dorsal terminus)까지 절개한다. 이곳은 비익(alar) 연골조직의 중간 하퇴(intermediate crus)의 위치이다. 이 조직을 따라서 비주(columella) 절개는 기본적인 연골하(infracartilagenous) 절개로서 콧구멍으로 이전된다. 이 과정은 쉽지 않다 이제 다시 그룹을 지어야 한다.

중각(Intermediate crus)의 미골경계선(caudal border)을 따른 절개는 다음의 조작에 의해 매우 용이하게 된다. 즉, 하각(inferior crus)의 완전한 독립이다. 작은기둥(Columella)의 절개와 평행하는 두 번째 절개가 그 중간 지점 막성 중격(membranous septum)에서 시작된다. 이 절개는 아래 방향으로 수행되며 점막에서 남은 A1 피부를 분리한다. 사실, 이 가정은 내각(medial crus)의 두개골(cranium) 양상을 규정한다. 이제 A1은 연골피부판(chondrocutaneous flap)이며, 이것은 발 모양을 닮았다. 긴 발가락 부분은 전순 가장자리(prolabial margin)로 전면 아래로 이어지고, 뒷 부분의 뒷꿈치 아래에는 비익발판(alar footplate)이 놓여있다. 이것은 표시된 12를 만든다. A1의 "뒷꿈치"를 잡음으로서 내각(medial crus)의 내측면(medial aspect)으로 즉각적인 접근이 가능하다. 이것은 안전한 면이고 동측의 전접형동맥(ipsilateral anterior ethmoid artery)을 방해하지 않고 들어올 수 있다. 이제 이 곡선인 가위로 절개가 바로 코의 끝 비익 연골조직에서 수행된다.

A1의 상승(elevation)은 또한 각 면에서 자유로운 미부 중격(caudal septum)을 노출시킨다. 그런 다음, 약 1 - 1.5cm로 상악능(maxillary crest)에서 예리하게 절개되고 중앙 라인으로 들어온다. 결과는 격벽(septum) 개열에 의한 뒤틀림(cleft-induced distortion)을 완전히 수동적으로 다시 구성하였다. 성장이 진행됨에 따라, 중앙에 위치한 중격(septum)으로부터 코의 끝을 당기는 힘은 없어졌다.

이 접합점에서, 기본적인 연골하(infracartilagenous) 절개가 이루어진다. 이 절개는 하비갑개(inferior turbinate)의 수준으로 계속 이루어진다. P6 전정상피(vertibular epithelium)는 p5 코 피부에서 완전히 자유롭게 된다.

이제, 성형외과의사는 중간과 측면 방향 모두에서부터 비익 연골의 중간부분(intermediate crus)에 접근할 수 있고 그것을 상승(elevation)할 수 있고, 정확하게 그 미부(caudal border)를 따라서 이전 절개를 끝낼 수 있다.

이제 "개방-폐쇄(open-closed)" 코 성형술 접근법은 광범위한 노출을 가능하게 하여, 태생적 분야 분리 계획(embryonic field separation plan)을 이용하여 등배의 비피부봉합(dorsal nasal skin envelope)의 McComb 절개를 수행한다. 깊은 층은 p6 전정상피(vertibular epithelium)와 p6 신경능(neural crest) 연골을 구성하며, 그것으로 피 공급은 내경동맥(ICA)에 의하여 아래로부터 이루어진다. 피상적인 층은 p5 코 피부이다. 이 층으로 피의 공급 또한 내경동맥(ICA) 유도에서 기인한다. 이 두개의 층 사이에 위치하는 것은 능뇌절(rhombomere) 4로부터 파생되는 두 번째의 아치이다. 근육은 r4 PAM myoblast(근원세포)에서 근원한다. 이것들은 r4 신경능(neural crest) 근막(SMAS)에 의해 구획된다. 피의 공급은 얼굴 대동맥(ECA)에서 이루어진다.

4. 비개골 피판

바로 위의 하비갑개(inferior turbinate)를 결정하는 연골하(infracartilagenous)절개는 이제 A2' 콧구멍 문턱 피판을 일으키기 위한 것과 연결된다.

이것은 뼈의 이상구(bony pyriform aperture)의 level로 완전두께완화(full-thickness release)이다. P5 코 피부는 이제 두개(cephalic) 방향에서 그 잡힌 위치에서부터 멀어진다. 남은 것은 하비갑개(inferior turbinate)의 앞에서 바로 위치한 대략적으로 부메랑의 모습으로 된 죽은 공간이다. 이 공간으로, 앞으로 위치한 비갑개피판(turbinate flap)이 Noordhoof에 의해 설명되었듯이 180도 회전한다. 남은 문제는 점막피판(mucosal flap) L_V에 의하여 커버될 수 있다.

5. 구강 내 절개

턱뼈 위 하부 골막성 절개는 개열면 이상구 가장자리(cleft-side pyriform margin)에서부터 돌출부(buttress)까지 연장된다. 45도 돌출부의 후부 절단이 수행된다.

추가된 잇몸(gingiva)이 완화(release)된다. 피판(Flap)은 골막(periosteum) 자리에 의하여 약간 가파르게 부여되면서 그 아래 표면 위에서 덮여진다. 돌출부 밖으로 이상구 가장자리(pyriform margin)로부터 연속되면서 골막(periosteum)을 따라 잇몸선에 수평인 상대 절개(counter incision)가 만들어지면 전체 고랑(sulcus)은 그에 따라 이완(release)될 것이다. S 피판은 두 개의 치아 단위를 움직이게 한다. 이것은 긴장없이 수동적으로 치조열(alveolar cleft)에 도달한다. 측면 코벽은 마찬가지로 이상구 가장자리(pyriform margin)에서 분리된다. 그래서 코뼈를 따라 줄곳 궁상 선으로 그 덮고 있는 골막(periosteum)에서 반대편 절개선(counter incision)이 만들이진다. 이러한 방식으로, 측면 코의 결함이 완전히 없어진다.

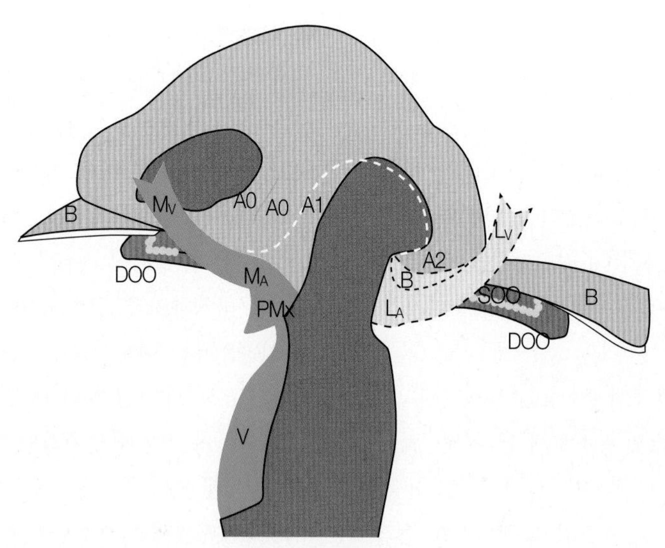

Unilateral cleft : functional matrix incisions

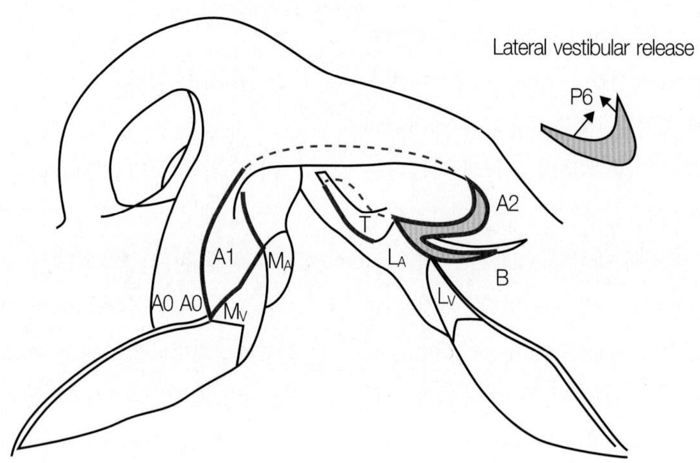

그림 11-80. 구강외 박리. (A) 절개 방향 (B) 연부조직 박리. 윤상근은 측부 입술에서 양면상이지만 전순은 오직 하나의 DOO만을 갖는다. 측부 입술요소로부터 기인한 SOO는 전순의 p5진피와 가깝다.

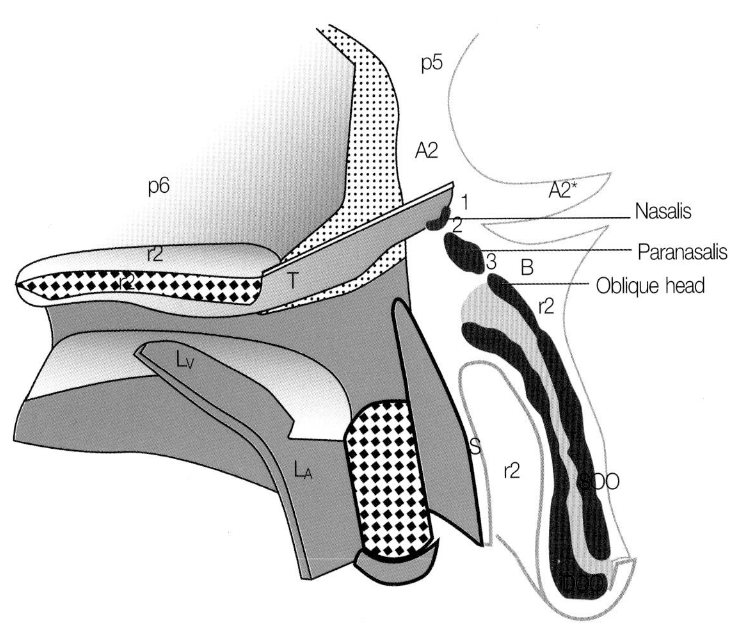

그림 11-81. 측벽박리는 연골하방 절개에 의한 방법으로 비갑개 높이에서 r2로부터 p6와 p5를 유리시키고 p5 코피부로부터 p6전정 피부를 유리시키도록 고안되었다. 삼각모양 결핍은 Noordhoff 비갑개피판과 Lv 홍순피판으로 재건된다. 3개의 주요 근육구조가 표시되어 있다. : (1) 코근육들은 익상 기저위치에서 수직과 전후상으로 동측격벽에 봉합된다. (2) 윤상근으로의 올림근의 부착은 중앙화를 위해 반대로 봉합된다. (3) SOO의 사두는 A0영역의 마지막 중간위치에서 소주로 봉합되어 입술의 미적인 형태를 만든다.

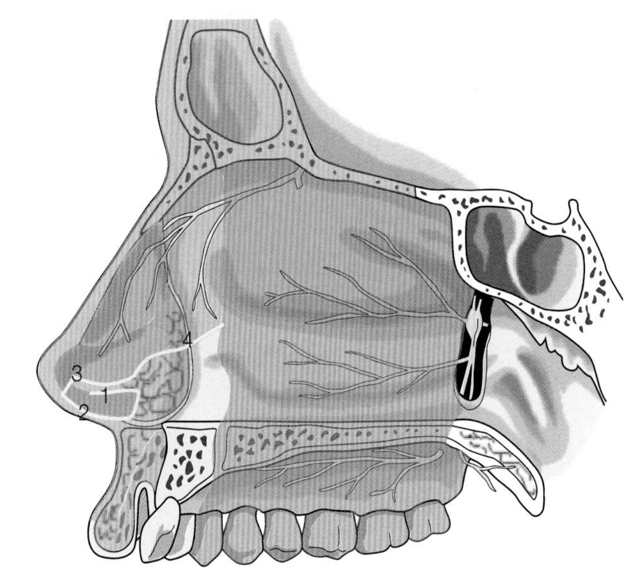

그림 11-82. 코내부 영역(p5/p6) 내측과 코내부 박리는 4개의 구성요소가 있다: (1) r2'홍순으로부터 p5피부의 연속성에서 막격벽의 유리. (2) A0 인중-소주영역으로부터 A1 연골피부피판의 분리. (3) 하비갑개 위치로의 하부연골 절개. (4) 비갑개 피판의 연속선상에서 수평측벽의 유리

이 부위는 코 내측의 표면 부위의 35%에서 40%를 포함한다. 하비갑개(Inferior turbinate)와 L 피판은 결함을 교체한다.

건측(Noncleft)면에서, 비슷한 하부 골막성 절개가 수행된다. 치조열(alveolar cleft) 부위로 S 피판은 도달해야 한다. 건측 비익저(Noncleft alar base)를 이완시키는 것은 매우 중요하다.

봉합이 수행될 때, 전체 코의 복합체(complex)가 중앙선 안으로 수행된다. 연조직 기능성 매트릭스의 중앙 위치는 정상적 성장을 위해 필수적이다.

VI. 봉합 순서

1. 비첨부의 처리

Cronin 견인기를 사용하여 끝부분이 해부학적으로 위치되고 내각(medial crura)이 같이 사용된다. 봉합 정정과 비익 연골(alar cartilage)을 매다는 것은 외과의사의 선호도에 따라 개방-폐쇄(open-closed) 접근에 의하여 수행될 수 있다. 본 저자의 접근방식은 정상적 분야 관계의 재설정에 기초를 두고 있다. 코의 연조직의 넓은 절개와 이상구에 의한 당겨지는 것으로부터 풀리는 것은 수술의 마지막에 삽입되는 코의 지주(stent)에 의하여 모든 분야가 수동적으로 자리를 잡도록 한다. 본 저자는 Porex 스텐트(조지아주, Newman, Porex Corp.)가 사용하기 쉽다고 생각한다.

2. 측면 및 중앙 벽 봉합

Cronin elevator은 코의 복합체(complex)의 원하는 해부 관계를 유지한다. L_V 피판(flap)의 삽입 이후에 하비갑개피판(inferior turbinate flap)이 삽입된다. 측면에서 중앙부위까지 연골하(infracartilageous)절개가 봉합된다. 중앙 벽은 막성격벽(membranous septum)에서 우선 봉합된다. 작은기둥(Columella)의 측면 벽을 따라 올라가는 방식으로 방해를 받

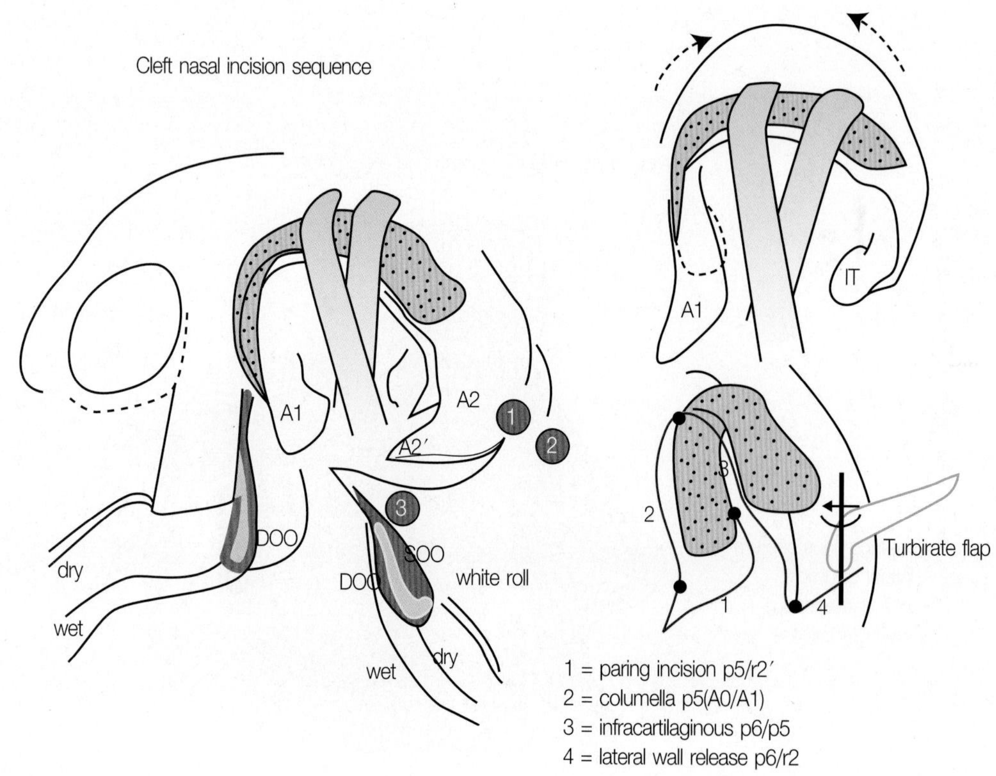

그림 11-83. 개방-폐쇄 개열 코성형에서의 코 박리. 익상 연골을 재위치시키는 것은 p5/p6영역의 충분한 유리 후에 대부분 수동적이다. 내각과 Koken stent를 통합시키는 지지봉합에 대한 David Matthew's modification.

은 5-0 빠르게 흡수되는 장(interrupted 5-0 fast absorbing gut) 봉합이 이루어진다.

3. 일차적 구개, 코 바닥 및 근육조직

치조열(alveolar cleft)의 후부 벽은 구강 내에 매듭을 위치시키면서 5-0 Vicryl을 사용하여 봉합된다. (이 단계는 원한다면 전체 일차적 구개의 비층(nasal-layer) 치료가 선행될 수 있다. 전방 비강내 바닥은 그런 다음 봉합된다. 4-0 PDS 봉합을 사용하여 3단계로 근육 봉합이 수행된다.

입둘레근(orbicularis) 내측으로 삽입되는 코옆근(paranasails)은 골막하면으로부터 건측비익저(alar base) 너머의 일치하는 장소에 봉합되어진다.

이 방법은 관상면(coronal plane)의 비익저(alar base)를 완전히 덮을 수 있게 한다.

입둘레근(orbicularis)의 사두(oblique head)는 비주(column)의 기저부에 다시 연결된다.

이 방법은 시상면(sagittal plane)의 비익저(alar base)를 제어해준다.

이것은 역시 비주(column)를 똑바르게 하고, 인중(philtrum)의 하강을 안전하게 하며,

전순(prolabium)부터 외측 입술까지를 미적으로 덮어준다.

4. 구강내/구강외 입술

이동하는 고랑 피판(Sliding sulcus flaps)은 중심선까지 전진되고 4-0chromic/Vicryl을 이용한 층층봉합을 이용하여 치조(alveola)를 완전히 덮을 수 있게 한다.

치조열(alveolar cleft)의 전벽은 긴장없이 닫혀진다.

"젖은-마른(wet-dry)" 선으로부터 점막(mucosa)과 바로 하방 심층의 입둘레근 등은 하나의 단위로 닫혀진다.

5-0 vicryl 연차 봉합(mattress suture)으로 시작되는 구강외측의 봉합은 양측 흰색 원통 바로 하방으로부터 심층의 입둘레근까지 하나의 단위를 만든다.

여기에서 이것을 낚시 바늘 또는 "J"자 모양처럼 각질화(keratinized)된 점막의 하방으로 굴려간다.

이지점의 두부쪽(cephalic)에서 표피적인 입둘레근과 만나진다.

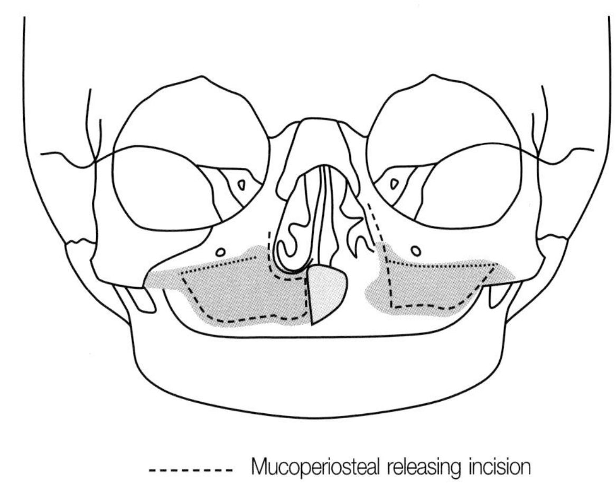

그림 11-84. 단측성 구순열 복층 골막성형술에 있어서 점막골막과 점막 피판들: 1단계 복층 골막성형술은 활동적인 신경능 골세포와 응괴를 포함한 "무리"를 형성한다. pyriform 주위 골막을 셈으로써 비갑개 피판과 연속적인 중앙 측벽 유리로 틀어진 코근육들을 중앙화 시킬수 있다.

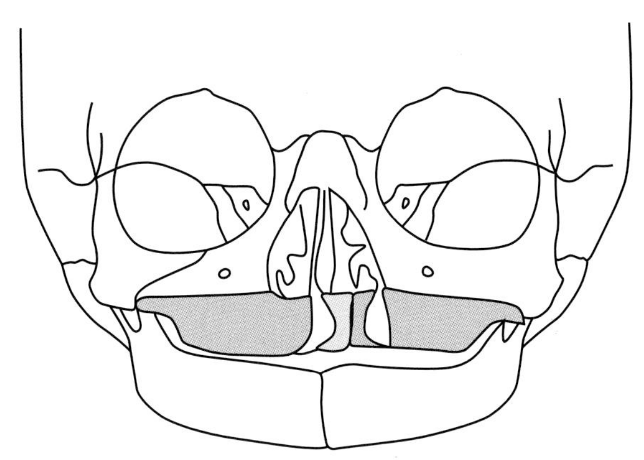

그림 11-85. 단측 구순열 복층 골막성형술에서 점막골막과 점막 피판들: 2단계

표피적인 입둘레근은 심부 진피(deep dermis)에서 6-0 vicryl로 봉합되어진다.

이 방법은 r4 표피적인 입둘레근이 p5 전순(prolabium)에 자연스럽게 부착되어있는 것을 재현해준다.

피부는 6-0 PDS 매몰 봉합, 단속봉합으로 닫혀진다.

남아있는 각질화 된 점막을 봉합 후 두개의 삼각 Noordhoof 홍순 피판(vermilion flap)은 결절(tubercle)을 만드는데 사용된다.

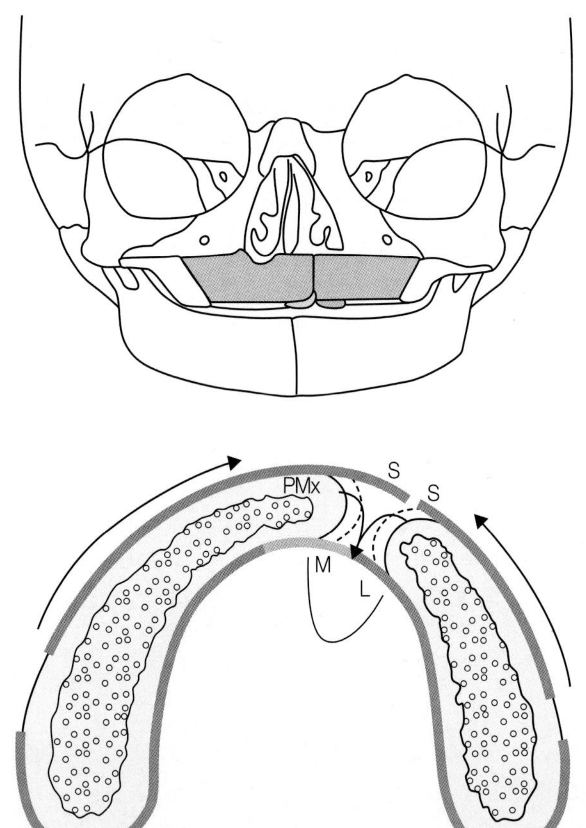

그림 11-86. (위와 아래) 단측 구순열 복층 골막성형술에서 점막골막과 점막 피판들: 3단계

비공저(nostril floor)가 완전히 닫였는지 확인한다.

비공턱(nostril sill)은 비주어깨부위(columellar shoulder)에 봉합한다.

A1 과 A2 는 측면 입술(lateral lip)의 B-영역 구성요소에 의해서 안전하게 된다.

내번 봉합(inverted suture)은 비익저(alar base)와 입술사이의 경계면을 명확하게 구분 지어준다.

입술 상피의 불규칙은 빨리 흡수되는 6-0 gut 봉합사로 교정한다.

피부본드 또는 종이 테이프를 사용할 수도 있다.

수술후 taping은 3개월간 유지한다.

스텐트는 3cm 길이의 16번 적색 고무 Robinson관으로 만든다. Stent의 가장자리 끝을 삽입하여 비공(nostril)의 크기를 만든다.

보통 크기가 재지기 전의 Porex stent의 모양이 좀 더 해부학적으로 적당하다.

5. 피판의 도안/유용한 힌트

A2 비공턱 피판(nostril sill flap)은 삼각형의 형태이다. 이것의 넓이와 길이는 건측(noncleft)의 비공턱(nostril sill)의 넓이와 길이보다 감소 할 수 있다.

수술자는 포인트9에서 시작되는 외측 비강벽(lateral nasal wall) 쪽으로 이 피판을 끌어 낼 수 있다.

비익저(alar base) A2가 9-10절개에 의해서 B로부터 분리 될 때 외측 비강벽(lateral nasal wall)에 남아있는 삼각형의 피부는 A2'가 된다.

어떤 방법으로 수술자가 A1'의 올바른 넓이를 결정하는가?

인중은 p5 피부와 척수 신경절(neural crest) 간엽(mesenchyme)(조직)으로 구성된 두개의 A0 구역으로 구성되어 있다.

각각의 A0 구역은 전 사골 동맥 말단 분지(terminal branch of the anterior ethmoid artery)에서 혈액 공급을 받는다.

이 혈관들은 중격의 등(dorsum of septum) 부위를 지나 비주(columella)를 통해 하강하는 부위에서 2-3mm 나누어진다.

인중(philtrum)부위에서 전사골(anterior ethmoid) 혈관(vessel)들은 약 4-6mm 정도로 분리되면서 외측으로 벌어진다. 따라서 이상적인 인중(philtrum)의 넓이는 정상 인중주(philtral column)로부터 측정된 총 약 8mm 정도이다.

당연히 전악골(premaxilla)을 덮고 있는 어떤 남아있는 피부도 인중(philtrum)의 일부가 아니고 A1의 일부이다.

측면 비주(columella)로부터 연골하(infracartilagenous) 가장자리까지의 절개는 기술적으로 어렵다.

연삼각(soft triangle) 하방에서 연골을 떼어내기 위해서는 정확한 위치에서의 피부절개가 필요하다.

이 방법은 하방에서 둥근 지붕(dome) 쪽으로 접근시 가위의 끝 부분을 비익연골(alar cartilage)의 하각(inferior crus)의 내측면에 밀착하여 접근해 나감으로써 단순화 할 수 있다.

그리고 연골하(infracartilagenous) 절개에 의해 둥근 지붕(dome)의 측면으로부터 둥근 지붕(dome)에 접근 할 수 있다.

가장자리 절개(rim incision)시 나타나는 끝부분의 하단에서 가위를 다시 뒤집어서 넣는다.

그리고 가위를 앞쪽으로 견인하여 중간각(intermediate

crus)의 앞쪽 경계를 나타나게 한다.

중간각(intermediate crus)의 원래 모습을 유지하면서 중간각(intermediate crus)의 만곡을 정확히 따라서 비버 칼날(beaver blade)을 사용하여 피부절개를 시행한다.

저자는 비첨부(nasal tip)의 일차치료에 몇 개의 봉합법을 사용하는데, 이의 접근법은 Koken 부목을 사용하여 단순화 될 수 있다.

정확한 구역의 분할은 수동적 방법으로 비익연골(alar cartilage) 중간각(intermediate crus)의 정확한 조형(molding)을 고려한다.

각내 봉합에 의한 비익연골(alar cartilage) 내각(medial crura)의 지지는 모든 경우에서 필요하다.

이 술기의 마지막에 부목(splint)의 위치는 감각에 의존하는데, 그 이유는 비첨부(nasal tip)의 마지막 모양은 비저(nasal floor)가 닫히고 비익저(alar base)가 올바른 위치에서 완벽하게 회복 될 때 까지는 올바르게 판단할 수 없기 때문이다.

부목을 통과하는 한개 또는 두개의 4-0 gut를 이용한 평면봉합(plain sutures)과 배부(dorsum)의 Tie-over dressing으로 사강(dead space)이 없어지도록 한다.

비익구(alar grove)에 4-0 나이론으로 부목을 고정하여 3-4주간 고정시킨다.

박과 하등은 일반적으로 널리 인정되어 오던 인중재건(philtral reconstruction)의 해부에 관한 Latham모델을 반박했다.

표피적인 입둘레근의 확장 기능에 반하여 심층의 입둘레근의 수축과 큐피츠의 활을 오므리는 기능은 양측 인중주(philtral column)를 당기는 기능을 한다.

인중의 삼차원 스캔 연구에 의하면 표피적인 입둘레근이 인중주(philtral column)의 진피(dermis)에 고정되어있는데 반하여 표피적인 입둘레근은 인중(philtrum)의 하방에 연속되어있음을 보여준다.

이러한 배열은 잘 알려져 있는 안면근육(facial muscle)의 발달과정과 일치한다.

잇몸(gingiva)에 부착되어있는 부위에서의 점막성 골막의 이동성 고랑피판(mucoperiosteal sliding sulcus flap)의 거상(elevation)역시 어렵다.

이 방법은 이상구 가장자리(pyriform rim) 부위의 골막(periosteum) 하방에 Molt 9 또는 McKenty 거상기를 삽입하여 수행할 수 있다.

부벽(buttress)의 측면으로 피판을 거상한 후 하방으로 박리하여 잇몸(gingival)을 이완시킨다.

잇몸(gingiva)은 45도 각도로 절개한다.

잇몸(gingiva)의 측면 절개는 관골융기(zygomatic prominence)로 가는 부벽(buttress)까지 한다.

그리고 거상되어진 L 피판을 이용하여 상악치조(maxillary alveolus)를 따라서 중앙부에서 수직절개(vertical incision)를 가한다.

이 절개의 두부 끝(cephalic end)에서 시작하여 부착되어 있던 잇몸(gingiva)을 비버 칼을 이용하여 내측의 치조(alveolus)로부터 측면으로 거상(lifted)하고 이완(released)시킨다.

일측성 치조열(unilateral cleft)에서 18mm의 넓이까지는 이중층 골막 성형술(double layer periosteoplasty)을 이용하여 치조(alveola)의 일차봉합(primary repair)이 가능하다.

이것을 시행할 수 있는 간단한 방법은 개열(cleft)의 측정된 넓이의 1/3 L_A 측면 피판(lateral flap)의 디자인으로 가능하다.

L_A 가 절단 되어지면서 M_A 의 동반된 넓이가 결정된다.

넓은 개열(cleft)의 경우 이동 고랑 피판(sliding sulcus flap)의 사용시 단층 골막 성형술(periosteoplasty)이 필요하다.

이 방법은 앞 상악골(premaxilla)을 조절할 수 있다.

뒤쪽 벽(back wall)의 봉합은 치조 연장 구개성형술(alveolar extension palatoplasty) 점막성 골막 피판(mucoperiosteal flap)의 확장인 Ma 와 La 피판을 상용하여 나중에 수행한다.

David Matthews(personal communication)은 최근 저자의 위와 같은 단계에 치조 봉합(alveolar closure)이 절치공(incisive foramen)의 후방으로 확장될 수 있음을 설명하였다.

측면 경계(lateral margin)와 서골(vomer)로부터의 거상은 안전하게 일차구개(primary palate)의 두층 봉합을 이루게 한다. 이 방법은 개열(cleft)이 넓을 때에도 언제나 실행할 수 있다. 수술 전(presurgical) 형성에서 이 단계를 쉽게 이행할 수 있다.

VII. 기능적 기질 복원의 변형 : 개열 병리의 변형

1. 치조개열이 없는 구순열

잇몸 이완 절개(gingival release incision)가 없는 양측성 이동 고랑 피판(bilateral sliding sulcus flap)도 중심화를 이룰 수 있다.

폐쇄된 치조(closed alveolus)로부터 비갑개 피판(turbinate flap)을 채취하기는 쉽지 않으므로 그 대안으로

측면 구역 이동 고랑 피판(lateral segmental sliding sulcus flap)으로부터 만들어진 점막성 골막(mucoperiosteal) "patch

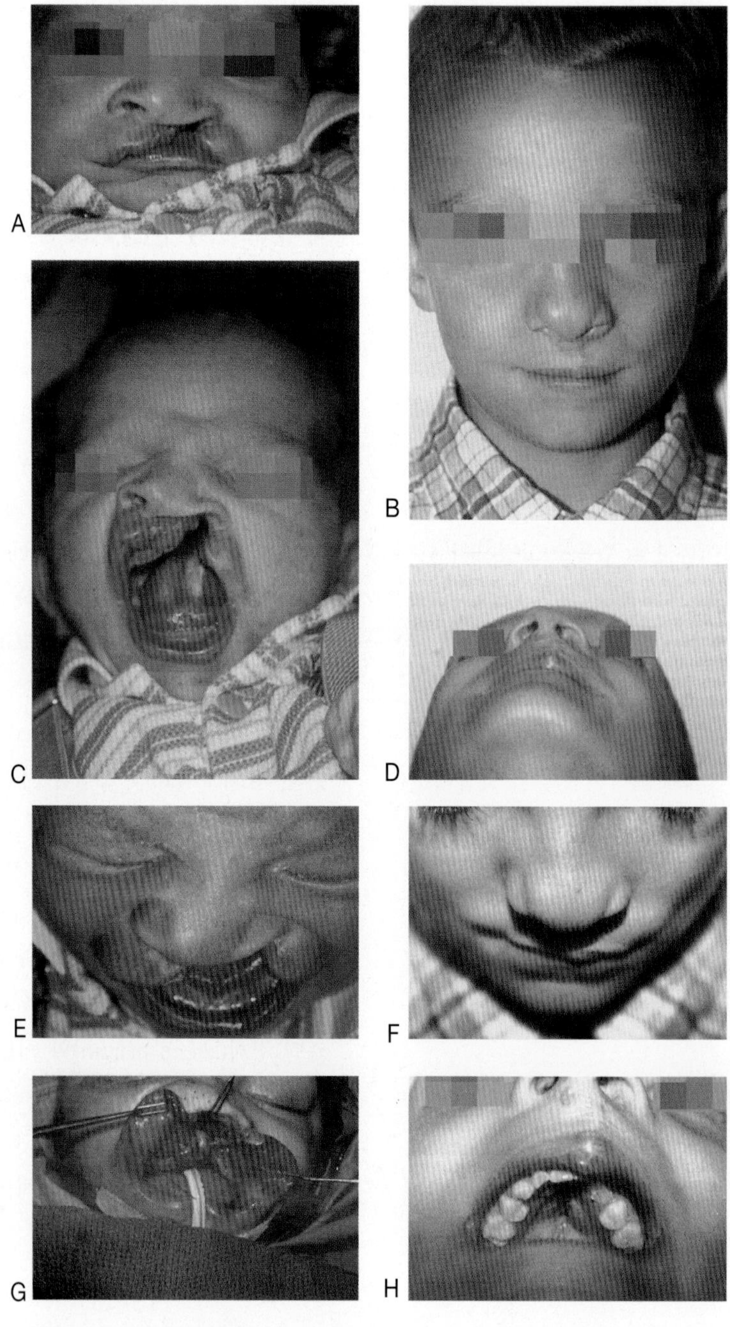

그림 11-87. (A-H) 사례1: 6세 소아의 완전 단측 구순-구개열이 완전 치아출현, 정상 상악골 방향(익상 기저면 위치), 중앙격벽 보존 그리고 정상 입술 위치를 보여준다. 원래 수복은 코성형술을 포함하지 않는다. Vissarionov 피판을 가진 A1영역과 코성형술 시행 1년 전

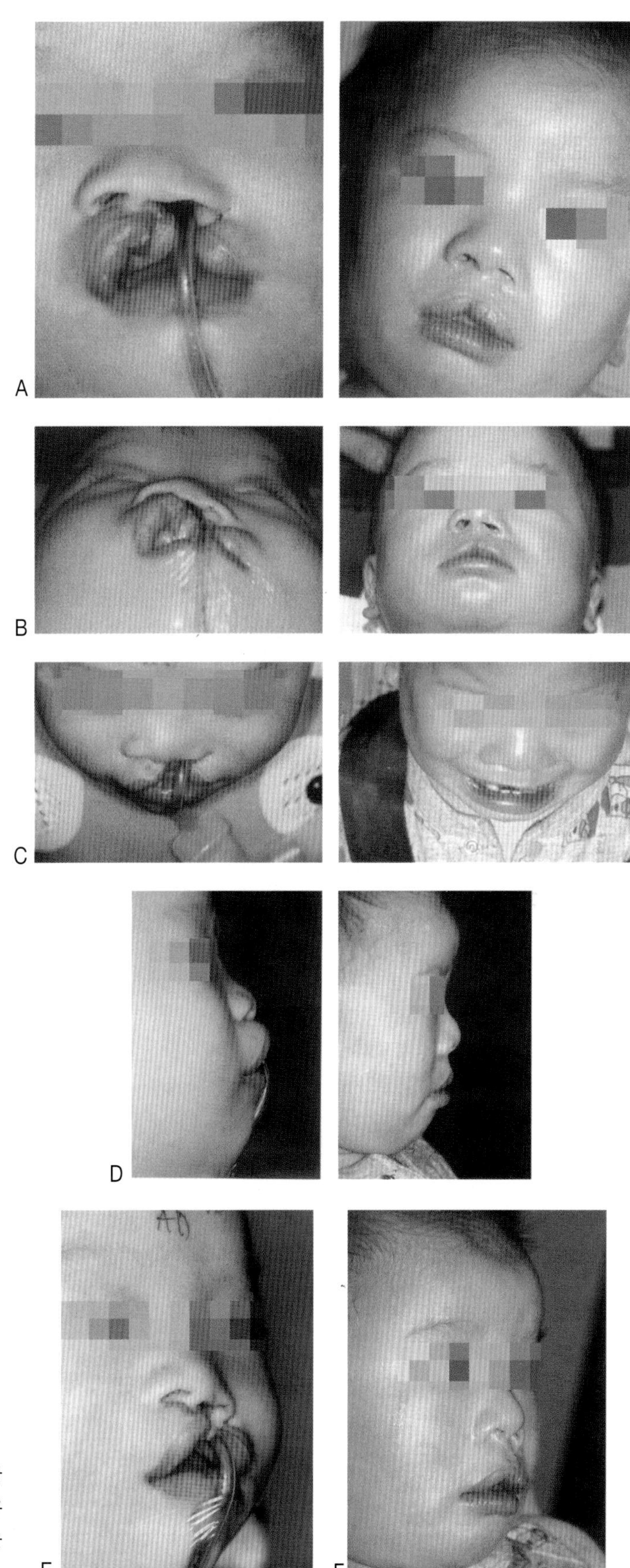

그림 11-88. (A-H) 사례2: 18개월 소아의 완전 UCL/CP. 복층 골막 성형술과 일차 코교정. 치아출현은 이전에 정상적임. 궁모양이 유지된다. 익상기저 위치. 비개열 측면에서 코의 사측과 측면 시야는 골막하 중앙화에 의해서 개선된 익상-소주각을 보여준다.

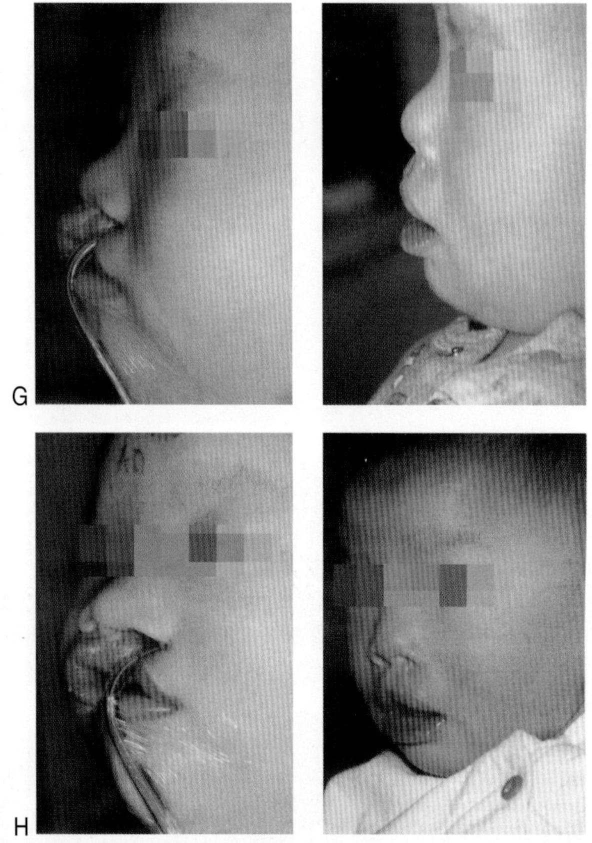

그림 11-88. (계속)

flap" 으로 측면 비벽(lateral nasal wall)을 형성한다 이 방법을 위해서는 잇몸 절개(gingival incision)가 필요하다.

이 방법으로 발생하는 작은 누공(small fistula)은 추후에 해결할 수 있다.

2. 작은 구순열

이런 상태에서 수술적 치료를 위해서는 일측성 이동 고랑 피판(unilateral sliding sulcus flap)이 필요하다.(gingival release and patch flap are optional)

건측 비익저(alar base)의 골막하(subperiosteal) 이완은 개열쪽의 측비 복합체(paranasalis complex) 봉합 삽입을 용이하게 한다.

A1을 이용한 비정상 인중주(philtral column) 피부의 거상은 Vissarionov 피판을 만들수 있다.

이 피판은 막성 중격(membranous septum)의 재건에 이용될 수 있다.

결론

기능적 기질회복(functional matrix repair, FMR)은 관찰할 수 있는 생물학적 반응에 대한 반응을 기본으로 한 발달에 대한 반응이다(ie. 전통적인 치료 후의 재발의 원인).

Moss등에 의해 기술된 실용적이고 새로운 의미인 배아(embryo)(신경분절-neuromeres)의 발육상의 구역으로 얼굴의 해부학적 단위와 연관된 기능적인 세포간질(matrix)은 진가를 인정받지 못하였다.

이전에 확인된 이 단위는 외과적으로 다루어진다.

기능적 기질회복은 지금까지 개열수술시 문제의 불충분했던 점에 특별한 해결책을 연속적으로 나타낸다: 코와 중격 형성시의 만곡, 개열양측으로 부터의 연부 조직의 이동, 하측방

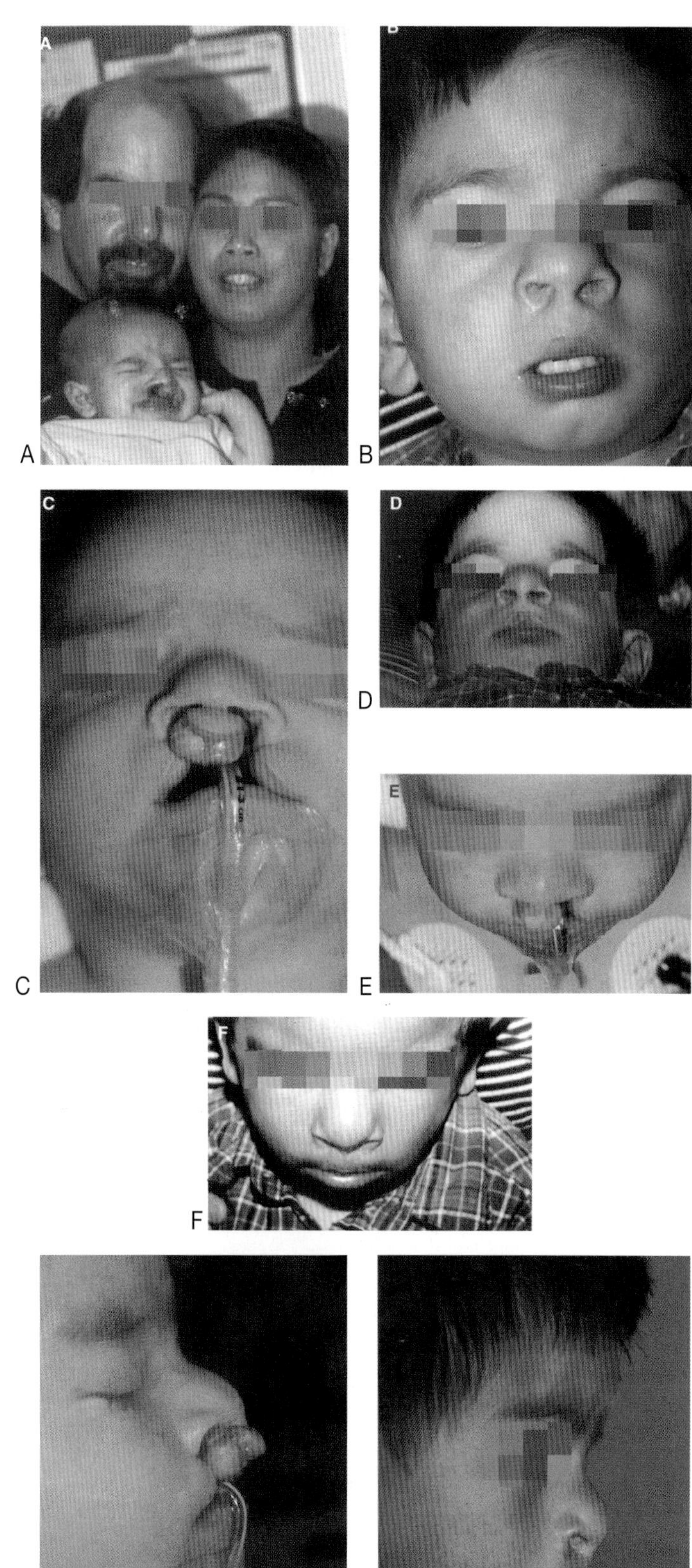

그림 11-89. (A-P) 사례 3: 24개월 소아의 양측 구순구개열. 복층 골막성형술과 일차 코성형. 전상악위치와 코방향이 유지된다. 충분한 비공. 익상 기저는 균형적이다. 인중은 정상너비이다. 생기있는 입술.

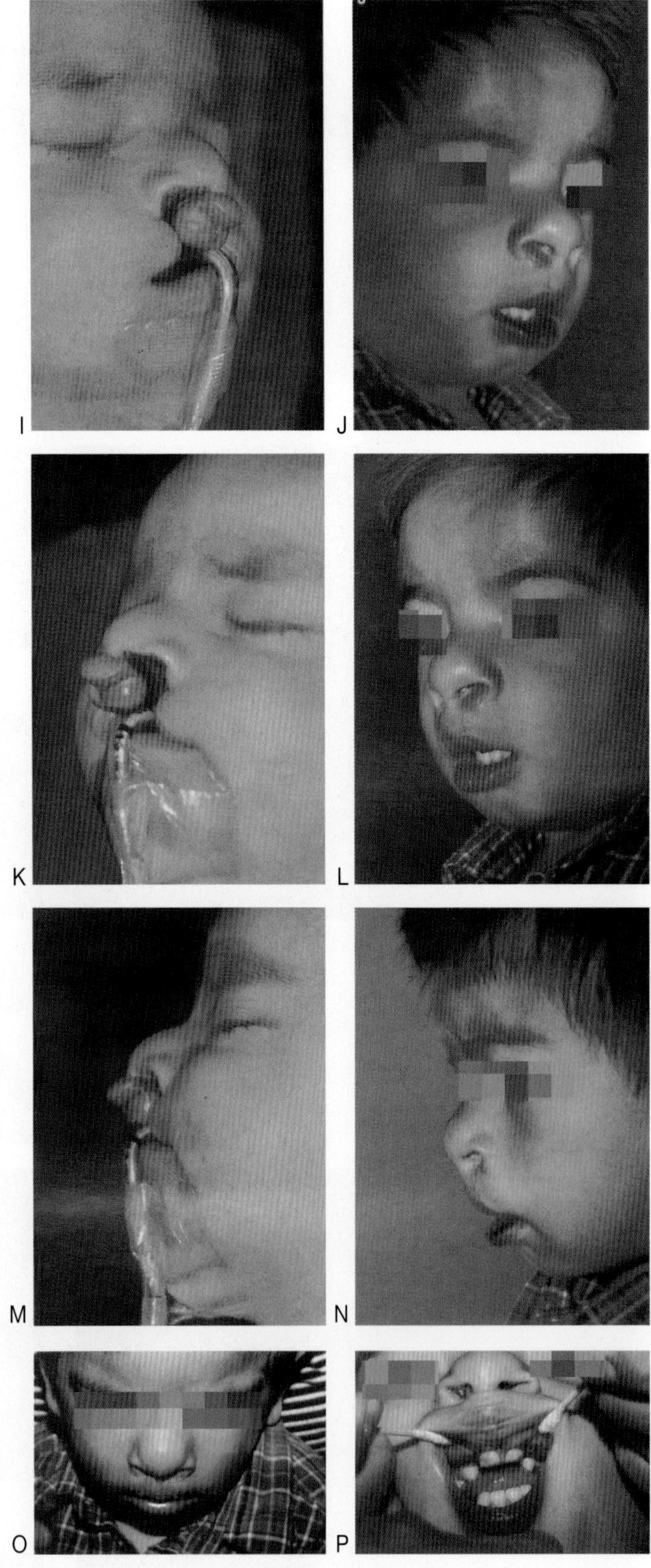

그림 11-89. (계속)

연골(lower lateral cartilage) 내각의 함몰위치, 그리고 비공턱(nostril sill)의 불명료하다.

절개는 기하학적인 조작이 아니라, 혈액공급과 발생학의 기초를 토대로 이루어진다. 기능적 기질회복의 치료 방법은 알려지지 않았다. 기능적 기질회복의 구강외 디자인은 일정하다. 발생학적 구역은 인식한 후 그것을 다시 나누고 올바른 해부학적 관계로 재배치시킨다. 또한 재건의 방법에는 다음의 것등이 포함된다: Noordhoff 비갑개(turbinate) 피판, 홍순(vermilion) 피판; 그리고 이동 고랑 피판(sliding sulcus flap)의 선두 가장자리(leading edge)로부터 발달된 점막성 골막(mucoperiosteal) "부분적 피판(patch flap)" 특히 일차 구개(primary palate)의 해부학적 구조와 같은 개열(cleft)의 종류에 따라 구강내 기능적 기질회복의 디자인은 다양하다.

Steve Beals는 수술전 수동적 부목을 사용하여 아치모양의 상당한 개선이 이루어짐을 보고한바 있다(아마도 구역간 힘의 분배가 촉진되어서 그런 것이 아닌가 추측).

기능적 기질회복은 일직선 봉합으로 발생학적으로 인중주(philtral column)를 교정하도록 한다.

왜 인중(philtrum)의 회전이 필요하지 않을까?

개열 환자들의 인중은 가성 측면화 상태(falsely laterlaezed state)에서 연부조직의 전반적인 이상위치(malposition)로부터 메꾸어짐을 보여준다.

그러므로 인중(philtrum)과 비주(column)가 짧아 보이지만 실제로는 비첨부(nasal tip) 쪽으로 위치가 바뀌어 있다.

기능적 기질회복은 다음 아래사항에 의해서 인중과 비주의 회전이 이루어 진다:

1. 부분 분할(field separation)
2. 건측(noncleft)의 연부조직이 둘러싸는 것에 의한 골막하의 중심화

이 과정은 골생산(상악골)의 생물학적 연관성이 기능적 간질조직(functional matrix)으로 바뀐다.

시간이 지나며 구성물들은 후자인 그것의 새롭고, 중심화된 위치에 적응될 것이다.

인중이 원위치되는 단계는 다음의 성공적인 술기로 이루어진다:

1. 이상구(pyriform) 가장자리에서 부벽(buttress)으로의 골막 조각의 역 절개
2. 이상구 가장자리를 따라 상승하는 양식의 골막을 둘러싸는 이완 역 절개
3. 잇몸(gingival) 가장자리의 이완 절개

골의 생산에 의한 분리되어 있는 기능적 간질조직(functional matrix)에 대한 올바른 접근으로서의 골막면(periosteal plane)의 평가는 적절한 근육의 봉합과 긴장 없는 이완을 유리하게한다(아래로부터 그것을 견인함으로써 근육들이 위치되기 때문이다).

Delaire등이 30년간의 연구로 이 접근법의 안정성과 효용성이 입증되었다.

기능적 기질회복은 "cut as you go"기술인데 이는 모든 개열 형태에 적용시킬수 있다.

왜냐하면 이것은 골과 연부조직의 병리로 분리되어 있는데 구강내 봉합은 잘못 형성된 부위를 인식후 수술하는 방법이기 때문에 일정하게 적용시킬 수 있다.

또한 점막성 골막(mucoperiosteal)의 이동성 고랑 피판(sliding sulcus flap)은 인중 전체가 없는 경우에서도 중앙선까지 전진시키는데 놀라운 능력을 보여주어 Abbe cross-lip 피판이 필요 없다.

발생학의 적용에 있어 기능적 간질조직(matrix) 개열 복원은 의미가 있다.

이것은 골막 병리의 여러 관점에서 여러 시험을 했다.

이는 중심으로의 치아 교정학에 기초하고 있으며 이로 인해 신경분절(neuromere) 분석은 이전까지의 많은 외과논문에서의 모순점들을 가능하게 했다.

구역 해부와 행동의 임상적 분석은 실험실과 임상에서 바로 이용할 수 있다.

가장 중요한 것은 신경분절 이론(neumeric theory)이 기초과학자들과 두개 안면 외과 의사들과의 사이에 토론을 가능하게 했다는 점이다.

발생학을 기본으로 하여, 외과의사와 과학자들이 같이 노력하면 이런 변형의 교정이 더 발전될 것이다.

참고문헌

1. Kjaer I, Keeling JW, Fischer Hansen B. The prenatal human cranium-normal and pathologic development. Copenhagen, Denmark: Munksgaard; 1999.

2. Lumsden A, Keynes R. Segmental patterns of neuronal development in the chick hindbrain. Nature 1989;337:424-8
3. Lumsden A, Krumlauf R. Patterning the vertebrate neuraxis. Science 1996;274:1109-15
4. Muller F, O'Rahilly R. The timing and sequence of appearance of neuromeres and their derivatives in staged human embryos. Acat Anat 1997;158:83-99.
5. Puelles L, Rubenstein JLR. Expression patterns of homeobox and other putative regulatory genes suggest a neuromeric organization. Trends Neurosci 1993;16:472-9
6. Rubenstein JLR, Martinez S, Shimamura K, Puelles L. The embryonic vertebrate forebrain: the prosomeric model. Science 1994;266:578-80
7. Puelles L. Brain segmentation and forebrain development in amniotes. Brain Res Bull 2001;55:695-710
8. Rubenstein JLR, Puelles L. Homeobox gene expression during development of the vertebrate brain. Curr Topics Dev Biol 1994;29:1-63
9. Rubenstein JLR, Shimamura K, Martinez S, Puelles L. Regionalization of the prosencephalic neural plate. Annu Rev Neurosci 1998;21:445-77
10. Carstens M. Development of the facial midline. J Craniofac Surg 2002;13:129-87
11. Tessier P. Anatomical classification of facial, cranio-facial and latero-facial clefts. J Maxillofac Surg 1976;4:70-92
12. Couly GF, LeDourain NM. Mapping of the early neural primordium in quail-chick chimeras I. Developmental relationships between placodes, facial ectoderm, and prosencephalon. Dev Biol 1985;110:422-39
13. Couly GF, LeDourain NM. Mapping of the early neural primordium in quail-chick chimeras II. The prosencephalic neural plate and neural folds: implications for the genesis of cephalic human congenital abnormalities. Dev Biol 1987;120:198-214
14. LeDourain NM, et al. The neural crest. Cambridge, UK: Cambridge University Press; 1999.
15. Hall BK. The neural crest in development and evolution. New York: Springer; 1999.
16. Gui T, Osama-Yamashita N, Eto K. Proliferation of nasal epithelia and mesenchymal cells during primary palate formation. J Craniofac Genet Dev Biol 1993;13:250-8.
17. Carstens MH. The spectrum of minimal clefting: process-oriented cleft management in the presence of an intact alveolus. J Cranoifac Surg 2000;11:270-94.
18. Carstens MH. The sliding sulcus procedure: simultaneous repair of unilateral clefts of the lip and primary palate-a new technique. J Craniofac Surg 1999;10:415-34.
19. Carstens MH. Correction of the unilateral clefr lip nasal deformity using the sliding sulcus procedure. J Cranoifac Surg 1999;10:346-64.
20. Carstens MH. Sequential cleft management with the sliding sulcus technique and alveolar extension palatoplasty. J Craniofac Surg 1999;10:503-18.
21. Carstens MH. Correction of the bilateral cleft using the sliding sulcus technique. J Craniofac Surg 2000;11:137-67.
22. Carstens MH. Functional matrix cleft repair: a common strategy unilateral and bilateral clefts. J Craniofac Surg 2000;11:437-69.
23. Schweckendieck W. Primary veloplasty: long term results without maxillary deformity: a twenty-five-year report. Cleft Palate J 1978;15:268.
24. Park CG, Ha B. The importance of accurate repair of the orbicularis muscle in the correction of unilateral cleft lip. Plast Reconstr Surg 1995;96:780-8.
25. Latham R. The developmental deficiencies of the vertical and anteroposterior dimensions in the unilateral cleft lip and palate deformity. In: Gorgiade NG, Hagarty RF, editor. Symposium on the management of the cleft palate and associated deformities. St. Louis, MO: Mosby; 1974.
26. Nammoun JD, Hisiey M, Graepel S, Hutchins GN, Vanderkolk CA. Three dimensional reconstruction of the human philtrum. Ann Plast Surg 1997;38:202-8.
27. Gasser RF. Development of the facial muscles in man. Am J Anat 1966;120:357-75.
28. Vissarionov VA. Analysis of the results of reconstructive plastic repair of unilateral clefts of the upper lip based on data of the surgical section 1970-1977. In: Pathogenesis, treatment and prophylaxis of cosmetic deformities and deficiencies. Moscow: Institute of Cosmetology; 1982. p. 118-21.
29. Moss ML, Vilmann H, Das Gupta G, Skalak R. Craniofacial growth in space-time. In: Carlson DS, editor. Craniofacial biology. Ann Arbor, MI: Center for Human Growth and Development, University of Michigan; 1981.
30. Delaire J. The potential role of facial muscles in monitoring maxillary growth and morphogenesis. In: Carlson DS, McNamara Jr JA, editor. Muscle adaptation and craniofacial growth. Ann Arbor, MI: University of Michigan; 1978. p. 157-

80 [Center for Human Growth and Development, Craniofacial Growth Monograph #8].

31. Delaire J, Precious D, Gordeef A. The advantage of wide subperiosteal exposure in primary surgical correction of labial maxillary clefts. Scand J Plast Reconstr Surg 1989;22:147-51.

32. Markus AF, Delaire J, Smith WP. Facial balance in cleft lip and palate I. Normal development and cleft palate. Br J Oral Surg 1992;30:287-95.

33. Precious DA, Delaire J. Surgical considerations in patients with cleft deformities. In: Bell WH, editor. Modern practice in orthognathic and reconstructive surgery. Philadelphia: WB Saunders; 1992. p. 390-425.

제12장 양측 구순열비

Bilateral Cleft Lip Nose

한기환, 김준형

양측 구순열비(bilateral cleft lip nose)만큼 술자의 상상력과 기술을 필요로 하는 선천기형도 없을 것이다. Brown 등(1947)은 양측 구순열비는 일측 구순열비에 비하여 교정은 2배나 어려운 반면, 결과는 절반밖에 되지 않는다고 하였다. 그러나 양측 구순열비교정술은 과거 수십 년 동안 큰 발전을 거듭하여서 요즈음에 그 결과는 일측 구순열비와 견줄 만하며, 어떤 경우에는 오히려 더 나은 것이 사실이다. 왜냐하면 일측 구순열비의 경우 개열 측을 건측과 대칭을 이루도록 건설하기가 대단히 어려운 반면에, 양측 구순열비에서는 무에서 유를 창조하므로 특히 대칭인 인중을 건설하기가 더 쉽기 때문이다. Mulliken(1985)에 의하여 양측 구순열비교정술의 원칙이 세워졌으며, 새로운 기법이 개발되었다. 그는 Brown의 영향을 받아서 구순열비는 4차원적 문제를 가진다고 지적하였는데, 이는 술후 성장에 따른 변화를 표현한 것으로서 3차원이 아니라 2차원적인 마음밖에 가지지 못한 술자가 4차원적 문제를 해결하기 위해서는 자신뿐만 아니라 다른 술자가 교정한 증례들을 분석함으로써 수술 원칙을 세우고 기법을 변형시켜 나가야 한다는 것이다.

I. 해부학

양측 완전구순열비에 완전구개열이 동반되는 것이 보통이다. 그러나 이차구개(secondary palate)는 건재하고 일차구개열만 있을 수도 있다. 이런 경우 전악골(premaxilla)은 양측 상악분절(maxillary segment)에 부착되어 있지 않으므로 성장이 제지 되지 않으며, 연골비중격(cartilaginous septum)이 성장함에 따라서 전방 돌출 된다(Scott, 1956).

전악골의 크기와 발달은 다양하다(그림 12-1, 12-3). 네 개의 문치가 모두 있을 수도 있지만, 흔히 1-2개의 문치가 존재하며, 때때로 정상 숫자 또는 그 이상의 문치가 한쪽의 전악골에서 튀어나온 주머니 모양의 구조물 안에 들어있을 수도 있다(그림 12-1A)(Cronin 등, 1990). 전악골의 줄기(stem)인 전서골(prevomerine bone)은 전악골의 기저보다 5-8mm 후방에 있는 봉합선에 의하여 서골과 구분된다. 봉합선의 위치는 서골 하측 연이 융기되거나 팽창된 것으로써 알 수 있다(그림 12-1E). 전악골뿐만 아니라 미측 비중격(caudal septum)도 돌출되어 있다. 전악골은 Simonart띠가 한 쪽에 있거나, 한쪽 개열이 불완전형이면 상당히 만곡 되고 변위될 수 있다.

양측 상악골분절은 전후 방향으로 짧으며, 이상구연(margin of piriform aperture)은 다양한 정도로 후퇴되어있다. 비중격은 보통 정중선에 위치한다. 전순(prolabium)의 크기는 다양하며, 거의 존재하지 않는 비주(columella)에 의하여 비첨에 매달린 것처럼 보인다. 양측 불완전구순열비의 경우, 전순에 약간의 구륜근(orbicularis oris muscle)섬유가 존재할 수 있지만, 양측 완전구순열비의 전순에는 구륜근이 아예 존재하지 않는다. 전순에는 피부 부속 기관이 부족하거나, 결손을 나타낼 수 있다. 비익은 장개(長開, alar flare)되어서 전악골 양가로 뻗친다.

외측 상악분절은 전악골과 부착되어 있지 않은데다가 성장하는 비중격연골(septal cartilage)의 영향을 받지 않으므로 작고 후퇴 되어있다. 외측 상악분절 사이에는 전악골을 수용할 충분한 공간이 있을 수도 있으며, 외측 상악분절들이 내측으로 붕괴되어 치조궁(alveolar arch)에 전악골을 받아드릴 공간이 없을 수도 있다(그림 12-1D). 전악골의 한쪽은 외측 상악분절에 합체되고 다른 한쪽은 개열되어 있거나, 양쪽 다 외측 상악분절에 합체될 수도 있는데, 이러한 현상은 보통 양측 불완전구순열비에서 볼 수 있다. 양측 불완전구순열, 양측 불완

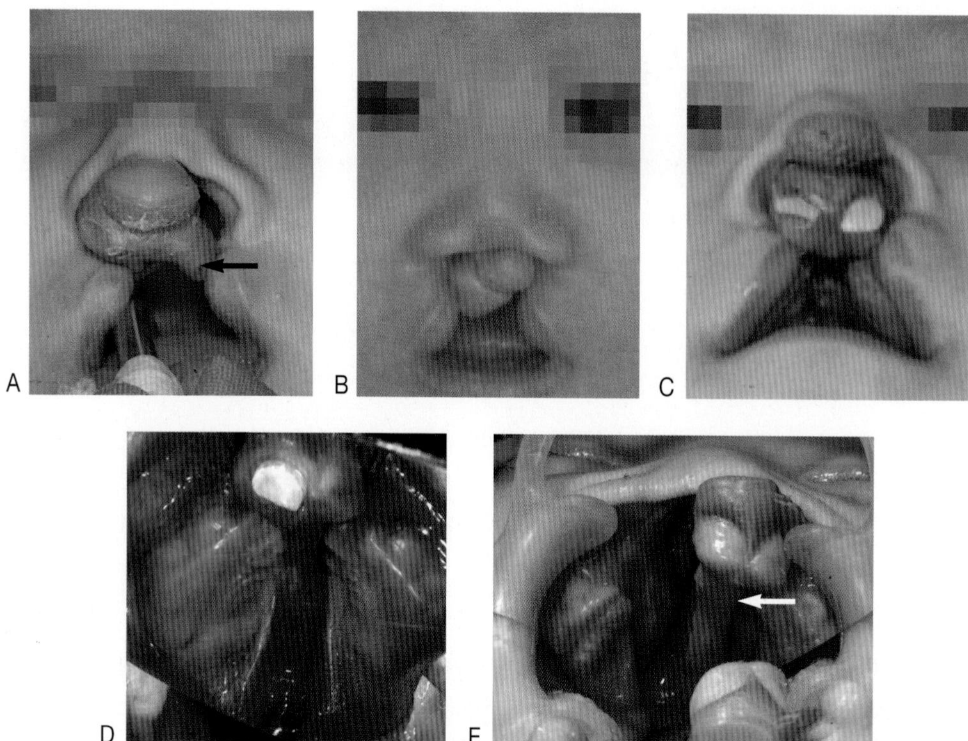

그림 12-1. 전악골과 전순의 다양한 크기 및 상관관계. (A) 큰 전악골. 화살표는 전악골의 왼쪽 벽에 튀어나온 주머니형 구조물로서 이 안에 문치가 들어있을 수 있다. (B) 작고 회전된 전악골. (C) 치아를 보유한 전악골. (D) 돌출된 전악골 뒤로 양측 상악분절이 붕괴되어 전악골을 받아드릴 공간이 없다. E, 외측 상악분절 사이의 공간이 넓어서 전악골을 수용할 수 있다. 화살표는 서골-전악골봉합선을 가리킨다.

전구개열, 또는 둘 다가 따로 존재하거나 결합형으로 존재할 수 있다.

McComb(1985)은 사산된 구순열 영아의 코를 박리하여 비익연골이 구순열비에 미치는 기본적인 역할을 밝혔다. 양측 비익연골이 모두 미측과 후부로 회전되어 중증의 일측 구순열에서 보는 변형이 이중으로 생긴다(그림 12-2). 비익원개(alar dome)는 넓게 분리되며, 내측각(medial crus)은 연골비중격의 미측 연을 따라서 위치하는 원래의 위치로부터 벗어나게 된다. 외양은 비주가 짧거나 거의 없으며, 전순이 흔히 비첨에 바로 연결된 것처럼 보인다. 비첨은 넓고 편평하며, 대개 비익원개(alar dome)에 의하여 만들어지는 돌출이 없다.

외비공연(alar rim)은 처지고, 오목한 침하(沈下, dip)가 나타나기도 한다. 사릉(oblique ridge)은 미측회전 된 비익연골의 하측 연에 의하여 비전정 안으로 밀리게 된다.

비주저는 코 조직과 전순의 접합부에 위치하는데, 이것이 양측 구순열에서 발견되는 유일한 정상 소견일 수 있다. 양측 구순열비를 박리해보면, 비주에 있는 양측 비익연골의 내측각

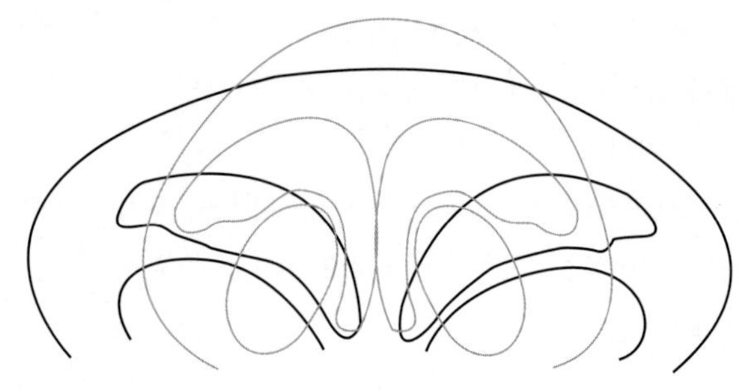

그림 12-2. 양측 구순열비의 코 해부학(검은 선은 술전, 회색선은 비익연골봉합술후 모양을 나타낸다). 양측 비익연골이 미측과 후부로 회전 되어 있다. 양측 비익연골이 서로 떨어지고 비첨에서 외측으로 전위된다. 내측각은 연골비중격의 미측 연을 따라서 위치하는 원래의 위치로부터 벗어나게 된다. 비주는 비주저 쪽으로 갈수록 짧아지며, 비주가 거의 없어서 전순이 흔히 비첨에 바로 연결된 것처럼 보인다. 비첨의 외양은 넓고 편평하며, 대개 비익원개에 의하여 만들어지는 돌출이 없다. 외비공연은 처지고, 오목한 침하가 나타나기도 한다. 사릉은 미측회전 된 비익연골의 하측 연에 의하여 비전정 안으로 밀리게 된다. 비주저가 양측 구순열비에서 발견되는 유일한 정상 소견일 수 있다. 비교정술에서 비익연골의 해부학적 재배치와 고정, 그리고 비첨과 상부 비주의 과잉 피부를 잘라서 다듬음으로써 비주가 건설 된다.

과 비익원개를 재결합시켜서 비첨을 건설함과 동시에 비주를 건설해야 한다는 것을 알 수 있다.

II. 발생 기전

구순열비의 발달에는 적어도 2가지 요인이 관련되어 있다. 첫째 요인은 구개열의 인접 조직의 무형성(agenesis)으로서 일차구개(primary palate) 발달부에서의 중배엽(mesoderm)과 외배엽(ectoderm)의 결핍이 그 원인이다(Dado와 Kernahan, 1986). 둘째 요인은 자궁 안에서 개열이 넓어짐에 따라서 발생하는 기계적 스트레스 때문에 야기되는 변형이다(Latham, 1969).

개열이 만들어진 직후인 태생기 6주에 전악골은 비중격-전악골인대(septo-premaxillary ligament)에 의하여 부착되어 있는 비중격이 성장함에 따라서 전악골을 당김으로써 전방 이동을 시작한다(Latham, 1969). 비익저도 후치되어 있는데, 그 이유는 상악골의 전방 발달의 부족 때문이다(Dado와 Kernahan, 1986). 그러므로 돌출된 비주저와 후퇴된 비익저 사이의 거리는 점점 더 넓어지게 된다. 이와 같은 분리는 전악골이 앞으로 멀리 밀리는 양측 구순열비에서 극도에 달한다.

비익연골의 내측각(medial crus)과 외측각(lateral crus)이 서로 멀리 떨어지면 우선 비익궁(alar arch)이 배측에서 낮아진다. 이런 현상이 계속되면 비익연골의 두측 연과 상외측연골(upper lateral cartilage)의 미측 연을 연결하는 비근막(fascial nasalis)이 팽팽하게 되며, 두 연골 사이에 있는 누두부(漏斗部, infundibulum)가 사라지고 비익궁이 미측으로 기울게 된다. 비익연골의 미측 연도 미측 전위 된다(Huffman과 Lierle, 1949).

다른 변수들도 관계한다. 비익연골의 현저한 미측회전(caudal rotation)은 경도의 양측 구순열비에서도 흔히 발견되는데, 이 때에는 비익연골의 전위를 기계적 장력의 영향만으로 설명할 수는 없다. 양측 구순열비에서 보이는 짧은 비주는 비익연골의 광범위한 신연 때문이다. 비익원개(alar dome)는 분리되고 내측각의 앞부분은 비중격의 미측 단으로부터 멀리 전위된다.

III. 빈도

전체 구순열에서 양측 구순열비의 비율은 9.6-16%로 다양하게 보고 되었다(표 12-1).

표 12-1. 전체 구순열에서 양측 구순열비의 비율

저자	구순열 개수	양측 구순열 비율
Ladd(1926)	622	16
Davis(1928)	425	12.94
Veau(1931)	500	9.6
Gabka(1960)	3142	15
합계	4689	14.33

IV. 진단

치료 계획에 착수하기 전에 기형의 정도를 정확하게 평가하여야 하며, 이런 평가로써 다음을 결정하여야 한다. (1) 구순열이 완전형인지 불완전형인지(그림 12-3), (2) 전악골 및 전순의 크기와 위치, (3) 비주의 수직 길이, (4) 불완전구순열비에서 전악골을 수용할 만큼 충분한 치조간 공간이 있는지, (5) 선천하구순혈공(穴孔, lower lip pit)과 같은 보통염색체우성 전달 방식을 나타내는 동반 기형의 존재 여부(Van der Woude, 1954). 술자는 환아가 잘 자라고 있는지 그리고 신체 다른 곳에 동반된 기형이 있는지 주의하여 살펴보아야 한다. 만약 이차구개열이 동반되었으면, 부모에게 중이염에 대하여 주의 시켜야 한다.

V. 치료

1. 치료 원칙 및 목표

모든 치료 계획은 구순열비의 완전한 교정술, 전악골과 양측 상악분절의 관계 조절, 그리고 연구개교정술에 뒤이은 경구개열교정술에 대비할 수 있어야 한다. 어떤 치료 계획을 세우든지 다음 원칙들을 준수하여야 한다(Cronin, 1957).

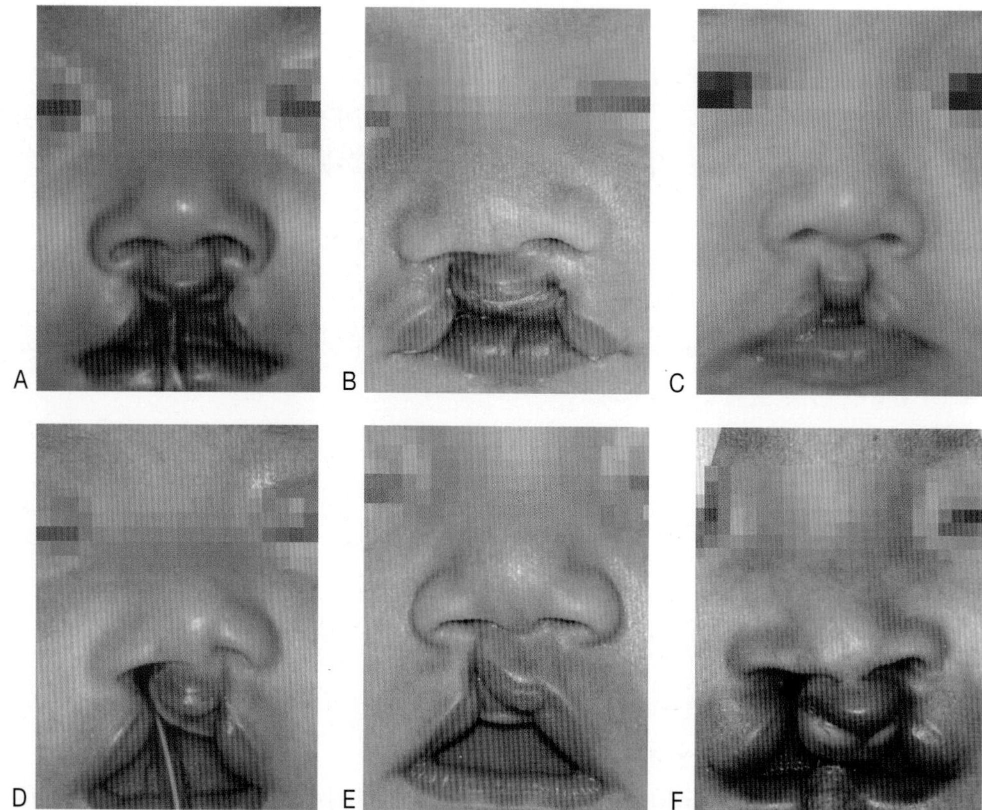

그림 12-3. 양측 구순열비의 다양한 모양. (A) 양측 불완전구순열비로서 전순이 중등도의 크기이다. (B) 양쪽 개열이 비대칭인 양측 불완전구순열비. 전순이 크다. (C) 양측 불완전구순열비로서 전순이 작고 짧다. (D) 우측 완전 및 좌측 최소구순열. (E) 우측 불완전 및 좌측 최소구순열. (F) 우측 완전 및 좌측 불완전구순열비.

(1) 상구순의 충분한 수직 길이를 건설하는데 전순을 사용하여야 한다.

(2) 얇은 전순홍순(prolabial vermilion)은 내층을 만드는데 사용한다.

(3) 중앙홍순결절(central vermilion tubercle)은 외측 구순분절의 홍순-근피판(vermilion-muscle flap)으로써 바로 만든다.

(4) 홍순릉선(vermilion ridge)은 외측 구순분절에서 가져와야 한다.

(5) 외측 구순분절의 피부는 전순 아래로 가져와서는 안된다.

(6) 심하게 돌출된 전악골을 외과적 방법이나 비외과적 방법으로써 재배치시키면 지나친 긴장이 경감되어서 조기에 구순열교정술을 성공적으로 할 수 있을 뿐만 아니라, 한 차례의 교정술이 가능하다(단, 두 차례의 구순열교정술 꼭 사용해야 하는 경우는 제외).

(7) 돌출된 전악골 뒤에서 외측 상악분절이 붕괴되었으면 술전정악치료(presurgical maxillary orthopedics)로써 예방하거나 확장시킬 필요가 있다.

(8) 골이식술은, 전악골 양쪽이 외측 상악분절과 결합되지 않은 경우에 전악골을 안정시키기기 위하여 필요하지만, 어느 한쪽이라도 외측 상악분절에 합체되었으면 필요하지 않다. 개열 안으로 치아를 움직이거나 비익저의 윤곽을 증대시키기 위해서는 치과교정치료(orthodontics)가 필요하다.

Mulliken(1985)은 Millard가 하버드 대학의 객원교수로 있을 때 들은 강의의 영향을 받은 다음, 양측 구순열비에 관한 여러 문헌을 읽고 연구한 결과를 분석하여 다음과 같은 원칙을 유도해 내었다.

(1) 대칭성 유지. 교정한 구순열비의 양쪽에 정말 작은 차

이가 있더라도 그 차이는 성장함에 따라 더 명백해지기 때문이다.

(2) 구륜근의 연결성 확보. 입술 고리(oral ring)를 건설하고, 외측 근육 융기(lateral muscular bulge)를 제거할 뿐만 아니라, 인중의 왜곡을 최소화하기 때문이다.

(3) 독특한 크기 및 모양의 인중피판(philtral flap) 도안. 인중피판의 양가를 내측으로 굽도록 방패형으로 만들고, 작게 도안 하였는데, 성장함에 따라서 인중이 외측으로 벌어질 뿐만 아니라, 길어지기 때문이다.

(4) 외측 구순분절로부터 중앙홍순결절 건설. 전순홍순은 비정상적인 색깔을 띠며, 흰색 능선이 부족할 뿐만 아니라, 충분히 성장하지 못하기 때문이다.

(5) 제 1단계 교정술에서 비익연골의 재배치로써 비첨 및 비주 건설. 설령, 전순을 비주로 전위시키더라도 비주는 여전히 짧기 때문이다.

이 가운데 제 1-4원칙과 달리 제 5원칙은 과거의 양측 구순열비교정술의 수술 전략과는 근본적으로 다른 발전으로서 용모를 많이 개선하도록 기여하였다.

2. 교정 시기

일반적으로, 양측 구순열비교정술은, 교정에 사용할 조직이 더 많아지도록 영아의 체중이 5.4-6.3kg이 될 때까지 미룬다(Cronin 등, 1990). 영아의 구순열비가 클수록 수술 결과가 좋기 마련이므로 체중보다는 구순열비가 더 중요하다. 만약 구순열비가 너무 작아서 세밀한 수기를 사용하기가 힘들면 교정술을 뒤로 미루는 게 현명하다. 전악골이 지나치게 돌출되어 있어서 비외과적 방법으로써 후치시키고자 할 때에는 생후 수개월 동안에는 뼈가 유연하고 급성장하는 장점을 이용하기 위하여 즉시 시작하도록 한다.

3. 역사적 배경

1) 두 단계 교정술

양측 구순열비교정술은 빈도가 더 높은 일측 구순열비교정법을 개작한 것이다. 과거의 교과서에서는 단계적 교정술을 권장하였다. 즉, 일단 더 심한 쪽의 개열을 먼저 교정한 다음, 덜 심한 쪽을 교정하는 것이었다. Skoog법(1965)이나 Trauner와 Trauner법(1967)과 같은 두 차례 교정술은 한 쪽 개열을 닫으면 비주가 부분적으로 연장되는 장점이 있으므로 권장되었다.

2) 외측 구순분절을 이용한 상구순 건설

20세기 중반까지 양측 구순열비의 작은 전순은 완전히 성장할 잠재력이 없다고 믿었기 때문에 외측 구순분절로부터 조직을 보탬으로써 인중을 길게 하고자 하였다. 전순의 크기가 불충분한 이유는, 전순은 비주와 접한 것을 제외하고는 주변의 어떤 구조물과도 결합되어 있지 않기 때문에 주변 구조물로부터 신연력(stretching force)을 받지 못하며, 전순 피부 자체가 가지는 신축성에 의해서 수축되기 때문이다. 더욱이 완전구순열비인 경우에는 근육도 존재하지 않기 때문에 결과적으로 전순은 외측 구순분절보다 더 얇게 된다.

Koenig, Maas, Rose, 그리고 Thompson 같은 대부분의 초기 학자들(Holdsworth, 1951)과 그 후의 몇몇 학자들(Smith, 1950; Barsky, 1950)은 이러한 전순의 크기 때문에 오판하여서 상구순의 수직 길이를 증가시키기 위하여 외측 구순분절의 피부-근육-점막피판을 전순으로 전위 시켰다. 이러한 기법은 거의 모든 증례에서 수직 길이는 지나치게 길고 수평 길이는 지나치게 조인 상구순(tight upper lip)을 만들었다. 외측 구순분절에서 여유가 없는 수평 길이를 희생하면서까지 피부를 취하여 필요하지도 않은 상구순의 수직 길이를 증가시키는데 사용하였기 때문이다. 더욱이 술후 전순 피부는 마치 반도처럼 거의 완전히 반흔에 의해 둘러싸인 상황에서 반흔이 수축함에 따라 상구순 중앙에서 반구형으로 융기되는 문제도 있었다.

Veau III법이나 직선봉합법에서는 양측 구순분절로부터 장방형이나 삼각형 피판을 일으켜서 전순의 양가 또는 하측 연에다가 깍지 끼우듯이 위치시켰다. 그런데 이런 방법들도 상구순 반흔이 자연스럽지 못한 도형(圖形)이면서 흔히 비대칭이며, 상구순이 수직으로 길면서 조이는(vertically long and tight upper lip) 단점이 있었다(그림 12-4). 그래서 변법들이 유행하게 되어서 전순의 연장을 줄이긴 하였지만, 인중은 여전히 비정상적으로 넓고, 방패형 또는 종석형(宗石型, keystone)으로 남게 되었다.

3) 전순을 이용한 비주 건설

Stark와 Ehrmann(1958)이 지적한 것처럼, 전순은 발생학적으로 구순에 속한 것임에도 불구하고 전순이 비주 건설에 편

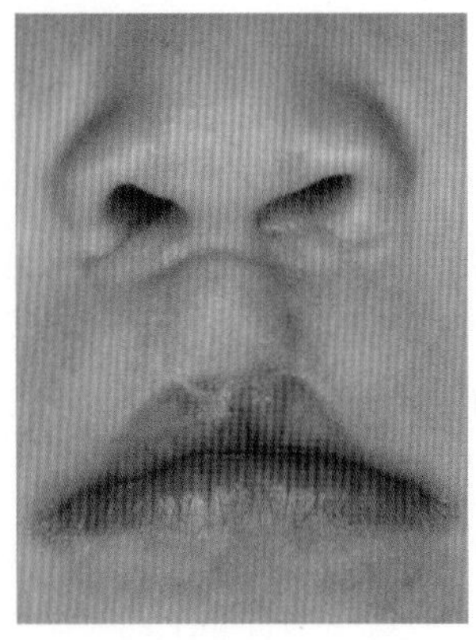
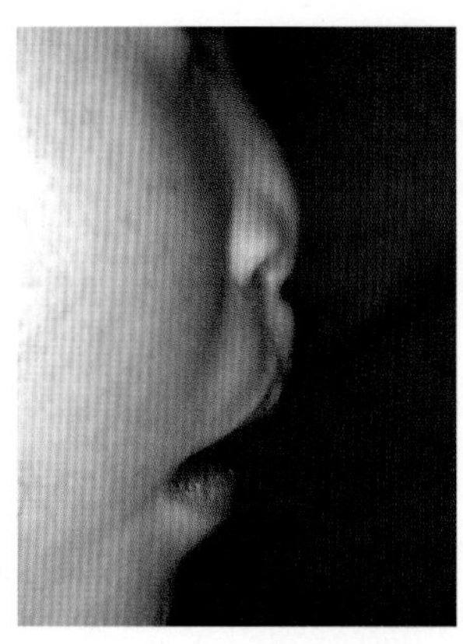

그림 12-4. Veau Ⅲ법의 수술 결과. 양측구순분절로부터 장방형 피판을 일으켜서 전순의 양가에다가 깍지 끼우듯이 위치시켰을 때 상구순 반흔이 자연스럽지 못한 도형이면서 흔히 비대칭이며, 상구순이 수직으로 긴 단점이 있었다. 더욱이 전순 피부는 반도처럼 거의 완전히 반흔에 의하여 둘러싸인 상황에서 반흔이 수축함에 따라 상구순 중앙에서 반구형으로 융기된다.

리하므로 널리 사용되었다. 비주를 만드는데 전순 전체를 사용하면 양측 구순분절을 정중선에서 봉합해야 하기 때문에 더 나쁜 결과가 나타나게 되므로(Adams와 Adams, 1953) 현재에는 사용하지 않는다.

4) 전순을 이용한 인중 건설

Marcks 등(1957)은 전순에서 구순조직의 모낭, 피지샘, 그리고 점막하층을 입증하였으며, 성인 남성이 되었을 때 전순 피부에서 털이 성장함을 밝힌 바 있다. 그러므로 전순을 사용하여 상구순의 수직 길이를 완전히 건설하는 견해를 많은 학자들이 강력히 지지하고 있다(Axhausen, 1932). 인중 건설에서 보다 자연스럽게 보이는 인중을 만드는 것이 중요한데, 대부분의 다른 학자들은 6-8mm 정도의 넓은 폭을 추천하지만, Mulliken(1985)은 2mm 폭으로 과감히 줄일 것을 주장하였다. 요즈음에는 전순으로써 비주가 아니라 상구순의 전체 수직 길이를 건설하고 있다.

5) 중앙홍순결절(central vermilion tubercle) 건설

이 당시의 논란거리는 전순홍순(prolabial vermilion)에 관한 것으로서 전순홍순 전체를 보존할 것이냐, 아니면 전순홍순이 작더라도 남겨 놓거나, 전순홍순이 작으므로 완전히 절제한 뒤 양측 구순분절로부터 중앙홍순-점막결절(central vermilion-mucosal tubercle)을 만들 것 인가였다.

6) 구륜근봉합술

전순피판 아래에서 양측 구순분절의 근육끼리 봉합하면 상구순의 괄약 기능이 개선될 수 있지만, Cronin 등(1990)은 이로 인하여 발생되는 조임 때문에 상구순의 퇴축이 유발될 것을 우려하였다. 또 Adams와 Adams(1953)는 비주 연장을 위하여 전순을 전진시킨 다음 양측 구순분절을 봉합하였을 때 상구순에 수축 효과가 있음을 증명하였다. 그래서 Cronin 등(1990)은 전순 전체를 일으키지 않고 홍순의 수준에서 덜 조이도록 근육봉합술을 하기를 좋아한다. 이 방법을 사용하였을 때 구강괄약 기능(oral sphincter function)이 만족스러웠다고 한다.

이처럼 많은 학자들이 외측 구순분절로부터 구륜근을 일으켜서 서로 봉합을 하면 전악골의 성장을 방해할 것으로 믿었기 때문에 20세기 후반에 들어서야 구륜근봉합술에 관심을 가지게 되었으며, 요즈음 시행하는 완전한 근육봉합술이 과거의 방법보다 덜 해로운지의 여부는 장기간 관찰을 통하여 결정될 것이지만, 장기 추적한 일부의 환아에서 전악골 하부의 설측 내번(lingual version)을 관찰할 수 있다.

7) 양측 구순열비의 동시교정술(synchronous one-stage repair of bilateral cleft lip nose)

양측 구순열비교정술에서 개열이 넓고 왜곡되었으면 구순열교정술조차 기술적으로 어렵기 때문에 초점은 자연스럽게 구순열교정술에 맞추어졌으며, 비교정술은 뒤로 미루어질 수밖에 없었다. 이러한 2차교정술은 주로 비주를 연장시키는 데 역점을 두었으므로 흔히 비주연장술(columellar lengthening procedure)로 부른다. 비교정술이 연기된 이유는 분명치 않지만, 4가지로 집약할 수 있다(Mulliken, 2004).

(1) 첫째, 인중의 혈액 공급이 불충분하다고 생각하였기 때문에 비교정술을 하기가 불안하였다. Millard(1967)는 비주 건설을 위한 일차삼지창형피판술(primary forked flap)을 기술하였는데, 이때, 삼지창형 피판으로 사용하고 남은 전순은 전악골에 부착된 채로 두어서 혈액 공급을 받게 하였다. 그러므로 전순 뒤에서 외측 점막-근 피판을 서로 봉합하는 것이 불가능하였다.

(2) 비연골조작이 아마도 코의 성장을 장애 할 것이라고 걱

정하였다.

(3) 짧은 비주는 술자에게 부담이 되기 때문에 나중에 역점을 두어 다루는 것이 최선이라고 믿었다.

(4) 양측 구순열교정술을 하면 비익연골의 내측각(medial crus)을 좀더 하후방으로 당기기 때문에 비익원개(alar dome)를 변위시켜서 슬(genu)이 굽어짐에 따라 비주가 더 짧아져서 비변형을 악화시킨다고 생각하였다(Mulliken, 1985)(그림 12-5).

따라서 학자들은 비주 연장을 위하여 여러 가지 이차적 교정 방법을 고안하게 되었다. 이런 비주연장술은 비주 피부가 부족하다는 개념에 기초한 것으로서 가장 인기가 있던 2가지 방법은 Millard의 삼지창형피판술(forked flap)(1971)과 Cronin법(Cronin과 Upton, 1978)이었다. 전자는 두 단계 교정술에서 구순조직을 삼지창형 피판으로 일으켜서 비주에 보충시켰으며, 후자는 한차례의 양경외비공바닥의 V-Y전진피판술(V-Y advancement flap of bipedicled nasal floor flap)로써 비주를 연장시켰다. 이런 방법은 비익연골의 위치 이상을 유발하는 단점이 있었다.

8) 비변형의 일차교정술

McComb(1990)과 Mulliken(1995)은 비주는 상구순이 아니라 코에 속하므로 비주 건설을 위하여 비첨 조직을 이용하여야 한다고 역설하였다. 예를 들어서, 비첨을 박리하면 양측 비익연골을 서로 멀리 분리 되어 비주 높이가 낮아지게 되는데, 이를 역으로 이용하여서 비주연장술을 하여야 한다고 하였다. 즉, 양측 비익연골의 내측각을 서로 봉합함으로써 비익연골의 벌어진 각간각도(intercrural angle)를 좁힌 다음, 과잉의 피부를 절제하는 것이다.

양측 구순열비의 일차교정술은 여러 학자에 의하여 발전되었다. Broadbent와 Woolf(1984)는 비첨에 가한 긴 수직 절제

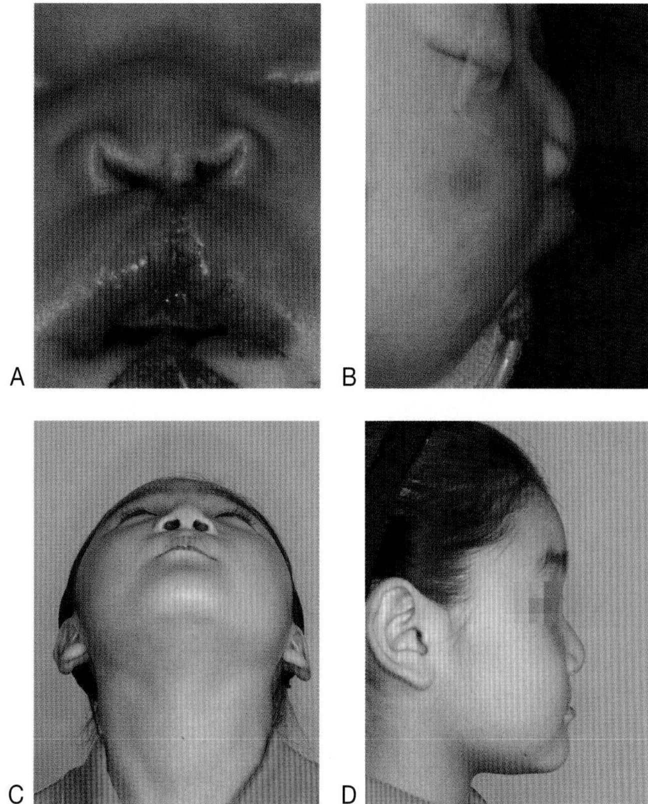

그림 12-5. 양측 구순열비교정술에서 비교정술을 연기한 이유. (A, B) 양측구순열교정술을 하면 비익연골의 내측각을 좀더 하후방으로 당기기 때문에 비익원개를 변위시켜서 슬이 굽어짐에 따라 비주가 더 짧아져서 비변형이 악화될 수 있다. (C, D) 그러나 술후 성장함에 따라서 같은 또래의 구순열비 형태를 갖추게 된다.

창을 통하여 비익연골의 내측전진술과 비첨의 과잉 피부절제술을 하였다. McComb(1975)도 처음에는 일차삼지창형피판술(primary forked flap)을 사용하였다. 이러한 일차교정술을 받은 환아가 10대가 되었을 때 결과는 만족할 만 하였으나(McComb, 1986), 15년이 지나서 사춘기가 되었을 때에는 과도 성장이 일어나서 바람직하지 못한 모습이 됨을 보고하였으며(McComb, 1990), 이를 바탕으로 삼지창형피판술을 더 이상 사용하지 않고 있다. 그는 새로운 접근법을 고안하였는데, V형비첨절개술을 하여 비익연골을 서로 맞서게 하여 부유시켰으며, 비첨을 좁히기 위하여 V-Y전진피판술을 하였고, 양측구순접합술(bilateral labial adhesion)을 한 뒤 이차교정술 때 좀더 본격적인 구순열교정술(definite labial repair)을 하였다(McComb, 1990). McComb(1994)은 이러한 방법을 이용하여 연속적으로 교정한 10명의 환아의 술후 4년 결과에서 코모양이 훌륭함을 보고하였다. Noordhoff(1986)도 양측 구순열비교정술 때 비익연골을 거상시켜서 비주를 연장하였다. 1991년, Trott과 Mohan(1993)은 개방비첨접근법(open tip approach)에 의한 양측 구순열비교정술의 한차례 교정술을 기술하였는데, 양측 비주동맥(columellar artery)에 기초한 전순-비주피판(prolabial-columellar flap)을 일으켜서 벌어진 비익연골을 노출시켰다. Cutting과 Grayson(1993)도 제 1단계 교정술에서 비대칭으로 도안한 전순피판(prolabial flap)으로써 비주를 증대시켰다. 그 후 그들도 Trott와 Mohan처럼 개방비첨접근법을 사용하였는데, 차이점은 전순-비주피판을 막비중격(membranous septum)을 따라 절개한 것과, 이 피판에 비익연골의 내측각(medial crus)과 중간각(middle crus)을 포함시킨 것이다. 슬은 노출시키지 않았지만, 경비전정석상봉합술(transvestibular mattress suture)로써 슬을 간단하게 맞서게 하였다(Cutting 등, 1998). 이 방법의 중대성은 수동 구개형판(passive palatal molding plate)의 연장형인 맞춤형 아크릴 도구(custom-made acrylic device)를 술전에 사용함으로써 외비공을 신연시키는 것이다. 동시에 양쪽 뺨에 장치한 현외 장치(outrigger)를 가로 지르는 테이프를 연속적으로 부침으로써 전악골을 점진적으로 후퇴시켰다(Cutting 등, 1998; Grayson 등, 1999).

이렇게 여러 학자들에 의하여 양측 구순열비의 일차교정술의 원칙은 확립되었으며, 비주는 코에 속한 것이므로 비주 건설을 위하여 상구순 조직을 보충할 필요는 없으며, 다만 비익연골의 해부학적 위치 및 고정과, 비첨의 과잉의 피부를 잘라서 다듬음으로써 비주가 건설 된다(그림 12-2).

4. 전악골 돌출

1) 전악골 돌출의 기전

비중격연골의 성장은 상악골을 전하방으로 성장하도록 하는 외력으로서 작용 한다(Scott, 1956). Latham(1970)은, 이 외력이 비중격의 미측 연에서 시작하여 후하방으로 주행하여 전악골의 골막(premaxillary periosteum)과 전악골간봉합선(intermaxillary suture)에 섞이는 비중격-전악골인대(septopremaxillary ligament)에 의하여 전달되는 것을 보여주었다. 따라서 비중격의 성장은 전악골을 앞으로 당기는 결과를 낳는다. 그러나 Latham(1968)은 이전의 견해와는 반대로, 비중격연골은 출생 후에는 상악골 성장에 영향을 미치는 외력으로서 중요하지 않다고 하였다. 그는 출생 후 상악골 성장은 안와골과 상악골 후면(상악결절, maxillary tuberosity)에서의 신생골 침착 때문이라고 증명하였다. 이렇게 성장하는 골이 주위의 연조직(안와지방, 안구, 그리고 측두근)에 외력을 가하게 되면 상악골봉합선(maxillary suture)에서 상악골이 전하방으로 움직이게 된다. 이때 상악골봉합선은 미끄럼판으로서 작용한다. Latham과 Scott(1970)은, 이상의 2가지 기전, 즉 비중격연골의 작용과, 안와골과 상악결절에서의 신생골 침착 둘다에 의한 "다수 보장(multiple assurance)" 원칙이 안면골 성장에도 적용이 된다고 가정하였다. 다수 보장이란 성장 기전에는 대개 한 개 이상의 과정이 관련되어 있는데, 어느 하나가 작용하지 않으면 다른 것들을 이용하여 성장할 수 있다는 기본적인 생물학적 원칙을 말한다. Latham(1967, 1973)은 양측구순구개열에서 서골-전상악골봉합선(vomeropremaxillary suture)의 봉합 연의 구조가 연골양 조직(chondroid tissue)으로 변한 것으로써 서골-전상악골봉합선의 과도 성장을 입증하였으며, 이것이 전악골을 돌출시킨 원인이라고 하였다. 그러나 연골양 조직은 봉합선의 성장을 의미하는 것이 아니며, 비중격연골이 전방으로 자람에 따라서 비중격-전악골인대로 연결된 전악골을 당겨서 생긴 공간을 메운 것일 뿐이다.

정상 영아와 양측 구순열비를 가진 영아에서 비중격-전악골의 관계를 그림으로 보면(그림 12-6), 양측 구순열비에서 7-8개월의 태아기 동안에는 서골-전상악골봉합선의 방향이 경사

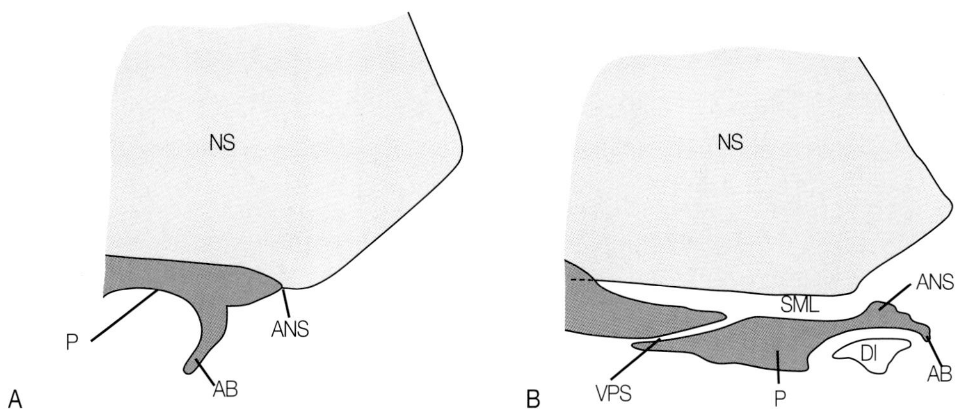

그림 12-6. (A) 출생 때 비중격(NS), 전악기저골(P, basal premaxillary bone), 그리고 치조골(AB, alveolar bone)의 시상면에서의 정상적 관계. 전비극(ANS, anterior nasal spine)이 비중격의 전하각(anteroinferior angle)에 놓여있음에 유의하시오. (B) 양측구순구개열비의 신생아에서의 시상 관계. 전악기저골(P)은 전비극(ANS)에 가는 비중격-전악골인대(SML, septopremaxillary ligament)에 의하여 비중격에 부착되어 있다. 비중격의 성장이 비중격-전악골인대를 통하여 전악기저골에 전달되므로 전악기저골이 돌출된다. 치조골(AB, alveolar bone)도 돌출되어서 전악기저골(P)과 같은 수평면에 놓여있다. 따라서 전악골 돌출의 상당 부분은 치조돌기(alveolar process)가 비정상적으로 전방 위치하기 때문임을 알 수 있다. 절치(DI, deciduous incisor)는 전비극(ANS)보다 완전히 전방에 나와 있다. 서골-전상악골봉합선(VPS, vomero-premaxillary suture)이 경사진 것은 봉합선에서의 성장이 빠름을 의미한다. 각각의 구조물들은 비중격의 하측 연을 보여주기 위하여 인위적으로 분리시켰음에 유의하시오.

져있는데, 이는 이 봉합선에서 성장이 빠른 것을 의미하며, 따라서 유절치(deciduous incisor)가 전비극(anterior nasal spine)보다 완전히 전방으로 돌출되어있다. 따라서 전악골 돌출의 상당 부분은 치조돌기(alveolar process)가 비정상적으로 전방 위치하기 때문임을 알 수 있다.

2) 돌출된 전악골의 조절

전악골의 위치가 꽤 정상적이거나 중등도로 돌출되었으면 비외과적 방법을 사용하여 돌출을 감소시킨 다음 양측 구순열교정술을 할 수도 있지만, 이러한 조작 없이 조금 있는 긴장 아래에서 구순열교정술을 할 수 있다.

그러나 지나친 돌출 때문에 구순열비교정술후 심각한 합병증이 발생할 수 있다. 지나치게 돌출된 전악골 위로 구순열교정술을 하면 과도한 긴장 때문에 실제로 창상 개열이 발생하거나 반흔이 벌어질 수 있다. 과도하게 돌출된 전악골 때문에 비첨과 비정상적 위치 관계에 놓이게 된다. 즉 전악골이 비저(nasal base)에 정상 위치하는 대신, 비첨 쪽으로 성장하므로 그렇지 않아도 짧은 비주가 더 짧게 된다.

돌출된 전악골을 처리하는 현재의 방법은 아래의 순서대로 선호 된다.

1. 아기 모자에 단 외부탄력체(고무 밴드)에 의한 견인.
2. 한번에 한쪽씩 구순열교정술.
3. 구순접합술(lip adhesion).
4. 구강내 탄력 견인 장치(intraoral elastic traction device).
5. 전악골의 외과적 후치술(surgical setback of premaxilla).

(1) 외부탄력체에 의한 견인

조기에 아기 모자를 사용하는 견인 방법은 1950년대부터 사용되었으며, 환아를 만나는 즉시 착용시킨다. 아기 모자에 접착천(Velcro)으로써 부착시킨 고무 밴드는 수유를 제외하고는 계속해서 착용시킨다. 이 고무 밴드는 외측 상악분절들은 성장시키면서 전악골의 전방 성장을 제지하며, 전악골을 어느 정도 후치시킨다(그림 12-7). 고무 밴드에 의한 외측 압력으로 인하여 외측 상악분절이 붕괴될 수 있으므로 외측 상악분절의 위치가 만족스럽게 되면 구강내 아크릴판(intraoral acrylic plate)으로 대체한다. 그러나 외측 상악분절이 이미 붕괴되었으면 나사판(screw plate)으로써 교정하기를 권장한다. 장착시킨 지 1주일 정도면 치료 효과를 볼 수 있으며, 수주에서 2, 3달이 지나면 치료 결과를 기대할 수 있다(Cronin 등, 1990). 만일 전악골이 후치되지 않았으면 구순접합술(lip adhesion)

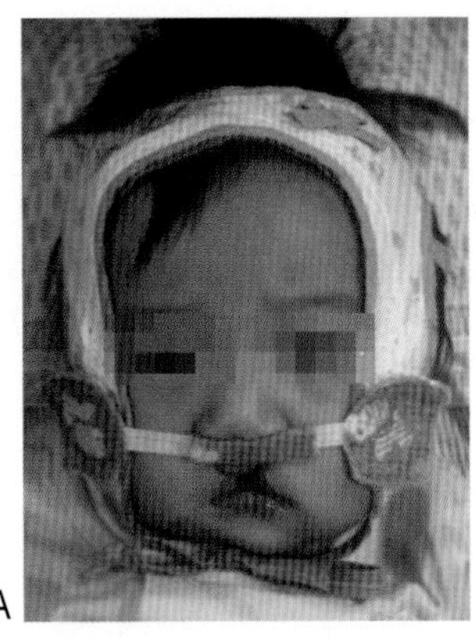
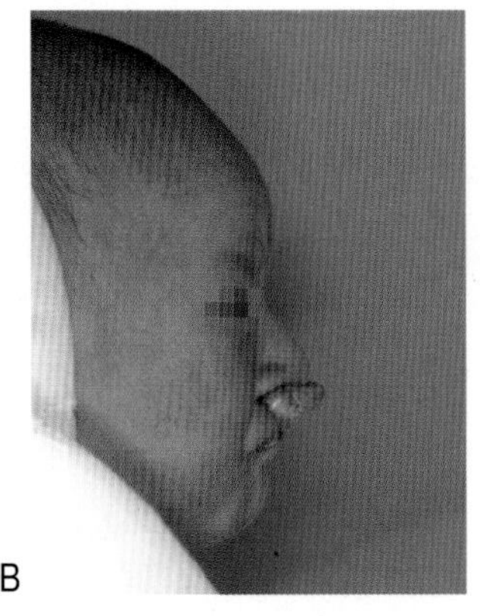
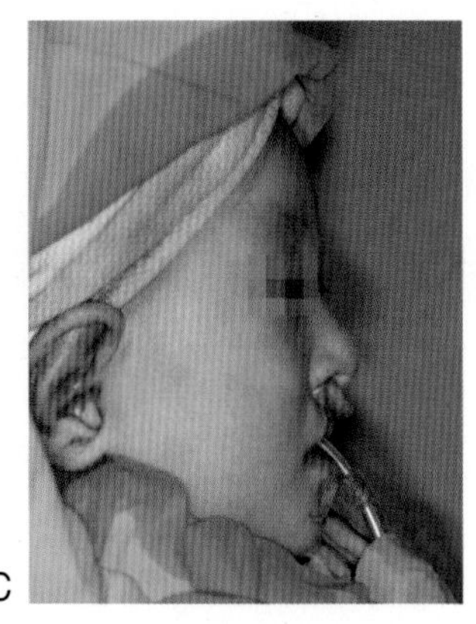

그림 12-7. 외부탄력체에 의한 견인을 이용한 전악골 돌출의 조절. (A) 아기 모자에다가 접착전을 이용하여 고무 밴드를 부착시켰다. 고무 밴드 안쪽에는 부드러운 천 조각을 대어서 상구순 피부를 보호하도록 하였다. (B) 양측 완전구순구개열의 측면 모습. 전악골이 심하게 돌출되었다. (C) 전악골이 재배열 되어서 생후 2개월 모습.

을 할 수 있다. 고무 밴드 이용의 단점은 영아 부모의 이해력 있는 협조가 필수적인 것이다. 더욱이 충분하면서도 지나친 압력이 가해지고 있지는 않은지, 또 한쪽에만 지나친 압력이 가해지고 있지 않은지 자주 점검할 필요가 있으며, 만약 지나친 압력이 가해지면 전악골의 설측 경사(lingual tilting)로 인하여 비중격이 휘게 된다.

(2) 한번에 한쪽씩 구순열교정술

전악골의 후치는 예비적 정악치료(orthopedics)를 하지 않더라도 구순열교정술에 의한 상구순의 압력만으로도 가능하다. 대개는 개열이 넓은 쪽부터 먼저 닫는다(Mulliken, 2004). 이 방법으로써 두 번째 반대쪽의 구순열교정술을 할 때에는 극도의 주의를 기울임으로써 수술 창상이 파열되거나 반흔이 벌어질 위험을 방지하여야 한다. 두 번째 구순열교정술은 먼저 교정한 조직이 부드러워졌을 때인 술후 약 2-3개월에 한다. 첫 번째 구순열교정술 때 잉크로써 두 번째 교정술의 절개 부위를 표시해두지 않으면 첫 번째 교정술로 인한 전순의 왜곡 때문에 정확한 도안이 어렵다(그림 12-8).

(3) 구순접합술(lip adhesion)

구순열교정술이 돌출된 전악골을 조절하는 효과적인 방법이긴 하지만, 심하게 돌출된 전악골 위에서 본격적인 구순열

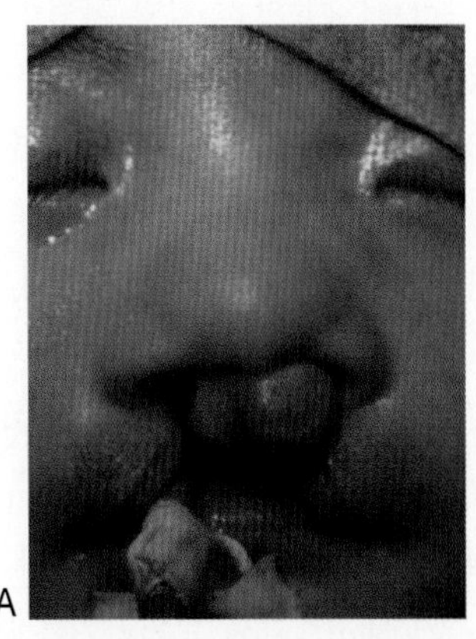
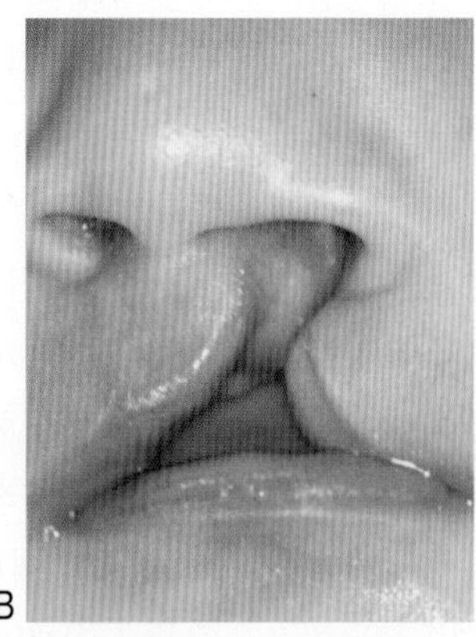
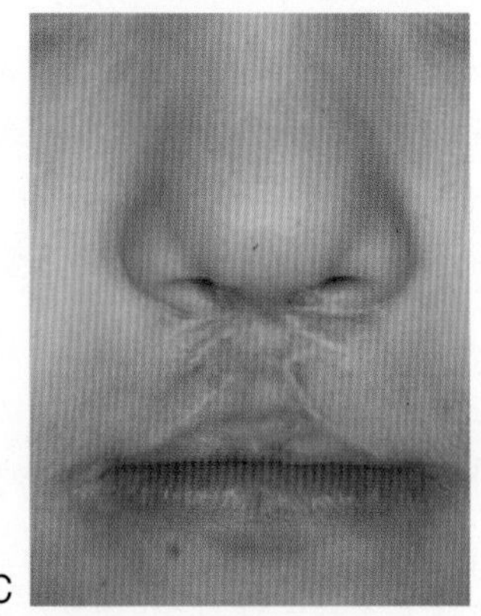

그림 12-8. 한번에 한쪽씩 구순열교정술에 의한 전악골 돌출의 조절. (A) 작은 전순을 가진 전악골을 외부탄력체로써 견인 후 모습. (B) 작은 전순의 혈액 공급을 우려될 뿐만 아니라, 좌측으로 변위된 전순과 전악골을 교정하기 위하여 심하게 개열된 우측구순열부터 Tennison-Randall법으로써 교정하였다. (C) 수년 뒤에 다른 술자에게 두 번째 구순열교정술을 받은 다음 장기 추적 후 모습. 첫 번째 구순열교정술 때 잉크로써 표시해두었던 지표가 지워진 것으로 추측되며, 따라서 상구순 반흔이 비대칭이다.

교정술(definite lip repair)하면 비후반흔(hypertrophic scar)이 넓어지거나 수술 창상이 파열될 수 있다. 구순접합술의 적응증은 외부탄력견인이 실패하였을 때와 외부탄력견인을 적절히 관리할 수 없는 경우, 일차적 조치로서 가치가 있을 수 있다. 이러한 경우에서 바로 본격적인 구순열교정술을 하면 지나친 긴장 때문에 수술 결과가 나쁠 가능성이 있는데, 구순접합술은 이를 피하게 해준다(그림 12-9). 수개월 후 조직이 부드러워진 뒤에 본격적인 구순열교정술을 한다.

구순접합술의 방법은, Hamilton 등(1971)은 개열연으로부터 2개의 똑같은 크기의 직사각형 피판을 일으킬 것을 권장하였는데, 내측 피판의 기저는 전방에 두고 외측 피판의 기저는 후방에 둔다. 이 피판들은 본격적인 구순열교정술에서 버릴 것이다. 피부, 피하조직, 그리고 점막을 3층으로 봉합한다. 지나친 긴장을 피하기 위하여 필요하면 외측 구순분절을 유리시킬 수도 있으며, 3-0 견사 또는 나일론사로써 정체봉합술(停滯縫合術, retention suture)을 할 수도 있다.

(4) 구강내견인

Georgiade(1971)의 방법은, 전서골봉합선(prevomerine suture) 전방의 전악골에 핀을 장치한 다음, 스프링이 달린 아크릴 확장판(expansion plate)을 양측 상악분절에 장착한 뒤 철쇠(staple)로써 고정한다(그림 12-10A). 탄력사(elastic thread)를 전악골에 장치한 핀으로부터 아크릴판에 있는 고리로 연결한다. 전악골은 2-3주 만에 서서히 제 위치로 돌아오게 된다. Latham(1973)은 아크릴판을 양측 상악분절에 철침으로써 고정하는 정교한 구개장치를 개발하였다(그림 12-10B). 탄력체를 전악골 후방에 통과시킨 핀에서 시작하여 장치의 도르래를 돌아서 양측 상악분절에 부착시킨 뒤 나사를 돌리면 외측 상악분절이 확장된다. 이 장치는 수주에 전악골과 외측 상악분절을 정렬시킬 수 있다.

(5) 전악골의 외과적 후치술(surgical setback)

이 술식은, 심하게 돌출된 전악골을 구순접합술이나 한번에 한쪽씩 하는 구순열교정술과 같은 기존의 방법들이 실패했을 경우에만 적용하여야 한다(Cronin 등, 1990). 또 외과적 후치술은 구순열교정술을 했는데도 불구하고 전악골이 평와된(平臥, procumbent premaxilla) 후기의 소아에서 고려할 수 있다.

전악골후치술(Cronin, 1957)은, 지혈 효과를 위하여 5% 코카인을 가볍게 적신 솜조각을 코 안과 서골의 하측 연에 넣은 다음, 환아의 목을 과대 신전 시킨 상태에서 수술한다. 서골-전서골봉합선(vomer-prevomerine suture)은 융기 또는 팽창으로써 동정하며, 골절제술은 서골-전서골봉합선 뒤쪽에서, 전악골의 돌출 정도보다 4-5mm 더 작은 크기의 서골을 직사각형으로 떼어내도록 계획한다(그림 12-11).

그러므로 이보다 좀더 후방의 서골로부터 전서골 전방까지 점막을 절개한다. 비중격의 얇은 점막을 양가로 일으킬 때 찢어지지 않도록 조심하여야 한다. 날카로운 절골도나 얇고 날이 정밀한 톱을 사용하여 전방부터 절골한다. 만일 후방을 먼

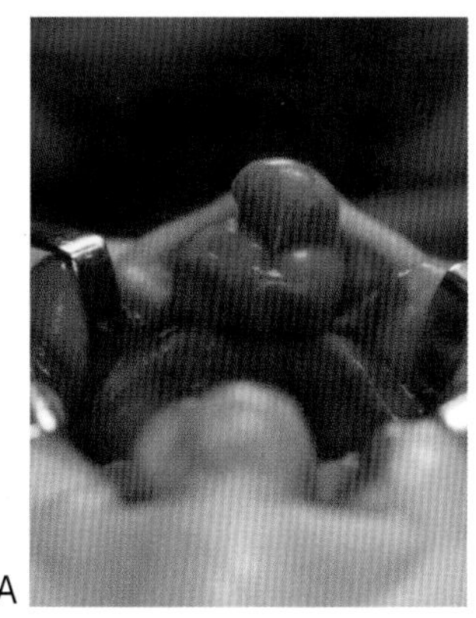
A

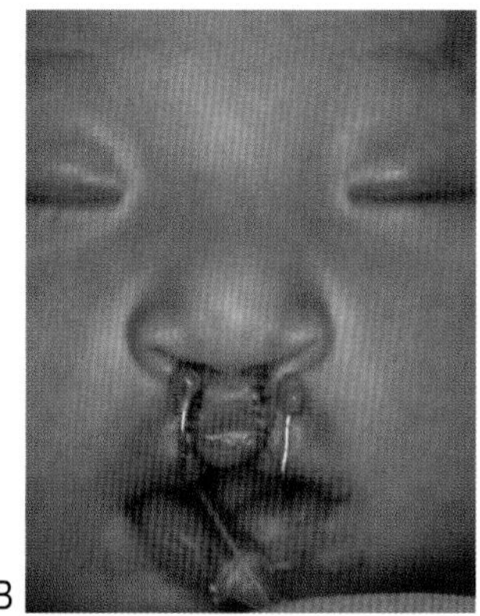
B

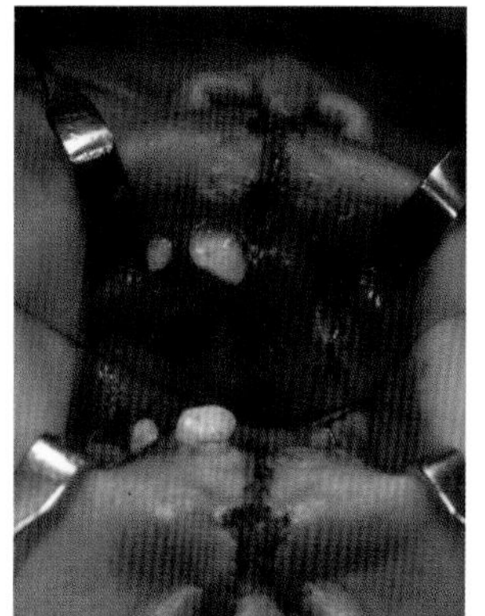
C

그림 12-9. 구순접합술에 의한 전악골 돌출의 조절. (A) 양측 완전일차구개열. 건재한 이차구개 때문에 아기 모자에 단 외부탄력체로써 돌출된 전악골의 조절을 실패하였다. (B) 양측구순접합술을 하면서 수동술전정악치료(passive presurgical orthopedics)를 위한 장치를 위치시켰다. (C) 양측구순접합술에 의하여 전악골 돌출이 많이 개선된 것을 본격적 구순열교정술 때 확인할 수 있었다.

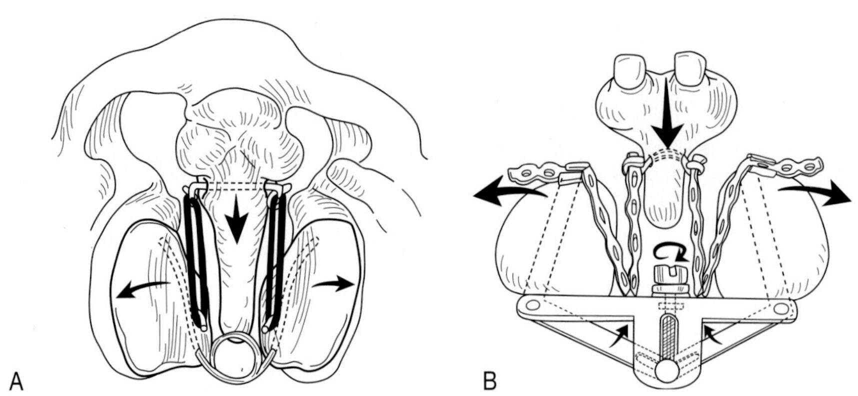

그림 12-10. 구강내견인을 이용한 전악골 돌출의 조절. (A) 양측 상악분절 및 전악골의 재배열을 위한 Quinn-Georgiade구강내장치. 스프링이 달린 아크릴판을 철쇠로써 양측 상악분절에 고정시켜서 외측 상악분절을 확장시킨다. 전서골봉합선 전방에 장착한 핀으로부터 아크릴판까지 지나는 탄력사의 견인으로 인하여 전악골의 후치와 외측 상악분절의 전진을 증진시킨다. (B) Latham구강내장치. 아크릴판을 양측 상악분절에 핀으로써 고정시킨다. 핀을 전서골봉합선 전방의 전악골에 장착한 다음 탄력체를 전악골의 핀에 연결하고 장치의 뒷부분에 있는 도르래를 돌아서 양쪽 아크릴판의 앞부분에 부착시킨다. 나사를 돌리면 전악골이 후퇴되면서 치조궁이 확장된다.

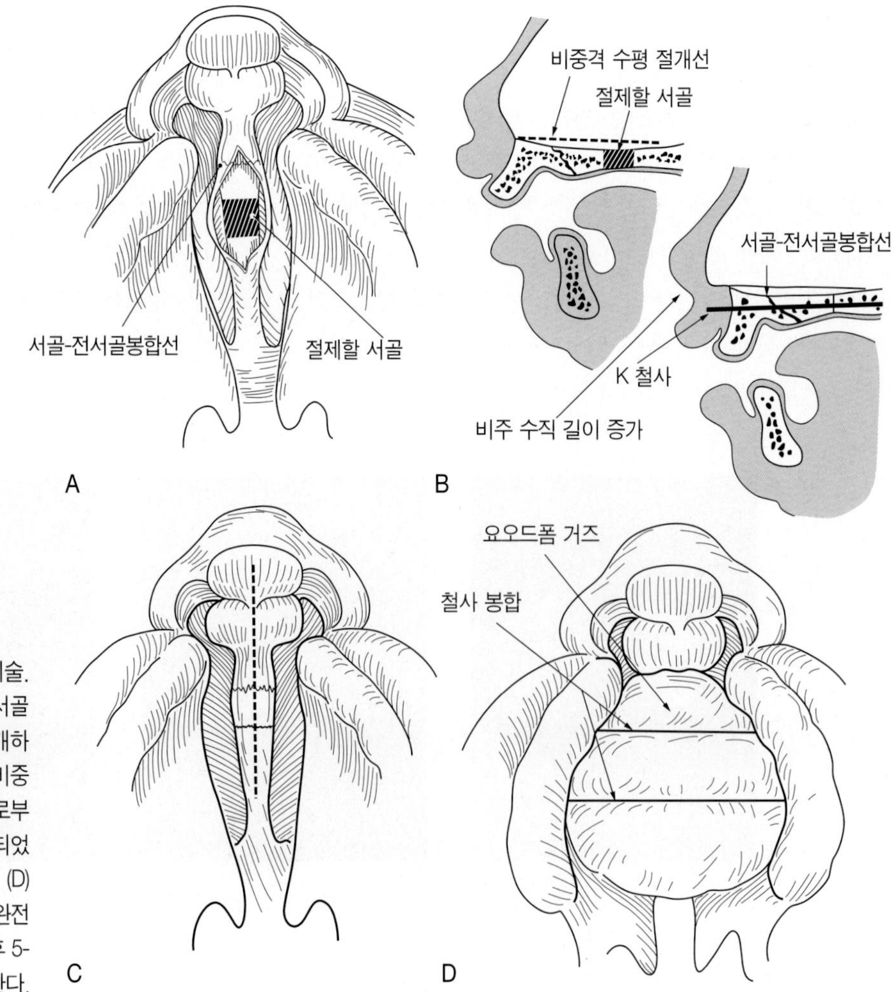

그림 12-11. 돌출된 전악골의 외과적 후치술. (A) 서골-전서골봉합선 후방에서 직사각형서골절제술을 한다. (B) 비중격연골을 수평 절개하여 전악골을 후방으로 밀 수 있도록 한다. 비중격연골절개술 대신 비중격연골을 서골구로부터 유리시킬 수도 있다. (C) 전악골이 후퇴되었고, Kirschner철사를 삽입하여 고정하였다. (D) 술후 좀더 전위될 수 있으므로 전악골을 완전히 후치시키는 것은 피하는 것이 좋다. 술후 5-7일 동안 요오드폼 거즈로써 봉합을 보호한다.

저 절골하면 서골이 느슨해지기 때문에 전방절골술이 어려워진다. 직각의 수술칼을 사용하여 서골절제부에서 앞으로 비중격연골을 통과하는 수평 절개를 한다. 이렇게 해야 전악골의 기울어짐 없이 전악골을 후방으로 밀 수 있다.

비중격연골을 수평 절개 하는 대신, 비중격기자(septal elevator)로써 연골을 서골구(vomer groove)로부터 유리시킨 다음, 전악골을 후방으로 미는 방법도 있는데, 이 방법은 비중격연골의 성장 장애를 덜 유발하게 할 수 있다.

전서골을 절단하는 것보다 서골을 절단하는 술식이 더 좋다. 서골을 절단하고 나면 전악골을 조정할 수 있는 손잡이인 전서골을 확보할 수 있기 때문이다. 만약 전서골을 절단하면 이러한 손잡이가 없어지기 때문에 전악골의 조정 및 고정이 어려워진다.

전순을 유구겸자(hooked forceps)로써 들어올린 다음, 0.035 inch 굵기의 Kirschner철사를 전악골에서 시작해서 서골의 절단면까지 뚫어 넣는다. 철사의 반대쪽 끝을 절단한 다음, 2개의 서골분절을 조심스럽게 정렬한 뒤 망치로써 K철사를 후방의 서골분절 안으로 밀어 넣는다. 이렇게 망치를 이용하여 밀어 넣는 것이 구멍을 뚫어서 넣는 것보다 K철사가 더 바짝 조여서 전악골을 제 위치에서 단단히 고정시킨다. 이때 K철사는 뼈가 가장 두꺼운 서골의 하측 연에 가깝게 위치시켜야 한다. 절제한 서골 조각은 작게 토막 내어서 골접합 주위에 채워서 골유합(bony union)을 촉진시킨다. 점막은 6-0견사로 봉합한다. K철사 끝은 피부 표면 가까이에서 잘라서 매몰시킨다(그림 12-12).

5. 양측 구순열비교정술

1) 직선봉합법(Straight line closure, Veau III법)

Cronin 등(1990)은 직선봉합법을 기술하였는데, 구순열교정술을 할 때 전악골과 양측 상악분절의 수준이 비교적 적절하거나 서골피판(vomer flap)을 구개열연에 봉합할 수 있으면 전구개교정술(anterior palate repair)을 동시에 하였다. 직선봉합법을 이용하면 짧은 비주가 항상 동반되므로 이차비주연장술(secondary columellar lengthening procedure)을 6세에 하였다. 그 후 전악골을 안정시킴과 동시에 비익을 지지하는 골기저를 증대시키기 위하여 후기골이식술(late bone grafting)을 하였다.

(1) 도안

Berkeley(1961)는 a점을 너무 높게 잡으면 비주가 지나치게 짧아지기 때문에 너무 높게 위치시키지 않도록 주의를 환기시켰다(그림 12-13). 그는 유구겸자로써 비익원개(alar dome)를 들어올려서 비익연골의 내측각(medial crus)의 존재를 부각시킨 다음, 내측각의 끝보다 아래에 a점을 위치시킬 것을 권장하였다. 그는 이렇게 a점의 위치를 정하면 비주 길이가 정상적이 된다고 생각하지만, 많은 다른 술자들은 대부분에서 이차비주연장술(secondary columellar lengthening procedure)이 필요할 것으로 믿는다. a점 사이의 거리는 약 6mm이어야 한다. 전순 하부의 b점 사이의 거리는 전순 상부의 a점 사이의 거리보다 더 넓게 잡기를 권한다. 왜냐하면 홍순이 상구순

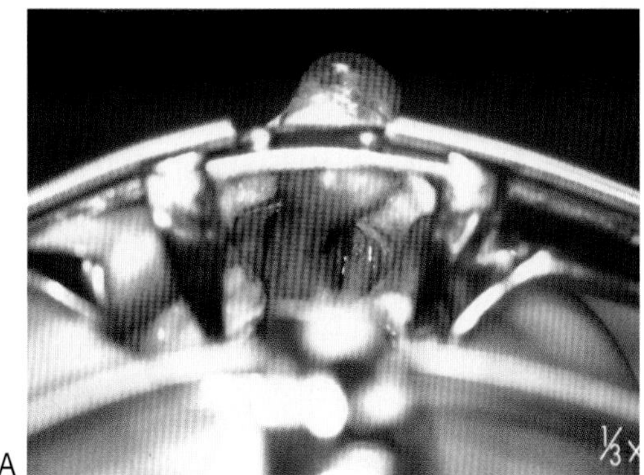

A

B

그림 12-12. 돌출된 전악골의 외과적 후치술. 서골-전서골봉합선 뒤쪽에서 전악골의 돌출 정도보다 4-5mm 더 작게 서골을 절제한 다음 Kirschner철사를 망치를 이용하여 밀어 넣은 뒤 K철사 끝을 피부 표면 가까이에서 잘라서 매몰시킨다. K철사 끝이 전악골의 전면에서 보인다.

상부보다 덜 조여야 상구순이 더 돌출되기 때문이다.

a'점은 비익저 끝보다 내측에 정한다. c점은 큐피드활의 중간의 홍순능선에 정한다. b점은 c점으로부터 3mm 외측에 있는 홍순능선에 정한다. 이러한 점들이 올바른 위치에 정해지면 잉크를 묻힌 25gauge 주사침의 끝으로 피부에 표시한다. a-b선이 a'-b'선보다 조금 더 짧으면 유구겸자로써 전순을 늘려서 봉합한다. 그래도 길이에 큰 차이가 난다면 비익의 바로 아래의 상구순에서 작은 전층의 쐐기형절제술을 함으로써 교정할 수 있다(그림 12-13D). 전순이 넓으면 삼지창형 피판(forked flap)을 만들어 외비공저에 저장시킨다(그림 12-13G,H). 전순이 몹시 작으면 Millard법(회전-전진법)이나 Wynn법(1960)을 사용하여야 한다. 일단 전순이 외측 구순분절과 합체되면 전순은 빨리 확대될 것이다. 만약 한쪽만을 교정한다면 a, b와 다른 쪽의 a', b'를 잉크를 묻힌 바늘로써 가볍게 표시해 놓아야 한다. 왜냐하면 첫 번째 구순열교정술에 의하여 전순이 왜곡되면 지표의 위치를 정하기가 어려워지기 때문이다. 잉크 표시는 제 위치에서 0.5mm 바깥쪽에 함으로써 다음 교정술 때 절제에 포함시킬 수 있도록 한다.

도안을 마치면 1% 리도카인(Xylocaine)과 10만 배 에피네프린의 혼합액을 협구(buccal sulcus), 비익저, 비주, 전순, 그리고 상구순에 가볍게 주사한다. 25-27gauge 주사침을 사용하며, 양은 구순조직을 왜곡시키지 않도록 1-1.5ml를 넘지 않아야 한다.

(2) 전구개열교정술(anterior palate repair)

구순열교정술을 하기 전에 전구개교정술을 할 수 있는데, 경험이 필요하다(그림 12-14). 적응증은 전악골과 양측 상악분절이 비교적 적절한 관계에 놓여있을 때와 구개열이 너무 넓지 않아서 서골피판(vomer flap)을 구개열연에 봉합할 수 있을 때이다. 이때 한쪽만 수술할 수도 있고, 양쪽 모두를 수술할 수도 있다. 경험이 적은 술자라면 구순열교정술을 잘 하는데 몰두하여야 한다. 구순열교정술을 하면 상구순의 압력에 의하여 전악골과 양측 상악분절이 정렬되므로 그 전에 전구개교정술을 해야 한다. 왜냐하면 전악골과 양측 상악분절이 정렬되어 서로 근접하게 되면 그 부위로의 접근이 제한되기 때문에 전구개교정술이 상당히 어려워지기 때문이다.

완전구순열이면 대개 비익저와 협부를 상악골로부터 분리시킬 필요가 있으며, 이를 위하여 순-협구(labiobuccal sulcus)를 절개하여 구순열교정술을 긴장 없이 할 수 있을 정도로 이 조직들을 상악골막 위로 박리한다. 이때 이상구(piriform aperture) 가장자리에 부착된 부속연골(accessory cartilage)을 절단할 수 있으며, 필요하면 비내점막도 절개한다. 이러한 조작은 비익저를 좀더 자유자재로 회전시키기 쉽게 해준다.

(3) 양측 구순열교정술

우선 외측 구순분절에서 15번 수술칼로써 a'-b'선을 전층 절개 할 때 지혈 목적으로 목재 설압자를 외측 구순분절 아래에 대고 손가락으로 가볍게 누른다(그림 12-13A,B). 절개는 피부 표면에 대하여 수직으로 하며, X피판에 충분한 근육을 남김으로써 중앙홍순결절과 전순홍순을 증대시키도록 한다. a'-b'선, 외측 구순분절연, 그리고 홍순능선(vermilion ridge) 직상부 사이의 다이아몬드형 피부를 절제하여(그림 12-12A) 홍순, 근육, 그리고 점막으로 이루어진 피판을 외측 구순분절에 남겨두어서 부족한 전순홍순을 만드는데 사용한다. 이때, 홍순능선은 홍순-근피판(vermilion muscle flap)에 보존한다.

다시 전순을 손가락으로 눌러서 전순을 고정, 지혈시키면서, a-b선을 절개한다. 전순 조직이 충분하면 a-b선 외측에서 삼지창형 피판을 만들어서 외비공저에 보관하고(그림 12-13G-I), 그렇지 않으면 피부를 절제한다. 남아있는 홍순연과 홍순-점막피판을 외측으로 뒤집어서 외측 구순분절의 점막에 봉합한다(그림 12-13C).

한쪽의 b에서 다른 쪽의 b까지 홍순능선을 따라 절개한다. 이 때, 흰 홍순능선이 충분히 발달되어 있지 않으면 사용할 수 없으므로 홍순능선의 피부 쪽에서 절개하여 홍순능선을 버리고 X피판에서 흰 홍순능선을 가져와야 한다. 그러나 흰 홍순능선이 잘 발달되어 있으면 이를 보존하기 위하여 홍순 아래 2mm 지점에서 절개할 수 있으며, 이때에는 X피판에서 홍순능선을 잘라서 다듬음으로써 술후 만든 인중 아래에 홍순능선이 이중이 되지 않도록 한다. 전자의 방법이 후자보다 더 낫다. 왜냐하면 전자의 방법에서는 흰 홍순능선을 포함하는 양측 홍순피판끼리 정중에서 모으면 같은 색깔을 가지는 조직끼리 연결되지만, 후자의 방법에서는 전순홍순을 남겨 놓았기 때문에 외측 구순분절에서 온 홍순과 색깔이 다를 뿐만 아니라 상피가 탈락(epithelial desquamation)되는 경향도 있기 때문이다. 홍순피판인 Z피판을 내려서(그림 12-13,C) 양쪽의 X피판이 들어갈 공간을 만든다(그림 12-13, E,F). 이러한 조작

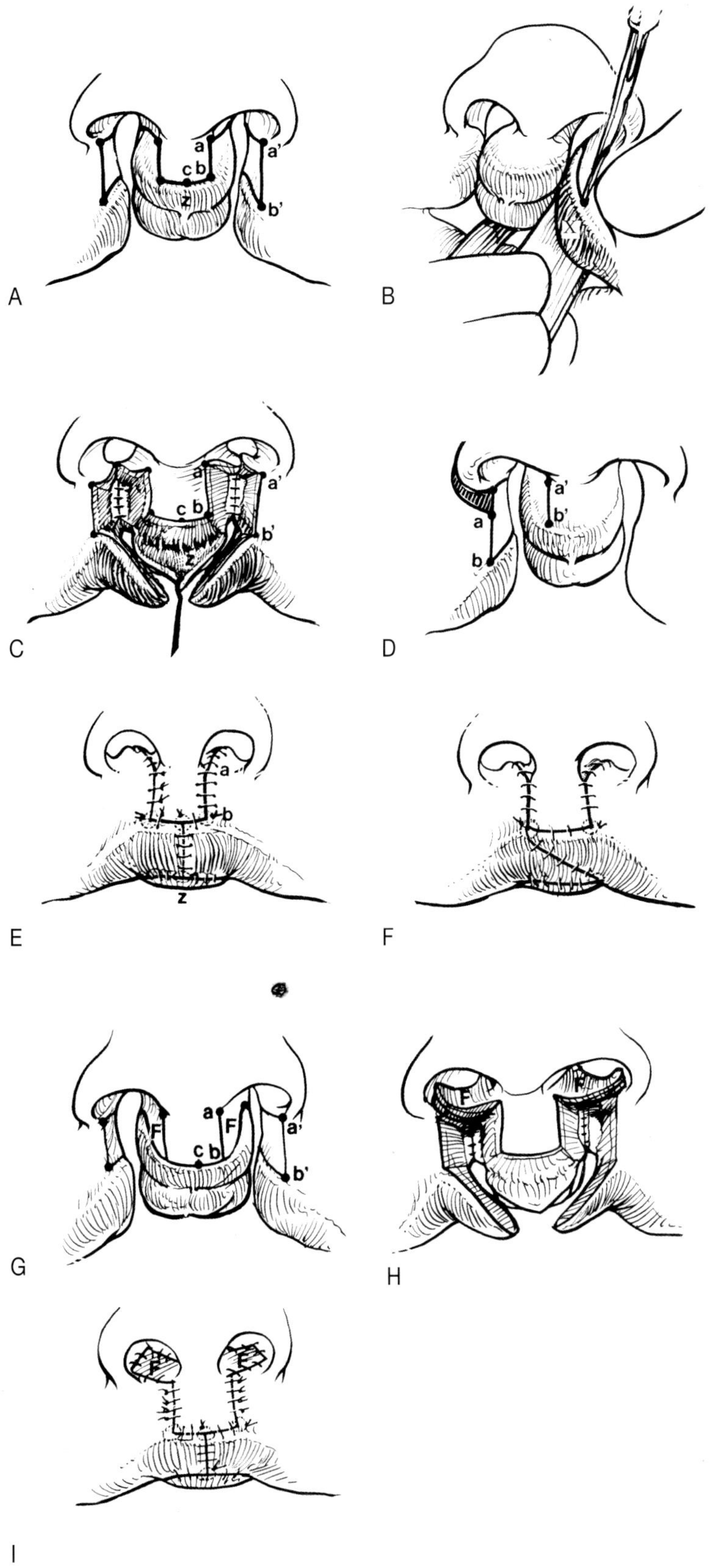

그림 12-13. 직선봉합법(Veau III법). (A) 인중폭은 6mm를 넘지 않아야 한다. 홍순릉선(b-c) 아래는 완전히 절제한다. (B) 15번 수술칼을 이용하여 목재 설압자를 댄 외측 구순분절의 피부에 수직으로 절개 한다. X피판은 전순을 증대시키고 작은 중앙홍순결절을 건설하기에 충분하도록 조직을 포함시킨다. (C) 그림 A에서 a'-b'선, 외측 구순분절연, 그리고 홍순릉선 직상부 사이의 다이아몬드형 피부를 절제하여 흰 홍순릉선, 홍순, 점막, 그리고 근육을 외측 구순분절에 남긴다. 외비공저의 과잉 피부를 잘라 다듬는 대신 나중에 비주연장술을 위한 전진피판으로서 남겨둔다. (D) 만약 외측 구순분절의 수직 길이가 너무 길면 비익 바로 아래에서 상구순의 쐐기형전층절제술을 한다(빗금 친 부분). (E) 양측 X피판의 봉합술 가운데 선호하는 것은 정중선에서 봉합하면서 후하방에 Z피판을 위치시키는 것이다. 외비공저에 마운드로서 돌출된 과잉의 피부에 유의하시오. (F) X피판이 좁은 경우에는 차선책으로서 양측 X피판을 양반 다리처럼 서로 겹치는 것이 더 유용하다. (G-I) 전순이 넓을 때는 직선봉합법의 변법으로서 삼지창형 피판을 만들어서 보관한다.

으로 인하여 구순구(labial sulcus)가 깊어진다.

외비공저는 코 안으로 계속 연결되는 a-b선과 a'-b'선에 의하여 건설된다. 만약 전구개교정술을 함께 할 계획이면 절개는 전악골의 후면을 돌아서 서골의 중앙을 따라서 하여야 한다(그림 12-14A). 마찬가지로 a'-b'의 절개도 전구개열 연을 따라 한 절개선에 이어진다. 이렇게 절개를 연장할 때 구순열 양쪽의 외비공저에 가능한 한 많은 피부를 보존하여 나중에 비주연장술에 사용한다(그림 12-13C, E). 만약 삼지창형 피판을 만들었으면 외비공저 안으로 90도 회전시켜서 보관한다(그림 12-13H, I).

비익과 비주를 가까이 접합시키기 위하여 4-0평장사(plain catgut)나 Vicryl봉합사를 우측 비익저의 근육에 삽입한다. 봉합침을 비주저의 피하층으로 통과시켜서 좌측 개열로 나온 다음 좌측 비익저의 근육을 충분히 뜬 뒤 다시 비주를 지나 우측 개열로 돌아간다. 한쪽만 교정할 때에는 피하조직이 불충분하기 때문에 봉합사를 비주에 완전히 통과시킨 다음 작은 솜덩이(bolster)에 건 뒤 다시 돌아올 수 있다. 비익과 비주가 원하는 만큼 접합되도록 봉합사를 조른다. 만약 제대로 되지 않았다면 다시 시도한다. 근육 봉합사를 매듭짓기 전에 외비공저를 건설하는 피부피판을 5-0평장사로써 봉합한다. 외비공저에서 생긴 과잉 피부는 잘라 다듬기 보다는 서로 봉합하여 저장하며 따라서 외비공저에 융기가 만들어진다(그림 12-10E). 이 피부는 나중에 전진시켜서 비주연장술에 사용할 수 있다.

홍순릉선으로부터 두측으로 1mm 떨어진 지점에서 6-0나일론사로써 봉합한다. 만약 홍순릉선에서 바로 봉합하면 봉합사가 반흔을 크게 만들어서 홍순릉선이 불규칙하게 보일 수 있기 때문이다. 만약 전순이 짧으면 유구겸자로써 늘려주고, 외측 구순분절이 지나치게 길면 비익 아래에서 상구순 전층의 쐐기형절제술을 한다(그림 12-13D). 외측 구순분절의 근육과 전순에 있는 어떤 조직이든 2, 3개의 4-0평장사나 5-0Vicryl사를 사용하여 봉합한다. 피부는 6-0나일론사로써 봉합한다. 얇은 전순홍순연은 양측 홍순-근피판(X피판)으로써 증대시킨다(그림 12-13E,F). 이렇게 함으로써 전순의 불충분한 점막면의 수직 길이가 증가되며, 구순구가 깊어지는 효과도 있다. 만약 외측 홍순-근피판을 적절한 두께로 절개하였다면 정상적으로 보이는 중앙홍순결절이 만들어질 것이다. 어떤 경우라도 휘파람변형(whistle deformity)이 생기지 않도록 주의하여 홍순을 만들어야 한다(그림 12-15).

다른 방법, 특히 Millard법, Mulliken법, Black법 등에서 전순을 보다 광범위하게 거상한 다음, 전순 아래에서 완전히 박리한 구륜근을 봉합하는 것과는 달리, Manchester(1970)의 조언대로 구륜근봉합술을 하면 상구순이 조이고 이로 인한 상악골 퇴축(maxillary retrusion)을 우려하여 구륜근봉합술을 하지 않는다.

여러 가지 양측 구순열교정술 가운데 가장 간단한 방법으로서 요즈음에도 사용되며 비교적 만족스러운 결과를 얻을 수 있다. 반흔 구축이 조금 생기지만, 대칭적이기 때문에 눈에 별로 띄지 않으며, 단지 큐피트활의 정점이 위로 당겨 보인다. 지나치게 작은 전순에서는 결과가 좋지 않다. 이렇게 양측 구순열교정술을 받은 어린이의 모습을 요약하면 다음과 같다. 앞에서 보면 인중은 넓고 활모양이며, 인중와(philtral dimple)가 없고, 지나치게 길다. 중앙홍순결절(median vermilion tubercle)은 얇고, 살갗이 터있으며, 홍순이 부족하고, 양가에 지나치게 긴 외측 구순분절이 위치하고 있다. 코는 웅크린 것처럼 낮고 폭이 넓으며, 비첨은 넓고, 외비공 기울기는 경사져 있고, 비주가 짧다. 옆에서 보면 비첨은 사자코 모양(snubbed nasal tip)이며, 상구순이 조여 있으며(tight upper lip), 하구순이 외번 되고, 턱 끝이 작다. 전악골이 돌출되고 길며 후방 경사 되어있기 때문에 입술 다물기가 힘들다. 입술을 오므리면 근육 융기가 양쪽에서 나타나며, 웃으면 상구순이 조인 것이 드러나 보이고, 비익저가 올라간다.

(4) 비주연장술

직선봉합법을 이용한 양측 완전구순열교정술 후에는 짧은 비주가 항상 동반된다. 그러므로 비주연장술은 2, 3세가 지나면 언제라도 할 수 있다. Cronin 등(1990)은 비주연장술을 평균 6세에 하였다. Millard는 학동기까지 연기한다고 한다(Cronin 등, 1990). 그러나 일차구순열교정술 때는 비주연장술을 시도하지 않는다. 왜냐하면 너무 조기에 수술하면 비주와 상구순이 전악골 아래로 쳐질 수 있기 때문이다.

Cronin(1958)법은 비주에서는 내측에 기저를 두고, 비익에서는 외측에 기저를 둔 양경피판(bipedicle flap)을 외비공저에 만든다(그림 12-16).

이 피판을 들면 작은 삼각형의 피부가 상구순 중앙에 붙어 있다. 피판은 비주를 만들기에 충분한 부피를 가지며, 피판의

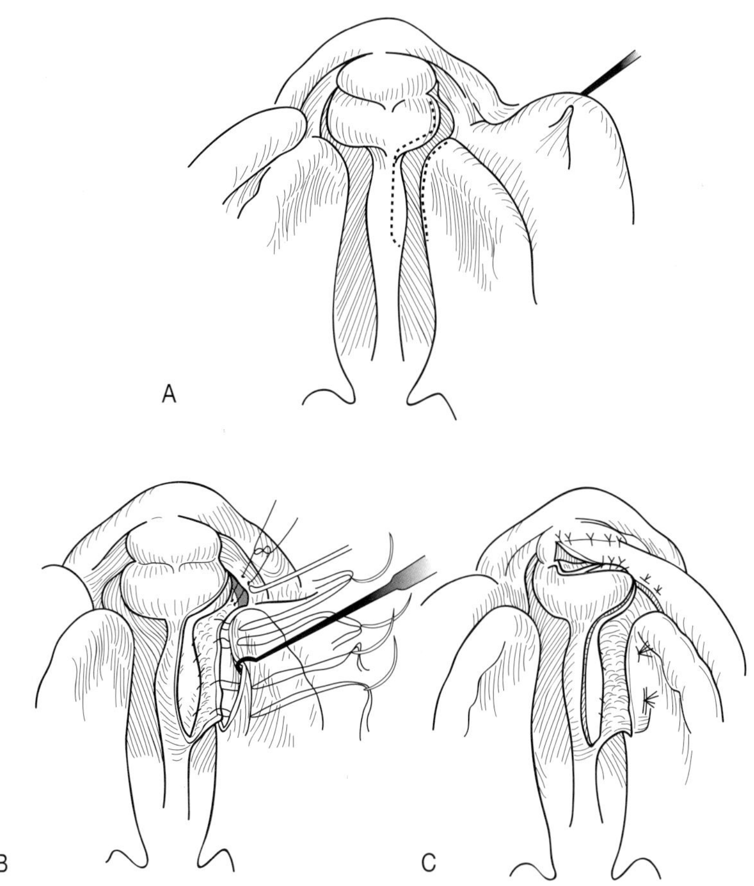

그림 12-14. 양측구순열교정술과 동시 시행하는 전구개열교정술. (A) 절개선 도안. (B) 서골피판의 외측 연을 외측 상악분절의 구강쪽 점막-골막피판 아래로 전진시킨다. 양쪽에 봉합침이 달린 4-0크롬장선을 사용하는데, 한쪽 봉합침으로써 서골피판을 통과시킨 뒤 반대쪽 봉합침을 점막-골막피판 아래에서 위로 통과시켜서 점막-골막피판 위에서 서로 묶으면 서골피판이 점막-골막피판 아래로 삽입된다. (C) 구순열과 전구개의 동시교정술을 마친 모습. 대안으로서 서골피판을 비점막골막에 봉합할 수 있지만, 전자만큼 튼튼하지 않다.

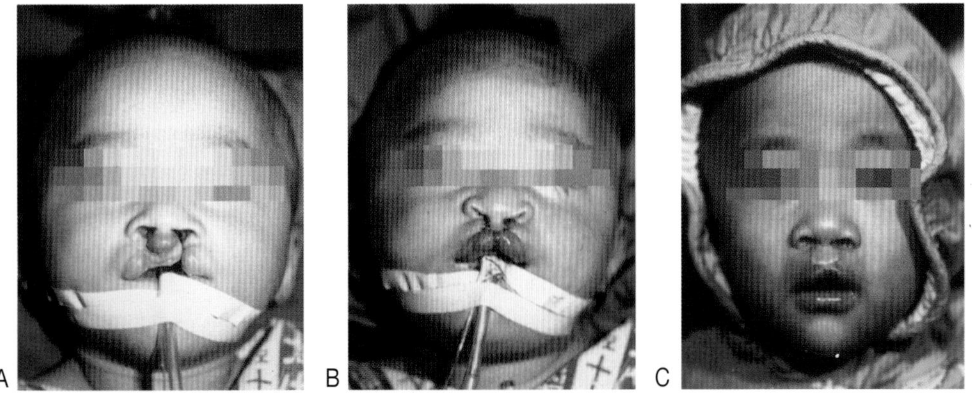

그림 12-15. 직선봉합법을 이용한 양측구순열교정술. (A) 양측 완전구순구개열. (B) 수술 직후 모습. (C) 인중이 지나치게 넓으며, 큐피트활의 정점이 두 측으로 당겨 보인다. 전순-홍순피판(Z피판)을 중앙홍순 아래로 전위 시키지 않았으며, 휘파람변형은 중등도이다.

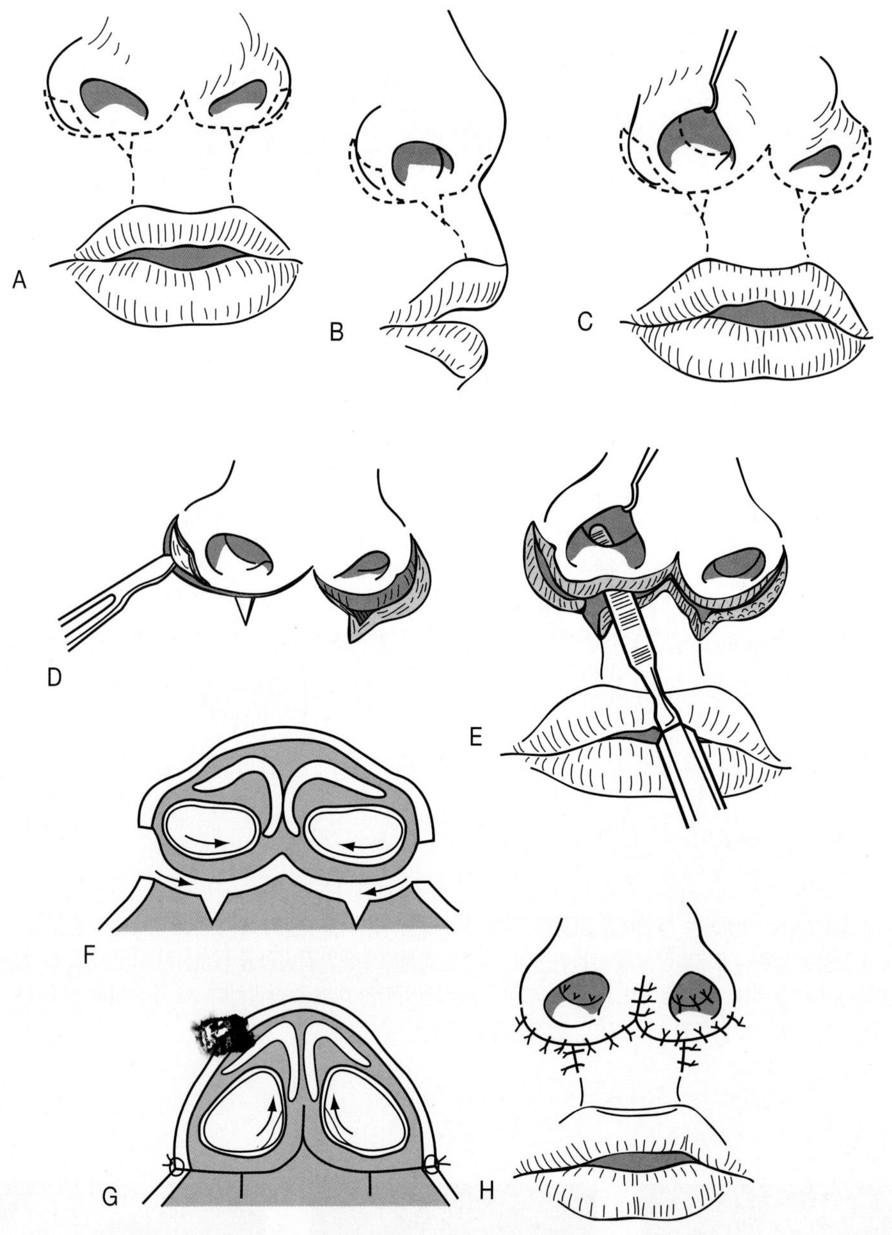

그림 12-16. 양측 구순열비에서 비주연장술(Cronin법). (A, B) 절개선 도안. (C) 비익을 들어서 보면 미측 비중격으로부터 비주를 분리하고 외비공저를 지나서 후측방으로 연장되는 절개선이 보인다. (D) 하부 절개는 코와 협부 및 상구순의 접합부를 따라서 한다. (E) 비익저에서 절반 두께의 쐐기형비익절제술을 하고, 외비공저의 피판을 완전히 거상한다. (F, G) 코의 단면으로서 절반 두께의 쐐기형비익절제술과 외비공저의 피판을 비주로 전진시킬 때 비익에서 두 절단면이 결합되는 방식을 보여준다. (G) 연장된 비주의 단면. (H) 수술 완성도.

외측이 조금 더 두꺼워야 연장된 비주의 기저가 피라미드형이 되며 따라서 외형상 좀더 정상적인 모습이 된다. 비주를 비중격으로부터 분리시키는 내측 절개는 외비공저를 가로질러 후외측으로 이어지는데, 외측에서 점점 넓어지도록 한다. 피판을 비주 쪽으로 전진시킬 때 피판 외측의 폭이 넓어야 비주저를 하방으로 전위시키는데 도움을 줄 수 있다. 따라서 비주 퇴축(columellar retraction)을 피할 수 있다. 만약 피판 외측이 좁으면 비주 퇴축을 만들기 쉽다. 만약 비익이 지나치게 길면 그 정도를 결정해서 비익저에서 쐐기형절제술을 준비한다(그림 12-16C). 이때 비익 두께의 1/2만 쐐기형절제술을 한다. 이렇게 남긴 안쪽 1/2은 비주 건설에 필요한 조직을 제공하기 위하여 내측 전위 시킨다(그림 12-16F). 또 비익저에서의 절개 깊이는 협부 피부 두께만큼 함으로써 절반 두께의 쐐기형절제술을 한 뒤에 비익저와 협부의 절단면끼리 높이가 꼭 맞도록 한다.

피판이 자유롭게 이동할 수 있게 되면 유구겸자로써 비첨을 전방으로 당겨 본다. 긴장이 조금이라도 있으면 피판을 외측으로 더 박리한다. 원하는 비주 길이가 되도록 양측 피판을 중앙에서 봉합한다. 협부 주위 조직을 상악골로부터 분리시킨 다음, 비흡수매몰봉합사로써 양쪽 비익을 서로 봉양(cinch)하여 외비공저의 조직을 내측 이동시킴으로써 비저(nasal base)가 좁아지도록 한다(그림 12-16F,G). 비주-비중격절개창은 비주가 좀더 전방 위치하도록 봉합한다. 이렇게 절개창을 봉합하면 상구순 쪽의 피부 절개면의 여유가 나타나는데, 이는 비익이 내측 전위되었기 때문이다. 한쪽이나 양쪽 구순열교정술에 의한 기존의 반흔을 포함하는 쐐기형절제술을 하면 반흔교정과 함께 과잉의 상구순 피부를 제거할 수 있다(그림 12-16C,D). 이렇게 하면 상구순에 반흔을 추가하지 않는다. 이 수술은 필요하면 반복할 수 있다.

연장된 비주가 나중에 내려앉는 것을 방지하기 위하여 덜 발달된 비익연골의 내측각(medial crus)의 길이를 연장시킬 필요가 종종 있다. 이때 이갑개연골(conchal cartilage)을 사용하는 것이 이상적인데, 이갑개의 후면으로부터 연골을 타원형으로 채취 한다 (그림 12-17). 채취한 연골을 2조각으로 잘라서 볼록한 면끼리 함께 묶는데, 그 끝을 펼쳐서 뒤쪽은 전비극(anterior nasal spine)의 돌기에 걸쳐 앉게 하고, 앞쪽 끝은 내측각에 봉합한다. 드물기는 하지만 비익연골이 너무 얇아서 비첨 지지가 거의 없을 때에는 비첨에서 상악골에 이르는 더 긴 이갑개연골을 이식하여야 한다.

일부 환자들의 경우 기존의 교정술에 의한 반흔이 두드러지

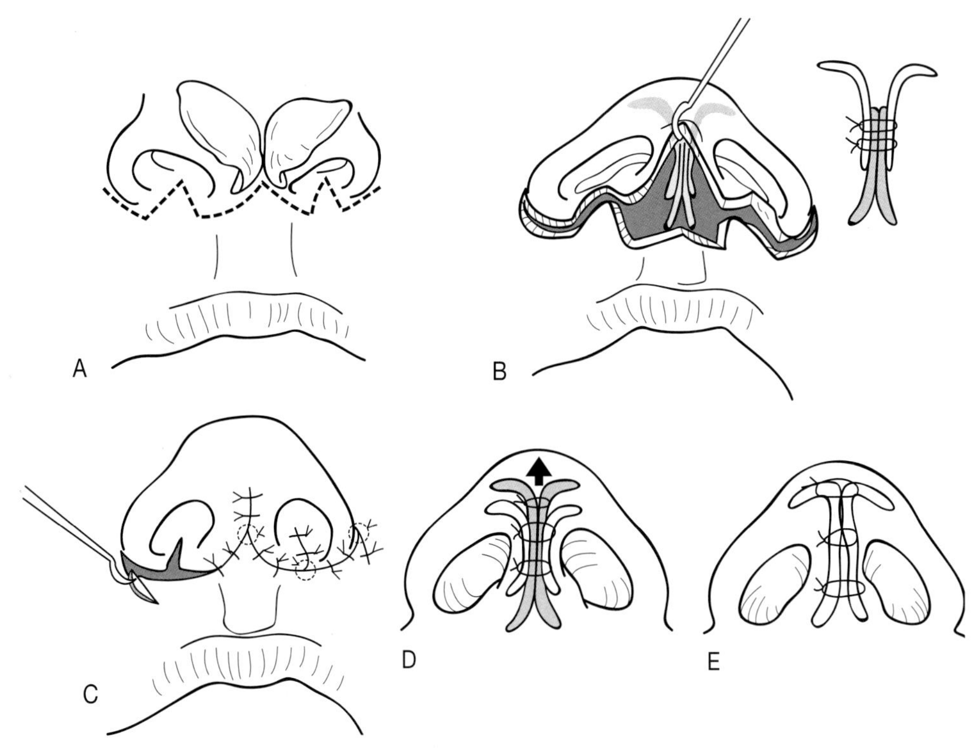

그림 12-17. 비주연장술의 변법(Cronin). (A) Z성형술, 비익을 한쪽 팔로 삼고 외비공저를 다른 팔로 삼으면 반흔교정술이 필요하지 않은 경우 상구순을 변형시키지 않고 비익저를 좁힐 수 있다. 비익연골의 원개를 봉합할 수도 있다. (B) 두 조각의 이갑개연골의 볼록한 면끼리 마주보게 묶어서 내측각을 연장한다. (C) 절개창을 봉합하고 Z성형술을 마친다. (D) 이갑개의 후면에서 타원형으로 채취한 연골을 2조각으로 잘라서 볼록한 면끼리 함께 묶은 다음 그 끝을 펼쳐서 뒤쪽은 전비극의 돌기에 걸쳐 앉게 하고, 앞쪽 끝은 내측각에 봉합한다. (E) 비익연골이 약하고 비첨에 지지가 더 필요할 때에는 비첨에서 상악골에 이르는 더 긴 이갑개연골을 이식한다.

지 않아서 쐐기형절제술이 바람직하지 않은 경우도 있는데, 이러한 경우 상구순 상부의 수평 길이에 여유가 있으므로 이를 Z성형술의 변형으로 이용할 수 있다. 비익을 한쪽 팔(arm)로 쓰고 외비공저의 피판을 다른 팔로 사용한다(그림 12-17A-C). 비익을 내측으로 이동시켜서 비저를 좁히고 비익 장개(alar flaring)를 교정한다. 외비공저로부터 전위된 피판은 외측에 남은 결손을 덮으며, 비익이 외측으로 퍼지는 경향을 경감시킨다. 작은 삼각형 피판은 눈에 띄는 흉터를 남기지 않도록 제자리에서 매우 정확하게 봉합하여야 한다.

(5) 골이식술

양측 완전구순열의 경우 전악골은 대개 불안정하다. 정악치료(maxillary orthopedics)나 교정치료로써 치조궁을 정렬한 다음, 골이식술을 함으로써 전악골을 상당히 성공적으로 안정시킬 수 있다. 조기골이식술(early bone grafting)을 권장하는 학자들(Rosenstein 등, 1982)이 있지만, 조기골이식술은 상악골의 전방 성장을 저해할 수 있다(Robertson과 Jolleys, 1983).

후기골이식술(late bone grafting)은 전악골을 안정시킴과 동시에 비익을 지지하는 골기저를 증대시킬 수 있다. 후기골이식술의 이상적인 시기는 9-12세 정도로서 견치 뿌리가 약 1/4-1/2 정도 형성되었을 때이다(El Deeb 등, 1982). 한번 수술에서 한쪽이든 양쪽이든 간에 치조개열에 해면골(cancellous bone)을 채워 넣는다. 장골이 해면골의 만족할 만한 공여부이지만, 두개골도 같은 목적으로 사용될 수 있다(Wolfe와 Berkowitz, 1983). 한편 Pruzansky(1983)는 나중에 모든 환자들에게서 고정 브리지(fixed bridge)가 필요하기 때문에 전악골을 안정시킬 필요가 없다고 주장하였지만, 비익저의 윤곽을 증대시키는 장점은 인정하였다.

2) Tennison법

이 교정법의 단점은 Z형 반흔을 남기는 것인데, 특히 피판이 크면 일측 구순열교정술 때보다 더 두드러진다. 직선봉합법보다 홍순릉선의 중앙부가 더 정상적으로 돌출되는데, 그 이유는 홍순의 수평 길이가 증가되며, 전순으로부터 얻은 조직이 있고, 홍순릉선 상방 수 mm에 있는 상구순에 비교적 긴장이 있기 때문이다. 전순을 수평 절개하기 때문에 보통 두 차례의 교정술이 필요하다. 재교정술이 필요하다면 Z형 절개에 의한 반흔 때문에 더 어려울 수 있다. 이와 같은 이유로 때문에 대부분의 술자들은 이 방법을 선호하지 않으며, 변법들이 소개되었다.

우선 전순에서 도안은, 한쪽 비주저에 a'점을 정하는데 너무 높게 잡지 않도록 주의하고, b'점은 a'점으로부터 4-6mm 정도 떨어진 홍순릉선에서 정한다(그림 12-18). c'점은 b'점으로부터 약 3mm 떨어진 곳에 정하되, b'-c'선이 홍순 하측 연과 약간 예각을 이루도록 한다. 이때, b'-c'선을 짧게 하는 것이 좋은데, 그 이유는 술후에 a'b'c'피판이 눈에 덜 띌 뿐만 아니라 c'점 사이의 거리가 더 멀어짐에 따라서 상구순의 수평 길이가 더 길어지기 때문이다.

외측 구순분절에서 도안은, 비익저 내측에서 a점을 정하며, d점은 상구순 두께가 정상적인 곳에서 정한다. c점은 d점보다 두측에서 잡되, d점으로부터 b'-c'선과 같은 길이가 되는 곳에서 정한다. b점은 a'-b'선=a-b선이 되고, b'-c'선=b-c선, c'-d'선=c-d선이 되도록 정한다. 양쪽을 동시에 도안하며, 반대쪽을 나중에 교정할지라도 잉크로써 표시하되, 정 위치로부터

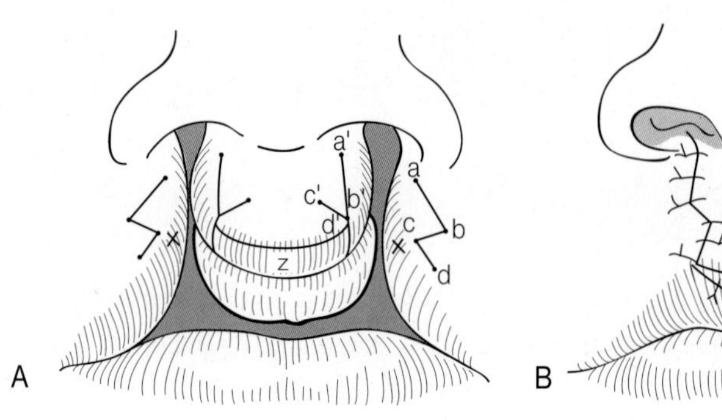

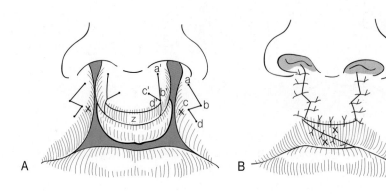

그림 12-18. Tennison법을 이용한 양측구순열교정술

0.5mm 벗어난 자리에 표시함으로써 교정할 때 절제할 수 있도록 한다. 이렇게 조치하면 이미 표시된 지점 사이에서 절개선을 도안 할 수 있으므로 다음 단계의 수술이 간편해진다. 첫 번째 수술로 인하여 전순이 왜곡되기 때문에 미리 도안을 표시해놓지 않으면 정확한 도안이 무척 어렵다(그림 12-19).

한번에 한쪽씩 수술을 해야 하는데, 그렇지 않고 양쪽을 동시에 수술하여 양쪽의 c'-d'선을 동시에 절개하면 전순 하부로의 혈행을 저해하여 위험할 수 있다. 외측 홍순-근피판(lateral vermilion muscle flap)인 X피판를 d점에서 경첩피판(hinge flap)으로 내린 다음 피부를 잘라서 다듬는다. a'-b'선의 피부를 절개하여 피하조직을 통과하며, 이때 필요하면 a'-b'선 외측의 피부-홍순피판을 외측으로 돌려서 외측 구순분절의 점막과 봉합하는데 사용한다. 절개선b'-c'는 홍순연을 지나 전악골까지 절개한다. 양측 홍순-근피판(X피판)을 정중선에서 봉합하거나(그림 12-13E), X피판이 좁은 경우에는 양측 X피판을 양반 다리처럼 서로 겹치게 한다(그림 12-18B). 봉합한 X피판의 후하방에 Z피판을 위치시킬 수 있다. 외비공저는 직선봉합법에서처럼 교정한다(그림 12-13). 필요하면 몇 년 뒤에 비주연장술을 할 수 있다.

3) Bauer, Trusler 및 Tondra법

Bauer, Trusler 및 Tondra(1959, 1971)는 돌출된 전악골에 대한 어떠한 수술도 강력하게 반대하여서 한번에 한쪽씩 구순열교정술을 함으로써 전악골 돌출을 조절하는 것을 선호한다. 피부 절개는 Tennison법과 비슷하지만, 다른 점은 전순을 전악골로부터 부분적으로 유리시킨 다음, 양측 점막피판과 연결시킴과 동시에 양측 홍순-근피판으로써 전순홍순을 건설한다(그림 12-20,21). 나중에 Cronin법(1958)으로써 비주연장술을 한다. 이 방법은 Tennison법과 마찬가지로 Z형 반흔을 남길 뿐만 아니라 두 차례 수술이기 때문에 흔히 선호되지 않는다.

(1) 제 1단계 구순열교정술

한쪽 구순열의 외비공저에 2점을 표시한다. a'점은 비주저 수준에 있는 전순의 홍순능선에 정한다(그림 12-30A). a점은 홍순능선 외측에서 정하는데, 비익보다 조금 높은 곳이다. b점은 외측에서 정하는데, 홍순능선이 코 쪽으로 올라감에 따라서 수평에서 좀더 수직 방향으로 뚜렷이 변하는 곳이다. 이곳은 상구순의 홍순의 두께가 줄어들기 시작하는 곳이기도 하다. c점의 위치는 상구순의 하 1/3과 상 2/3의 접합부인 홍순능선 외측에서 정한다. b-c선으로부터 수직선을 그려서 이 수직선을 따라서 d점을 잡는데, c-d선은 b-c선보다 조금 짧게 한다. c-d선은 변경이 가능하며, 봉합할 때 필요에 따라서 조절할 수 있다. d'점을 결정하기 위하여 a-d선을 전순으로 옮기며, 이 때 d'는 홍순능선 바로 내측에 위치시킨다. c'-d'선의 길이는 c-d선의 길이와 같은데, a'-d'선에 대하여 수직이다. b'점은 d'점에 근접하게 홍순능선에 정한다. 절개한 다음, A피판를 만든다(그림 12-20B). A피판은 외측 구순분절의 근섬유 일

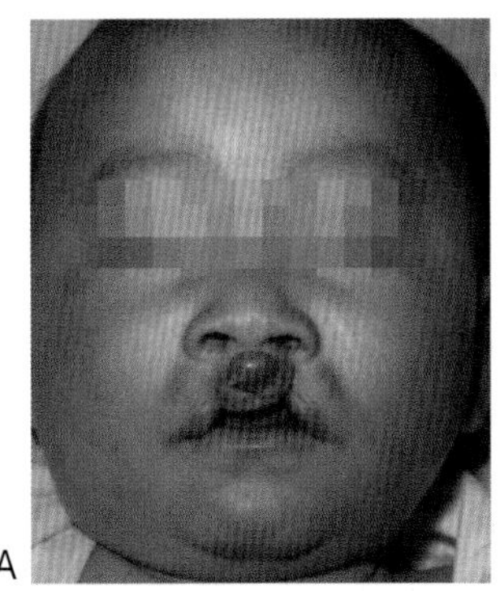

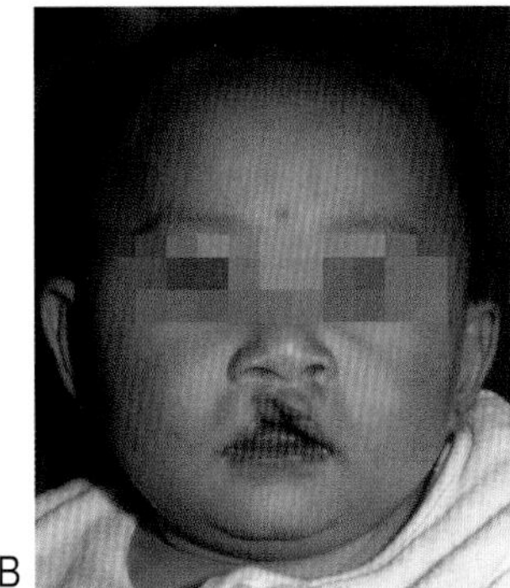

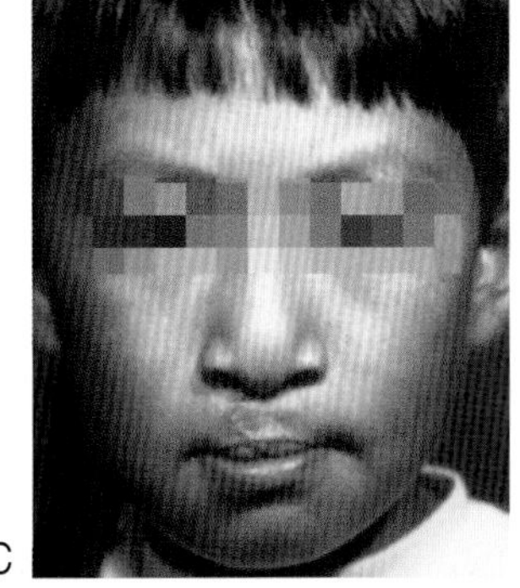

그림 12-19. Tennison법을 이용한 두 차례 양측 불완전구순열교정술. (A) 양측 불완전구순열. (B) 좌측 구순열교정술후 모습. (C) 환아는 경제적 사정 때문에 다른 술자에게서 우측 구순열의 제 2단계 구순열교정술을 받았다. 제 1단계 교정술 때 제 2단계 교정술을 위하여 도안을 미리 표시하였더라도 시간이 많이 경과 하여 표시가 지워진 경우, 제 1단계 교정술에 의한 전순의 왜곡 때문에 상구순의 양쪽 Z형 반흔의 대칭을 유지하기가 무척 어려움을 보여준다.

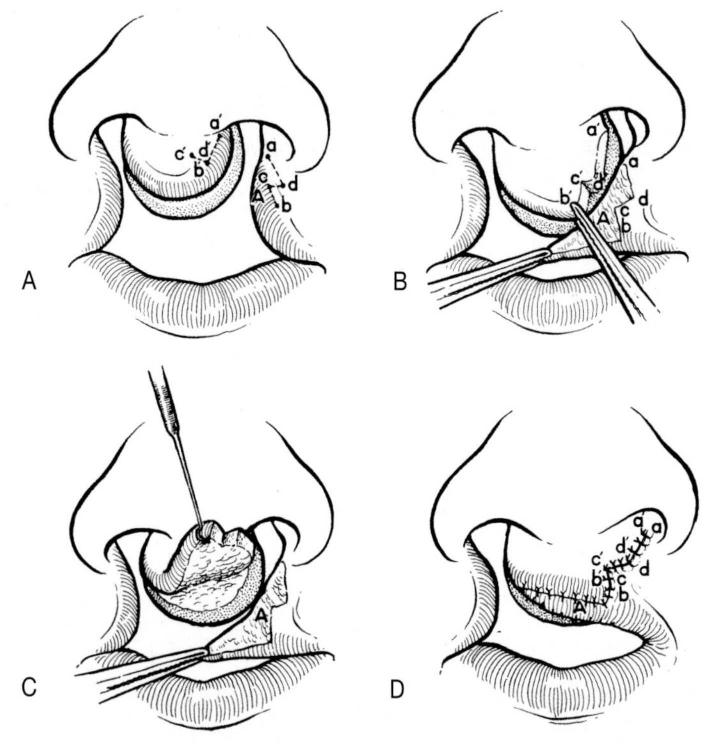

그림 12-20. Bauer, Trusler 및 Tondra법을 이용한 제 1단계 구순열교정술

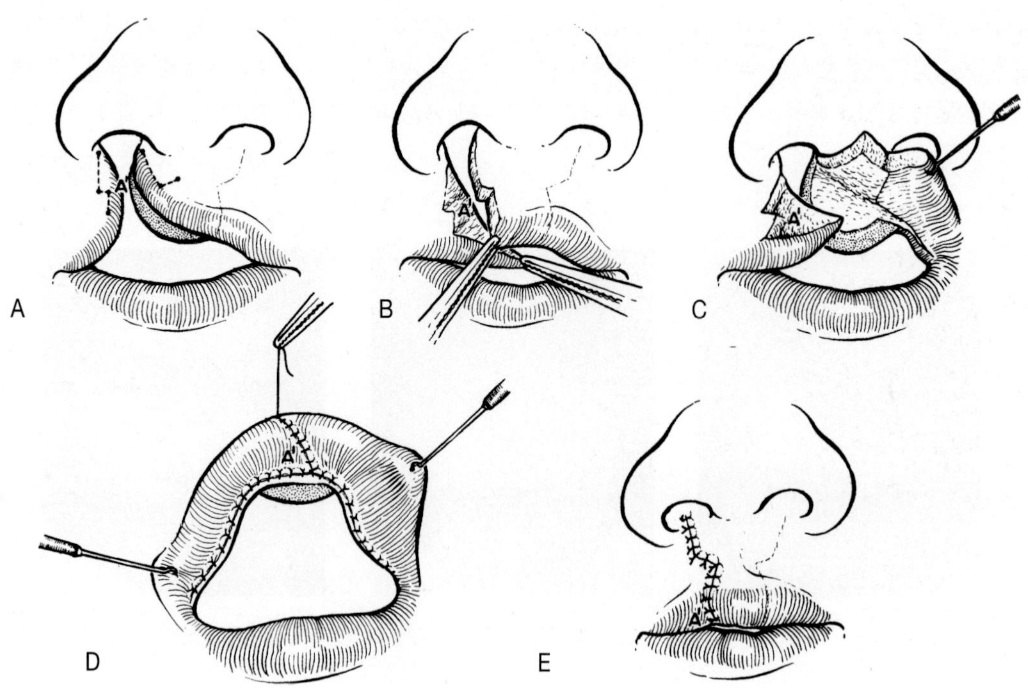

그림 12-21. Bauer, Trusler 및 Tondra법을 이용한 제 2단계 구순열교정술

부를 포함하는 점막피판이다. 전악골로부터 전순을 부분적으로 일으켜서(그림 12-20C) 봉합함으로써 제 1단계 교정술을 마친다(그림 12-20D).

솜뎅이(bolster)에 묶은 일련의 관통석상봉합(through and through mattress suture)을 사용하여 비익연골의 외측각(lateral crus)을 비첨을 향하여 내측 회전 시킨다. 이러한 조작은 비주 길이를 조금 증가시키고, 외비공을 좀더 정상적인 둥근 윤곽으로 만든다.

(2) 제 2차 구순열교정술

절개선은 제 1단계 구순열교정술과 같은 방법으로 정한다(그림 12-21A,B). 점막 절개는 전순 주위를 돌아서 반대쪽 상협구(superior buccal sulcus)까지 연장함으로써 전순을 전악골로부터 완전히 일으킨다(그림 12-21C). 피부 절개를 도안할 때 양쪽 c'-d'선이 서로 만나지 않도록 주의해야 한다. 그렇지 않으면 연속적인 반흔이 생겨서 상구순 상부에 쌈지 효과(pursestring effect)를 나타내므로 눈에 거슬리게 튀어나오게 된다. A' 점막피판을 하부 전순의 아래와 뒤에 넣어서 제자리에 봉합한다. 이때 순구(labial sulcus)를 건설하도록 조금 더 높은 곳에 부착시킨다. 홍순절개선을 봉합한 다음(그림 12-21D) 교정술을 마친다(그림 12-21E).

4) Manchester법

Manchester(1970)는 두 차례 양측 구순구개열교정술을 권장하였다(그림 12-22). 제 1단계 교정술에서 영아의 혀가 전악골을 앞으로 미는 것을 방지하기 위하여 미끄럼판이 달린 스프링 작동 아크릴판과 함께 탄력체가 달린 아기 모자를 착용시키는 술전정악치료(presurgical orthopedics)를 5개월 동안

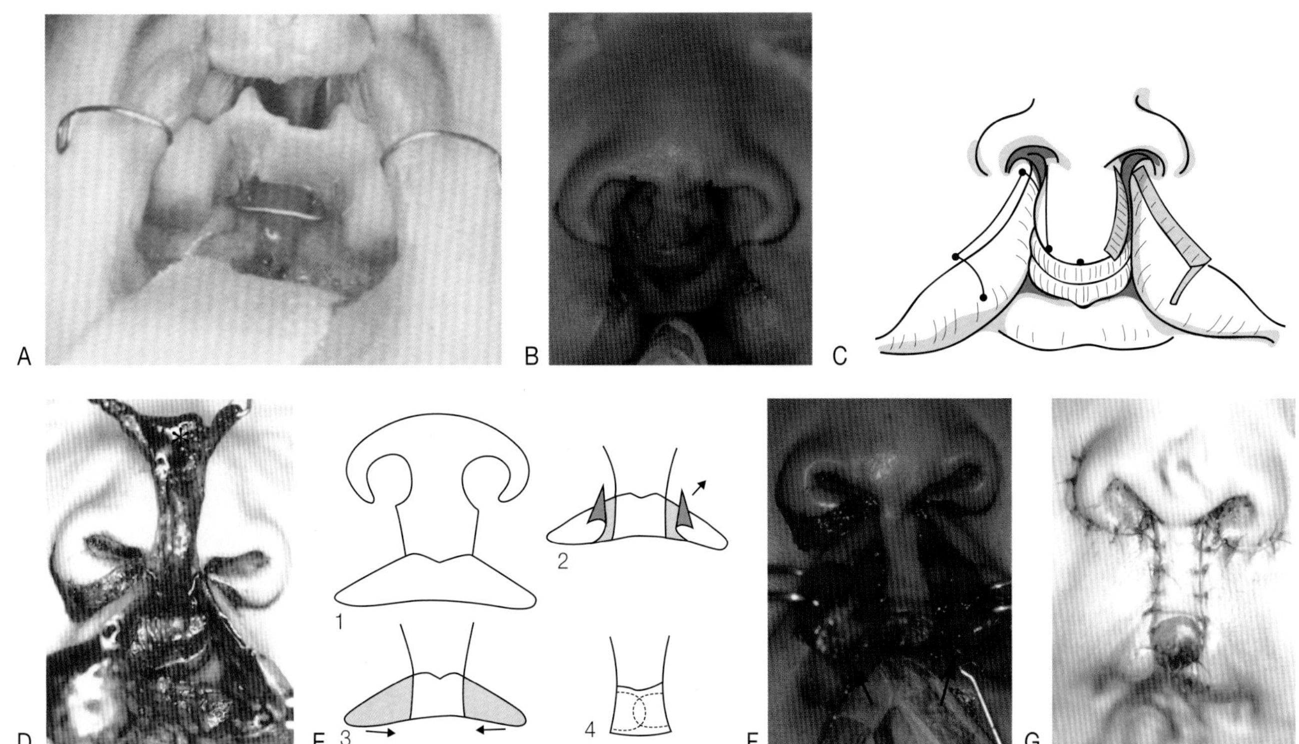

그림 12-22. Manchester법을 이용한 양측구순열교정술. (A) 영아의 혀가 전악골을 앞으로 미는 것을 방지하기 위하여 미끄럼판이 달린 스프링 작동 아크릴판을 댄다. 수술할 때까지 5개월 동안 이 아크릴판과 함께 탄력체가 달린 아기 모자를 착용시킨다. (B) 절개선 도안. Manchester법은 인중피판이 너무 넓어서 변법으로서 인중피판의 허리가 잘록하도록 좁게 도안하고 피판 양가의 전순 조직을 절제한다. (C) 양측구순분절에서 개열연의 홍순릉선을 절제한다. (D) 전순홍순을 잘라 다듬은 다음 인중피판에 전순홍순을 붙인 채로 완전히 들어올린 뒤 양측구순분절의 점막피판끼리 전악골 위에서 봉합한다. 인중피판에 붙은 전순홍순을 펼친 모습(*). (E) 1, 전순홍순을 펼친다(전순홍순이 달린 인중피판을 절개한 뒤 일으키기 전 모양으로서 역T자형이다). 2, 3, 전순홍순의 양측 날개를 탈상피한다. 4, 탈상피점막피판을 접어서 중앙홍순결절을 건설한다. 필요하지 않으면 피판을 잘라낸다. (F) 양측 탈상피점막피판(화살표). (G) 교정술을 완성한 모습. 중앙홍순결절 건설에 유의하시오.

한다. 제 2단계 교정술로서 대부분의 전순을 보존하는 직선봉합법을 한다. 전순홍순 전체를 인중피판(philtral flap)에 붙인 채로 완전히 들어올림으로써 홍순릉선을 보존한다. 들어올린 인중피판 아래에서 양측 구순분절의 점막피판끼리 전악골 위에서 봉합한다. 전순홍순의 양측 날개를 탈상피한 다음, 양측 탈상피점막피판(deepithelialized mucosal flap)을 전순홍순 아래로 접어서 중앙홍순결절을 건설한다(그림 12-23).

전구개(anterior palate)는 제 1단계 교정술에서 봉합 한다. 후치구개교정술(pushback palatoplasty)은 9개월 때 시행 한다.

5) Skoog법

Skoog(1965)는 양측 구순열교정술을 단계적으로 시행하였는데, 제 1단계 교정술은 3개월에 하였다. 그는 전순의 약 1/3을 비주 건설에 사용하였다. 비주 양쪽에서 두측에 기저를 둔 삼각형 피판을 일으켜서 비주저를 가로 지르는 절개로 90도 회전시킴으로써 이 피판의 폭에 의하여 비주를 연장하였다(그림 12-24). 이 피판은 Millard의 삼지창형 피판(forked flap)과 비슷하지만, Marcks 등(1957)의 2차 비주연장술과 같은 방식으로 사용된다. 외측 구순분절로부터 일으킨 2개의 삼각형 피판을 전순으로 전위시킴으로써 전순을 연장하고, 직선의 반흔을 분산시키며, 상구순을 어느 정도 돌출시킨다.

6) Wynn법

Wynn법(1960)에 따르면, 외측 구순분절에서 상부에 기저를 둔 길고 좁은 삼각형 피판을 비주와 전순 사이의 절개부에 삽입한다. 따라서 전순의 수직 길이가 증가함과 동시에 비주 길이도 연장 된다(그림 12-25). 이 방법은 전순이 대단히 작을 때 특별히 가치가 있다. 반면에, 전순이 큰 경우에는 상구순을 지나치게 길게 만드는 경향이 있다. Barsky법(1950)과 같은

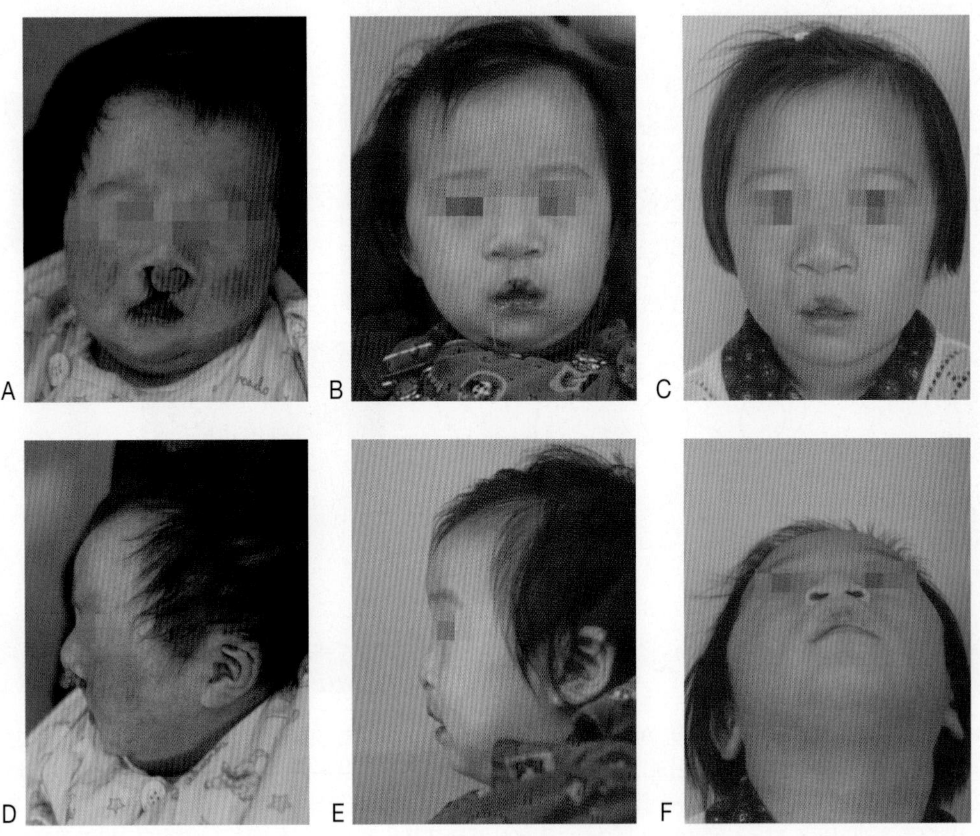

그림 12-23. Manchester법을 이용한 양측구순열교정술. (A) 양측 완전구순열에서 아기 모자에 단 탄력체로써 전악골 조절후 모습. (B) 술후 6개월 모습. (C) 술후 30개월 모습. 인중의 수평 길이가 증가하였고, 건설한 중앙홍순결절도 조금 쇠퇴하였다. 비성형술을 하지 않았기 때문에 비익간격이 너무 넓다. (D) 돌출된 전악골 조절후 술전 모습. (E) 술후 6개월 측면 모습. (F) 술후 30개월 모습. 비주연장술이 필요하다.

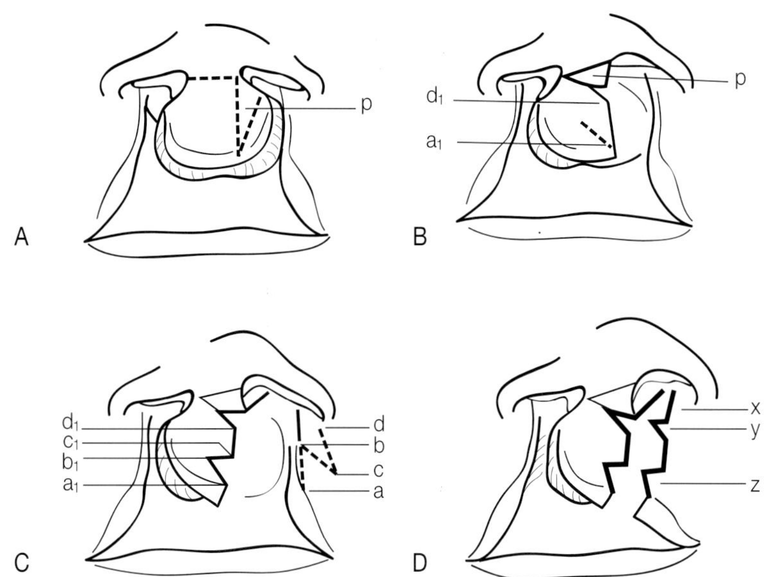

그림 12-24. Skoog법을 이용한 양측구순열교정술. (A) 비주 연장을 위한 P피판과 비주저를 가로 지르는 절개선이 도안되어 있다. (B) P피판을 90도 전위시켜서 비주저의 절개부를 메운다. a1로부터 전순의 정중선을 향하도록 절개하여 인중연을 연장한다. (C) a점은 상구순의 두께가 정상인 홍순릉선에 정한다. d점은 비익저 내측 그리고 충분히 아래에서 정함으로써 나중에 비익의 외번을 상부 삼각피판(b-c-d)을 회전시켜서 교정할 때 비익저가 올바른 높이로 올라가도록 한다. a-b선 = b-c선 = c-d선 = a1-b1선 = b1-c1선 = c1-d1선. (D) 외측 구순분절의 x피판, y피판, 그리고 z피판은 인중의 해당 결손으로 전위 시킨다.

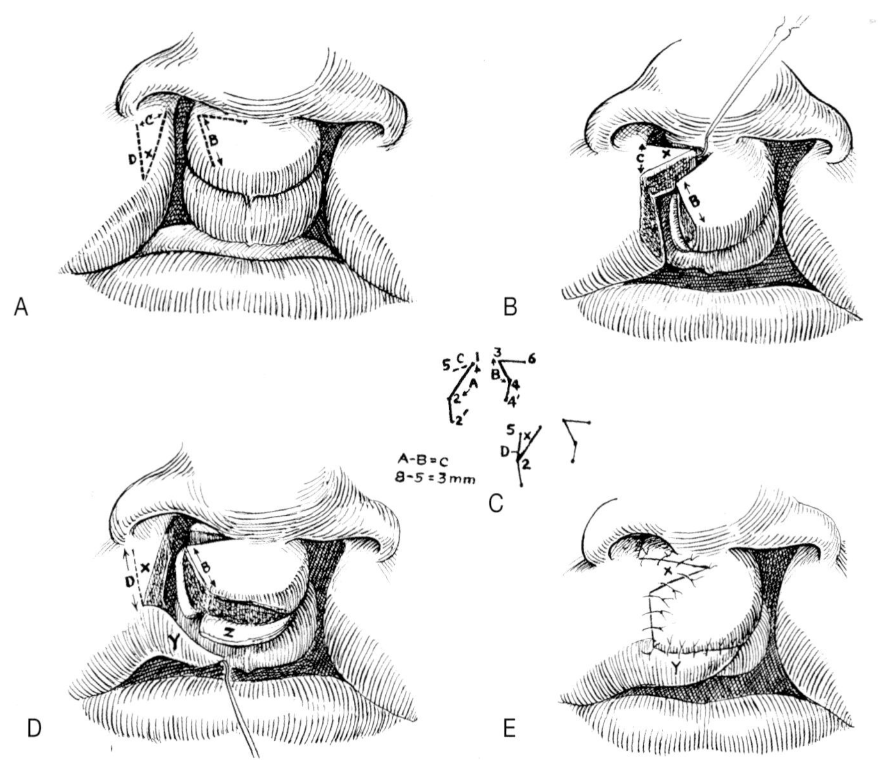

그림 12-25. Wynn법을 이용한 양측구순열교정술. (A-C) 절개선 도안. (D, E) Wynn법으로는 얇은 전순홍순의 증대가 불가능하므로 Cronin변법인 홍순-근피판(Y)을 이용한다.

기존의 방법들은 전순의 수직 길이를 얻기 위하여 상구순 하부에서 상구순의 수평 길이를 희생시키는 것과는 달리(그림 12-26), 이 방법은 상구순 하부의 수평 길이의 희생을 최소화할 수 있다. Wynn법은 얇은 전순홍순을 충분히 증대시키지 못하는 단점이 있지만, Cronin변법(그림 12-25D, E)으로써 교정할 수 있다.

외측 구순분절에서 A길이는 1점과 2점 사이의 길이로서 측경기(caliper)를 이용하여 계측하는데, 1점은 비익저 수준에 있는 홍순점막 바로 외측에 정하고, 2점은 상구순 조직이 적절한 근육 조직을 포함하면서 좀더 수평으로 바뀌는 곳의 홍순릉선에 정한다(그림 12-25C). 전순에서 B길이는 3점과 4점 사이의 길이로서 측경기로써 계측하는데, 3점은 비주저 수준에 있는 점막피부접합부(mucocutaneous junction) 바로 내측의 전순 상단에 정하고, 4점은 큐피드활이 있어야 할 곳인 정중선 외측에서 점막피부접합부에 정한다. B선(3점-4점)은 볼록한 곡선으로 만듦으로 실제 길이는 직선 길이보다 더 길다. B선은 비주저 연장을 위하여 삽입하는 외측피판(X)의 또 다른 기저가 된다. A길이에서 B길이를 뺀 길이는 중앙 상구순 조직의 부족한 정도를 나타내는 수치이며, C수치라고 부른다. 예를 들어서 A가 8mm이고 B가 5mm이면 전순의 수직 길이가 3mm 짧음을 가리킨다. 다시 말하면, 외측피판 기저의 폭은 외측 구순분절보다 짧은 전순의 수직 길이를 보완한다. 그러고 나서 측경기를 사용하여 1점에서 외측피판 기저의 폭만큼 외측에서 5점을 정한다. 그리고 5점에서 2점까지 선을 그으면 D선이며, 이로써 외측피판의 윤곽이 완성된다. 6점은 정중선 바로 외측에 있는 전순비주접합부(prolabium-columellar junction)에 정한다. 2' 점과 4' 점은 점막 쪽으로 대각선으로 조금 내린 연장점이다.

그러고 나서 나중에 필요하다면 비주연장술은 Cronin법(1958)으로써 하여야 한다. 왜냐하면 전순의 기저를 가로 지르는 횡절단으로 인하여 삼지창형 피판을 사용할 수 없기 때문이다.

7) Barsky법(1950) (Veau II법, 1931)

이 방법은 오래된 대부분의 교정술의 전형이며, 주로 역사적 의미에서 다루고 있다(그림 12-26). 이 방법은 부자연스러운 상구순 모양을 너무 흔히 만들기 때문에 권장하지 않는다. 이를테면 수직 길이가 너무 길고, 옆으로 조이며, 상구순 중앙에 눈에 거슬리는 섬모양의 융기된 전순이 생긴다. 또한 큐피드활이 거의 나타나지 않는다.

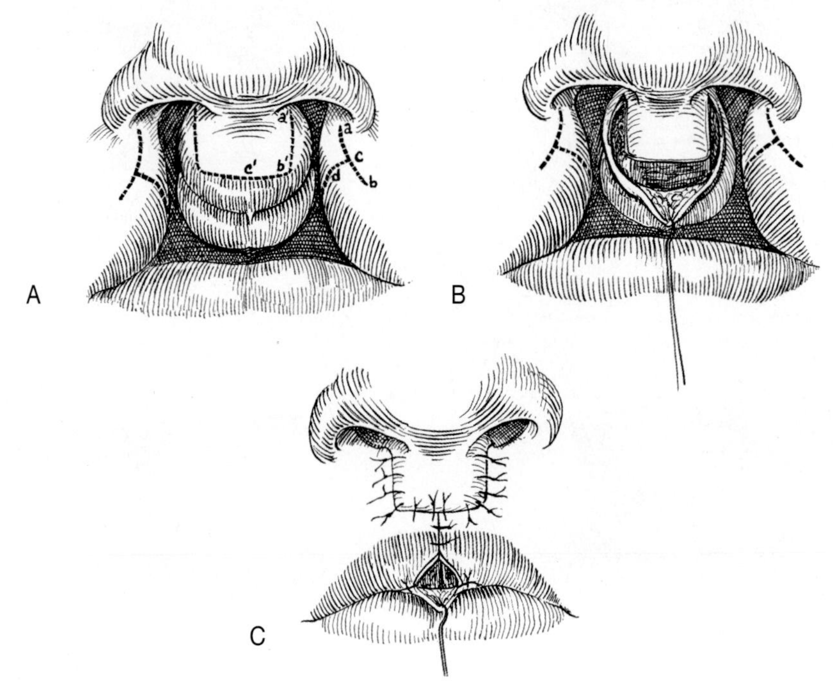

그림 12-26. Barsky법을 이용한 양측구순열교정술. (A) 절개선 도안. (B) 전순의 절개. (C) 외측 피판을 전진시킨 다음 봉합.

이 방법으로 교정한 많은 환아들의 상구순의 수직 길이를 짧게 하기 위하여 수평으로 쐐기형전층절제술을 함으로써 재교정 하였다고 한다. 홍순을 수평으로 연장하기 위해서는 Peterson 등(1966)의 Abbé피판술의 변형이 필요하다.

8) 일차Abbé피판술(primary Abbé flap)

Abbé피판술은 오랫동안 조인 양측 구순열비변형의 2차교정술로서 인식되어왔을 뿐, 대체로 통상 1차교정술로서 생각하지 않는다. Clarkson(1954)은 생후 1개월 된 넓은 양측 완전 구순열에서 일차Abbé피판술을 권장하였다. 그는 호흡 폐쇄를 막기 위하여 우선 한 쪽을 봉합한 다음, 7-10일 뒤에 다른 쪽을 봉합하였으며, 피판경을 3주에 분리하였다. 또 Hönig(1964)는 Abbé피판술을 어린 영아에게 사용할 것을 권하였다. Antia(1973)는 이 방법을 10명의 환아에게 사용하였는데, 대부분은 1살 이상이었다. 그는 전순을 두측 전진 시켜서 비주를 연장하였고, 상구순의 결손 폭의 1/2보다 조금 크게 Abbé피판을 만들었으며, 피판이 지나치게 길지 않도록 조심하였다. 이러한 수술을 두 차례로 시행하였을 때 수유나 호흡에 곤란이 없었다고 한다.

9) Mulliken법

Mulliken도 처음에는 단계별 교정술을 사용하였으나, 후에는 한 차례의 교정술로써 양측 구순열비를 교정하였다. 그는 자신의 수기 발전을 3기로 나누어 설명하였다(Mulliken, 1995). 제 1기(1980-1986년)에 Mulliken은 Millard의 일차교정법으로부터 완전히 자유롭지 못 하였다. 그래서 삼지창형 피판의 양쪽 가지를 저장하였는데, 제 2단계 교정술에서 양쪽 가지를 회수한 다음, Millard처럼 비주 양가에 위치시키지 않고 비내전위술(intranasal transposition)로써 비주를 연장하였다. 또, 비첨수직절개술을 통하여 원개간지방(interdomal fat)을 일으켜서 원개를 서로 맞서게 하였으며, 양측 비익연절개를 통하여 슬(genu)을 상외측연골(upper lateral cartilage)에 부유시켰다(Mulliken, 1985). 그 후, Mulliken은 자신의 기법을 계속 발전시켜서 저장해 두었던 삼지창형 피판의 가지가 비주를 건설하는데 필요하지 않음을 깨닫고 가지를 잘라버렸다. 이 시기가 제 2기(1987년)이다. 제 3기(1988-1992)에는 삼지창형 피판을 만들지 않을 뿐만 아니라, 비주 건설에 사용하지 않는 나머지 전순 조직마저 절제하기 시작 하였다. 따라서 비주 건설을 포함한 한 차례의 양측 구순열비 동시교정술(single-stage, synchronous bilateral nasolabial repair)할 수 있게 되었다(Mulliken, 1992, 1995). 그 후에도 계속해서 기법을 발전시켜서 그 동안 문제가 되었던 비첨 반흔을 피하기 위하여 비첨수직절개술을 중단하였고, 경험이 쌓임에 따라 연장형비익연절개술(extended alar rim incision)만으로 비익연골을 위치시킬 수 있었으며, 따라서 비첨과 비주를 좀더 잘 만들 수 있게 되었다(Mulliken, 2001).

(1) 술전치안면정악치료(preoperative dentofacial orthopedics)

술전치안면정악술 또는 술전정악치료(presurgical orthopedics)도 기별 수기 발전에 따라서 개선되었는데, 제 1기에는 외측 구순분절과 전악골을 동시에 정렬하는 시상측 및 관상측의 양방향 나사식 잭을 갖춘 기구(bidirectional device with 2 jackscrews)를 사용하였으며, 제 2기에는 전악골을 후퇴시키는 탄력 견인을 갖춘 한 방향 동축 나사를 갖춘 기구(unidirectional coaxial screw appliance)를 사용하였다. 제 3기에는 Georgiade-Latham의 핀 고정식 구개장치(pin-retained palatal appliance)를 사용하였으며, 가능한 한 전악골과 양측 상악분절 사이의 개열을 닫아주었다.

전악골과 양측 상악분절의 배열을 가지런히 하여야 양측 구순열비의 동시교정술을 성공적으로 이끌 수 있다. 더욱이 외측 상악분절을 술전에 확장시키면 치조열봉합술을 가능하게 하므로 상악궁을 안정시키고 누공을 제거할 수 있다. 전악골도 후퇴시키면 술후 구순열비 왜곡을 최소화할 수 있다. 수동적 치안면정악술과 능동적 치안면정악술이 중안면골 성장에 미치는 영향에 관해서는 논란이 계속되고 있다(Mulliken, 2001). Mulliken(2004)은 1991년 이래 Georgiade-Latham구개장치를 사용해 오고 있는데, 이러한 능동적 치안면정악술을 받은 소아와 종전에 사용하던 외부 견인 장치를 이용한 상악확장술(maxillary expansion with external traction)을 비교할 때 10세까지 중안면골 성장에 차이가 없는 것 같다고 한다.

(2) 제 1기 기법(삼지창형 피판의 저장 및 비내 전위를 하는 두 차례 구순열비교정술)

외측 구순분절의 정렬 및 확장, 전악골의 후퇴 및 회전을 위하여 시상측 및 관상측 나사식 잭(jackscrew)을 갖춘 기구를 사용하여 술전치안면정악치료를 한 다음, 제 1단계 교정술을 생후 3-5개월에 한다.

① **제 1단계 교정술**

전순에서 양쪽이 오목한 인중피판(philtral flap)을 도안 한다(그림 12-27). 인중피판의 폭은, 큐피드활의 최고점 사이에서는 4-5mm 이상 떨어지지 않도록 하고, 이 피판의 기저인 비주-전순접합부에서는 2mm이다. 인중피판 양가에 삼지창형 피판(fork flap)을 도안한다. 비익저의 절개선은 전순 쪽이 아니라 비익 쪽에서 도안한다. 전순을 3엽형(trefoil)으로 일으킨 다음, 중앙 홍순-점막피판(central vermilion mucosal flap)을 두측으로 올려서 전비극(anterior nasal spine)에 봉합함으로써 전치은-구순구(anterior gingivolabial sulcus)의 후벽을 건설한다. 비익저를 절개하여 외측 구순분절로부터 유리시키며, 치은-구순구(labiogingival sulcus)를 절개하여 외측 구순분절을 상악골로부터 유리시킨다.

연골간절개술(intercartilaginous incision)을 하여 비익연골의 상, 하면을 박리함으로써 양측 외측각(lateral crus)을 두측 전진시킬 수 있도록 한다.

양측 구순피판에서 구륜근 다발을 유리시키기 위하여 순협추벽(melolabial folds or nasolabial fold)까지 진피하박리를 함과 동시에 점막하박리 한다. 이 근다발의 두측에서 절개하여 수평 배열시킨다.

연골간절개를 먼저 봉합하는데, 이때 외측각을 두측 전진시켜서 상외측연골(upper lateral cartilage)에 겹쳐서 봉합한다. 그러고 나서 외비공저(nostril floor)를 건설하고, 점막을 봉합하고, 구륜근봉합술을 한다. 또, 비익저피판을 내측 전진시켜서 서로 봉합한다.

전순피판의 후면을 수직 절개 하여 피판을 펼쳐서 좀더 오목한 인중 함몰이 되도록 한다. 양측 구순분절의 홍순-점막피판을 봉합한다.

삼지창형 피판을 잘라 다듬은 다음, 90도 회전시켜서 비익저 아래에 저장한다.

② **제 2단계 교정술**

생후 8-9개월에 비익저를 절개하여 내측 전위 시킬 수 있도록 한다(그림 12-28). 저장해 두었던 삼지창형 피판을 다시 일으킨다. 이때, 상부 절개선을 두측으로 연장하여 막비중격(membranous septum)을 지나고 두측으로 내측각을 지나서 연골간절개에 이른다. 비첨의 정중 수직 절개로써 비익원개(alar dome)를 노출시킨다. 내측각을 완전히 노출시킨 다음, 막비중격절개를 통하여 서로 봉합함으로써 거상한다. 비첨이수(bifid tip)는 양측 비익연골의 원개를 서로 봉합함으로써 교정하며, 동측이나 반대 측의 상외측연골에 매몰봉합술로써 부유시킨다. 쳐진 외비공연의 상부를 절제하고 봉합한다. Mulliken(1995)은 처음에는 생후 8개월에 비교정술을 하였지만, 나중에는 대부분의 환아에서 16-18개월에 하였다. 제 1기뿐만 아니라, 제 2기 및 제 3기 때에도 비주-상구순접합부를 보존하는 것이 중요하다.

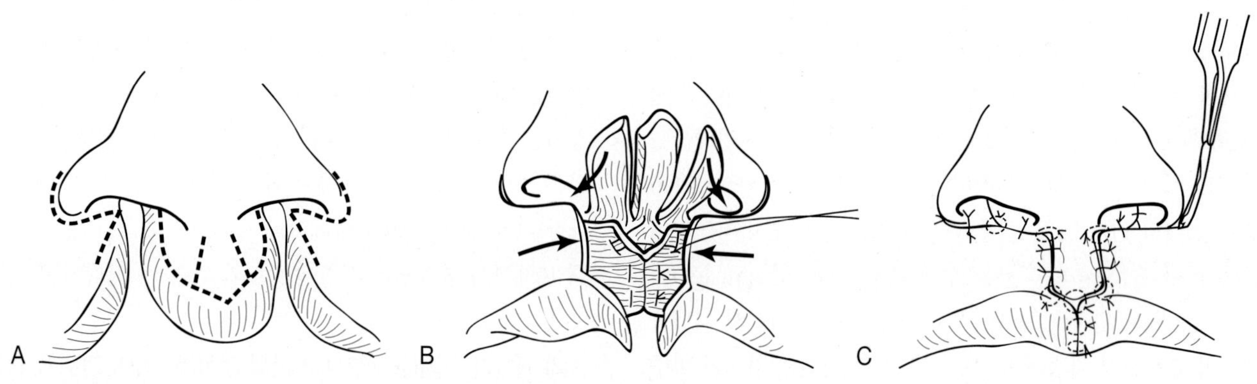

그림 12-27. 제 1기 Mulliken법을 이용한 양측 구순열비의 제 1단계 교정술. (A) 절개선 도안. 양쪽이 오목한 인중피판의 폭은 기저부에서 2mm, 큐피드활의 최고점 사이에서는 4-5mm이다. (B) 인중피판을 들어올린 다음 중앙 홍순-점막피판을 두측으로 올려서 전비극에 봉합함으로써 전치은-구순구를 건설한다. 구륜근봉합술은 양쪽 근육단의 좀더 외측에서 서로 연결하며, 마지막 봉합은 전비극에 걸어준다. (C) 양측 홍순-점막피판으로써 중앙홍순결절을 건설한다. 외측 구순분절의 상측 연과 삼지창형 피판을 잘라서 다듬은 뒤 봉합한다.

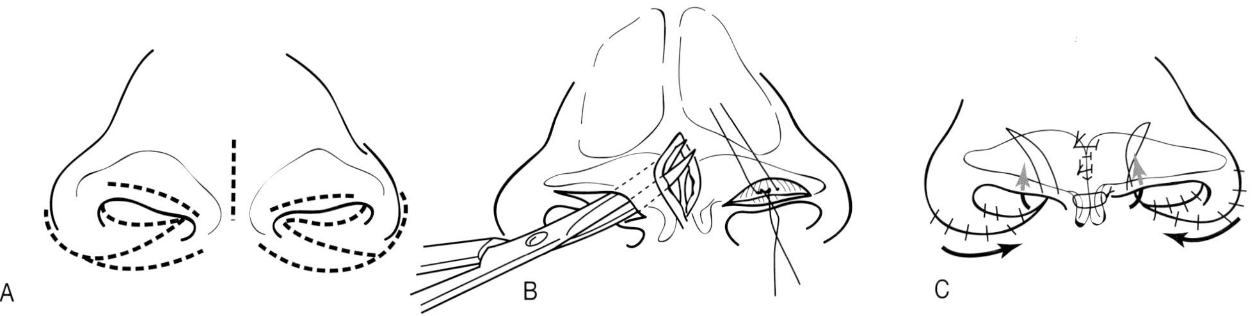

그림 12-28. 제 1기 Mulliken법을 이용한 양측 구순열비의 제 2단계 교정술. (A) 비첨, 외비공연, 비익저, 그리고 보관해 두었던 삼지창형 피판의 절개선 도안. (B) 미측 변위 되었던 비익원개를 비익연절개와 비첨절개를 통하여 박리한다. 비익연절개를 통하여 내측각을 노출시킨다. (C) 양측 내측각과 양측 비익원개를 서로 맞서도록 봉합하고, 삼지창형 피판을 내측의 연골간절개창으로 전위시킨다. 비익저를 내측 전진시킨 다음 비익연골을 비중격-상외측연골접합부에 부유시킨다.

술후 2-3개월 동안 맞춤 스텐트(custom stent)를 장착시킨다. Mulliken(1985)은 술후 5세 때 전순의 폭을 계측한 결과, 비주접합부에서는 2.5배, 큐피드활에서는 2배 증가하였다고 보고하였다.

(3) 제 2기 기법(삼지창형 피판의 저장 및 비내 전위를 하는 두 차례 구순열비교정술)

제 1단계 및 2단계 교정술은 제 1기와 같지만, 한 가지 다른 점은 제 2단계 교정술에서 저장하였던 삼지창형 피판의 양쪽 가지를 잘라버리는 것이다.

(4) 제 3기 기법(삼지창형 피판 없이 한 차례 구순열비 동시 교정술)

① 술후 성장에 대한 대비

양측 구순열비교정술에 착수하기 전에 정상 영아의 구순열비 형태에 대한 지식이 필요한데, 구순열비의 크기, 모양, 그리고 비율 등 3차원적인 면을 이해하는 것만으로는 충분하지 않다. Mulliken(2001)은 이러한 3차원적 이해를 넘어서 4차원, 즉 술후 성장에 따른 변화를 개념화 하여야 하며, 또 발생할 수 있는 구순열비 왜곡도 예측할 수 있어야 한다고 하였다. Farkas 등(1992)이 조사한 1-18세의 서양 어린이의 구순의 정상적인 성장 양상을 요약하면, 비주 길이(sn-c)와 비첨돌출(sn-prn)을 제외한 다른 구순열비는 속성 양상(fast-growing feature)을 나타내어 5세에 어른의 2/3 이상으로 되었다. 중요한 것은 술후 남게 되는 양측 구순열비의 변형과 성장 속도 사이에는 큰 상관관계가 있는 것이다(Mulliken, 2001). 즉, 속성 양상을 갖는 구순열비는 술후 너무 길거나 너무 짧게 되며(코 길이, 비익간격, 그리고 전순, 특히 큐피드활의 정점 사이의 거리), 완성 양상(slow-growing feature)을 나타내는 구순열비는 교정술후 짧게 된다(비주 길이와 비첨돌출).

그러므로 술자는 술후에 벌어질 4차원적 구순열비 변화를 기대하면서 술중에 필요한 조절을 할 수 있다. 속성 성장을 나타내는 구조물은 같은 나이 또래의 정상 크기보다 작게 만들어야 하며, 완성 양상은 나중에 휴지기에 들어가므로 정상 크기보다 조금 더 크게 건설하여야 한다. 그러나 홍순중앙결절(ls-sto)은 예외로서 비록 속성 성장의 양상을 가지지만, 소아가 될 때까지 그 속도를 유지하지 못한다. 그러므로 홍순중앙결절은 특히 후기 소아기가 될 때까지 절치 노출(incisal show)을 기대하기 어렵기 때문에 가능한 한 최대로 도안하여야 한다.

② 도안

구순열비교정술은 4-5개월에 한다. 수술을 시작하기 전에 Latham-Georgiade구개장치를 떼어낸 다음, 수술을 마칠 때 양측 상악분절과 전악골을 유지하기 위하여 삽입할 수동 장치(passive appliance)를 만들기 위한 석고 모형을 미리 떠둔다. 우선 인중피판을 전순에서 도안하는데, 영아의 나이와 인종에 따라 수치를 결정한다(그림 12-29,A). 보통, 인중피판(philtral flap)의 수직 길이는 전순의 피부 부분의 전형적인 길이인 6-7mm로 잡지만, 전순이 지나치게 길면 짧게 할 수 있다. 인중

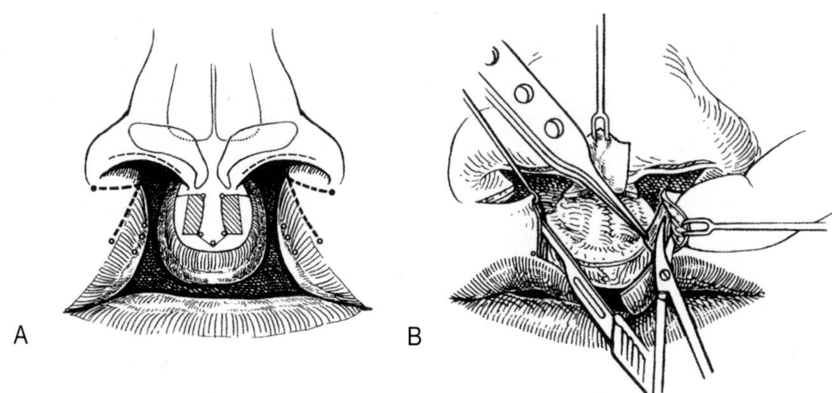

그림 12-29. 제 3기 Mulliken법을 이용한 양측 완전구순열비의 동시교정술. (A) 인중피판의 수직 길이는 6-7mm, 폭은 비주-구순접합부에서는 2mm, 큐피드활의 정점 사이에서는 3.5-4mm로 한다. 인중피판의 양가는 조금 오목하게 한다. 인중피판 양가의 전순 조직에서 피부 조각을 탈상피하여 인중주처럼 보이도록 하며, 바깥의 나머지 전순을 잘라낸다. 건설할 큐피드활의 정점을 양쪽 외측 구순분절에 위치시킴으로써 큐피드활의 손잡이를 제공함과 동시에 중앙홍순결절 건설에 충분한 량의 홍순조직을 제공할 수 있다. 외측 구순피판의 상측 연은 비익-구순접합부에서, 그리고 내측 연은 홍순-피부접합선 바로 위를 따라서 도안한다. 외비공연절개선을 양쪽에 도안한 다음 작은 비주의 안쪽을 따라 짧게 더 연장한다. (B) 인중피판과 비주저의 양쪽에 있는 전표(tab)형의 피부도 함께 일으킨다. 홍순릉선-홍순-점막피판을 절개하여 외측 구순분절을 비익저로부터 분리시킨다. 구륜근 덩어리를 진피하층과 점막하층으로부터 박리한다.

피판의 폭은 비주-구순접합부(cphs-cphs)에서는 2mm이며, 큐피드활의 정점 사이(cphi-cphi)에서는 3.5-4mm로 한다. 인중피판의 창형 끝(dartlike tip)은 과장되지 않도록 하며, 피판의 양가는 나중에 반흔이 외측으로 볼록하게 굽는 경향이 있기 때문에 조금 오목하게 한다. 인중피판 양가의 전순 조직에서 세로로 좁고 긴 피부 조각을 탈상피해 둠으로써 나중에 전진시키는 외측 구순피판의 아래에 놓일 때 인중주(philtral column)처럼 융기되어 보이도록 한다.

건설할 큐피드활의 정점을 양측 구순분절에 위치시킨다. 이렇게 하면 외측 구순피판에 홍순릉선이 포함됨으로써 큐피드활의 손잡이(handle of Cupid's bow)를 제공함과 동시에 중앙홍순결절(central vermilion tubercle) 건설에 충분한 량의 홍순조직을 제공할 수 있다. 외측 구순피판의 상측 연은 비익-구순접합부에서, 그리고 내측 연은 홍순-피부접합선 바로 위를 따라서 도안한다. 외비공연절개선을 양쪽에 도안한 다음, 작은 비주의 안쪽을 따라 짧게 더 연장한다. 중요한 해부학적 지표들과 외측 홍순-점막접합부를 반드시 잉크로써 문신한 다음, 구순열비에 리도카인-에피네프린 혼합액을 주사한다.

③ **박리**

인중피판을 진피까지 절개한 다음, 피판 양가에서 길고 좁은 피부 조각을 탈상피화 한 뒤 피판 양쪽의 나머지 전순을 잘라내어 버린다(그림 12-29B). 인중피판에 진피하연조직을 포함한 채로 전악골로부터 미측 비중격(caudal septum)까지 일으킨다. 비주저의 양쪽에 있는 전표(tab)형의 피부는 Millard법의 C피판과 비슷한 것으로서 이것도 절개하여 일으킨다. 홍순릉선-홍순-점막피판(white line-vermilion-mucosal flap)을 절개함으로써 외측 구순분절을 비익저로부터 분리시킨다. 구륜근 덩어리를 진피하층 및 점막하층으로 박리한다. 외비공연절개창을 통하여 벌어지고 변위된 비익연골을 노출시킨다(그림 12-30A). 슬 사이의 지방조직을 일으킨다.

④ **치조열봉합술(alveolar closure)**

비강쪽 비전정바닥(vestibular floor)을 건설하기 위하여 외측 및 내측 비벽으로부터 점막피판(mucosal flap)을 일으켜서 서로 봉합한다. 구강쪽 비전정바닥은 치조열 양쪽의 치조릉(alveolar ridge)에 수직 절개를 한 다음, 치은점막-골막피판(gingivomucoperiosteal flap)을 일으켜서 봉합함으로써 건설한다(그림 12-30B).

⑤ **구순열봉합술(labial closure)**

인중피판을 일으키고 난 다음, 전악골에 남아 있는 홍순릉

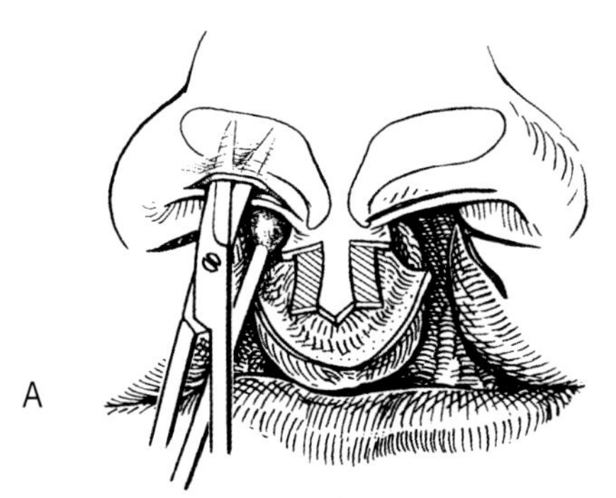

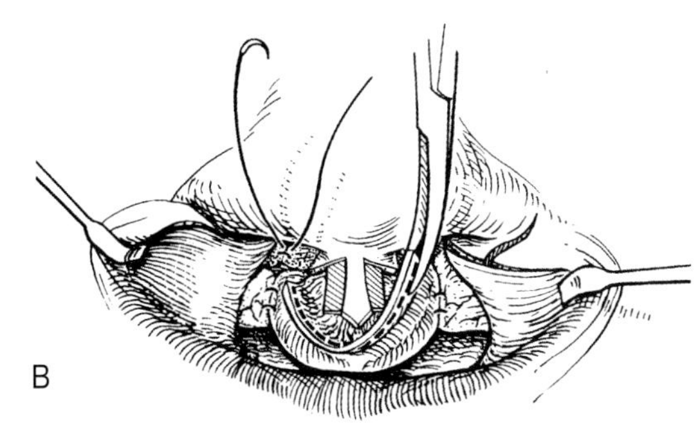

그림 12-30. 양측 완전구순열비의 동시교정술(계속). (A) 외비공연절개창을 통하여 비익연골을 노출시킨다. 면봉을 상부 비전정에 위치시키면 변위된 비익연골을 드러내 보이는데 도움이 된다. 슬 사이의 지방조직을 일으킨다. (B) 비강쪽 비전정바닥은 외측 및 내측 비벽으로부터 점막피판을 일으켜서 서로 봉합하고, 구강쪽 비전정바닥은 치조열 양쪽의 치조릉에 수직 절개를 하여 치은점막-골막피판을 일으켜서 서로 봉합함으로써 건설한다. 전순홍순-점막을 피판으로 만들어서 두측으로 당겨서 전악골의 골막에 봉합함으로써 전치은-구순구의 후벽을 만든다.

선을 잘라내어 다듬은 뒤 전순홍순-점막(prolabial vermilion-mucosa)을 피판으로 만들어서 두측으로 당겨서 전비극(anterior nasal spine)의 전악골막에 봉합함으로써 전치은-구순구(anterior gingivolabial sulcus)의 후벽을 만든다(그림 12-30,B). 외측 점막피판(lateral mucosal flap)을 내측으로 충분히 전진시켜야 중앙홍순결절에 충분한 조직을 제공하며, 이러한 점막피판의 내측 전진에 의하여 중앙치은구순구의 전벽과 상구순의 후면이 만들어진다.

구륜근을 마주 서도록 미측부터 시작하여 두측으로 봉합하여 올라가되, 가장 두측의 봉합인 변부 구륜근(pars peripheralis)을 전비극의 골막에 비흡수사로써 단단히 고정한다(그림 12-31A). 중앙홍순결절은 두측부터 미측으로 봉합하여 건설하며, 남는 홍순-점막을 잘라 다듬어서 중앙 봉선(中央縫線, median raphe)을 만든다(그림 12-31B).

비성형술은 인중피판을 큐피드활의 손잡이에 붙이기 전에, 그리고 구순열교정술을 마치기 전에 시작한다.

⑥ **비성형술**

외비공연절개를 통하여 변위된 비익연골에 polydioxanon (PDS)봉합사로써 3개의 봉합을 하는데, 한 개는 슬끼리 봉합하며, 다른 1개는 중간각(middle crus)끼리, 그리고 나머지 1개는 상외측연골(upper lateral cartilage)에 부유봉합 한다(그

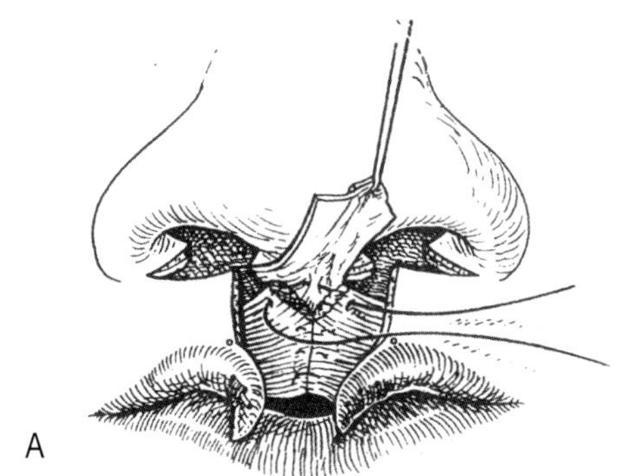

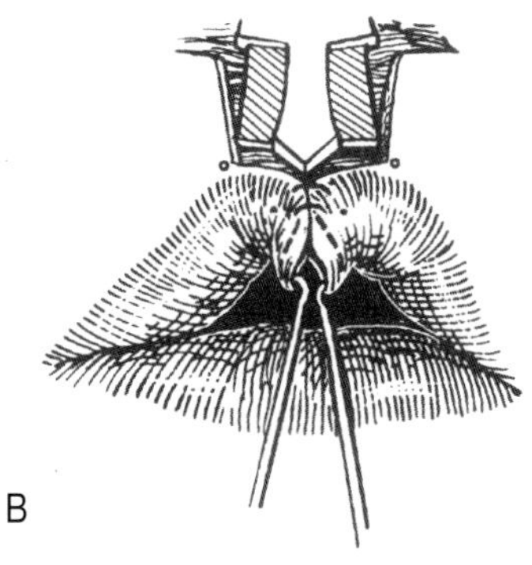

그림 12-31. 제 3기 Mulliken법을 이용한 양측 완전구순열비의 동시교정술(계속). (A) 구륜근은 미측부터 시작하여 두측으로 봉합하여 올라가되, 가장 두측의 봉합은 전비극의 골막에 단단히 고정한다. (B) 중앙홍순결절은 두측부터 미측으로 봉합하여 건설한다.

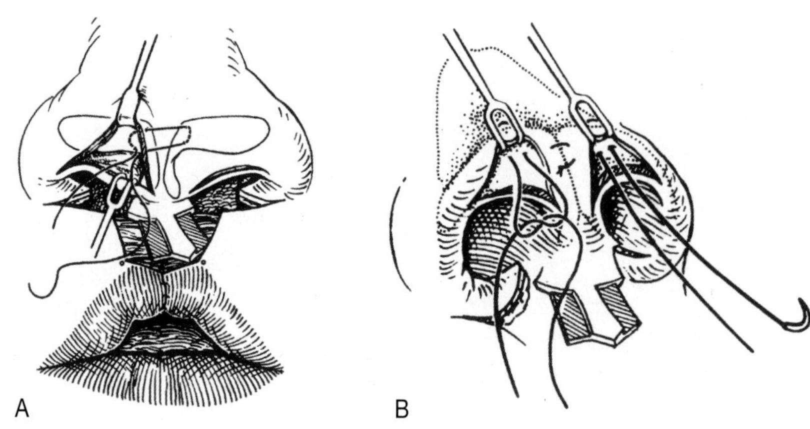

그림 12-32. 제 3기 Mulliken법을 이용한 양측 완전구순열비의 동시교정술(계속). (A) 외비공연절개를 통하여 비익연골에 원개간봉합술을 하며, 중간각끼리도 봉합한다. (B) 비익연골을 석상봉합술로써 상외측연골에 부유봉합 한다.

림 12-32A,B).

외비공턱(nostril sill)은 비익저를 내측 전진 시켜서 건설하는데, 비익저피판을 잘라 다듬은 다음, 조금 코 안쪽으로 회전 시켜서 비주저에서 전표형 피부의 끝에 봉합한다. 비익저 사이에 비흡수사로써 봉양(cinch)하여 조음으로써 비익간격을 22-24mm까지 좁힌다(그림 12-33A). 비익저는 아래에 있는 상악골 골막과 구륜근에 석상봉합(mattress suture) 한다(그림 12-33B). 이러한 석상봉합술은 3가지 목표를 가지는데, 첫째 비익저의 위치를 낮추며, 둘째 외측 외비공턱에 정상적인 함몰을 만들며, 셋째 비익하체근(鼻翼下掣筋, depressor alae nasi)처럼 작용하게 함으로써 미소 지을 때 외비공이 들리는 것을 최소화하기 위함이다.

비익연골을 해부학적으로 재배치하면 연삼각부(soft triangle)와 비첨에서 여분의 피부가 있음이 명백해진다. 남는 피부는 반달형 절제술로써 다듬는데, 외비공연절개를 지나서 비주의 상부 및 중간까지 연장시킨다(그림 12-34A). 이러한 조작은 비첨을 좁히며, 비주-비소엽접합부(columellar-lobular junction)에 윤곽을 주며, 외비공과 비주를 길게 하고, 비주 허

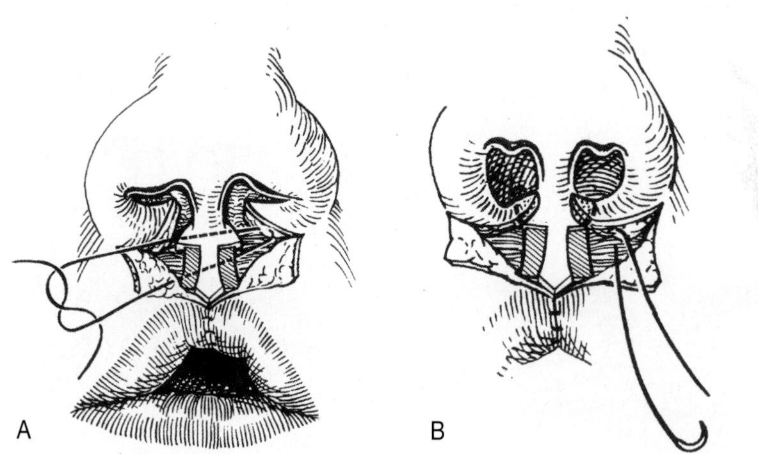

그림 12-33. 제 3기 Mulliken법을 이용한 양측 완전구순열비의 동시교정술(계속). (A) 비익저 사이를 봉양하여 조음으로써 비익간격을 좁힌 다음 비익저피판을 비주저에 있는 전표형 피부의 끝에 봉합하여 외비공턱을 건설한다. (B) 비익저피판의 끝을 잘라 다듬은 다음 비익저는 아래에 있는 상악골 골막과 구륜근에 고정 한다.

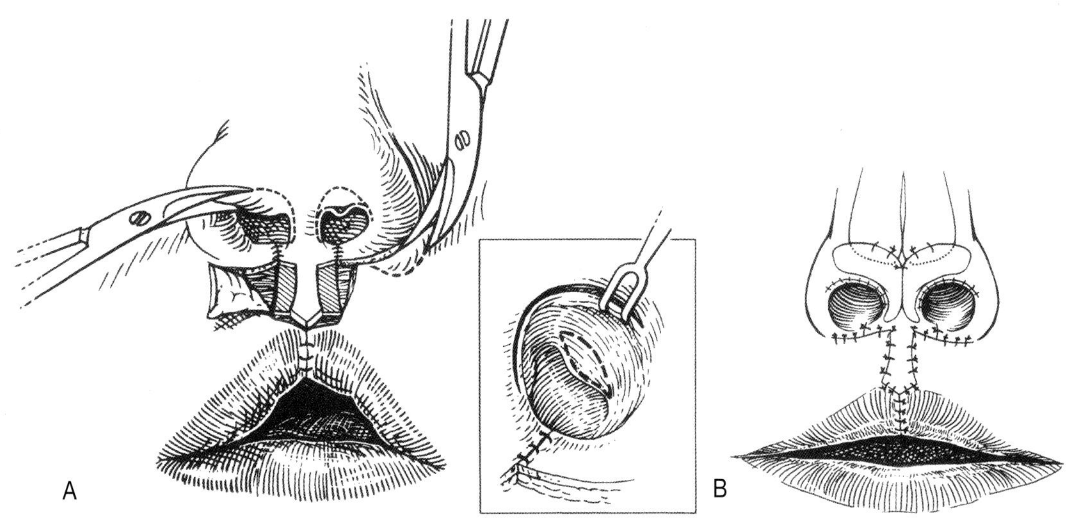

그림 12-34. 제 3기 Mulliken법을 이용한 양측 완전구순열비의 동시교정술(계속). 외비공의 남는 피부는 외비공연절개를 지나 비주의 상부 및 중간까지 연장시켜서 반달형 절제술로써 다듬는다. 외측 구순피판의 두측 연을 비익-구순접합부에 봉합하기 전에 반곡선형으로 잘라서 손질 한다. 삽화는 비전정갈퀴의 렌즈형 연골간절제술을 나타낸다.

리를 점점 가늘어지게 한다. 건설한 비주(sn-c)는 5-6mm로서 같은 나이 또래의 정상치인 3-4mm보다 조금 더 길어야 한다. 만약 비익연골이 얇으면 흡수 내비부목(internal resorbable splint)을 대어서 치유되는 동안에 반흔 구축을 막도록 한다(Wong 등, 2002). 비익연골끼리 봉합하고 또, 비익연골을 상외측연골에 부유시키면 외측 비전정갈퀴(lateral vestibular web)가 생기게 된다. 이러한 비전정갈퀴는 과잉의 비전정점막에 의하여 두드러지며 외측각(lateral crus)에 의하여 잠식된다. 그러므로 렌즈형 연골간절제술(intercartilaginous lenticular excision)을 한다(그림 12-34A). 외측 구순피판을 인중피판에 봉합할 때 외측 구순피판의 가장자리를 잘라 다듬을 필요는 거의 없지만, 외측 구순피판의 상측 연은 비익-구순접합부에서 봉합하기 전에 반드시 반곡선(cyma)형으로 잘라서 손질하여야 한다(그림 12-34B).

Xeroform gauze를 19gauge 실리콘 관에 말아서 외비공에 삽입한 뒤 술후 48시간 동안 유지 한다. 생리식염수에 적신 거즈를 Logan bow에 매달아 교정한 입술에 24시간 동안 위치시킨다. 새로 만든 치과장치를 구개열에 삽입하여 양측 상악분절을 붙잡고 있게 하고, 부모로 하여금 1주일에 한번씩 청소하게 한다. 술후 5일에 전신마취 하여 발사하고, 6주 동안 Steri-Strip(3M Health Care, St Paul, Minnesota)를 입술에 붙인다.

(5) 저자의 Mulliken변법

저자의 양측 구순열비 및 구개열교정술의 계획은 표 12-2와 같다.

① 술전치안면정악치료와 구순접합술

환아에게 바로 탄력체가 달린 아기 모자를 착용시켜서 돌출된 전악골을 후퇴시킨다. 생후 2개월 정도에 Georgiade-Latham의 핀 고정식 구개장치(pin-retained palatal appliance)를 낸 다음(그림 12-35) 구순열교정술을 할 때까지 정신적 안정을 위하여 구순접합술을 한다(그림 12-36B). 비주 연장과

표 12-2. 저자의 양측 구순열비 및 구개열교정술의 계획

나이	술식
2개월	Latham-Geogiade구개장치 장착 구순접합술 외부 견인 장치
6개월	본격적 구순열교정술 비성형술 외부 견인 장치
12개월	연구개열교정술 치은점막-골막피판술
5-6세	경구개열교정술 비전정바닥골이식술

비전정 확장을 위하여 아크릴수지로 만든 썰매형 주형(toboggan shaped mold)을 4-0나일론사로써 비전정에 장착한 다음, 비배밖으로 관통시킨 뒤 전두두피에 미리 부착시켜 둔 탄력체에 연결하여 2개월 정도 유지시킨다(그림 12-40C).

② **본격적인 구순열교정술과 비성형술**

생후 6개월 정도에 본격적인 구순열교정술과 비성형술을 한 다음, 다시 설매형 주형을 이용한 외부 견인장치를 2개월 가량 더 댄다.

저자가 제 3기의 Mulliken법을 이용한 양측 구순열비의 동시교정술을 할 때 본격적인 구순열교정술 및 비성형술에서 다음과 같은 문제점들이 있음을 알게 되었다(한기환 등, 1998).

첫째, 비첨 수직 절개에 의한 반흔이 심하지는 않지만, 표가 나므로 초기에는 양측 외비공연절개로 대치하였다가 결국에는 개방비첨접근법(open tip approach)을 사용하게 되었다(그림 12-37).

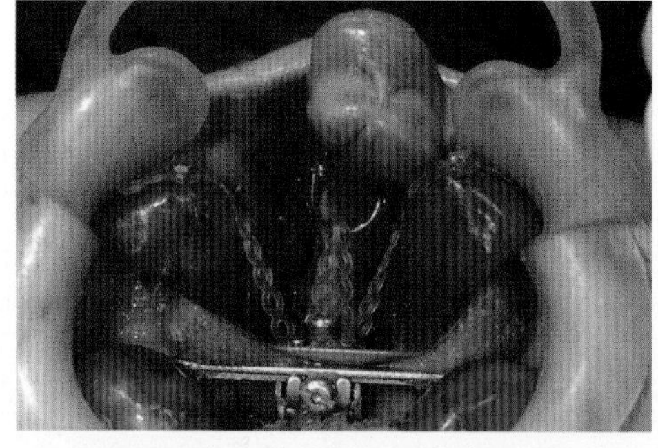

그림 12-35. 저자의 Mulliken변법. Georgiade-Latham의 핀 고정식 구개장치 장착.

둘째, 외측 구순피판의 두측 연의 절개를 비주저 바깥으로 더 이상 연장 시키지 않았을 뿐만 아니라, 비익-구순접합부에서 봉합하기 전에 반곡선형 절제술도 하지 않는다(그림 12-38). Mulliken(1995)은 외측 구순피판의 두측 연의 절개를 비익구(alar groove)를 돌아서 길게 연장하였는데, 나중에 불규칙한 표면을 갖는 반흔이 미측 전위 되어 보기 흉하였다. 또 그는 외측 구순피판의 상측 연을 잘라서 손질하였는데, 이러한 조작은 비익저를 미측 전위시킴으로써 동양인의 전형적인 비주 퇴축(columellar retraction)을 유발할 수 있기 때문에 하지 않는다.

셋째, Mulliken(1995)은 비익연골끼리 봉합한 다음, 비익연골을 상외측연골에 부유시켰는데, 저자는 후자를 하지 않는데, 그 이유는 이러한 기법은 비첨을 두측 회전(cephalic rotation) 시켜서 들창코를 조장하기 때문이다(그림 12-39).

넷째, Mulliken(1995)은 비익연골을 상외측연골에 부유시킬 때 발생하는 외측 비전정갈퀴(lateral vestibular web)가 과잉의 비전정점막에 의하여 두드러질 뿐만 아니라, 외측각에 의하여 잠식되기 때문에 렌즈형 연골간절제술을 하였는데, 저자는 5-0 PDS II 봉합사를 이용한 2-4개의 비익관통봉합술(alar transfixion suture)로 대치함으로써 과잉의 비전정점막을 재배치(redraping)함과 동시에 처진 외측각을 부유시켰다(그림 12-40). 술후 이를 유지하기 위하여 아크릴수지로 만든 썰매

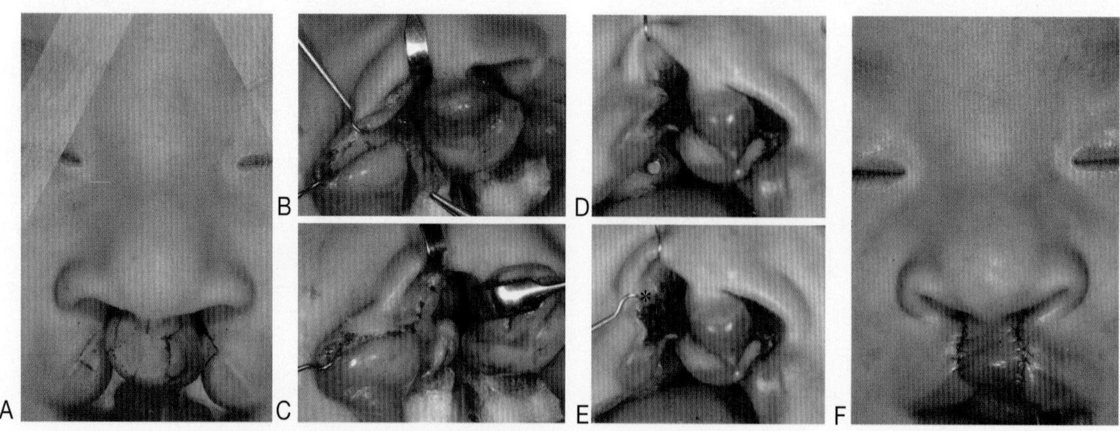

그림 12-36. 저자의 Mulliken변법. 구순접합술. (A) 절개선 도안. (B, C) 두측에 기저를 둔 L점막피판(L mucosal flap)을 일으켜서 연골간절개로 전위시킴으로서 후퇴된 외측 상악분절로부터 비익저를 유리시킨다. (D, E) 전순에서는 내측에 기저를 둔 외측 전순-홍순피판을 일으켜서 외측으로 전위시키고, 외측 구순분절에서는 외측에 기저를 둔 홍순-점막피판(*)을 일으켜서 각각의 절개창에 봉합함으로써 구순접합술을 한다. (F) 구순접합술을 마친 모습.

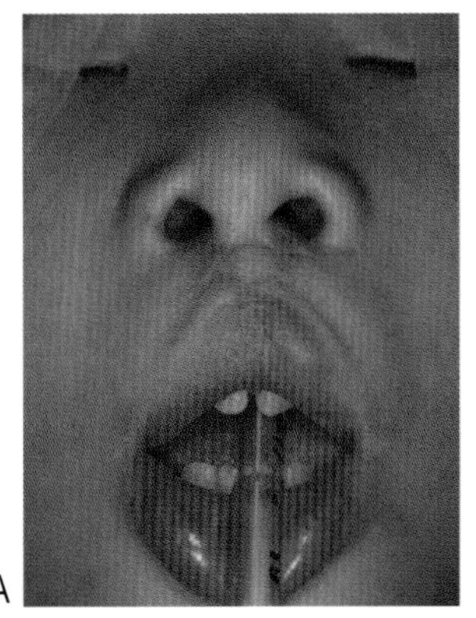
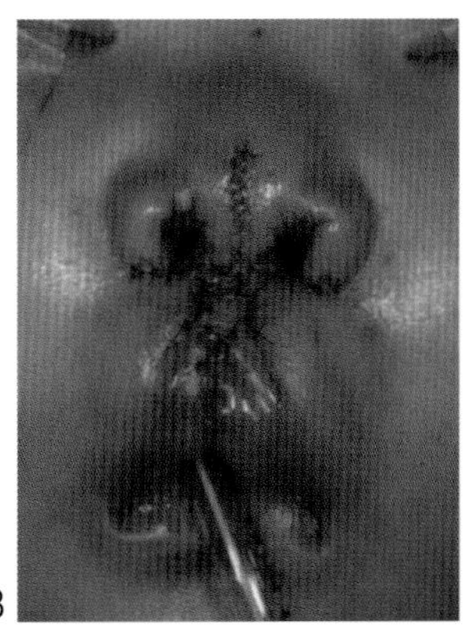
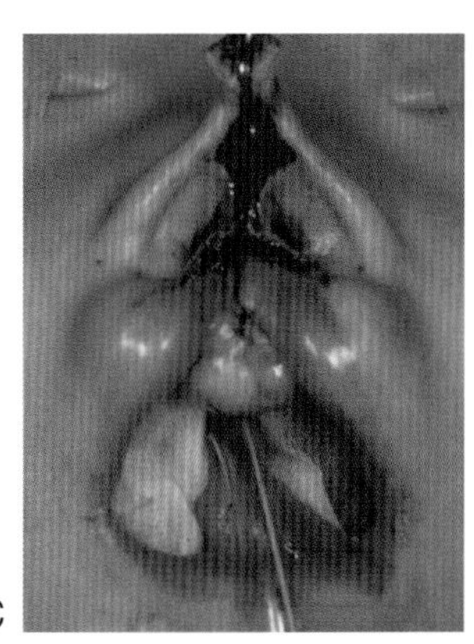

그림 12-37. 저자의 Mulliken변법. 비접근법. (A, B) 비첨수직절개술에 의한 반흔이 표가 나므로 양측 외비공연절개술로 대치하였다가 결국에는 개방비첨접근법을 사용하게 되었다(C).

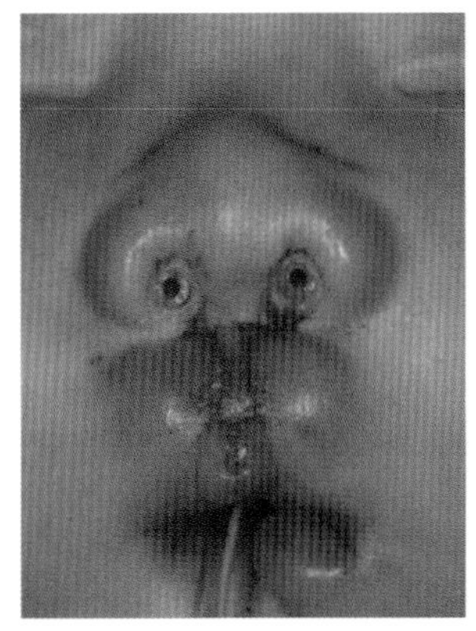

그림 12-38. 저자의 Mulliken변법. 외측 구순피판의 조작. 외측 구순피판의 두측 연의 절개를 비주저 바깥으로 더 이상 연장 시키지 않을 뿐만 아니라 비익-구순접합부에서 봉합하기 전에 반곡선형 절제술도 하지 않는다. 왜냐하면 나중에 불규칙한 표면을 갖는 반흔이 미측 전위 되어 보기 흉할 뿐만 아니라 절세술은 비익저를 미측 전위시킴으로써 비주 퇴축을 유발할 수 있기 때문이다.

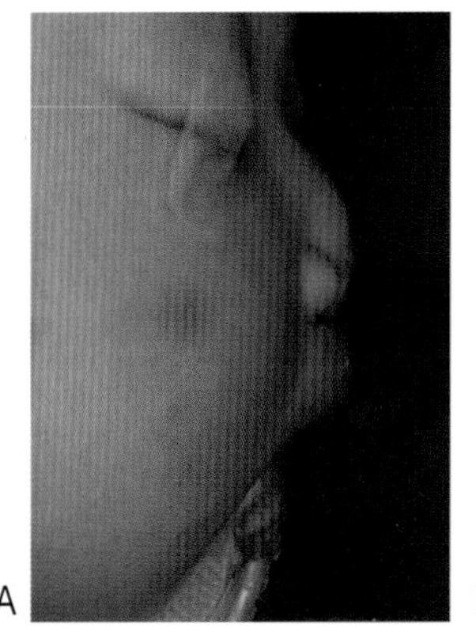
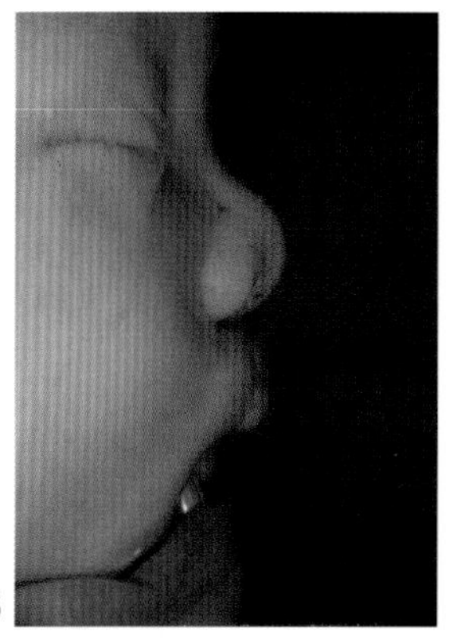

그림 12-39. 저자의 Mulliken변법. 비익연골-상외측연골봉합술 삭제. 비익연골끼리 봉합한 다음 (A) 비익연골을 상외측연골에 부유시켰을 때 비첨이 두측 회전 되어서 들창코가 심해졌다. (B) 비익연골을 상외측연골에 부유시키지 않으면 비첨이 두측으로 덜 회전 된다.

모양의 주형(toboggan shaped mold)을 4-0나일론사로써 비전정에 장착한 다음, 비배밖으로 관통시킨 뒤 전두두피에 미리 부착시켜 둔 탄력체에 연결하였다. 이러한 외부 견인장치를 2주 정도 대어주면 비익관통봉합술로써 확장시켜 둔 비전정을 최대한 유지할 수 있을 뿐만 아니라, 외비공연의 확장과 비주 연장도 어느 정도 기대할 수 있다.

③ 치조열봉합술과 연구개열교정술

생후 12개월 전후에 연구개열교정술을 하면서 동시에 치조열봉합술(alveolar closure)로서 치은점막-골막피판성형술(gingivomucoperiosteoplasty)을 한다(그림 12-41). 술후 대부분의 환아에서 치아 맹출을 기대할 수 있다.

④ 경구개열교정술과 비전정바닥골이식술

Schweckendiek변법으로서 5-6세에 경구개열교정술을 한다. 미리 시행한 치은점막-골막피판성형술에 의하여 치조열에는 골이 생성되어서 치아도 날 수 있으나, 비전정바닥에는 여전히 골 결손이 있어서 비성형술의 결과를 좋지 않게 하므로 두개관골의 해면질골로써 골이식술을 한다.

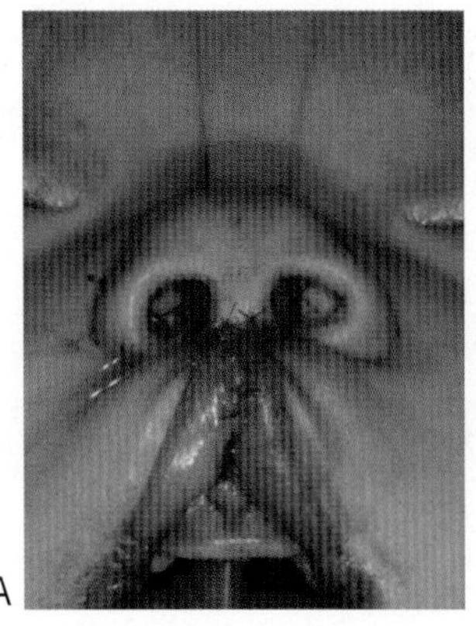
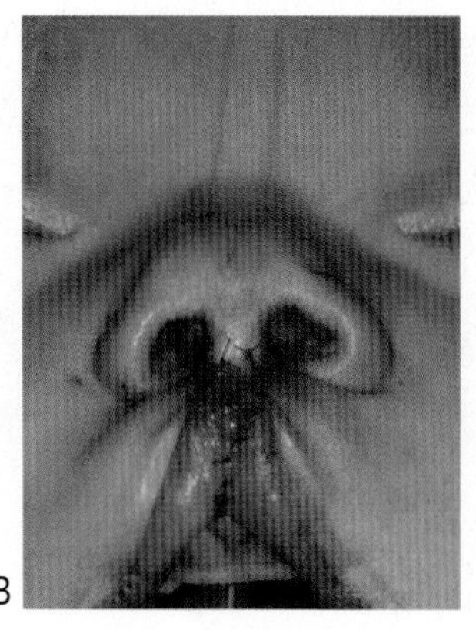
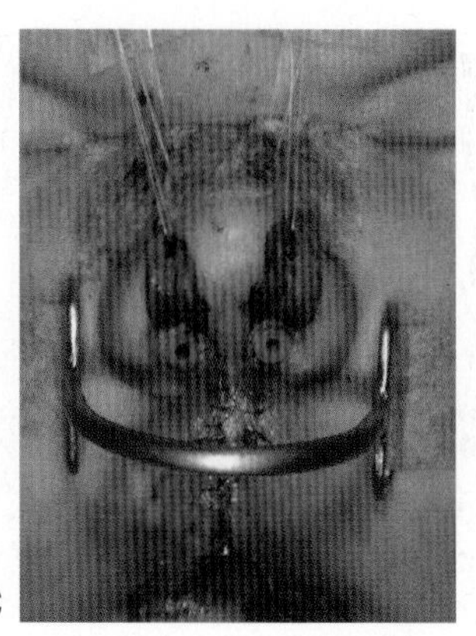

그림 12-40. 저자의 Mulliken변법. 비익관통봉합술과 외부 견인. (A, B) 외측 비전정갈퀴를 교정하기 위하여 비익관통봉합술을 함으로써 과잉의 비전정 점막을 배 재치함과 동시에 처진 외측각을 부유시킨다. (C) 술후 이를 유지하기 위하여 아크릴수지로 만든 썰매형 주형을 비전정에 장착한 다음 비배 밖으로 관통시킨 뒤 전두두피에 미리 부착시켜 둔 탄력체에 연결한다. 이러한 외부 견인장치를 2주 정도 대어주면 확장시켜 둔 비전정을 최대한 유지할 수 있고, 외비공연의 확장과 비주 연장도 어느 정도 기대할 수 있다.

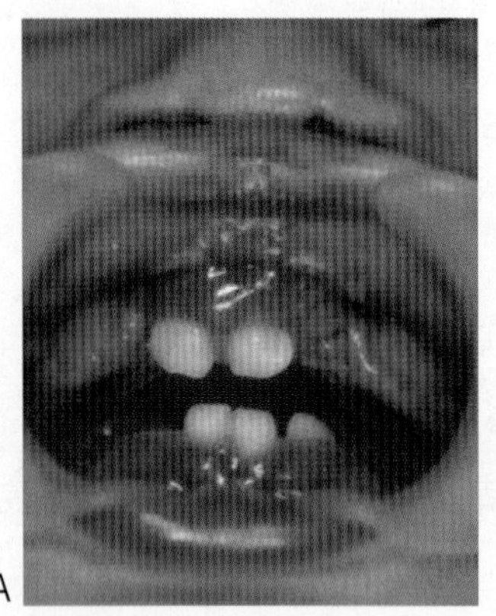
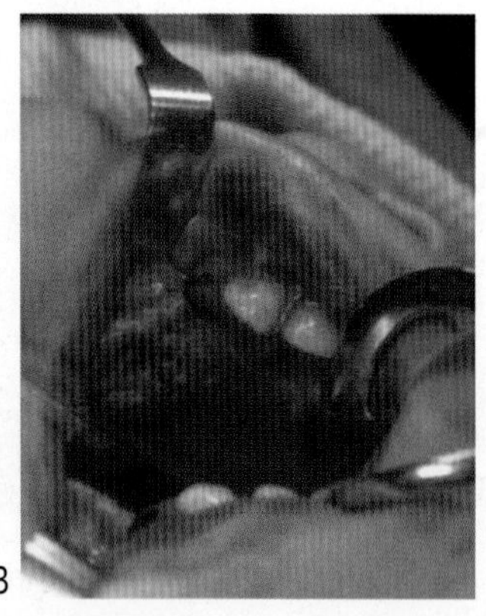
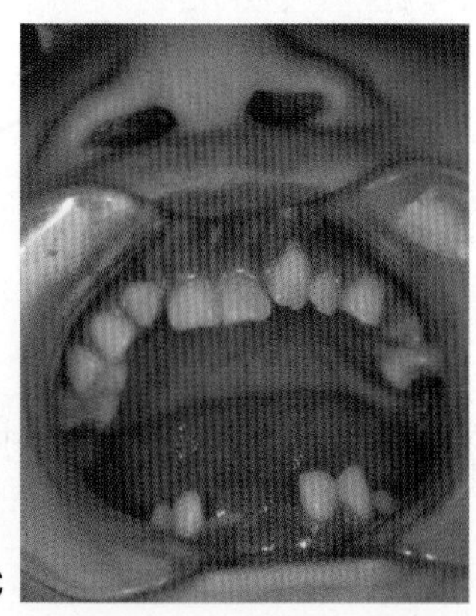

그림 12-41. 저자의 Mulliken변법. 치은점막-골막피판성형술. (A) 술전에 양측 상악분절과 전악골이 정렬되었다. (B) 양측 치은점막-골막피판성형술. (C) 6세로서 양측 견치가 맹출 되었다.

⑤ **결과(그림 12-42, 12-43)**

⑥ **결과 분석 방법**

양측 구순열비의 한 차례 동시교정술을 한 다음, 구순열비 모습의 변화를 성장기를 통하여 정기적으로 평가하고, 변화된 모습을 문서화하며, 이러한 관찰로부터 자신의 기법을 개발할 수 있는 장점이 있다. 그러므로 간편하고도 객관적이면서 빠른 방법이 필요하다.

임상사진술은 표준화된 정면, 측면, 그리고 이하면(submental view)을 촬영하는 기본적인 문서화 작업이다. 그러나 이 방법은 오랜 기간 동안 지속적으로 수행하여야 하며, 주관적이므로 객관적인 방법인 직접인체계측법(direct anthropometry)이나 손이나 전산화(computed digital technology)를 이용한 사진계측법(photogrametry)이 대표적인 예인 간접인체계측법으로 발전시켜야 한다(Hurwitz 등, 1999). 직접인체계측법은 훈련과 경험을 필요로 하지만, 얼굴 모습의 정량화에 표준인 방법이다(Farkas, 1994). 수술하기에 앞서 계측해서 기준 수치를 정해 두면(Mulliken 등, 2001), 술후 성장기에 일정 간격으로 반복해서 계측한 뒤 술전과 비교할 수 있으며, 또 같은 또래의 성별 대조군과 비교할 수도 있다(Mulliken, 1995). 그러나 연조직 지표의 위치 잡기와 Vernier caliper를 이용한 치수의 계측은 특히 어린 소아에서는 더딜 뿐만 아니라, 힘이 든다. 그러므로 미래에는 삼차원 전기자성기(three-dimensional electromagnetic instrument)

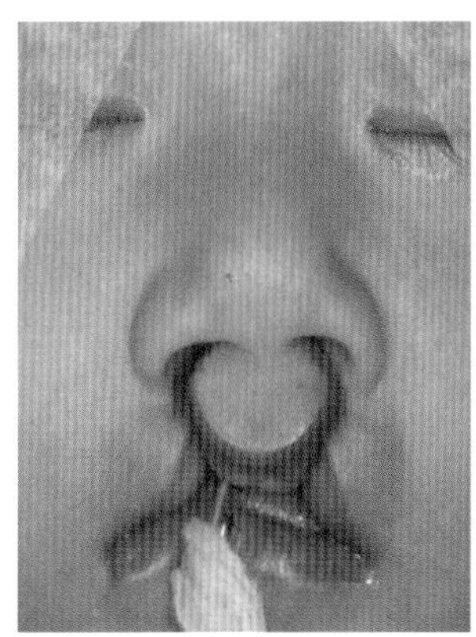
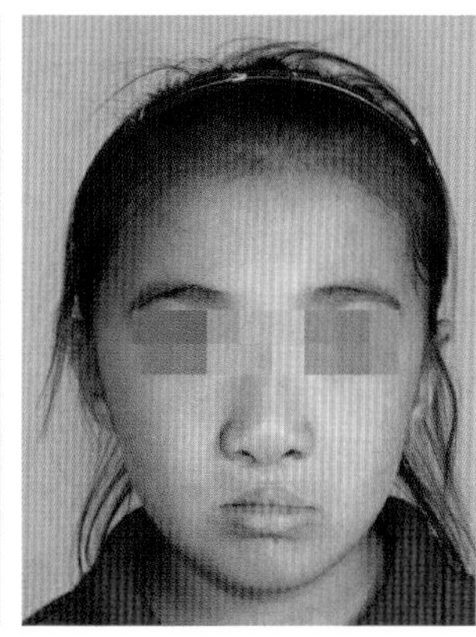
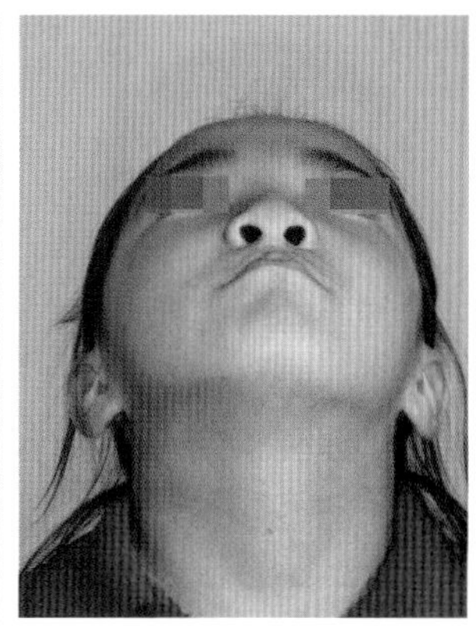
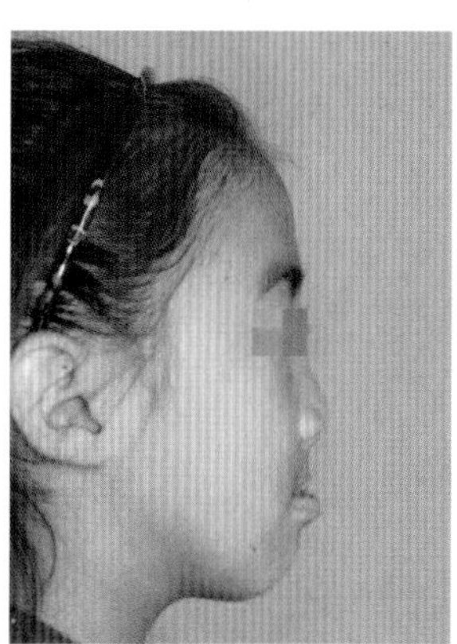

그림 12-42. 저자의 Mulliken변법. 결과. 술후 8년의 모습.

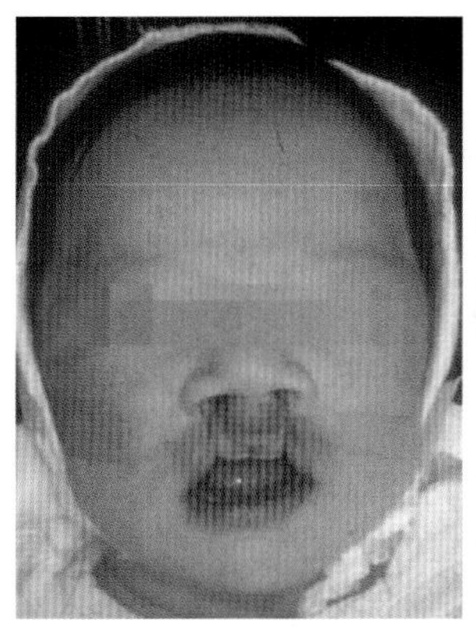
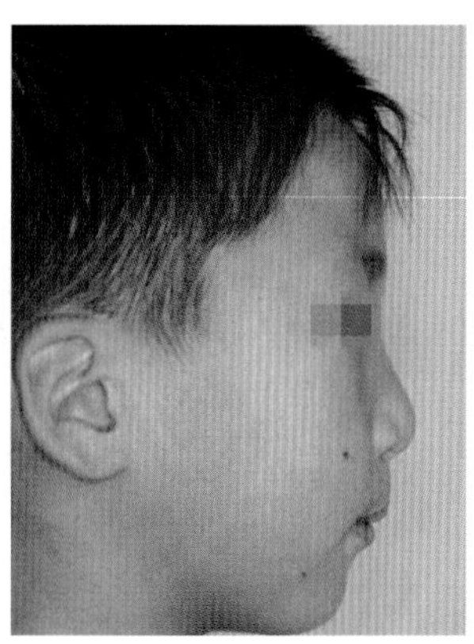
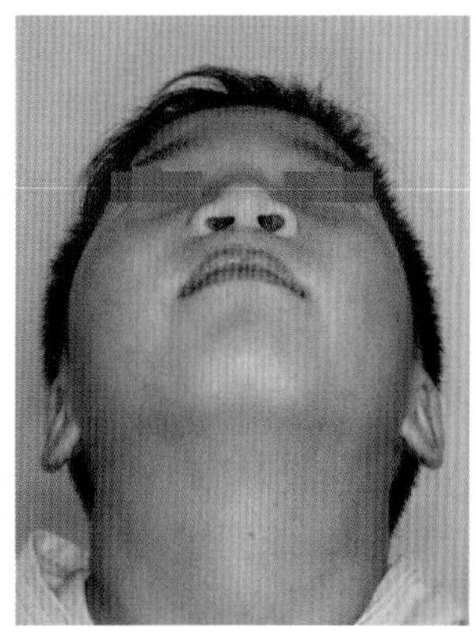
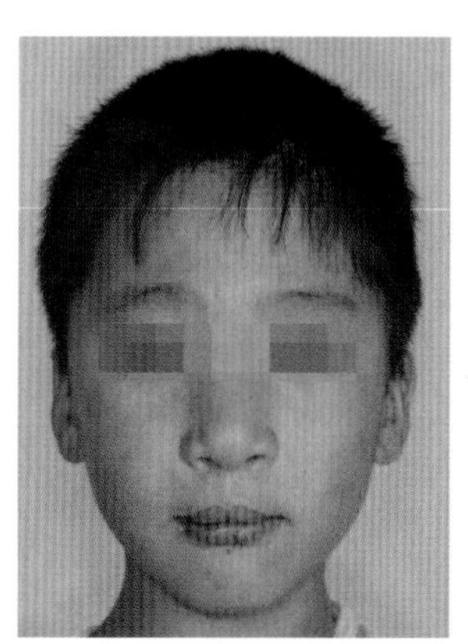

그림 12-43. 저자의 Mulliken변법. 결과. 술후 7년의 모습.

(Ferrario 등, 2003)나 Laser scanning(Yamada 등, 1998)과 같이 진보된 기법이 정확하고 믿을 만하고, 재생산적인 방법을 사용하게 될 것이다. 이러한 방법이 값싸게 실용화될 때까지 저자는 사진계측법으로써 계측을 계속하고 있으며, 석고 모형을 제작해 둠으로써 진보된 기법을 사용할 자료를 확보해 두고 있다.

⑦ 사진계측법에 의한 결과 분석

표준화된 정면, 측면, 그리고 이하면의 임상사진에서 Farkas(1994)가 제시한 지표들 사이의 거리를 계측한 다음, 구순열비와 무관한 지표 사이의 간격(예를 들면, 정면에서는 내안각간격인 en-en, 측면에서는 중하안면 수직 길이인 n-gn)으로 나눈 다음, 100을 곱하여 구한 비지수(proportion index)를 구하여 다음 2가지를 분석할 수 있다. 술후 장기 추적 결과를 같은 또래의 성별 대조군과 비교함으로써 정상과의 차이를 조사하는 것과, 수술 직후의 모습을 장기 추적 때의 모습과 비교함으로써 성장에 의한 변화를 알아보는 것이다.

장기 추적 때의 모습을 같은 또래의 성별 대조군과 비교했을 때 서로 비슷한 항목 즉, 정상과 비슷한 모습을 나타낸 항목은 비첨돌출(sn-prn), 비주 수직 길이(sn-c), 인중 수직 길이(sn-ls)였으며, 정상보다 더 큰 항목은 코 수직 길이, 코 폭(al-al), 비주 폭(sn'-sn'), 비주-상구순각도(columellar labial angle), 외비공축 경사도(nostril axis inclination), 상구순 수직 길이(sn-ls), 홍순 수직 길이(ls-sto)였으며, 더 작은 항목은 비주 수직 길이(sn-c) 대 하비첨비소엽(prn-c')의 비율, 비첨-비주각(tip-columellar angle)이었다(그림 12-44).

수술 직후에 비하여 성장함에 따라 통계학적으로 유의하게 증가한 항목은 코 폭(al-al)(그림 12-45), 비주 폭(sn'-sn')(그림 12-46), 인중 수직 길이(sn-ls)(그림 12-47), 비주-상구순각(그림 12-48), 외비공축 경사도(그림 12-49)이었으며, 감소한 항

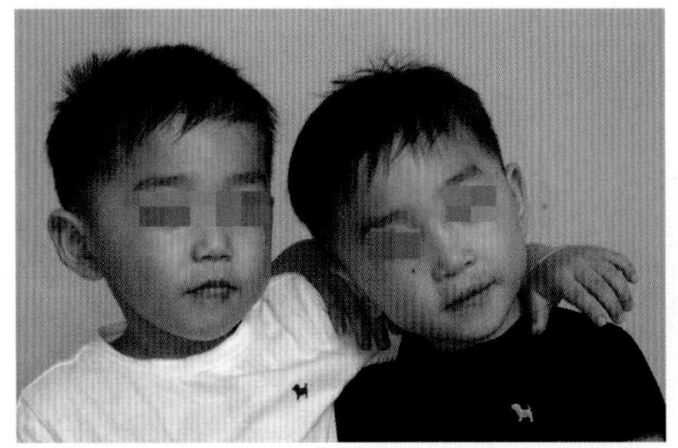

그림 12-44. 일란 쌍생아인 형(좌측)과 장기 추적 때의 구순열비 비교. 정상과 비슷한 크기를 나타낸 것은 비첨돌출, 비주의 수직 길이, 인중의 수직 길이였으며, 정상보다 더 큰 것은 코의 수직 길이, 코 폭, 비주 폭, 비주-상구순각도, 외비공축 경사도, 상구순 및 홍순의 수직 길이였으며, 더 작은 것은 비주 수직 길이 대 하비첨비소엽의 비율, 비첨-비주각이었다.

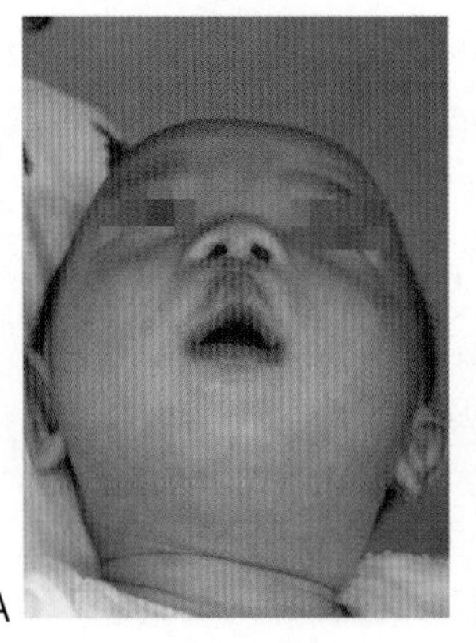

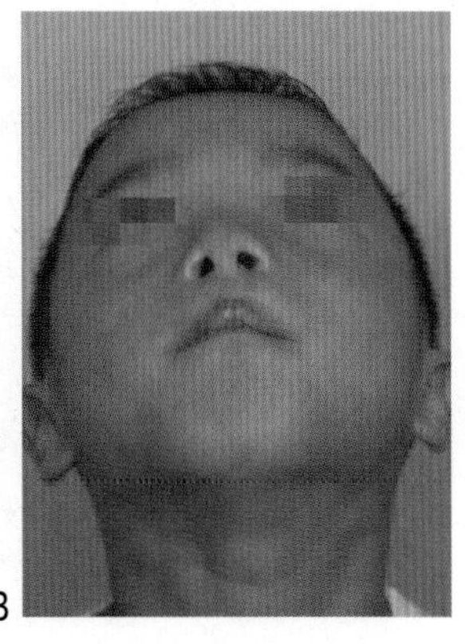

그림 12-46. Mulliken변법을 이용한 구순열비의 일차 동시교정술 결과. 비주 폭이 수술 직후(A)에 비하여 6세(B)에 더 성장하여 지나치게 넓다.

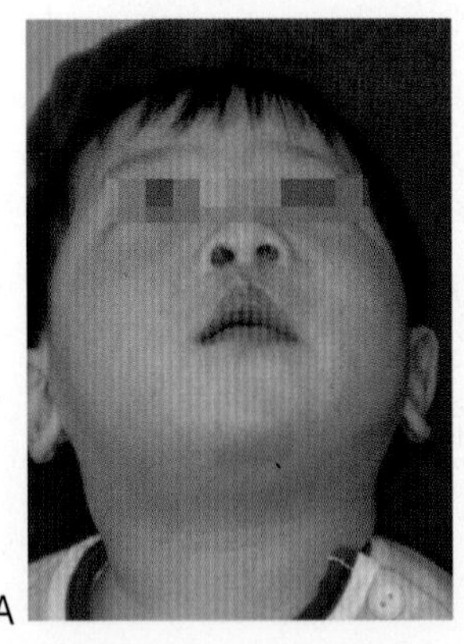

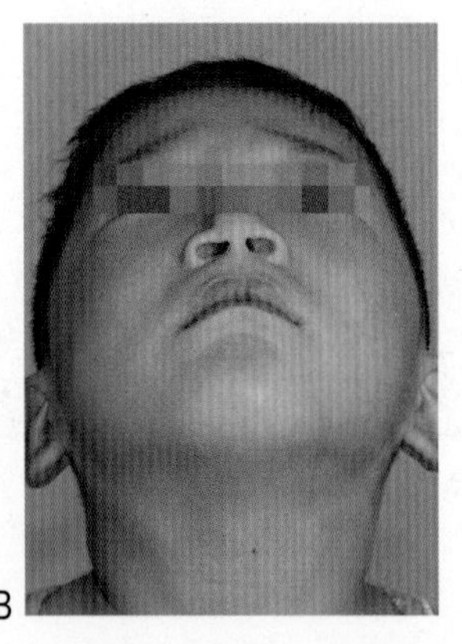

그림 12-45. 저자의 Mulliken변법을 이용한 구순열비의 일차 동시교정술 결과. 코폭이 수술 직후(A)에 비하여 4세(B)에 더 성장하여 지나치게 넓다.

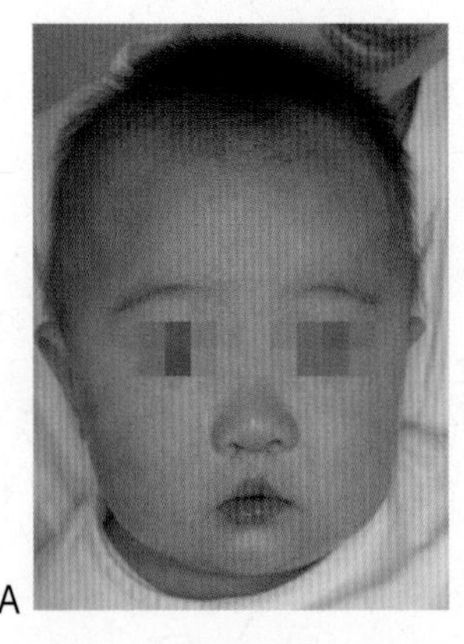

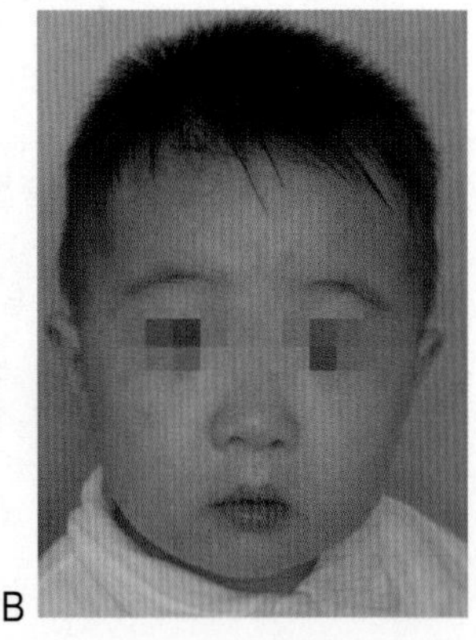

그림 12-47. 저자의 Mulliken변법을 이용한 구순열비의 일차 동시교정술. 인중의 수직 길이가 수술 직후(A)에 비하여 2세(B)에 더 성장하여 길어졌다.

목은 비첨-비주각이었다.

동양인 코의 특징 중 하나는 비주퇴축인데도 불구하고 비주퇴축은 1례도 없었으며, 전 증례에서 비주가 외비공연보다 1-4mm 정도 미측에 위치하였다. 이러한 현상의 기전은 비주가 미측 전위되었기보다는 외측 구순피판 두측 연을 반곡선형 절제술 하지 않고 비익-구순접합부에 봉합함에 따라서 상구순의 수직 길이가 유지되어서 비익을 두측 전위 시켰기 때문이다.

비주의 수직 길이는 같은 또래의 정상아의 수치보다 짧지 않았다. 그러나 하비첨비소엽(infratip lobule)과의 비율(c-sn : c-prn)은 정상 소아의 1 대 1.13에 비하여 1 대 1.24로서 비주의 수직 길이가 하비첨비소엽의 수직 길이보다 조금 짧아서 불균형을 나타내었다. 그러므로 비익연골봉합술만으로는 비주 연장이 조금 부족하므로 대처 방안으로서 구순접합술 후 그리고 본격적인 구순열교정술후에 외부 견인장치를 장착시켰다. 즉 비익관통봉합술(alar transfixion suture)로써 과잉의 비전정점막을 배재치함과 동시에 처진 외측각을 부유시킨 다음(그림 12-40A, B), 이를 유지하기 위하여 아크릴수지로 만든 썰매형 주형을 4-0나일론사로써 비전정에 장착한 뒤 비배밖으로 관통시켜서 전두두피에 미리 부착시켜 둔 탄력체에 연결하였다. 이러한 외부 견인장치를 2주 정도 대어주면 비주 연장을 어느 정도 기대할 수 있다(그림 12-50). 그 외에도, 비익관통봉합술로써 확장시켜 둔 비전정을 어느 정도 유지할 수 있을 뿐만 아니

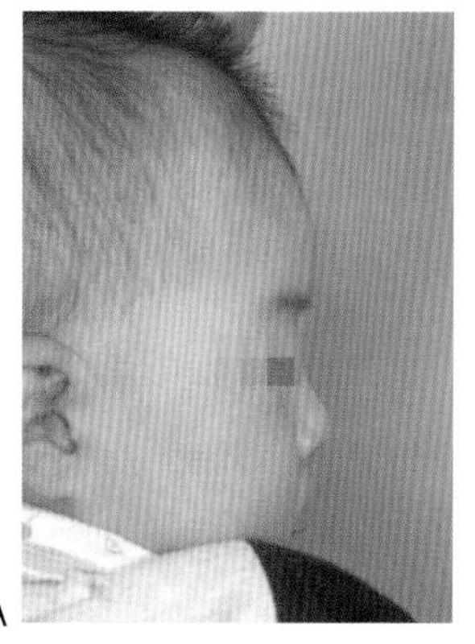
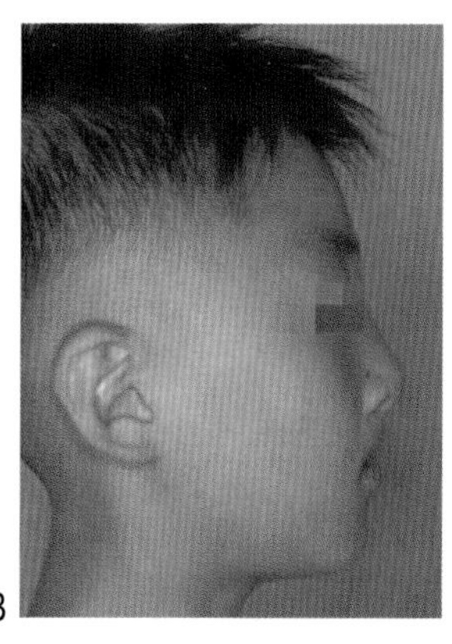

그림 12-48. 저자의 Mulliken변법을 이용한 구순열비의 일차 동시교정술 결과. 비주-상구순각이 수술 직후(A)에 비하여 7세(B)에 지나치게 더 커졌다.

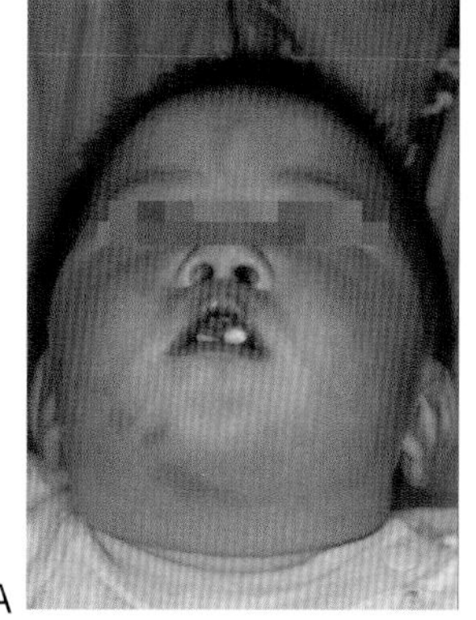
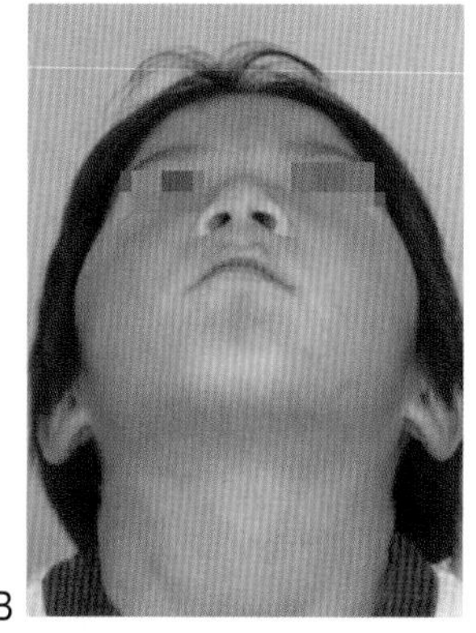

그림 12-49. 저자의 Mulliken변법을 이용한 구순열비의 일차 동시교정술 결과. 외비공축 경사도가 수술 직후(A)에 비하여 4세(B)에 더 증가하였다.

라, 외비공연의 확장도 어느 정도 기대할 수 있다.

비익연골봉합술의 단점 중 하나는 비첨이 두측 회전되어서 지나치게 들리는 것('turned up')이다. 비주-상구순각은 120.5도로서 정상치인 82.63도보다 훨씬 더 컸으며, 비익연골을 상외측연골에 부유시키지 않은 증례의 절반에서조차 비첨이 들려졌다. 이의 방지책으로서 비익연골의 족판분절(footplate segment)을 미측 비중격의 하측 단에 봉합하거나(그림 12-51), 비전정에 위치시킨 아크릴수지의 썰매형 주형을 Logan bow에 연결하여 하후방으로 견인하였다(그림 12-52).

⑧ 합병증

Mulliken 등(2003)은 어떠한 증후군에도 속하지 않는 50례의 양측 구순열(중앙 나이 5.4세)의 연구에서 양측 구순구개열의 재교정률은 33%, 이차구개가 건재한 양측 완전구순치조열의 재교정률은 12.5%라고 하였다. 가장 흔한 합병증은 전치은-구순구(anterior gingivolabial sulcus)의 점막하수였다고 하는데, 저자의 증례에서는 흔치 않았다(그림 12-53). 이러한 점막 하수는 전순홍순점막을 충분히 잘라서 다듬고 외측 점막피판을 전악골 골막에 확실하게 봉합함으로써 최소화 할 수 있다. 다음으로 흔히 한 재수술은 비익간격축소술과 중앙홍순결절의 증대술이었다. 이러한 재수술은 일차교정술에서 비익간격을 좁히면서 비익저끼리 확실히 봉앙(cinch)하고, 중앙홍순결절에 어떤 다른 조직을 보충함으로써 줄일 수 있다.

지나치게 넓은 상구순 반흔은 교정하지만, 비정상적으로 넓

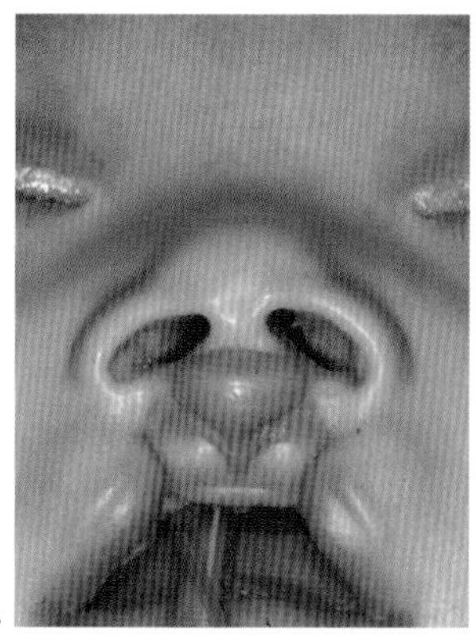
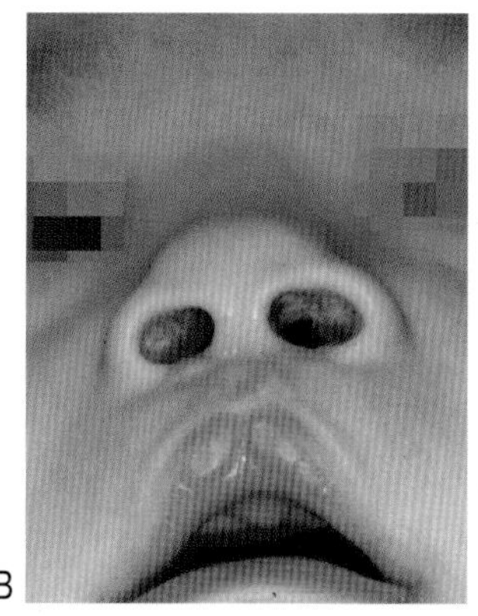
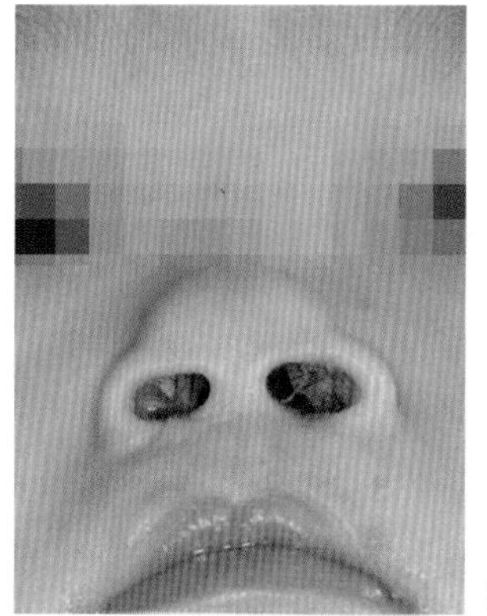
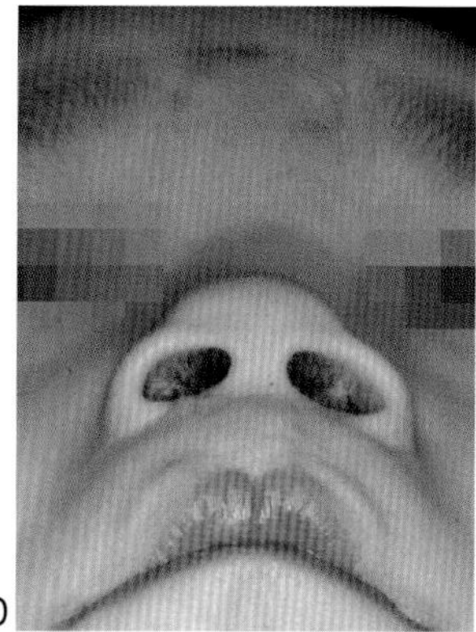

그림 12-50. 외부 견인장치. (A) 양측 불완전구순열비의 술전 모습. 구순접합술 후 구순열비교정술 때 비익연골봉합술을 하지 않았다. 비익관통봉합술로써 재배치시킨 비전정점막을 유지하고, 외비공연도 확장시키고, 비주 연장을 목적으로 아크릴수지로 만든 썰매형 주형을 4-0나일론사로써 비전정에 장착한 다음 비배밖으로 관통시킨 뒤 전두두피에 미리 부착시켜 둔 탄력체에 연결하였다. (B) 장착후 3개월. 비주가 많이 연장되었다. (C) 장착후 12개월. 비주 연장의 정도가 조금 감소하였다. (D) 장착후 18개월. 1년 이상이 지나도 연장의 정도가 지속되고 있다.

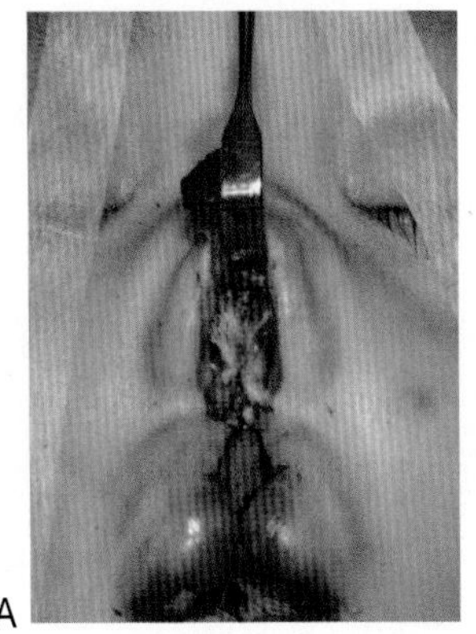
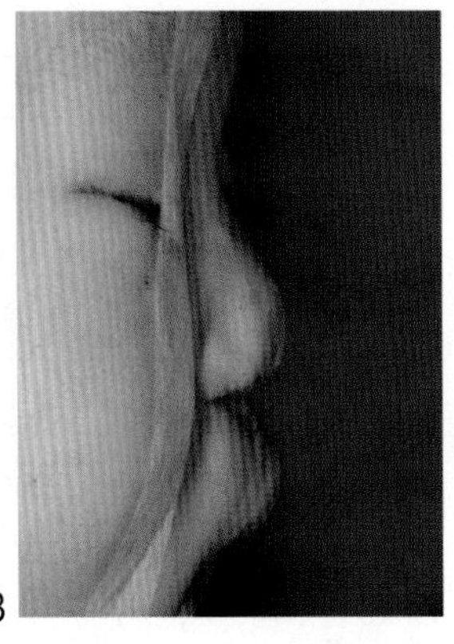

그림 12-51. 족판분절-비중격봉합술을 이용한 비첨의 두측 회전 방지. 비첨의 두측 회전을 방지하기 위하여 족판분절을 미측 비중격의 하측단에 봉합술을 함으로써(A) 비주저를 두측 전위시킨다(B).

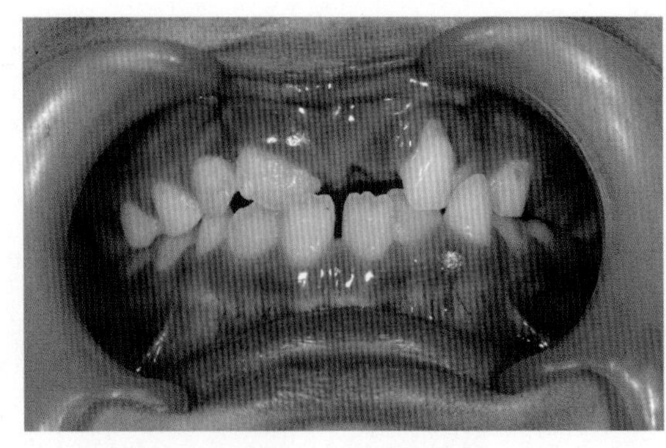

그림 12-53. Mulliken법을 이용한 양측구순구개열교정술 합병증. 전치은-구순구의 점막하수는 전순홍순점막을 충분히 잘라서 다듬고 외측 점막피판을 전악골 골막에 확실하게 봉합함으로써 최소화 할 수 있다.

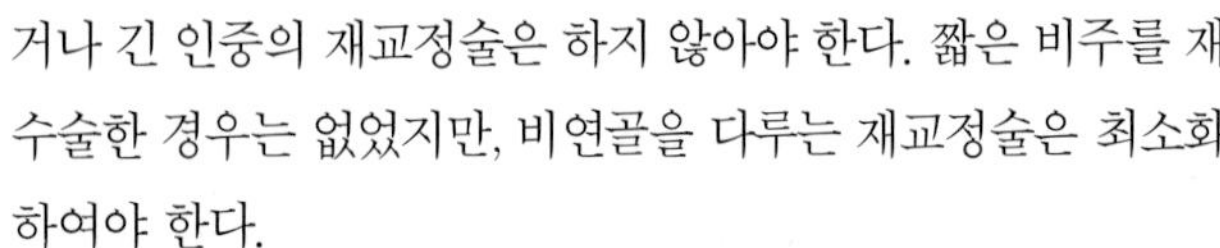
거나 긴 인중의 재교정술은 하지 않아야 한다. 짧은 비주를 재수술한 경우는 없었지만, 비연골을 다루는 재교정술은 최소화 하여야 한다.

일차교정술이 상악골 성장을 저해하지만, 거친 수기를 피하고 하부 구순열교정술 때 긴장을 최소화하는 것 외에는 현재로서는 해줄 것이 거의 없는 실정이다(Mulliken, 2004). 양측 구순구개열을 교정한 많은 사춘기 청소년들에서 비첨돌출을 개선하고, 상구순을 돌출시키고, 정상적인 시상 안면골 균형을 얻기 위하여 상악골전진술이 필요하다. 신연골재생술(distraction osteogenesis)의 기법이 개선되어서 언젠가는 정악치료(orthognathic surgery)만큼 만족할 만한 치료법이 될 것이다.

(6) 여러 가지 유형의 양측 구순열비에서의 Mulliken변법

① 이차구개(secondary palate)가 건재한 양측 완전구순열

양측 완전구순치조열의 10%에서는 이차구개가 건재하다(그림 12-54). 이 경우 전악골은 서골봉합(vomerine suture)에서의 성장이 제한되지 않기 때문에 전방 변위 되어있다. 구개장치를 경구개열에 대어줄 수가 없기 때문에 술전치안면정악치료가 불가능하다. 더군다나 전악골은 평와 위치(平臥位置, procumbent position) 하고 있어서 외부 견인에 의하여 후퇴되지 않는다. 그러므로 서골접합부의 바로 전방에서 전악골 절제술을 한 다음, 후치(setback) 시켜서 치조열을 닫은 뒤 구순열비 동시교정술을 할 필요가 있다. 전악골의 재배열과 치조열교정술을 위하여 점막절개술이 필요한데, 비중격점막과 서골점막에 국한된 전악골의 동맥혈 공급과 정맥혈 배액을 위

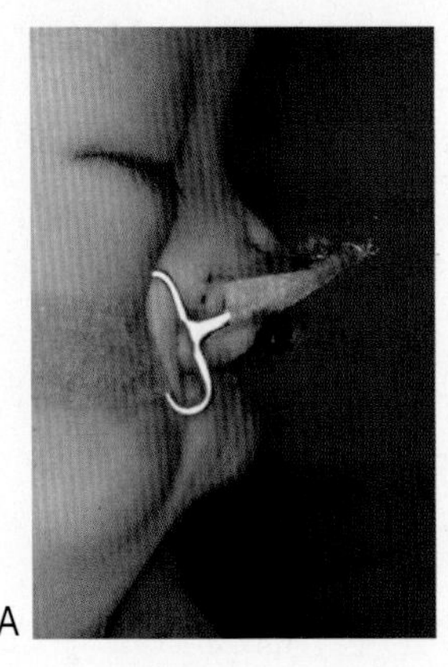
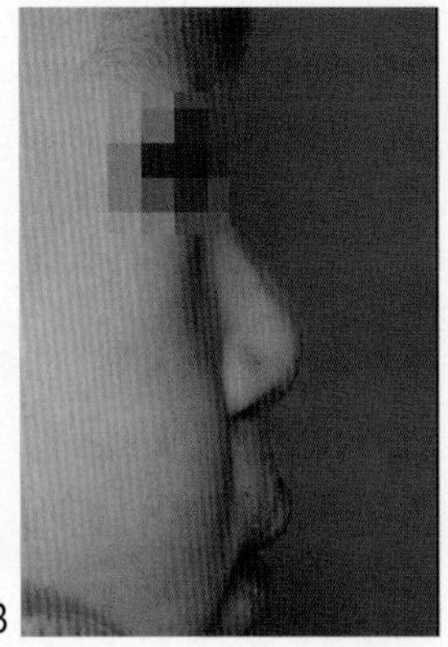
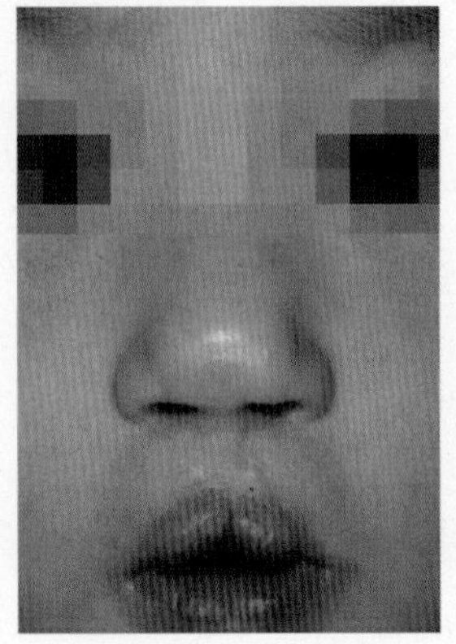

그림 12-52. Logan bow를 이용한 비첨의 두측 회전 방지. (A) 비첨의 두측 회전을 방지하기 위하여 비전정에 위치시킨 아크릴수지의 썰매형 주형을 피부 밖으로 빼내어 Logan bow에 연결하여 하후방으로 견인한다. (B, C) 장착후 비첨의 두측 회전이 심하지 않다. 족판분절-미측 비중격 봉합술도 함께 하였다.

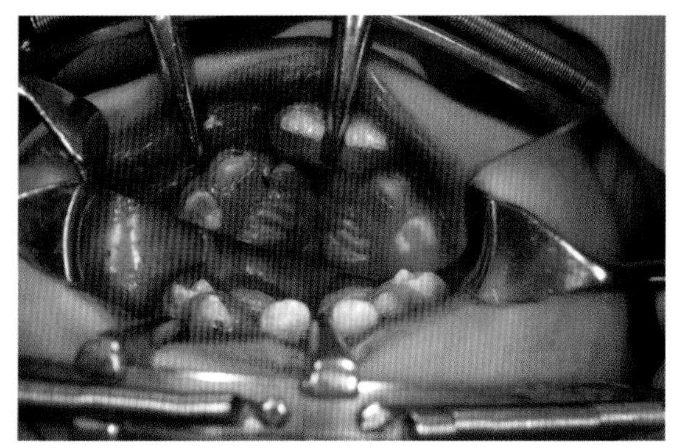

그림 12-54. 이차구개가 건재한 양측 완전구순열. 전악골의 재배열과 치조열교정술을 위하여 점막절개술이 필요한데, 비중격점막과 서골점막에 국한된 전악골의 동맥혈 공급과 정맥혈 배액을 위태롭게 할 수 있으므로 조심하여야 한다.

태롭게 할 수 있으므로 조심하여야 한다.

② **대칭성 양측 불완전구순열**

완전형처럼 교정하지만, 4차원적 변화가 극적으로 일어나지 않는다(그림 12-55). 중앙홍순결절을 전순홍순점막으로써 만들고 싶은 유혹이 있지만, 그렇게 하지 않아야 한다. 비첨돌출(nasal tip projection)과 비주 길이가 거의 정상 수치를 나타내므로 비익연골의 재배치가 필요치 않다. 대개 비익간격을 좁혀야 한다.

③ **비대칭성 양측(완전/불완전) 구순열**

완전구순열과 불완전구순열이 함께 존재하는 비대칭 양측 구순열의 교정술은 대칭성이 주도적 원칙이자 목표이다. 우선 완전 개열에 역점을 두어서 일측 치안면교정치료를 한 다음, 구순접합술과 치은-골막성형술(gingivoperiosteoplasty)을 한다(Mulliken, 2004). 잇몸이 가지런히 재배열 되면 양측 구순열비 동시교정술과 치조열교정술을 할 수 있게 된다. 제 2단계 교정술에서는 양쪽 상구순의 긴장이 서로 다르므로 완전 개열을 과대 교정 하여야 한다. 더욱이 매 단계 수술마다 불완전 개열에 앞서서 완전 개열부터 교정하는 것이 좋다(그림 12-56).

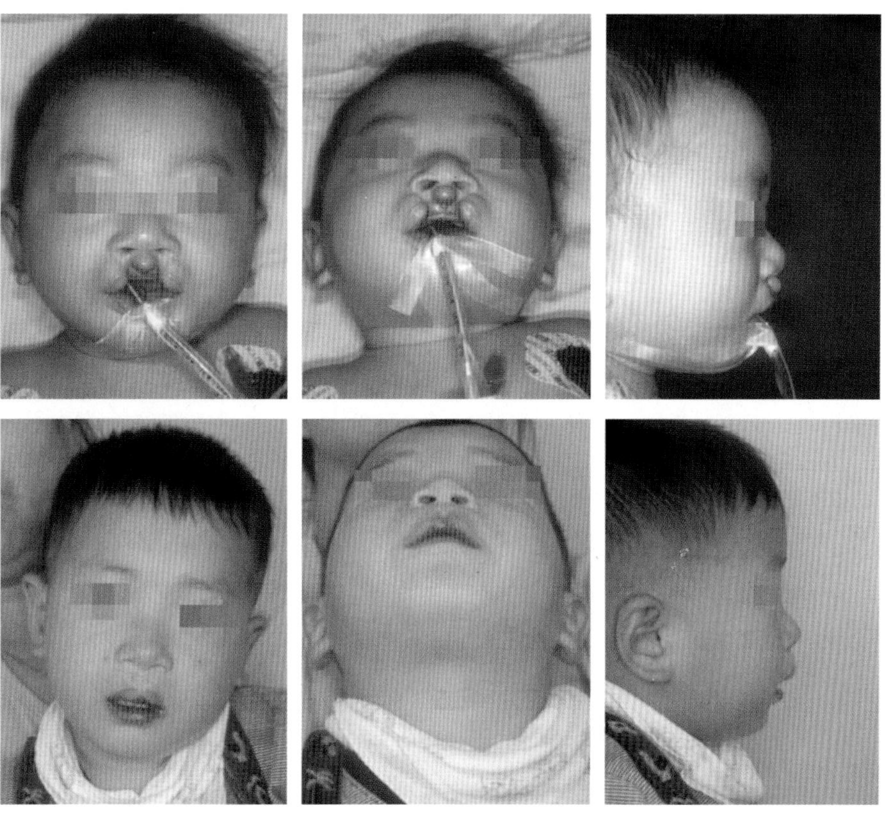

그림 12-55. Mulliken변법으로 교정한 대칭성 양측 불완전구순열. 술후 2년 모습.

10) Black법(1985)

생후 2-3개월에서 구순열교정술을 하기 전에 술전정악치료(presurgical orthopedics)를 사용하여 양측 구순분절과 전악골을 정렬 한다. 짧은 외측 전진피판을 만든 다음, 상부에 경첩을 가진 좁은 전순피판과 직접 봉합하는데, 전순피판에 큐피드활, 중앙 홍순릉선, 그리고 홍순을 유지한다(그림 12-57A-E). 전순 양가에서 만든 삼각형 피판을 각각 비익저로 전위시켜서 외비공저를 건설한다. 외비공저를 건설한 뒤에 근육을 재배열하여 구강괄약근(oral sphincter)을 건설한다. 구순구(labial sulcus)의 후면은 전순 양가에서 전악골에 연결된 전진피판을 일으켜서 서로 봉합하여 만들고, 전면은 양측 구순분절에서 일으킨 홍순의 전위 피판(turnback flap)을 서로 봉합하여 만든다(그림 12-57F).

11) McComb법

McComb(1975)도 처음에는 일차삼지창형피판술(primary forked flap)을 사용하였으며, 10년 만에 분석한 결과는 비교적 만족할 만하다(1986)고 하였다. 그러나 15년 동안 추적하였을 때 사춘기 성장에 의하여 비주가 지나치게 길어지고, 외비공이 너무 크며, 비첨이 여전히 넓고, 비주저가 처지고, 상구순-비주접합부를 가로 지르는 수평 반흔 때문에 일차삼지창형피판술의 사용을 중지하였다(1990). 그리고 그는 새로운 접근법인 두 차례 교정술을 고안하였는데, 제 1단계 교정술에서 V자형비첨절개술을 하는 개방비첨성형술(open-tip rhinoplasty)로써 비익연골을 서로 맞서도록 부유시켰으며, 비첨을 좁히기 위하여 V-Y전진피판술을 하였고, 양측 구순접합술(bilateral labial adhesion)을 하였다. 제 2단계 교정술에서 좀더 본격적인 구순열교정술(definite labial repair)을 하였다.

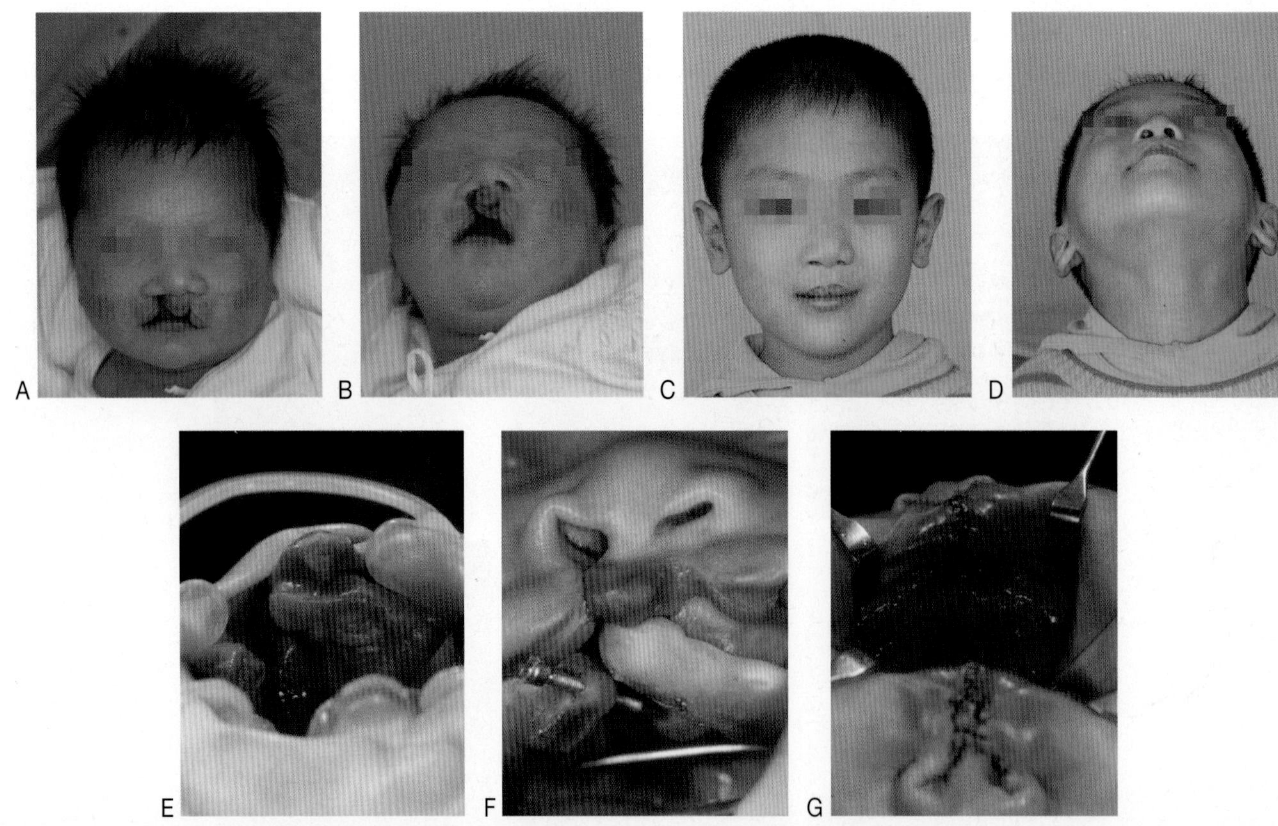

그림 12-56. Mulliken변법으로 교정한 비대칭성 양측(완전/불완전) 구순열. (A, B) 술전 모습. (C, D) 수술 4년 모습. (E) 술전 구강내 모습. (F) 우선 우측 완전구순열에 역점을 두어서 치안면교정치료를 한 다음 구순접합술을 하였다. (G) 잇몸이 가지런히 재배열 되면 양측 구순열비 동시교정술과 치조열 교정술을 할 수 있게 된다. 이때 양쪽 상구순의 긴장이 서로 다르므로 완전구순열을 과대 교정 하여야 한다. 더욱이 매 단계 수술마다 불완전 개열에 앞서서 완전 개열부터 교정하는 것이 좋다.

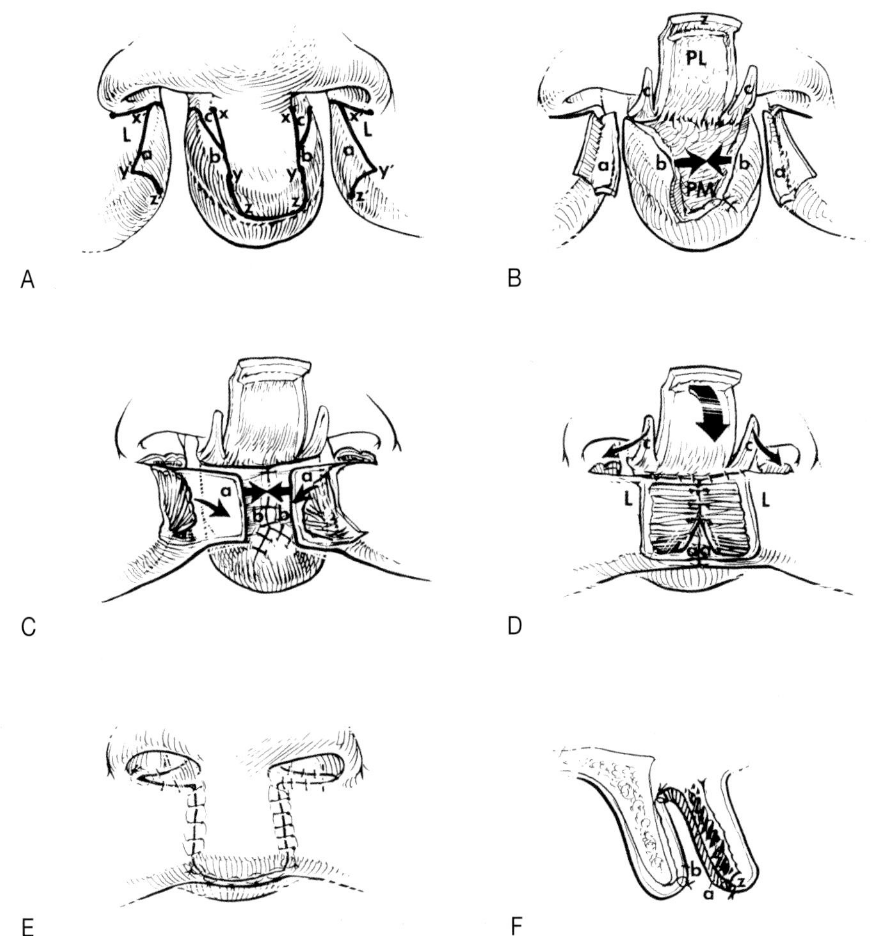

그림 12-57. Black법. (A) 절개선 도안. (B) 외측 구순분절의 a피판은 외측에 기저를 둔 홍순 전위 피판이며, 전순의 b피판은 전악골(PM)에 연결되어 있다. 삼각형 c피판은 외비공저를 형성하게 된다. 전순(PL)은 두측에 기저를 둔 피판으로서 연결된 홍순과 함께 거상시킨다. 이때, PL에서 홍순과 상구순 피부 사이의 각도가 예각이므로 피판 하부를 절개함으로써 푼다. (C) 양측 b피판을 전악골의 정중선에서 봉합하고, 양측 a피판을 봉합할 준비를 한다. 구륜근을 비정상적인 종지부인 비익저로부터 유리시킨 다음 전위시켜서 구륜근의 연속성을 회복시킨다. (D) 구륜근봉합술. 이어서 전순피판을 내리며, c피판은 전위시켜서 외비공저로 위치시키고, 피부를 봉합한다. (E) 피부봉합술을 완성한다. (F) 건설한 상구순과 구순구의 단면. 근육의 상측 연과 a피판으로 배열된 구순구에 해 놓은 받침봉합(supporting suture)에 유의하시오.

McComb(1994)은 이러한 방법으로써 연속적으로 교정한 10명 환아의 술후 4년 결과에서 코모양이 훌륭함을 보고하였다.

(1) 과거의 McComb법(1986, 1990)

양측 구순열비의 일차교정술의 첫 단계에서 술전정악치료로써 상악궁을 정렬 한다. 전악골을 정중선에 위치시키며, 이때 전악골의 어떠한 만곡도 교정하여야 한다. 이 시술로써 전악골과 양측 상악골분절 사이의 변위가 줄어들면 양측 구순열을 동시에 교정할 수 있다. 삼지창형 피판을 만들면 전순 조직이 좁아지므로 남은 전순으로써 인중을 건설할 수 있다.

McComb(1975)은 두 차례의 교정술을 하였다. 제 1단계 교정술에서 비첨을 유리시키면서 비익연골을 거상하기 위하여 비주연장술을 한다. 6주 후에 제 2단계 교정술로서 상구순과 코를 동시 교정한다.

① 제 1단계 교정술(비주연장술)

생후 6주에 비주를 건설하기 위하여 삼지창형 피판을 사용하는데, 이때 전순 피부에다가 전순의 양가에 있는 홍순연을 붙여서 함께 취하기도 한다(그림 12-58A). 삼지창형 피판은 4변형으로서 끝이 뾰족하다. 만약 피판이 3각형이면 전순은 공

모양이 된다. 상구순의 피판 공여부를 교정하면 비주저가 좁아지고 외비공턱(nostril sill)이 조이게 된다.

두 개의 삼지창형 피판을 전순으로부터 완전히 들어 올린다(그림 12-58B). 이 피판의 양끝을 깊은 봉합으로써 조심스럽게 함께 모은 다음, 봉합사를 전비극 조직으로 통과시킨다. 이러한 조작은 나중에 비주저가 전순으로 미측 전위 되는 경향을 피하도록 고안된 것으로서 어느 정도 효과가 있다.

McComb(1986)은 비주 건설을 위하여 220명의 백인 어린이들을 대상으로 비주의 수직 길이를 계측하였다. 비주저에서부터 외비공의 각간각도(intercrural angle) 수준까지를 계측하였을 때 영아의 비주의 수직 길이는 5.0-5.5㎜로서 남녀 사이에 차이가 없었다. 더욱이 비주는 생후 18개월 정도가 되어야 성장을 시작하였다. 이렇게 코의 발달이 지체되는 이유는 모유를 먹이는 기간 동안에 비기도를 확보해야 하기 때문인 것 같다. 이에 따라서 그는 비주를 5㎜로 연장하였다(그림 12-58C).

비주 건설 후 치유 기간 동안에는 술전정악치료로서 사용하는 탄력체 견인의 사용이 중단한다. 왜냐하면 탄력체가 전순을 가로 지르기 때문이며, 그 대신, 흡인판(sucking plate)에 부가물을 달아서 전악골을 제 위치에 유지시킨다. 전순이 치유되자마자 탄력체 견인을 사용하여 압박을 재개한다.

② 제 2단계 교정술(구순열비의 동시교정술)

구순열비의 동시교정술은 비주연장술 후 6주, 대개 생후 3개월에 한다. 구순열교정술은 Manchester변법을 사용한다(1970)(그림 12-59).

전순에서 인중을 그린다(그림 12-59A). 비익저피판도 외비공턱(nostril sill)을 증대시키기 위하여 도안한다. 전순 조직을 조심스럽게 박리한 다음, 전악골로부터 충분히 두측으로 들어올림으로써 인중피판 뒤에서 구륜근을 포함하는 점막-근피판을 정중선에서 연결할 수 있도록 한다(그림 12-59C).

비성형술은 본질적으로 비익연골의 미측회전을 교정하는 것이다. 외비공저를 교정하기 전에 비내점막의 부족이나 당김 없이 외비공연(nostril rim)을 들어올리고 비전정원개(vestibular vault)를 만든다.

조작은, 외비공연에서 비근점(nasion)까지 양측 비벽(lateral nasal wall)과 비첨의 코 피부를 완전히 일으킨다. 그러나 건설한 비주나 막비중격에는 박리를 하지 않는데, 그 이유는 상구순에 남아 있는 전순 조직이 이 부위로부터 전적으로 혈액을 공급 받고 있기 때문이다.

비익연골을 관통하는 1-2개의 5-0견사를 이용한 석상봉합(mattress suture)으로써 양측 비익연골을 거상시킨다(그림 12-59B). 이 봉합사는 피하를 지나서 비골 위에서 두측 그리고 조금 내측으로 지나서 비근점에서 피부 밖으로 나온다. 봉합사를 부드럽게 당기면 비익연골과 외비공연이 들어올려지며, 비전정원개가 만들어진다(그림 12-59C). 비익연골의 각간각도는 상전방 그리고 조금 내측으로 이동한다. 비익연골의 두측 연은 반드시 상외측연골의 미측 연의 상전방에 놓여야 한다.

이러한 봉합술은 비내점막을 재배치시킴으로써 외비공저를 닫기 전에 비익연골을 비내점막의 횡적 부족 없이 올바른 위치에 놓일 수 있도록 해 준다. 비익저피판을 사용하여 외비

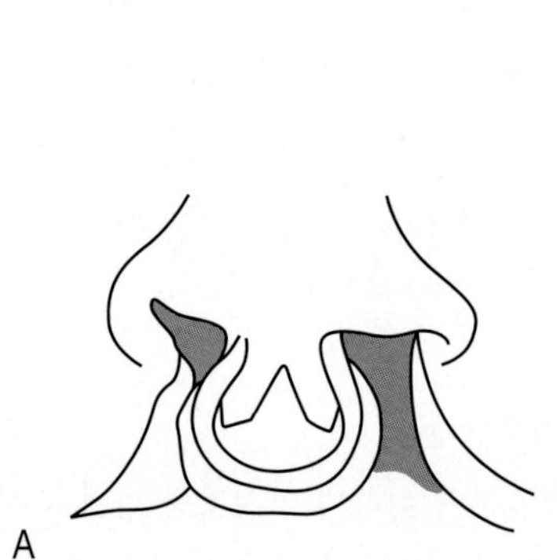

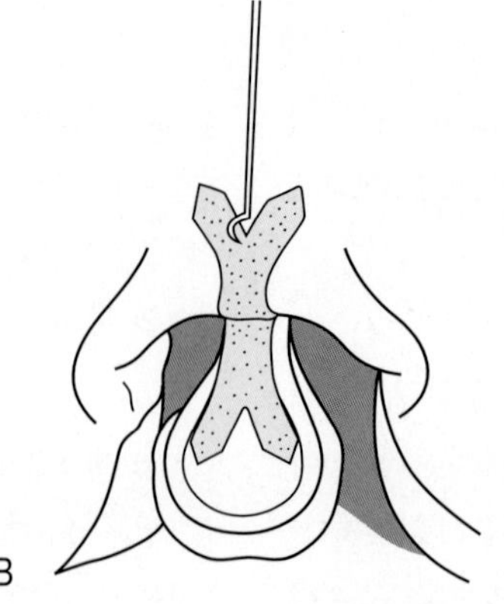

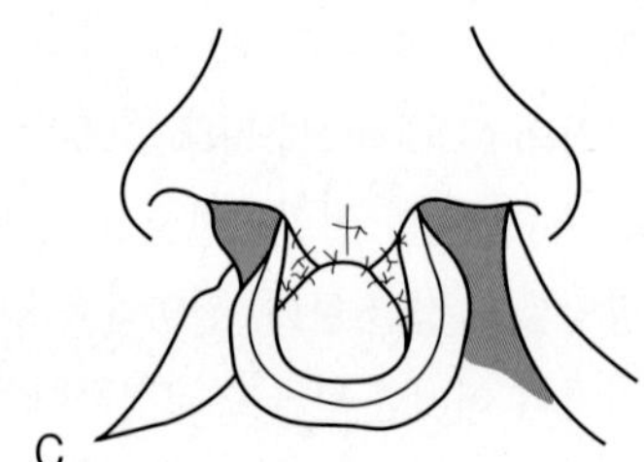

그림 12-58. 과거의 McComb법을 이용한 양측 구순열비 제 1단계 교정술. 전순에서 만든 삼지창형 피판을 이용한 일차비주건설. (A) 삼지창형 피판의 도안. (B) 피판의 거상. (C) 비주 연장 및 봉합.

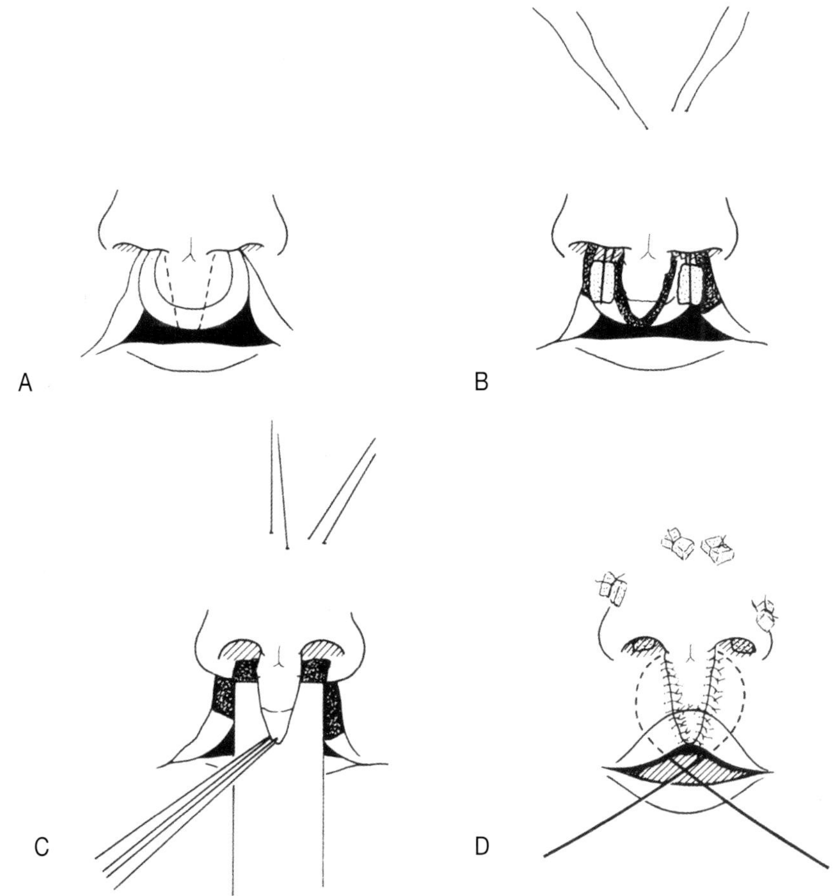

그림 12-59. 과거의 McComb법을 이용한 양측 구순열비의 동시교정술(제 2단계). (A) 전순의 도안. (B) 석상봉합술을 이용하여 양측 비익연골을 거상한다. (C) 석상봉합을 견인하면 비익연골과 외비공연이 올라가고 비전정원개가 확립된다. (D) 봉합사를 솜덩이에 묶는다. 구순열교정술후 모습. 전순 뒤에서 구륜근을 결합하기 위하여 감싸고 있는 철사에 유의하시오.

공턱을 증대시킴으로써 구순열교정술을 마친다.

수술이 끝날 무렵 거의 항상 이러한 봉합사를 제거하거나, 대치하거나, 또는 재정렬하게 된다. 결국 봉합사의 끝은 외비공연의 수준과 비익연골의 위치를 유지하도록 작은 솜덩이에 묶는다. 코 양쪽에 한 개 이상의 석상봉합을 함으로써 박리층 사이의 사강을 없앤다. 이중 하나의 석상봉합은 항상 외비공저에 있는 외측 비익구(lateral alar groove)에 위치시킨다(그림 12-59D). 양측 구순분절의 근조직은 외비공저의 건설이 끝나기 전에 미리 삽입시켜 둔 철사를 전순 뒤에서 조음으로써 결합시킨다. 이 철사는 비주저의 하방 견인을 방지하기 위하여 전비극에서 심부 조직으로 통과시킨다.

술후 5일에 석상봉합사를 포함하여 모든 봉합사를 제거하며, 철사는 술후 7일에 제거한다.

전순저(prolabial base)를 가로 지르는 반흔이 존재하지만, 전순에서의 조직 손실이 없다. 수술이 끝날 무렵 상구순을 가로 지르는 긴장 때문에 인중이 창백하거나 청색을 띨 수도 있다. 술후 성장 장애는 없으며, 일부에서 비첨이 넓은 단점이 있다.

(2) 최근의 McComb법(1990)

그는 처음에는 한 차례의 수술로써 양측 구순열비교정술을 하였다. 즉, 비첨의 비익연골을 재배치함으로써 비주를 건설하고 전순을 전악골로부터 거상시켜서 구순열교정술을 하였는데, 비첨의 박리가 전순의 혈액 공급을 위태롭게 하여 전순 피판의 점막 끝이 괴사되는 1례를 경험하고는 두 차례 교정술로 바꾸었다. 술전정악치료를 사용하여 구순열을 좁힘과 동시에 상악분절을 정렬한 다음, 제 1단계 교정술에서 전순을 전악골에 부착시켜놓은 채로 개방비첨성형술(open-tip rhinoplasty)을 한다. 1개월 뒤에 제 2단계 교정술에서 양측 구순열비교정술을 한다. 즉, 이 단계에서는 전순을 전악골로부터 안전하게 분리시킬 수 있으므로 본격적인 구순열교정술을 하며, 양측 점막-근피판을 전악골 앞에서 봉합한다.

① 제 1단계 교정술(비주 건설, 외비공저 건설, 그리고 구순접합술)

비첨에 있는 조직으로부터 비주를 건설한다. 비주 건설을 위하여 비첨이 넓어지기 시작하는 곳의 정중선에서 한 점을 잡는다(그림 12-60A). 중증인 경우, 정중선이 아니라 비주저로 옮겨 잡는다. 이 점으로부터 외측으로 비주를 지나서 외비공연 위로 지나는 절개선을 도안한 다음, 절개한다. 협구(buccal sulcus)를 통하여 넣은 예리한 가위 끝으로써 코 피부를 넓게 박리하며, 비익저도 유리시킨다. 상구순도 박리한다. 코의 절개에서 두측 정중선을 유구겸자로써 당기면 삼각형의 절개창이 생기며, 이를 통하여 비익연골이 노출된다(그림 12-60B). 비익원개로부터 연조직을 절제하고 원개 사이의 연조직을 조심스럽게 절제한다. 봉합사를 비전정의 점막에서 삽입하여 비익원개를 관통시켜둔다(그림 12-60C). 비첨을 가로지르는 긴장을 해소해야 비익원개봉합술을 쉽게 할 수 있으므로 외비공저를 건설하고 양측 구순접합술을 하여 비첨의 긴장을 해소한다(그림 12-60D). 비익원개봉합술에 의하여 비주가 건설된다. 삼각형 절개창 아래의 피부 연을 조심스럽게 박리함으로써 봉합선을 외번 시킨다. 피판끼리 봉합하여 비주의 수직 길이(비주저로부터 외비공연의 각간각 사이의 길이)가 5mm 정도 되도록 한다(McComb, 1986). V자형 절개를 Y자형으로 봉합한다(그림 12-61). 코 피부 아래에 사강을 없애기 위하여 외측 비벽에서 석상봉합을 한다.

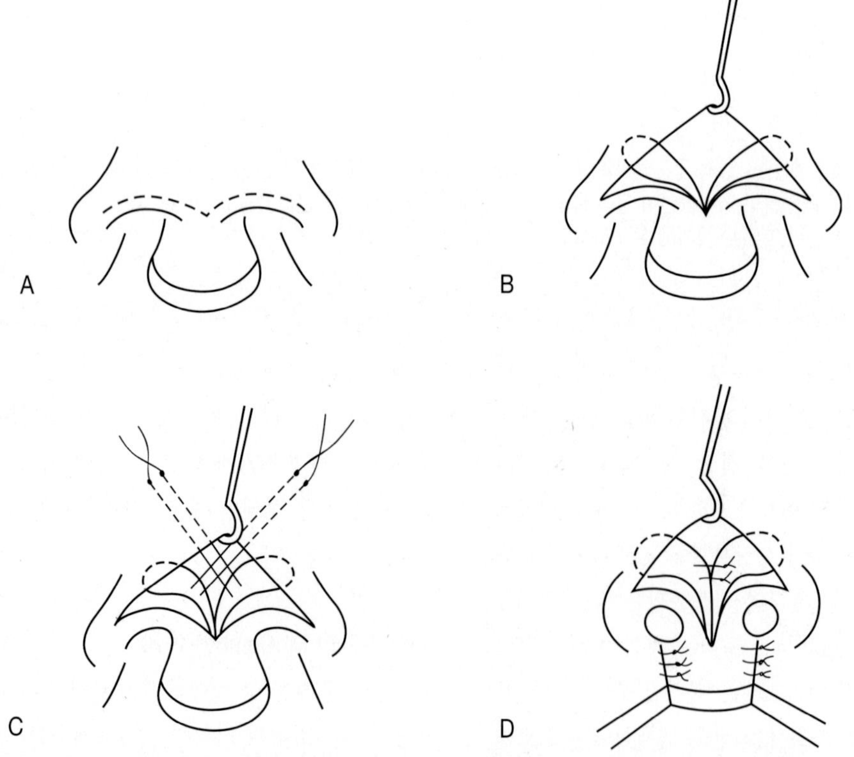

그림 12-60. 최근 McComb법의 제 1단계 교정술. (A) 비주 건설을 위하여 정중선으로부터 외측으로 비주를 지나서 외비공연 위로 지나는 비첨절개선을 도안한다. (B) 삼각형 절개창을 거상하여 비익원개와 비주각(columellar strut)을 노출시킨다. (C) 외비공저를 건설하기 전에 봉합사로써 비익원개와 비전정을 거상하여 재위치 시킨다. (D) 외비공저 건설 및 양측구순접합술을 하면 비첨에서 긴장이 해소되므로 비익원개봉합술 및 비주각봉합술을 할 수 있으며, 따라서 비주가 건설된다.

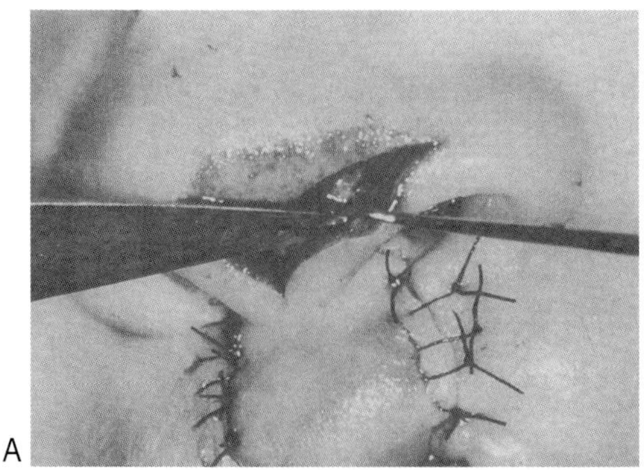

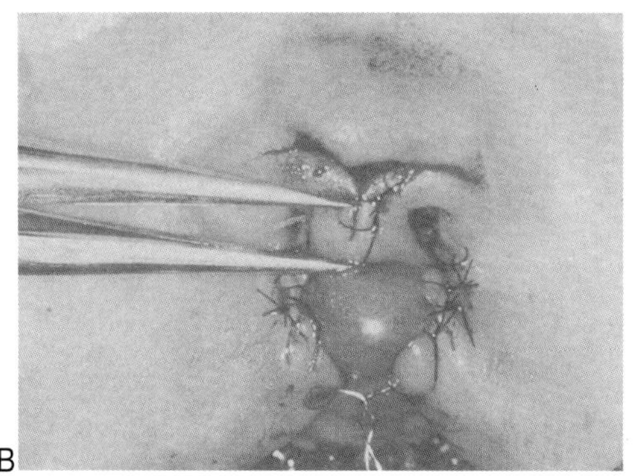

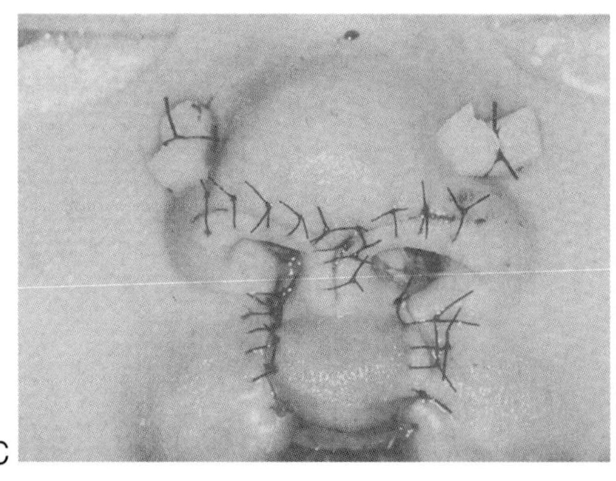

그림 12-61. 최근 McComb법의 제 1단계 교정술(계속). (A) 비주 절개창 주위를 박리한 다음 봉합함으로써 함몰 반흔을 방지한다. (B) 비주의 수직 길이가 5mm 정도 되도록 봉합한다. (C) 사강을 없애기 위하여 양측 비벽에서 석상봉합을 솜덩이에 묶는다.

② 제 2단계 교정술(본격적인 구순열교정술)

제 1단계 교정술 후 1개월에 전순을 전악골로부터 거상시켜서 본격적인 구순열교정술을 하고, 양측 점막-근육피판을 전악골 앞으로 전진시켜서 봉합함으로써 구괄약(oral sphincter)을 건설하고 상협구(upper buccal sulcus)를 만든다(그림 12-62).

McComb(1994)은 양측 구순열비의 새로운 두 차례 교정술을 한 다음 3-4년 뒤에 추적하였을 때 비주가 잘 건설되었으며, 코의 성장 장애는 없는 것으로 나타났으며, 코의 반흔은 최소였다고 보고하였다.

12) Trott과 Mohan법

Trott과 Mohan(1993)은 Malaysia에서의 특수한 사회, 경제적 환경 때문에 수술 전, 후의 관리가 힘들므로 양측 구순열비 교정술의 횟수 및 추적 관찰을 최소화하는 기법을 개발하였다. Gunter와 Rohlich(1987)의 비첨성형술과 Millard의 양측 구순열교정술의 변법을 사용하여 한차례 교정술을 기술하였으며, 다음의 원칙들을 강조하였다(그림 12-63).

(1) 피부는 이차적으로 조절되므로 상구순 근육 및 비익연골의 건설에 역점을 둔다.
(2) 비주 건설은 다음 2가지 요소에 의한다. 비주 피부는 상구순이나 외비공보다는 비첨으로부터 만들고, 비주의 연골은 비내점막을 붙인 채로 비익연골의 내측각의 재배치로 만든다.
(3) 바로 보면서 비익원개의 재배치 및 고정, 피하연조직의 건설, 비배 피부의 미측 전진 등 3 가지 요소로써 비첨을 건설한다.
(4) 비익저의 적절한 재배치와 비내협착을 방지하기 위하여 상악골 내벽과 이상구연(piriform margin)으로부터 비내점막을 광범위하게 박리한다.
(5) 비익저의 지지와 긴장 없는 상구순봉합술을 위하여 협부 연조직을 광범위하게 박리하고 전진시킨다.
(6) 수술 반흔은 미적으로 받아들일 수 있어야 하며, 이차교정술이 가능하여야 한다.

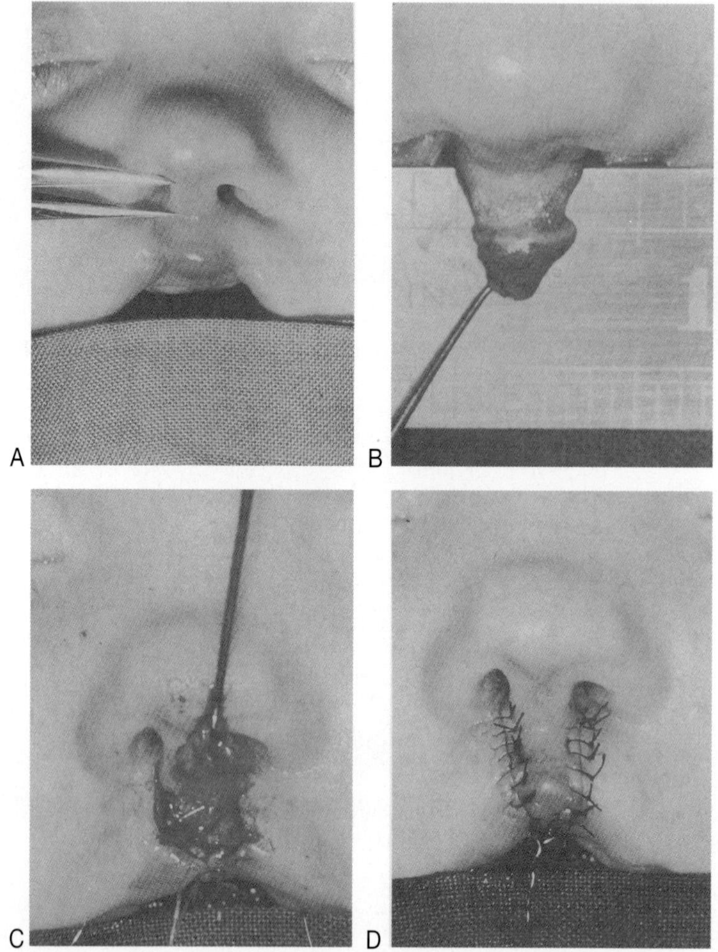

그림 12-62. 최근 McComb법의 제 2단계 교정술. (A) 제 1단계 교정술 후 1개월에 비주의 수직 길이가 적절함을 보인다. (B-D) 전순을 전악골로부터 거상한 다음 본격적인 구순열교정술을 하고, 양측 점막-근육피판을 전악골 앞으로 전진시켜서 봉합함으로써 구괄약을 건설하고 상협구를 만든다.

13) Cutting법

Cutting 등(1998)은 양측 구순열비치조(bilateral cleft lip, nose and alveolus)를 술전비치조주형술(presurgical nasoalveolar molding)과 한 차례 구순열비치조교정술로써 교정하였다. 술전치조주형술(presurgical alveolar molding)로써 돌출된 전악골을 후퇴시켜서 양측 상악분절과 정렬시킴과 동시에 술전비주형술(presurgical nasal molding)로써 짧은 비주와 비내점막을 조직 확장(tissue expansion) 하였다. 그러고 나서 양측 구순열비치조를 한차례의 교정술로써 교정하였다. 비성형술은 역행접근법(retrograde approach)을 하였는데, 전순 뒤로 막비중격(membranous septum)을 따라서 비중격각(septal angle) 위로 계속해서 박리함으로써 전순피판-비주복합체를 두측으로 거상시켰다. 비익연골 사이의 연조직을 절제한 다음, 비익원개끼리 정중선에서 수평석상봉합 하였다(그림 12-64).

14) Talmant법

Talmant(2000)도 초기에는 McComb과 Mulliken이 사용하는 술전정악치료의 영향을 받아서 상악궁을 조절하지 않고는 양측 구순열비의 한 차례 동시교정술을 할 수가 없었으나, 나중에는 정악치료를 포기 하였다. 또 Trott과 Mohan(1993)으로부터는 교정술을 단순화 시키는 영향을 받아서 한 차례의 동시교정술을 해오고 있다(그림 12-65).

그는 다음의 외과적 원칙을 강조하였다.

(1) 양측 구순열비교정술은 적절한 개념이 이미 확립되어 있기 때문에 어떤 사회 경제적 환경에서도 실행할 수 있

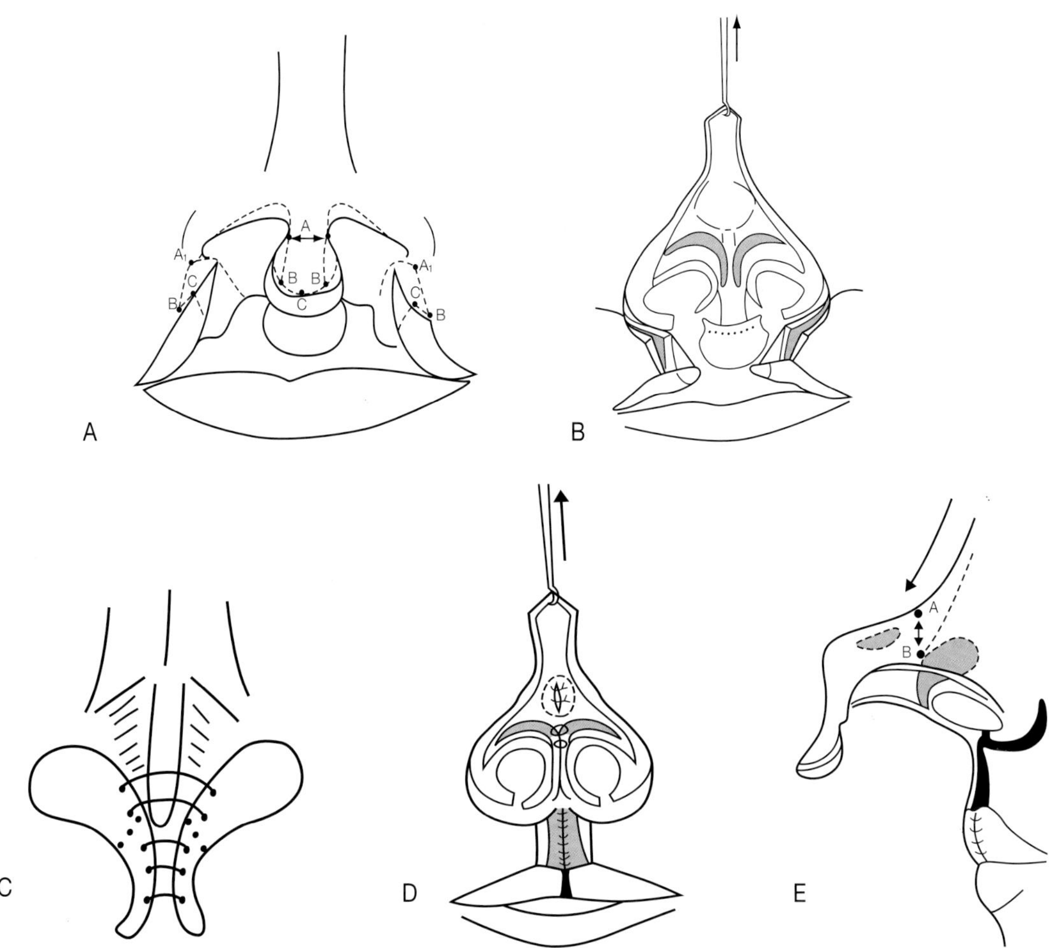

그림 12-63. Trott과 Mohan법을 이용한 한 차례 양측 구순열비 동시교정술. (A) 절개선 도안. Millard변법. 외측 구순분절의 A_1-B선 = 전순의 A-B선. 외측 구순분절의 B-C선 = 전순의 B-C선. 전순, 비주, 그리고 외비공연을 따라 피부를 절개한다. 비익저의 back-cut에 유의하시오. (B) 비익연골을 박리한 다음 내측각 사이의 섬유 지방조직을 박리한다. (C) 양측 비익연골의 내측각 및 외측각을 서로 봉합한다. (D) 비첨의 피하 섬유 지방조직을 봉합한다. (E) A점과 B점을 서로 봉합하여 비배 피부를 미측 전진시키고, 비첨의 피하 섬유-지방조직을 비익원개 위로 위치시킨다.

어야 한다.

(2) 균형 잡힌 근육 건설(balanced muscular repair)이 가장 좋은 정악치료이므로 술전정악치료는 불필요하다.

(3) 양측 구순열비의 동시교정술에서는 개방접근법이 전순피판의 생존을 위협할 뿐만 아니라, 불필요한 반흔을 만들기 때문에 개방접근법을 하지 않는 것이 더 좋다. 또, 시기는 연구개열교정술과 함께 6세에 하며, 경구개열은 18개월에 한다.

(4) 비익연골을 피부로부터 박리할 때에는 내측에서는 비중격에서 시작하고, 외측에서는 외측각의 미측 단에서 시작하는 것이 중요하다. 또 박리는 비익연골의 원개와 내측각을 노출시키지 않도록 정확해야 하며, 전순피판의 혈행을 위협하지 않아야 한다. 특히 상외측연골과 비익연골 사이의 비내점막을 연장시킨다. 방법은, 연골막이 퇴축되면 비익원개의 둥근 윤곽을 방해하므로 연골막을 비전정물갈퀴의 정점 전방에서 자른다.

(5) 상외측연골과 비익연골 사이의 봉합술을 하지 않아야 과잉의 비전정점막을 잘라 다듬을 필요 없이 재배치된다. 이를 유지하기 위하여 맞춤형 실리콘 판(custom-made silicone sheet)으로써 내비 및 외비 부목(internal

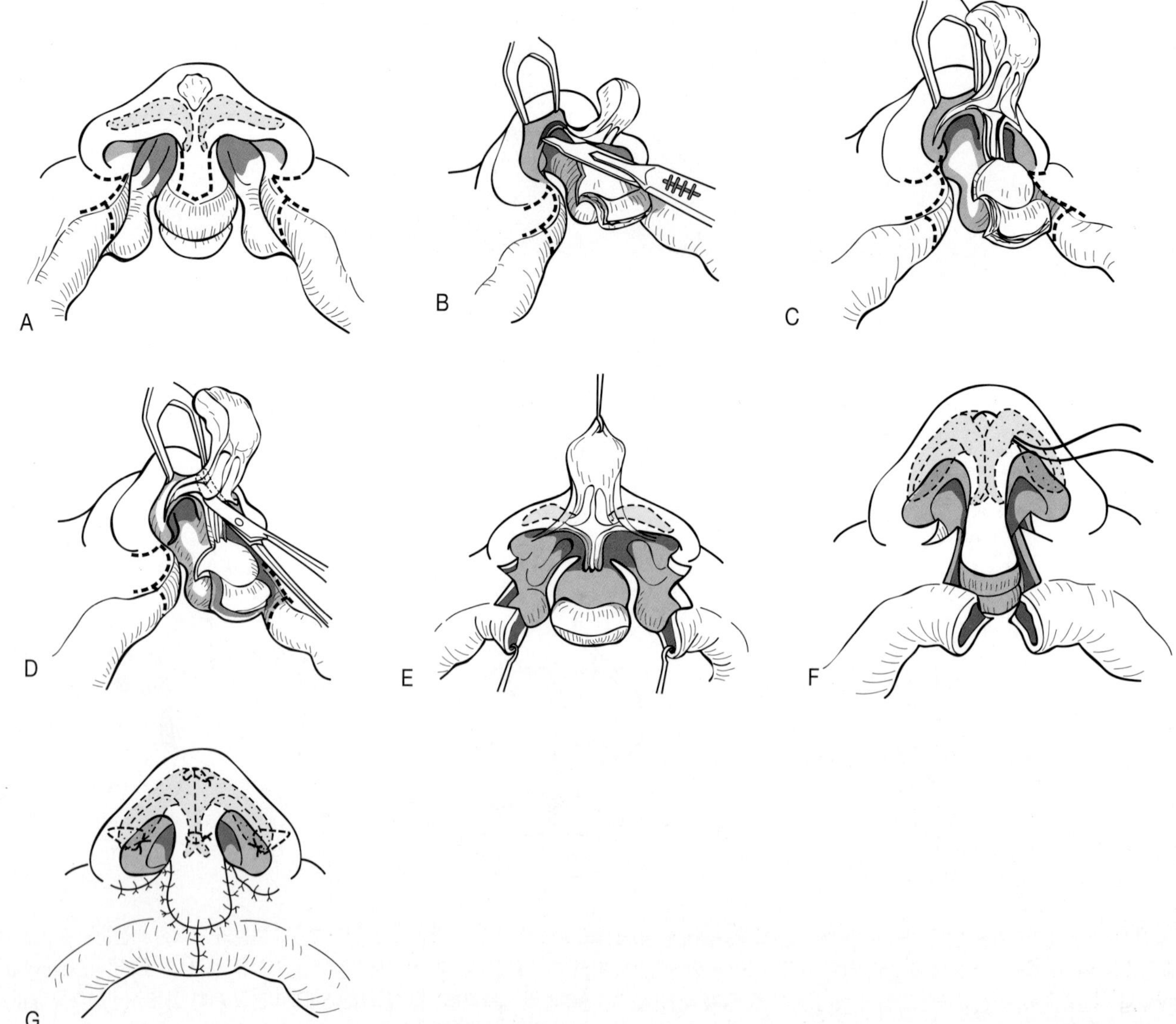

그림 12-64. Cutting법을 이용한 한 차례 구순열비치조 동시교정술. (A) 절개선 도안. 저장시키는 삼지창형 피판(banked forked flap)과 비슷한 절개선이지만, 가지를 삭제 하였으며, 비익저의 절개를 최소화 하였다. (B) 막비중격을 따라서 비중격각 위로 관통 절개하여 전순피판-비주복합체를 거상하였다. (C) 전순피판-비주복합체를 비배 위로 뒤집어 들었다. (D) 역행접근법으로서 비익연골 사이의 연조직을 제거하였다. (E) 상구순을 절개하였다. (F) 양측 비익원개를 정중선에서 4-0PDS봉합사로써 수평석상봉합 하였다. 이때 봉합하는 연골 사이로 연조직이 끼지 않도록 주의하여야 한다. (G) 구순열 교정술후 모습, 경비전정석상봉합술(transvestibular mattress suture)로써 비전정의 물갈퀴 변형을 외측으로 이동시킴과 동시에 비안면구(nasofacial groove)의 윤곽 형성을 도운다.

and external splintings)을 대는데, 비익연골을 피부와 비전정점막에 잘 접합시키며, 사강을 없애며, 반흔을 최소화 할 수 있을 뿐만 아니라, 건설한 비익원개를 유지할 수 있다.

(6) 수평 축과 수직 축 모두에서 비익저를 재배치시켜야 한다. 수직 축은, 외측 구순피판의 두측 연을 반월형으로 절제함으로써 상구순의 수직 길이가 지나치게 길지 않고, 비익저가 두측 변위 되지 않도록 조심하여야 한다. 그러나 수평 축은, 술후 비익저가 외측으로 벌어져서 재발할 가능성이 높기 때문에 비익저의 수평축에서의 재배치는 어렵다.

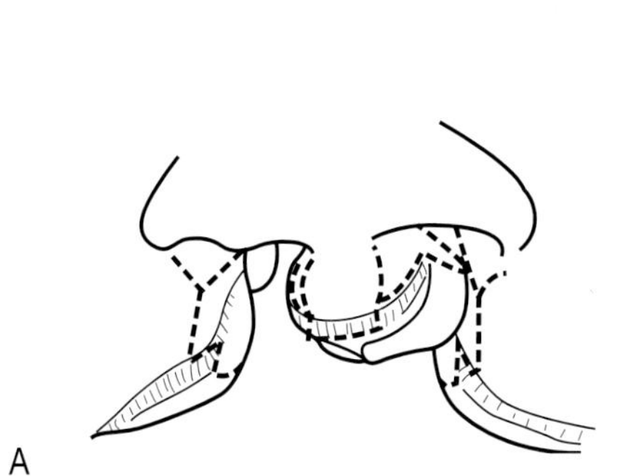
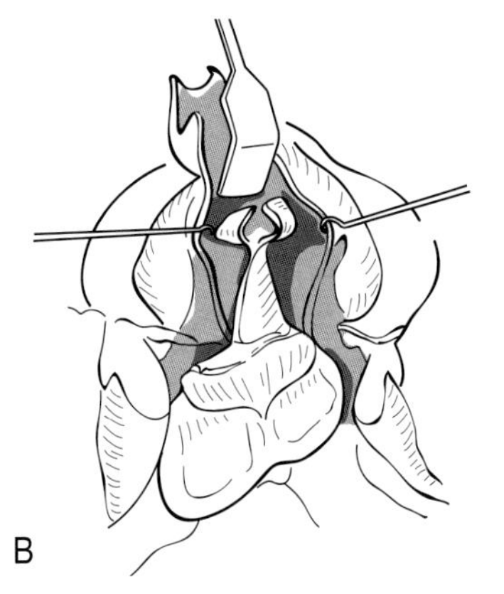
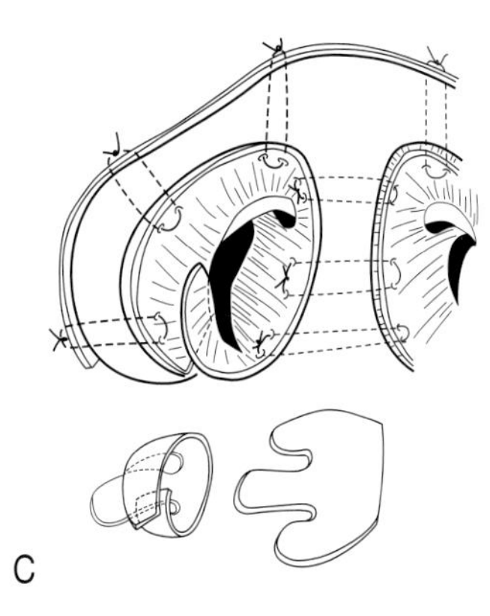

그림 12-65. Talmant법을 이용한 양측 구순열비의 한 차례 동시교정술. (A) 절개선 도안. 전순의 점막피부 접합부를 절제한다. 두측에 있는 비주에 기저를 둔 외측 전상악피판(lateral premaxillary flap)과 비중격점막의 back-cut에 유의하시오. (B) 비중격과 상외측연골의 하부의 연골막하박리는 외측의 이상구에서의 박리와 연결된다. 이상구로부터 박리를 보이며, 비익연골로부터 피부가 거상되었다. (C) 맞춤형 실리콘 판을 이용한 내비 및 외비 부목. 내비 부목의 후반부는 3쪽으로 구성되어 있는데, 상부 쪽은 원개를 지지하며, 중간 쪽이 비중격에 위치하며, 하부 쪽은 외비공턱(nostril sill)을 밀어서 깊게 한다. 비주저로부터 비첨까지 관통봉합술을 함으로써 비주를 연장시킨다. 외비 부목은 사강을 없애고, 비전정점막을 재배치시키고, 비배 피부의 길이를 연장시킨다. 또 부목은 투명하여서 보면서 조절할 수 있고 피부의 혈행을 안전하게 유지시킬 수 있다.

6. 술후 관리

수술이 끝나면 봉합선에 항생제 연고를 가볍게 바르고 작은 거즈 드레싱을 테이프로써 붙여서 24시간 동안 유지한다. Logan bow는 돌출된 전악골을 재배치시킨 뒤 구순열교정술을 하면 필요하지 않지만(Cronin 등, 1990), 인중피판 등 창상에 작은 긴장이라도 있으면 대도록 한다. 양쪽 뺨을 내측으로 당김으로써 건설한 인중에 가해지는 과도한 긴장을 줄일 수 있으며, 인중피판의 생존을 잘 관찰할 수 있고, 드레싱의 교환 없이 창상을 소독할 수 있다. Logan bow를 뺨에 붙이는 테이프를 너무 길게 하지 않아야 테이프를 부주의하게 뗄 때 발생할 수 있는 표피 탈락의 위험을 줄일 수 있다. 수술 다음날에는 보통 봉합선에서 나오는 분비물이 멈추므로 드레싱이 더 이상 필요하지 않으며, 항생제 연고만 발라준다. 특히 수유에 의하여 드레싱이 오염될 수 있으므로 드레싱을 제거하여야 한다. 팔꿈치를 편 채로 팔에 부목을 대어서 2주 동안 유지시킴으로써 창상 개열을 방지하도록 한다.

술후 10-14일 동안은 끝에 짧은 고무 튜브가 달린 구형(球形)주사기로써 수유한다. 술후 3일에 일부 피부 봉합사를 발사할 수 있으나, 대개 피부 봉합사는 술후 4-5일에 모두 발사한다. 상구순 긴장이 우려되면 외비공저와 홍순에 있는 봉합사는 며칠 더 남겨 둘 수 있다. 피부 봉합사의 발사 후 3개월 동안 피부에 Steri-Strip을 붙여서 반흔을 지지한다. 비내 충진은 술후 5-7일에 제거한다.

7. 합병증

1) 창상 감염

봉합선이 조금이라도 감염되었으면 즉시 과산화수소로써 닦아야 한다. 그러나 깨끗한 상구순을 반복적으로 쓸데없이 닦는 것은 피하여야 한다. 봉합선을 따라 생긴 농포는 대개 매몰된 봉합사가 감염되었음을 나타내므로 끝이 뾰족한 겸자로써 봉합사를 가능한 한 빨리 끄집어내야 한다. 전신 항생제는 통상적으로 사용하지 않는다.

2) 창상 파열 또는 반흔 확대

이러한 소견은 거의 항상 지나친 긴장 때문에 생기지만, 감염이 이러한 문제를 야기하거나 더 복잡하게 만들 수 있다. 가장 좋은 방지책은 구순열교정술 하기 전에 전악골과 상악분절 사이의 뚜렷한 차이를 줄이는 것이다. 만약 창상이 파열되었으면 테이프로써 창상을 지지해보는 것이 순서이지만, 모든 경화가 가라앉을 때까지 어떤 본격적인 교정술도 해서도 안 된다.

3) 중안면골 성장 장애

외측 방사선계측법(lateral cephalometry)과 치석고모형(plaster dental cast)으로써 쉽게 문서화할 수 있다. 많은 치의학자들은 상악골 후퇴의 정도는 외과적 치료 계획 또는 외과수기를 반영한다고 강조한다. 어떤 치의학자는 발음의 결과가 나쁘더라도 이차구개열교정술을 소아기까지 미루어야 한다고 믿는다. 교정하지 않은 구순구개열을 가진 어른에서 안면 성장은 정상으로 밝혀져 있다(Ortiz-Monasterio 등, 1959). 양측구순구개열교정술이 상악골 성장을 저해하는데, 이것이 구순열교정술 때문인지 구개열교정술 때문인지 아니면 둘 다 때문인지 아직도 논란의 대상이다. 그러므로 목표가 정상적인 안면 돌출이라면 받아들이기 어렵더라도 구순열이건 구개열이건 간에 사춘기 후반에 가서 교정하는 것이 논리적인 결론이다.

4) 전악골의 경사 또는 후퇴

이러한 현상은 어떤 방법으로든 지나친 견인을 피함으로써 막을 수 있다. 서골을 전서골-서골 봉합선부에서 절제해서는 안 된다.

5) 휘파람변형(whistle deformity)

휘파람변형은 양측 근육-홍순피판(muscle vermilion flap)을 전위시켜서 홍순의 두께를 증대시킴으로써 방지할 수 있다.

6) 지나치게 긴 상구순

상구순의 길이를 증가시키기 위하여 양측 피부-근육피판(skin-muscle flap)을 사용하지 않으면 결과적으로 상구순은 적당한 수직 길이를 갖게 될 것이다.

7) 전악골 뒤에서 상악분절의 붕괴

상악분절의 붕괴는 아크릴 나사나 스프링 판(spring plate)을 사용하여 방지하거나 확장시킬 수 있다.

참고 문헌

1. 한기환, 김지수, 최동원: Mulliken변법을 이용한 양측성 구순열의 교정. 대한성형외과학회지. 25: 1338, 1998
2. Adams WM, Adams LH: The misuse of the prolabium in the repair of bilateral cleft lip. *Plast Reconstr Surg* 12: 225, 1953
3. Antia NH: Primary Abbé flap in bilateral cleft lip. *Br J Plast Surg* 12: 215, 1973
4. Axhausen G: *Technik und Ergebnisse der Lippenplastik*. Stuttgart, Georg Thieme Verlag, 1932
5. Barsky AJ: *Principles and practice of plastic surgery*. Baltimore, Williams & Wilkins Company, 1950
6. Bauer TB, Trusler HM, Tondra JM: Changing concepts in the management of bilateral cleft lip deformities. *Plast Reconstr Surg* 24: 321, 1959
7. Bauer TB, Trusler HM, Tondra JM: Bauer, Trusler, and Tondra's method of cheilorrhaphy in bilateral lip. In Grabb WC, Rosenstein SW, Bzoch KR (Eds.): *Cleft Lip and Palate: Surgical, Dental, and Speech Aspects*. Boston, Little, Brown & Company, 1971
8. Berkeley WT: The concepts of unilateral repair applied to bilateral clefts of the lip and nose. *Plast Reconstr Surg* 27: 505, 1961
9. Black PW: Bilateral cleft lip. Symposium on cleft lip and cleft palate. *Clin Plast Surg* 12: 627, 1985
10. Broadbent TR, Woolf RM: Cleft lip nasal deformity. *Ann Plast Surg* 12: 216, 1984
11. Brown JB, McDowell F, Byars LT: Double clefts of the lip. *Surg Gynecol Obstet* 85: 20, 1947
12. Clarkson P: Use of the Abbé flap in the primary repair of double cleft lip. *Br J Plast Surg* 7: 175, 1954
13. Cronin TD: Surgery of the double cleft lip and protruding premaxilla. *Plast Reconstr Surg* 19: 389, 1957
14. Cronin TD: Lengthening the columella by use of skin from the nasal floor and alae. *Plast Reconstr Surg* 21: 417, 1958
15. Cronin TD, Upton J: Lengthening of the short columella associated with bilateral cleft lip. *Ann Plast Surg* 1: 75, 1978
16. Cronin TD, Cronin ED, Roper P, Millard DR, McComb H: Bilateral clefts. In McCarthy JG (Ed): *Plastic Surgery*. Philadelphia, WB saunders Company, 1990, pp 2653-2722
17. Cutting C, Grayson B: The prolabial unwinding flap method for one-stage repair of bilateral cleft lip, nose, and alveolus. *Plast Reconstr Surg* 91: 37, 1993
18. Cutting C, Grayson B, Brecht L, Santiago P, Wood R, Kwon S: Presurgical columellar elongation and primary retrograde nasal reconstruction in one-stage bilateral cleft lip and nose repair. *Plast Reconstr Surg* 101: 630, 1998
19. Dado DV, Kernahan DA: Radiographic analysis of the mid face

of a stillborn infant with a unilateral cleft lip and palate. *Plast Reconstr Surg* 78: 238, 1986

20. Davis WB: Harelip and cleft palate: Study of 425 consecutive cases. *Ann Surg* 87: 536, 1928
21. El Deeb M, Messer LB, Lehnert MW, Hebda TW, Waite DE: Canine eruption into grafted bone in maxillary alveolar cleft defects. *Cleft Palate J* 19: 9, 1982
22. Farkas LG, Posnick JC, Hreczko TM, Pron GE: Growth patterns of the nasolabial region: A morphometric study. *Cleft Palate Craniofac J* 29: 318, 1992
23. Farkas LG: *Anthropometry of the Head and Face.* 2nd edition. New York: Raven Press; 1994
24. Ferrario VF, Sforza C, Tartaglia GM, Sozzi D, Caru A: Three-dimensional lip morphology in adults operated on for cleft lip and palate. *Plast Reconstr Surg* 111: 2149, 2003
25. Gabka J: Aetiology and statistics of harelips and cleft palate. In Wallace, AB (Ed): *Transactions of the International Society of Plastic Surgeons*, 2nd Congress, 1959. Edinburgh, E & S Livingstone, 1960
26. Georgiade NG: Improved technique for one-stage repair of bilateral cleft lip. *Plast Reconstr Surg* 48: 318, 1971
27. Grayson BH, Santiago PE, Brecht LE, Cutting CB: Presurgical nasoalveolar molding in infants with cleft lip and palate. *Cleft Palate Craniofac J* 36: 486, 1999
28. Gunter JP, Rohrich RJ: External approach for secondary rhinoplasty. *Plast Reconstr Surg* 80: 161, 1987
29. Hamilton R, Graham WP III, Randall P: Adhesion procedure on cleft lip repair. *Cleft Palate J* 8: 1, 1971
30. Holdsworth WG: *Cleft Lip and Palate.* New York, Grune & Stratton, 1951
31. Hönig CA: The operative treatment of bilateral complete clefts of the primary and secondary palate in the first year of life. In Hotz, R. (Ed.): *Early Treatment of Cleft Lip and Palate.* International Symposium, University of Zurich Dental Institute, 1964. Berne, Hans Huber, 1964
32. Huffman WC, Lierle DM: Studies on the pathologic anatomy of the unilateral hare-lip nose. *Plast Reconstr Surg* 4: 225, 1949
33. Hurwitz DJ, Ashby ER, Llull R, Rasqual J, Tabor C, Garrison L, Gillen J, Weyant R: Computer-assisted anthropometry for outcome assessment of cleft lip. *Plast Reconstr Surg* 103: 1608, 1999
34. Ladd WE: Harelip and cleft palate. *Boston Med Surg J* 194: 1016, 1926
35. Latham RA: Facial growth mechanisms in the human and their role in the formation of the cleft lip and palate deformity. *Ph D. Thesis, University of Liverpool*, 1967
36. Latham RA: A new concept of the early maxillary growth mechanism. *Transactions of the European Orthodontic Society*, 1968, pp. 53-63
37. Latham RA: The pathogenesis of the skeletal deformity associated with unilateral cleft lip and palate. *Cleft Palate J* 6: 404, 1969
38. Latham RA: Maxillary development and growth: The septopremaxillary ligament. *J Anat* 107: 471, 1970
39. Latham RA, Scott JH: A newly postulated factor in the early growth of the human middle face and the theory of multiple assurance. *Arch Oral Biol* 15: 1097, 1970
40. Latham RA: Development and structure of the pre-maxillary deformity in bilateral cleft lip and palate. *Br J Plast Surg* 26: 1, 1973
41. Manchester WM: The repair of double cleft lip as part of an integrated program. *Plast Reconstr Surg* 45: 207, 1970
42. Marcks KM, Trevaskis AE, Payne MJ: Elongation of columella by flap. *Plast Reconstr Surg* 20: 466, 1957
43. McComb H: Primary repair of the bilateral cleft lip nose. *Br J Plast Surg* 28: 262, 1975
44. McComb H: Primary correction of unilateral cleft lip nasal deformity: A 10-year review. *Plast Reconstr Surg* 75: 791, 1985
45. McComb H: Primary repair of the bilateral cleft lip nose: A 10-year review. *Plast Reconstr Surg* 77: 701, 1986
46. McComb H: Primary repair of the bilateral cleft lip nose: A 15-year review and a new treatment plan. *Plast Reconstr Surg* 8: 882, 1990
47. McComb H: Primary repair of the bilateral cleft lip nose: A 4-year review. *Plast Reconstr Surg* 94: 37, 1994
48. Millard DR Jr: Bilateral cleft lip and primary forked flap: a preliminary report. *Plast Reconstr Surg* 39: 59, 1967
49. Millard DR Jr: Closure of bilateral cleft lip and elongation of columella by two operations in infancy. *Plast Reconstr Surg* 47: 324, 1971
50. Mulliken JB: Principles and techniques of bilateral cleft lip repair. *Plast Reconstr Surg* 75: 477, 1985
51. Mulliken JB: Correction of the bilateral cleft lip nasal deformity: Evolution of a surgical concept. *Cleft Palate Craniofac J* 29: 540, 1992
52. Mulliken JB: Bilateral complete cleft lip and nasal deformity: An

anthropometric analysis of staged to synchronous repair. *Plast Reconstr Surg* 96: 9, 1995

53. Mulliken JB, Burvin R, Farkas LG: Repair of bilateral complete cleft lip: Intraoperative anthropometry. *Plasr Reconstr Surg* 107: 307, 2001
54. Mulliken JB: Primary repair of bilateral cleft lip and nasal deformity. *Plast Reconstr Surg* 108: 181, 2001
55. Mulliken JB, Wu JK, Padwa BL Repair of bilateral cleft lip: Review, revision, and reflections. *J Craniofac Surg* 14: 609, 2003
56. Mulliken JB: Bilateral cleft lip. *Clin Plast Surg* 31: 209, 2004
57. Noordhoff MS: Bilateral cleft lip reconstruction. *Plast Reconstr Surg* 78: 45, 1986
58. Ortiz-Monasterio F, Rebeil AS, Valderrama M, Cruz R: Cephalometric measurements on adult patients with non-operated cleft palate. *Plast Reconstr Surg* 24: 53, 1959
59. Peterson RA, Ellenberg AH, Carroll DB: Vermilion flap reconstruction of bilateral cleft lip deformities (a modification of the Abbé procedure). *Plast Reconstr Surg* 38: 111, 1966
60. Pruzansky S: Discussion. The use of cranial bone grafts in the closure of alveolar and anterior palatal clefts. *Plast Reconstr Surg* 72: 669, 1983
61. Robertson NRE, Jolleys A: An 11-year follow-up of the effects of early bone grafting in infants bom with complete clefts of the lip and palate. *Br J Plast Surg* 36: 438, 1983
62. Rosenstein SW, Monroe CW, Kernahan DA, Jacobson BN, Griffith BH, Bauer BS: The case for early bone grafting in cleft lip and cleft palate. *Plast Reconstr Surg* 70: 297, 1982
63. Scott JH: Growth at facial sutures. *Am J Orthod* 42: 381, 1956
64. Skoog T: The management of the bilateral cleft of the primary palate (lip and alveolus). Part 1: General considerations and soft tissue repair. *Plast Reconstr Surg* 35: 34, 1965
65. Skoog T: Repair of unilateral cleft lip deformity: maxnose and lip. *Scand J Plast Reconstr Surg* 3: 109, 1969
66. Smith F: *Plastic and Reconstructive Surgery*. Philadelphia, WB Saunders Company, 1950
67. Stark RB: The pathogenesis of harelip and cleft palate. *Plast Reconstr Surg* 13: 20, 1954
68. Stark RB, Ehrmann NA: The development of the center of the face with particular reference to surgical correction of bilateral cleft lip. *Plast Reconstr Surg* 21: 177, 1958
69. Talmant JC: Current trends in the treatment of bilateral cleft lip and palate. *Oral Maxillofac Surg Nor Am* 120: 3, 2000
70. Trauner R, Trauner M: Results of cleft lip operations. *Plast Reconstr Surg* 40: 209, 1967
71. Trott JA, Mohan N A preliminary report on open tip rhinoplasty at the time of lip reapir in bilateral cleft lip and palate: The Alor Setar experience. *Br J Plast Surg* 46: 215, 1993
72. Van der Woude A: Fistula labii inferioris congenita and its association with cleft lip and palate. *Am J Hum Genet* 6: 244, 1954
73. Veau V: *Division Palatine, Anatomie, Chirurgie, Phonétique*. Paris, Masson et Cie, 1931
74. Wolfe SA, Berkowitz S: The use of cranial bone grafts in the closure of alveolar and anterior bilateral clefts. *Plast Reconstr Surg* 72: 659, 1983
75. Wong GB, Burvin R, Mulliken JB Resorbable internal splint: An adjunct to primary correction of unilateral cleft lip-nasal deformity. *Plast Reconstr Surg* 110: 385, 2002
76. Wynn SK: Lateral flap cleft surgery technique. *Plast Reconstr Surg* 26: 509, 1960
77. Yamada T, Sugahara T, Mori Y, Sakuda M: Rapid three-dimensional measuring system for facial surface structure. *Plast Reconstr Surg* 102: 2108, 1998

제12장 양측 구순열비

Noordhoff 법

고경석

술전 orthopedics는 모든 환자에서 사용되진 않지만, rubber band 견인과 tape는 상악전구골(premaxilla)의 심한 돌출을 예방하는데 도움이 된다. 최근 들어 수술전 nasoalveolar molding의 도움으로 비주의 길이를 늘릴 수 있어 수술에 도움이 되었으며 구순열 수술은 10주경에 한다.

큐피드 활(Cupid' s bow)은 6 ~ 8 mm의 넓이로 정하나 실제 6mm를 넘지 않는 것이 좋으며, lateral prolabial forked flap의 넓이는 전순(prolabium)의 넓이 따라 변한다. 외측 구순(Lateral lip)의 절개선 작도는 전순(prolabium)의 절개선 작도과 일치하게 일직선으로 그린다.

협부 점막 피판은 폭이 0.5~0.75 cm, 길이가 1.5 ~ 2.9 cm 정도 되게 작도한다. 절개선을 이상구연에서 상외측 연골과 비익연골 사이로 지나가게 연장한 뒤, 그 절개를 통하여 비익연골 주변을 최소한 박리한다. 비익저에서 구륜근 점막을 박리하여 구륜근 점막 피판을 거상한다. 전순(prolabium)과 forked flap을 상악전구골(premaxilla)로부터 박리하여 거상한다.

전순의 점막은 피하조직을 제거해서 얇게 만든 뒤, 상악전구골(premaxilla)의 아래 2/3를 덮는데 사용한다.

비익연골의 천장(dome)은 서로 모이게 봉합한 뒤 상외측 연골에 봉합해 준다. 협부 치조 점막 피판(buccal alveolar mucosal flap)은 연골간 절개의 사이 하측 절반 안으로 들어가게 봉합해 준다. 이렇게 해 줌으로써 비강저(nasal floor)의 재건을 위한 길이를 더 얻을 수 있다. 하갑개(inferior turbinate)에서 추가적으로 점막을 더 얻을 수 있다.

양측의 구륜근과 그 뒤에 부착된 점막을 가운데로 접근시켜 단속 봉합으로 닫아준다. 근육을 비극(nasal spine)에도 봉합해 주어 상구순이 하방으로 처지지 않게 해 주는 것이 중요하다. 만약 피부에 여유가 있으면, 외측 구순(lateral lip)에서 forked flap을 거상하여 prolabial forked flap의 뒤에 있는 비주 후방의 절개의 끝부분에 삽입해 준다. 수술전 nasoalveolar molding을 시행한 경우 prolabial forked flap은 사용하지 않고 제거한다.

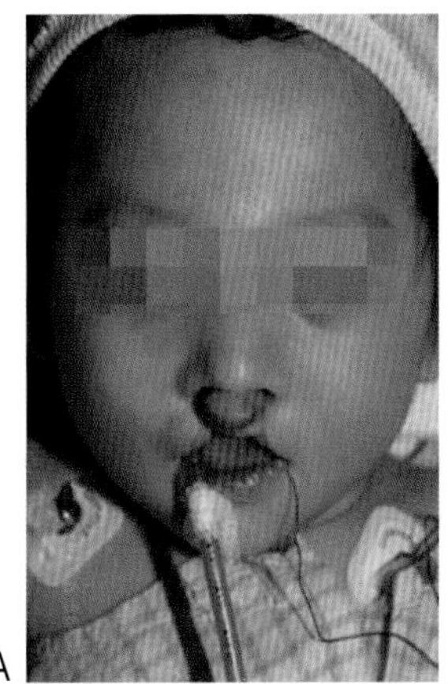
A
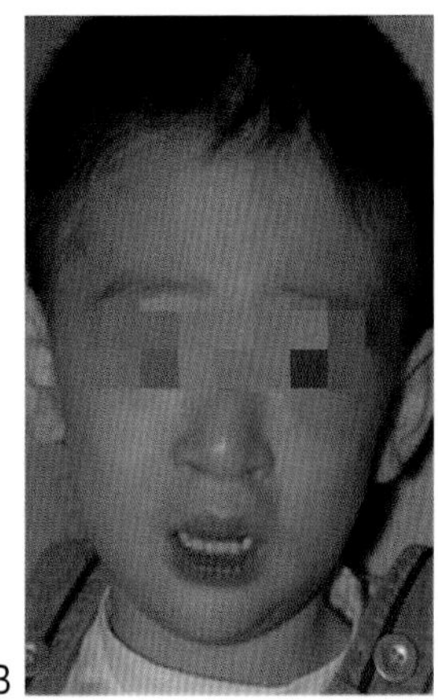
B
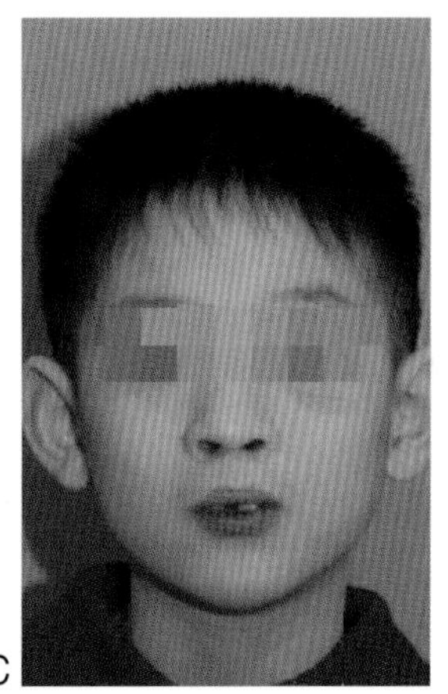
C

그림 12-66. 양측 완전구순열 환자의 수술 전(A) 정면 사진과 수술 후 3년(B) 및 수술 후 7년 사진(C)

양측 구륜근 점막 피판을 손질(trimming)하여 봉합해 줌으로써 큐피드 활(Cupid' s bow)와 결절(tubercle)을 만들어 준다.

참고문헌

1. Cronin TD, Cronin ED, Roper Millard Jr. DR, McComb H. Plastic Surgery: Bilateral clefts. Vol 4. Philadelphia: W. B. Saunders company, 1990. p 2696-2697

제13장 구개열

Cleft Palate

김용배

I. 구개열

1. 발생학

구개의 발생은 1차 구개가 형성된 후 2차 구개가 형성되는 두개의 독립된 과정으로 구분 될 수 있다.

1) 일차구개의 형성

수정후 3주 동안 배낭형성과정이 시작된다. 이 시기에 배아는 배아층을 형성하며 두 층으로 된 원반형의 세포는 3층으로 재형성(remodeling)되어 원시 줄무늬(primitive streak)라 알려진 꼬리중간부분을 통해 세포가 이동하여 양막강과 접촉하는 배아덩이 위판층(upper or epiblast layer)을 형성한다. 이것이 중배엽을 형성하며 원래의 배아덩이아래판(lower layer or hypoblast)은 외배엽으로 대치되게 된다.

제태 4주 동안 배낭형성과정이 머리부분에서 꼬리부분으로 진행된다. 배아와는 달리 정중시상면지역에서는 단지 2층의 세포만 존재하는 원시줄무늬의 대부분이 두개면 에서부터 앞쪽으로 분화한다. 외배엽 정중앙근처의 세포는 전척삭판(prechordal plate)과 축삭판(notochordal plate)을 형성한다. 배낭과정과 동시에 외배엽은 신경외배엽과 신경 외배엽세포가 두꺼워진 표면 외배엽으로 분화한다. 신경외배엽은 신경판을 형성한다. 신경판 전방의 외측 가장자리에 있는 세포는 후각기원판(olfactory placode)과 귀 기원판(otic placode)을 형성하여 각각 비강과 내이(inner ear)를 형성하며 신경판 전방의 중앙에 있는 세포는 전방 뇌하수체를 형성하게 된다. 신경 능선세포(neural crest cell)는 감각 뉴런을 형성한다. 머리에서 감각 뉴런은 후각, 귀, 삼차신경, 아가미위 기원판(olfactory,otic, trigeminal, epibranchial placode)에서 유래되어 후각기원판은 이마코융기(frontonasal prominence)를 형성하며 귀 기원판은 내이의 막미로(membranous labyrinth)로 분화된다. 8개 뇌신경의 감각뉴런은 귀 기원판 상피에서 유래하며, 삼차신경기원판과 아가미위 기원판은 뇌신경 V,VII, IX, X의 감각 뉴런을 형성한다. 이마코융기의 전두외측면에 위치하고 있는 두꺼운 외배엽의 두 지역은 비융기[nasal prominence(process)]라 불리는 조직융기에 둘러싸인 비오목(nasal pit)을 형성한다. 내측 비융기와 상악 융기의 융합(fusion)으로 상악과 입술을 형성하며 비오목을 구도(입 오목, stomodeum)로 부터 분리시킨다. 중앙 내측 부분은 상구순 결절, 인중, 비첨부와 일차구개를 형성한다. 상부 4개의 앞니가 될 상악의 악간 분절은 정중 일차구개로부터 형성된다. 내측 비융기는 상구순과 상부 4개의 앞니를 포함하는 이틀(치조) 능선(alveolar ridge)을 형성한다. 내측 비융기와 외측 비융기와 첫 번째 아가미궁(first visceral arch)의 상악 융기의 결합으로 상구순을 만든다. 아가미궁이 머리쪽에서 미부로 발달을 하여 형성되는데 이들의 조직은 중배엽과 신경능선에서 기원하는 세포를 포함하고 있으며 서로 외부적으로는 고랑(groove)과 내부적으로는 주머니(pouch)로 분리되어 있다. 아가미궁은 처음에는 대동맥궁의 도관(conduit)역할을 한다. 4개의 아마미궁은 배아의 외부에서 볼 수 있다. 5번째 아가미궁은 흔적기관이고 마지막 6번째 아마미궁은 외부에서는 분명하게는 보이지 않는다. 각 아가미궁은 뇌신경과 근골격계와 연관이 있다. 근육조직은 중배엽에서 유래하고 결합조직은 신경능선 세포에서 기원한다.

2) 이차구개의 형성

이차구개는 일차구개가 형성된 후 만들어 진다. 이차구개는 경구개 전방과 연구개를 형성하며 정상적인 호흡, 저작, 연하와 발음에 중요한 역할을 한다. 3가지 요소가 이차 구개를 구성한다. 2개의 외측 구개돌기가 이마코융기로부터 유래된 일차구개와 상악융기로부터 구도 안으로 돌출된다. 동시에 중앙부의 연골성 비중격이 구도 상부로부터 하강하여 코가 발달 하는 특징을 이룬다. 임신후 8주동안 구개가(palatal shelves)의 뚜렷한 변화가 일어나는데 구개가가 수평위치로 거상하여 일차구개와 비중격과 융합되어 비구강방(oronasal chamber)이 나눠지게 된다. 임신 8주동안 수직방향에서 수평방향으로 변이는 수시간내에 이루어진다. 구개 폐쇄(palatal closure)시기는 성(sex)에 따라 차이가 있다. 구개가의 거상(shelf elevation)과 융합이 여자에서 보다 남자에서 며칠 더 일찍 일어나므로 구개열이 여자에게서 더 많다. 구개가의 빠른 거상에는 몇 가지 기전이 제시된다. 구개가 결합조직 기질(matrix)의 생화학적 전환은 ; 이런 구조로 가는 혈류량과 혈관구조의 다양성(Amin 등, 1994)으로 조직액의 피부 긴장도의 빠른 증가; 빠르게 다른 유사분열 성장, 근육 움직임과 내적 구개가 거상의 힘(intrinsic shelf elevation force)(Young 등, 1997; McGonnell 등, 1998) 등과 관련이 있다.

내적인 구개가 거상의 힘은 구개가의 세포외 기질내에 히알루론산과 글리코사미노글리칸의 합성, 축적, 수화작용에 의해 주로 발생된다(Singh 등, 1997).

태아의 머리가 펴지면서 태아의 얼굴이 심장으로부터 멀어져 턱의 개구(jaw opening)가 가능하게 된다. 개구반사와 외적인 혀 근육 활성(activity)이 수직 구개가 사이로부터 혀의 후퇴(tongue withdrawl)에 관여한다(Humphrey, 1969). 혹스 유전자 변이(Hoxa gene mutation) 로 인해 혀를 내려가게하는 설근(hyoglossus)의 기능이 없다면 구개가 거상을 방해하여 구개열을 일으킨다(Barrow and capecchi,1999). 또한 혀의 후퇴는 운동신경계에 의해 지배받는 인두궁의 근육의 기능을 통한 하악의 움직임에 영향을 받는다(Wargg 등, 1972). 이런 관점에서 삼차신경이 입을 벌리는데 필요한 턱관절기능의 주된 운동신경이다. 태아는 양수에서 떠있는 상태로 있어야 턱을 움직일 수 있다. 따라서 양수과소증의 경우 양수가 부족하여 혀의 하방전위와 개구을 저해하여 구개가 거상을 방해하여 구개열을 일으킬수 있다. 성장인자, 호르몬, 신경펩티드같은 세포외 요소는 구개의 발달과정동안 다양한 세포반응을 조절하는데 관여한다(Greene and Pratt, 1976; Machida 등, 1999). 상피성장인자(epidermal growth factor), 전환성장인자(Transforming growth factor: TGF-α ,TGF-β1,TGF-β3)와 이들의 수용체 분자는 구개형성의 전 과정동안 관여된다(Sun 등, 1998). TGF-α를 EGF 수용체에 결합하는 것은 구개 폐쇄를 조절하는 단백질인 기질 금속단백분해효소(matrix metalloproteinase)를 생산하게 된다(Miettinen 등, 1999). 구개 폐쇄동안 하악은 좀더 돌출하게 되고 구도방(stomodeal chamber)의 수직면적이 증가하여 구개가수축이 일어나게 된다. 또한 메켈씨 연골의 전방 성장은 혀를 좀더 앞쪽으로 전위시킨다. 하악골의 성장지체는 하악후퇴(retrognathia)를 일으켜 혀를 높게 위치시켜 구개가의 융합을 방해하여 Pierre Robin 증후군을 만든다(Lavrin, 2000). 구개가의 가장자리를 덮고 있는 상피는 특히 두꺼워져 있고 이들의 융합은 구개발달에 있어 매우 중요하다. 융합은 구개가 사이에 있는 상피의 제거에 달려있고 이는 상피 내측 모서리에 있는 비멘틴(vimentin) mRNA의 발현과 케라틴(keratin) K5/6의 상향유전자조절(upregulation)과 관련이 있다(Gibbins 등, 1999). 융합은 또한 구개가의 배측 표면과 중앙부 비중격의 하부 가장자리에서도 일어난다. 융합선(fusion seam)은 처음에는 경구개 지역에서 앞쪽으로 형성되고 차후에 연구개의 병합(merging)이 일어난다(Ferguson, 1998). 융합된 외측 구개가는 일차구개의 앞쪽을 덮는다. 3가지 구개 요소의 결합 부위는 절치관을 덮고 있는 절치유두(incisive papilla)에 의해 표시된다.

성인에서 외측 구개가의 융합선은 구개 중간 봉합선과 표면에서는 경구개의 중간 솔기(봉선; midline raphe)에 의해 알수 있다. 이 융합선은 중간엽의 침습에 의해 연구개에서는 최소화된다. 구개의 골화과정(ossification)은 임신 8주동안 골이 융합된 외측 구개가의 중간엽으로 확산되고 일차구개에서는 지주(trabeculae)가 나타남으로써 진행된다(Jacobson, 1955; Vacher 등, 2001). 뒤쪽의 경구개는 각 구개골의 일차골화중심(ossification center)으로부터 지주가 확산됨으로써 골화된다. 구개 중간 봉합선의 구조는 섬유 다발의 상부층이 중앙부를 가로지르는 10.5주에 처음으로 나타난다(Del Santo 등, 1998). 유아는 관상 단면상 구개 중간 봉합선은 Y-형태로 구개가와 서골이 결합되어 있다. 아동기때 T-형태로 구개사이 단면상 구불구불한(serpentine) 주행이고 성인에서 봉합선은 서로 얽혀있어 골의 기계적 연결(mechanical interlocking)과 기질이 형성된다. 연골은 신생아시기에 떨어진 하나의 조직(islet)으로 나타날 수 있으나 3세이후 섬유화된다(Persson, 1973). 교정치과로 구개를 넓히게 하기 위해 상악골을 확장시키는 힘을 적용시켜 구개 중간 봉합선의 골형성을 유도 할 수 있다 (distraction osteogenesis)(Latham, 1971; Kobayashi 등, 1999).

골화는 구개의 뒤쪽에서는 대부분 일어나지 않고 연구개에서 발생한다. 첫 번째와 네 번째 인두궁의 근육을 형성하는 중간엽 조직이 이런 구개 지역으로 이동한다(Cohen 등, 1994). 구개범장근은 첫 번째 인두궁과 연관된 체절(somitomeres)에서 유래되고 구개범거근과 목젖근과 구개지주(faucial pillar) 근육은 4번째 인두궁과 관련된 체절에서 유래되고 이는 구개범장근의 첫 번째 아가미궁 삼차신경(1st arch trigeminal)에 의해 지배받고 나머지 다른 근육은 4번째 아가미궁 인두신경총(arch pharyngeal plexus)과 미주신경에 의해 신경 지배받는 것을 설명해 준다. 구개범장근은 5개의 구개근중 가장 먼저 발달하고 임신 40일에 근모세포(myoblast)를 형성한다. 이어서 구개인두근(45일), 구개범거근(8주), 구개설근(9주), 목젖근(11주)이 형성된다. 구개는 임신 7~18주 사이에 길이가 폭보다 더 빨리 증가하고 이후 폭이 길이 보다 더 빨리 증가한다(Lee 등, 1992). 초기에 구개는 상대적으로 길고 4주후부터 구개중간 봉합선의 성장과 외측 치조골 가장자리를 따라 부가성장(덧붙이 성장; appositional growth)을 함으로써 더 넓어지게 된다. 출생시 구개의 길이와 폭은 거의 동등하다. 출생 후 횡적 상악구개봉합선(transverse maxillopalatine suture)의 일부분에서도 일어나기는 하나 주로 상악 결절지역에서 부가성장이 일어나므로 구개 길이가 증가한다(Sejrsen 등, 1996).

1~2세경에 구개 중간 봉합선의 성장이 멈춘다. 구개중간 봉합선 폭의 성장은 앞쪽보다는 뒤쪽에서 더 크다. 중간 봉합선은 성인이 되어야 소실되기 시작하나 안전한 융합은 30세 이전에는 드물고 융합의 시기와 정도는 매우 다양하다 (Wehrbein와 Yildizhan, 2001).

외측 부가성장은 7세까지 계속되고 이시기에 구개는 앞쪽 폭을 이룬다. 아동기 후반동안 후방 부가성장은 외측 성장이 멈춘 후에도 계속 성장하여 구개는 길어진다. 유아와 아동기 시기에 골의 부가성장은 구개 하부면 전체에서 일어나고 동시에 상부(nasal) 표면은 흡수(resorption)가 동반된다. 이런 골의 재형성(bone remodeling)과정은 구개를 하강시키고 비강을 넓게 만든다. 이런 비강 용적의 증가는 반드시 일어나야 전신적 몸의 성장에 필요한 호흡 요구량을 증가시킬 수 있다. 얼굴 성장에 있어 기초적인 구동(drive)은 적절한 구강용적이 있어야 한다. 이런 요구를 충족시키지 못한다면 호흡의 유지를 위해 필요한 공간용적은 구강으로 전환된다. 치조돌기의 부가 성장은 골성 구개를 더 깊고 더 넓게 하고 동시에 상악골의 폭과 높이에도 부가된다. 외측 치조돌기는 전후면 구개 고랑(furrow)을 형성하는데 도움을 주고 혀에 의해 오목한 지면을 형성하여 구개터널을 이룬다. 다양한 수의 횡적 구개 주름 (transverse palatal rugae)이 경구개를 덮는 점막으로 발달한다(Harris 등, 1990).이들 주름은 구개융합전인 56일경에 나타나 유아에서 가장 두드러진다. 구개주름의 안정성 때문에 두개골계측(cephalometry)과 교정치과에서 경계지표로 이용된다(Hoggan과 Sadowsky, 2001). 전방구개고랑은 1세경 뚜렷하고 젖 빠는것이 끝나는 3~4세에 구개궁으로 편평해진다. 따라서 엄지나 수지를 지속적으로 빠는것은 구개고랑을 아동기까지 지속시킬 수 있다.

구개기형은 위에서 언급한 발달과정의 장애로 인해 발생한다. 환경적인 요소나 유전적 소질로 인한 이런 중요한 발달과정의 잘못된 시기는 융합의 실패를 가져와 구개열을 만든다. 구개열은 원인적으로 다인적 요소가 있고 유전적으로 가족력과 연관이 있음에도 불구하고 하나의 유전자 자리(gene locus)가 구개열을 일으키는 근원으로 확인되지는 않는다(Hibbert와 Field, 1996). 출생후 구개열의 수술적 방법은 반흔 형성을 일으키고 이런 반흔은 성장을 저해한다. 그러나 자궁(utero)에서 구개열의 수술은 흉이 없는 치유를 가져와 미래의 치료로써 이용 될 수 있다(Christ, 1990; Weinzweig 등, 1999).

구개가의 수직에서부터 수평으로 거상의 연기(delay)는 구개가사이의 간격을 넓게 하여 융합을 못하게 한다. 수평으로 연기가 발생하면 구개의 개열을 가져온다. 구개열의 다른 원인은 구개가 융합의 결손, 상피 내측 가장자리세포파괴의 실패(medial edge epithelial cell death의 failure), 융합후 터짐 (postfusion rupture)(Kitamura, 1991), 중간엽의 경화 (mesenchymal consolidation)와 분화의 실패(Lavrin과 Hay, 2000) 등이다.

2. 해부

정상 구개는 골성 요소와 연조직이라는 두개의 주된 요소로 구성되어 있다. 구개의 골성 요소는 태생학적으로 일차구개와 이차구개에 기원을 둔 대칭적인 구조이다.

구개의 전반부는 골이 있는 경구개이고 후반부는 연조직으로 되어있는 연구개이다. 경구개 는 전악골, 상악골 및 구개골로 구성되어 있으며 치조돌기로 둘러 싸여 있다.

전악골은 절치부와, 절치공 앞쪽에 있는 경구개의 전반부 중앙부분인데 상악골과 붙어있다. 경구개의 아래 윗면에는 점막성 골막이 단단히 붙어있다.

1) 혈관분포

상악동맥의 두 개 종말분지의 하나인 하행구개동맥(descending palatine artery)이 경구개의 대두개공을 통해서 구강으로 나와 대구개동맥, 전구개동맥이 된다. 경구개는 주로 이 동맥을 통해서 혈액을 공급받는다. 대구개동맥은 경구개의 치조내측을 전방으로 주행하면서 윗몸, 구개선(palatine gland), 점액성 골막 등에 분지를 낸다. 최종분지는 절치공을 통해서 나오는 접구개동맥의 분지인 비구개동맥(nasopalatine artery)과 문합된다. 또한 구개는 소구개공(lesser palatine foramen)을 통해서 나오는 혈관으로부터도 혈액을 공급받는다.

Cheng Mingxin등(2000)은 연구개의 동맥공급을 해부학적, 조직학적 연구를 통해 조사한 결과 연구개의 동맥 공급은 다양하며 연구개의 주된 동맥은 상행 구개동맥(ascending palatine artery)이라고 하였다. 상행구개동맥의 전방,후방 분지가 근점막 천공지이다. 연구개에 혈액을 공급하는 또 다른 혈관은 소구개동맥, 상인두동맥의 구개분지, 편도 동맥을 포함하는 직접 점막 분지(direct mucosal branch)라고 하였다. 이런 동맥들은 연구개의 점막,근육, 근막층 아래에서 문합을 이룬다고 한다. 구개열의 경우 연구개에 있는 모든 동맥들은 구개근육과 구개골의 구조 때문에 모두 전외측(anterolaterally)으로 전위되어 있었다고 한다. 이들 연구는 연구개의 주된 혈관이 상행 구개동맥으로부터 오며 구개 아래에서 많은 혈관들이 문합되어있어 구개성형술 동안 적절한 박리를 통해 안전하게 수술 할 수 있다는 것을 의미한다. 익돌구주위를 조심스럽게 박리하여 구개사이 혈관의 손상을 줄이는 것이 창상 손상과 근육의 섬유화, 피판 괴사 등을 예방 할 수 있으며 또한 구개성형술식을 도안하는 기초와 술후 기능적 회복에 있어 매우 중요하다고 볼 수 있다.

2) 신경분포

익돌구개 신경절로부터 나온 신경이 하행하면서 몇 개의 후비신경을 분지하고 계속 하행하여 대구개공을 통해 구강으로 나오면 대구개신경, 전구개신경이 된다. 이 신경은 대구개동맥과 같은 주행경로를 따르면서 경구개의 점액성골막 전반에 걸쳐 넓게 분포하고 있으며, 더 나아가 절치공을 통해서 나오는 비구개신경의 영역에까지 이르고 이 두 신경이 전악골 부위를 지배한다.

그 외에 후구개신경과 익돌구개신경이 소구개공을 통해 연구개로 나와 연구개와 편도에 부착한다.

3) 근육

연구개는 구개건막(palatine aponeurosis)에 의해 구개골 후연에 단단히 붙어있다.

연구개는 삼킬 때 구강과 비강을 분리하는 밸브 역할을 하고, 말할 때 구개인두밸브(velopharyngeal valve)역할을 한다. 구개에 있는 근육은 좌우에 짝을 이루며, 말할 때 주로 사용되는 근육과 삼킬 때 주로 사용되는 근육으로 구분되며 두 가지 기능에 약간의 중복은 있다.

말할 때 가장 중요한 역할을 하는 연구개 근은 구개범거근이다. 그러나 상인두수축근과 구개인두근으로부터도 약간의 도움을 받고 있다.

삼킬때는 구개인두를 닫기 위해 구개범장근이 수축하며, 구개범거근도 조금 수축하며, 상인두수축근도 말할 때 보다는 더 수축한다.

구역질할때는 구개범거근과 상인두수축근 둘 다 강력히 수축하여 제 1경추(atlas)수준의 인두후벽에 파싸반트룽(Passavant's ridge)을 형성한다.

그 외에도 말할때와 삼킬때 필요한 근에는 구개설근과 구개수가 있다.

연구개에 있는 5개의 근중 구개범장근만 삼차신경의 지배를 받고 나머지는 미주신경의 지배를 받는다.

(1) **구개범거근**(levator veli palatini muscle)

실린더 모양의 근육으로 정상에서는 측두골의 추체부(petrous part)과 연골성 유스타키오관 내측벽에서 기시하여 하내전방으로 주행하여 연구개중앙부에서 구개건막에 부채꼴로 부착한다. 기능적으로 이 근은 말할때와 음식물 삼킬때 구개의 거상과 후위(velar elevation과 retrodisplacement)에 중요한 역할을 하고 있다. 이런 기능은 두개저(cranial base)로부터 연구개에 부채꼴모양으로 매달려 잇는 슬링같은 구조(sling like structure) 때문이다. 이 근의 축이 하향,전방,내측으로 주행함으로 구개를 상방, 후방, 외측으로 끌어 당겨 구개인두 폐쇄에 관여한다. 이 근은 유스타키오관을 여는데는 의미있는 기능을 하지는 않는다. 이 근에 분포하는 혈관과 신경은 측방에서 들어오므로 이 근을 내측에서 분리하고 다시 붙여주어서는 기능에 아무런 지장을 주지 않는다.

또한 논란거리지만 이근은 외측 인두벽의 움직임(lateral pharyngeal movement)에도 관여한다. Bosma는 구개 거상과 연관된 귀인두관 융기(torus tubarius)의 후내측 움직임은 구개범거근의 작용 때문이라고 하였다.

(2) 구개인두근(palatopharyngeus m.)

구개부, 익돌인두부 및 이관인두부의 세부분으로 구성되며 연구개의 후방, 구개건막 상면에서 기시하여 편도 후방으로 내려가 갑상선 연골에 부착되어 후구개궁을 형성한다. 구개범거근과 협동적으로 수축하여 연구개를 후방으로 당겨 구개인두폐쇄에 도움을 준다.

이근의 기능은 논란거리이지만, 이 근은 구개의 하방위치와 후방전위시키는 기능으로 볼수있다. Podvinec과 Bosma는 구개인두근은 구개가 거상할 때 구개범장근과 보충적으로 작용하는 것이라 하였으나 반대로 Dickson은 구개인두근이 구개범장근의 본질적인 길항근(antagonist)이기 때문에 구개범거근과 동시에 수축되지 않으므로 말할 때 활동적인 역할은 하지 않는다고 하였다.

전기근전도 검사상 구개인두근의 활성도(activity)는 말할 때 구개범거근의 활성도와 연계되어 나타난다. 이것은 이 근육의 실질적 부분이 구개 후방의 외측부위와 구개범거근의 하방에 부착되어 구개범거근과 독립적으로 구개에 주요한 역할을 하고 있다는 것을 의미한다.

인두신경총을 거쳐 들어오는 운동신경인 미주신경은 이 근의 내측에서 들어오므로 Ortocochea의 인두성형술때 이 근의 하부와 측부를 사용할수 있다.

(3) 구개범장근(tensor veli palatini muscle)

내측 익상판과 접형골의 각극(spina angularis), 연골성 유스타키오관의 외측 연골벽에서 기시하여 전하방으로 주행하여 익돌구를 감싸고 부채모양으로 펴져 수평으로 위치하며 구개건막으로 되어 구개골 후연과 반대편 구개건막에 붙는다. 이 근이 수축하면 연구개의 전방부가 팽팽하게 되고 거기에 혓바닥이 음식물을 눌러 음식물이 인두로 넘어가게 한다. 또한 이 근이 수축하면 이관이 확장된다.

(4) 구개설근(palatoglossus muscle)

연구개 후방에서 기시하여 구개설궁과 혀에 부착한다. 삼킬때 혀의 중간부를 끌어올려 비인두 협부를 좁아지게 한다.

(5) 구개수근(uvula muscle)

구개건막과 후비극에서 기시하여 목젖에 부착한다. 이 근이 수축하여 연구개길이를 단축시키고 연구개의 비강 측면이 불룩하게 되어 인두비강을 좁히는 작용을 한다.

(6) 상 인두수축근(superior pharyngeal constrictor m.)

접형골의 익상돌기와 익돌구에서 기시하여 인두 측방을 돌아 인두후벽에 부착한다. 수축하면 상부에서 인두 측벽이 내측으로 이동하여 구개인두 폐쇄에 도움이 된다.

이근의 전방 기시부는 약간의 논란거리가 되고 있다. 주된 논쟁점은 이 근이 구개에 부착되어 있는지의 유무이다. Passavant와 Dorrance는 내측 익상판과 익돌구에 단지 골성부착(bony attachment)만 되어 있다고 하였으나 Harrington,Dickson과 Whillis는 구개 그 자체로부터 부가된 기시부를 갖는다고 보고 하였다. 이 근의 구개 기시부는 인후벽의 움직임에 대한 역할을 분석하는데 중요하다. Wardill과 Harrington등은 이런 근 섬유들이 구개의 내측에 부착되어있어 상인두 수축근으로 하여금 외측 인두벽을 내측으로 효과적으로 끌어 당기게 할수 있게 한다. 다시말해 이 근섬유들이 좀 더 앞과 외측에 위치한 골성 익돌구에 기시한 섬유들보다 더 수축근처럼 작용할수 있게 한다는 것이다.

4) 구개열의 해부

완전 구개열이든 불완전 구개열이든 단순히 구개가 융합하지 못한 해부학적결손이 있다는 것 뿐만 아니라 연구개 안으로 둥근 띠를 이루는 양측 연구개 근들이 정중선에서 연결되지 못하고 비정상적인 곳에 붙기 때문에 발육이 부진하고 개열 양측에서 제각기 잡아당기기만 하여 제 기능을 다하지 못하고 개열이 더 넓어진다는 점이다.

이중 가장 중요한 해부학적 결함은 구개범거근의 주행방향과 부착이 잘못되어 있는 것으로, 정상에서는 구개범거근이 횡으로 주행하여 연구개의 정중봉선(median raphe)에 부착하는 데 반해 구개열에서는 구개범거근이 전방으로 주행하여 개열 가까이에 있는 구개열 후연과 골성 개열연에 부착되어 있고 구개인두근과 구개수근이 연구개를 그냥 지나쳐 직접 구개열 후연에 붙는다. 구개범장근은 정중선에 붙을곳이 없어서 제대로 발육하지 못해 개열연으로 갈수록 차츰 없어져 버리고 빈약한 구개건막은 구개범거근과 결합해서 구개열 후연에 붙어있다. 따라서 이와 같은 해부병리학적 요인이 교정되지 않는 경우 단순히 구개열을 봉합하였다고 하여 구개의 기능중의 하나인 비강인두폐쇄기능이 완전히 회복되지는 않는다.

3. 발생빈도

구순열이 남성이 더 많고 더 심한반면 구개열은 여성에서 더 많은 경향이다. 구개열만 있는 경우 백인에서는 1500-3000 : 1, 흑인에서는 2000-5000 : 1 정도이고 아시아인에서는 1600-4200 : 1 정도로 보고 되고 있다(Aylsworth: 1985). 또한 구순열 가족에는 구순열이 많고 구개열 가족에는 구개열 환자가 많다. Ross와 Johnston의 유전적 예상발생률을 보면 구순구개열의 발생위험율을 예상하여 카운셀링 하는 것은 예방의학적 견지에서 매우 중요하다. 구순구개열이 심할수록 구순구개열이 발생할 위험률이 높으며 부모가 모두 구순구개열이면 태어나는 아기에게 구순구개열이 발생할 위험률이 60%로 올라가므로 구순구개열을 가진 사람끼리는 결혼을 하지 말아야 한다. 또한 젊은 부모에서 보다 늙은 부모에서 그 위험률이 더 높다. 구개열만 있는 경우에 설소대 단축, 점막소와(mucosal pit), Pierre-Robin 증후군 등 다른 선천성 기형이나 정신발육 지연을 동반하고 있는 수가 더 흔하다. 최근 구개열의 발생빈도가 증가하는 경향이 보이는데 이는 점막하구개열의 발견도가 높아졌기 때문이라 추측된다.

4. 환경적 요인

다양한 동물 실험을 통해 구개열을 일으키는 가장 뚜렷한 제재는 글루코코티코이드(glucocorticoid), 알코올, 페니토인, 레티노이드, 리튬 등이다. 개열 부근에서는 비정상적인 미토콘드리아가 발견되는데 이들의 비정상적인 에너지가 개열의 원인으로 추측된다. 모친의 흡연이 또한 개열의 위험성을 증가시키고 있다. 인간을 대상으로 한 연구는 꽤 제한되어있지만 가까운 미래에 유전 엔지니어링과 생화학적 연구를 통해 구개열을 일으키는 환경적 요인을 밝힐 수 있을 것으로 기대된다.

5. 분류

여러 가지 분류방법이 있으나 형태보다는 발생학적인데 근거를 두고 분류한 Kernahan과 Stark의 분류법이 많이 이용되고 있다. 이 분류법은 절치공 또는 절치유두를 기준으로 하여 앞부분을 일차 구개(상구순, 윗입술중심(prolabium), 전악, 비중격 전방부)라 하고 이보다 뒷부분을 이차 구개(절치공 에서부터 목젖 까지)로 나누었다. 일차 구개의 개열을 일측성, 양측성, 정중선 일차구개로 구분하며 이것을 다시 갈라진 정도에 따라 완전, 불완전으로 구분한다. 또한 갈라진 정도에 따라 1/3, 2/3, 3/3으로 나누기도 한다. 이차 구개열을 정도에 따라 완전, 불완전, 점막하 이차구개로 구분한다. 이러한 분류법에 따르면 일차구개 및 이차구개의 좌측 완전개열이 가장 많고 그 다음으로 이차구개열의 정중 완전 개열이 많다. 최근 들어 구순 및 구개열의 위치와 정도를 보다 명확히 객관화하여 알아볼 수 있도록 한 Kernahan의 strippd Y 분류법이 많이 사용되고 있으며 최근 Y자 모양의 Kernahan 도식법에 비저와 비익을 나타내는 삼각형을 추가한 Millard 표식법이 소개되어 인정받고 있다.

점막하 구개열(submucous cleft palate)은 육안상으로 구개열을 관찰할 수 없으나 구개내 근육들의 주행이 구개열과 마찬가지로 잘못 부착된 경우이다. 즉 구개 점막들은 온전하나 그 내부 근육의 병변이 있어 유아기에 발견이 어렵고 우연히 발견되거나 목젖 이상으로 알게 된다. 진단이 늦어진 경우 수술시기를 놓치게 되어 발음교정이 어렵게 될 수도 있다. 특징적으로 경구개 후연의 절흔이 있으며 연구개 중앙에서 근육이 서로 결합하지 못함으로 인해 비강속으로 빛을 비출 경우 연구개 중앙에 빛이 투사되며(zona pellucida) 목젖이 갈라져 있으며 구개의 전후 면적이 감소되며 구개인두기능부전등이 흔하다.

6. 구개성형술이 상악에 미치는 영향

구개성형술의 시기와 상악에 미치는 영향은 아직 논란거리지만 2가지 고려해야할 사항이 있다. 첫째로 일차구개(구순, 치조)를 수술하는 방법이 구개열을 봉합하는 것만큼이나 치조골 붕괴(alveolar collapse)나 성장장애 같은 상악골의 성장에 위해요소가 될 수 있다. 둘째 구개열의 경우 서로 유사하지 않기 때문에 다양한 정도의 선천적인 상악 결손이 있다는 것이다.

몇 개의 연구들을 보면 동반된 구순 구개열 성형술을 한 경우 단지 구개성형술을 한 경우보다 더 심한 안면 성장장애를 보여주고 있다. 구개열만 가진 경우 중안면부에 저성장이 있을 수 있고 이는 구개성형술후 상악의 후퇴(retrusion)는 최소화되고 수술을 하지 않은 이차구개나 점막하 구개열 경우보다 상악골후퇴가 더 크지 않았다고 한다. 구순 구개열을 같이 동반한 경우와는 대조적으로 이차구개만 있는 경우 주로 선천적 악안면결손과 관계있고 부수적으로 구개열의 수술에 의한 성장장애와 관련이 있었다고 한다.

악안면 성장에는 전후, 수직, 수평으로 성장하는 3가지 유형이 있다. 이것은 중요한데, 수평(치조궁) 성장장애는 치과교정으로 교정 될 수 있고 전후나 수직 성장장애 만큼 미용적으로 안면을 변형시키지 않는다. 그러나 전후나 수직 성장장애는 턱교정술 같은 수술적 방법으로만 교정될 수 있다.

Gillies와 Fry(1921)는 경구개성형술을 한 환자에서 상악궁이 좁아지고 후방 전위된 것을 관찰하였다. 그래서 단지 연구개만 수술로 닫아주고 경구개는 보철(prosthesis)로 막았다. Walter와 Hale등이 이런 방법으로 장기추적 관찰한 결과 조화로운 치아궁을 이루었으며 Poupard등도 Gillies-Fry 프로토콜로 만족할만한 구개 교합을 이루었다고 보고하였다.

Rayer(1925)는 125명의 구개열 환자에서 경구개수술을 3-4세에 한 경우보다 2세에 한 경우 더 큰 치아궁의 붕괴(collapse)를 가져왔다고 보고 하였다. 그래서 Hagenmann(1941)은 이런 결과를 토대로 구개술을 2차 치아 맹출(eruption)후에 수술을 하는 것이 수평 치조 골붕괴 정도를 최소화 할 수 있다고 제안하였다.

그러나 Jolleys등(1954)은 2세에 수술한 경우와 3~5세 사이에 수술한 경우 상악골의 성장 장애면에서는 차이가 없었다고 하였다.

Robertson과 Jolleyse(1983)도 경구개를 일찍 닫아주는 경우와 늦게 닫아주는 경우의 안면성장의 차이는 거의 없다고 하였고 이는 옥스퍼드 구개열 연구(Oxford cleft palate study)와 연계하여 10개월에 수술한 경우와 48개월에 한 경우 치아궁폭과 안면성장의 통계적으로 유의한 차이는 없었다고 하였다. 그러나 구개 누공을 늦게 수술한 경우 통계적으로 유의한 증가한 것으로 나타났다.

Koberg와 Koblin은 2000여명의 환자를 대상으로 8세까지 수술한 경우 안면성장장애의 정도는 통계적 의미가 없다고 하였다. 1세전에 수술한 경우가 다른 나이에 한경우보다 상악의 성장장애가 더 크지 않다고 하였다. 흥미롭게도 구개성형술후 발생하는 중안면부 후퇴의 대부분은 상악골이 성장하는 시기의 2차시기인 8~15세에 발생하였다 .그래서 저자들은 경구개수술은 상악골의 성장에 영향을 주지 않으며 수술은 15세 후까지 늦게 할 수 있다고 하였다.

Koberg와 Koblin은 1033명에서 구개성형술 방법과 상악성장관계를 비교하였다. 그들은 Veau pushback 방법이 가장 큰 성장장애를 보였으며 그다음은 von Langenbeck relaxing incision방법이 성장장애를 보였다. 가장 적은 안면 후퇴는 연구개는 1~2세에, 경구개는 12세 이후에 하는 2단계 구개성형술에서 나타났다. 그러나 Aduss와 Bishara등은 V-Y pushback 사용했을 때에도 안면 성장에 큰 차이가 없었다고 하였다.

V-Y pushback의 이론적 이점은 구개길이를 연장하여 좀더 나은 발음을 하는 것이나 입증되지 못하였다. 이 수술은 중안면부 후퇴, 구개궁 붕괴, 구개누공의 위험성 때문에 일반적으로 잘 사용되지는 않는다. 또한 좀더 중요하게 언어적인 면에서도 이점이 없다. pushback의 이점은 실제 길이연장보다는 비정상적으로 부착된 구개범거근 과 구개인두근을 거상하여 올림근 걸이(levator sling)를 만들어 준다는 것이다. Braithwaite와 Maurice는 길이 연장위해 경구개를 뒤로 밀지(pushback) 않고 연구개근을 박리하여 후방으로 위치하게 하여 근육걸이(muscle sling)을 만들어주어 pushback의 앞쪽 반흔에 의한 성장장애 없이 좋은 구개기능과 발음발달을 보여주었다.

구개성형술시기가 안면성장 장애의 주된 방해요인인거 같지는 않다. 대신에 수술 그자체가 변형을 일으키는 원인이 될 수 있다. 구개열 환자에서 가장 심각한 변형은 상악골이 가장 빨리 성장하는 시기인 8~12세에 구개성형술을 하였을 경우 잘 생긴다.

7. 일반적인 치료

구개열은 구순열과는 달리 미용적인 측면보다는 기능적인 측면에서 많은 문제점을 야기한다. 생길 수 있는 문제점으로는 구개인두부전으로 인한 비음 및 비정상적인 언어구사, 구강내 음압을 형성하지 못함으로 인해 생기는 수유장애, 빈번한 상기도 감염이나 폐렴, 중이 질환, 상악골의 성장저하 등이 올수 있다.

1) 수유

젖을 빨아먹을수 있는 능력은 있으나 개열로 인해 구강내 음압을 만들 수 없어 실제 젖을 빨아 먹을 수가 없다. 젖을 빨아 먹을려고 노력하다가 지쳐서 자게 되나 2시간쯤 지나면 배가 고파 깬다. 따라서 체중이 줄며 자라지 못한다. 그러므로 모유를 입안에 방울방울 떨어뜨려 주던지, 우유를 주사기나 플라스틱 우유병에 담아 손가락으로 눌러 입안에 떨어뜨려 주어야 한다. 아이는 30분정도 시간안에 우유를 다 먹어야 한다. 더 길어지면 아이는 너무 힘들어 먹을 수 없다. 이때 아기를 45도로 일어 앉혀놓고 중력을 이용해 젖을 먹여야 코로 흘러 들어가지 않는다. 젖을 먹이고 나서 자주 등을 톡톡 쳐서 트림을 시켜 삼킨 과다한 공기가 배출되도록 한다.

2) 기도유지

Pierre Robin 증후군 같은 기형이 동반된 경우 혀가 뒤로 처져 기도가 폐쇄될 수 있다. 경미한 경우에는 엎어놓는 것으로 충분하나 심하면 24시간 내내 엎드린 위치(around-the clock), 위관영양급식(gavage feeding), 무호흡감시(apnea monitoring)를 하며 일부에서는 일시적인 기관내 삽관이나 혀 입술유착(tongue-lip adhesion)이 필요할 수도 있다. 이런 증후군에서는 적절한 기도유지가 확보될 때까지 구개 성형술을 몇 달간 연기될수 있다. 심한 경우 Douglas 수술을 해 준다.

3) 이비인후과적 치료

대부분의 구개열 환자들은 유스타키오관에 붙어있는 구개범장근의 기능 장애로 인해 이관이 기능을 못해 중이에 액체가 고여 있고 거기에 감염이 된다. 이런 아기들이 자라면 45% 정도에서 30-40 db에서 영구적 청력 상실을 갖게 된다. 따라서 구개성형술시 이관의 기능을 회복시키는 것이 중요하며 검사해서 중이에 액체가 고여 있으면 고막을 통해 환기튜브(ventilating tube)를 꽂아 배액해 주어 감염을 예방해 준다.

8. 구개성형술(palatoplasty)

1) 구개성형술의 목표

구개열이 있으면 언어장애, 음식 섭취의 어려움, 구개범장근의 기능장애로 인해 이관의 개폐기능부전으로 중이의 액체 고임, 부정교합등 여러 문제가 생길 수 있다. 따라서 구개성형술은 갈라진 경구개와 연구개를 막아주며 동적인(dynamic) 연구개를 만들어 주어 후인두와 외측 인두벽이 서로 구분되어 충분한 구개인두폐쇄를 하여 정상적 발음을 하는 데 그 목표가 있다(Broomhead, 1957; Maher, 1977). 그 외에도 음식물을 정상적으로 섭취할 수 있고 중이염 및 난청을 일으킬 수 있는 기능을 개선시키고 정상적인 교합을 만들어 주는 데 있다.

(1) 구개인두밸브(velopharyngeal valve)의 형성

언어를 분명하게 할려면 연구개는 인두벽에 닿기 위해 후상방으로 올라가고, 인두의 후벽과 측벽은 올라온 연구에 닿으려고 수축함으로써 비인두와 구인두(oropharynx) 사이의 공간이 좁아지게 됨으로써 가능하다. 따라서 발음이 정확할려면 비인두괄약(nasopharyngeal sphincter)을 합리적으로 만들어 주어 비인두와 구인두를 분리해 주어야한다. 비인두괄약을 조성해 주는 방법에는 구개범거근이 괄약기능을 할수있도록 양편 구개범거근을 횡위로 옮겨 연결하여 올림근 걸이(levator muscle sling)을 만드는 방법, 구개 연조직을 후방으로 밀어(push back)구개 길이를 연장하는 방법, 인두 피판술을 하는 방법등이 있다.

(2) 중이염의 예방

대부분의 구개열환아는 구개범장근이 기능을 못해 유스타키오관이 제대로 개폐기능을 못해 중이에 환기가 잘 되지 않는다. 그래서 중이에 있던 공기중 산소,질소,이산화 탄소가 흡수되어 고막 양편에 기압차이가 생기고 이로 인해 고막이 중이로 밀려들어가 이소골(ear ossicle)들이 유착되거나 진주종(cholesteatome)이 생기거나, 중이에 장액성 이염(serou otitis)이 생기게 된다. 치료는 고막에 플라스틱관을 꽂아 중이의 환기가 되게 해준다.

(3) 청력유지

구개열을 조기에 닫아줌으로써 비강과 구강이 분리되어 각각 제 기능을 정상적으로 할 수 있고 음식물이 비강으로 흘러 들어가는 것을 막아 비강과 부비동에 염증이 생기는 것을 예방하며 유스타키오관과 중이가 건조와 한냉으로부터 보호되어 청력이 보존될 수 있다.

(4) 얼굴성장의 보존

경구개열의 간격이 넓어서 구개성형술시 점막성 골막을 광범위하게 일으키게 되면 경구개에 수술 반흔이 많이 생기게 되어 상악골의 성장에 지장을 초래 할 수 잇다. 따라서 구개성형술시 가능하면 꼭 필요한 정도만 점막성 골막판을 조심스럽게 일으켜야 한다.

2) 수술시기

정상적인 언어를 구사하기 위해서는 수술시기가 중요하다. 가능하면 수술을 빨리 받을수록 발음이 좋다. 언어는 습관이므로 구개열을 가진 상태에서 언어를 배우면 언어에 결함이 생기고 이는 차후에 구개성형술을 받더라도 잘못된 언어 습관을 고치기는 매우 어려워 언어를 배우기 전에 연구개열을 수술로 닫아 주는 것이 언어를 배운 후에 닫는 것 보다 언어가 더 좋다. 따라서 정상적으로 발육하고 있는 구개열환아는 늦어도 생후 18개월 때까지는 구개성형술을 받아야 한다.

이상적인 구개성형술은 음소(phonemic) 발달이나 구음연령(articulation age)을 기초로 하여 적절한 수술시기 결정을 해야 한다. 구개성혈술을 받지 못한 아이나 음소 발달연령에 도달했으나 부적절하게 닫힌 구개열 환아는 보상 발음(compensatory articulation)을 하기 쉽다. 이런 부적합한 언어유형은 명확한 발음(intelligibility)을 방해하고 일단 형성된 부적절한 발음을 없애기 어렵게 한다(Blijdrop과 Muller, 1984; Herman, 1995; Riski, 1996; Rohrich 등, 1996).

Kaplan(1981)과 Randall(1983) 등은 구개열 수술시기를 3~6개월에 하는 것이 이상적이라고 하였다. 그의 이론적 배경은 부적절한 언어발달을 피하기 위해 구개와 관련된 소리를 처음 배울 때인 생후 6~9개월 사이에 구개인두폐쇄를 필요로 하는 음소를 사용하므로 구개는 기능적이 된다는 것에 근거를 두고 있다. 술후 부종 때문에 술후 3~6개월간 봉합된 구개는 움직임이 제한되므로 그는 3~6개월에 구개성형술을 함으로써 구개는 9~12개월에 정상적인 기능을 한다고 하였다. 그러나 이렇게 일찍 점막성 골막판을 일으켜 구개열을 닫아주면 수술반흔 때문에 상악골이 제대로 성장할 수 없다(Searls와 Biggs, 1974)

Dorf와 Curtin(1982)은 12개월 이전에 구개성형술을 받은 21명의 환아와 12개월 이후 시행받은 59명의 환아의 보상발음의 유무를 비교하였다. 그들에 따르면 12개월 이후 구개성형술을 시행한 그룹에선 86%인 반면 조기 봉합한 그룹에선 10%만이 보상발음을 하였다. 그후 환아의 수를 더 늘려 장기 추적조사를 하여 1990년에 발표하기를 조기에 시행받은 그룹과 12개월 이후에 받은 그룹사이의 발음의 차이는 더 크다고 보고하였다. Henningsson과 Isberg 또한 유사한 관찰을 하였다. 그러나 Peterson-Falzone(1990, 1995)과 Dalston(1992)은 보상발음에 있어 12개월 이전에 받은 그룹과 12개월에서 24개월 사이에 시행 받은 그룹에서 통계학적인 차이가 없었다고 보고하였다. 이런 두개의 연구를 보면 2세 이전에 구개성형술을 받는다면 보상적 발음이나 부적합한 언어유형이 적은 것으로 보고 있다. Riski(1996)와 DeLong(1984)은 일찍 언어발달을 하는 아이는 구개열 봉합 이전에 자음(consonants)을 사용하기 때문에 부적절한 구음(misarticulation)을 하기 쉽다고 믿는다. 대부분의 아이에 있어 9~12개월에 구개성형술을 하는 것이 비가역적인 병리적 보상 발음유형발달과 상악의 성장제한과 수술위험성을 최소화 할 수 있다(Dorf와 Curtin, 1990; Devlin, 1990).

Schweckendiek(1944)은 2단계로 나누어 연구개를 먼저 일찍 닫고 나서 경구개는 정상적인 상악골의 성장을 유도하기위해 그냥 두고 비구강의 누공은 경구개를 15세에 닫을 때까지 보철로 막아둔다는 것이다. 그러나 Schroder(1966)에 따르면 이런 술식을 한 대부분 환자에서 인두피판술이 필요하였고 늦게 경구개를 닫아주는 것이 상악골의 성장장애를 예방하지 못하였다고 하였다.

Oritiz-Monasterio 등은 구개성형술을 받지 않은 환아에서 언어는 만족스럽지 못해도 상악골과 다른 안면골은 비교적 정상적이라고 보고하였다. 따라서 이에 절충안으로 경구개와 연구개를 동시에 일찍 닫아줄 것이 아니라 두 차례로 나누어 연구개만 9~10개월에 닫아 언어에 연구개를 사용하게 해주고 경구개는 3~5세가 될 때까지 기다린 후 닫아주어 수술반흔으로 상악골 성장에 지장이 적도록 해주는 것이 옳다고 한 학자들(Schweckendiek, 1978 ; Perko, 1979 ; Dingman과 Argenta, 1966)도 있으나 상악골 성장은 일찍 닫았을 때보다 좋으나 연구개는 짧고 팽팽하여 잘 못 움직여 구개인두기능부전의 발생 빈도와 정도가 더 심하고 언어도 좋지 않다(Fara, 1969; Bardach 등, 1984; Campbell, 1989).

Rohrich등(1984)은 언어의 명확한 발음, 구음(speech intelligibility, articulation)은 늦게 수술한 그룹에서 감소하였고 장기 추적 결과 정상적 언어 발달이 감소하였다고 하였다.

Henningsson 등(1984)은 조기 수술한 그룹에서 더 나은 명확한 발음과 적은 구음장애를 보여주었다.

비슷한 시기에 Witzel등은 늦게 봉합한 그룹에서 악안면성장의 이점을 얻었으나 심한 언어발달장애를 얻었고 비구강의 누공이 지속적인 구음결손을 가져온다고 하였다. Bzoch는 구개 전색자(obturator)가 언어발달을 저해한다고 하였고 Noordhoff 등도 같은 결과를 얻었다.

Rohrich(1996) 경구개 수술시기를 조기에 한 그룹(평균 10.8개월)과 늦게 한 그룹(48.6개월)을 장기 추적 조사한 결과 늦게 수술한 경우 특히 구음, 비 공명음(nasal resonance), 치환(substitution)에서 결손이 나타났고 또한 구개누공의 빈도가 높게 나타났다. 두 그룹사이에 청력이나 상악 안면 성장의 유의한 차이는 없었다.

현재, 한번에 구개성형술(one-stage palatoplasty) 을 시행한는 것이 전세계적으로 보통 많이 시행되고 있다.

3) 고려사항(option)

구개성형술시행전에 전위된 개열 상악분절을 재위치시키는 데는 술전 아무런 교정치료를 하지 않는 것(no active segment repositioning), 보존적인 술전 교정치료(lip taping과 passive palatal plate), 라쌈(Latham appliance)을 사용하는 방법이 있다. Millard(1980)에 따르면 수십년간 라쌈이나 다른 비침습적인 술전 교정치료를 사용하였으나 미용적인 코 나 입술, 구개궁 배열, 또는 교합에서 확실한 이점을 보여주지 못하였다고 하였다. Berkowitz(1996)는 양측 구순구개열에서 보존적 술전 교정치료와 Millard-Latham(M-L) 방법을 사용한 경우를 비교하였다. 양쪽그룹에서 구개열은 18~30개월에 시행하였다. 보존적 치료를 하는 그룹은 2차 치조골 이식을 6~9세 사이에 하였고 M-L 그룹의 90%에서 치조열을 가로지르는 골성 연결구조(bony bridge) 와 외측 절치간격의 부분적 또는 완전한 폐쇄를 보여주었다. 10~12세경에 보존적 그룹에서는 단지 6%만이 상악 후퇴를 나타내는 전방 교차교합(anterior crossbite)을 보여준 반면 M-L 방법을 사용한 그룹 전체에서는 9세경에 상악골 저형성을 나타내는 상악후퇴를 보여주었다. 그 결과 Berkowitz(1996)은 Latham을 사용하는 것은 상악의 성장을 제한하므로 대부분의 환아에게 10대에 턱교정(orthognathic) 수술이 필요하다고 하였다.

6개월 이전에 조기 구개성형술을 할 경우 3가지 고려할 사항이 있다(Bardach과 Salyer, 1991; Hedrich 등, 1996) 첫째, 상악이나 중안면부 성장의 장애 가능성, 둘째로 수술시 수혈이 필요하고 호흡 합병증의 가능성이 크며 셋째로 9개월 전에 수술을 한 경우 언어,기도, 치과적인 측면에서 장기적인 이점이 없다는 것이다.

4) 청력

구개열가진 환아는 이관의 기능부전으로 인해 중이질환이 잘 생긴다. Bluestone(1978)은 구개열 가진 환아에서 청력 상실은 0~90%로 평균 50%에서 나타났다고 보고하였다. Paradise는 구개열 환아에서 중이염은 거의 일반적이고 구개성형술을 일찍 한다면 청력상실의 빈도를 줄일 수 있다고 하였다.

Chaudhuri와 Bowen-Jones에 따르면 1세전에 구개성형술을 한 경우 10%에서, 1세이후 한 경우 60%에서 청력상실이 있었다고 보고하였다.

Yules는 구개열의 약 50%가 약간의 청력상실로 고생하고 94%가 조기 장액성 중이염으로부터 생기는 질환을 가지고 있다고 하였다.

Watson 등(1986)은 장기 추적 결과 늦게 경구개술을 시행하는 것이 중이염의 빈도와 환기튜브시술의 수가 더 많아 늦게 수술한 경우 성인이 된 후라도 계속적으로 청력과 중이의 상태를 자주 검사하는 것이 좋다고 하였다.

따라서 구개열의 수술할 때에 환기 튜브를 예방적으로 삽입하는 것이 반복적인 중이염이나 후의 청력상실의 가능성을 줄일 수 있고 또한 좀더 나은 발음과 언어 발달을 할수 있게 한다.

5) 수술방법

구개성형술은 구개인두기능을 회복시킴으로써 만족스런 언어를 유지하는데 있다. 이를 위해 입천정의 길이를 연장해

주고 연구개근을 재배치해주는 것이다. 상악과 얼굴의 성장 발달에 최소한의 지장을 주면서 만족스런 언어를 유지하기 위해 고려해야 할 점은 연구개길이를 연장 해주고, 운동성 있게 하며 연구개가 인두 후벽에 닿도록 연구개 배면을 볼록하게 만들어 주는 것이다(Pigott, 1987). 보통 시행하는 구개성형술은 von langenbeck 법, double reversing Z-plasty, pushback palatoplasty, 연구개내근 성형술(intravelar veloplasty)이다. Grabb(1971)에 따르면 구개성형술후 언어가 만족스럽게 되는 비율은 70~80%라고 한다.

(1) 구개2중대위Z성형술(double reversing Z-plasty)

Furlow(1986)에 의해 고안된 방법으로 연구개의 구강점막과 비강점막에 서로 다른 방향의 두개의 Z-plasty를 작도한다. 구개범거근은 후방에 기저를 둔 구강측 점막성 피판에 포함시키고 반대편의 구개범거근은 후방에 기저를 둔 비강측 점막성 피판에 포함시킨다. 경구개열은 서골피판을 이용해 두층으로 봉합한다. 구개가가 상부로 전위되어 있으므로 경구개의 개열가장자리의 구강점막으로부터 작은 점막성 골막판을 거상하여 경구개를 두 층으로 닫아줄수 있다. 이 수술방법의 장점은 연구개 조직을 이용해서 연구개길이를 연장 시킬수 있으며, 경구개에서 점막성 골막판을 넓게 거상할 필요가 없어 경구개에 반흔이 적게 생겨 상악골 성장에 지장을 주지 않으며, 비정상적으로 주행하고 있는 구개범개근을 떼어내 양쪽을 두겹으로 접촉함으로써 구개범거근 걸이(sling)가 형성되며, 연구개 정중선에 수직으로 된 수술반흔이 남지 않으므로 반흔구축으로 인해 연구개가 짧아질 가능성이 적으며, 일차 인두판수술을 필요할 때 같이 할 수 있다.

또한, Chen등은 이 술식은 구개인두 포트(velopharyngeal port)의 외측면을 줄일 수 있다고 하였다.

Furlow가 언급했듯이 환자의 왼쪽편에 후방에 기저를 둔 구강 근점막 피판을 두므로 오른손잡이 외과의사에게 쉽게 할 수 있다. 전방에 기저를 둔 구강측 점막판의 Z-성형술의 각도는 60도로 하지 않고 개열연과 80도 이상의 각도로 절개선을 도안해야 반대편의 구개범거근이 경구개의 후연에 부착되려는 경향을 줄이고 범거근을 좀더 횡적인 위치로 전위 시킬수 있다. Furlow와는 달리 저자들에 따라 외측 이완절개선을 이용해 피판봉합에 지나친 긴장을 줄이기도 한다.

① 좌측 개열연에 잇는 경구개와 연구개의 경계점에서부터 익돌구쪽으로 가면서 구강측 점막에 절개를 가하고 우측 목젖가까이에 있는 개열연 에서부터 80도 각도로 익돌구쪽으로 구강측 점막에 절개선을 도안한다. ② 좌측 경구개의 구강측에서 점막성골막판을 거상한후 경구개의 비강측에서도 점막성골막판을 일으킨다. 좌측 구개범거근이 구개열 후연에 붙어있는 부분을 조심스럽게 박리하여 후방으로 가면서 구개범거근과 비강측 점막 사이를 박리하고 구개범거근의 외측에 있는 상인두수축근의 근막으로부터 박리하여 후방에 기저를 둔 구강측 점막성근판을 작성하고 전방에 기저를 둔 비강측 점막판을 만든다. 우측 연구개에서 구강측 점막판을 구개범거근으로부터 거상하고 우측 경구개에서 점막성 골막판을 일으킨다. 이때 점막성 골막판을 개열연서부터 멀리까지 박리하지 않는 것이 좋다. 우측 연구개에서 후방에 기저를 둔 비강측 점막성근판을 작성한다. ③ 경구개에서 점막성 골판막을 측방에서부터 일으키고 대구개공 으로부터 나오는 대구개혈관 주위도 조금 박리하여 점막성골막판의 긴장이 느슨해지도록 해준다. ④ 좌측 비강측 점막판을 우측으로 전위하고 우측 점막성근판을 좌측으로 전위해서 결찰이 비강쪽으로 가게 봉합한다. ⑤ 좌측 점막성근판을 우측으로 전위하고 우측 구강측 점막판을 좌측으로 전위해서 봉합한다. 이렇게 작성한 양 점막성 근판의 길이가 짧아 봉합할 때 긴장이 있으면 연구개와 경구개의 외방에 이완절개를 가한다. 연구개에서는 연구개근의 외측에 있는 공간(Ernst's space)에 절개를 가해 연구개조직이 느슨해지도록 한다. 이때 필요하면 익돌구를 내측으로 골절시키기도 한다. 그러나 학자에 따르면 익돌구를 골절시키면 유스타키오관의 기능을 해치게 되고(Kriens, 1970) 골절시켜주어도 결국 수술전 위치로 돌아가므로 골절시킬 필요가 없다고 하였다(Thomson과 Harwood-nash, 1972). 이렇게 2개의 Z성형술을 하고난 후 양편 점막성 근판의 끝에 한개씩 석상봉합(mattress suture)을 해서 두 근판이 잘 접촉되도록 한다. 경구개에도 개열이 있는 경우 서골에서 점막성골막판을 일으켜 경구개의 비강측 점막성 골막판에 석상봉합해서 비강측을 닫아주고 구강측은 양편 점막성 골막판을 내측으로 전진시켜 닫아준다.

비록 구강과 비강의 근점막 피판이 후방으로 전위되면서 구개범거근과 구개인두근이 횡적방향으로 재배열된다고 하더라도 현재의 해부학적 연구를 보면 구개범거근의 섬유들은 가운데를 가로질러(midline cross) 중첩되지 않을뿐더러 구개인두근은 가운데에 도달조차하지 않음으로 횡적으로 재배열된 구개범거근과 구개인두근들의 중첩(overlap)되는 것은 사실 형태적으로 비정상적이다. 근중첩은 구개의 두께의 증가를 가져와 구개의 비강측과 후방 인두벽과의 거리를 감소시킨다. 근 중첩이 대칭적으로 시행되지 않는다면 술후 비대칭적인 구개움직임이 일어날 수 있다.

또한 폭이 넓은 구개열의 경우 봉합선의 긴장으로 구개누공을 증가 시킬수 있고 근들의 tenting이나 bowstring 효과를 가져와 올림근걸이와 구개인두근의 긴장과 tenting으로 구개가 후방으로 뻗을수 없어 구개인두기능이 저해될 수 있다. 이런 요인들로 인해 일부저자들은 이 술식을 좁거나 점막하 구개열에 적합하게 사용된다.

Chen등과 Hudson등은 이차 구개인두부전의 교정을 위해 이 술식을 사용하여 좋은 결과를 얻었다고 하였다.

이 술식은 인두피판이나 조임근 인두성형술(sphincter pharyngoplasty)과는 대조적으로 구개내근 성형술과 함께 비인두폐쇄(nasopharyngeal obstruction)을 일으키지 않는다고 한다.

장기 추적결과 구개열을 von Langenbeck 구개성형술로 수술해 주든 Furlow의 구개2중대위Z성형술을 하든지 언어에는 별 차이가 없었다고 한다(그림 13-1, 2).

(2) 연구개내근성형술(intravelar veloplasty)

Kriens(1975)는 비정상적으로 구개후연에 부착된 구개범거근을 박리하여 횡적인 방향으로 이 근을 재배열할 것을 강조하였다. Kriens은 이 근들을 end to end로 봉합하였으나 이 근들은 충분히 길이가 길어 중첩 할 수 있어 올림근걸이에 긴장을 유지 할 수 있다. 수술방법을 보면, 개열연에 있는 구강측 점막과 비강측 점막의 접합선을 따라 목젖까지 절개하여 구개범개근을 비롯한 연구개의 근들로부터 비강측 점막판과 구강측 점막판을 각각 조심스럽게 일으킨다. 경구개 후연에 비정상적으로 부착된 구개범개근을 분리한 후 내후방으로 회전하여 정중선에서 봉합하여 아취모양을 이루게 한다. 이때 구개인두근의 내측면도 아취에 포함시켜 인두 측벽의 기능에 도움

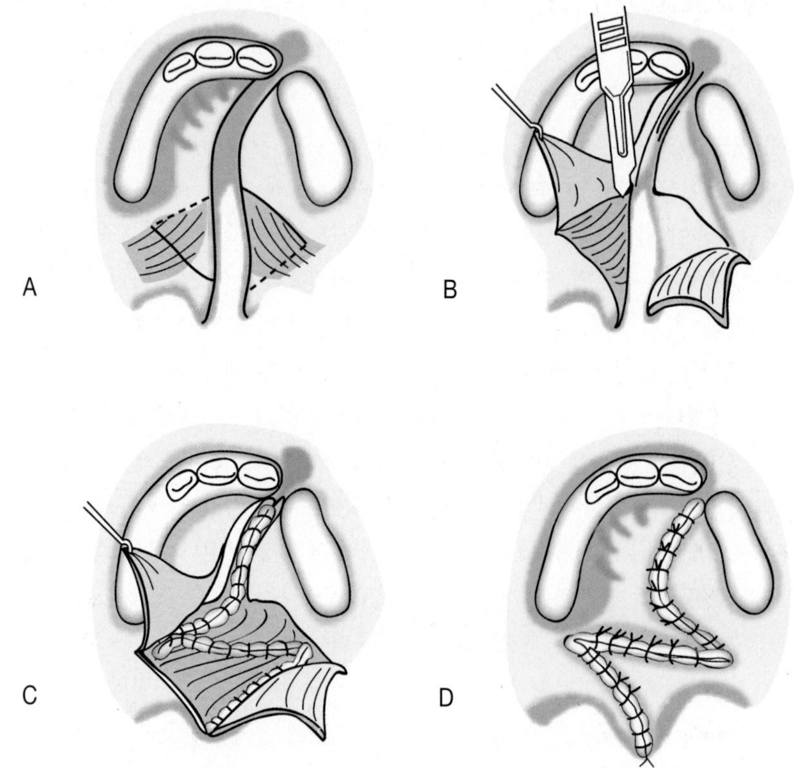

그림 13-1. (A) 절개선의 도안. (B) 피판 거상. (C) 비강측에 서로 반대되는 Z-성형술을 이용해 연구개의 봉합. (D) 연구개와 경구개의 구강측 봉합

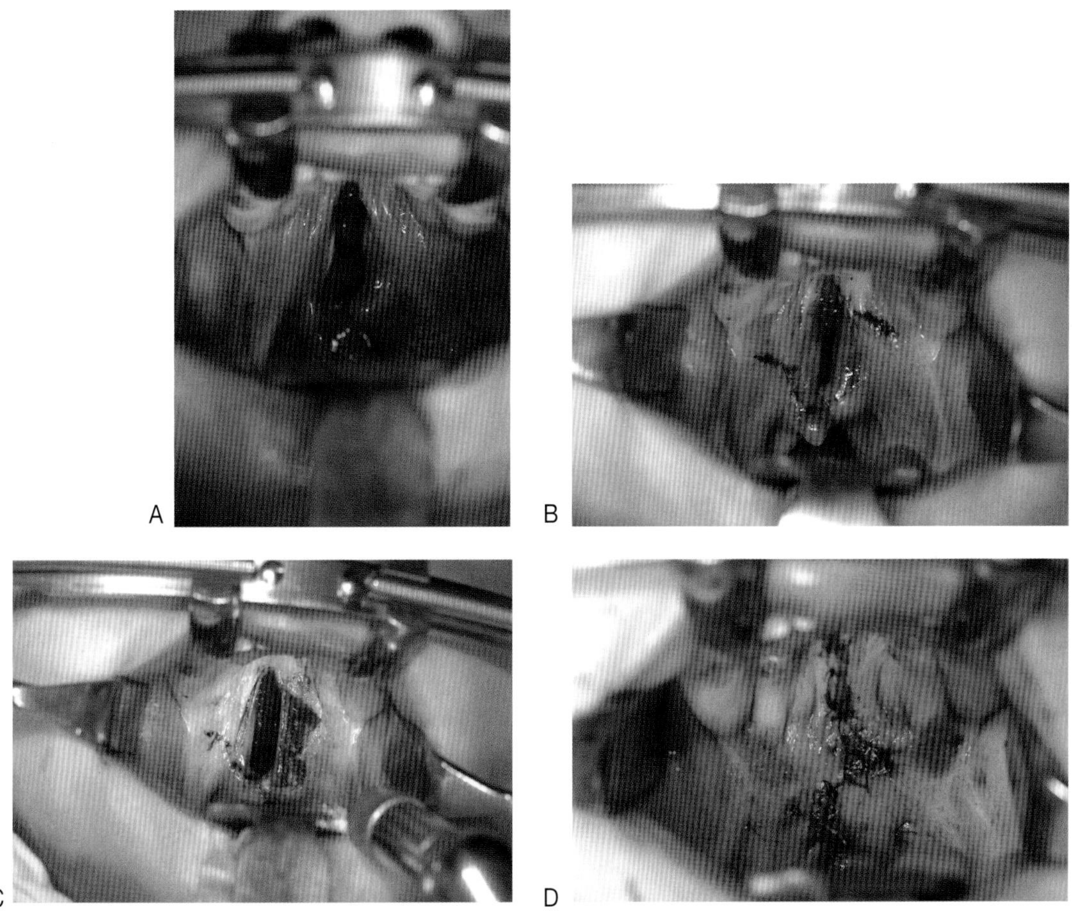

그림 13-2. (A) 술전, (B) 디자인, (C) 피판 거상, (D) 구개2중대위Z성형술 봉합

이 되게 한다. 갈라진 목젖근도 봉합하여 연구개의 배면 중앙부가 볼록하게 해주어 이 부위가 인두 후벽에 닿기 쉽게 하여 연구개 운동과 인두 측벽 운동이 좋아져 언어가 좋아진다는 것이다(Kriens, 1969 ; Javis와 Trier, 1988). 연구개의 비강측 점막을 Z성형술등 여러 가지 방법으로 길게 해주고, 구강측 양쪽의 점막을 그냥 정중선으로 모아서 봉합하든지 pushback 법으로 닫아 준다. 그러나 Furlow(1986)나 Marsh(1989) 등에 의하면 실제로 구개범거근을 비강과 구강의 점막으로부터 박리하여 아취모양으로 만들어 주게 되면 이로 인해 반흔이 많이 생기며, 또한 연구개에 있는 근들은 선천적으로 형성부전이 되어 있어 기대한 것만큼의 구개인두기능이 좋아지지 않는다고 하였다. Edgerton(1990)은 구개범거근을 아취형상으로 만들어 주어 청력장애와 비성이 호전되는 점이 구개범거근의 결함이 교정되는 것으로써 나타나는 것인지는 명확하지는 않다고 하였다.

현재 이 술식이 구개열의 치료에 있어 논란거리중의 하나는 연구개내근 성형술이 발음면에서 이점이 있는지의 유무이다. 이 술식은 구개열 환자에서는 개열연을 따라 횡측으로 부착되는 대신 전후방으로 비정상적으로 부착된 구개근들을 박리하여 후방으로 위치하게 하여 횡적인 배열을 갖음 으로써 정상적인 해부학적 구조를 갖게 되고 그럼으로써 구개기능을 향상시키는 것이다. 그러나 Marsh 등은 근 성형술 없이 구개열을 봉합한 경우와 비교해 보았을 때 월등한 발음 향상은 없었다고 하였다. 최근의 연구결과들을 보아도 발음에 있어 두 그룹 사이에 통계적으로 차이는 없다고 한다. 연구개내근 성형술의 기초는 첫째, 이 술식은 올림근걸이 기전을 재형성시킴으로써 이론적으로 구개거상과 후방위치를 개선시킨다는 것이다. 둘째로 구개인두근의 섬유들이 구개범거근과 연관되어있어 구개성형술시 구개인두근의 해부학적 구조가 복원되어 구개를 좀더 적당한 위치나 크기, 모양을 만들어 적합한 구개인두폐쇄에 필요한 접촉을 만들어 줄 수 있다는 것이다. 또한 재건된 구개인두근은 상인두수축근과 함께 형성된 수축기전의 기능을 회복시켜 인두벽 움직임의 기전에 유용한 효과를 가지게 한다. 따라서 이론적으로 구개내근성형술은 인두벽 기능을 개선시킨다. 이런 개선된 구개와 인두기능은 구개인두기능부전의 교정에 효과적으로 사용될수 있다. 최근에 Sommerlad등은 구개인두부전에 구개내근 성형술을 사용하여 만족할만한 결과를 얻었다고 하였다(그림 13-3).

(3) von Langenbeck 구개성형술

von Langenbeck(1861)수술은 경구개로부터 큰 점막성 골막판을 거상하여 구개범거근을 개열후연에서 박리하고 외측에 긴 이완절개선을 사용하여 연구개와 경구개 개열연에 봉합해주는 방법이다. 이것은 구개길이를 연장시키지는 않는다.

수술방법을 보면 ① 외측 절개선은 익돌구 후방에서 시작하여 익상악 봉합선을 따라 전진하여 상악결절의 약간 내측까지 연장하고 치조돌기의 내방을 따라 견치부근까지 도달한다. 내측절개선은 개열연에 있는 비강측 점막과 구강측 점막 접합선(백선, white line)을 따라 목젖끝까지 이른다. 연구개의 익상악 봉선 부위에서 익돌구를 노출한 후 구개범장근을 뒤로 제키고 익돌구를 지혈겸자로 골절시킨다. 내측절개선을 통해 비강측 점막서골막판을 골막기자로 일으킨후 양편 것을 긴장

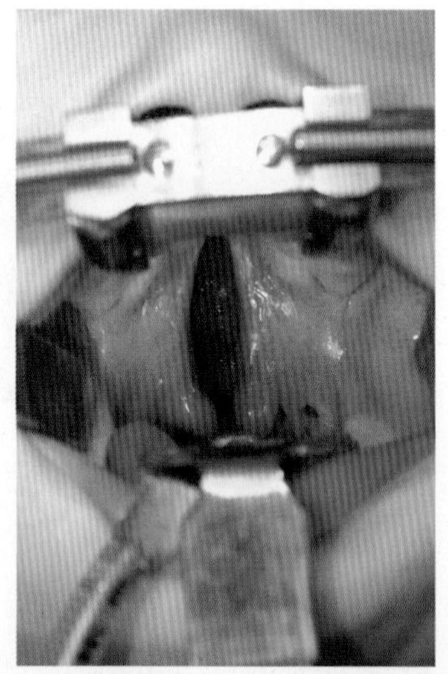
A

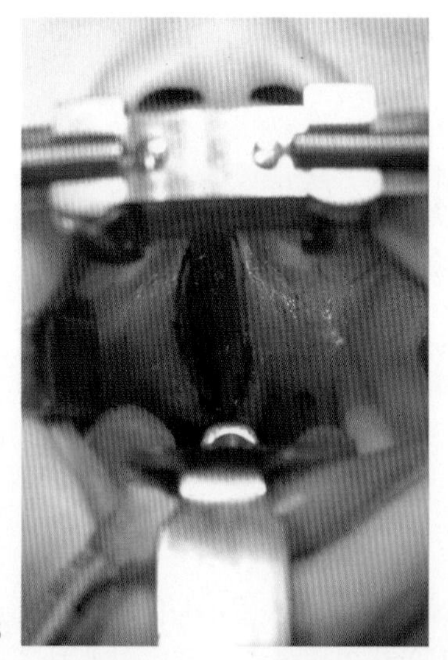
B

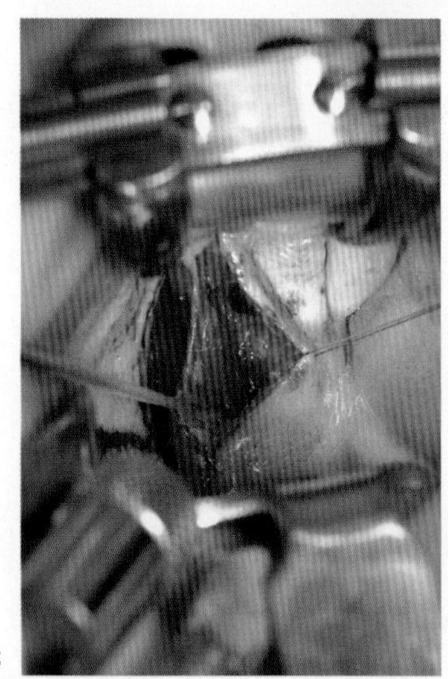
C

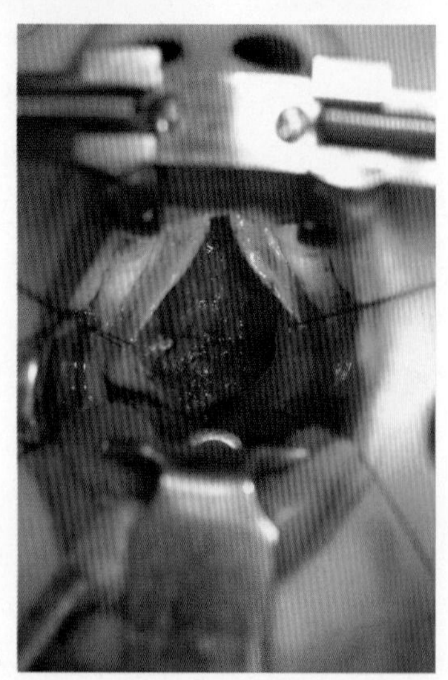
D

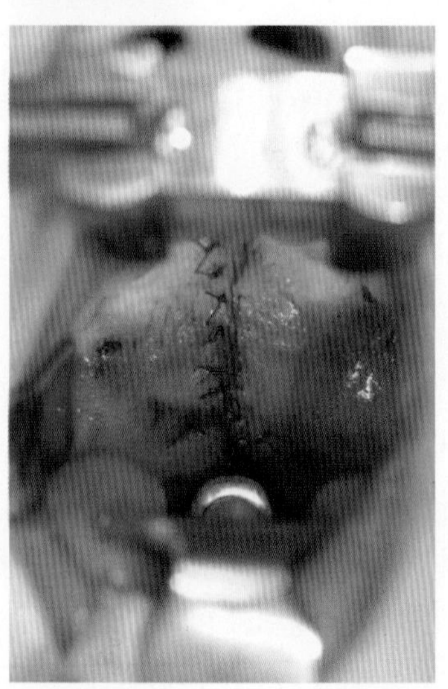
E

그림 13-3. (A) 술전, (B) 디자인, (C) 피판 거상, (D) 구개범거근의 횡위배열, (E) 연구개내근성형술후

없이 정중선에서 봉합 할 수 있게 해둔다. 내측 절개선과 외측절개선 사이의 경구개의 구강측 점막성골막도 골막기자로 일으켜 양경 점막성 골막판(bipedicled mucoperiosteal flap)을 만들어 둔다. ② 경구개의 비강측 점막성골막판과 연구개의 비강측 점막을 전방에서 후방으로 가면서 매듭이 비강측에 있도록 봉합한다. ③ 목젖을 봉합한 후 경구개의 구강측 점막성 골막판과 연구개의 점막-근층을 봉합한다. ④ 이렇게 하여 생긴 외측 절개선외방의 골 노출부위는 그대로 두든지 아니면 5일간 iodoform 거즈로 채워두면 2주일 내에 상피화된다.

이 수술방법은 치조골 개열을 동반하고 있는 경우 치조 바로 후방에 누공을 남겨 놓기 쉽고 입천장 길이를 연장시키지 못해 코로 공기 유출이 많아 비성(hypernasality)이 잘 생기는 단점이 있다(그림 13-4).

(4) Pushback 구개성형술(Wardill-Kilner-Veau operation)

Veau는 von Langenbeck 구개성형술을 시행했을때 흔히 생기는 언어문제를 개선해 주기위해 입천정을 늘리는 방법을 고안하였다. 이것을 Wardill, Kilner, Braithwaite가 보안하여 현재 널리사용되는 Veau-Wardill-Kilner의 pushback 구개성형술을 소개하였다. 이는 경구개의 점막성 골막조직에 V-Y 형태로 길이를 증가 시킬수 있다. V-Y 술식은 피판을 얻은 지역의 골을 노출시키나 2~3주내에 즉시 상피화되고 치유된다. 그러나 이것은 섬유성 반흔을 남기고 상악성장과 치아교합의 변형을 가져올수 있다(Kremenak,1967;Bardach과 Salyer,1987).

가. 2개 점막성골막판을 이용한 구개성형술(two-flap palatoplasty)

① 외측절개선은 편도선의 전주(anterior pillar)가까이에 근

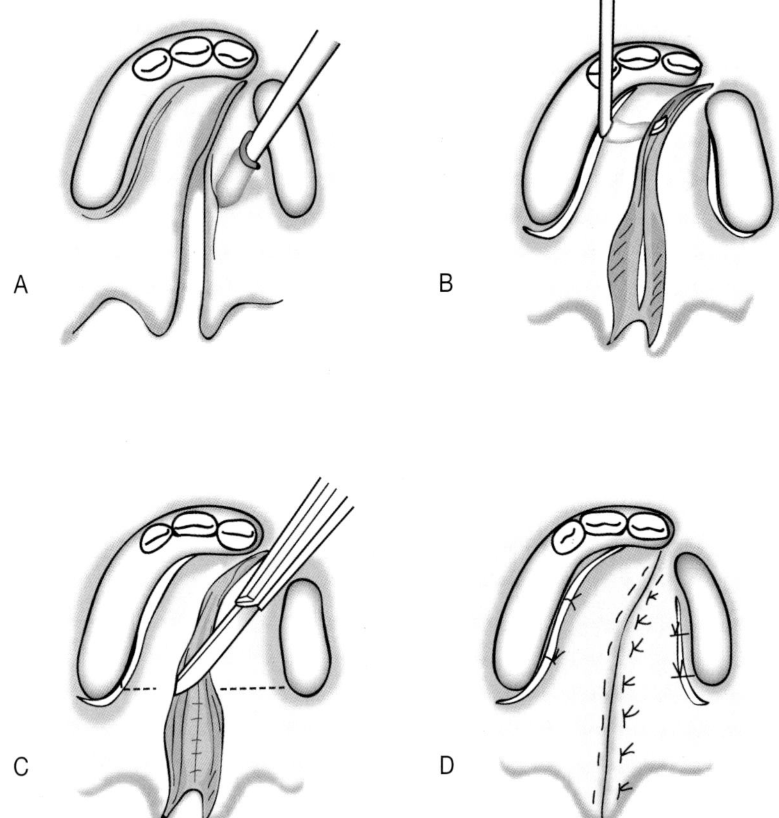

그림 13-4. (A, B) 양경 전층(bipedicled full thickness)의 점막성 골막 구개 피판의 거상한다. (C) 비강측과 구강측 점막을 분리한 후 절치공에서부터 목젖까지 비강측 봉합한다. 구개골에 비정상적으로 부착된 연구개 근육을 박리하여 정중선에 봉합한다. (D) 구강측을 절치공에서 목젖까지 석상봉합하고 외측으로 노출된 골부위는 구개피판을 이용해 봉합하여 이차 치유 시킨다.

층 깊이로 절개를 하여 익상악봉선을 따라 상악결절 약간 내측에 이른다 거기에서부터 대구개공과 치조돌기 사이에 있는 골막깊이로 가해 치조돌기에 평행하게 전진하여 견치부근에 이른다. 내측절개개선은 외측 절개선의 앞쪽에서부터 개열의 맨 앞까지 가해 양쪽의 절개모양이 V자가 되게 한다. 이 절개선을 개열연의 구강측 점막과 비강측 점막의 접합선을 따라 후방으로 연장하여 목젖에 까지 절개를 가한다. 익상악 봉선 부위에서 익돌구를 노출시킨후 구개범장근을 제끼고 익돌구를 골절시킨다. ② 경구개에 잇는 비강과 구강측 점막성골막판을 골막기자로 전방에서 후방으로 가면서 일으킨다. 경구개 후연에서 대구개공에서 나오는 혈관과 비강측 점막을 손상하지 않도록 주의하면서 후연에 부착된 구개범거근(levator veli palatini)를 분리한다. ③ 경구개의 비강측 점막성골막판과 연구개의 비강측 점막을 매듭이 비강측에 있도록 봉합후 목젖도 역시 봉합한다. ④경구개의 구강측 점막성 골막판과 연구개의 점막-근육층을 봉합하고 외측 절개선 외측에 있는 골 노출부위에는 iodoform 거즈를 5일정도 채워둔다(그림 13-5, 6).

나. 4개의 점액성골막판을 이용한 구개성형술(four-flap palatoplasty)

구개열이 치조열을 동반하고 있는 경우 경구개의 구강측 앞부분에서는 전방에 기저를 둔 점막성골막판을 작성하고 경구개의 구강측 뒷부분에서는 후방에 기저를 둔 점막성 골막판을 작성하여 4개의 점막성골막판으로 개열을 닫아준다.

Greene(1960)은 von Langenbeck 구개성형술보다 pushback 구개성형술이 언어적인 면에서 더 좋다고 하였으나 Dryer와 Trier(1984)는 pushack구개성형술은 구개의 비강측을 별로 연장시키지 못한채 구강측 연조직만 후방으로 밀어주

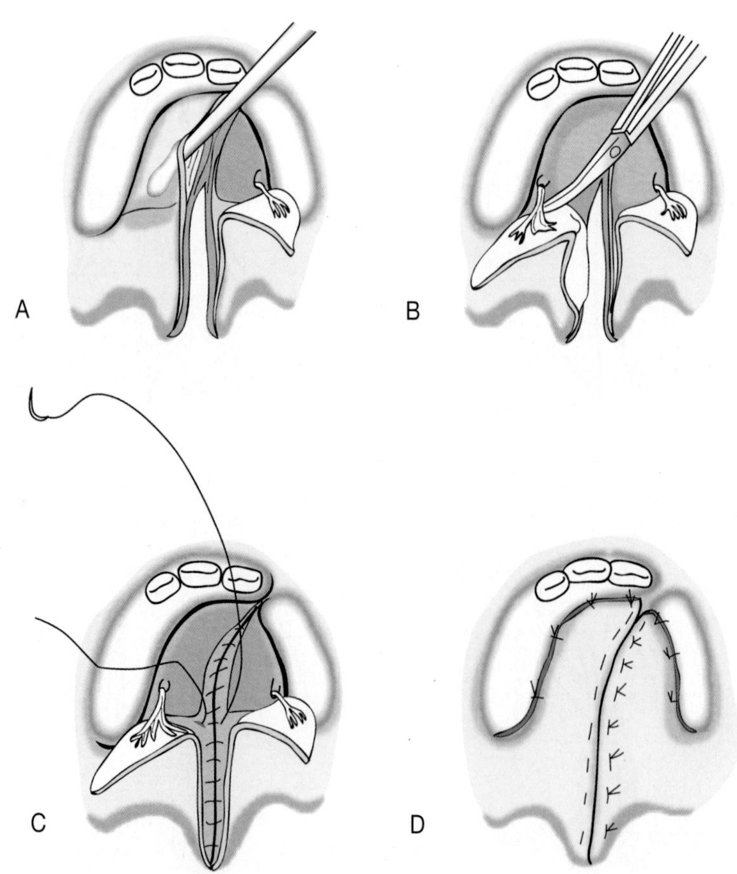

그림 13-5. (A) 구강측과 비강측 점막을 절개하여 절치공에서 목젖에까지 개열측에서 분리한후 각 피판내에 대구개혈관경을 보존하면서 전층의 점막성 골막판을 거상한다. (B) 비정상적으로 부착된 연구개근을 박리한다. (C) 비강측 점막을 절치공에서부터 목젖부위까지 봉합하고 연구개근을 정중선에 봉합한다. (D) 구강측 점막을 봉합한 후 각 점막성 골막판을 봉합한다.

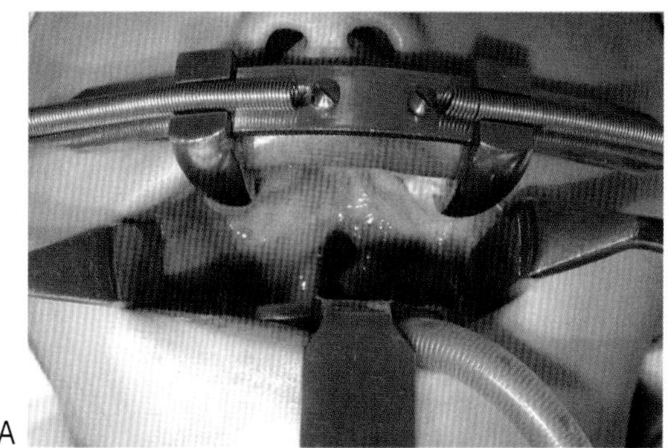

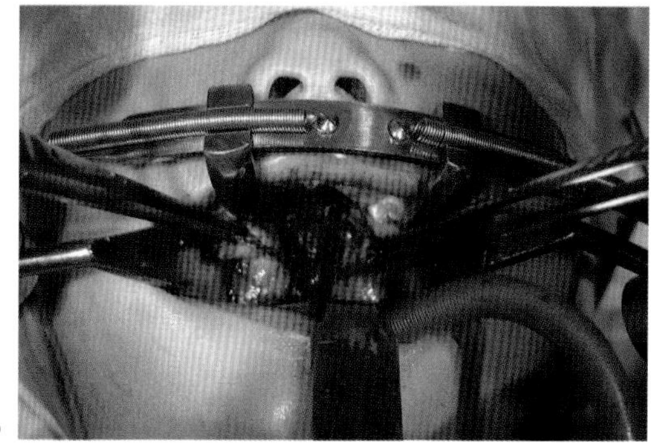

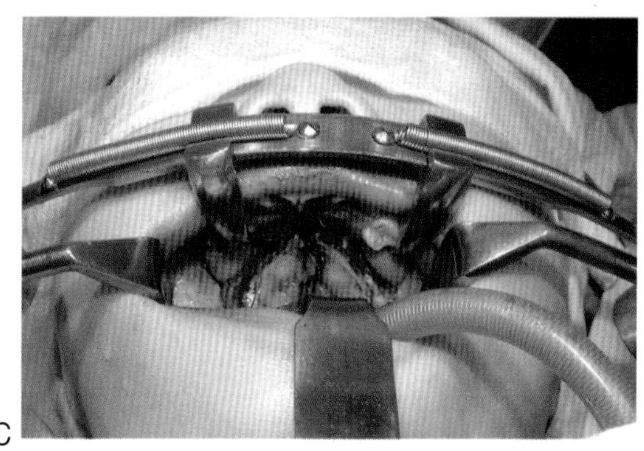

그림 13-6. (A) 술전, (B) 피판 거상, (C) Pushback (Two-flap) 구개성형술후

므로 실제 입천정이 별로 연장되지 못하며 경구개 후연에서 비강측 점막에 횡절개를 가해 구개조직을 많이 후퇴시킨다고 해도 비강측의 점막 결손부가 이차치유로 치유되고 나면 반흔 구축으로 인해 다시 입천장이 단축되므로 양자간에 언어에는 별 차이가 없다고 하였다. 그래서 구개의 점막 결손부가 반흔 구축으로 다시 단축되는 것을 방지하기위해 경구개의 비강측 점막성골막판을 후방으로밀어주는 방법(Cronin법), 경구개의 구강측에서 작성한 도상점막성 골막판(island mucoperiosteal flap)으로 막아주는 방법(Millard법), 연구개의 비강측 점막에 Z성형술을 하는 방법, 협부점막판을 이용하는 방법(Kaplan 법)등을 시도하였다.

그러나 Luce(1976), Lewin(1975), Brown(1983) 등은 이러한 방법을 pushback 구개성형술에 추가한다고 해도 이미 입천장의 근육들은 형성부전상태에 있기 때문에 입천장 길이를 연장해도 이들 근육들이 제 기능을 발휘 못하며, 비강측 점막 결손부를 충당해주려면 주위 조직을 광범위하게 박리해야 함으로 이로 인해 반흔 구축이 더 많이 일어나기 때문에 pushback 구개성형술만 시행해준 경우보다 언어가 더 좋아지는 거 같지는 않다고 하였다.

6) 구개성형술 후 처치

술후 회복실에서 적어도 1시간 정도 특별히 기도유지, 출혈 등에 관심을 갖고 관찰한다. 12개월이하의 유아는 최소 2시간 정도 관찰한다. 손가락 끝에 경피적 동맥혈산소포화도 측정으로 산소포화도를 측정하여 기도가 잘 유지되는지 관찰한다. 이때 구강이나 비인두에 고인 분비물은 흡인한다. 아기는 24~48 시간동안 보채는 것이 보통으로 진정제는 호흡중추를 억제하므로 사용할 때 주의해야한다. 정맥내 수액을 주어 아이가 탈수되지 않게 한다. 정맥내 수액선과 혀 봉합(tongue suture)은 술후 24~48시간에 제거한다. 젖꼭지 우유병(bottle with a nipple)은 봉합선에 음압을 만들어 창상이 벌어짐으로 사용하지 않는다. 또한 팔꿈치를 굽히지 못하도록 3주간 부목(arm cuff)을 대어준다. 연한 아기음식을 3일째부터 3주간 숟가락이나 주사기로 준다. 식후 음식 찌꺼기가 남지 않도록 보리차같은 물을 먹인다.아기는 술후 2~4일후 퇴원할수 있다. 3주후 부터는 정상대로 먹인다. 적어도 술후 3주간은 입에 손가락이나 딱딱한 과자를 넣지 않도록 주의한다. 술후 3주 후부터 언어치료를 실시한다. 처음에는 빨대로 빨게 하거나 비누거품을 불게 하거나 호루라기 불게 하는 등 언어와 관련있는 근들을 움직여 구개인두기능을 자극한 후 언어치료를 시작한다. 외래로 방문하게하여 부모들에게 음식 등이 코로 새는지, 청력의 이상유무 등을 물어본다. 또한 아이가 "ㅂ, ㅌ, ㄷ, ㅅ" 같은 소리를 할수 있는지 조사한다. 이후 구개를 살펴보아 누공 등를 확인한다. 아이가 "카, 카, 카"를 할 수 있는지 물어본다. 구개의 운동(excursion)이 보이고 구개가 뒤로 똑바로 움직이는지 등을 기록한다. 또한 외측과 후방 인두벽의 움직임의 정도를 결정한다. 보통 외측 인두벽의 약간의 움직임이 관찰된다. 그러나 움직임이 과도하면 이는 구개움직임이 감소하고 상인두수축근을 이용해 구개인두폐쇄하려는 보상하려는 것을 의미한다. 환아는 성형외과의사, 언어 병리학자, 소아치과의사, 소아과의사, 이비인후과의사와 함께 관찰한다. 구개성형술후 18~24개월 동안은 6개월마다 구개인두기능, 중이질환 및 치아교합 상태 등을 조사한다. 이비인후과의사는 매월 또는 3개월마다 관찰한다.

9. 합병증

1) 출혈

구개열 수술후 주된 합병증중의 하나가 출혈이다. 혈관수축제를 주사한후 7분정도 기다려야 충분한 효과를 볼 수 있다.

수술중 출혈이 있으면 출혈점을 3-4분간 거즈로 압박한다. 그래도 지혈이 되지 않으면 출혈점을 지혈해야 하며 수술이 끝날 무렵 출혈이 있으면 반드시 지혈해야 한다. Stark(1977)에 따르면 혈관수축제인 epinephrine을 수술부위에 주사하면 출혈을 줄일 수 있다고 하였다.

2) 기도폐쇄

분비물이나 출혈,인후두 부종 때문에 기도가 폐쇄될 수 있어 이를 예방하기 위해 수술이 끝나갈 무렵 No.18이나 No.20 F 굵기의 비인두호흡관를 꽂아두고 필요하면 술후 혀끝을 봉합사로 떠서 이것을 앞으로 당겨 호흡유지하기도 한다.

3) 창상의 벌어짐(wound dehiscence)

첫 2~3주에 음식을 숟가락으로 떠서 먹이다가 봉합된 곳을 터뜨리는 수도 있고, 감염,부적절한 봉합, 피판의 긴장, 점막결손, 술후 외상등으로 인해 봉합된 곳이 벌어질 수 있고 울거나 말하거나 음식먹을때 봉합선에 긴장이 가서 창상이 벌어지는 수도 있다. 창상이 벌어졌으면 즉시 다시 봉합한다. 만약 봉합할 처지가 못되면 염증이 가라앉고 조직이 부드러워질때까지 기다렸다가 4~6개월후에 다시 봉합해준다.

4) 구개누공(palate fistula)

대개 경구개와 연구개의 접합부위에 호발하며 von Langenbeck 구개성형술보다 pushback 구개성형술 후에 발생빈도가 더 높고, 일측 구개열을 수술한 후보다 양측 구개열을 수술한 후에 발생빈도가 더 높다. 구개폭(양편 상악결절간 거리)과 구개열 폭의 비율과 상관관계가 있어 그 비율이 3:1 이상이면 발생율이 8배나 높다(Elbel, 1985). 가장 흔한 증상은 말할 때 공기가 비강으로 많이 새어나가 구강내 공기압이 유지되지 못해 발음 장애(hypernasality)가 있는 것이다. 특히 치조음중에서도 구강내 공기압 유지가 필요한 ㅂ,ㅃ,ㅍ,ㄷ,ㄸ,ㅅ,ㅆ등이 들어가는 초음, 중음, 종음에 현저한 장애가 있다. 대부분 크기가 1cm 미만이고 별 증상이 없지만 49%는 언어와 유스타기오관의 기능에 지장을 준다(Schultz, 1986). 중이에 삼출액이 고이고 청력이 상실되는 수도 있다. 치료방법은 누공주위에서 거상한 점막성 골막판이나 구순이나 협부에서 일으킨 점막판으로 누공을 막을수 있다. 또한 누공이 매우 넓거나 수술이 실패한 경우 전자(obturator)로 막아주고,누공이 작을 경우는 질산은으로 소작 할수도 있다. 봉합시 조직에 긴장이 전혀 없고 충분한 크기의 조직으로 비강과 구강측을 각각 닫아 주어야 한다. 비록 연구개에 누공이 있더라도 언어가 괜찮으면 수술로 막을 필요는 없고 이갈이 무렵 치조열에 골이식을 하면서 동시에 누공을 막아준다. 연구개의 누공이 좁으면 절제하고 직접 2층으로 봉합하고 누공이 넓으면 이완절개를 가한후 2층으로 봉합한다. 경구개 누공의 경우 누공주위에 절개를 가해 점막성 골막판을 일으켜 누공연에서 비강측으로 경첩피판처럼 젖힌 다음 누공의 위치에 따라 쌈지봉합이나 구강전정에서 점막판이나 설판등을 이용해 덮어준다. 치조누공의 경우 비강측과 구강측을 각각 점막판이나 점막성골막판으로 닫아주고 그사이는 자가골이식을 한다.

5) 과다콧소리(hypernasality)

구개성형술을 말배우기전에 하지 못했거나 일찍 구개성형술을 하고 또 술후 6개월간 언어 치료를 했음에도 불구하고 콧소리하면 구개인두기능부전여부를 조사해 보고 이에 대한 2차 수술을 고려해보아야 한다.

참고문헌

1. 강진성. 구개성형술. 최신 성형외과학 1254-1278,1995
2. Diego F. Wyszynski : Cleft lip and palate 5-23, 2002.
3. Timothy A. Turvey, Katherine W.L.Vig, Raymond J.Fonseca : Facial clefts and craniosynostosis 3-25, 1996.
4. A. Michael Sadov, John A. van Aalst : Clinics in plastic surgery 31: 231-241,2004
5. McCarthy : Plastic surgery 4: 2723-2752,1990.
6. Huang Martin H. et al: Anatomic basis of cleft palate and velopharyngeal surgery Plastic and reconstructive surgery 101(3): 613-627, 1998.
7. Rod J. Rohrich, Edward J. Love,H.Steve Byrd : Optimal timeing of cleft plate closure. Plastic and reconstructive surgery 106: 413-421, 2000.
8. Rohrich, Rod J., Gosman, Amanda : An update on the timing of hard palate closure. Plastic and reconstructive surgery 113(1): 350-352, 2004
9. Brian G.Sommerlad : A technique for cleft palate repair 112: 1542-1548,2003
10. Byung Chae Cho, Jong Yeop Kim 등 : Influence of the Furlow Palatoplasty for patients with submucous cleft palate on facial growth. The J. of craniofacial surgery 15(4): 547-554, 2004
11. Chai, Khoo Boo : Arterial supply for the soft palate. Plastic and reconstructive surgery 112(2): 717
12. Felicity V. Mehendale : Surgical anatomy of the levator veli palatini. Plastic and reconstructive surgery 114:307-315, 2004
13. Richard E. Kirschner, Peter Randall 등 : Cleft palate repair at 3 to 7 months of age.Plastic and reconstructive surgery 105: 2127-2132, 2000
14. Arosarena, Oneida A. : Update on cleft care. Otolaryngology 10(4): 303-308, 2002
15. Abbott, BD, Probst, MR, Perdew, GH Buckalew, AR(1998). AH receptor, ARNT, glucocorticoid receptor, EGF receptor, EGF, TGFα TGFβ_1, TGFβ_2,TGFβ_3, expression in human embryonic palate and effects of 2,3,7,8terrachlorodibenzo-p dioxin (TCDD). Teratology 58:30-43
16. Amin, N, Ohashi, Y, Chiba, J, et al.(1994). Alterations in vascular pattern of the developing palate in normal and spontaneous cleft palate mouse embryos. Cleft Palate Craniofac J 31:332-344
17. Arnold, WH, Rezwani, T, Baric, I(1998). Location and distribution of epithelial pearls and tooth buds in human fetuses with cleft lip and palate. Cleft Palate Craniofac J 35:359-365
18. Burdi, AR, Faist, K(1967). Morphogenesis of the palate in normal human embryos with special emphasis on the mechanisms involved, Am J Anat 120:149.
19. Christ, JE(1990). Plastic surgery for the fetus. Plast Reconstr Surg 86:1238.
20. Cohen, SR, Chen, L, Burdi, AR, et al.(1994). Patterns of abnormal myogenesis in human cleft palates. Cleft Palate Craniofac J 31:345
21. Cohen, SR, Chen, L, Trotman, CA, et al.(1993). Soft palate myogenesis: a developmental field paradigm Cleft Palate Craniofac J 30:441-446
22. Del Santo, M. Jr, Minarelli, AM, Liberti, EA(1998). Morphological aspects of the mid-palatal suture in the human fetus: a light and scanning electron microscope study. Eur J Orthod 20:93-99
23. Goss, AN, Bodner, JW, Avery, JK(1970). In vitro fusion of cleft palate shelves. Cleft palate J 7:737-747
24. Griffith, CM, Hay, ED(1992). Epithelial-Mesenchymal transformation during palatal fusion :Carboxyfluorescein traces cells at light and electron microscopic levels. Development 116 :1087-1099
25. Hoggan, BR, Sadowsky, C(2001). The use of palatal rugae for the assessment of anteroposterior tooth movement. Am J Orthod Dentofac Orthoped 119:482-488
26. Humphrey, T(1969). The relation between human fetal mouth opening reflexes and closure of the palate. Am J Anat 125 :317-344
27. Ihan-Hren, N, Oblak, P, Kozelj, V(2001) Characteristic form of the upper part of the oral cavity in newborns with isolated cleft palate. Cleft Palate Craniofac J 38:164-169
28. Kimes, KR, Mooney, MP, Siegel, MI, Todhunter, JS(1991). Size and growth rate of the tongue in normal and cleft lip and palate human fetal specimens. Cleft palate Craniofac J 28:212-216
29. Kitamura, H (1991). Evidence for cleft palate as a postfusion phenomenon. Cleft palate Craniofac J 28:195-210
30. Laster, Z, Temkin, D, Zarfin, Y, Kushnir, A(2001). Complete bony fusion of the mandible to the zygomatic complex and maxillary tuberosity: case report and review. Int J Oral Maxillofacial surg 30:75-79
31. Latham, RA(1971). The development, suture and growth pattern of the human midpalatal suture, J Anat 108:31-41
32. Lavrin, IG(2000). Pierre Robin sequence-a review and an animal model. In: Davidovitch, Z, Mah, J(Eds.) The Biological mechanisms of Tooth movvement and Craniofacial Adaptation.

Havard Society for the Advancement of Orthodontics. Boston. pp.299-303

33. Lavrin, IG, Mclean, W, Seegmiller, RE, Olsen, BR, Hay, ED(2001). The mechanism of palatal clefting in the Col11a1 mutant mouse. Arch Oral Biol 46:865-869
34. Lee. SK, Kim, YS, Lim, CY, Chi.JG(1992). Prenatal growth pattern of the human maxilla. Aceta Anat(Basel) 145:1-10
35. Lisson,JA,Kjaer,I(1997). Location of alveolar clefts relative to the incisive fissure. Cleft Palate Craniofac J 34:292-296
36. Milerad, J, Larson, O, Hagberg, C, Ideberg, M(1997). Associated malformations in infants with cleft lip and palate: a prospective, population-based study. Pediatrics 100:180-186

II. Closure of alveolar cleft

치조골은 일차구개내에 있다. 따라서 치조열은 이마코융기(frontonasal prominence)의 성장, 접촉(contact), 융합(fusion)이라는 정상적 발달의 발산(divergence)의 결과로 생긴다. 보통 일차구개 개열이 있으면 치조돌기에도 개열이 있다. 치조개열이 외절치(lateral incisor)와 견치(canine)사이에 있는 경우가 가장 많다. 그 외에도 중절치와 외절치사이에 있거나 이들보다 상악 치열궁의 원위부에 있는 경우도 있다.

치조성형술의 목적은 상악궁의 안정화, 치조열 주변 치아의 골성지지, 비구강 누공의 폐쇄, 개열 비저의 융기, 교정치과치료나 인공삽입물(implants)의 용이성등이다(Pruzansky,1964; Rudman,1997; Turvey등 1984).

1. 치료

치료 방법에 있어 비록 골이식의 개념이 가장 논쟁이 적으나 수술시기에 있어서는 이견이 많다. 보통 일차, 조기 이차(early secondary), 이차 치조골이식의 3가지 범주로 구분한다.

이런 술식은 치아 연령(dental age)에 근거를 두고 있다. 치아 맹출(eruption)시기가 중요한데 절치는 보통 7세에, 견치는 보통 11~12세에 맹출한다. 일차 골이식은 구개성형술전 2세이전에 시행하고 조기 이차골이식은 2~5세에 하며 이차골이식은 6세 이후에 견치가 맹출하기전 혼합치열(mixed dentition)시기에 한다.

1) 일차골이식

일차골이식은 2세이전에 실시한다. 조기 골이식을 하는 이유는 횡적 상악궁 붕괴(transverse maxillary collapse)를 최소화하여 교합변형을 감소시키고 교정치료 시간을 줄이는데 있다. Rosenstein(1991)등은 조기에 골이식을 하여 적절한 상악궁의 배열을 유지함으로써 구개 확장(palatal expansion)이나 차후의 상악골절술(maxillary osteotomy)을 시행할 가능성을 줄일수 있다고 하였다. Lehman(1990)등도 비구강 누공의 수를 줄이고 이차골이식 할 필요성을 없애기 때문에 조기 골이식을 옹호하였다.

일차골이식을 이용한 조기 치조성형술은 소수의 사람들에 의해 시행되고 있다.이는 중안면성장 저해, 빈약한 상악궁의 형태, 부적절한 치조골형성등의 이유 때문이다. 일차골이식이 상악골의 성장장애를 가져오는 이유는 명확히 이해되지는 않으나 이는 골막하 ,특히 전서골 봉합선(prevomerian suture)부근의 박리 때문으로 믿어진다. 또한 동물실험결과 비상악(nasomaxillary)의 연부조직을 박리하였더니 상악의 후퇴가 있었다. Ross(1987)는 조기골이식이 중안면의 성장 특히 수직면에 악영향을 미치므로 치조열에 조기 골이식은 이점이 없다고 주장하였다. 그러나 Rosenstein(1991)은 일차골이식한 환자를 장기추적조사한 결과 그들의 프로토콜로 했을때 안면성장과 교합에 악영향은 없었다고 하였다. 그들의 성공적인 술식을 보면, 상악분절을 술전 교정치과치료(presurgical orthodentics)를 하여 재배열시킨후 일차골이식을 하였다. 개선된 상악분절의 배열(alignment)는 최소한의 박리와함께 단지 늑골이식만을 필요하였다. Epplet(2003)도 적절히 선택한 환자에서 일차골이식을 하여 술전에 좋은 상악배열을 가진 환자에서 성공률은 95%만큼 높았으며 보충적 이차골이식은 단지 25%에서만 필요하였다고 하였다.

2) 조기 이차골이식

조기 이차골이식은 2세에서 5세사이에 시행한다. 이시기의 골이식은 좀더 나은 골 형성과 견치뿐아니라 중절치를 교정치과로 움직일수 있는 장점이 있다.

3) 이차골이식

이차골이식은 5세이후에 실시한다. 보통 일반적으로 시행되고 있는 시기는 혼합치열(mixed dentition)시기인 7~12세인에 시행한다. 골이식의 목표는 치아가 맹출할 골성지지기반을 제공하고 상악의 안정화를 이루고 술전 교정치료로 상악분절의 재배열을 유지하는데 있다.

골이식을 견치가 맹출되기전에 시행한다면 견치는 이식된 골을 통해 맹출될 수 있고 치아 교합이나 상악궁의 안정화를 가져올수있다.다른 장점은 횡적 상악의 성장이 8세쯤이면 거의 완전히 끝날 수 있다. 또한 견치가 맹출되기전에 골이식을 하면 좀더 나은 골높이(bone height)와 유지를 이룰수 있다.

2. 골이식 공여부

치조열을 닫기위한 골이식 재료는 피질골(cortical bone)과 해면골(cancellous bone) 모두 사용되고 있다. 피질골은 포복대치(creeping substitution)에 의해 합착(incorported)되며 혈관의 내증식(ingrowth)에 달려있다. 전형적으로 이런 재혈관화(revascularization) 과정은 해면골이식에서 보다 피질골이식에서 더 긴 시간이 걸린다. 해면골 이식은 세포가 전이되고 재혈관화가 골유도(osteoinduction)과 골전도(osteoconduction)의 결과로써 더 빨리된다. Boyne와 Sands(1972)는 해면골의 강한 골발생의(osteogenic) 성질로 인해 장골능선(iliac crest)에서 해면골을 수집(harvest)하여 치조열에 이차골 이식을 하였다. 또한 해면골은 상악분절로 재형성되고 치아맹출을 할수 있기 때문에 치조열을 치료하는데 좀더 나은 골 이식재료로 사용되고 있다. 공여부는 장골능선, 경골(tibia), 두개골, 하악골등이 사용되고있다.

1) 장골능선

장골능선은 풍부한 해면골, 수집의 용이성, 치조열준비와 같이 동시에 이식골을 수집할 수 있어 많이 사용되고있다. 단점은 반흔, 술후 동통, 지체된 보행(delayed ambulation), 대퇴피부신경손상의 위험성등이 있다. Ilankkovan(1998)등은 trephine을 이용하여 장골능선에서 2cm 가량의 절개선을 이용해 적절한 양의 해면골을 수집(harvest)하는 방법을 설명하였다. Boustred(1997)등은 knife로 stab incision을 피부와 연골에 가하고 큐렛(curette)으로 해면골을 채취 할수 있는 최소침습 방법을 소개하였다.

2) 두개골

두개골의 이점은 반흔을 숨길수있고, 장골과 비교해보았을 때 술후 동통이 적으며 비슷한 성공률, 막성골(membranous bone)과 연관된 내적인 이점등이다. 비록 두개골이 쉽게 접근할 수 있고 많은 장점을 가지고있으나 Sadove(1990)등에 따르면 두개골을 채취하는 방법이 성공률에 영향을 미친다고 한다. 그들은 개두기(craniotome)을 사용하는 것이 허드슨 보조기(Hudson brace)를 사용한 방법보다 성공률이 더 낮다고 한다. 그들에 따르면 이런 차이는 수집(harvest)할 때의 열과 외상에 의한 이차적 손상 때문이라고 하였다. 또한 성공률을보면 장골능선은 93%, 허드슨 보조기를 이용한 두개골은 80%, 개두기를 이용한 두개골은 53%로 나타났다. Cohen(1991) 등은 두개골과 장골의 이식 성공율은 같았으나 수술시간이 두개골이 더길고 뇌척수액 누수, 경막의 파열(dura tear), 출혈, 경막외혈종 같은 술후 합병증 가능성이 더 큰 것으로 보고하였다.

3) 경골(tibia)

trephine을 이용한 장골과 경골의 이식골 채취를 비겨하였는데 경골이 술후 동통이 더 적으며 보행장애 같은 것이 더 적다. Besly와 Ward-Booth(1999)는 유사한 결과를 얻었고 또한 출혈이 적고 더 짧은 재원기간등을 보여주었다.

4) 늑골

늑골은 반흔이나 동통같은 공여부 이환율을 가지고 있으며 늑골이식으로 교정치과치료의 어려움이 있다. 그러나 Rosenstein등은 늑골을 이용해 일차골이식을 하여 좋은 결과를 얻었다.

5) 하악골 symphysis

Freihofer(1993) 등에 따르면 하악골이 골이식 공여부로의 장점은 같은 수술 시야, 반흔이 보이지 않고 술후 통증이 적고 하악골은 두개골처럼 막성골이므로 연골내골(endochondral bone)과 비교할 때 이식된 골의 부피를 좀더 유지할 수 있고 좀더 빠른 재혈관화가 이루어질수 있다.

6) 조직공학(tissue engineering)

많은 공여부에도 불구하고 이상적인 것은 골이식을 할 필요가 없는 것이다. Boyne(2001)는 골 치유과정에서 골형성 단백질(bone morphogenetic protein)의 효과를 연구하였다. 그는 원숭이에 개열을 만들어 콜라젠 스폰지(collagen sponge)안에 골형성 단백질을 두어 좋은 골 치유의 증거를 보여주었다.

3. 수술방법

치조열 수술의 접근 원칙은 적절한 피판도안과 넓은 노출(wide exposure), 비저(nasal floor) 재건, 비구강 누공의 폐쇄, 해면골로 골성 결손의 보충, 잇몸 점막성 골막피판(gingival mucoperiosteal flap)으로 이식골을 피복하는데 있다.

1) 적절한 피판 도안

치아에 붙어있는 윗몸은 각화편평상피로 구성된 특수한 구조인데 이것을 부착잇몸(attached gingiva)이라고 하며 치근을 덮어 보호한다. 부착잇몸을 이용해 적절히 도안된 피판은 치아맹출을 할 수 있고 점막을 통해 성장 할 수도 있다. 이식골을 덮기위해 피판을 협부점막을 이용한다면 분층구개이식편(split palatal graft)을 사용해 치아 맹출전에 교정술(revision)을 해야 견치가 맹출할수 있다.

2) 광범위한 노출

치조개열능선을 따라 젖니(deciduous teeth)를 제거한 후 가장자리를 따라 유치와 잇몸 접합선 사이를 절개하는 치관주위(pericoronal) 절개선을 가한다. 만약 영구치가 있다면 절개선은 잇몸치아접합선(gingivodental junction) 상방 3~4mm에 횡절개를 가한다. 그리고 개열연에 종절개를 가해 상방에 기저를 두고 잇몸과 상악골 전면에서 점막성골막판 및 골막판을 일으켜 둔다. 개열의 골 결손부위를 확인하여 해면골로 결손부위를 촘촘히 막아두기 위해 적합한 박리를 한다.

3) 비저(nasal floor)재건

비저는 긴장(tension)없이 닫아야 한다. 비저부근에 남아있는 결손부위를 확인하여 창상이 벌어지는 합병증을 예방한다.

4) 비구강 누공의 폐쇄

5) 골결손부위 충전(packing)

비저나 상악을 재건하기위해 전체 개열을 골로 충전시킨다. 골을 치조능선위치에 넣음으로써 주변 치아에 좀더의 지지를 할 수 있고 이식된 골을 통해 치아가 맹출될수 있게 한다. 비익저부위의 상악골을 돋아주기위해 이상구(piriform aperture)를 따라 골을 중첩이식한다. 피질골 조각은 부가적 버팀벽(buttress)을 주기위해 앞쪽면을 따라 쐐기형태로 넣는다.

6) 골이식의 피복(coverage)

거상된 잇몸 점막성 골막피판은 이식골을 완전히 덮기위해 봉합한다. 술후 환자는 맑은 유동식 식이를 하고 2일째부터 연한식이을 먹는다. 연한식이(soft diet)는 3주동안 유지한다.

7) 교정치료

치조열이 변형된 상악을 포함하고 있을때 술전 교정치료를 할 수 있다. 술전 교정치료는 비정상적인 골을 재배열하여 골이식이 일어날 수 있는 편평(platform)을 제공할 수 있다(그림 13-7).

4. 결과

이식 실패율은 5%미만이고 이는 이식골의 완전한 손실이나 비구강누공의 재발등도 포함된다(Besly 1999).

1) 골이식의 합착(incoporation)

치조열에 골이식편이 합착되는 비율은 대략 90%~97%이다(Troxell 등, 1982; Kawamoto와 Zwiebel, 1985).

2) 견치의 맹출

El Deeb(1982) 등은 치조열에 골이식을 하였을 경우 27%에서 견치가 이식된 골을 통해 맹출하였고 나머지 73%에서는 덮고있는 조직을 외과적으로 벗겨 견치를 노출해 주었다고 한다. 견치가 돋아난 후 56%에서 교정치과치료를 필요로 했다고 한다.

5. 합병증

술후 이식된 골이 노출될수 있는데 이는 과도한 긴장이나 외상에 의해 2차적으로 생길 수 있다. 노출된 이식골이 적다면 항생제 투여와 연한음식을 먹인다. 약간의 이식골편의 손

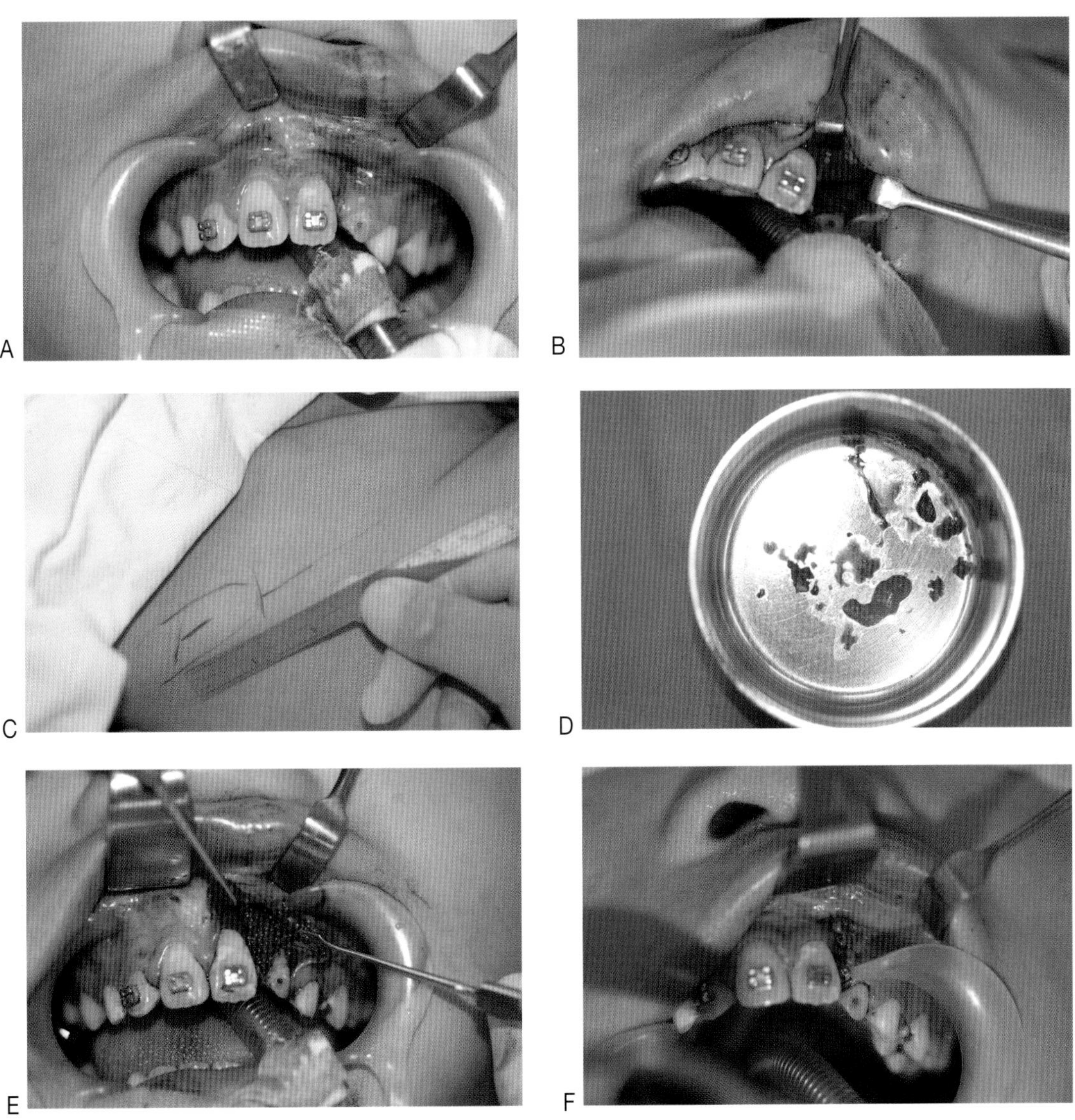

그림 13-7. (A) 술전, (B) 박리한 모습, (C) 장골 공여부 도안, (D) trephine을 이용해 채취한 장골, (E) 장골 이식한 후, (F) 술후

실이 있을수 있는데 창상은 잘 치유될수 있다(Wolfe, 1990).

이식골의 과도한 충전(packing)에도 불구하고 약간의 이식골 흡수(resorption)이 일어날 수 있어 치조골의 절흔(notching)이 생길수 있다(Cohen, 1993).

참고문헌

1. 강진성: 치조성형술 및 전방구개성형술. 최신 성형외과학, 1279-1283,1995
2. Wolfe SA, Price GW, Stuzin JM, et al. Alveolar and anterior palatal clefts. In: McCarthy J (ed). Plastic Surgery. Philadelphia: WB Saunders, 2753-2770,1990
3. Byrd HS. Cleft lip I: primary deformities (overview). Selected Readings in Plastic Surgery. 1-37, 1994
4. Boyne PJ, Sands NR. Secondary bone grafting of residual alveolar and palatal clefts. J Oral Surg. 30:87-92,1972
5. Boyne PJ. Application of bone morphogenetic proteins in the treatment of clinical oral and maxillofacial osseous defects. J Bone Joint Surg Am 83:146-150,2001
6. Bergland O, Semb G, Abyholm FE. Elimination of the residual alveolar cleft by secondary bone grafting and subsequent

orthodontic treatment. Cleft Palate J. 23:175-205,1986

7. Besly W, Ward-Booth P. Technique for harvesting tibial cancellous bone modified for use in children. Br J Oral Maxillofac. April 37(2):129-33,1999
8. Boustred AM, Fernandes D, van Zyl AE. Minimally invasive iliac cancellous bone graft harvesting. Plast Reconstr Surg. 99:1760-1764, 1997
9. Cohen M, Figueroa AA, Haviv Y, et al. Iliac versus cranial bone for secondary grafting of residual alveolar clefts. Plast Reconstr Surg. 87:423-427,1991
10. Cohen M, Polley JW, Figueroa AA. Secondary (intermediate) alveolar bone grafting. Clin Plast Surg. 20:691-705,1993
11. Cohen SR, Kalinowski J, LaRossa D, et al. Cleft palate fistulas: a multivariate statistical analysis of prevalence, etiology, and surgical management. Plast Reconstr Surg 87:1041-1047,1991
12. Eppley BL, Sadove AM. Management of alveolar cleft bone grafting-state of the art. Cleft Palate Craniofac J. 37:229-233,2000
13. Eppley BL. Discussion: a long-term retrospective outcome assessment of facial growth, secondary surgical need, and maxillary lateral incisor status in a surgical-orthodontic protocol for complete clefts. Plast Reconstr Surg. 111:14-16,2003
14. Freihofer HPM, Borstlap WA, Kuijpers-Jagtman AM, et al. Timing and transplant materials for closure of alveolar clefts. J Craniomaxillofac Surg. 21:143-148,1993
15. Hobar PC. Cleft lip II: secondary deformities. Selected Readings in Plastic Surgery.7:1-28,1994
16. Ilankovan V, Stronezek M, Teller M, et al. A prospective study of trephined bone grafts of the tibial shaft and iliac crest. Br J Oral Maxillofac Surg. 36(6)434- 439,1998
17. Koole R. Ectomesenchymal mandibular symphysis bone graft: an improvement in alveolar cleft grafting- Cleft Palate Craniofac J. 31:217-223,1994
18. Lehman JA, Douglas BK, Ho WC, et al. One-stage closure of the entire primary palate. Plast Reconstr Surg. 86:675-681,1990
19. Leipziger LS, Schnapp DS, Haworth RD, et al. Facial skeletal growth after timed soft-tissue undermining. Plast Reconstr Surg. 89:809-814, 1992
20. Steinberg B, Padwa BL, Boyne P, et al. State of the art in oral and maxillofacial surgery: treatment of maxillary hypoplasia and anterior palatal and alveolar clefts. Cleft Palate Craniofac J. 36:283-291. 1999
21. Tachimura T, Hara H, Koh H, et al. Effect of temporary closure of oronasal fistulae on levator veli palatini muscle activity. Cleft Palate Craniofac J. 34:505-511,1997
22. Rosenstein S, Dado DV, Kernahan D, et al. The case for early bone grafting in cleft lip and palate: a second report. Plast Reconstr Surg. 87:644-654,1991
23. Rosenstein SW, Grasseschi M, Dado DV. A long-term retrospective outcome assessment of facial growth, secondary surgical need, and maxillary lateral incisor status in a surgical-orthodontic protocol for complete clefts. Plast Reconstr Surg. 111:1-13, 2003
24. Ross RB. Treatment variables affecting facial growth in complete unilateral cleft lip and plate. Part 7: an overview of treatment and facial growth. Cleft Palate J. 24:71-77,1987
25. Rutrick RE, Black PW. Bone graft reconstruction of the cleft maxilla: orthopedic preparation and surgical management. Operative Tech Plast Reconstr Surg.; 2:275 -286,1995
26. Rudman RA. Management of alveolar cleft. Oral and Maxillofacial Surgery Knowledge Update. 1:49-78,1994
27. Sadove AM, Nelson CL, Eppley BL, et al. An evaluation of calvarial and iliac donor sites in alveolar cleft grafting. Cleft Palate J. 27:225-228,1990

제14장 치조열

Alveolar and Anterior Palatal Clefts

고경석

치조열의 치료는 구순열과 구개열의 치료에 가려 그 중요성을 인정 받지 못했고, 수술적 기술의 발전도 느렸다. 1952년에 Axhausen이 현재의 치조열 치료 개념을 확립하고, 상악궁의 골성 안정성의 중요성과 치아의 보존을 강조하였고, 이로 인해 치조열의 수술적 치료가 재조명을 받게 되었다. 이어서 Schmid 등은 1954년에 장골 능선에서 작은 골편을 얻어 골결손부에 이식하고 비구순루를 수술적으로 폐쇄하였다고 보고하였다.

I. 치료 목적

치조열의 치료는 기능적 목적과 미용적 목적을 가진다. 기능적 목적은 다음과 같다.

① 비구순루의 폐쇄 : 비구순루가 없어지지 않으면, 음식물이 계속해서 비강 쪽으로 넘어 가게 되고, 이는 비점막의 만성 염증으로 이어져 코에서 분비물이 계속 나오게 되고, 결과적으로 대인 관계에서 자신감을 잃게 된다.

② 안정적이고 영구적인 상악 치궁의 형성 : 골이식이 성공적으로 생착되면 각 상악분절들이 하나가 되어 치열 교정 뒤에 다시 함몰되거나 재발되는 일이 없어지고, 악정형장치를 착용하는 기간도 많이 단축된다. 또한, 악교정을 위한 상악골절골술 시에 일반적인 LeFort I 절골술로 가능하게 된다.

③ 치조열 주변의 치아에 대한 지지의 강화 : 치아가 장기간 안정성을 유지할 수 있게 하고 치아의 조기 유실을 예방할 수 있다.

④ 치조열 쪽의 치아 맹출 : 이식된 골을 뚫고 영구치가 맹출하게 되고 이 치아를 지지해 준다.

⑤ 치열 교정이 가능한 환경을 제공 : 이식된 골 안에서 치아가 움직일 수 있게 되어 치열 교정으로 치간 간격을 메우어 줄 수 있다.

⑥ 구강 위생의 증진

미용적 목적은 함몰된 이상구(piriform aperture) 하연부를 올려 주는 것과 보기 좋은 치궁과 치아의 위치를 만들어 준다는 것이다. 발육이 약한 이상구 부위를 올려줌으로써 비익저에 대한 지지가 강해지면 구순열비변형에서 나타나는 비대칭을 호전 시킬 수 있다. 치조열을 성공적으로 닫아주고, 치열 교정과 보철을 포괄적으로 시행하면, 자연스럽고 아름다운 미소를 찾을 수 있다.

II. 치료 시기

치조열의 치료 시기에는 논란이 많이 있어 왔다. 치조열의 치료는 시기에 따라 일차성과 이차성으로 나눌 수 있다. 일차성 치료는 출생에서부터 만 2 세까지 시행하게 된다. 구순열의 수술과 동시에 하거나, 구개열의 수술 이전에 따로 수술을 한다. 이차성 치료는 다시 조기(early), 이행기(conventional or transitional), 후기(late)로 나눌 수 있다. 조기 이차성 치료는 유치가 완전히 맹출한 뒤부터, 영구치가 맹출하기 시작하기 직전까지의 시기에 치료를 시행한다. 따라서 환자의 나이가 2세에서부터 5 내지 6 세 사이가 된다. 이행기 이차성 치료는 치아를 교환하는 시기(혼합 치기, mixed dentition)에 하게 되며, 대개, 6세에서 12세 사이가 된다. 마지막으로 후기 이차성 치료는 영구치가 모두 맹출한 뒤(제 2 대구치가 맹출한 뒤)에 시행되며, 삼차성 치료라고도 한다.

유아기에 치조열 골이식을 시행하는 일차성 치료는 1958년에 Schrudde와 Stellmach에 의해 소개되었고, 1950년대 말과 1960년대에 이르기까지 모든 유럽과 미국의 구순구개열 센터에서 시행하는 치료의 표준이었다. 이들은 일차성 골이식이 상악 분절의 함몰을 미리 예방하고, 보다 정상적인 두개안면의 성장에 도움이 된다고 주장하였다. 하지만, Ritter(1959) Gabska(1964), Pruzansky(1964) 등이 너무 어린 시기에 골막을 박리하고 골이식을 시행하면 상악골의 성장에 장애를 초래할 수 있다고 주장하였고, Johnson(1964)은 일차성 골이식술 후에 상악골 성장에 문제가 있어 일차성 골이식을 중단한다고 발표하였다. 이후에도 이식한 골이 성장하지 않고, 상악궁이 계속 함몰되고, 치아의 맹출도 되지 않는다는 보고가 많이 발표되었다. 일차성 골이식이 성장을 방해하는 원인은 아직 정확히 밝혀지진 않았지만, 혈행 장애나 골막하 흉터 조직 형성 등이 제시되었다. 물론 아직도 일부에서는 일차성 치료를 지지하고 있는데, 이들은 수술적 기술이 초기와는 달리 많이 발전하였다는 점과, 안면 중간부의 함몰과 전치의 반대교합의 빈도가 높지 않다는 점을 주장하고 있다.

가장 널리 인정 받고 있는 치료 원안은 Boyne과 Sands가 1976년에 발표한 것으로 복합 치기에 치료하는 이차성 골이식이다. 그들은 9세와 11세 사이에 절치가 맹출하고 견치가 맹출하기 전에 골이식을 하는 것을 선호한다. 이 시기가 가장 이상적이라고 믿어지는 이유는 전상악골(anterior maxilla)의 시상 방향 및 횡방향의 성장이 8 세 이전에 완료되고, 그 이후의 성장은 주로 수직 방향의 성장인데 이는 영구치의 맹출에 기인한다고 생각되기 때문이다. 따라서 상악골의 성장에 영향을 주지 않으면서, 견치가 이동하고 맹출할 수 있고, 치조열 주변의 치아에 지지를 제공할 수 있게 된다. 그리고, 5세에서 7세 사이의 조기 치료는 외절치의 맹출과 안정성에 기여할 수 있다는 장점이 있으나, 안면골 성장에 지장이 없는지 확실하지 않고, 골결손의 간격이 너무 넓어 골이식의 성공률이 낮다는 주장도 있다.

후기 이차성 또는 삼차성 골이식술은 공여골의 종류에 상관없이 견치의 맹출 이전에 시행한 골이식술에 비해 성공률이 낮았다. 치조열을 치료하지 않으면, 나이가 들어감에 따라 내절치 뿌리의 외측면과 견치 뿌리의 내측면에서 골 흡수가 일어나는 것을 볼 수 있다. 이러한 과정이 골이식의 생착률이 낮은 이유를 설명할 수 있는데, 백악질이 노출된 곳 옆에 골이식을 하면 생존률이 떨어지기 때문이다. 또한 이 시기의 골이식은 치조열 주변의 치아에 대한 도움이 없다는 단점도 있다.

III. 해부학 및 형태학

구개 구순열이 매우 다양하듯이 치조열 또한 매우 다양한 양상으로 나타난다. 치조돌기에 작은 홈만 있는 경우도 있고, 치조골이 완전히 갈라져서 넓은 뼈의 결손이 있는 경우도 있다. 일측 치조열에서 열이 있는 쪽의 상악골이 내측으로 함몰되는 경우가 흔하다. 그래서 견치와 소구치 부위에서 반대교합(crossbite)이 발생한다. 상악전구골(premaxilla)의 위치는 정열이 정상일 수도 있지만 외측 전방으로 회전되어 있는 경우도 있다. 이러한 위치의 이상은 구순열의 치료 이후에 대개 호전되며, 악정형 장치(orthopedic appliance)를 이용해서 호전될 수도 있다. 치조열에 접하는 내절치는 종종 치조열 쪽으로 회전되어 있고 휘어져있다. 외절치는 없는 경우가 많고, 있다 해도 발육부전인 경우가 많아서 기형적이고, 과잉치(supernumerary tooth)로 오인될 수도 있다. 입안에서 외절치가 잘 안보이더라도 치조열 안에 있는 경우가 있고 심지어 비강저로 맹출하는 경우도 있다. 치조열에 접한 내절치와 견치는 치주의 부착이 약해서 골성 지지를 잃어버릴 위험이 높다. 치조열이 있는 쪽의 이상구연(piriform rim)은 함몰되어 있고, 특히, 아래쪽이 뒤로 전위되어 있으며, 좌우로 폭이 감소되어 있다. 이러한 구조가 외비, 특히 비익저에 대한 지지를 약하게 해서 구순열비변형에서 볼 수 있는 비대칭의 소견을 보이게 한다.

양측 치조열 또한 매우 다양한 양상을 보이는데, 두 치조열이 크기와 넓이가 같을 수도 있고 다를 수도 있다. 상악전구골이 앞으로 돌출되는 경우가 흔한데 이는 서골상악전구골(vomeropremaxillary suture) 봉합에서의 성장이 상구순의 제한을 받지 않기 때문이다. 상악전구골의 위치는 너무 아래로 내려와 있고, 관상면과 시상면으로도 잘못 회전되어 있어 삼차원적인 위치 이상 소견을 보인다.

IV. 치조열에서의 치아 양상

흔히 보이는 양상은 기형적인 치아의 형태, 비정상적인 위치, 외절치의 결손, 과잉치(additional tooth)등이다. 유치에서 보인 이상 소견이 반드시 영구치에서도 나타나는 것은 아니다. 대개는 영구치가 유치보다 더 심한 이상 소견을 보인다.

V. 치조열의 치열 교정

치조열의 치료에서 치열 교정의 역할 또한 매우 중요하다. 치조열이 있는 환아에게는 여러 단계에서 치열 교정이 필요하게 된다. 유아기에는 함몰된 열측 상악분절을 확장시키고, 상악궁의 앞부분을 다듬고, 치조열의 간격을 줄이기 위해 상악 정형 장치가 필요할 수 있다. 이차성 골이식술 전에도 대개 교정 치료가 필요하게 된다. 상악궁에 고정 정형 장치(fixed appliances)를 장착하게 된다. 이 시기의 교정하는 목적은 상악골의 전면과 후면을 확장시켜 상악궁의 모양을 좋게 하고, 반대교합을 일부 또는 완전히 제거하고, 절치들의 위치를 바로잡고, 치아의 기능과 미용을 향상시키기 위함이다. 치조열 골이식을 준비하기 위해서는 4 ~ 6 개월 가량의 교정 치료가 필요하다. 적절한 치열 교정 없이 치조열 골이식을 시행하면, 열측 상악분절의 위치 이상, 상악궁의 수축, 후방 반대교합 등의 나쁜 결과를 초래하게 된다. 이러한 문제들을 해결하기 위해서는 대개 추가적으로 수술적 치료가 필요하게 된다.

VI. 수술 방법

환자의 구강을 통해서 기관내 삽관하고 관을 정중앙에 고정한다. 비구순루의 주변, 치조열의 양쪽 치조돌기의 구개측 면과 구순측 면, 경구개의 전방부 등에 에피네프린과 혼합한 리도케인을 주입한다. 먼저 비구순루의 구순측에 점막에 절개를 가한다. 만약 치조 돌기에 절개를 가한 뒤에 비구순루의 주변에 절개를 가하면, 칼날이 둔하고 효과적으로 잘리지 않게 된다. 절개를 치조열의 가장자리를 따라 수직으로 내려서 치조능(crest of alveolus) 까지 연장한다. 치조능까지 절개가 도달하면, 구순측의 치은 열구(gingival sulcus)에 절개를 가한다. 일측 치조열에서 열측의 절개를 제 2 대구치까지 연장한다. 여기서 전정을 향해 뒤쪽으로 비스듬하게 back cut을 넣어준다. 정상측의 구순측 절개는 내절치까지만 연장한다. 상악전구골 위에서는 연부 조직의 이동을 최소화해야 하는데, 그 이유는 이 연부 조직이 이식된 골을 덮어주는 주된 조직이 아니기 때문이다.

양측성에서는 상악전구골에 혈류 공급을 위해 절개를 내절치의 원위부까지만 가해야 한다. 다음 단계로 구순측에서 점막골막을 치조돌기로부터 박리를 한다. 박리를 비강저까지 연장하여 전비극(anterior nasal spine)의 외측면과 이상구연의 하부까지 노출시킨다. 구순측의 절개를 통해 치조열의 점막골막을 치조능에서 비강저까지 뼈로부터 박리해낸다. 이때 구개의 전방부의 박리도 구순측의 절개를 통해 시작한다. 나머지 구개의 박리는 Dingman mouth gag을 삽입하여 시행한다. 치조열의 양측에서 구개측의 치은 열구에 절개를 가한다. 이 절개의 후방 연장은 구개에 남아 있는 누공의 크기에 따라 결정된다. 구개의 누공이 크면 제 2 대구치까지 절개를 연장해서 구개 피판의 이동을 크게 할 수 있게 한다. 구개 누공이 큰 경우 구개를 박리하기 전에 누공연에 바로 절개를 가한다. 누공이 좁은 경우에는 구개 점막골막을 먼저 거상하여 연부 조직을 들어 올리면 누공연에 절개를 가하기가 쉬워진다. 구개의 점막골막을 당기면서, 누공 내의 연부 조직을 구개측에서 위쪽으로 박리하여 비강저로 진행한다. 이 조직을 비강저 쪽으로 뒤집어 비강저의 재건에 사용한다. 남는 조직은 다듬어 정리하는데, 과도하게 잘라내어 비측에서 긴장 없이 봉합하는데 문제가 되지 않게 조심해야 한다. 비측의 봉합은 후방에서 전방으로 진행하는데 4-0 흡수성 봉합사를 이용한다. 가끔은 좁은 누공 아래에서 봉합해야 하므로 매우 작은 바늘이 필요할 때도 있다. 다음에 양측의 구개 피판을 가운데로 전진시켜 4-0 흡수성 봉합사로 단속 봉합(interrupted suture)한다. 이때, 골이식편을 집어넣기 전에 골이식편을 긴장 없이 덮어 줄 수 있게 구순측의 연부 조직의 이동성을 확보하는 것이 좋다. 만약 이동성이 많이 필요하다면, 열측 피판의 기저에 수평으로 칼집(scoring)을 가하면, 필요한 이완을 얻을 수 있다. 이동성이 좀 더 필요할 경우에는 back cut을 연장해서 얻을 수 있다. 이러한 방법들은 출혈을 일으킬 수 있으며, 반드시 지혈을 해 주어야 한다.

골이식편을 비강저부터 치조능까지 골결손부위에 빽빽이 채워 넣는다. 이상구연의 하부에 추가적으로 골을 넣어줌으로써 부족한 비익저의 토대를 증가시켜준다. 골이식편을 채워 넣을 때 적절한 뼈의 높이를 만들기 위해 주변의 치아의 백악법랑질 경계(cementoenamel junction)의 높이와 동일하게 맞추는 것이 중요하다. 열측의 점막골막 피판을 가운데로 전진시키면서 약간 구개쪽으로 이동시켜 이식된 골편을 덮고 누공의 구순축 봉합을 제공하게 한다. 치간 유듀(interdental papilla) 단속 봉합을 함으로써 구순측과 구개측의 조직을 서로 잡아주게 하고 치조 돌기에 부착시켜 안정성을 높인다. 봉합 및 연부 조직의 예후에 조금이라도 문제가 있으면, 상악골과 구개를 완전히 덮는 치주 드레싱을 하고 1~2주 후에 제거를 한다(그림 14-1).

양측 치조열의 경우는 약간의 차이가 있다. 양측의 치조열이 모두 큰 경우에는 골이식편을 완전히 덮어 주는 것이 불가능할 수 있다. 이 경우에는 단계별 치료가 필요하다. 앞서 언급했듯이 상악전구골의 구순측 점막골막의 박리는 혈행 장애의 문제를 피하기 위해 매우 제한적으로 시행되어야 한다. 구개측에서는 누공연의 전 길이를 따라 절개를 해야 한다. 그리고, 비강측 및 구강측의 봉합을 위해 연부 조직의 거상을 매우 보존적으로 하여야 한다(그림 14-2).

VII. 골이식의 공여부

치조열의 골이식에서 공여부의 표준은 장골능으로, 전형적인 미립망상골 및 골수 이식의 형태이다. 장골능은 흔히 사용되는 골이식의 공여부 중에서 가장 많은 양의 망상골을 채취할 수 있는 부위이고, 치조열 부위의 수술과 동시에 수술이 가능한 곳이다. 장골의 망상골을 이용한 경우 성공률이 80 %를 넘는다. 장골이식의 가장 큰 단점으로 지적되고 있는 것은 술 후 동통과 입원 기간의 연장이다. 하지만, 근육과 골막을 더 제한적으로 박리하거나, 경피 생검 바늘을 이용하면, 술 후 동통이 대폭적으로 감소하고 술 후 다음 날이나 수술 당일에도 퇴원이 가능하다. 치조열에 두개골을 이식하는 것은 1983년에 Wolfe와 Berkowitz에 의해 소개되었다. 두개골 이식은 장골의 망상골 이식에 비견할 만한 성공률이 보고되고 있다. 하지만, 두개골 이식보다 장골의 미립망상골 및 골수 이식이 우수하다는 보고도 있다. 두개골을 이용하는 경우의 장점은 공여부와 수여부가 한 수술 시야 내에 있다는 것과 술 후 동통이 매우 작다는 점이다. 공여부로 가능성이 있는 또 다른 곳은 경골이다. 경골 이식 역시 풍부한 망상골을 얻을 수 있고, 두개의 팀이 동시 수술이 가능하고 술 후 불편감이 작다. 보고된 성공률도 장골의 망상골 이식과 비슷하다. 가장 큰 단점은 눈에 잘 띄는 흉터이고, 일부에서는 골단의 성장판이 손상될 가능성이 있으므로 18세 이하의 환자에서는 경골 이식을 추천하지 않는다. 늑골은 일차성 치조열 골이식술에서는 거의 독점적으로 사용되는 공여부이지만, 이차성 이식술에서는 망상골의 부족으로 제 역할을 하기가 어렵다. 하악골 결합부도 치조열 골이식의 공여부로 사용되고 있다. 두개골처럼 하악골도 같은 수술 시야에 있고, 막성골(membranous bone)이라는 이론적인 장점도 있다. 하지만, 소아에서 채취할 수 있는 골의 양이 너무 제한적이고, 망상골과 피질골의 비가 너무 낮다는 단점이 있다. 또한, 발육중인 치아가 있고 치배(tooth

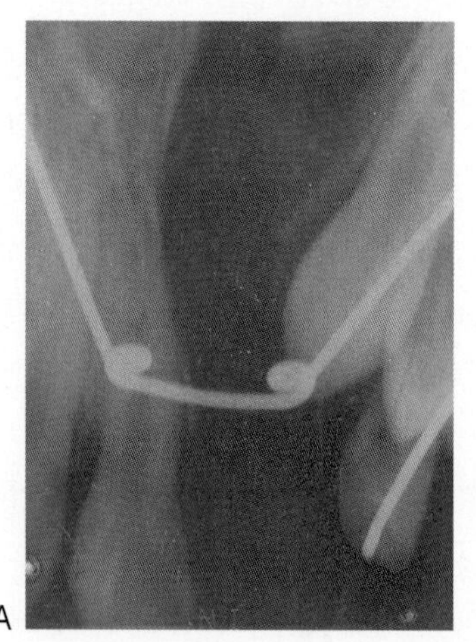

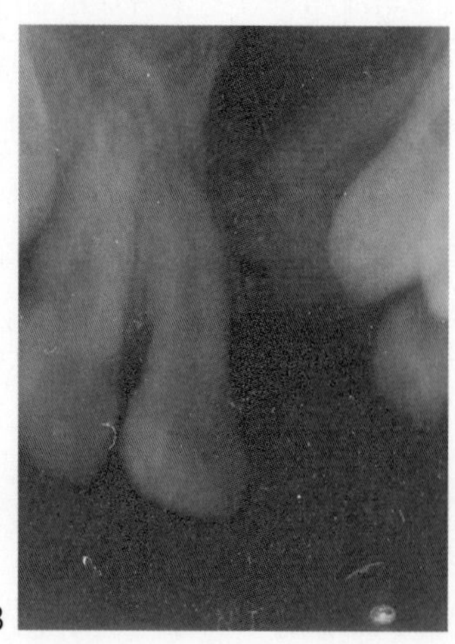

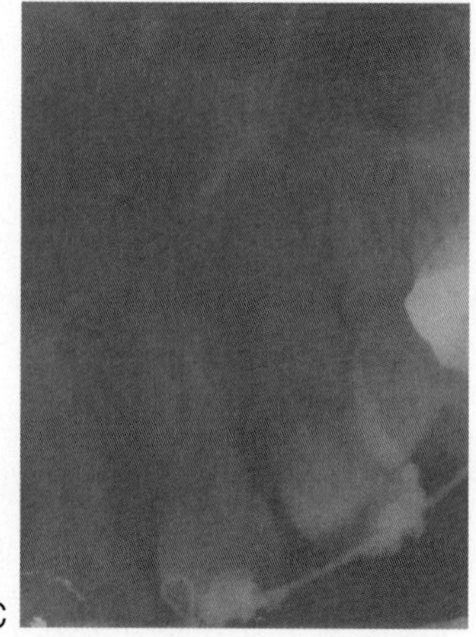

그림 14-1. 수술 전(A) 및 치조골 이식 후(B) 방사선 사진으로 이식된 뼈로 영구치가 나온 것을 보여 주고 있음(C)

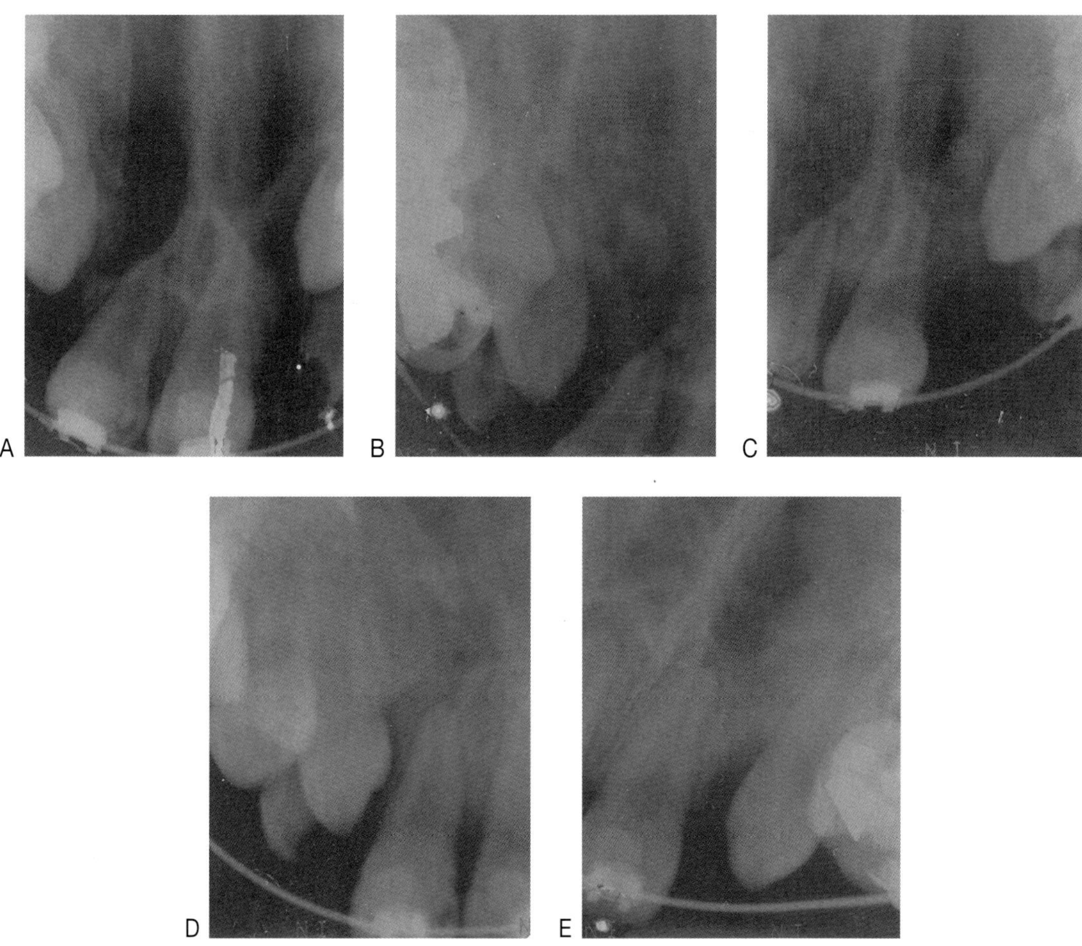

그림 14-2. 양측 치조열 환자의 수술 전(A), 수술 후 6개월(B, C) 및 2년 후(D, E) 방사선 사진

bud)도 존재하므로 어린 환자에서는 사용하지 말아야 한다.

VIII. 상악골절골술을 이용한 치조열의 치료

앞서 언급한 것처럼, 치조열 골이식은 청소년이나 성인에서 시행하면 성공률이 낮다. 따라서 나이가 많은 환자에서는 다른 치료 방법을 고려해야 한다. 일측 구순구개열 환자의 약 25%가 상악골전진술을 시행해야 할 정도의 안면중간부의 함몰이 있다. 그래서, 청소년이나 성인 환자에서는 망상골 이식과 동시에 Le Fort I 절골술을 시행해서 안면중간부의 결손을 교정하고 치조열과 치아의 간격을 닫아주는 것이 좋다. 그리고 견치를 외절치의 위치로 옮겨 차후에 외절치의 역할을 하게끔 변형되게 한다. 이방법은 치조열 골이식과 상악골전진술을 따로 시행하는 방법에 비해 한번의 수술로 목적을 획득할 수 있다는 장점이 있다. 또한, 치아재활을 위해 골유착성 임플란트(osseointergrated implant)를 고려하고 있었다면 또 다른 수술을 피할 수 있어 좋고, 치아 간격을 닫아 주었기 때문에 고정성 보철을 제작할 필요가 없어지는 장점도 있다.

IX. 치조열의 치료의 신개념

Platelet-rich plasma(PRP)는 골이식후 골형성의 속도와 정도를 가속화하는 성장인자(growth factors) 중의 하나다. PRP는 술전과 술중에 채취한 혈액을 원심분리하여 얻을 수 있다. 먼저 일차로 빠른 속도로 원심분리를 시행하여 적혈구를 분리해 내면 나머지 혈장액에는 백혈구와 혈소판, 응고 인자들이 남게 된다. 이를 다시 느린 속도로 이차 원심분리하면 소량의 혈소판이 남은 혈장액을 얻을 수 있고 여기에서 PRP를 분리해 낼 수 있다. PRP 속에는 혈소판의 알파 과립(granule)으로부터 분비된 여러 성장인자를 포함하고 있다. 그 중에 특히 중요한 것들이 platelet-derived growth factor(PDGF)와 transforming growth factor(TGF) -1과 -2인데, 이들이 조직의 재생과 회복에 중요한 역할을 한다. PDGF의 효과는 토끼의 경골을 절골한 뒤 치유되는 과정을 관찰한 실험에서 방사선학적으로, 물리적으로, 그리고 조직병리학적으로 증명되었다. PDGF와 TGF -1과 -2는 또한 연부 조직의 치유도 효과가 있는 것으로 알려져 있어, 점막골막 피판의 치유에도 도움을 줄 것으로 기대할 수 있다.

PRP가 악안면의 골이식에 사용된 것은 Tayapongsak이 하악골의 결손의 재건을 위해 사용한 것이 처음이다. 그 후로 치조열의 골이식과 골유착성 임플란트에 사용되어 왔다. 악안면 외의 용도로는 미용 수술과 슬관절 성형술 등에서 사용되었다. 치유가 빠르고 회복기간이 짧아지는 효과가 있다. 또한, 술 후 동통이 줄어들고, 마약성 진통제의 사용도 줄어들었다는 보고도 있었다. PRP를 상업적으로 제조해주는 회사도 있다(예, Gravitational Platelet Separation System, Cell Factor Technologies, Biomet, Inc., Indiana; Smart PReP, Harvest Technologies Corp., Norwell, Massachusetts). 이러한 회사를 이용하면 수술실 안에서 PRP를 얻을 수 있고, 과정이 신속하고, 많은 공간이 필요 없고, 사용하기가 간단한 장점들이 있다. 단점은 원심분리기의 비용과 PRP를 만들기 위한 kit의 비용이 또한 들어간다는 점이다. PRP를 준비하기 위해서는 소량의 혈액만 있어도 가능한데, 제조 회사에 따르면 치조열 골이식에 적당한 양의 PRP를 얻기 위해 약 60 에서 100 cc 정도의 전혈이 필요하다고 한다. 만약 골이식의 공여부에도 PRP를 사용하려면, 아주 많은 양의 전혈이 필요할 것이다.

치조열의 치료에서 또 다른 진보는 치간 신연골형성술(interdental distraction osteogenesis) 이다. Liou등은 전통적인 방법으로는 치료가 어려웠을 큰 치조열에서 이 방법을 사용하여 성공적으로 치료하였다. 그들은 이중초점 신연술의 원칙을 적용하였다. 상악골후방절골술(segmental posterior maxillary osteotomy)를 시행하고, 신연 장치를 절골한 부위를 가로질러 지지 치아에 장착했다. 이 장치로 신연될 분절의 이동 벡터를 삼차원적으로 조절할 수가 있다. 치조열의 간격은 닫혀지고 새로운 치간 간격이 치아 뒤편에서 만들어 지며, 이 간격 안에서 새로운 뼈가 형성되고 새로운 부착 점막(attached mucosa)이 덮게 된다. 그리고 이 치간 간격은 치열 교정술로 치아가 이동하여 닫혀지게 된다. 치조열의 간격이 닫혀진 후에라도 골이식이나 치은골막성형술은 필요하다. 이러한 술기는 Yen 등에 의해서도 보고되었는데, 그들의 신연 장치는 좀 다른 형태이다. 그들은 신연골형성을 위한 장력을 나사를 이용한 연장으로 얻는 것이 아니라 연속적인 스프링의 힘으로 얻는다. 큰 치조열을 닫아주기 위한 신연골형성술의 장점들은 큰 연부 조직의 부족을 극복할 수 있다는 점, 치조융기(alveolar ridge)를 따라 부착 점막을 제공할 수 있다는 점, 골이식의 양을 최소화할 수 있다는 점 등이다.

X. 치조열의 치아 재활

치조열 치료의 마지막 단계는 치아의 기능과 모양을 복구하는 것이다. 이 과정은 전통적으로 고정성 보철이나 레진성 보철로 시행되었다. 하지만 이 보철물들은 건강한 치아의 구조를 해치고, 환자가 평생 살면서 여러 번 교체해야 한다는 단점이 있다. 1991년, Verdi 등은 골이식을 시행한 치조열에 골유착성 임플란트(osteointergrated implant)를 시행했다고 보고하였다. 그 후에 타 저자들이 보고한 임플란트의 성공률이 90 % 와 96 % 이었다. 이들은 임플란트를 시술하기에 충분한 양의 뼈를 확보하기 위해 일부의 환자에서 추가적으로 골이식을 시행하였다고 했다. 그들은 또한 치조열 골이식을 시행한 뒤 짧은 시간 안에(4 개월 혹은 4-8주) 임플란트를 시행하는 것이 좋다고 기술하고 있다.

외절치가 없는 치조열 환자에서의 치아 자가 이식(autotransplantation)도 일부 센터에서 시행되고 있다. 주로 소구치가 많이 이식되는데, 그 이유는 소구치가 치열 교정의 목적으로 흔히 빼내는 치아이고, 치근(tooth root)이 하나이기 때문이다. 대개 근관(신경) 치료가 필요하다. 결과에 좋은 영향을 주는 인자들은 다음과 같다: 치근이 하나인 치아, 치근의 발육 단계(open apex 단계), 15세 이하의 어린 환자, 수술적 기술 등. 치주 공간과 치조백선(lamina dura)의 재생이 술 후 방사선 사진에서 관찰되고, 치열 교정에 의한 치아의 이동도 가능하다.

참고문헌

1. Joseph LD Jr. Pravin KP. Management of alveolar clefts. *Clin Plast Surg* 31:303. 2004.
2. Cohen M. Polley JW. Figueroa AA. Secondary(intermediate) alveolar bone grafting. *Clin Plast Surg* 20:691. 1998.
3. Wolfe SA, Price GW, Stuzin JM, Berkowitz, S. *Plastic Surgery: Alveolar and Anterior Palatal Cleft.* Vol 4. Philadelphia: W. B. Saunders company, 1990. p 2753-2770.

제15장 구순열비와 구개열의 이차변형

Secondary Deformities of Cleft Lip, Nose, and Cleft Palate

유대현

일차적인 구순 성형술로 정확한 해부학적 재건이 이루어졌다 하더라도 구순열과 구개열 환아는 안면부가 성장함에 따라 정상측과 환측의 성장차이, 주위조직의 반흔 유무, 주위 근육의 장력의 차이, 연부조직을 지지하는 골조직의 차이등으로 구순부, 비부, 상악 및 치조부에 여러 가지 형태의 이차적인 변형이 나타 날 수 있는데 이러한 변형을 이차구순열비 변형(secondary cleft lip nose deformity)이라 한다. 구순구개열환아의 이차변형은 구순구개열의 심한정도, 수술방법, 안면부성장과정 및 치과적 교정치료의 유무 등에 따라 매우 다양한 형태로 나타나며 대개의 경우 이차적인 수술적 교정을 필요로 한다.

I. 일측 구순열비변형의 이차변형

1. 구순부의 변형

구순부의 이차변형은 주로 처음 수술 방법과 구순열의 정도에 따라 변형의 정도가 결정되며 구순을 지지하여 주고 있는 상악골이나 치조골의 발달 상태에 따라 그 정도가 변하게 된다. 과거에 많이 시행되었던 술식인 Tennison Randall법이나 LeMesurier 법으로 일차교정한 경우 Z자형 봉합선이 남으면서 구순부의 길이가 길어져 환측의 구순이 밑으로 처질수 있으며 Millard법이나 Rose-Thompson법과 같이 직선 또는 곡선으로 봉합선이 남는 술식을 이용한 경우 내측 피판이 충분히 아래로 전이 되지 않을 경우 환측의 구순이 짧아질 수 있다. 상구순부의 홍순부(vermilion)와 피부의 경계선인 cupid bow는 이차적으로 편평해지거나 모양이 뒤틀리고 절흔(notching) 등의 변형을 나타낼 수 있으며 홍순부의 조직이 부족하여 생기는 whistling deformity도 흔한 이차적 변형중의 하나이다. 이외에도 인중이 편평하거나 없는 경우, 상구순조직의 부족으로 상구순부가 지나치게 긴장되고 후방으로 함몰되어 있는 경우, 구륜근의 근육부족, 이상위치, 해부학적인 접합부족으로 안면표정이나 발음시 입술의 모양이 비정상적으로 되는 경우 등이 생길 수 있다.

1) 상구순 변형 및 성형

(1) 흉터

과거의 수술방법은 입술에 지그재그 모양의 흉터나 Z자 모양의 흉터를 남기게 되어 나중에 이를 교정하기가 쉽지 않았으나 최근에는 대부분의 술자들이 Millard법을 이용함으로 흉터가 환측 인중을 따라서 수직으로 남아 정상적으로 치유되었을 경우 그다지 보기 흉하지 않으며 반흔이 심할 경우 일반적인 반흔제거 성형술로 호전을 기대할 수 있다. 소아의 경우 국소마취하에 반흔제거 성형술을 시행하기가 어려우므로 7-10세경 치조골 골이식을 시행할 경우 동시에 같이 시행하여 줄 수 있다. 그러나 대부분의 환아는 윗입술의 조직이 부족하므로 과도한 절제보다는 상구순의 여러 landmark를 고려하여 흉터부위만을 수술하는 것이 유리하다. 흉터가 인중이 위치할 부위에 있는 경우 표피만 절제한 다음 한쪽 입술에서 표피를 진피로부터 분리하여 진피와 점막으로 된 피판을 만들어 이것을 반대쪽의 진피 밑으로 가져가서 묻는 소위 "vest-over-pants" fashion으로 인중기둥을 돋우어줄 수 있다(그림 15-2).

흉터를 덜 보이게 하기 위해서는 반흔제거 성형술 외에도 피부 박피술등을 시행할 수 있으며 성인 남자의 경우 흉터위에 모발이식을 시행함으로써 수염과 같은 효과를 얻을 수 있다. 대부분 상구순부의 변형은 흉터 자체보다는 주위 조직의 변형 즉 입술 수직 길이가 짧거나(short lip), 외측이 처져 있거

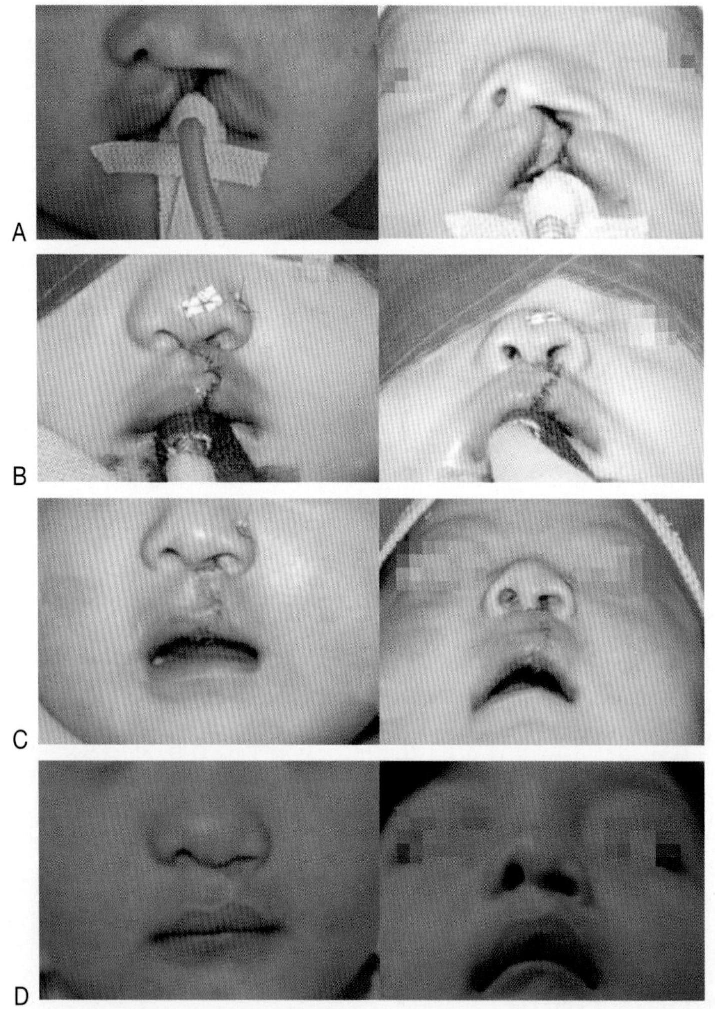

그림 15-1. 성장에 따른 구순의 이차적 변형. (A) 술전 모습. (B) 술 직후 모습. 비교적 대칭적인 구순 및 비공저의 모습을 볼수 있다. (C) 수술후 모습. (D) 수술후 4년 후 모습. 비교적 대칭적이던 비부에 많은 변형이 온 것을 알 수 있다.

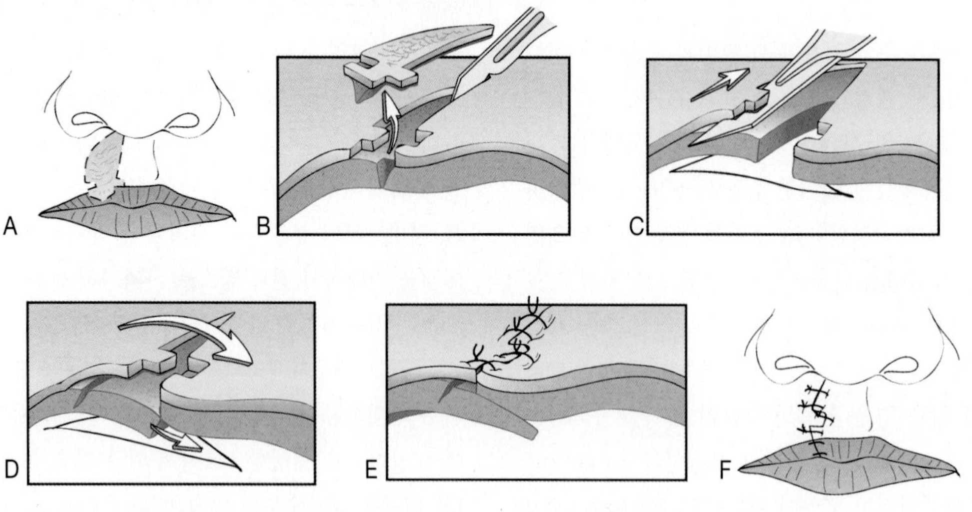

그림 15-2. 이차 성형술 후 인중 형성을 위하여 Vest-over-pants형태의 진피 봉합술

나 홍순에 패임(vermilion notching)이 있는 경우가 대부분이다. 따라서 이와 같은 경우에는 반흔 제거술만으로 좋을 결과를 기대할 수 없으며 전체적인 구륜근 변형을 교정하여야 한다. 흉터가 매우 심한 경우 역시 봉합 부위에 긴장이 과도하게 생기지 않도록 하기 위하여서도 구륜근의 변형을 교정하는 것이 유리하다.

(2) 구륜근의 변형

일차적인 구순열 수술시 내측 입술분절과 외측 입술분절에 수직으로 위치하고 있는 구륜근을 부착부에서 박리하여 수평위치로 이동시킨 후 이 두 근육을 봉합하여 해부학적으로 연결해주지 않을 경우 환측 alar base 와 인중부위에 근육이 뭉쳐 불룩하게 보이고 구륜근을 수축시킬 경우 근육봉합부위에

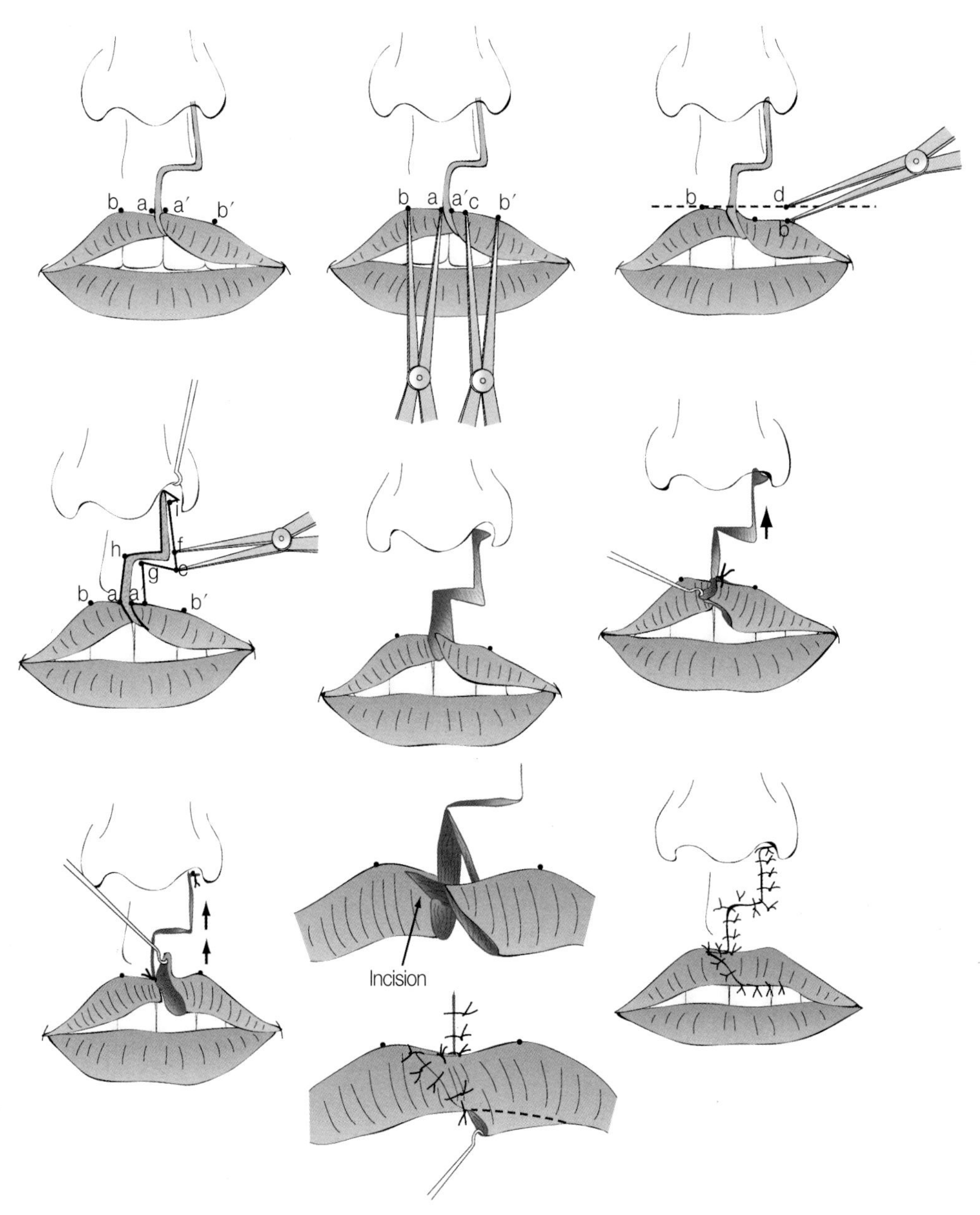

그림 15-3. LeMewurier 방법으로 수술한 후 발생한 구순변형(긴 입술)을 교정하기 위한 방법. 반흔 제거술과 더불어 수평부분을 제거하고 홍순부위에 작은 삼각피판을 작성한 후 이를 전진시켜 부드러운 큐피트 활 모양을 만들어 준다.

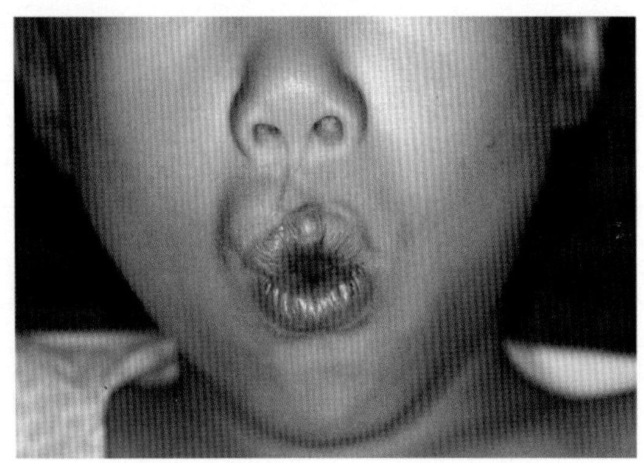

그림 15-4. 부적절한 구륜근 봉합의 결과. 외측부위가 불룩하고 하방으로 쳐져 있으며 수축시 함몰을 볼 수 있다.

함몰이 생기게 된다(그림 15-4).

이와 같은 부적합한 구륜근의 봉합은 피부봉합선에 장력을 증가시켜 반흔을 더 증가시킨다. 이뿐만 아니라 말하거나 안면 표정근 운동시 혹은 저작시 변형을 유발한다. 이와 같은 경우 외측 입술분절에서 피부와 점막을 근육으로부터 박리하고 박리된 근육을 골 부착부 및 alar base 비공저로부터 분리하고 경우에 따라 quadratus labii superioris muscle로부터도 분리하여 수평방향으로 전이한 다음 내측 입술분절의 근육과 상구순의 피부가 팽팽하게 당겨지지 않도록 봉합해 주어야 자연스러운 nostril sill 의 모양과 입술 모양을 유지할 수 있으며 흉터도 적게 발생하게 된다(그림 15-5).

(3) 긴입술 변형

일차 구순열 수술, 특히 LeMesuier법이나 Tennison-Randall 법으로 교정한 경우, 도안시 삼각피판이 다소 크게 디자인되거나 또는 근육의 방향이 잘못 놓여 향후 근육이 성장함에 따라 외측 입술이 길어지는 변형이 쉽게 발생할 수 있다. 따라서 만일 Tennison -Randall 법을 계획한다면 작은 삼각피판을 2.5mm 이하로 작게 디자인하는 것이 유리하다. 입술이 긴 경우에는 수술 흉터 중 수평부분의 적당량을 전층으로 절제하여 줄이거나 비공저(nostril sill) 바로 아래에서 수평으로 적당량의 피부 및 근육조직을 절제하여 입술의 수직 길이를 단축할 수 있다(그림 15-6). 이 때 경계표(landmark)가 왜곡되지 않도록 콧방울바닥(alar base) 둘레를 수평 방향으로 절제한다. 필요하면 이들 두 군데에서 절제하여 수직 길이를 더 단축할 수 있다(그림 15-7).

(4) 짧은입술 변형

짧은입술 변형은 수직 반흔의 구축으로 인하여 잘 일어나며 이는 직선봉합법(straight line repair)으로 시술한 경우나 넓은 구순열을 Millard 방법으로 시행하였을 경우 잘 발생한다. 환측 입술과 정상 쪽 입술의 수직 길이 차이가 2mm 이상인 경우 직선봉합법으로는 적정한 해부학적 구조를 회복시키기 어려우므로 피하는 것이 좋다. Millard방법으로 교정한 경우 입술이 짧아지는 이유는 피판을 충분하게 회전하지 못했거나, 피판이 충분히 움직일 수 있게 박리하지 못한 경우, 그리고 근육의 봉합이 비대칭적으로 이루어지기 때문이다. 따라서 일차 구순열 수술을 Millard법으로 시행할 경우 입술이 충분히 길어지지 않을 경우 보다 광범위한 내측 근육박리를 통하여 피판을 적절하게 회전하고 필요시 back cut를 사용 rotation

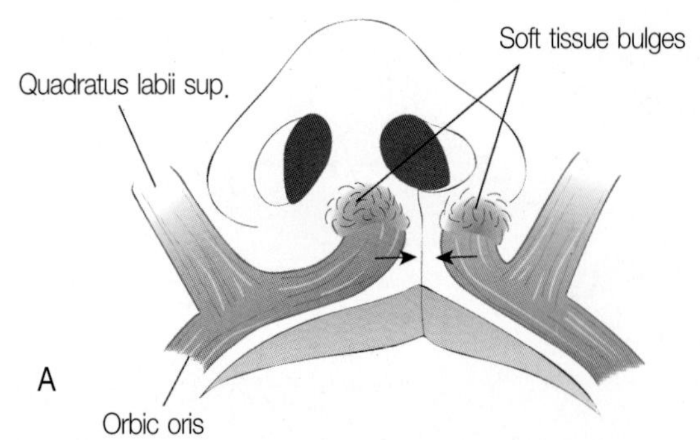

그림 15-5. 구륜근의 병리. 구륜근이 비공저 부위에 비정상적으로 부착되어 있으면서 뭉쳐져 있다(A). 이 경우 구륜근을 박리하여 잘못 부착된 근육을 수평으로 전이시켜 구륜근의 연속성을 회복시켜야 한다(B).

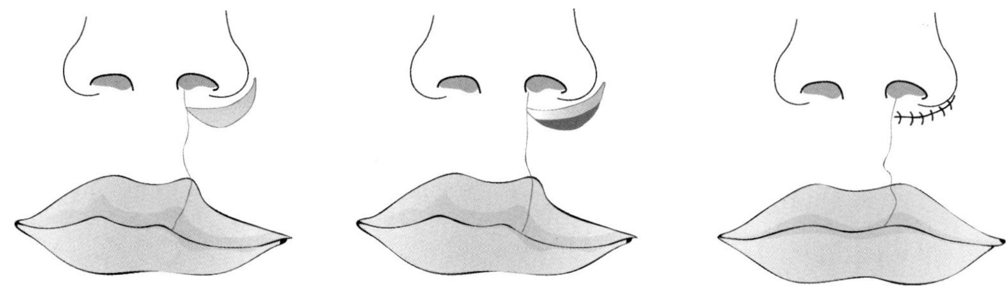

그림 15-6. 비교적 경한 긴입술 변형의 경우 콧방울 바닥부위에 초생달 모양의 조직을 수평으로 절제하여 길이를 단축하여 줄 수 있다.

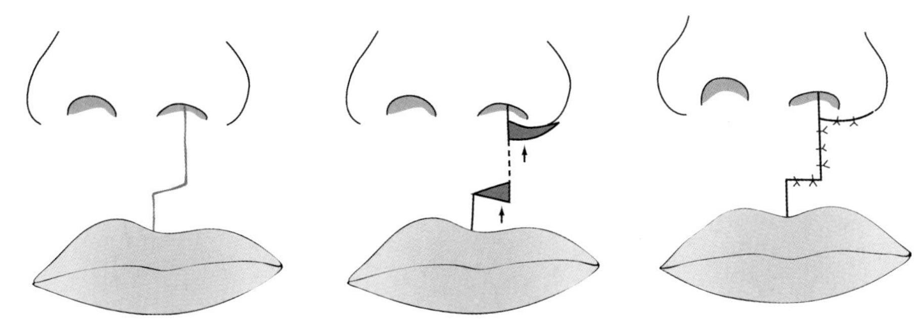

그림 15-7. 좀 더 많은 조직을 절제해야 할 경우 2군데에서 절제할 수 있다.

flap을 충분히 회전시키고 그와 같은 시술로도 충분히 교정되지 않을 경우 내측 피판의 큐피트 활 직상방에 2-3mm 의 수평 절개를 가하여 상구순을 연장시키고 외측 피판의 홍순 바로 위부위에는 약 1-3mm의 작은 삼각피판을 작성하여 이를 내측 피판에 밀어넣음으로써 수직거리를 맞출 수 있다. Millard 회전 전진법으로 수술할 경우 1년 내에 반흔 구축등으로 입술이 상방으로 당겨져서 입술이 다소 짧아 보인다. 그러나 많은 경우 반흔이 성숙됨에 따라 호전되게 된다. 과거에 직선봉합법(Rose-Thompson 법)을 시술한 후 윗입술의 수직 길이가 작아진 경우에는 차이가 경미할 경우 수술 흉터를 마름모꼴로 절제하고 직접봉합을 함으로 다소 연장하여 줄 수 있고(그림 15-8), 홍순(vermilion) 바로 위에다가 작은 Z성형술을 시행할 수 있으나 변형이 심한 경우 다시 입술을 열고 Millard 방법으로 입술을 회전시켜 연장시켜주는 것이 바람직하다. 그 외의 방법으로는 수직 흉터를 절제하고 VY전진피판술(V-Y advancement flap)이용하는 방법, 수직 흉터를 따라 외측 윗입술에다가 하방 기저를 둔 비스듬한 삼각피판을 만들어 이것을 내측 윗입술 아래쪽으로 자리를 옮겨주는 방법(triangular transposition flap)(그림 15-9), 또는 수직 흉터를 따라 외측윗입술에 상방에 기저를 둔 사다리꼴 피판을 만들어 이것을 코기둥바닥(columellar base) 쪽으로 회전하여 입술 길이를 연장하여 줄 수 있다(그림 15-10).

(5) 팽팽한 입술변형

정상적으로 윗입술은 측면에서 보았을 때 상구순이 첨부가 약간 앞으로 돌출되어야 한다. 그러나 일차 수술 당시 너무 많은 양을 조직을 제거하게 될 경우, 혹은 많은 흉으로 윗입술이 제대로 성장하지 못할 경우 윗입술 수평 길이가 짧아지면서 측면에서 보았을 때의 돌출 되는 느낌이 사라지게 된다. 수직 길이의 변형이 비교적 쉽게 교정 가능한 반면 수평 길이가 달라서 윗입술이 팽팽한 것을 교정하기는 매우 어렵다. 이는 조직의 양이 절대적으로 부족하여 발생하는 것으로 다른 부위에서 조직을 보충하거나 연부조직 하부의 골 조직에 조작을 가하지 않는 한 만족할 만한 결과를 얻기가 어렵다.

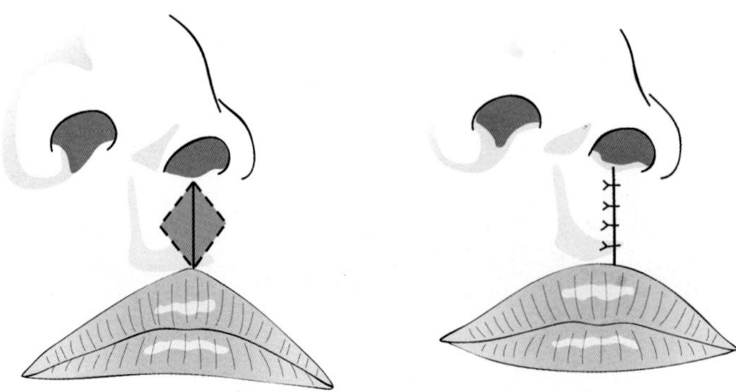

그림 15-8. 경미한 짧은 입술의 경우 마름모꼴 절개 및 봉합을 통하여 상구순의 길이를 다소 연장하여 줄 수 있다.

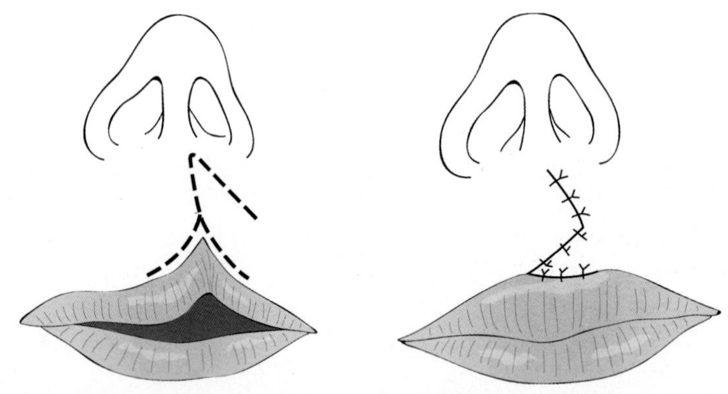

그림 15-9. 삼각형 피판을 이용한 짧은 입술의 교정

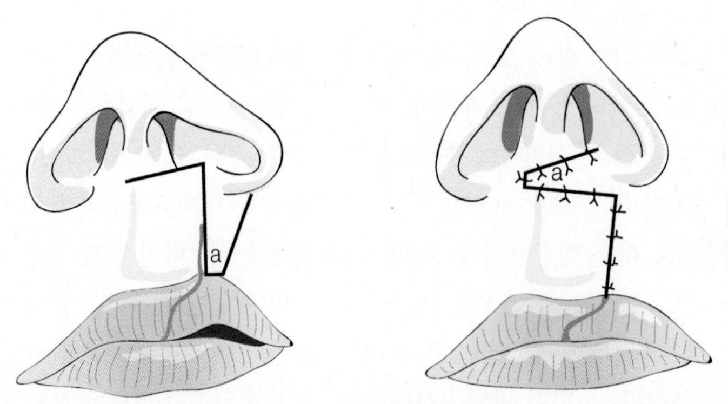

그림 15-10. 사다리꼴 피판을 이용한 짧은 입술의 교정

만약 팽팽한 윗입술이 돌출해 있는 아랫입술과 대조가 될 정도면 Abbé 피판을 시행하여 아래 입술조직의 일부를 이용 윗입술을 보충하는 것이 유용하다. 적당한 큐피드 활(cupid bow)을 만들기 위하여서는 아랫입술 정중부에서 피판을 작성하여 윗입술 정중선으로 옮기는 것이 좋다(그림 15-11). 새로이 재건될 인중은 약간 둥근 끝을 가지면서 위부분이 좁아지는 형태로 도안한다. 성인의 경우 인중의 폭은 하방에서는 0.9~1.2cm 정도로 하고 상방에서는 0.6~0.9cm 정도로 작도한다. 전이된 피판은 약 10-14일 사이 혈관경 부위인 labial artery 혹은 점막부 연결부위를 안전하게 자를 수 있으며 1년 정도가 경과하면 주변의 감각신경이 자라 들어가고 근육 또한 정상적으로 작용하게 된다. 그러나 아무리 정확히 봉합한다 하더라도 홍순의 연결 부위 등에 불규칙한 반흔 등이 남기 쉬우므로 이에 대하여서는 차후에 다시 반흔 성형술을 요할 수 있다.

(6) 인중 재건

오늘날 변형된 Millard 방법은 대부분 충분한 근육의 박리와 봉합으로 인중 부위가 돌출되어 일차 수술시 어느 정도 인중이 형성되지만 Tennson-Randall법이나 LeMesurier 법에서는 인중을 가로지르는 절개 흉터가 남으면서 이중의 형성이 부족하다. Millard 법 때는 인중이 보존되기는 하나 인중은 두개의

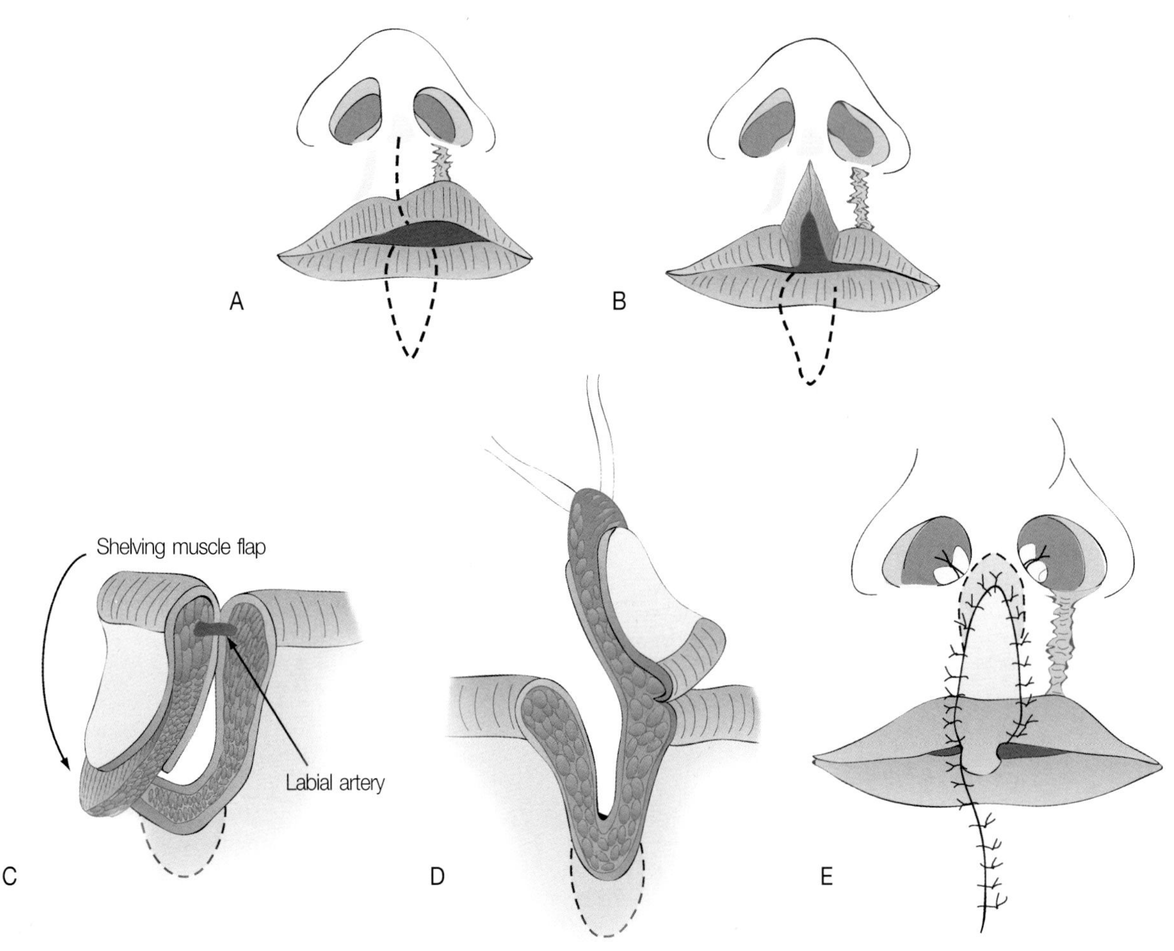

그림 15-11. Abbé flap을 이용한 상구순의 재건법. (A) 피판의 디자인. 새로이 재건될 인중은 약간 둥근 끝을 가지면서 위부분이 좁아지는 형태로 도안한다. (B) 상구순의 중앙부위에 전층 절개를 가하여 피판이 위치할 부위를 작성한다. (C, D) 혈관경의 박리. 이때 점막의 일부를 남겨 mucosal bridge를 남겨 놓는 것이 더 안전하다. (E) 피판 회전과 봉합후의 도식도.

인중기둥과 함몰부 등으로 미묘한 해부학적 구조로 이루어져 있어 완벽한 재건이 쉽지 않다. 과거 O'Connor와 McGregor 등은 꼬리 쪽에 기저를 둔 피부밑회전피판으로(그림 15-12), Onizuka등은 roll over muscle flap 으로(그림 15-13) 재건을 시도하였으나 근피판이나 흉터 피판을 사용한 경우 시간 지남에 따라 인중의 융기부가 차츰 평평해지는 문제가 있다. Neuner는 이개 연골의 삼각오목(triangular fossa)에서 연골이식편 또는 연골피부복합이식편을 채취, 이를 이용하여 인중을 재건하였으나(그림 15-14) 이 방법은 상구순부에 이식한 연골이 단단히 만져지고 자연스럽지 못하다는 단점이 있다.

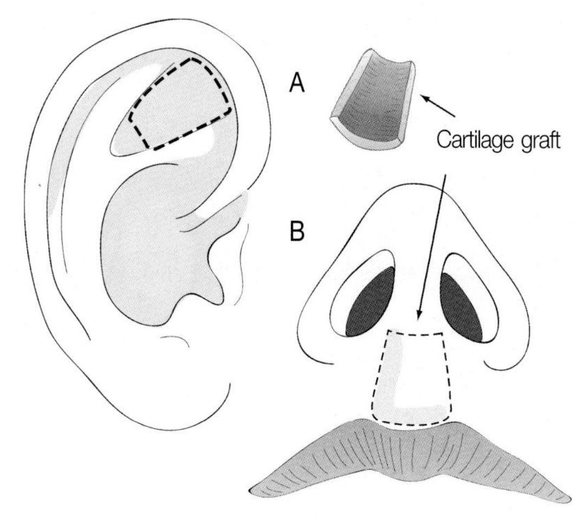

그림 15-14. 이개 연골을 이용한 인중의 재건

(7) 큐피드 활 재건

큐피드 활의 정점이 파괴돼 버려서 거기에 흉터가 있는 경

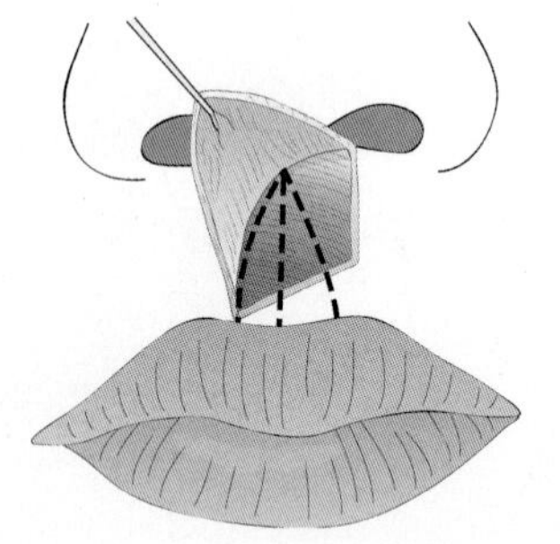
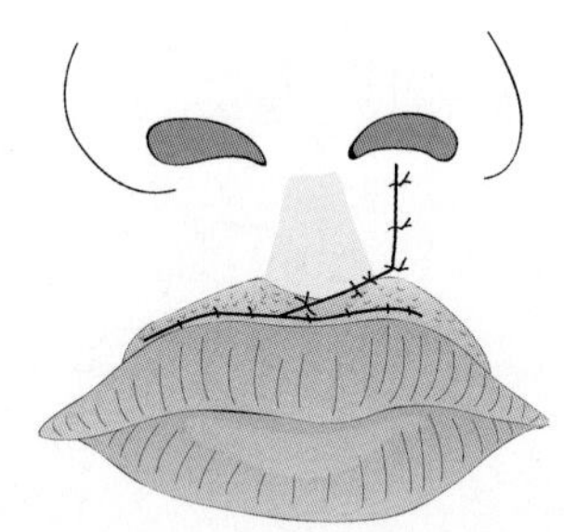
그림 15-12. 인중의 중앙부위에서 cutanoeous pedicled flap을 거상 수평으로 전이 시킨 후 피판 거상부위에 함몰을 유도 인중을 재건한 모습

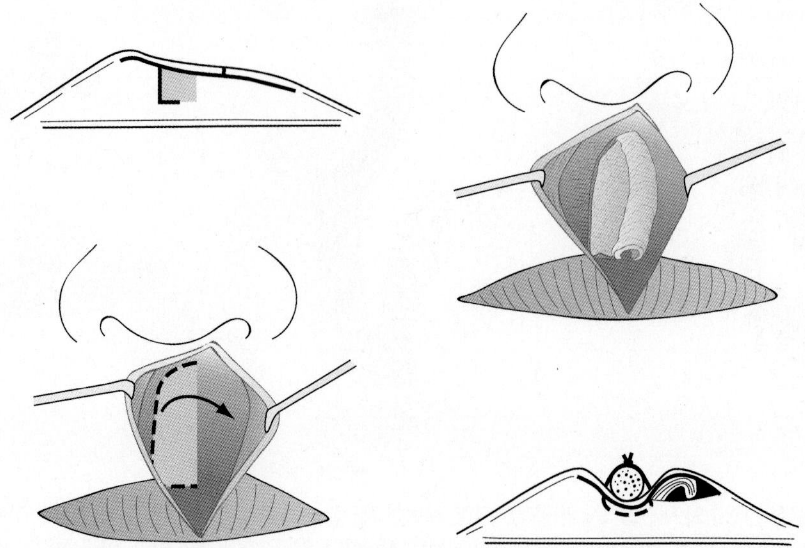
그림 15-13. 인중 중앙부위에서 근육 피판을 거상 뒤집어서 인중의 융기부를 만든 모습

우, 즉 삼각형의 정점모양의 변형이 이루어 진 경우 이것을 재건하기는 무척 어렵다. Takato등(1996)은 Abbé 피판을 변형하여 큐피드 활을 재건하였다. 즉 아랫입술 중심부에서 붉은 입술과 입둘레근을 포함한 변형 Abbé 피판을 윗입술로 옮겨다 놓음으로써 큐피드 활구조를 재건하고자 하였다. 경우에 따라서는 상구순부에서 외측 하방에 기저부를 둔 사각형 피판을 거상하여 180도 회전시킴으로 큐피드 활의 상방을 재건하고 하방의 홍순부위는 점막 피판을 회전시킴으로 재건 할 수 있다. 이 경우 상구순부 피판의 회전시 발생하는 dog ear가 좌측 큐피트 활의 정점이 되어 오히려 자연스러운 모습을 유지할 수 있다(그림 15-15).

white roll의 중심부가 너무 낮으면서 큐피드 활 모양이 없는 경우에는 큐피드 활이 있어야 할 자리에서 피부를 전층으로 절제하고 나서 홍순을 상방으로 전진시켜 큐피드 활을 만들어준다(그림 15-16). 반대로 큐피드 활의 최고점이 너무 높은 수준에 있어 notching이 보이는 경우에는 Z성형술로 이를 낮추어준다(그림 15-17).

2) 홍순 변형 및 성형

홍순의 외측부분이 약간 부족한 경우에는 입술점막에 V-Y 전진피판술(V-Y advancement flap)(그림 15-18), Z성형술, 점막 회전피판(mucosal transposition flap), 복합이식편(composite graft) 등으로 교정할 수 있다. 홍순의 외측부분이 크게 부족한 경우에는 아랫입술로부터 홍순 또는 점막피판, 혹은 중심부에 기저를 둔 입술교차피판(cross-lip flap)을 사용

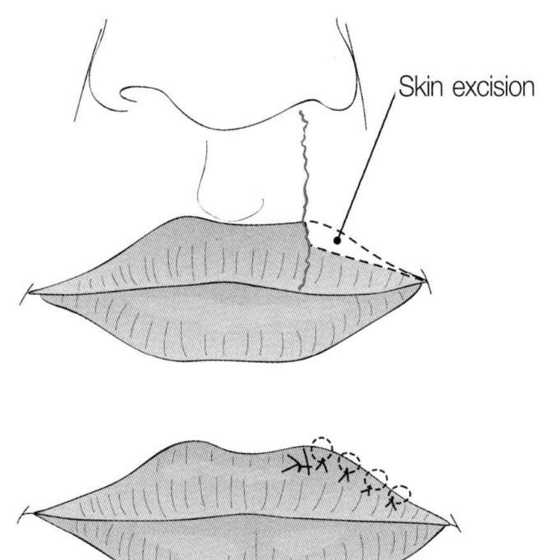

그림 15-16. white roll이 너무 낮은 경우, 피부 일부를 절제한 후 홍순을 전진시켜 교정한다.

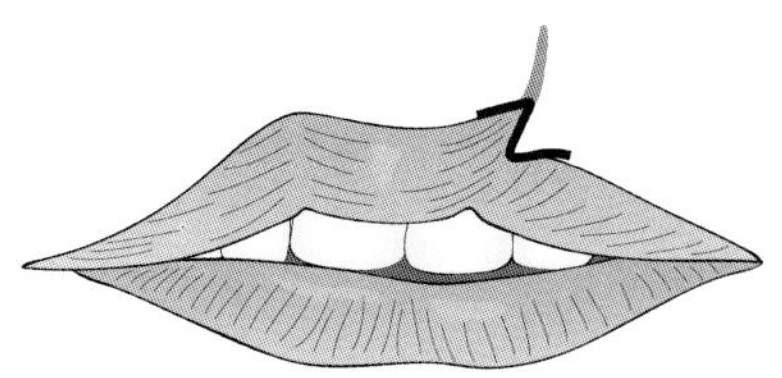

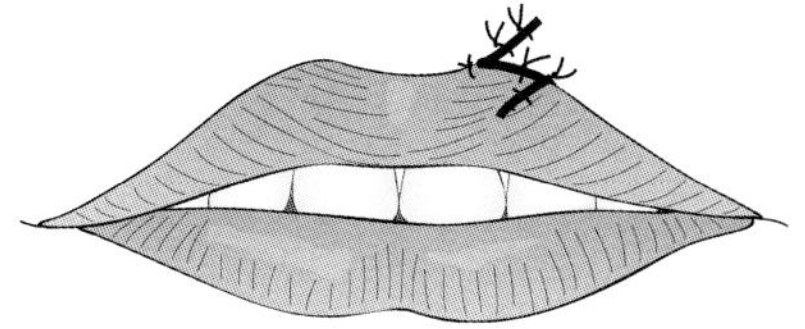

그림 15-17. 큐피트 활의 정점이 너무 높은 경우, Z 성형술을 이용 낮추어 준다.

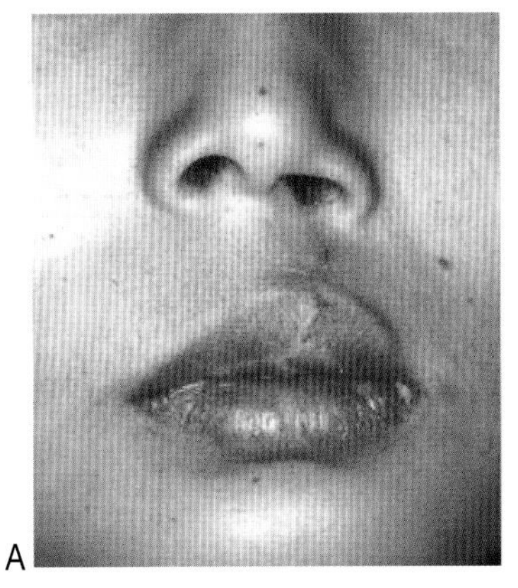

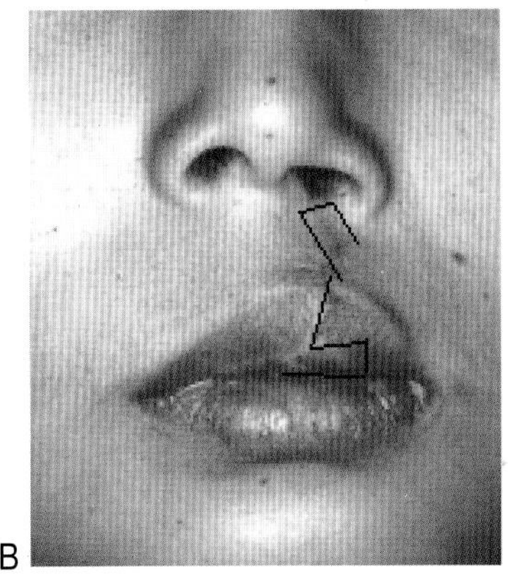

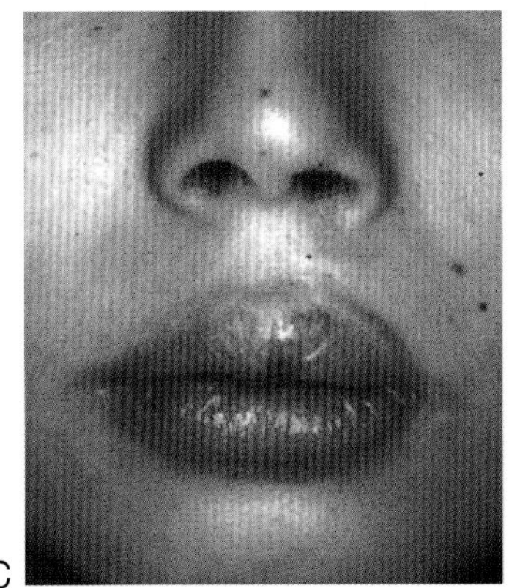

그림 15-15. (A) 큐피트 활의 정점이 모두 파괴된 경우. (B) 외측 중간부위에 기저를 둔 사각형 피판을 180도 회전하여 피판의 원위부로 큐피트 활을 재건할 수 있다. (C) 수술후 큐피드 활이 재건된 모습

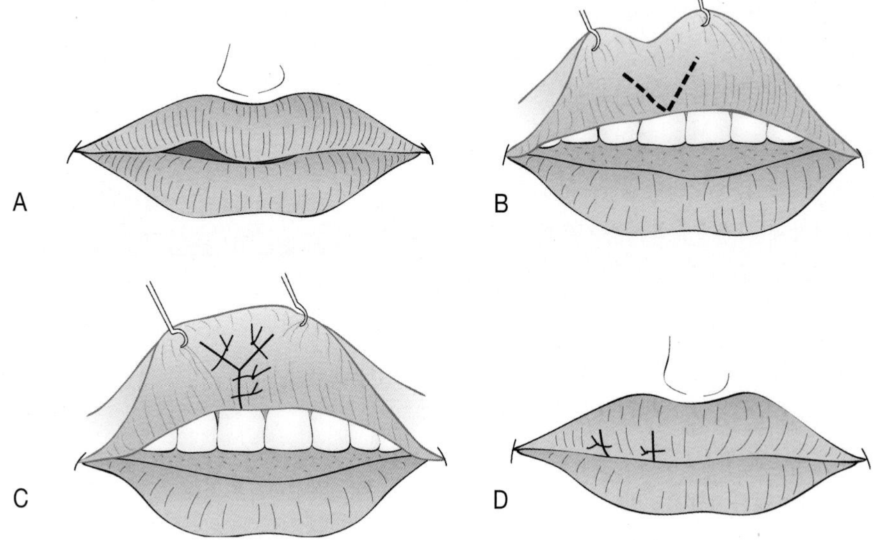

그림 15-18. V-Y 전진 피판을 이용한 홍순변형의 교정

하여 교정할 수 있다(그림 15-19). 이 경우 lower libial artery에 기초를 두고 홍순과 점막을 피판에 포함해서 윗입술의 홍순부위로 전이하여 고정하고 10일 후 피판을 잘라서 남은 부분은 제자리로 들려준다(Waenel & rewllan, 1994)

홍순의 중심부분에 조직이 부족하면 그 부분이 휘파람을 불 때처럼 잘록하게 위로 올라가게 되는데 이러한 변형을 휘파람 부는 모양 변형(whistling deformity)이라 한다. 이는 편측 구순열보다 양측 구순열 수술 후에 더 자주 볼 수 있다. 윗입술의 점막이 부족하여 이와 같은 변형이 생긴 경우에는 윗입술 점막 중심부에 역Y자형 절개를 해서 YV전진술로 교정할 수 있다(그림 15-20). 점막에 절개를 할 때는 점막층만 최대한 두껍게 절개하며 근육에까지 절개를 하지 않도록 한다. 윗입술에 근육이 많이 부족해서 이와 같은 변형이 생긴 경우에는 변형의 양쪽 편에 있는 근육의 일부를 결손이 있는 중심 부위로 당겨다가 양측에서 V-Y 전진술 순로 봉합하여 교정할 수 있다(그림 15-21).

붉은 입술 가장자리를 보충하기 위하여 측두근막이식(Temporoparietal fascial graft)을 사용하기도 하는데, 근막이식편은 유연할 뿐 아니라 시간이 지나더라도 흡수가 적게 되는 장점을 갖고 있다. 윗입술의 붉은 입술 중심부분이 매우 부족한 경우에는 전술한 Abbé 피판 또는 상피를 박리한 Abbé 피판을 사용한다.

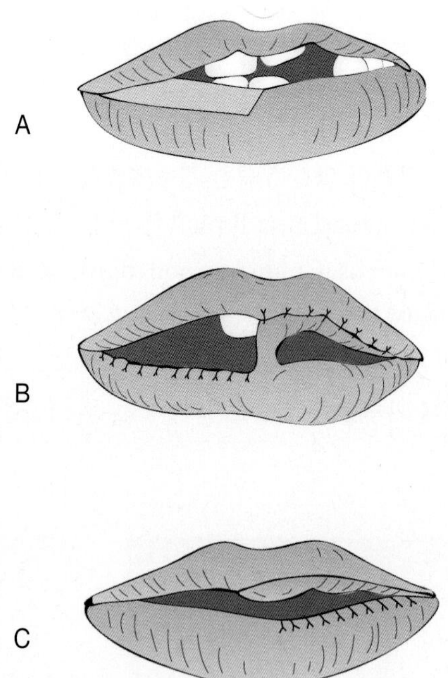

그림 15-19. 외측 홍순부위의 부족함이 심할 경우 아래 입술의 반대측 홍순과 점막에서 피판을 거상하여 회전시켜 교정할 수 있다.

반대로 Millard 법으로 일차 구순열을 교정한 경우 종종 붉은 입술 외측부분의 과잉을 볼 수 있다. 이 경우 과잉부분을 가로로 절제하여 교정한다. 윗입술과 치조골 사이 협구에 유

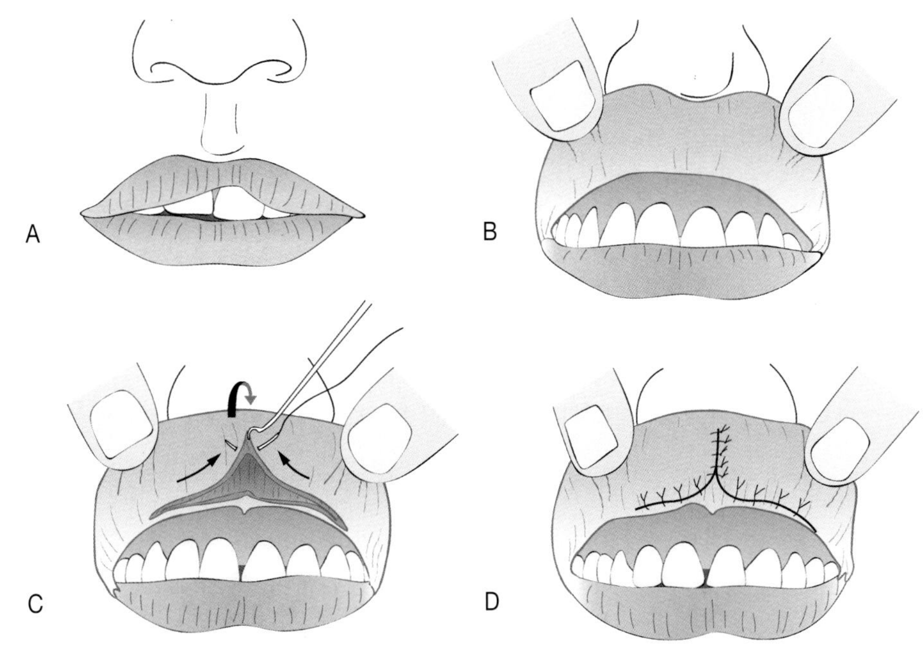

그림 15-20. 점막 및 근육을 포함하는 상구순의 VY 전진술

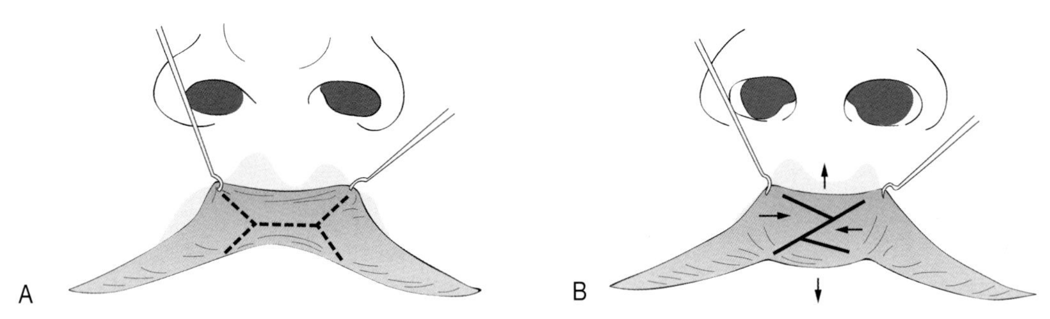

그림 15-21. 홍순의 부족이 심할 경우 홍순 외측에서 양측으로 VY피판을 전진시켜 교정할 수 있다.

착이 있는 경우 그 정도가 심하지 않으면 혀유착증 때와 마찬가지로 유착부위를 풀어 주고 Z성형술로 연장함으로 교정할 수 있다. 유착이 심하면 윗입술협구(upper buccal sulcus) 전체에서 Y-V전진술과 Z성형술을 복합적으로 시행하여 교정하기도 하고 윗입술고랑을 깊게 하는데 노출된 치조골 부위는 점막이식술로 덮어준다(그림 15-22). 때로는 입술점막을 양쪽으로 넓게 일으켜서 이것을 전진피판술을 이용하여 윗입술의 고랑을 만들어 주고 협부에서 채취한 점막이식편으로 덮어준다(Falcone, 1966). 그러나 이 방법은 술 후 이식한 점막이 수축하는 것을 미리 감안해야 한다.

2. 비변형

구순열 환자들은 거의 대부분 비변형을 동반하게 되며 성장에 따른 이차적 변형도 다른 부위에 비하여 가장 심하게 나타난다. 구순열 환자의 대부분의 경우에는 1차 수술 당시 코 변형에 대한 수술을 하지 않고 그대로 두어서 2차 비변형이 나타나고 이는 약 80%나 해당이 된다. 일측 구순열비변형이 발생하는 원인은 아직 논란의 여지는 있으나 태생기 중배엽이 구순열부위로 이동하지 못하여 비연골 형성능력이 감소되어 환측이 정상측에 비하여 성장능력이 떨어짐으로 발생한다는 내적요인(intrinsic factor)설과 환측의 근육이나 골격등의 외적

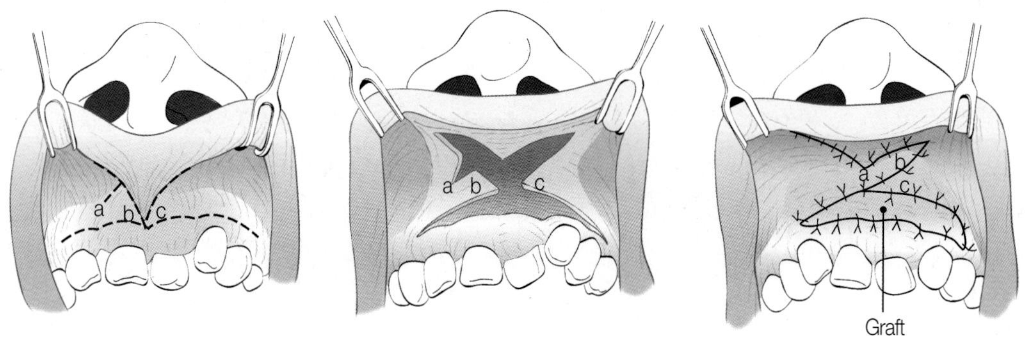

그림 15-22. 점막 및 협부의 협착이 올 경우 YV전진술과 Z 성형술을 복합하여 교정할 수 있다.

요인으로 인하여 정상적인 성장에 장애를 일으킴으로 변형이 일어난다는 외적요인(extrinsic factor)설이 있으며 최근 연구들에서는 외적요인이 더 우세한 것으로 보고 되고 있다. 양측 구순열비변형의 경우는 비주(columella)가 짧아 비첨부가 낮고 비공이 작아지는 문제가 있고, 편측 구순열비변형의 경우는 비주, 비첨부의 문제 뿐만 아니라 변형이 있는 측과 정상측 사이의 비대칭성이 심하여 그 문제가 더 복잡해진다. 변형되는 정도는 비정상적인 구륜근의 위치와 수축 힘, 이상구(pyriform aperture) 부위의 형성 저하로 인해 함몰되어 있는 정도에 따라 다르며 특히 비익연골의 형성도 변형 정도에 따라 차이가 나게 된다.

1) 이차비변형의 특징적 병리 양상

일측 이차구순열비변형의 특징적 병리양상으로는 (1) 비첨부가 정상 쪽으로 변위되어 있고, (2) 비주의 바닥(columellar base)과 비중격(cartilaginous nasal septum)이 정상 쪽으로 변위되어 있고 전비극(anterior nasal spine)이 정상 쪽으로 변위되어 있으며 상악골의 형성부전(hypoplasia)이 심한 경우에는 비중격 및 전비극이 vomerine groove로부터 어긋나 있어 반대편 비공으로 튀어나와 보이게 된다. 이와 같은 비중격 중심부가 휘어 있는 경우 환측으로 볼록하게 곡면을 이루고 있어 비강을 통한 호흡을 방해하게 된다. (3) 환측 비익연골의 내측각과 외측각 사이 각도가 정상측 보다 더 크고 (4) 환측 비익연골의 내측각이 후방으로 전이되어 있어서 비주가 짧고 환측 비익연골 돔(dome)이 함몰되어 있으며 (5) 환측 비익연골의 외측각은 원위부로 처져있고, 비첨부의 피부가 비공의 상내측에 갈퀴 모양으로 현수되어 있다. (6) 환측 비익연골의 외측각이 비강내로 굽어 있다. (7)환측 비공의 내방에는 비공 정점에서부터 비익연골의 원위부쪽 가장자리를 따라 vestibular web이 형성되어 있다. (8) 환측 이상구 부위의 형성저하로 인해 콧방울 바닥이 함몰되어 있다. (9) 환측 비공저(nostril floor)가 넓고 양측 비공의 비율이 깨어져 있다(그림 15-23).

따라서 일측 구순열비변형은 임상적으로 (1)환측 비익연골의 변형으로 내측각이 내하방으로 휘어져서 비축주가 짧아지며, 내측각과 외측각 사이가 둔화되고, 비익연골이 내측으로 비틀려지는 등의 변형으로 환측 비익부가 함몰되어 보이며 이에 따라 양측 비공이 비대칭적으로 보이며 (2)비중격과 전비극(anterior nasal spine)이 정상측으로 변위 또는 탈골되어 비축주가 정상측으로 삐뚤어지며 (3)이상구(piriform aperture) 및 비익기저부 발육부전으로 비공저(nostril sill)의 함몰변형이 생기게 된다.

아직도 일측 구순열비변형의 원인은 분명하게 밝혀지지는 않았다. Hogan(1971)은 편측구순열비변형에서 나타나는 연골 변형을 "기울어진 삼각대(tilted tripod)"로 설명하고 있다. 정상적인 경우는 양측 비익연골과 비중격이 상악골 위에 똑바로 서있는 삼각대처럼 대칭이 되도록 위치하고 있는데, 편측 구순열비변형의 경우는 환측 상악골 특히 이상구(priform aperture)의 형성부전으로 인해서 함몰되어 있기 때문에 삼각대가 한쪽으로 기울어질 수 밖에 없고 따라서 비익연골과 비중격에 변형이 나타난다는 것이다(그림 15-24).

2) 수술적 교정 시기

편측 구순열비변형을 수술적으로 교정하는 시기에 대해서

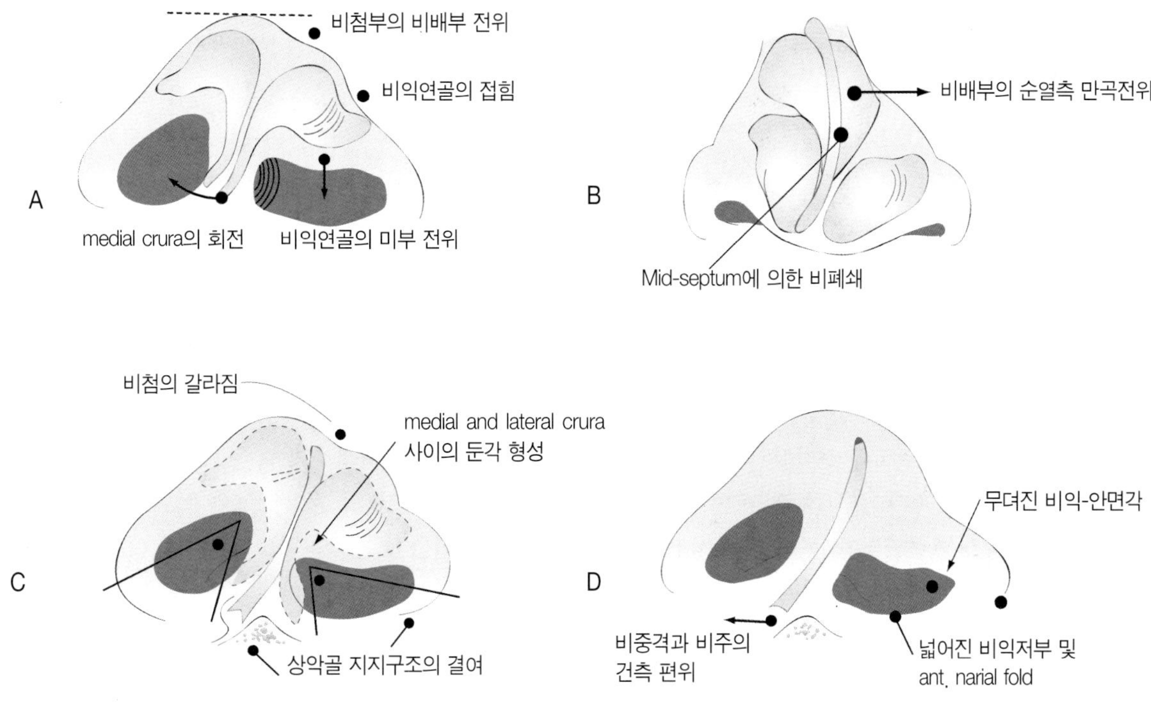

그림 15-23. 이차적 비변형의 특징적병리양상

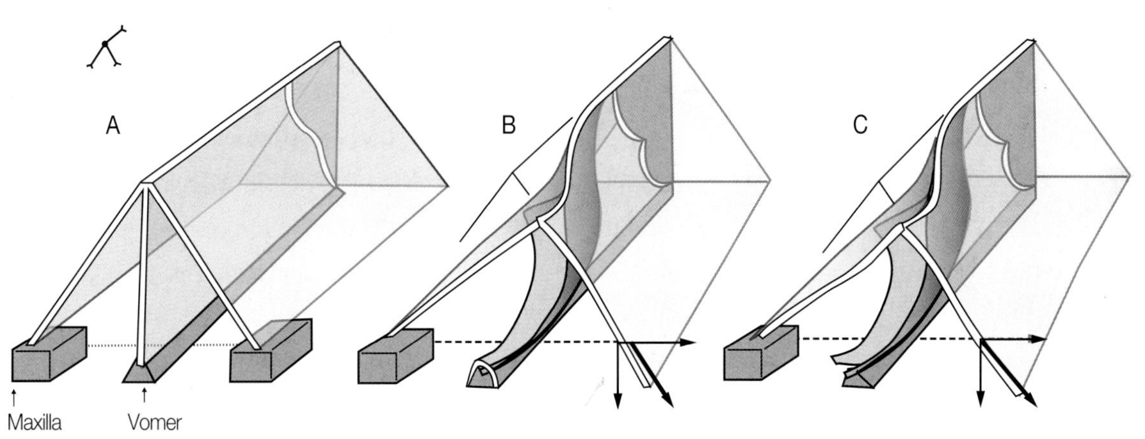

그림 15-24. tilted tripod 이론의 도식적인 그림. (A) 정상적인 경우. (B) 상악골의 발육부전으로 인하여 기울어진 경우. (C) 매우 심한 경우 비중격 전이와 더불어 연골의 휘어짐 현상이 일어나게 된다.

는 아직도 많은 견해들이 있다. 일차 수술시 비성형을 고려치 않는 group에서는 비교정술을 동시에 시행하지 않는 이유로 비연골들이 너무 작아서 교정하기 어렵고, 수술중 손상으로 연골 주위에 흉터조직이 발생, 코가 성장하는데 지장을 줄 뿐 아니라 2차 구순열비변형 교정시에도 지장을 초래하게 되기 때문에 비변형 교정술을 코 성장이 어느정도 이루어지는 14세경까지 미루는 것 바람직하다고 주장한다. 그 근거로는 첫째 코가 11-14세경 급속히 자라 성인 코의 형태를 갖추고, 둘째 비중격 하부에 있는 성장 중심이 손상되어서는 안된다는 점, 셋째 이 연령까지 송곳니(canine)가 돋아나게 되고, 이 때에 상악골에 뼈이식술(onlay bone graft)를 해서 비공저의 기반을 만들어 줄 수 있고. 넷째 절골술이 필요한 경우 상악골의 이마돌기(frontal process)가 충분히 성장해야 하고, 다섯째 필요할 경우 악교정 수술(orthognathic surgery)후에 비교정술을 해야 하기 때문이라는 점을 들고 있다. 반면 일차 구순형성술 때 비교정술을 동시에 시행하자는 견해는 일차 수술시 비연골들을 바른 위치에 재배치함으로써 더 이상의 코 발육에 장애를 방지하고 성장한 후에도 코모양이 훨씬 만족스럽게 된다고 주장한다(McComb, 1985). 한편 8-12세가 적당한 시기라고 주장하는 이들도 있는데, 이들은 7-8세가 될 때까지 vomer가 상악골의 전하방 성장과 코의 전반적인 성장에 절대적인 역할을 하며(Reidy, 1968), 6-10세 사이에 상악전구골(premaxilla) 상방에 있는 비중격연골 앞부분의 성장력이 최고에 달한다고 주장한다(Vetter등 1983). Bardach와 Salyer(1987)는 첫째 이 시기에 양쪽 상악골분절에 대한 악교정치료가 완료되고, 위외측연골(upper lateral cartilage)이 재배치해 놓은 비익연골을 그 위치에 지탱할 수 있게 되며, 상악골 형성부전에 대한 중첩골이식(onlay bone graft)이 가능하므로, 치조골성형술(alveoloplasty) 할 때인 8-12세경 비교정술을 같이 하는 것이 좋다고 주장하였다. 하지만 이들도 비중격성형술(septopalsty), 비절골술(nasal osteotomy), 연골이식, 골이식술, 등의 교정비성형술(corrective rhinoplasty)는 14세까지 연기하는 것이 좋다고 하였다.

Oritz-Monasterio와 Olmedo(1981), Salyer(1986), Jackson과 Fasching(1990) 등은 일측 구순열비변형 환자중 심한 비변형을 가진 경우는 4-6세(취학전 연령, preschool age)에 수술하는 것이 좋다고 하였다. 이들은 일차구순형성술을 Millard법으로 하고, 이후 비변형이 심해질 경우 상악골의 이상구 부위에 중첩골이식술(onlay bone graft)를 하고 비중격성형술(septoplasty) 및 비첨성형술과 비익연골에 대한 교정술을 해주는 것이 좋다고 하였다.

3) 구순열비변형 수술

이차구순열비변형의 교정 수술의 목표는 편측인 경우 환측이 정상측과 대칭성을 이루도록 하는데 있고, 양측성인 경우는 비주를 길게 하고 비첨과, 비배부를 높여 주는데 있다(Gorney, 1988). 구순열비변형 교정 수술시 변형을 일으키는 모든 요소들을 한꺼번에 교정하지 않을 경우 만족스러운 결과를 얻을 수 없다. 그러므로 비익 연골의 위치를 재배치하고, 휘어진 비중격연골을 바로잡고, 함몰된 상악골의 이상구(pyriform aperture)부위에 근육을 보충하거나 골이식술등을 이용하여 융비시키고, 비첨부를 명확하게 해주고 비강내면 피부의 부족분을 보충하는 등의 수술을 동시에 하는 것이 바람직하다. 이러한 수술법들은 모든 환자에게 동일하게 적용하는 것이 아니라 환자마다 다양한 해부병리학적 소견을 가지고 있으므로 각 환자의 주된 병리 양상을 파악하고 가장 적합한 수술방법의 조합을 선택하여 시행하여야 한다.

(1) 수술의 원칙

비변형 교정의 원칙은 정상측보다 낮은 환측 콧방울(alar)을 높이고, 외측각의 머리쪽부분(cephalic portion)을 절제하여 비공을 줄여주며 양측 콧방울바닥(alar base), 그리고 양측 비저(nostril floor)이 각각 대칭이 되도록 한다. 코입술각(nasolabial angle)과 비주(columella) 길이가 적당히 유지될 수 있도록 하며 필요시 비중격의 꼬리쪽부분(caudal portion)의 변형이 비첨변형에 영향을 미치지 않도록 비중격성형술을 시행한다. 이 경우 대개 swinging door법이 많이 시행된다(Converse 1977).

(2) 콧방울변형의 교정

① 개방접근법(open approach, external approach)

개방접근법은 비주횡절개(transcolumellar incision), 양측 비주테두리절개(bialteral columellar rim incision) 및 양측 비익연골변연절개(bilateral marginal incision)를 연결하여 한꺼번에 박리하여 비익연골을 노출시키는 것이다. 개방접근법의 장점은 수술시야를 넓게 하여 해부학적 구조물을 눈으로 정확히 파악하면서 연골과 뼈등의 구조물을 원하는 해부학적 위치에 쉽고, 정확하게 교정시킬 수 있다는 것이다.

i. Bardach 법(1987)

상구순에 조직이 충분한 경우 입술 흉터를 절개하여 V-Y봉합함으로써 윗입술 피부를 연장하여 이를 비주 길이를 늘리는데 이용하고 환측 비익연골의 외측각을 박리하여 정중선 상에서 정상측 비익연골에 봉합, 고정함으로써 교정하는 방법이다(그림 15-25).

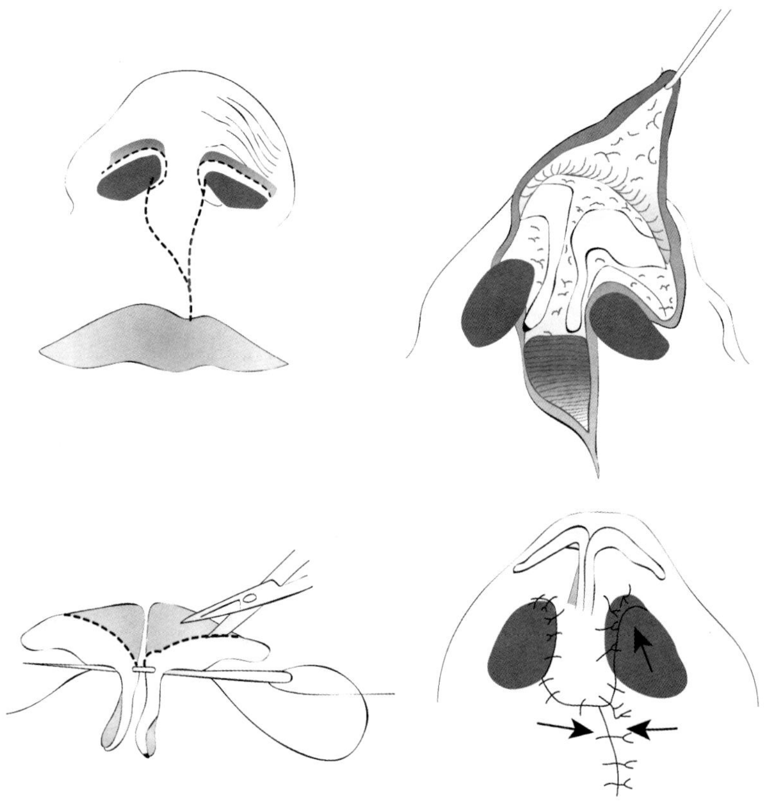

그림 15-25. Bardach법에의한 비교정술. 상구순에서 VY피판 형식으로 비주를 연장하고 개방형 박리를 통하여 양측 비익연골을 노출시켜 중앙위치에서 고정하여 준다.

ii. Kirschbaum과 Kirschbaum 법(1992)

개방접근법 피부절개를 통하여 양측 비익 연골을 노출시킨 후 환측 연골점막피판(chondromucosal flap)을 거상 상외측으로 회전하여 정상측 비익연골에 봉합, 고정한다(그림 15-26).

iii. Chen-Noordhoff 법(1992)

개방접근법 피부절개를 통해서 환측 비익연골을 완전히 박리하여 노출시킨 후 비익 연골 점막을 VY 전진술로 전, 상방으로 회전한 다음 upper lateral cartilage의 원위부 가장자리에 봉합하고, 양쪽 비익연골의 내측각(medial crus)끼리 서로 봉합한다(그림 15-27).

iv. 연골이식술(cartilage graft)

환측 비익연골을 전술한 방법등으로 재배열하여 고정해도 정상과 같은 높이를 얻기 힘들거나 대칭성에 문제가 있을 경우 비익연골 위에 연골이식편을 중첩시켜서 융기시킬 수 있다. 비중격연골이나 이개 연골을 이용할 수 있으며 비중격 연골은 얻기 쉽고 단단하다는 장점을 가지고 있으나 원하는 모양으로 만들기가 어려우며 이개연골(conchal cartilage)은 같은 탄력연골로 모양상 비익연골 성형을 위해서는 유리하다.

v. 내측각 융기술(medial crus elevation)

비저, 비주와 콧방울까지에 절개를 가하여 비익연골과 비강내 점막을 한 개의 단위(unit)로 회전시켜 내측각을 융기시키는 방법으로(그림 15-28) 양쪽 콧방울 모양이 대칭이 되도록 하는 것이 목적이다. Blair(1930), Joseph(1931), Gillies-Kilner(1939), Berkely(1959)등이 이러한 방법을 소개하였고, 절개흉터가 눈에 띈다는 단점이 있으나 시간이 지나 가면 반흔이 그리 심하게 눈에 띄지 않고 결과가 좋은 편이다.

② **코속 접근법(endonasal approach)**

코속 절개법은 개방절개법에 비하여 충분한 시야 확보가 되

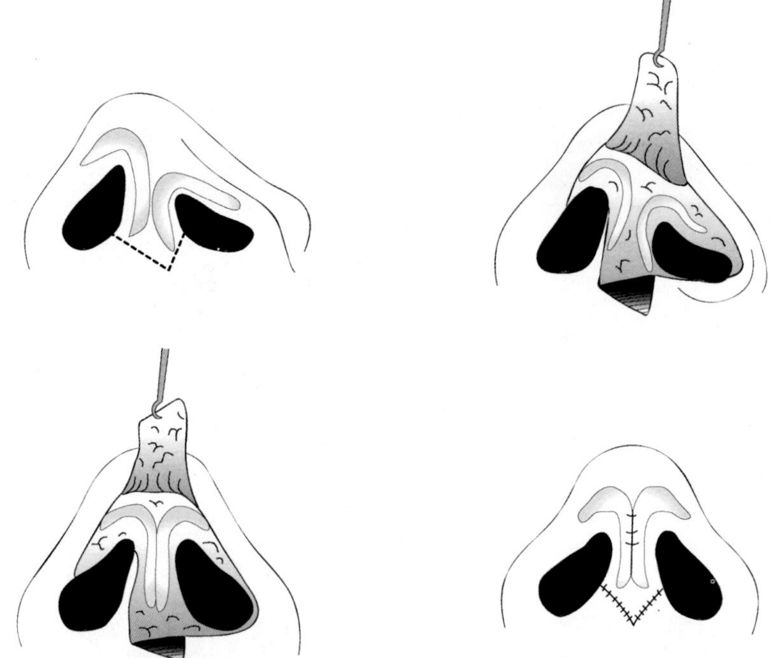

그림 15-26. Kirschbaum과 Kirschbaum 법을 이용한 이차 비변형의 교정

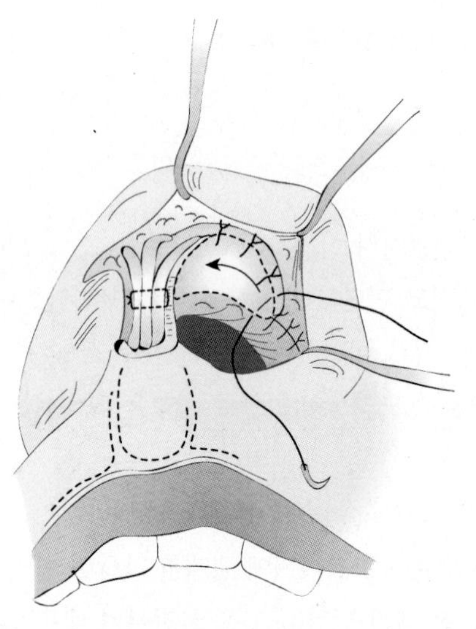

그림 15-27. Chen-Nooeshoff법. 비익연골은 VY전진술로 전외방으로 회전시켜 양측 medial crus끼리 봉합한다.

지 않고, 변형된 구조물의 해부학적 구조가 명확히 드러나지 않으며, 연조직의 이동이 불충분하고, 박리하다가 미세한 구조에 손상을 주기 때문에 최근 선호되지 않지만 아직도 많은 술자의 경우 코속 접근법을 이용하여 교정하고 있다.

i. Tajima-Maruyama 법(1977)

환측 콧방울 바닥을 손가락으로 밀어 올려 양측 비공저를 대칭으로 만든 상태에서 비강내 점막에서부터 테두리(alar rim)를 포함하는 역U자형의 절개선을 가한다. 이 절개선은 비강내의 비주와 비중격 이음부(junction)에서 시작하여 콧방울 테두리를 향해 조금 전방으로 나와 반대쪽 콧방울테두리에 대칭이 되게 테두리를 따라 절개한 다음 다시 비강내로 들어가 비강내 코안뜰주름(nasal vestibular fold) 바로 외측에서 끝난다. 이 절개선을 통해서 코의 아래2/3을 덮고 있는 피부를 개열측 비익연골로부터 충분히 넓게 박리한다. 그리고 정상측 콧방울 연골과 비주 상부의 피부도 박리한다. 이렇게 얻은 역U자형 연골점막피부판(reverse-U chondromucocutaneous flap)을 내상방으로 끌어올려 그 안에 들어 있는 비익 연골을 정상 쪽 비익연골의 돔과 비중격각(septal angle)과 양측 upper lateral cartilage에 봉합, 고정하여 융기시킨다. 그 후 절개면을 봉합하면 콧등을 덮고 있던 피부가 안쪽으로 자연스럽게 말려들어가 콧방울 테두리 모양이 자연스럽게 만들어지게 된다(그림 15-29). 그러나 Tajima-Maruyama 법은 효과적으로 비익연골을 재배치할 수 있으며 흉터도 눈에 덜 띄나 수술시야가 좁고 협소하여 정확한 위치와 방향으로 비익연골을 재배

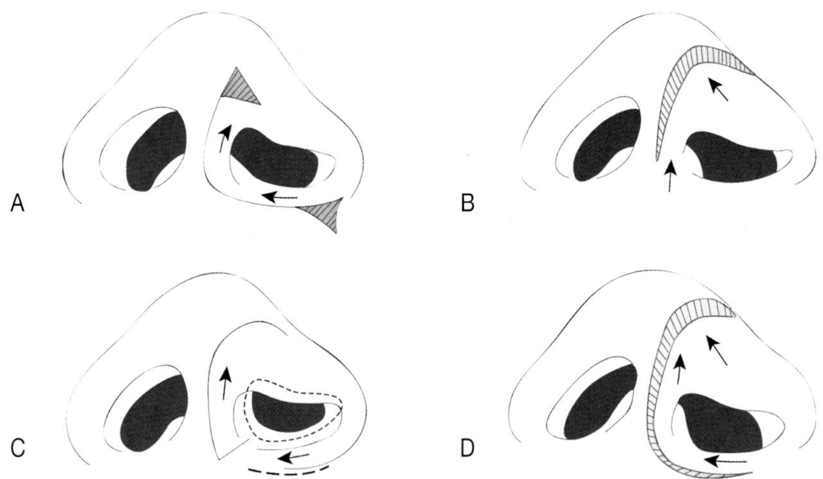

그림 15-28. 여러가지 형태의 내측각 융기술(medial crus elevation) (A) Blair method. (B) Joseph method. (C) Gillies-Kilner meothd. (D) Berkeley method

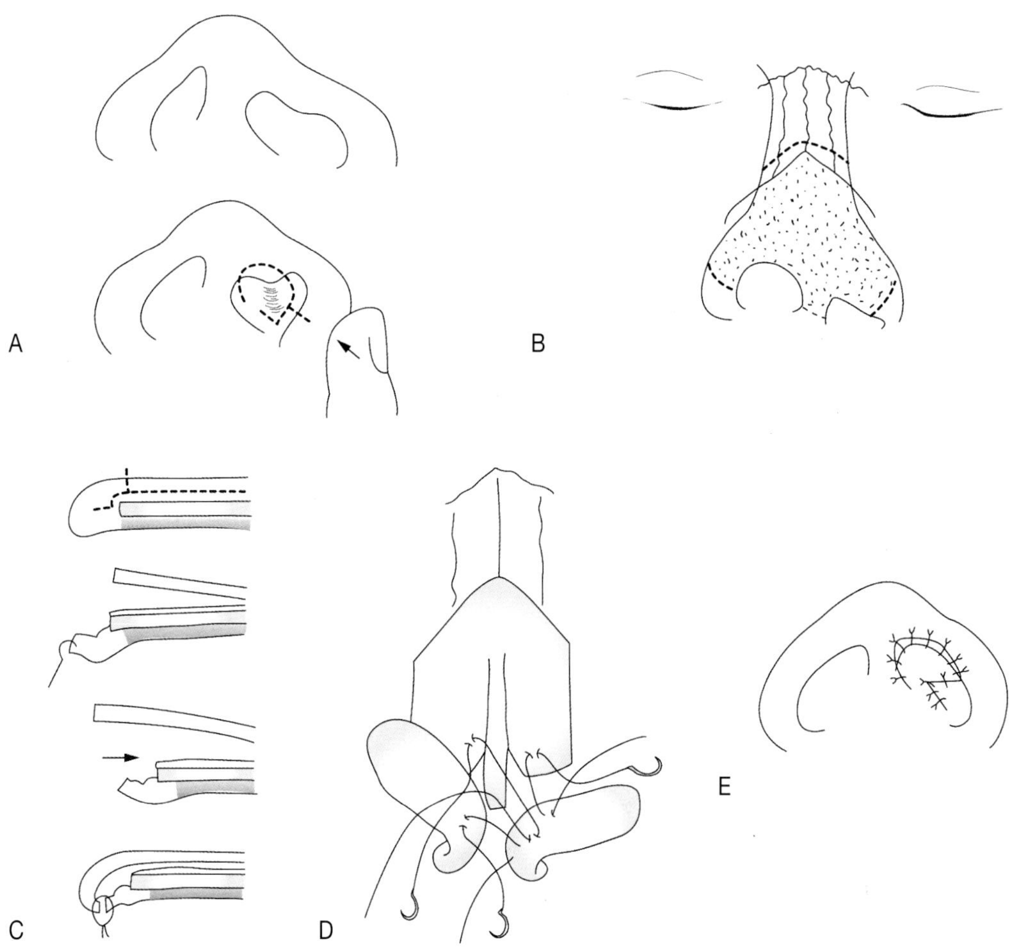

그림 15-29. 역 U자형 절개를 이용한 비성형술. (A) 절개선의 작도. (B) 박리의 범위. (C) 점막 연골 피판의 시상절단면. (D) 비익연골의 고정부위. (E) 술후 봉합선 및 반흔의 모식도. 점막피판이 부족할 경우 기저부에 Z 성형술을 넣을 수 있다.

치하기가 어렵고 술후 연골점막피부판의 끝부분이 튀어나와 마치 webbing과 같아지는 단점이 있다.

(3) 연조직변형의 교정

환측 비공의 윗부분은 일반적으로 정상측에 비하여 조직이 남아 Webbing을 형성하고 있는 경우가 많다. 이러한 잉여 피부는 reverse U incision과 같이 비점막으로 전이하여 이용할 수도 있으나 드리워져 있는 조직에 Z 성형술을 가하여 늘려줌으로써 비공을 넓힘과 동시에 비주를 연장시키는 효과를 얻을 수 있다(그림 15-30).

대부분의 이차비변형의 경우 비공 상측으로 vestibule의 코점막이 구축(contracture)되어 web이 발생하여 있다. 이러한 주름이 발생되는 이유는 비익연골의 위치가 잘못되어 있기도 하지만 비점막이 부족하여 발생하기도 한다. 이의 교정은 vestibular web의 장축에 중심축을 둔 Z 성형술이나 내방에 기저를 둔 연골점막피판의 VY 전진술, back cut을 동반한 회전피판등으로 교정이 가능하다. 때로는 환측 비익연골의 외측각(lateral crus)와 돔부분을 내방으로 전진시킨 다음 이로 인하여 생긴 결손 부위에 피부이식을 시행할 수도 있다. 일차 수술에서 비공이 협착되었거나 흉터가 심한 경우에는 코 내면층의 구축으로 점막(nasal lining)이 부족한 경우가 발생할 수 있다. 이 경우 역시 Z성형술이나 VY 전진술로 교정한다(그림 15-31). 만약 이러한 방법으로 교정이 어려울 경우에는 이갑개(auricular concha)에서 복합조직이식편(composite graft)을 얻어 결손부위를 채워줄 수 있다.

II. 양측 구순열비변형의 이차변형

양측 구순열의 이차변형 교정에는 일측 구순열의 이차 교정술에서의 여러 방법과 고려 사항들이 마찬가지로 적용된다. 일반적으로 양측 구순구개열의 일차 교정 결과는 대개 일측성 보다 불만족스럽고 대부분 이차적 교정술을 필요로 한다. 이차적 변형은 구순, 비부, 치조골등에 주로 오며 치조열과 관련된 돌출된 상악 전구골과 구비강누공 또한 특별한 문제가 된다.

1. 입술 변형

가장 흔하게 나타나는 입술 변형은 1) 홍순의 결핍과 근육

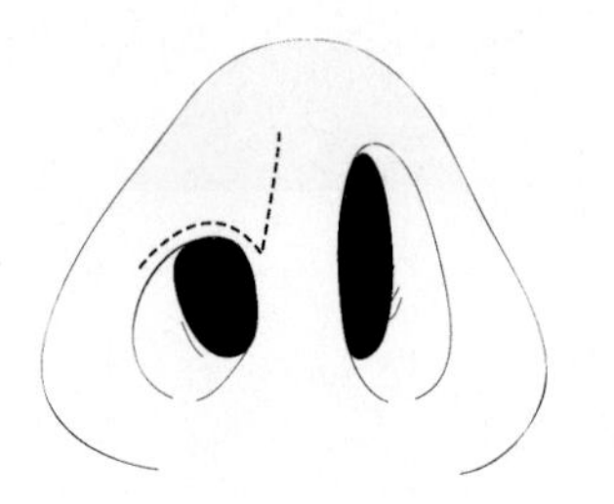
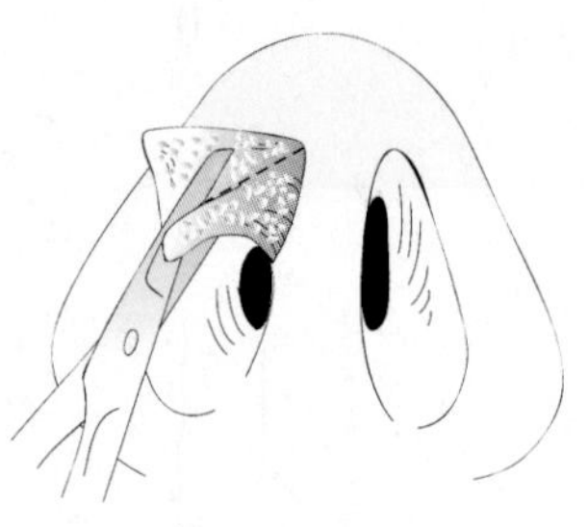
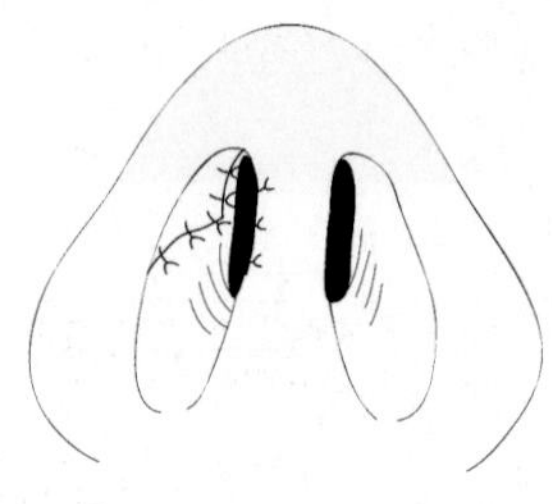

그림 15-30. Z 성형술을 이용한 비공부 web의 교정(Straith)

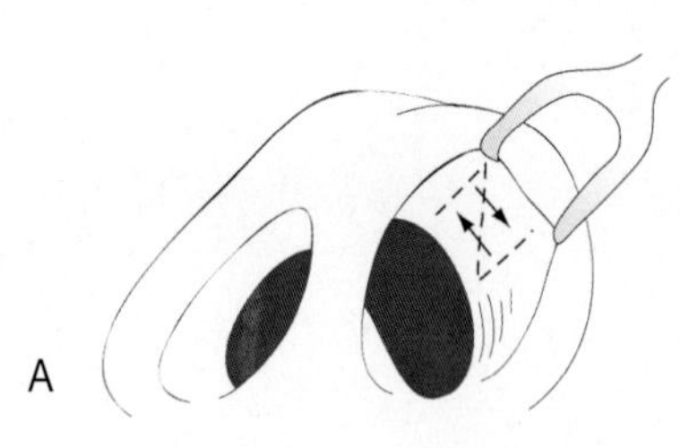

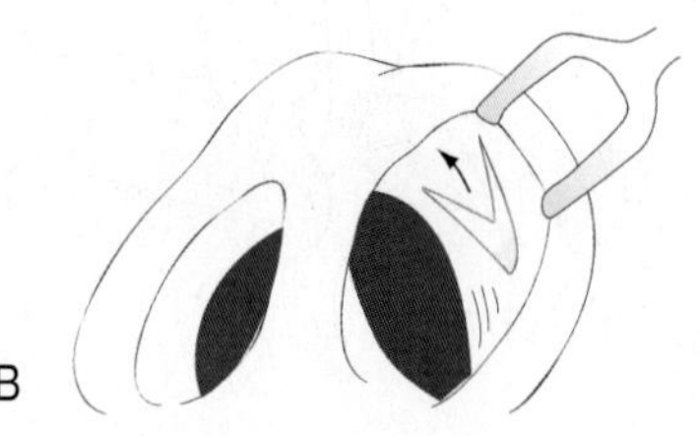

그림 15-31. 비공 외측벽에 있는 web을 교정하기 위한 여러 가지 방법. (A) Z 성형술, (B) VY 전진법, (C) 피부이식술

재건의 부족, 점막의 흉으로 인해 구순의 가운데 V자 모양의 휘파람부는 모양 변형 2) 짧은 윗입술 중심부 3) 넓은 윗입술 중심부 4) 비대칭 윗입술 5) 부적절한 입둘레근 교정 6) 치은협 이행부의 결핍 7) 상구순 조직 결핍 8) 두드러지게 긴 상구순 등이 있다. 대부분의 교정에 있어서 구순의 흉을 제거하여 윗입술의 인중 사이를 15mm이하로 좁히는 것이 좋다. 흉터성형술시 결과적으로 생기는 포크 피판은 코기둥을 연장하는데 사용하거나 추후를 위해 저장해 둘 수 있다. 입술 가운데 부분의 점막이 부족하여 휘파람 부는 모양의 변형이 생겼을 시에는 입둘레근을 바탕으로 한 홍순의 삼각섬피판을 구순의 외측 분절에서 V-Y로 전진하면(Kapetansky, 1971) 만족스럽게 교정할 수 있다.

1) 흉터

불규칙한 구순 또는 흰선말이(white roll)의 오정렬은 일측 변형시와 같은 방법으로 교정할 수 있다. 양측성의 경우 인중주의 위치와 방향을 정상으로 위치하도록 도안하는 것이 중요하며 흉을 해부학적 선상에 놓이게 하여 남아있는 정상구조의 급작스러운 끊김을 피해야 한다. 지나치게 많은 구순의 흉은 일차 수술시 봉합선의 긴장도가 큰 원인으로 생각된다(Millard, 1977). 따라서 이차적 흉터제거술은 추가적인 긴장을 없애기 위해 한번에 한쪽만을 시행할 수도 있다. 상구순의 흉은 남성의 경우 모발 성장을 제한할 수 있으며 윗입술 중심이 특별히 넓은 경우 구순열 교정술 후 면도를 깔끔하게 한 남성에서는 더욱 두드러져 보인다. Abbé 피판과 측두섬피판은 모세포를 포함한 피판을 각각 하구순과 상구순의 다른 부위에서 가져올 수도 있으며(Millard, 1977; Stal and Spira, 1984; Broadbent 1957) 심하게 흉이 진 양측 구순열 환자에서 전층 피부이식술을 통하여 상구순을 재건할 수도 있다.

2) 긴 입술(수직 과잉)

양측 구순열비변형에 있어서 긴 입술 변형은 대개 윗입술 중심과 홍순사이에 입술 가쪽으로부터 피판을 삽입하기 때문에 발생한다. 이 피판들은 삼각형(Mirault-Rose-Blair-Braun)이거나 장사방형(Hagedorn-LeMesurier)으로 도안되며 끝과 끝이 만난다. 입술 가쪽의 피판이 입술 중간 상방에서 만나거나 Z 성형술 등으로 인한 과도한 연장술을 시행하였을 때 긴 상구순이 발생할 수 있다. 또한 과거에 삽입한 Abbé 피판의 부정확한 위치가 이러한 변형을 초래할 수도 있다. 결과적으로 상구순은 과도하게 길면서 커튼의 모양을 띄며 짧은 콧기둥과 꺼진 코끝을 보이게 된다. Erich(1953)은 긴 상구순을 양측의 흉터를 제거하고 윗입술 중심을 줄임으로 교정하였지만 이는 윗입술 중간에 부자연스러운 Y 형태의 반흔을 남겼다(그림 15-32).

Ragnell(1946)은 비슷한 방법이지만 더 근치적인 모양으로 수술을 시행하였는데 이 디자인은 흉이 자연적인 해부학적 구조에 포함되어 Erich방법보다 좋은 결과를 보였다(그림 15-33).

Peterson, Ellenberg와 Carroll(1966)은 윗입술 중심을 분리하고 바깥쪽 비공저 부분을 쐐기모양으로 절제한 후 홍순과 근육만을 포함한 Abbé 피판을 하구순에서 윗입술 중심 아래의 결손으로 옮겼다(그림 15-34). 이는 인중의 모양과 흡사하게 흉을 재배치함으로써 상구순의 길이를 줄이고 하구순의 상대적 과잉을 줄여주는 장점이 있다.

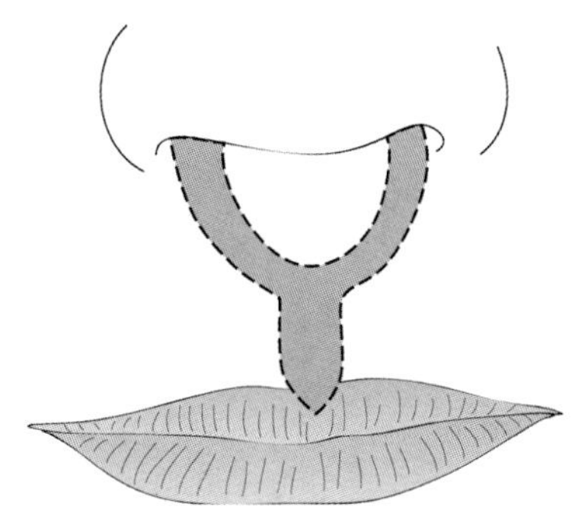
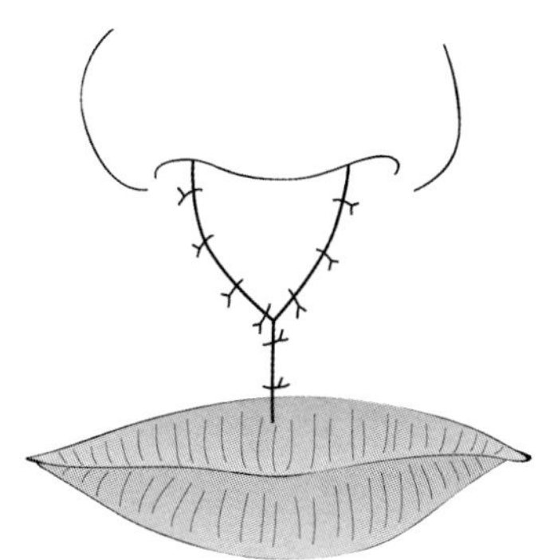

그림 15-32. 수직 과잉을 제거하면서 흉터제거술을 동시에 시행하는 경우. 결과적으로 Y형태의 흉터가 남아 부자연스럽게 보인다(Erich, Millard).

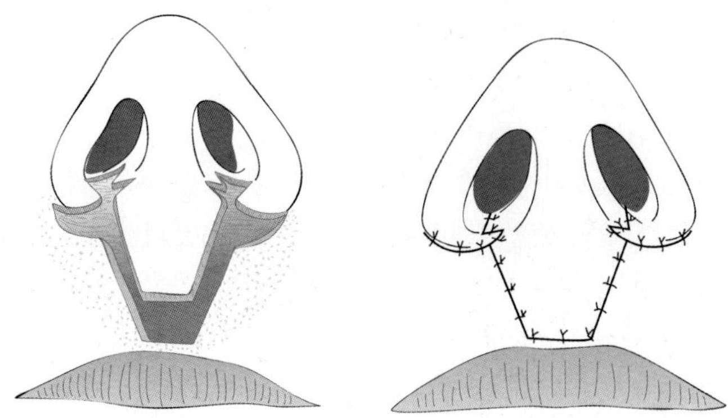

그림 15-33. 흉터 제거와 더불어 양측 비공저의 내측 이동으로 긴 입술의 교정을 효과적으로 시행할 수 있다. 이 방법은 흉터가 양측 인중부위에 남게 되어 Erich 의 방법에 비하여 미용상 유리하다.

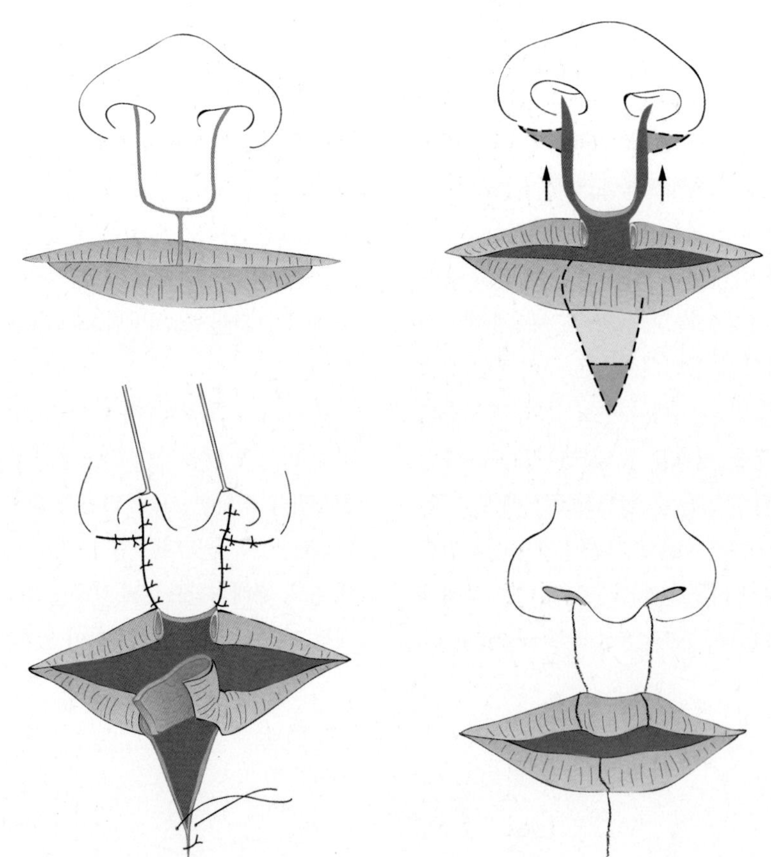

그림 15-34. Peterson, Ellenberg와 Carroll의 방법. 긴 입술을 줄이면서 동시에 수평적인 조직량을 늘려줄 수 있다. mucomusclular switch flap을 이용하여 상구순의 홍순부위를 재건하여 준다.

이 외에도 상구순의 수직 과잉은 코입술경계에 수평의 전층 절제로 교정할 수 있고 상구순이 길지만 코기둥이 짧거나 후퇴되어 있을 시 Cronin(1958)의 방법으로 구순 줄임과 코기둥 연장을 할 수 있다.

3) 짧은 입술(수직 결핍)

상구순이 짧을 시에는 견치가 드러남으로 미용상 매우 부적절해진다. 이는 대개 첫 수술시 짧은 윗입술 중심부가 바깥쪽 구순부에 맞추어 당겨지지 않음으로 발생하게 된다. 적절한 구순폭을 유지하고 있는 미세한 변형의 경우에는 흉터제거술 또는 z 성형술만으로 교정이 가능하다. 중등도의 변형을 나타내면서 적당한 조직이 존재하는 경우에 있어서는 완전 재수술과 피부와 홍순의 재배치로 만족스러운 결과를 얻을 수 있다. 주변 조직이 적당하지 않을 경우 Abbé 피판 등 다른 부위의 조직전이가 구순연장에 도움이 된다. 포크 피판(forked flap)은 구순과 코기둥을 늘리는데 사용될 수 있지만(그림 15-35: Millard, 1977) 대부분 코기둥 재건이 충분치 않으므로 이점을 주의하여야 한다. LeMesurier 또는 Ginestet의 외측 전진피판술은 수직 길이의 연장을 얻을 수 있지만 부자연스러운 흉과 수평의 긴장이 생기므로 피해야 한다(그림 15-36). Bardach와 Salyer(1987)는 V-Y 전진술을 통해 짧은 상구순을 연장하고 휘파람 부는 변형을 교정했으며 코기저를 좁혔다(그림 15-37). 이 방법은 구순의 전층을 통한 갈매기 날개모양의 절개를 이용하고 양쪽 비공저의 피부를 쐐기모양 절제하였다. 중심선에서 하방 견인으로 구순이 하방으로 당겨져 중간부가 연장되고 양측 외측부가 접근 봉합되게 된다.

4) 수평 결핍

수평적인 입술 조직의 부족으로 당기는 입술변형(tight lip)은 일차수술 시 조직을 과도하게 제거했거나 코기둥 연장을 위해 윗입술 중심부위를 너무 많이 사용했을 경우 나타난다. 이럴 경우 나타나는 변형은 상구순은 당기고 하구순은 늘어지면서 돌출되어 있으며 대부분 연부조직 성형술과 함께 골교정술도 필요로한다. Abbé 피판은 이 경우 매우 효과적이다. 과거의 교정술 반흔에 윗입술 중심이 끼어지면 Abbé 피판에 의해 인중부위에 4개의 봉합선이 나타날 수 있다. Millard(1976)는 이것을 피하기 위해 윗입술 중간을 코기둥으로 전진시킬 것을 제안하였다. 여러 가지 Abbé 피판의 변형법이 사용될 수 있다. 상구순의 결손이 인중 크기의 Abbé 피판으로 교정하기 어려울 정도로 과도하게 큰 경우 Webster(1955)에 의해 소개된 달모양의 콧방울 피판을 전진시킴으로 결손의 폭을 줄일

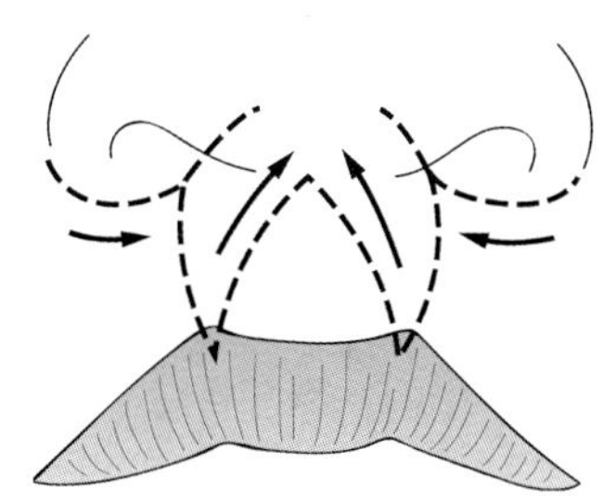
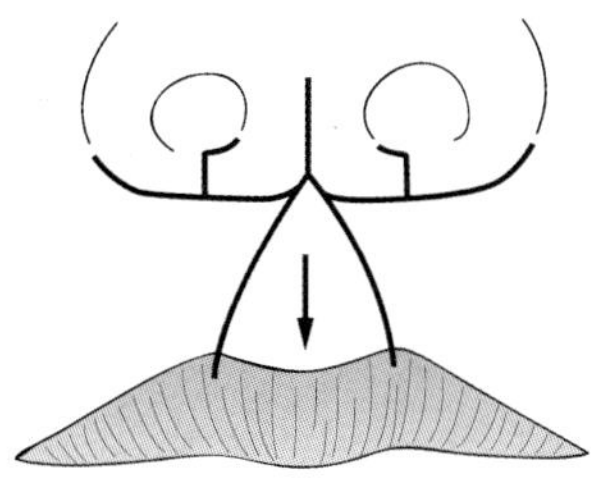

그림 15-35. forked flap 을 이용한 상구순의 수직 길이 연장. 거상된 흉터 피판은 인중을 늘리는 데 사용될 수 있으나 그 결과가 뛰어나지 못하다.

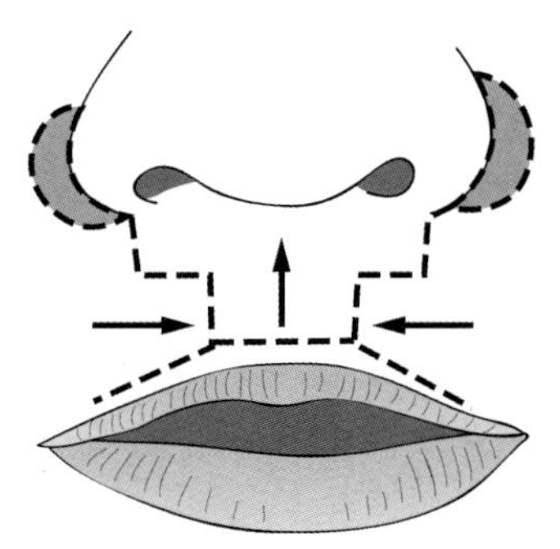
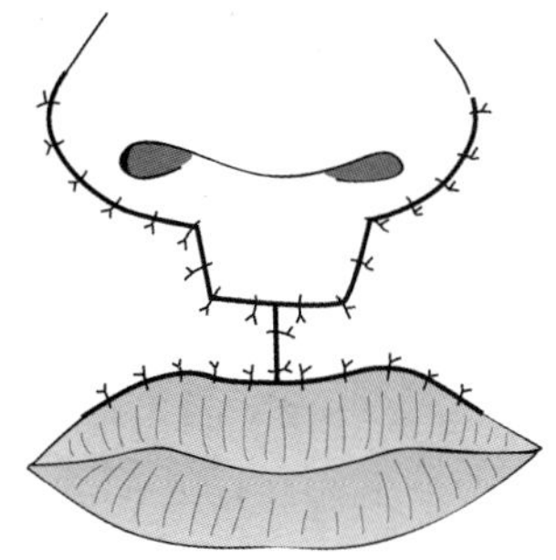

그림 15-36. 외측 전진 피판술에 의하 상구순 수직 길이의 연장

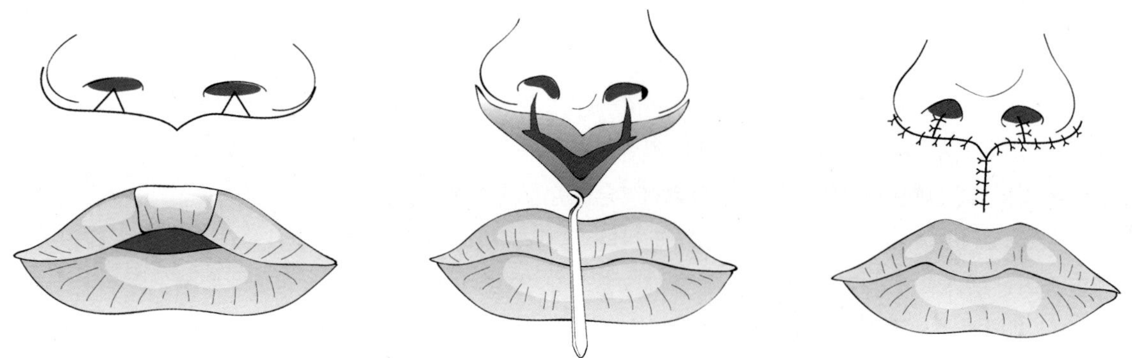

그림 15-37. V-Y 전진법에 의한 상구순의 수직 길이 연장

수 있다(그림 15-38). 그러나 대부분의 구순 결손은 적절한 근육교정을 통해 교정될 수 있으며 필요시 상악전진술등을 통하여 골조직을 전이시킴으로써 많은 변화를 유도할 수 있다.

5) 인중 변형

양측성의 경우 일차 수술시 정확하게 작도한다면 비교적 좋은 결과의 큐피드 활과 인중을 재건할 수 있다(Millard, 1971). 인중의 오목은 진피와 상악전구골 골막 사이의 심부 봉합에 의해 만들 수 있다. 일차 교정 술후 인중은 대개 신장되기 때문에 인중은 과교정 하는 것이 좋다. 인중을 관여하는 이차적 양측 구순열비변형은 대개 일측 구순열비변형을 교정하는 방법들로 고칠 수 있다. 상구순 조직의 결핍이 있을 경우 Abbé 피판을 이용하여 인중을 재건할 수도 있으나 조직 결핍이 없을 시 덜 광범위한 교정술로 인중을 재건할 수 있다. Neuner (1967)는 아래쪽에서 온 피하 피판을 중심쪽에서 바깥쪽 수평위치로 옮겨 인중의 오목을 만들면서 바깥쪽 홍순을 융기시켰다. O'Connor, McGregor와 Tolleth(1965) 등은 이 방법을 시행하면서 홍순을 양측으로 V-Y 형태로 전진하여 구순의 외번을 강조하고 큐피드 활의 중심 결절을 재건하였다. Millard는 양쪽에서 인중선을 융기시키기 위한 조직을 두번 말아서 교정하였다(그림 15-39).

6) 홍순 결핍

가장 흔한 홍순 결핍은 휘파람 부는 모양 변형이다. 입둘레근을 바탕으로 한 V-Y 전진술(Robinson, Ketchum,and Masters, 1970) 또는 양측 홍순섬피판(Kapetansky, 1971)이 교

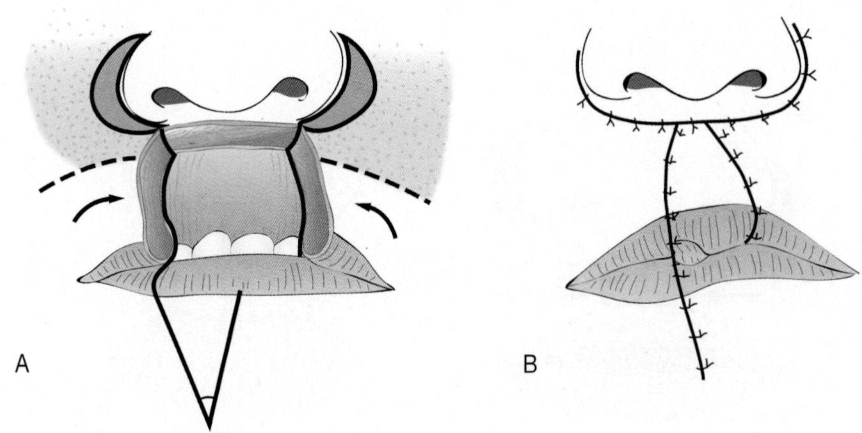

그림 15-38. Abbé flap과 더불어 webster피판을 병행한 수평 부족의 교정. (A) 점선부위 : 박리할 범위를 나타낸다.

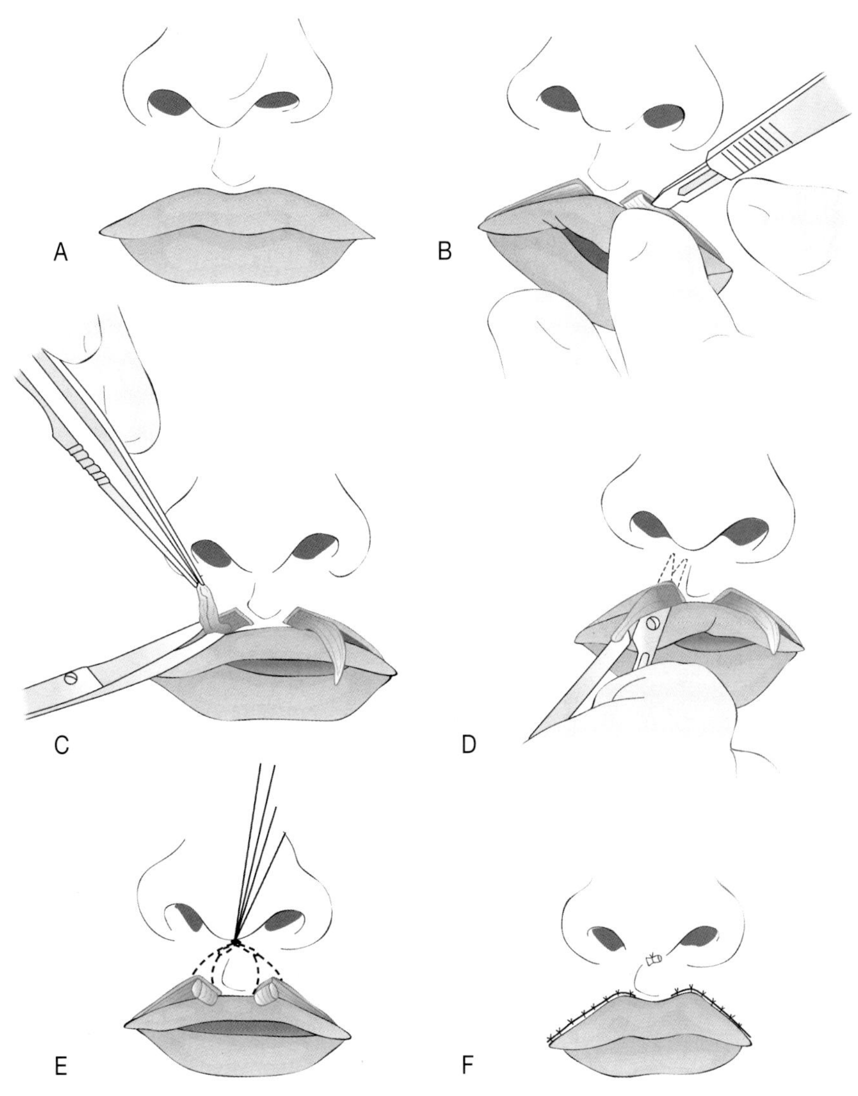

그림 15-39. 큐피드 활과 인중을 만드는 방법(Millard)

정을 위해 효과적이다. 이미 기술된 일측 구순열의 교정을 위한 방법들은 양측성 변형에도 똑같이 적용될 수 있다. 양측성의 경우 이외에도 Aron(1971)의 이중 전위피판이 사용될 수 있다. 이 방법은 점막과 횽조직으로 구성된 양측 역 V자형 피판을 아래쪽을 바탕으로 하여 거상하여 이들을 내측 수평으로 교차하여 중심 피판하에 말아지게 함으로 중심부 홍순을 증대하여 준다(그림 15-40). Johnson(1972)은 미세한 휘파람 부는 모양 변형에서 상구순의 말려있는 부위를 풀고 협구의 구순을 풀어 후방 점막을 전진하였다. 상홍순을 bolster 봉합이 유지하고 치조 부위의 점막 결손은 이차적으로 아물게 하였다. Lexar(1931)는 하구순에서 홍순의 피판을 거상하여 상구순의 자유연을 교정하는데 사용하였고(그림 15-41) Guerrero-Santos등은 상구순의 부족분을 증대하기 위하여 혀 피판을 이용하였다. 일반적으로 대부분의 휘파람 부는모양 변형은 입둘레근을 적절하게 재건 할 경우 자연적으로 교정된다.

7) 협구(buccal sulcus) 변형

대부분의 양측 개열에서 윗입술 중간이 상악전구골에 바짝 붙어 있어 협구가 존재하지 않는다. 그러나 구순 재건에 있어

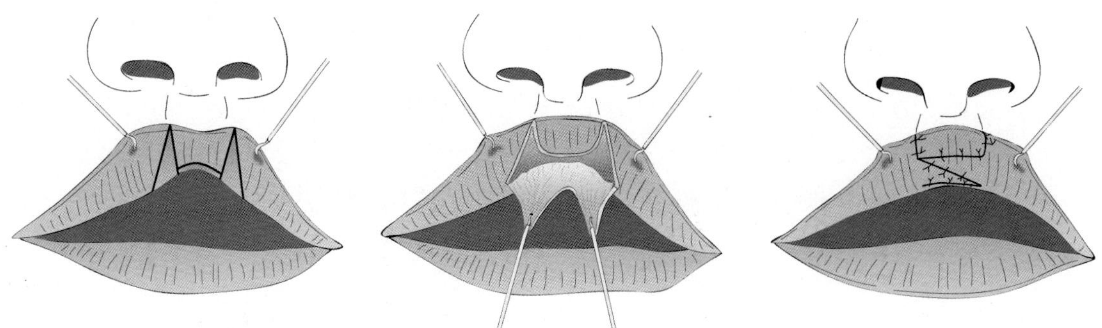

그림 15-40. 양측 역삼각피판 전이술을 이용한 홍순중심부의 증대성형술

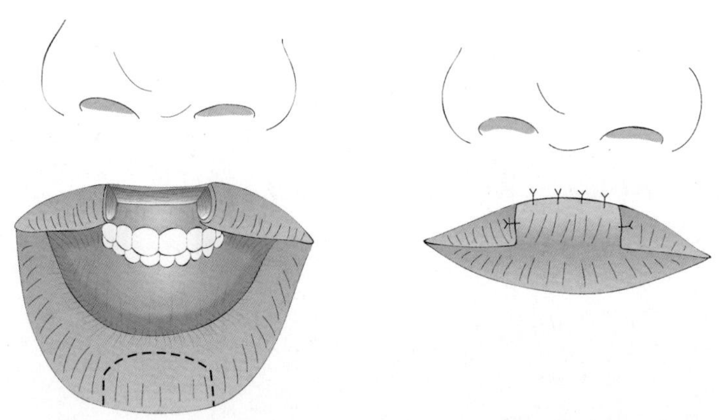

그림 15-41. 하구순부에서 점막 switch flap을 이용한 홍순 중심부 증대성형술

서 협구의 형성은 꼭 필요하다. 적절한 협구가 구순의 기능을 향상시키며 또한 교정기 등의 착용에 필수적이다. 일차 수술 시 윗입술 중간을 상악전구골에서 거상하지 못했을 경우 항상 이차적으로 협구의 재건이 필요하게 된다. Scultz(1946)는 윗입술 중간의 후면을 가쪽 피판을 사용하여 분리하였다. Bauer, Trusler, Tondra(1959)와 Manchester(1965)는 일차술 시 상악전구골의 상피화가 이차적으로 되도록 하였다. 상악전구골의 내막을 위한 방법이 Tondra, Bauer와 Trusler(1966)에 의해 소개되었다. 협구의 재건을 위한 다양한 방법들이 일측 구순열의 이차변형에서 소개되었다. 협구의 피판을 이용한 재건술과 상악전구골의 표피화는 Falcone(1966)에 의해 소개되었다(그림 15-42). 상악전구골 전방의 절개를 통해 윗입술 중심, 협구와 상악전구골의 점막으로 이루어진 피판을 골막을 포함하여 거상하였고 협구의 구순측 표피화를 위해 이 피판을 새로운 협구로 전진한다. 상악전구골의 노출된 골막은 재표피화되도록 유도한다. Cosman과 Crikelair(1966)는 윗입술 중심을 상악전구골에서 불리하여 전층점막 이식술의 시행을 소개하였다.

2. 비변형

양측 구순열비변형은 대부분 대칭적으로 발생하나 전상악골이 회전되어 있는 경우 예를 들어 한쪽은 완전 구개열이고 반대쪽은 불완전 구개열일 경우 비대칭적으로 발생하게 된다.

1) 병리 해부학

양측 구순열의 이차적 비변형은 다음과 같은 특징적 변형을 보인다; (1) 비주는 짧으며 구순조직을 포함한다. (2) 비익연

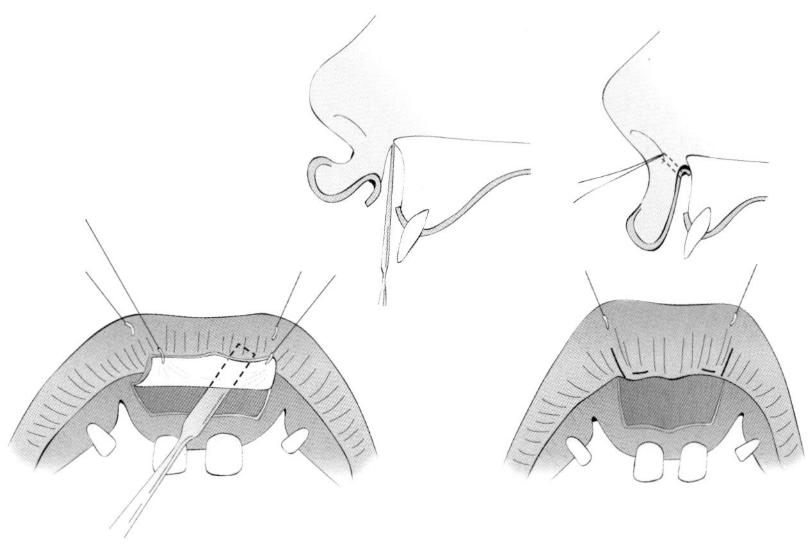

그림 15-42. 치조골 상방에 골점막 피판을 거상하여 협구를 깊이 형성하여 주고 골막피판을 거상한 부위의 개방창은 이차적인 수축 및 상피화에 의하여 치유시킨다.

골의 내각은 하측으로 전위되어 있고 돔(dome)도 낮아져 있다. (3) 비익연골의 돔이 외측으로 전위되어 있어 비첨이 갈라진 모습을 보이며, 내각과 외각이 이루는 각이 뭉툭하여 편편한 모습을 보인다. (4) 비익저가 발육이 부전되어 있는 상악골상에 외측으로 전위되어 있어 비익-안면각이 편편하고 비공저가 넓다. (5) 전정 피부의 web이 돌출되어 있고 비익연골 외각이 휘어져 있어 비공 모양이 함몰되어 있다. (6) 비골측 비중격과 발육부전된 전비극이 개열의 정도와 비대칭성에 따라 하측 또는 외측으로 전위되어 있다(그림 15-43).

이러한 비 변형에 대하여 Stenström과 Oberg(1961)은 비익저에 대한 외측방향으로의 견인과 비익의 하강이 특징적인 비변형을 초래한다고 하였고 Pruzansky(1971)는 양측 구순열비변형은 입둘레근이 결합되어 있지 않아 연부 조직에 대한 장력이 없으므로 조직간 구속이 없어 서골전상악 결합에서 중배엽조직이 과성장되어 일어난다고 하였다. Potter(1968)와 McComb(1975)는 양측 이차구순열비변형의 주 원인은 윗입술 중심(prolabium)이 구순성형술시 구순조직을 만드는데 포함되어 들어가 버리는 것이라고 생각했다. 그래서 McCome(1986)은 비변형을 방지하기 위해 포크 피판을 비주로 전진하는 것은 술 후 6주에 할 것을 주장하였다. Millard(1982)는 일차 수술시 비주연장술을 시행치 않는데 이는 구순봉합을 안전하게 하고 남아있는 윗입술 중심의 혈액순

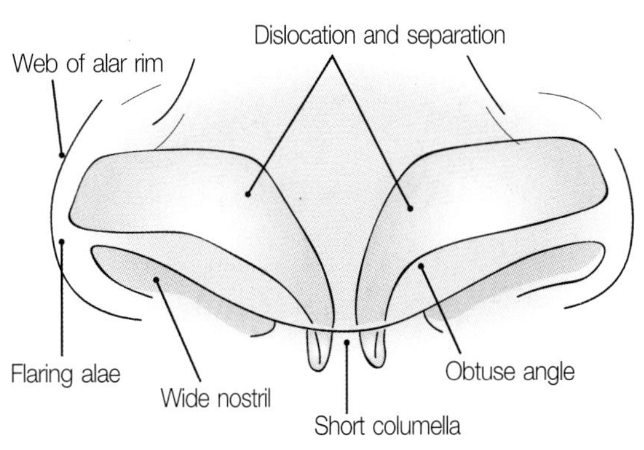

그림 15-43. 양측 이차구순열비변형의 특징적인 변형

환의 안정성을 위해서였다. 현재 대부분의 방법들이 일차 구순성형술 때에는 이차적인 비주연장술을 위한 준비만 해 놓고 비축주의 연장은 후에 다시 하는 경향이다. 일차 양측 구순성형술 시 대부분의 방법들은 비공저(nostril floor)와 비공문턱(nostril sill)을 재건하며, 비익저의 위치를 대칭적으로 해주며 추후의 비주재건을 위해 피부를 비공저에 저장해 둔다. 이 때 고려할 사항으로는 사용가능한 조직을 어디서 적절히 가져올지, 어디다가 저장할 지, 그리고 비주로 언제 어떻게 전이할지 등을 잘 생각하여 도안하여야 한다.

2) 수술적 교정

가장 먼저 고려해야할 부분은 비주이다. 비주재건을 위해 인근에 있는 구순조직이나 코의 조직을 전위시키거나 복합조직이식(composite graft)을 사용하게 된다.

Gensole(1833)은 최초로 상구순의 조직을 전구순에서 V-Y 전진시켜 비주를 연장하였다(그림 15-44). Gensole의 V-Y 전진법은 여러 형태로 변형되었는데 비공저에 절개를 가함으로서 전구순을 비주로 전진시킴과 동시에 비공문턱을 좁히는 효과를 얻기도 하였고 비익연골의 내각을 중앙에서 모아주는 과정도 시행하였다. Blair와 Letterman(1950) 긴 상구순의 전구순을 양쪽 날개를 가진 "세잎" 형식으로 전진시켰다(그림 15-45) 또한 비첨부에서 V-Y 전진법을 시행하여 추가적인 비주 연장과 비첨돌출을 얻을 수 있다(그림 15-46).

포크 피판을 이용한 비주 연장술(bilateral fork flap columellar lenthening)은 Millard(1955)에 의해 처음 기술되었고, 이후 Peskova와 Fara(1960), Burian(1967), Stark과 Kaplan(1973), Wray(1976) 등이 이를 기술하였다. 양측에 수직모양 흉터나 과도한 입술 중심을 가진 2차 입술 변형에서

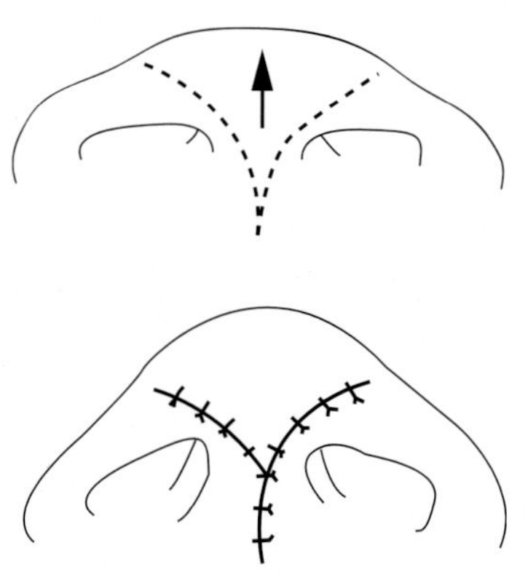

그림 15-46. 비첨부의 돌출을 위한 V-Y 전진술

그림 15-44. V-Y 전진술을 이용한 비주 연장술

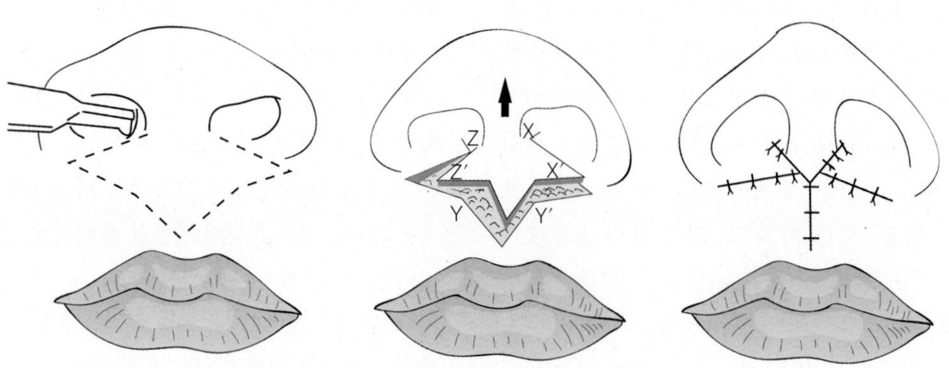

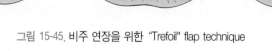

그림 15-45. 비주 연장을 위한 "Trefoil" flap technique

이를 거상하고 코끝까지 비주를 박리한다. 박리된 양측 피판을 비주로 전이하여 서로 봉합함으로 비주를 재건하고 피판을 거상한 구순부위는 일차 봉합 한다. Millard(1974)는 일차 구순성형술 때 포크 피판을 비공 문턱에 저장하고 이차적으로 피판을 비주로 전진시키는 이단계 포크 피판 술식을 기술하였다(그림 15-47). 이러한 포크 피판은 다수의 수직 반흔을 코기둥에 남겨 미용적으로 좋지 못한 결과를 보일 수 있으며 피판 끝의 혈류가 좋지 않다는 단점이 있다.

Carter(1919), Kazanjian(1939), Barsky(1950), Converse(1957) 등은 비공저의 조직을 이용한 비주 연장술을 기술하였다(그림 15-48). 이 방법은 광범위한 비공저 피판을 비주를 기저로 양측성으로 거상하여 함께 봉합되어 비주를 연장할 수 있다. 비공저의 결손은 비익저를 내측으로 전진시켜 봉합한다. Cronin(1958)은 이 방법을 비주저, 비공저와 비익저를 포함하는 양측의 양측 피판을 거상하는 방법으로 개량하였다. 이 방법은 비익의 벌어짐, 넓은 비공저, 짧은 비주를 동시에 교

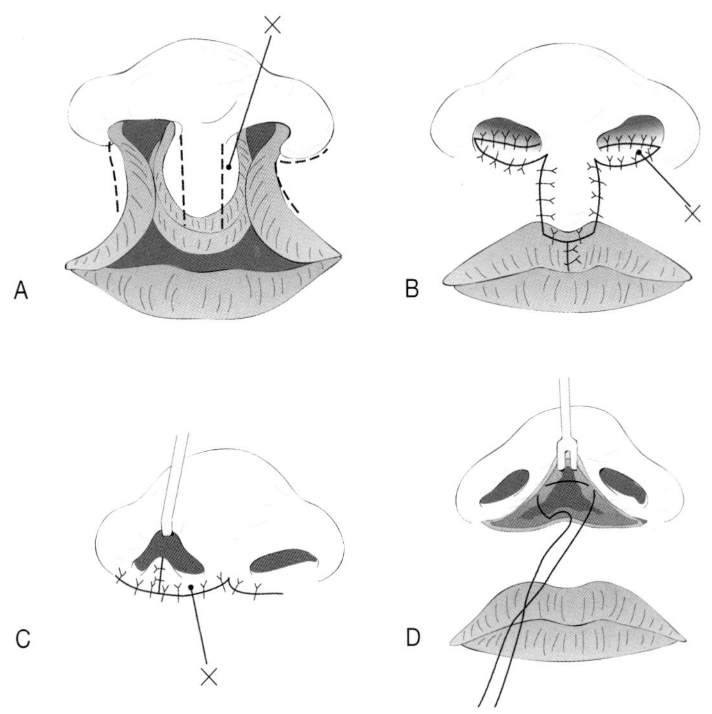

그림 15-47. 양측 구순열 일차 수술시 포크 피판을 비공저에 보관하였다. 이차적으로 비첨부와 비주를 연장하는데 사용할 수 있다(after Millard).

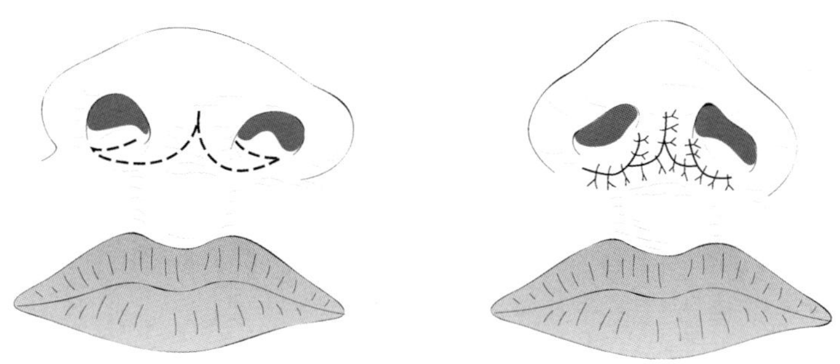

그림 15-48. 비주 연장을 위한 비공저 피판(Cronin & Upton)

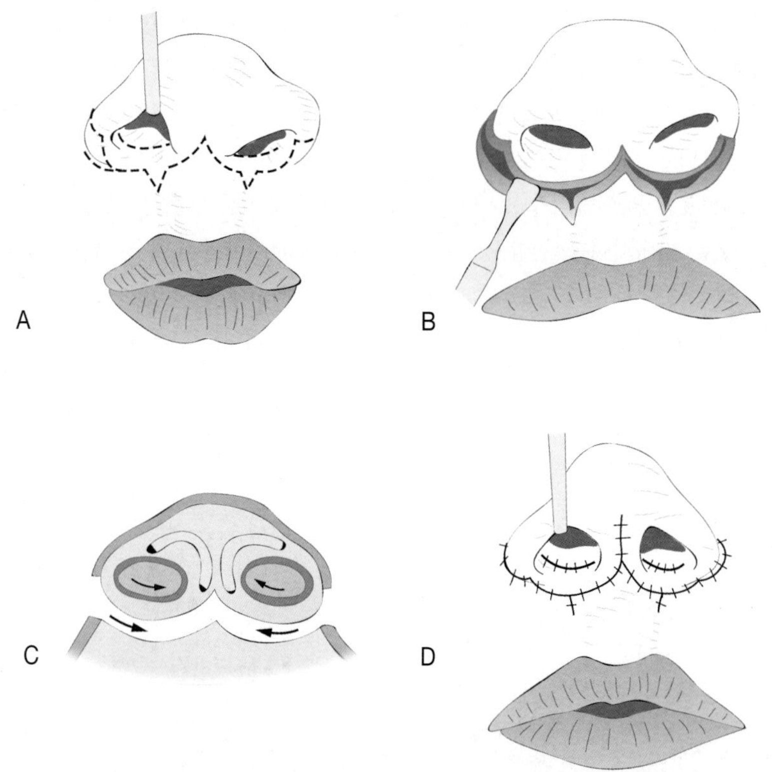

그림 15-49. Cronin의 양측 전진피판법

정할 수 있다(그림 15-49). 만약 첫 번째 전진술에서 적절한 비주 연장이 되지 않았다면 수개월 후 이 술식을 반복할 수도 있다. Gorney와 Rosenberg(1979)는 Cronin의 술식을 개량하여 피부와 점막골막을 상방으로 회전시키고 이를 지지하기 위해 연골 버팀 이식(cartilage strut graft)을 시행하였다.

비주와 코끝의 비율 조절과 재배치는 비주를 연장하는데 도움이 된다. Blair와 Letterman(1950)의 코끝과 비주의 접합부의 다이아몬드 모양 피부 절제는 코끝의 증대를 유도하며 Ombredanne과 Ombredanne(1928), Dieffenbach(1952), Morel-Fatio, Lalardrie(1966), Edgerton, Lewis, McKnelly(1967)은 역 V-Y 모양의 코등의 코기둥으로의 전진술을 기술하였다. Ombredanne과 Ombredanne의 V-Y 절개법은 코 끝에 흉터로 미용적 결과가 좋지 않아 잘 사용되지 않는다. Konig(1902), Dupertuis(1946), Musgrave(1961)은 귓볼의 복합 조직 이식을 비주저에 이식함으로써 코기둥을 증량시키는 방법을 기술하였다(그림 15-50). Brown, Cannon(1946), Meade(1959)등은 모두 이개 가장자리(helical rim)를 공여부로 이용하였다.

입술, 코끝과 비익의 만족스런 관계와 비주 연장을 위해 복합 조직 이식은 매우 유용하다. 각각의 코-입술각의 변형에 따라 코기둥 연장 술식을 선택하여야 한다. 만약 코 바닥의 조직이 불충분하거나 특히 입술 반흔 조직의 절제가 필요한 경우라면 Millard(1968)의 포크 피판 방법이나 Gensoul(1833)의 V-Y 전진술 피판이 비주 연장을 위해 적합하다. 입술 반흔이 심하지 않고 비공저의 조직이 불충분할 경우에는 Brauer와 Foerster(1966) 방법이나 귓불을 이용한 복합조직이식법이 좋을 것이다. 윗입술이 부족하여 적절한 공여 조직을 제공할 수 없을 경우에는 Abbé 피판과 윗입술 중심을 코기둥으로 전진시키는 전진술을 함께 사용할 수 있다. 비변형에 대한 이차 교정술은 정서적인 점을 고려하여 취학전에 시행하는 것이 바람직하다. Slayer(1986)는 Cronin방법의 이차적 교정을 코의 연부조직의 양이 증가하는 2-3세경에 시행하였으나 이 나이에는 비익 연골이 매우 약하고 점막이나 피부에 붙이는 것이 어려으므로 수술적으로 어렵다는 문제가 있다. 따라서 취학전 5-6세경이 바람직할 것으로 생각된다.

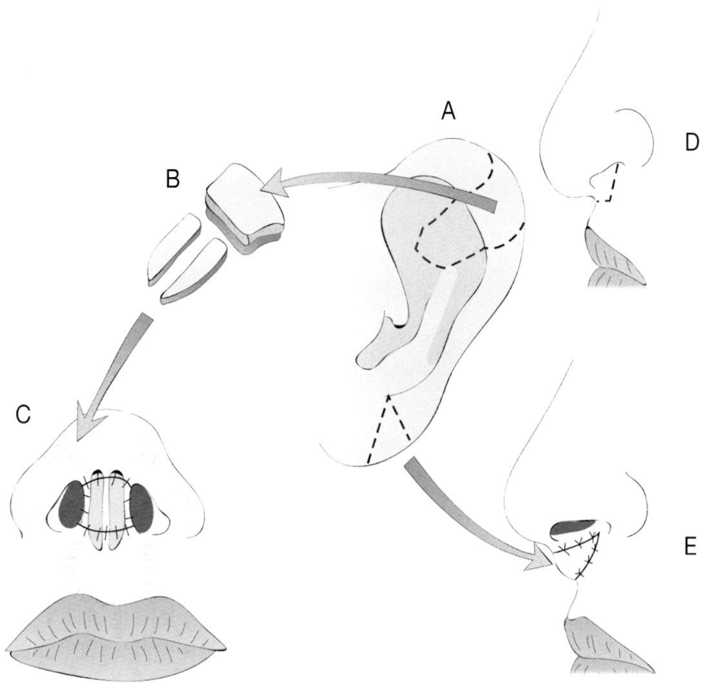

그림 15-50. 이개 복합조직 이식을 이용한 비주 재건법

참고문헌

1. Abbe R: A new plastic operation for the relief of deformity due to double harelip. Med Rec Ann, 53:477,1898.
2. Anderl H: Simultaneous repair of lip and nose in the unilateral cleft (a long-term report). Jn Jackson I T, and Sommerlad, B (Eds.): Recent Advances in Plastic Surgery. Vol. 3. Edinburgh, Churchill Livingstone,1985, p. 1
3. Ariyan S and Krizek T : A simplified technique for correction of the cleft lip nasal deformity. Ann Plast Surg 1 :568, 1978.
4. Arons M S: Another method for secondary correction of whistling deformities in bilateral cleft lips. Plast Reconstr Surg 47:389, 1971.
5. Bardach J and Eisbach K J : The influence of primary unilateral cleft lip repair on facial growth. Cleft Palate J 11:88, 1977.
6. Bardach J, and Salyer KE : Correction of secondary unilateral cleft lip deformities. In Bardach J and Salyer K E. Surgical Techniques in Cleft Lip andPalate. Chicago, Year Book Medical Publishers,1987.
7. Barren JN Cited by Millard D R Jr.: Cleft Craft Vol. II Bilateral and Rare Deformities. Boston, Little,Brown & Company 1977, p 633.
8. Barsky AJ : Principles and Practice of Plastic Surgery. Baltimore, Williams & Wilkins Company, 1950, p.243.
9. Bauer TB, Trusler HM and Tondra JM: Changing concepts in the management of bilateral cleft lip deformities. Plast Reconstr Surg 34:321, 1959.
10. Berkeley WT : Correction of secondary cleft lip nasal deformities. Plast Reconstr Surg 44:234, 1969.
11. Blackwell SJ, ParrySW, Roberg BC and Huang TT : Onlay cartilage graft of the alar lateral crus forcleft lip nasal deformities. Plast Reconstr Surg 76:394, 1985.
12. Blair VP : Nasal deformities associated with congenital cleft of the lip. JAMA 84: 185, 1925
13. Blair VP and Letterman GS : The role of the switched lower flap in upper lip reconstructions. Plast Reconstr Surg 5:1, 1950.
14. Boo-Chai K and Tange I: The isolated cleft lip nose. Plast Reconstr Surg, 41 :28, 1968.
15. Brauer R0 and Foerster DW: Another method to lengthen the columella in the double cleft patient. Plast Reconstr Surg 38:27, 1966.
16. Briedis J and Jackson IT: The anatomy of the philtrum : observations made on dissections in the normal lip. Br J Plast Surg 34:128, 1981.
17. Broadbent TR: The badly scarred bilateral cleft lip : total resurfacing. Plast Reconstr Surg 20:485,1957
18. Broadbent TR and Woolf R M: Cleft lip nasal deformity. Ann

Plast Surg 12:216, 1984.
19. Brown JB and Cannon B: Composite free grafts of skin and cartilage from the ear. Surg Gynecol Obstet 32:253, 1946.
20. Clime MS; Diastasis of the orbicularis oris muscle inrepaired unilateral clefts of the lip. Cleft Palate J 6:316, 1969.
21. Cronin TD : Lengthening columella by use of skin from nasal floor and alae Plast Reconstr Surg 21:417, 1958
22. Cronin TD and Upton J : Lengthening of the short columella associated with bilateral cleft lip. Ann Plast Surg 1:75, 1978
23. Duffy MM: Restoration of orbicularis oris musclecontinuity in the repair of bilateral cleft lip. Br J Plast Surg 47:321, 1971.
24. Durertuis SM: Free ear lobe grafts of skin and fat. Plast Reconstr Surg 1 :135, 1946.
25. Edgerton MT, Lewis CM, and Mcknelly L0:Lengthening of the short nasal columella by skin flaps from the nasal tip and dorsum. Plast Reconstr Surg 40:343, 1967.
26. Elsahy NI: A new method of correction of cleft lip nasal deformities. Cleft Palate J 11 :214, 1974.
27. Erich JB and Kragh LV: Technique for lengthening the columella in cases of repaired bilateral harelip. Minn Med 42:1592, 1959.
28. Esser JFS: Studies in plastic surgery of the face :plastic operations about the mouth. The epidermal inlay. Ann Surg 65:297, 1917.
29. Jackson 1T and Sommerlad B: Recent Advances in Plastic Surgery. Edinburgh, Churchill Livingstone,1985.
30. Falcone AE : Release of the adherent prolabium and deepening of the labial sulcus in the secondary repair of bilateral cleft lips. Plast Reconstr Surg 38:42,1966.
31. Flanagin WS : Free composite grafts from lower to upper lip. Plast Reconstr Surg 17:376, 1956.
32. Gelbke H : The nostril problem in unilateral harelips and its surgical management. Plast Reconstr Surg 18:65, 1956.
33. Ginestet JG Cited by Millard DR Jr : Cleft Craft Vol. 1: The Unilateral Deformity. Boston, Little, Brown& Company, 1976.
34. Ginestet JG Cited by Millard DR Jr. : Cleft Craft Vol II: Bilateral and Rare Deformities. Boston, Little,Brown & Company, 1977
35. Guerrero-Santos J: Use of a tongue flap in secondary correction of cleft lips. Plast Reconstr Surg 44:368,1969.
36. Guerrero-Santos J, Ramirez M, Castaneda A and Torres A.: Crossed-denuded flap as a complement to the Millard technique in correction of cleft lip. Plast Reconstr Surg 48:506, 1971.
37. Horton CE, Adamson JE, Mladick RA, and Taddeo RJ :The upper lip sulcus in cleft lips. Plast Reconstr Surg 45:31, 1970.
38. Huffman WC and Lierle DM: Studies on thepathologic anatomy of the unilateral harelip nose. Plast Reconstr Surg 4:225, 1949.
39. Isshiki N, Sawada M and Tamura N.: Correction of alar deformity in cleft lip by marginal incision. Ann Plast Surg 5:58, 1980.
40. Jackson 1T and Soutar DS: The sandwich Abbe flap in secondary cleft lip deformity. Plast Reconstr Surg 66:38, 1980.
41. Johnson HA: A simple method of the repair of minorpostoperative cleft lip "whistling" deformity. Br J Plast Surg 95: 152, 1972.
42. Joos U : The importance of muscular reconstruction in the treatment of cleft lip and palate. Scand J Plast Reconstr Surg 21 : 109, 1987.
43. Juri J, Juri C, and do Antueno J: A modification of the Kapetansky technique of repair of whistling deformities of the upper lip. Plast Reconstr Surg 57:70,1976.
44. Kapetansky KI : Double pendulum flaps for whistling deformities in bilateral cleft lips. Plast Reconstr Surg 47:321, 1971.
45. Kawamoto HK Jr : Correction of major defects of the vermilion with a cross-lip vermilion flap. Plast Reconstr Surg 54:315 1979.
46. Kernahan DA: Muscle repair in unilateral cleft lip based on findings of electrical stimulation. Ann Plast Surg J :48, 1978.
47. Kernahan D A and Bauer BS: Functional cleft lip repair: a sequential layered closure with orbicularis muscle realignment. Plast Reconstr Surg 72:459,1983.
48. Kernahan DA, Bauer BS and Harris GD :Experience with the Tajima procedure in primary and secondary repair in unilateral cleft lip nasal deformity. Plast Reconstr Surg 66:46, 1980.
49. Latham RA and Beaten TG: The structural basis of the philtrum and contour of the vermilion border: a study of the musculature of the upper lip. J Anat 191 :151, 1976.
50. Lehman JA Jr. : The dynamic Abbe flap. Ann Plast Surg 3:401, 1978.
51. LeMesurier AB : A method of cutting and suturing the lip in the treatment of complete unilateral clefts. Plast Reconstr Surg 4: 1, 1949.
52. Malik R : Nasal deformities and their treatment in secondary repair of cleft lip patients. Scand J Plast Reconstr Surg 8:136, 1974.
53. Manchester WM : The repair of bilateral cleft lip and palate. Br J Surg 52:878, 1965.

54. Marcks KM, Trevaskis AE and Payne MJ :Elongation of columella by flap transfer and Z plasty. Plast Reconstr Surg 30:466,1957.

55. Mccomb H : Cleft lip nasal deformity. In Serafin D and Georgiade NG(Eds.) : Pediatric Plastic Surgery. St Louis MO, CV Hobby Company, 1984.

56. McGregor IA: The Abbe flap-its use in single and double lip clefts. Br J Plast Surg, 16:46, 1963.

57. Meade RJ: Composite ear grafts for construction of columella. Plast Reconstr Surg 23: 134, 1959.

58. Millard DR Jr. : Closure of bilateral cleft lip and elongation of columella by two operations in infancy. Plast Reconstr Surg 37:324, 1971.

59. Millard DR Jr : Further adjuncts in rotation andadvancement. In Georgiade, N. G. (Ed.): Symposium on Management of cleft Lip and Palate and Associated Deformities. St. Louis, MO, C. V Mosby Company,1974.

60. Millard DR Jr.: Earlier correction of the unilateral cleft lip nose. Plast Reconstr Surg 70:64, 1982.

61. Millard DR Jr. and McLaughlin CA: Abbe flap on mucosal pedicle. Ann Plast Surg 3:544, 1979.

62. Morel-Fatio D and Lalardrie J: External nasal approach in the correction of major morphologic sequelae of the cleft lip nose. Plast Reconstr Surg 38:116,1966.

63. Musgrave RH : Surgery of nasal deformities associated with cleft lip. Plast Reconstr Surg,38:261, 1961.

64. Musgrave RH and Dupertuis SM: Revision of the unilateral cleft lip nostril. Plast Reconstr Surg 25:223, 1960.

65. Nakajima T, Yoshimura Y and Kami T: Refinement of the "reverse-U" incision for the repair of cleft lip nose deformity. Br J Plast Surg 39:345, 1986.

66. Nishimura Y and Ogino Y: The use of two V-flaps for secondary correction of the cleft lip nose. Plast Reconstr Surg 50:390, 1977.

67. O'Conner GB and McGregor MW: Surgical formation of the philtrum and the cutaneous upsweep. Am J Surg 95:227, 1958.

68. O'Conner GB, McGregor MW and Tolleth O: The management of nasal deformities associated with cleft lips. Ac Med Surg 73:279, 1965.

69. Oneal RM, Greer DM Jr and Nobel GL ;Secondary correction of bilateral cleft deformities with Millard's midline muscular closure. Plast Reconstr Surg 54:45, 1974.

70. Onizuka T : Repair of columella base deformity in unilateral cleft lip. Br J Plast Surg 35:33,1972

71. Onizuka T, Akagawa T and Tokunaga S: A new method to create a philtrum in secondary cleft lip repairs. Plast Reconstr Surg 62:842, 1978.

72. Peskova H and Fara M : Lengthening of the columella in bilateral cleft. Acta Chir Plast 2:18,1960.

73. Peterson RA, Ellenberg AH and Carroll, DB :Vermilion flap reconstruction of bilateral cleft lip deformities (a modification of the Abbe procedure). Plast Reconstr Surg 38: 109, 1966.

74. Pigott RW and Millard DR Jr: Correction of the bilateral cleft lip nasal deformity. In Grabb W C Rosenstein, SW and Bzoch KR : Cleft Lip and Palate. Boston, Little, Brown & Company, 1971,p. 325.

75. Pellet J : Three autogenous struts for nasal tip support. Plast Reconstr Surg 49:527, 1972.

76. Puckett CL, Reinisch JF and Werner RS : Late correction of orbicularis discontinuity in bilateral cleft lip deformities. Cleft Palate J 7:34, 1980.

77. Randall P: A triangular flap operation for primary repair of unilateral clefts of the lip. Plast Reconstr Surg 33:331, 1959.

78. Randall P,Whitaker L and LaRossa D: The importance of muscle reconstruction in primary and secondary lip repair. Plast Reconstr Surg 11:316, 1974.

79. Rees TD, Guy CL and Converse JM : Repair of the cleft lip nose: addendum to the synchronous technique with full-thickness skin grafting of the nasalvestibule. Plast Reconstr Surg 37:47, 1966

80. Robinson DW, Ketchum LD and Masters FW :Double V-Y procedure for whistling deformity in repaired cleft lips. Plast Reconstr Surg 46:241, 1970.

81. Salyer KE: Primary correction of the unilateral cleft lip nose: 15-year experience. Plast Reconstr Surg 77:558, 1986.

82. Schendel SA and Delaire J : Functional musculoskeletal correction of secondary unilateral cleft lip deformities : combined lip-nose correction and Le Fort I osteotomy J Maxillofac Surg 5:108, 1981.

83. Schmid E : The use of auricular cartilage and composite grafts in reconstruction of the upper lip, with special reference to construction of the philtrum. In Broadbent TR (Ed.): Transactions of the Third Internstional Congress of Plastic Surgery. Amsterdam, Ex-cerpta Medica, 1964, p. 300.

84. Skoog T: A design for the repair of unilateral cleft lip. Am J Surg 55:223, 1958.

85. Skoog T : The management of the bilateral cleft of the primary palate (lip and alveolus). Part 1. Generalconsiderations and soft tissue repair. Plast Reconstr Surg 35:34, 1965.
86. Smith JW: The anatomic and physiologic acclimatization of tissue transplanted by the lip switch technique. Plast Reconstr Surg 26:40, 1960.
87. Smith JW : Clinical experiences with the vermilion bordered lip flap. Plast Reconstr Surg 27:527, 1961.
88. Spira M, Hardy SB and Gerow FJ : Correction of nasal deformities accompanying unilateral cleft lip. Cleft Palate J 7: 112, 1970.
89. Stark RB, DeHaan CR and Washio H: Forked flap columellar advance. Cleft Palate J 1:116, 1964.
90. Stark RB and Kaptan JM: Development of the cleft lip nose. Plast Reconstr Surg 51 :413, 1973.
91. Steffensen WH : Further experience with the rectangular flap operation for cleft lip repair. Plast Reconstr Surg 11 :49, 1953.
92. Straith CL: Elongation of the nasal columella. Plast Reconstr Surg 1 :79, 1946.
93. Tajima S : The importance of the musculus nasalis and the cure of the cleft margin flap in repair of the complete unilateral cleft lip. J Maxillofac Surg 11:64, 1983.
94. Tajima S and Maruyama M: Reverse-U incision for secondary repair of cleft lip nose. Plast Reconstr Surg 60:256, 1977
95. Tennison CW : The repair of unilateral cleft lip by the stencil method. Plast Reconstr Surg 5:115, 1952.
96. Thompson N and Pollard AC: Motor function in Abbe flaps. Br J Plast Surg 11:66, 1961.
97. Tolhurst DE: Secondary correction of the unilateral cleft lip nose deformity. Br J Plast Surg 36:449,1983.
98. Tondra JM, Bauer TB and Trusler HM: The management of the bilateral cleft lip deformity. Acta Chir Plast 8: 173, 1966.
99. Trier WC :Repair of unilateral cleft lip: the rotationadvancement operation. Clin Plast Surg 11:573,1985.
100. Uchida JI : A new approach to the correction of cleft lip nasal deformities. Plast Reconstr Surg 47:454,1971.
101. Wilson LF :Correction of residual deformities of the lip and nose in repaired clefts of the primary palate. Clin Plast Surg, 11:719, 1985.
102. Wray RC Jr : Secondary correction of nasal abnormalities associated with cleft lip. J Oral Surg 34: 113,1976.
103. Wynn SK : Lateral flap cleft lip surgery technique. Plast Reconstr Surg 26:509, 1960.
104. Wynn SK : Primary nostril reconstruction in complete cleft lips. Plast Reconstr Surg 45:56, 1972.
105. Young F : The surgical repair of nasal deformities. Plast Reconstr Surg 4:59, 1949.
106. 강진성. 성형외과학 제 5권, pp2463-2503, 2004, 군자출판사

제15장 구순열비와 구개열의 이차변형

구순열비의 이차변형 교정법

엄기일, 오정근

I. 일측 구순열비의 해부학

구순열비의 해부학적인 특성은 그림에서와 같이 콧날개가 찌그러져 있으며 비배부는 정상측으로 편위되어 있고 비중격도 정상측으로 편위되어 있으며 콧구멍은 옆으로 뉘어져 있고 콧구멍 안쪽으로는 물갈퀴 모양의 web을 가지고 있다. 콧 끝의 위치도 정상측으로 편위되어 있으며 비주는 비주하단부가 정상측으로 쏠려 비주의 각이 수직을 이루지 못하고 순열측으로 쏠리는 사각의 축을 이루고 있다. 비배부가 정상측으로 편위되어 있다는 것은 비골자체가 정상측으로 편위되어 있다는 것을 의미한다. 이상은 기존의 교과서들의 잘 기술되어져 있는 내용이며 그 외에도 극히 일부에서 콧날개가 정상측보다 작아져 있는 경우도 있으며 대부분의 경우에서 정상측의 비익연부(alar groove)에 비하여 순열측의 비익연골부은 골이져 있지 않고 펼쳐져 있다. 또 비익연(ala margin)부가 밑으로 떨어져 보이는 양상(alar drooping) 이다(그림 15-51). 정상측의

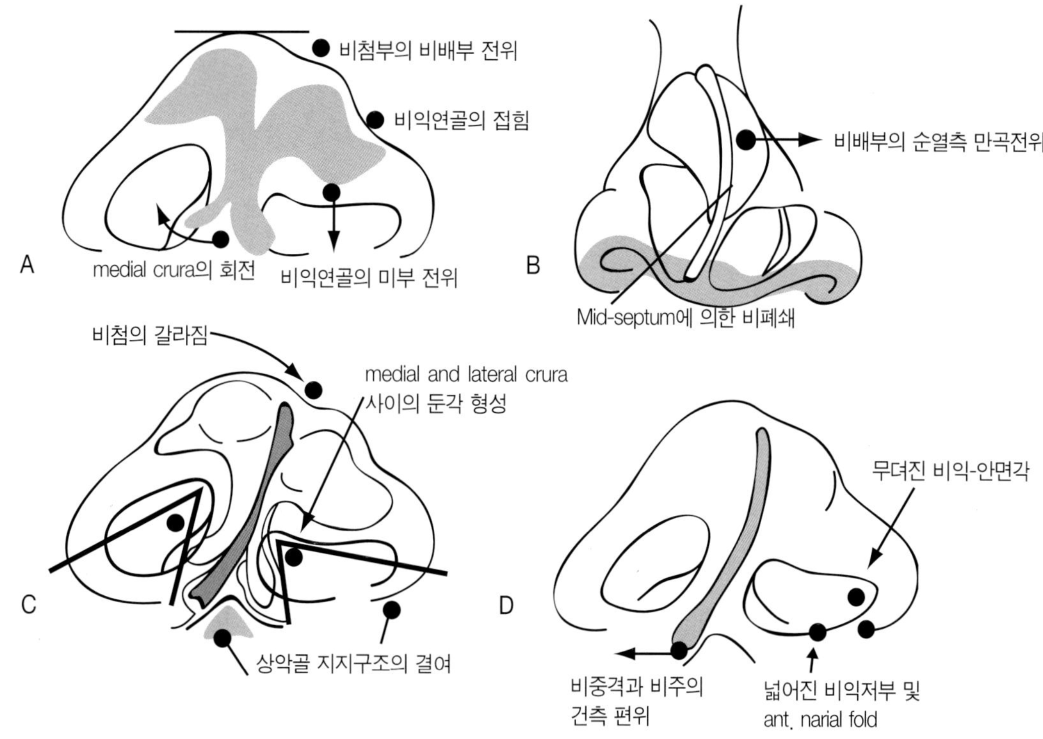

그림 15-51. 구순열비변형. (A) 비첨의 편위 (B) 비배부의 편위. 비익저부는 아래로 쳐져있다. (C) medial 과 lateral crura 사이의 둔각이 형성 되며, 비첨의 dome 은 비배측으로 치우치게 된다. 비익의 lateral crus 는 buckling 되며 상악골 지지구조는 결여 되어 있다. (D) 비주와 비중격의 하부는 건측으로 편위 되어 있으며, 비중격의 중부는 순열측으로 돌출(convexity)되며 비폐색과 더불어 비첨이 갈라지는 경향을 보인다.

콧 구멍의 밑바닥은 턱을 가지고 있음에 비하여(nostril sill) 순열측의 콧구멍의 밑바닥은 낮으며 턱이 없다. 그러한 이유는 그림에서와 같이 상악골의 이상구연(pyriform aperture margin) 및 치조부위가 안쪽으로 꺼져 있고 발육이 덜 되어서일 뿐만이 아니라 비공저 부위의 구륜근의 연속성에도 끈김이 있고 치조부위에 골결손이 있어 이러한 현상이 발생한다. McCarthy에 기술된 tilted tripod개념은 비골은 정상에 위치하고 있고 코의 하단 부분만 한 측으로 기울어져 있는 것으로 묘사되고 또한 비중격도 하단부위에서만 돛단배처럼 휘어져 있는 것으로 묘사되어 있으나 이는 사실과 다르다. 비골 및 비중격의 정상측으로의 일자형 편위를 모두 환자에게서 보이기 때문이다. 만일 tilted tripod의 개념이라면 C자형의 편위를 보이거나 C자형 모양의 고삐가 구순열비의 특성이 되어야 하기 때문이다(그림 15-52).

II. 양측 구순열비의 해부학

양측 구순열비는 코 뼈나 비중격이 편위되어 있지는 않으나 비첨부가 평펴짐하고 뭉뚝하게 보이며 supra tip deformity 처럼 비첨부가 있어야 할 부위보다는 윗 쪽에 가장 튀어나온 돌출부위가 위치한다. 비익연골은 일측 구순열비의 특성과 유사하며 양측에 콧 구멍 안쪽에 물갈퀴 모양의 web을 가지고 있다. 비익연골간(junction of crura)에 과다한 섬유지방 조직이 축적되어 있으며 비익연골이 서로 벌어져 있다.

III. 구순열비 교정

1. 구순열비의 교정시기

1) 일차구순열비 교정

구순열수술과 동시에 구순열비를 같이 교정해 주는 것을 일차구순열비 교정이라 부른다.

이는 호주의 Harold McComb이 처음으로 이에 관한 논문을 발표하였으며 구순열 수술시에 비주부위의 절개선과 콧날개 외측의 절개선을 통하여 비익연골과 콧날개 피부를 박리하여 찌그러진 비익연골이 정상위치로 되돌아가게끔 하는데 그 목적이 있었다. 이 수술방법은 변형의 초기에 변형이 고착화 되는 것을 방지하고 변형을 초기에 고쳐주고자 하는 목적이 있었으나 초기 수술의 박리가 비익연골의 발육에 영향을 미칠 수도 있어 과다한 박리는 지양되어져야 할 것으로 보인다. 그러나, 현재 구순 및 구순열비 수술에 대한 개념은 일차구순열비 수술이 보편화되어 있는 양상을 보인다.

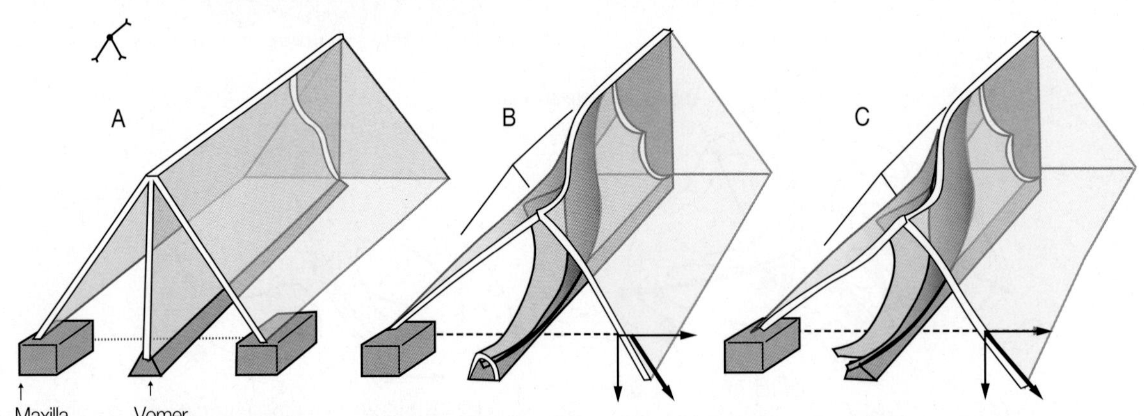

그림 15-52. The tilted tripod. (A) 도식화된 비부의 기본구조. 삼각대(tripod) 구조는 비중격의 배부 및 비골 그리고 각각 양측의 비익으로 이루어진 구조로 이루어져 있다. (B) 상악의 발육부전으로 인한 삼각대의 기울어짐 현상은 2차적으로 비중격과 비익의 변형을 초래하게 된다. (C) 좀더 과장된 비중격의 돌출변형 및 비중격의 막-연골 경계부위에서 후방 쪽으로의 수직변형. 비중격의 전방성장에 대한 기저로 부터의 제한은 비중격이 건측으로 편위되는 원인이 된다. 서골(vomer)의 변형이 더욱 심한 경우에는 비중격이 건측 비공내로 완전 전이되 버린다.

2) 취학기전 구순열비 교정

대부분의 구순구개열 클리닉에서는 취학기전 구순열비 교정을 시행하고 있다. 이 때에 구순열비교정을 시행하는 것은 해부학적으로나 생리학적으로나 이때가 수술 적기라서가 아니라 취학 후 새로운 친구들을 만나고 대인관계를 맺을 때 마음의 상처를 줄여 주고자 하는 목적이 있다. 이 때의 구순교정 수술방법도 아직 코의 성장 중이므로 구순열비 전체에 대한 교정은 불가능하며 박리를 최소화시켜야 하며 수술 후 반흔에 의한 발육억제를 최소화시켜야 한다. 수술은 비익연절개(alar rim incision)을 통하여 비익부 피부와 비익연골간의 박리를 시행하며 지혈 후 연골의 견인봉합(suture suspension)을 시행한다. 견인봉합의 방법은 여러 가지 있으나 저자는 Tajima의 견인봉합방법을 즐겨 사용한다(그림 15-53).

3) 사춘기 이후 근본적 구순열비 교정술

코의 발육은 사춘기가 지나야 발육이 완성된다. 일반적으로 키의 성장이 멈추는 사춘기는 여자에서는 만 16세, 남자에서는 만 18세 이후로 알려져 있다. 과학적으로 사춘기를 판별하는 방법은 손목의 관절부위 x-ray를 찍어 성장판이 닫히는 시기를 의미한다. 사골(Ethmoid bone)의 성장은 20세까지 지속되는 경우도 있다.

최종적인 구순열비 수술은 코 및 입술의 지지구조에 대한 변형의 교정 후 최종적인 구순열비 수술이 진행되어져야 한다.

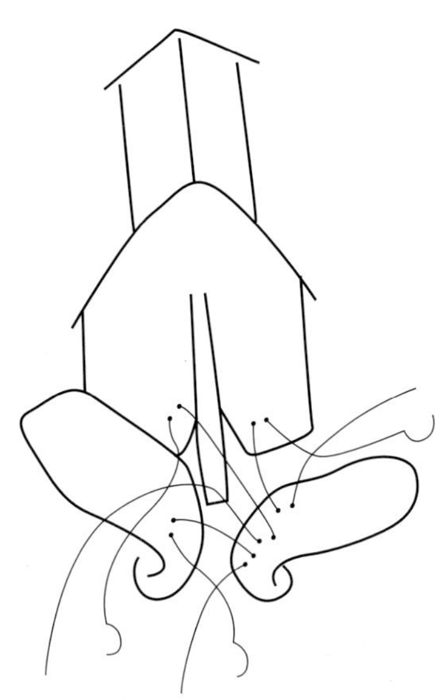

그림 15-53. Tajima 의 변형된 비익연골에 대한 suspension 방법.(Tajima and Maruyama, 1977)

그 이유는 지지기반이 되는 골격구조가 정상화 된 연 후 외장 및 표면구조가 교정되어야 하기 때문이며 지지구조의 교정 없이 외장만을 고치려 할 경우 제대로 외장구조를 얻을 수 없기 때문이다.

지지구조의 변형에 대한 교정은 발육 부전되어 후퇴된 그리고 짧은 상악골을 전진시키고 길게 하며 교합을 맞추고 잇몸부위 및 이상구저변의 골 결손에 대한 뼈의 충진이 필요하며 구강, 비강 천공도 미리 바로 잡아져야 한다.

만일, 발육 부전되어 후퇴된 상악골과 부정교합이 있는 상태에서 코 수술을 하게 되고 나중에 상악골을 전진시키는 수술을 시행하였을 시에는 콧날개의 폭이 넓어지는 현상을 감수하여야 한다. 최종적인 구순열비 성형술을 시행하기전 구순열비에 대한 정확하고 면밀한 진단이 필요하다. 구순열비에서 나타나는 해부학적 특성은 ①비골의 정상측으로의 편위 ②사골 및 비중격 연골의 정상측으로의 편위 및 돛단배의 돛 모양으로 휘어진 비중격 연골 ③일부에서 정상측에 비하여 작을 콧 날개, 찌그러진 정면에서의 콧 날개 모습 ④정상측에 비하여 펼쳐진 비익연구(alar rim groove) ⑤상향 그리고 정상측에 위치한 비첨부 ⑥코 끝의 정중선(bifidity) 갈라짐 ⑦순열측의 넓어진 비공저의 폭 ⑧낮아진 비공저 및 비공저 턱 (nostril sill) ⑨찌그러지고 옆으로 누운 콧 구멍 모양 ⑩콧구멍 안쪽 물갈퀴 모양의 vestibular web ⑪수직이 아닌 사각으로 휘어진 비주 ⑫정중부에서 정상측으로 옮겨간 비주 하단부 ⑬정상측의 강화된 footplate of medial crura 정중부에서 정상측으로 편위된 ANS(anterier nasal spine)뿐만 아니라, 동양인에서 흔한 넓은 비골, 매부리코, 살이 많은 넓어진 비배부, 뭉뚝한 비첨부, 넓어진 비익간 간격 짧은 비주 등 구순열비 특성이 아닌 코의 변형까지도 수술 전에 정확한 진단이 필요하며 그에 대한 교정이 필요하다.

구순열비를 교정하는 수술방법을 크게 나누면 ①피부 절개 혹은 절제를 통한 외부 접근법(Blair, Kilner, Dibbell, Bardach 등) ②비익연골 박리 및 봉합 견인(alar cartilege mobilization and suture suspension)(Tajima, Maruyama 등) ③비익연골 절개 및 재배치(alar cartilege incision and repositioning) ④graft augmentation(Millard, Tessier 등) 등의 방법이 있다. 외부접근방법은 옆으로 뉘어진 순열측 비익구조(ala unit)를 돌려(rotation)세우는 방법으로 비공을 세우는 효과는 있으나 비주

및 콧 끝부위에 반흔이 남아 동양인에서는 이 방법의 적용이 용이하지 않은면이 있으며 실질적으로 피부등 조직이 여분이 있는 것이 아니고 뒤틀리어 잘못 배치되어 있는 상황이므로 피부의 절제등은 바람직스럽지 않다. 비익연골 박리 및 봉합 견인법은 실제적으로 가장 많이 시행되어져왔고 비익연골의 변형을 효과적으로 개선 할 수 있어 현재에도 많이 시행되어 지는 수술방법이다. 봉합 견인에 관한 수많은 방법이 발표되어져 왔으나 Tajima와 Maruyama 방법이 가장 많이 이용되어지고 있다. 비익연골절개 및 재배치 방법은 대부분의 경우에서 비익연골의 크기가 작은 것 보다는 비익연골의 변형 및 잘못 위치됨(malposition)에 기인한 경우가 많으므로 연골을 절개하여 반대측 혹은 상측연골로 책장 넘기 듯 넘겨 다른 연골에 봉합하는 것은 저자의 생각으로는 바람직스럽지 않아 보인다. 네 번째 수술방법으로 연골이식등의 방법은 비주에 지주이식(strut graft)으로 비주에 연골을 이식하는 방법과 찌그러진 순열측 비익연골 위에 덧대어 귀에서 채취한 익상모양의 연골을 이식하는 방법이 있다. 첫 번째 비주에 연골을 이식하는 방법들은 단독 혹은 복합적으로 이용할 수 있으며 저자의 수술방법도 비주에 연골이식 및 비익연골박리 및 봉합견인방법의 병행수술법이다

(1) 절개 방법

구순열비 교정을 위한 절개는 여러 방법이 있으며 가장 많이 이용되어지는 방법으로 환측의 비공연절개(rim incision), 익상연 절개(marginal incision), 개방형절개법이 있다. 비공연절개 및 익상연 절개는 주로 익상연골 박리 및 봉합견인법 에서 이용되어지나 수술시야가 좁고 지혈이 어려우며 정확한 곳에 봉합견인함이 어려워 넓은 박리에 의하여 코의 발육에 영향을 미칠 수 있어 제한된 박리만을 요할 경우 이용되어짐이 타당하며 주로 취학 전 아동 구순열비를 교정할 때 봉합견인법을 시행할 시에 많이 이용되어진다. 개방형절개는 양측의 비공연절개 및 혹은 비익연 절개, transfixion 절개 그리고 비주를 횡단하는 절개법 으로 이 절개법의 장점은 넓은 시야, 꼼꼼한 지혈, 정확한 변형의 진단 및 그에 따른 수술이 가능하고 첨가적으로 융비술등이 용이하고 spreader graft, 비중격절제 등의 첨가 수술등이 가능하여 주로 사춘기 이후 근본적인 구순열비 교정술시에 좋은 절개법이다. 그러나 비주의 작은 횡절개의 반흔이 생겨 단점이 될 수 있으나 그리 문제는 되지 않는다.

(2) 비익연골 박리

최종적 구순열비 교정에서는 충분히 넓은 피부와 비익연골, 상외측 연골(upper lateral cartilage)간 박리가 필요하며 이 때 과다한 주변 섬유지방조직의 제거가 필요하다. 철저한 지혈은 술 후 혈종에 의한 반흔 침착을 최소화 시키는데 도움을 준다. 일반적으로 비익연골 밑의 점막 박리는 필요치 않다.

(3) 순열측 찌그러진 비익연골부 해부학적 특성

비익연골 함몰부위는 콧 구멍내측 천정부위의 vestibular web을 이루며 web은 단순히 web부위의 피부가 수직으로 짧을 뿐만 아니라 연골의 함몰에 의하여 web을 형성 한다. 찌그러진 구순열비측의 연골 함몰부위에는 섬유성 지방조직이 축척되어 있어 이것을 제거해 주어야 하며 이것을 제거하는 경우 찌그러진 연골 부위가 펼쳐지는 데에 도움을 준다(그림 15-54). 정상측 비익연골과 환측 비익연골 사이의 연골정점부위에는 마찬가지로 섬유지방조직이 축척되어 있는 경우가 있으나 모든 경우에서 축척되어 있는 상황은 아니며 이 지방섬유조직을 과다하게 제거 시 에는 오히려 tip area의 두첨부 연골구조의 불안전성이 유발된다.

(4) 봉합견인(suture suspension)

순열측 비익연골을 피부와 박리 후 junction of crura라고 예

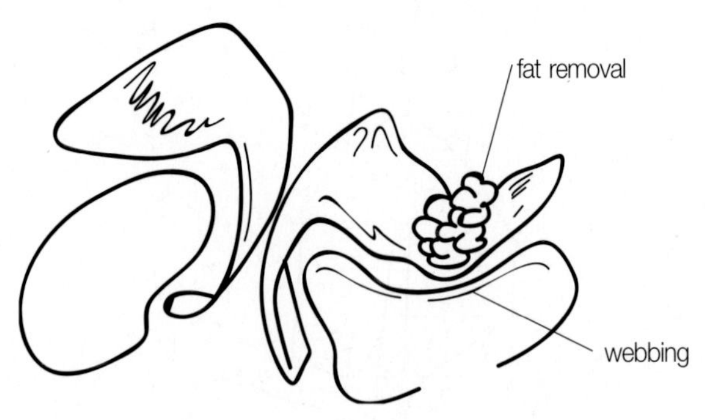

그림 15-54. 구순열비환자의 순열측 비익연골의 해부학적 구조. 비익연골의 함몰부위는 콧 구멍내측 천청부위의 vestibular web을 이루며 이 web은 단순히 web부위의 피부가 수직으로 짧을 뿐만 아니라 연골의 함몰에 의하여 web을 형성 한다. 찌그러진 구순열비측의 연골 함몰부위에는 섬유성 지방조직이 축척되어 있어 이것을 제거해 주어야 하며 이것을 제거하는 경우 찌그러진 연골 부위가 펼쳐지는 데에 도움을 준다.

상되는 부위를 반대측 정상 비익연골 부위에 비흡수성 봉합사로 봉합 견인하고 또한 예상 junction 부위를 정상측 상외측연골에 봉합견인하거나 정상측 비골골막에 봉합견인한다(소아). 비첨부를 세우며 봉합견인시는 비주에 지주를 세우고 이 지주에 정상 junction of crura 외측 연골 부위를 봉합하고 순열부 비익연골도 좀 더 외측 연골 부위를 지주에 봉합 견인한다(성인).

(5) 봉합에 의한 ala drooping의 교정

봉합견인시 순열측 연골의 하단 및 연조직을 좀 더 심부의 반대측 연골에 봉합견인하면 ala drooping을 교정할 수 있다.

(6) 찌그러진 비익연골을 정상 vector에서 세워주는 방법

Maruyama와 Tajima등 봉합견인의 vector는 수평적 vector가 되어 완전한 구순열비 교정이 어렵다. 이러한 지주의 보강 없이 정상측 비익 연골과 환측 비익연골을 봉합하는 수평봉합시 사각 방향으로 세워진 비주는 오히려 더 사각화 시키는 위험성이 있다. 따라서 소아시기에 최소 박리하 구순열비 교정이 아니라면 수직방향의 vector에서 찌그러진 비익연골을 펼쳐주는 봉합견인이 요구된다. 수직방향의 vector에서 찌그러진 비익연골을 펼쳐 주는 방법으로는 외측에서 찌그러진 비익연골부를 잡아당겨 연골부를 펼쳐주는 방법과 내측에서 찌그러진 비익연골을 밀어주어 펼쳐주는 방법 및 찌그러진 비익연골 부위에 다발성 부분절개(hatching)를 하여 비익연골이 펼쳐지게 하거나 찌그러진 비익연골 부위에 연골이식으로 덧대어 연골을 펼쳐주는 세가지의 방법이 있다. 첫 번째 외측에서 찌그러진 비익연골부를 잡아당겨 연골부를 펼쳐주는 방법으로는 완고하게 고정한 융비술 골이식의 끝이 비첨부에 이르게 하여 이골과 비익연골을 봉합견인하여 찌그러진 비익연골이 펼쳐지게끔 봉합하는 방법이 있으며, 비익연골의 medial crura 와 medial crura 사이 정중부에 연골등 새로운 고정된 지주를 세우고 이 고정된 지주에 양측의 연골을 봉합 견인하면 코끝도 세울 수 있게 할 뿐만 아니라 비주의 길이도 길게 하고 콧날개간 폭 길이도 줄일수 있으며 찌그러진 비익연골도 새로운 위치로 이동됨에 따라 펼쳐져 수평모양의 비공도 수직모양의 비공을 얻을수 있다(그림 15-55). 두 번째 방법인 내측에서 비익연골을 밀어주어 펼쳐주는 실용적 방법으로는 구순열비에 대한 비익 수술 후 재발을 방지하기 위한 silicone

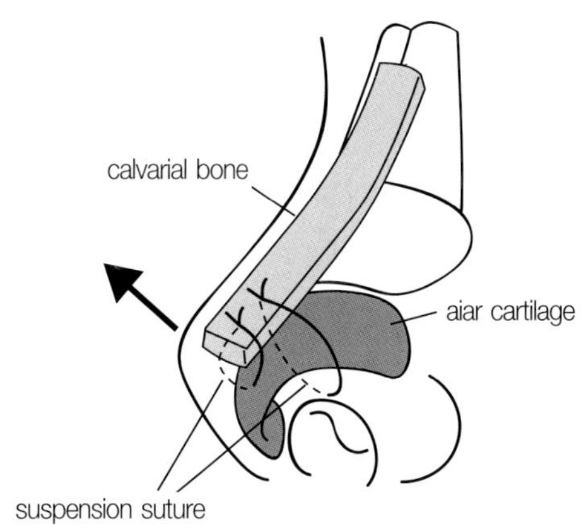

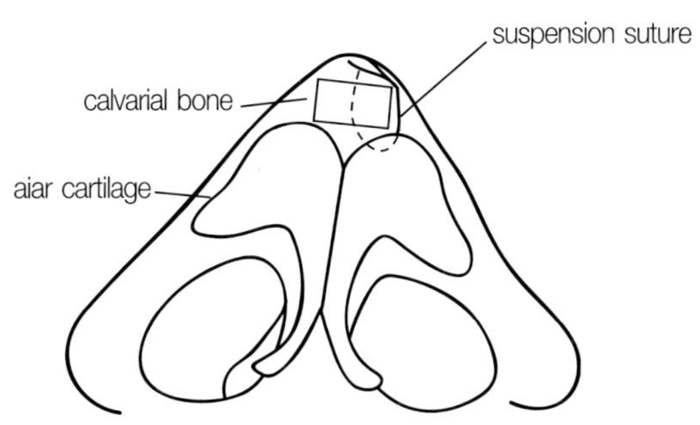

그림 15-55. 이식된 자가두개골은 지지구조로 작용을 하게 되어 비익연골의 변형에 대한 견인(suspension)을 가능케하며 비첨의 모양을 개선시킨다. 경인봉합은 이식된 자가골과 비익연골의 intercrural angle 과 순열측의 펼쳐진 lateral crus 및 vestibular web 에 고정된다.

nasal stent를 이용하는 방법이 있다. 이 nasal stent는 착용 시에는 찌그러진 연골부를 밀어주어 비익연골을 펼쳐 주지만 미착용 시에는 제자리로 되돌아가게 된다. 이 stent를 수술 후에 지속적으로 착용하게 되는 경우 수술 후 새로운 형태에 맞게 연골의 chondrocyte가 빠져나가고 chondroblast가 침착하는 세포활동을 일으켜 새로운 연골형태를 얻을 수 있으나 이 nasal stent 는 세포활동이 지속되는 6개월 이상의 지속적인 착용이 필요하다. 세 번째 방법인 비익연골에 다발성 부분절개(hatching)를 해주는 방법은 이론적으로는 가능하나 실제적으로 비익연골이 얇아 hatching이 쉽지 않다. 또 비익연골 이식법은 찌그러진 연골부위에 연골이식봉합으로 덧대어 연골을 펼쳐주는 방법도 있다(그림 15-56).

(7) 사각 비주의 교정

비주는 그 하단 부위가 정상측으로 편위 되어 있으며 비주의

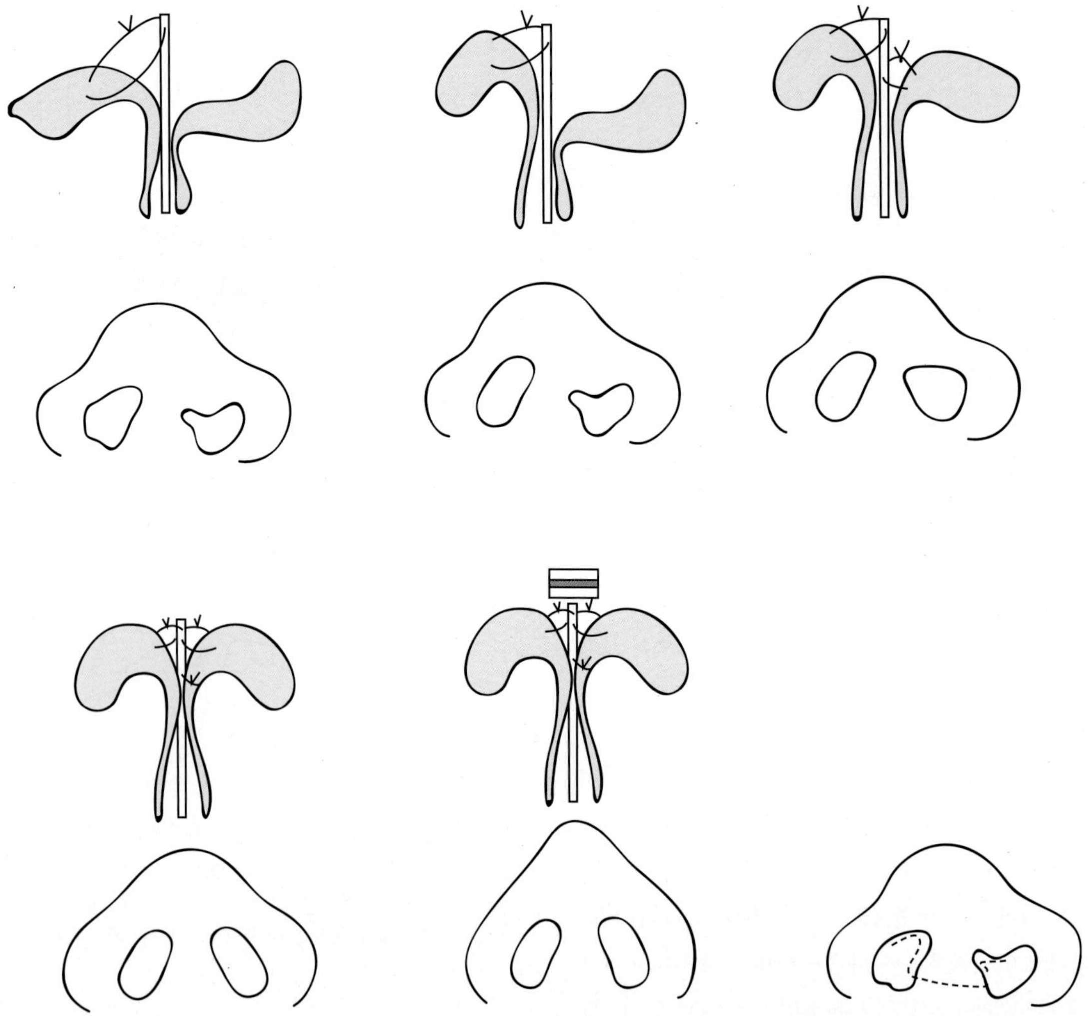

그림 15-56. 찌그러진 비익연골을 세워주는 방법 중 하나로 내측에서 올바른 vector 로 비익연골을 밀어주는 방법에 대한 도식이다.

수직각도는 사각으로 되어 있어 이것을 바로 잡아주는 것이 필요하다. 이것을 바로 잡아주는 방법으로는 비중격을 ANS 및 vomer로부터 탈골시켜 정중부로 이동할 시 정상측의 강화된 footplate of medial crura는 약화되고 약화된 환측의 footplate of medial crura는 강화되어 균형을 이룬다(그림 15-57).

(8) Foot plate of medial crura의 교정

비익연골의 medial crura의 최저점은 footplate of medial crura가 되며 이것이 콧구멍의 형태를 결정하는 중요한 요소가 된다. 일반적으로 정상측의 foot plate of medial crura는 좀 더 융기되어 있으며 환측의 foot plate of medial crura는 약화되어 있다. 이러한 변형은 구륜근의 적절한 봉합으로 교정할 수 있다.

(9) 펼펴진 ala groove의 교정, tip projection방법

순열측 콧구멍 밑 바닥이 넓어져 있는 경우 ala inversion을 통하여 비익연구(ala groove)의 골을 깊게 만들어 줄 수 있다. 콧 끝을 높이기 위하여 tip projection할 시 한 쌍의 medial crura 만으로는 지주로서의 역할에 한계가 있어 tip부위에서 밑 방향으로 내려가려고 하는 힘을 지탱하기에는 무리가 있어 비주부위에 medial crura와 medial crura 사이에 혹은 한 쌍의 medial crura 앞쪽에 다른 지주의 보강이 필요하다. 보강 지주로는 비중격 연골, 늑골연골이 이용되어 질 수 있으며 이때에 한 쌍의 crura와 이식된 지주와 unit로 된 지주의 역할을 하기

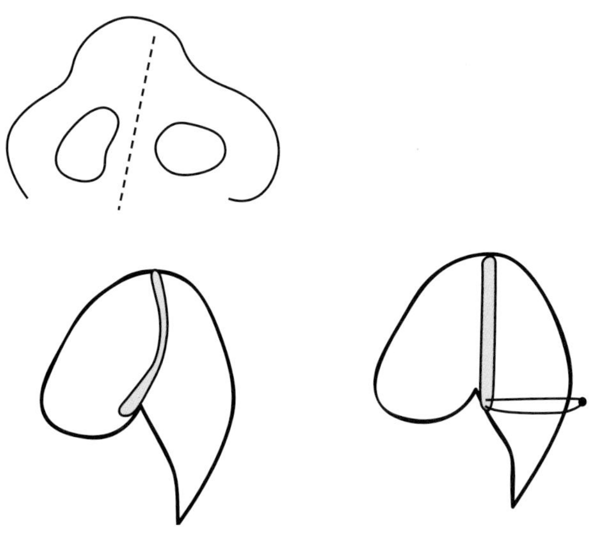

그림 15-57. 비주는 그 하단 부위가 정상측으로 편위되어 있으며 비주의 수직각도는 사각으로 되어 있어 이것을 바로 잡아주는 것이 필요하다. 이것을 바로 잡아주기 위해는 비중격을 ANS 및 vomer로부터 탈골시켜 정중부로 이동시켜줄 수 있다.

위하여 봉합이 필요하다.

구순열비에서 비주에 보강된 지주를 삽입하고 tip projection 시킬 시에 기존의 junction부위에 봉합하는 것 보다는 junction 부위 외측부위에 봉합을 하는 것아 tip을 좀 더 projection시킬 수 있다. 콧날개 폭을 좁히고 tip을 projection할 때에 비첨부는 위로 이동하고 비순각은 증가하는 현상이 발생할 수 있다. 이것을 방지하기 위해서는 양측의 비중격 연골에 spreader graft를 봉합하여 이 spreader graft가 비익연골이 상향으로 올라가는 것을 제어하도록 해 주면 비순각이 증가하는 들창코 만듦이 없이 비첨부를 projection 시킬 수 있다. 비중격에서 비중격 연골을 채취하는 것은 따로 절개선 없이도 비익연골을 벌려 upper lateral cartilage와 비중격 연골을 분리한 통로를 통하여 채취가 가능하다. 이 때 비중격 연골의 틀을 따라 1cm 이상의 폭을 남기고 비중격 연골을 채취 하여야 코 중앙부의 지지구조를 훼손하지 않는다. 비첨부는 코끝에 돌출되어 뾰족하게 위치하는 것이 미용적으로도 우수하다. 비첨부가 돌출되게 만드는 것은 미용수술에서 뿐만아니라 구순열비에서 더욱 적용되어져야 하며 방법으로는 비첨부위가 될 부위에 연골, 진피, silicone, alloderm 등을 삽입이식하여 코끝을 높여주는 방법이 있고 비주에 기둥을 세우고(연골등을 이용한 Strut graft) 기둥위에 연골, 진피, alloderm을 덧씌워 코끝을 세워주는 방법이 있으며 두개골외판 이식을 이용하는 융비술도 코끝을 강제적으로 밀어 코끝을 세워주는 방법이 된다. 이러한 코끝 성형술의 부수적 효과로는 콧날개폭의 감소, 비주길이 연장, 비공형태의 개선이 있다(그림 15-58).

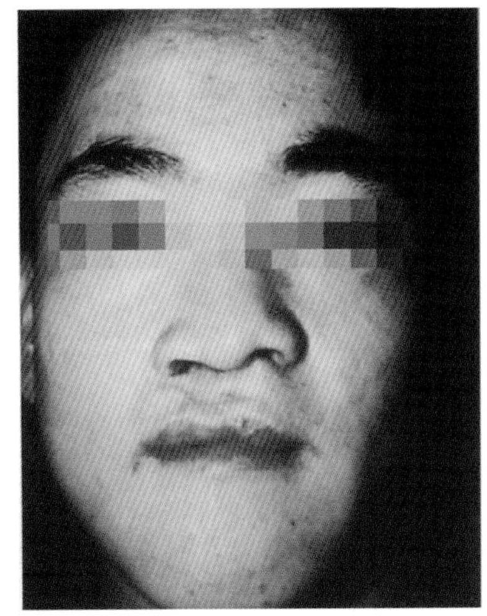

A

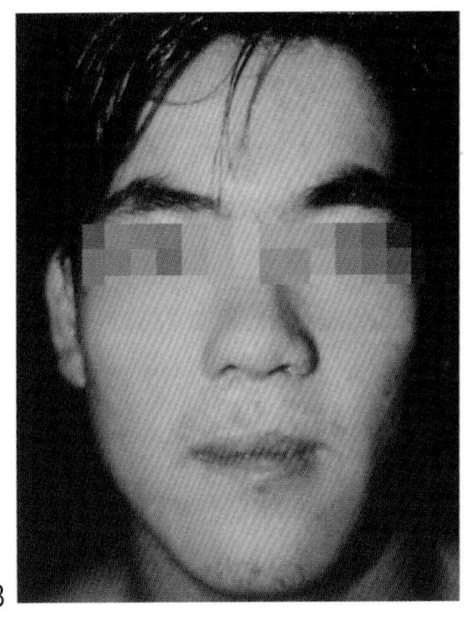

B

그림 15-58. 22세 남자. 일측 구순열비변형, 우측. (A) 수술전 사진. 우측 비익연골의 후방전위, 비중격의 좌측 편위 및 콧날개의 펼쳐짐이 관찰된다. (B) 비첨은 전방으로 잘 돌출되어있고, 비주는 충분하게 세워져있으며 콧날개의 펼쳐짐 또한 교정되었다. 잘 집중된 비첨의 증거로 비첨의 빛의 반사가 잘 모여져 있다.

참고문헌

1. McCarthy JG. *Plastic surgery, Vol 4.* Philadelphia, Pensylvennia: W.B. Saunders Company, 1990.
2. Millard DR Jr. *Principalization of Plastic Surgery.* Boston: Little, Brown, 1986
3. Uhm, K.I., Hwang, S.H., and Choi, B.G. Cleft lip nose correction with onlay calvarial bone graft and suture suspension in oriental patients. *Plast. Reconstr. Surg.* 105:499 2000.
4. Uhm, K.I. and Hwang, W.G. Correction of short lateral lip in unilateral cleft lip. *J Korean Soc Plast Reconstr Surg* 27:615, 2000.

제15장 구순열비와 구개열의 이차변형

구순열비변형

이종건

구순열비변형의 심한 정도는 구순열의 형태에 따라 다를뿐만이 아니라, 치조골-구개골-상악골의 변형 정도에 따라서도 매우 다양하다. 이러한 변형은 비익연골의 내측각과 외측각의 위치 및 형태적인 변형과 비중격연골의 변형, 상악골기저부의 변형등 여러가지 구조물들의 복합적 변형에 의한 것이나 그 원인이나 발생과정은 아직도 밝혀지지 않고 여러가지 학설이나 추측만이 가능할 뿐이다.

구순열비변형의 성형수술도 1900년대 초 부터 수많은 학자들에 의해 다양하고 수 많은 방법들을 시도하고 발표하였으며, 현재도 새롭고 특별한 방법들을 시도하고 있지만 환자나 술자가 만족할 수 있고 의사 누구나 할 수 있는 단 한가지의 특별한 방법을 찾기란 쉬운일 아니다. 따라서 술자는 그 원인이나 해부학적 지식, 또한 다양한 수술방법들을 알고 있어야만 서로 다른 환자의 상황에 따라 알맞은 술기를 적용하여 수술결과에 대한 만족도를 높일 수 있을 것이다.

I. 병리 해부학

구순열비변형의 특징적인 추형은 주로 비익연골의 변형과 비중격만곡증에 기인하며 외부 해부학적 특징은 비첨이 낮고 하방전이되고, 비익은 주름(alar fold)이 깊고 낮아 건측에 비해 작고 평평하거나 함몰되어 동그란 커브형태가 아닌 뻗친형태이고, 비중격만곡증으로 인한 콧대의 c-형 또는 s-형 변형과 코마루가 짧고 정상측으로 기울어져 있어 무너진 삼각형의 모습을 보인다.

특히 우리나라 사람들이 특징적으로 지적하는 콧구멍의 비대칭은 건측에 비해 비공축(anterior nostril angle)이 수평을 이루고, 비축주의 높이가 낮으며, 비익웹이 있고, 콧구멍 바닥(nostril sill 과 medial crural foot plate)의 둔덕이나 돌출이 없어 비대칭을 보인다.

비익연골은 환측의 외측각이 외하방으로 전이되고 찌그러들어 있으며 내측각은 내하방으로 전위되어 있고 내외측각이 둔각을 이루고 측간각이 넓어져 있어 비첨이 편평하고 하방으로 전이되어 안면-비익각이 둔각을 이룬다(그림 15-59).

비중격만곡증으로 비중격연골이 사골와로부터 빠져나와 역시 외측으로 변위되어 전비극을 넘어 정상측으로 돌출되어 있어 이로 인한 이차적변형으로 하비갑개비대가 동반되는 경우가 많아 비중격연골 이동술이나 비중격성형술이 필요하다.

그 밖의 코의 형태적인 변형에 영향을 미치는 것으로 상악골과 구륜근의 발육부전으로 비익을 받치는 지주의 결핍으로 코의 삼각발란스가 무너져 있다. Hogan과 Converse(1971)는 "tilted tripod"라는 용어를 사용하였으며[1] 상악골발육부전과 과 비중격만곡증이 중요한 원인이라 지적하였다.

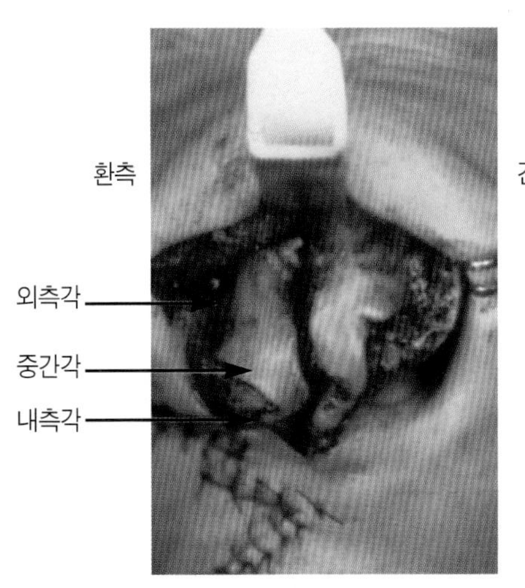

그림 15-59. 구순열비변형의 비익연골 해부도

II. 수술방법

구순열비변형의 다양성 만큼이나 그에 대한 수술방법 또한 20세기 초 부터 수많은 사람들에 의해 수많은 방법이 시도되고 발표되어 왔으나 대부분의 방법들이 만족스럽지 못하고, 변형이 재발하거나 부자연스러운 모양을 만들어 왔다. 그리하여 현재 까지도 누구나 할 수 있고 또 환자를 만족시킬 수 있는 단 한가지 방법은 없으며 술자는 여러가지 방법을 알고 있어야만 환자의 상황에 따라 알맞은 방법을 적용할 수 있을 것이다.

이책에서는 타인들의 수술방법을 열거하지 않고 저자가 시행하고 있는 방법을 소개하려 하며 그 어느 방법보다도 심한 정도나 나이등에 관계없이 일정한 수술개념하에 다양한 변형을 정상에 가깝게 교정할 수 있는 방법이라고 생각한다.

1. 비익연골 리모델링법(그림 15-60)

전신마취나 국소마취시에는 하안와신경차단마취를 동시에 시도하고, 비축주에 계단식 절개와 비익웹 역 U-자형의 개방형 절개를 통하여 광범위하게 박리하여 피복조직을 여유있게 만든다.

연골의 박리는 환측 비익연골을 외측각의 끝과 내측각 끝만을 유지한채 자유스럽게 이동할 수 있도록 최대한 박리하고, 찌그러든 외측각을 칼집을 내서 건측의 둥근모양으로 하고, 또한 칼집으로 정상측 측간각의 높이를 같게 하여 비익연골을 정상모양으로 전체적인 리모델링을 한다. 이때 건측의 비익연골도 어느정도 박리하여 동시에 이동이 가능하도록 한다. 환측연골을 상방으로 이동시켜 건측연골과 주사침으로 일시고정하고 연부조직을 덮어 비첨, 비익의 대칭성을 확인한 후 내측각, 중간각, 외측각을 고정봉합하여 코의 연골 구조물의 무너짐이나 휘어짐을 없게하여 재발을 방지하고 정상에 가

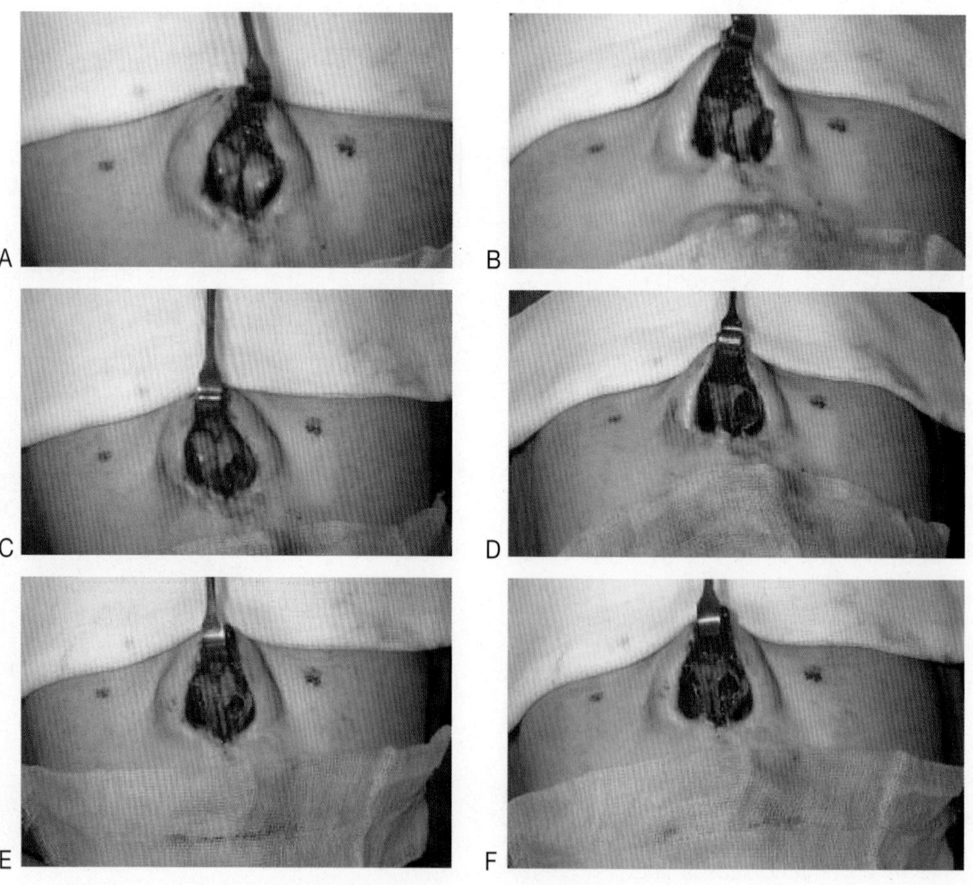

그림 15-60. 비익연골 리모델링법

까운 완벽한 삼각발란스를 영구적으로 유지할 수 있게 한다.

특히 재수술의 경우 이식된 연골이나 두꺼운 흉터조직들을 완벽하게 제거하고 다듬어 주먹코 같은 모양을 최대한 날씬한 형태로 만들어준다. 때로는 전수술에서 절단하거나 수조각으로 갈기 갈기 절단되어 있는 비익연골 조각들을 찾아 다시 연결하여 복구하여 정상모양을 만들어야 한다. 이때는 비중격성형수술시 얻을 수 있는 연골을 이식하여 비축주기둥으로 좀 더 단단한 삼각주를 만들어주는 것이 좋다.

2. 콧구멍 만들기(그림 15-61)

많은 환자들이 콧구멍의 비대칭에 대한 불평이 심하며, 이에 대한 정상적인 대칭성 회복을 간절히 바라는 경우가 많다. 비공 축각(anterior nostril angle)은 어린이와 성인의 차이가 있고 또 종족간, 남녀간, 개인간의 차이도 있어 환자에 따라서 신중한 조절이 필요하다. 특히 약 10세 이전에 수술을 할 경우 성인이 되면서 변하는 축각에 대한 조절과 환자를 이해시키는 것이 쉽지않은 과제중의 하나이다.

환측의 역 U-자형 절개법은 정상측의 콧구멍 높이, 축방향, 형태와 대칭되게 도안-절개하고(그림 15-61A) 위와 같이 비익연골의 리모델링이 완성된 후 접혀있는 비익웹을 펴서 비공테두리에 관통절개(그림 15-61B,C)를 하여 작은 양경피판을 만들어, 안쪽에서 6-0 바이크릴 봉합사로 2-3개의 매트레스 봉합으로 접혀진 비익웹을 반대로 뒤집어(그림 15-61D) 짧은 비축주의 연장과 비전정웹의 부족한 조직에도 도움이 되게 한다. 이렇게 만들어진 여유있는 조직을 정상측 비공의 굴곡형태에 대칭되게 리로델링된 연골구조물에 2-3개의 6-0 나이론으로 내측 함몰 고정봉합하여(그림 15-61E) 건측과 대칭되는 비공축각과 비공형태를 만든다.

3. 비중격성형술

모든 일측 구순열비변형 환자들은 정도의 차이는 있지만 반드시 비중격만곡증을 동반하고 있으며 전비극도 건측이동되

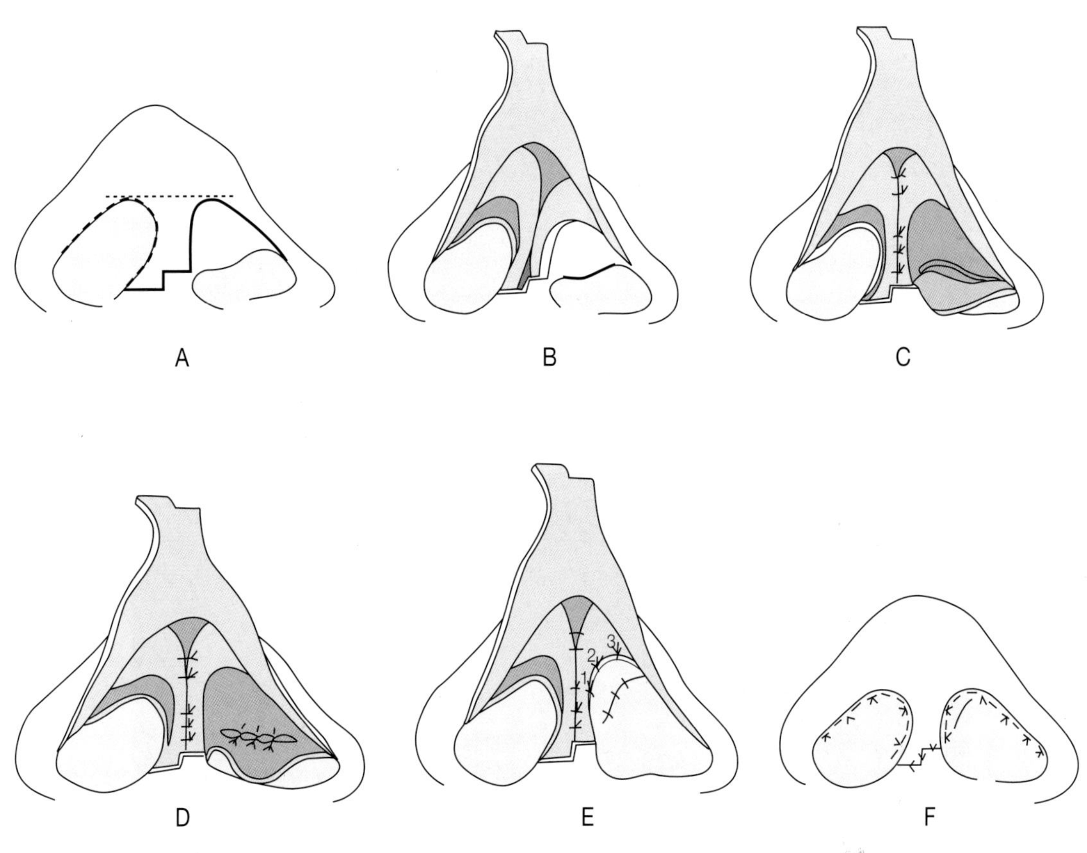

그림 15-61. 콧구멍 만들기

고, 특히 비중격연골이 사골와로부터 빠져나와 건측으로 이동되어 있어 콧대가 건측으로 휘어져 있고 비축주도 기울어져 있다. 때로는 하비갑개비후증이 동반되는 경우도 많으며, 코막힘과 비염을 호소하는 환자들도 많다. 때문에 반드시 정도에 따라서 연골부분에 대한 비중격 리모델링과 이동술 또는 비중격성형술을 동시에 하는 것이 콧대를 일직선으로 만들어 미용적 또는 기능적으로 완전한 재건을 할 수 있다.

비중격 성형수술은 비익연골 고정전에 같은 절개창을 통해서 양측 점막을 골성중격 까지 박리하여 심한 정도에 따라서 골절제와 연골절제를 하거나 또는 휘어진 연골만을 사골와에서 분리하여 굴곡부분에 칼집을 내어 똑바로 펴고, 전비극 반대쪽으로 넘겨 4-0 나이론으로 골막에 고정한다. 융비술이나 코끝을 높일 경우에는 이때 얻은 연골을 이용하여 비축주기둥을 세워서 고정하기도 한다.

4. 봉합 및 수술 후 관리

비중격성형술 개방창을 5-0 바이크릴 봉합사로 봉합하고 절개창은 6-0 블랙실크와 6-0 바이크릴 봉합사로 봉합한다.

수술 후 드레싱은 탄력반창고를 이용하여 압박드레싱을 하고 콧구멍에 실리콘보조기를 끼워 약 3-6개월 유지하게 한다.

결론

현재도 많은 환자들이 이곳 저곳을 돌아다니며 재수술에 재수술을 반복하면서도 만족하지 못하는 모습을 많이 볼 수 있다. 그 대부분의 수술방법들이 무너진 비익을 바로세우기 위해서 연골이식이나 연부조직이식 또는 비익연골 현수법으로 타병원에서 수술한 것을 경험하였으며, 이 방법들로는 무너진 코의 삼각발란스나 양측 코끝높이와 무너진 비익, 콧구멍의 대칭성등을 회복할 수 없으며, 대부부분이 재발하거나 울퉁불퉁한 주먹코 나아가서는 더 큰 불만을 갖게 만드는 일그러진 코를 만드는 경우가 많다. 이런 경우 재수술을 하려면 모든 이식조직물이나 이물질, 흉터조직을 제거해야만 하는 매우 힘든 조작이 필요하고 , 때로는 갈기 갈기 찢어진 비익연골을 찾아

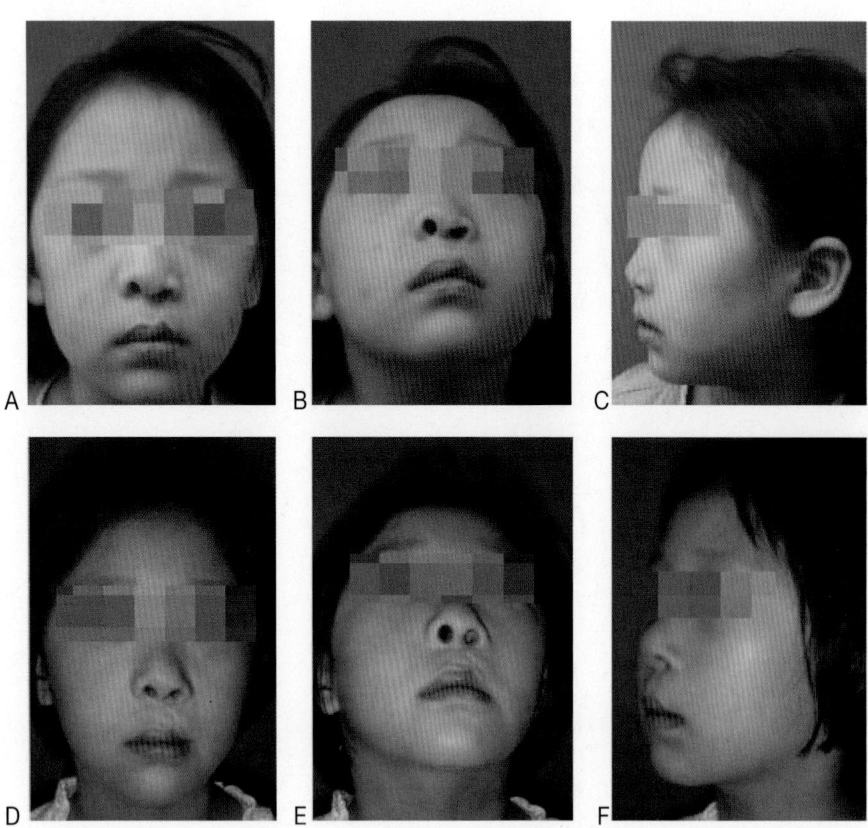

그림 15-62. (A~C) 수술 전, (D~F) 수술 후

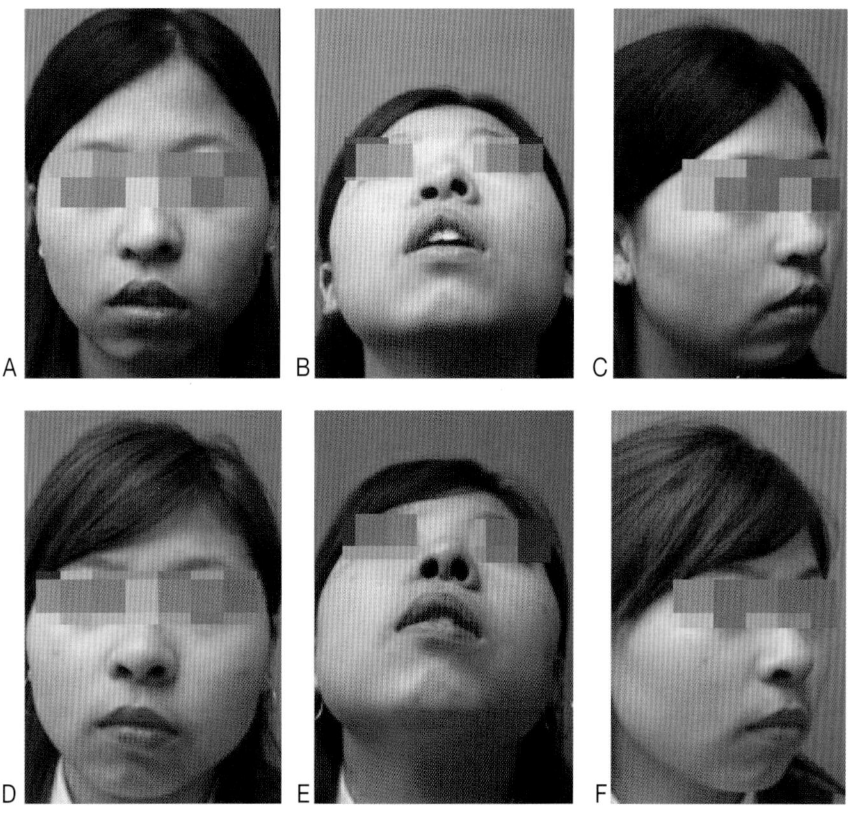

그림 15-63. (A~C) 수술 전, (D~F) 수술 후

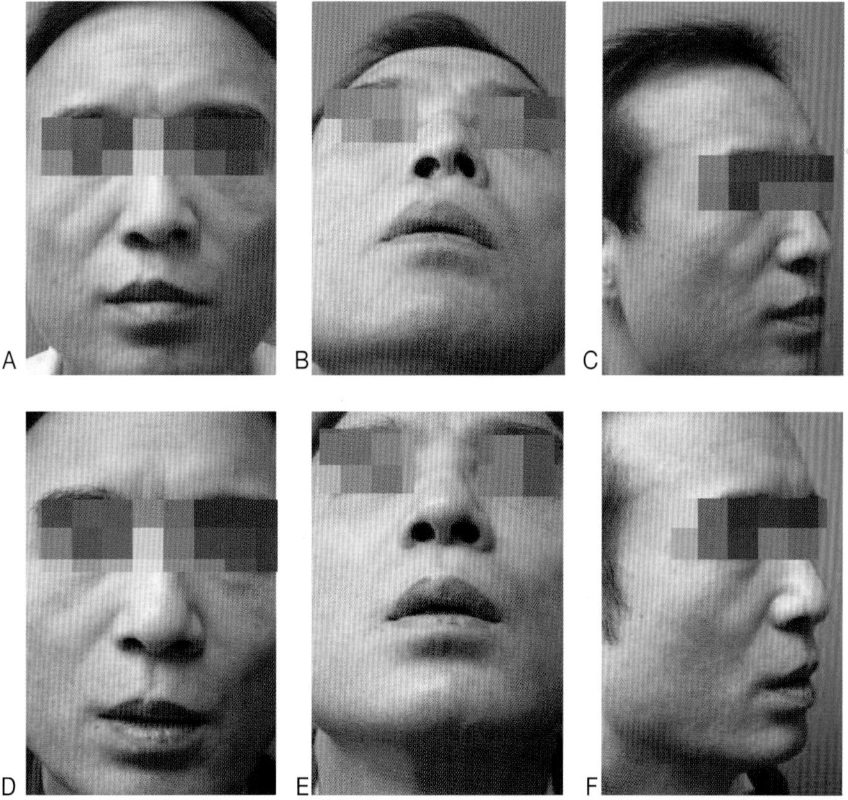

그림 15-64. (A~C) 수술 전, (D~F) 수술 후

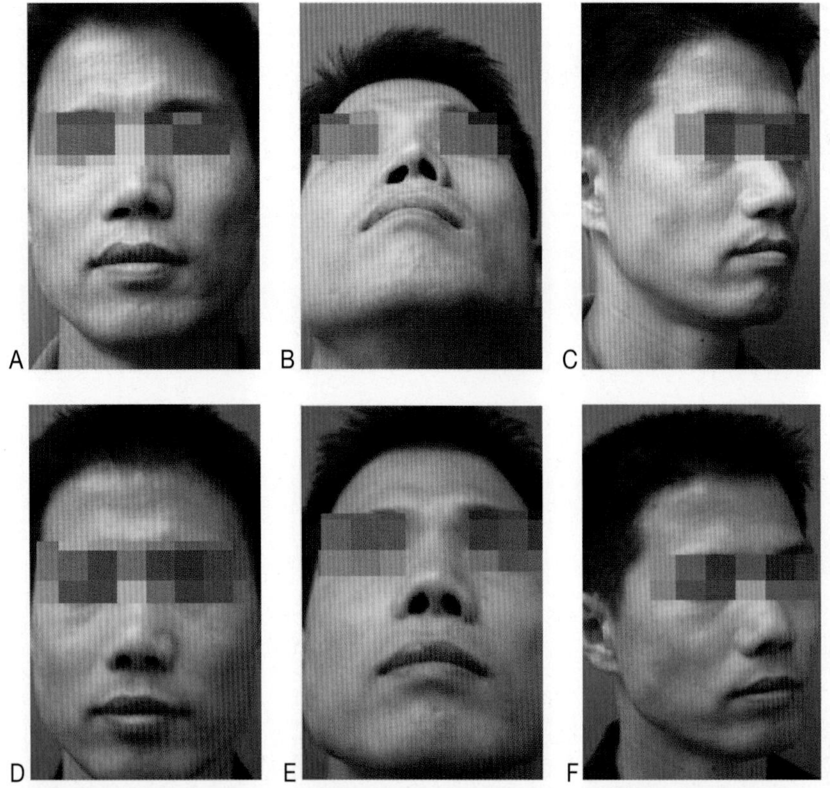

그림 15-65. (A~C) 수술 전, (D~F) 수술 후

재건해야만 하는 어려움이 있으며, 이렇게 수술할 경우 자연스러움은 이미 회복하기가 어렵다.

저자의 방법은 조직이식이나 이물질을 사용하지 않고 자신의 조직만을 이용해서 거의 정상에 가까운 삼각발란스를 회복할 수 있고 코끝, 콧구멍, 비익등도 거의 대칭성을 회복할 수 있는 방법으로 일정한 수술개념과 수술방법으로 누구나 가능한 수술이라 할 수 있다(그림 15-62, 63, 64, 65).

참고문헌

Jackson IT, Fasching MC. Secondary deformities of cleft lip, nose, and cleft palate. In McCarthy JG. Plastic Surgery, Vol 4. W.B. Saunders Company, 1990, p 2800.

제16장 구순구개열의 이차골변형

Postcleft Jaw Deformity

백롱민, 권순성

I. 이차골변형의 원인

구순구개열에서는 얼굴 뼈대의 이차적 변형(postcleft jaw deformity)이 생기게 된다. 이런 환자에서는 상악골(maxilla)의 형성이 부진하게되고 상대적으로 하악골(mandible)이 앞으로 튀어나와 보인다. 상악골의 형성이 부진하게 되는 이유는 구개의 결손때문이거나, 구개에 수술을 받거나 수술 후 합병증이 생기기 때문이며, 뼈 자체의 성장력에 문제가 있는 것은 아니다.

1. 구순구개열의 안면골 변형의 원인

구순구개열 환자에서 수술받기 전에는 영양섭취가 곤란하여 얼굴은 작아지고, 개열로 인해 상구순이 뼈로 연결되지 않고 혀의 압력과 성장에 따라 얼굴이 확장되어 저항을 적게 받으므로 얼굴의 폭은 넓어지는 경향을 보인다. 그러나, 상악골, 치아, 치조돌기(alveolar process), 구개와 비익연골과 비중격에만 결함과 변형이 있을 뿐 다른 안면골의 성장에는 결함이 없다. 결함 정도는 개열의 유형과 정도에 따르며, 혀의 이차적 변위로 하악에 변위와 기형이 나타난다. 그 외, 유전적 요인과 발생학적 인자에도 영향을 받아, 인접한 안면골에도 유기적으로 영향을 받는다.

구순구개열 환자들은 상악골분절이 내방으로 쏠려 치조골이 안쪽으로 찌부러지고(alveolar collapse), 흔히 입을 벌리고 호흡하므로 치열궁(dental arch)의 폭은 좁아지고, 상악의 앞니는 하악의 앞니와 닿지 못하므로 구개 쪽으로 기울어지게 되어 치아치조돌기(dentoalveolar process)에 의한 보상성 조절능력이 없어져 상악의 성장이 먼저 끝난다음 보상기전에 의해서 정상 교합을 얻게되는 기전이 상실되어 열린 교합(open bite)을 얻게 된다.

2. 구순구개열에서 수술의 영향

구순구개열 수술 후에는 수술의 합병증의 영향을 받게된다. 안면골은 5세까지 뼈가 첨가되어 성장(appositional growth)을 하게되는 데, 구순구개열을 수술하기 위해서는 뼈의 성장에 필요한 부분의 뼈막점막(mucoperiosteal membrane)을 건드리게 되어 뼈가 성장하는 부분에 흉터가 생기게 된다. 이로 인한 상악의 형성 부진으로 상악과 하악이 균형을 잃게 된다. 상악이 앞쪽으로 자라지 못하면서 얼굴이 접시모양으로 되고 3급 교합 장애(class III malocclusion)가 생기거나, 치조골이 내방으로 찌부러질 수 있고, 상악골의 수직 길이가 짧아지기도(vertical shortening of the maxilla) 한다.

또한, 구개열에서는 후방교차교합(posterior crossbite)이 생기게 된다. 이는 이전의 수술로 인하여 팽팽한 구개조직 때문에 치열이 충분히 확장(dental expansion)되지 않고, 구개열로 구개봉합선이 평형을 이루지 못하므로 상악이 충분히 확장되지 않기 때문이다. 구순구개열을 수술하고 나면 개열측 비공저부, 비중격과 비익에 이차적 변형이 생긴다. 따라서 유년기에 구순과 코의 연부조직 교정술이 필요하며, 구개의 봉합후 환자가 사춘기에 성장함에따라 인두의 내경이 커지거나, 림프조직의 퇴축으로 구개범인두폐쇄 부전이 일어는 데, 이럴 경우 인두피판술을 시행해준다.

구순구개열 수술을 받고나면 상악이 비대칭(bony asymmetry)으로 자라게 된다. 코에 변형(nasal deformity)이 오며, 구비강누공(oronasal fistula)이나 치아결손(missing teeth)이 생길 수 있고, 구개인두폐쇄(velopharyngeal closure)

부전으로 인한 수술로 인두피판(pharyngeal flap)이 존재할 수 있다. 또, 연부조직에 흉터가 형성되어 입술이 팽팽하게 되어 (tight upper lip) 수술의 목표를 달성하는 데에 어려움이 있게 된다.

II. 이차골변형에 대한 수술

1. 수술 시기

구순구개열에서의 턱교정술은 안면골의 성장이 끝날 때 할 수 있는 데, 남자에서는 18세에서 19세, 여자에서는 좀더 빨리 할 수 있다. 턱교정수술은 얼굴 뼈대의 어긋남이 너무 심해 치과교정만으로는 교정할 수 없는 기능적 미용적 문제가 있는 환자에서 실시한다.

턱교정수술의 대상이되는 구개열 환자들은 광범위한 치과교정을 받아 상악이 일시적으로 교정이 되었더라도, 하악과의 성장속도에 차이가 나므로 십대 후반에 증상이 다시 나타나게 된다. 상악이 전후방과 수직 방향으로 성장하지 않으면 하악이 정상적으로 성장하더라도 심각한 턱뼈의 어긋남(jaw discrepancy)을 유발한다.

여러 센터의 자료를 분석해 보면, 턱교정수술이 필요한 상악성장 부진의 빈도는 다양한 편차를 보인다. 만약 초기의 구개열을 잘 치료했다면, 5- 10% 정도에서 잔여 변형을 보여 턱교정수술이 필요하다. 일반적 치아안면 변형의 경우 여성 환자가 남성 환자의 2배를 차지하지만, 구개열의 치아안면 변형에서는 남여의 빈도가 비슷하다. 이는 아마도 남자 환자에서 하악의 성장이 오래 일어나는 경향이 있어, 십대 초반에 치아교정이 끝나면 턱뼈의 어긋남이 많이 생기는 것으로 보인다.

2. 구순구개열에서의 턱교정수술의 목적

구순구개열 후 얼굴 뼈대 변형을 교정하기 위한 수술의 목적은 얼굴의 전체적 아름다움(good facial aesthetics)과 안정되고 기능적인 교합(stable and functional occlusion), 그리고 완전한 치조궁 모양(complete arch form)을 얻는 데 있다. 얼굴의 전체적 아름다움과 교합의 관계는 매우 중요하다. 교합이 적절하다고 해서 얼굴이 아름다움으로 연결되지는 않는다. 그러므로, 교합만을 생각하여 얼굴 뼈대를 지나치게 이동시켜 얼굴의 전체적인 아름다움을 희생하여서는 안된다. 즉, 얼굴의 전체적인 아름다움을 먼저 생각하고, 교합은 그 다음으로 고려해야 한다. 또한, 수술 후 적절한 턱관절의 위치 유지(temporomandibular joint position)는 안정된 교합과 환자의 편한 일상 생활에 매우 중요한 요소이다.

3. 이차골변형에서의 수술 계획

구순구개열으로 인한 안면골의 이차변형에 대한 수술 계획은 다음과 같다. 우선 환자가 가진 문제점(chief complaints)을 정확하게 파악하기 위한 임상진찰을 한다. 그 다음으로 임상사진(medical photography)과 두개조영술사진(cephalometric radiogram)을 촬영한다. 그리고, 치과교정치료(orthodontic consultation)를 받게 한다. 그리고나서, 두개계측 분석(cephalometric analysis)을 하고 치열석고모형(dental cast)을 이용한 가상수술(mock surgery)을 해본다. 이를 토대로 교합판부목(occlusal wafer splint)를 제작한다.

1) 임상진찰(physical examination)

임상진찰을 할 때에는 환자의 주요 호소 증상(chief complaint), 병력, 동반기형 유무, 과거력에 대해 조사한다. 그리고, 입술 모양, 입술의 흉터, 코의 모양, 발음이상, 인두피판이 있는지를 관찰한다. 그리고나서, 안면골의 연부조직, 치아와 치조의 모양, 교합과 두개의 모양을 관찰한다.

2) 임상사진(medical photography)

수술전 사진과 수술후 사진을 촬영한다. 환자의 상태를 글이나 그림으로 기록 할 수 없으므로 반드시 임상사진을 촬영해야 한다. 사진으로 사전에 알지 못한 변형을 알수 있거니와 가상수술의 모델이 되기도 한다. 임상 사진은 수술전후의 연부조직 계측분석(soft tissue analysis) 및 평가에 꼭 필요하며 환자에 관한 증빙자료로서 중요한 기록이 된다.

기본적으로 6가지 얼굴 사진(6 view)을 촬영한다. 카메라를 수직으로 세운 상태에서 정면사진, 양쪽 3/4 비스듬한 사진, 양측 측면 사진을 찍는다. 그리고, 정면과 양측면의 조정 치아 교합 사진을 촬영한다. 사진을 촬영할 때에는 임상사진사용승낙서를 받아야 하고, 보호자의 입회 하에서 촬영한다.

3) 수술 전 치과교정치료(orthodontic treatment)

수술전 교정치과진료의 목적은 상악 외측치조분절이 안쪽으로 찌부러진 것과 결손된 치아의 틈을 없애고, 송곳니와 어금니가 적절한 관계를 유지하게 하고, 수술 후 안정된 교합을 얻게하고, 앞쪽치조분절이 적절한 위치에 있게 하고, 수술할 때 뼈를 충분히 이동할 수있게 하기위함이다.

상악에서는 하악을 이동시킬 때 편리하도록 치열을 정리해 주고, 치아를 가지런하게 정돈해 주고, 안쪽으로 찌부러진 외측 분절을 정돈해 준다. 하악에서는 치아를 원하는만큼 전후방으로 옮겨주고, 치열을 정돈하고 치아의 높이를 가지런하게 해준다.

수술 전에 치과 교정치료를 하면서 얼굴의 모습이 얼마나 좋아졌는지 평가해 보고, 두개조영술 사진과 치열모형을 분석하여고 이것을 이용하여 가상수술을 해본다. 이에따라 수술시 사용할 교합판부목을 만들어 둔다.

4) 두개계측 분석(cephalometric analysis)

두개계측 분석을 위해서는 두개조영술이 필요하다. 두개조영술에서는 측면 사진이 필요한데, 측면 사진을 찍는 요령은 환자의 Frankfort 수평평면(Frankfort horizontal plane)을 수평으로 하고, 방사선이 외이도의 상연의 최고점(porion)에 방사선이 투사되도록 한다. 환자의 왼쪽 얼굴이 필름쪽에 있도록 하여 촬영한다.

두개조영술 사진상에서 안면골을 계측할 때 보편적으로 이용하는 점은 아래와 같다.

(1) 두개의 주요 계측점

N Nasion: 비골에서 전두골로 이행하는 곡선의 비골 · 전두골봉합(frontonasal suture)의 최전방점

S Sella : 접형골의 뇌하수체오목의 가운데

Po porion: 외이도의 최상연에 위치한 점

Ba Basion: 대공(foramen magnum)의 최전방의 하후측 점

Ar Articulare: 두개저의 하측과 관절돌기가 만나는 점

Or Orbitale: 안와 하연의 최하측점

SE Ethmoid registration point: 접형골평면과 접형골 대익과의 교차 영역

Pt Pterygoid point: 난원공(foramen rotundum)의 하연과 익돌상악와(pterygomaxillary fossa)의 교차부위

CF Frankfort plane과 익돌구의 수직평면과의 교차 영역

CC Ba-N 평면과 Facial axis와의 교차 영역

DC Ba-N 평면에서 선택된 관절돌기의 목의 중심

XI 하악 가지의 가장가운데 점

Go Gonion: 하악(angle)의 최후방점

ANS Anterior nasal spine: 전비극의 최전방점, 앞쪽 비공의 상악 가장 아래부분의 정중앙의 튀어나온 뼈

PNS Posrerior nasal spine: 후비극의 최후방점

A A point(Subspinale): 전비극(anterior nasal spine)과 상악치조돌기 사이의 상악 곡선의 최후방점

B B point(Supramentale): 하악과 상악 치조돌기의 앞면의 최후방점

Pg Pognion: 하악골 결합부의 최전방 돌출점

PM Supra Pogonion: Point B와 Pogonion사이의 결합부의 전방에 위치한 점, 이곳에서 곡선이 볼록한 모양에서 오목한 모양으로 바뀜

Me Menton: 하악골 결합부의 최하점

Gn Gnathion: pognion과 mentom의 중간점

D Point D: 결합부의 몸통을 가로지르는 면의 중심점

UIE Upper incisor edge: 상악중심앞니끝

LIE Lower incisor edge: 하악중심앞니끝

UMT Upper molar mesial cusp tip: 상악 첫째어금니의 전방 치아융기 끝

LMT Lower molar mesial cusp tip: 하악 중심앞니의 전방 치아융기끝

EN Esthetic plane에 대한 코끝의 접선

DT 빰 연부조직의 전방 곡선과 esthetic plane의 접선

(2) 주요 계측 평면

S-N plane Sella-nasion plane: 수평전두골 바닥평면

Frankfort horizontal plane: Porion과 Orbitale를 있는 선

Palatal plane: ANS와 PNS를 연결하는 평면

Occlusal plane: 첫째큰어금니와 앞니의 교합을 연결한 선

Functional occlusal plane: 첫째어금니와 작은어금니가 반

으로 나누는 선

Mandibular plane: Menton에서 하악의 하연을 연결한 선

Ba-N plane: Basion과 Nasion을 잇는 선

N-A Plane: Nasion과 A point를 잇는 선

N-B plane: Nasion과 B point를 잇는 선

Facial plane: Nasion과 Pogonion을 잇는 선

A-Po plane: A point와 Pogonion을 잇는 선

Facial axis: Pt와 Gn을 잇는 선

Y-axis: Sella와 Gnathion을 잇는 선

Corpus axis: XI와 PM을 잇는 선

Condylar axis: XI와 DC를 잇는 선

Pterygoid vertical plane: 익돌구개와(pterygopalatine fossa)의 원위부를 통해 Frankfort plane과 수직인 선

Esthetic plane: EN과 DT를 잇는 선

(3) 주요 각도(cephalometric angles)

SNA: S-N plane과 N-A plane이 이루는 각

SNB: S-N plane과 N-B plane이 이루는 각

ANB: N-A plane과 N-B plane이 이루는 각

정상값: 2도 - 0.5도

(+값: 상악 치조가 하악 치조보다 전방에 위치함을 의미함. +5도 이상, -1도 이하: 상악과 하악 관계가 비정상임을 의미함)

SND: S-N plane과 N-D plane이 이루는 각

$\underline{1}$ to NA(mm): N-A plane과 상악 중심앞니의 치아관(crown)의 가장 입술쪽 지점과의 거리

$\underline{1}$ to NB(degree): 상악 중심앞니와 N-A plane이 이루는 각

1 to NB(mm): N-B plane과 상악 중심앞니의 치아관의 가장 입술쪽 지점과의 거리

Facial angle(안면각): Nasion-Pogonion과 Frankfort 수평평면이 이루는 각

Mandibular plane angle: Frankfort plane과 Mandibular plane이 이루는 각

정면 두개 조영술 사진에서는 정중선과 양측 하악각부와 상하악의 치아가 대칭인지를 관찰하고, 턱끝이 정중선에 일치하는지를 관찰한다. 또한 교합평면이 수평선에 비해 기울어져 있는지를 관찰한다.

측면 두개조영술사진을 볼 때에는 상악과 하악의 수직길이를 관찰하여 조화를 이루고 있는지, 아니면 길거나 짧은 부분이 어디인지를 관찰한다. 그리고, 상악과 하악이 돌출하였는지 또는 후퇴하였는지를 관찰하고, 하악과 상악이 조화를 이루는지를 관찰한다. 치아는 상악과 하악의 앞니의 기울기를 관찰한다.

두개조영술 사진위에 아세트지를 올려놓고 가상수술(mock surgery)을 해볼 수 있다. 환자의 두개골과 안면골의 윤곽을 그린다음 뼈를 자르는 예정선을 따라 맞추어 봄으로써 실제 수술에서 분절을 어떤 방향으로 얼마나 이동시켜야 하는지를 알 수 있고, 얼굴 옆모습의 변화를 미리 예측할 수 있다.

(4) 연부 조직의 계측분석(soft tissue analysis)

얼굴의 연부조직을 계측할 때 이용되는 계측점은 다음과 같다.

Tr (trichion): 이마 모발선의 중앙점

G (glabella): 정중시상평면(midsagital plane)상에서 이마의 최전방점

N (skin nasion): 정중시상평면상에서 전두골 · 비골봉합의 직전방의 최전방점

Prn (pronasale): 정중시상평면에서 코끝점

Cm (columella): 비주(columella)의 최전방점

Sn (subnasale): 정중시상평면에서 비주가 상구순과 만나는 점

Ls (labrale superius): 상구순의 점막과 피부 경계선

Li (labrale inferius): 하구순의 점막과 피부 경계선

Stm (stomion): 정중시상평면에서 상구순과 하구순이 만나는점

Si (mentolabial sulcus): 하구순과 턱끝사이의 최후방점

Pg (skin pogonion): 턱끝 연조직의 최후방점

Gn (skin gnathion): Pg와 Me사이의 중간점

Me (skin menton): 턱끝 연조직의 최하점

Go (skin gonion): 하악각의 최후하방점

C (cervical point): 턱끝과 목사이의 가장 후방점

Tragion : 이주(tragus) 직상방의 잘룩하게 들어간 곳

P (porion): 외이도 상연의 최고점

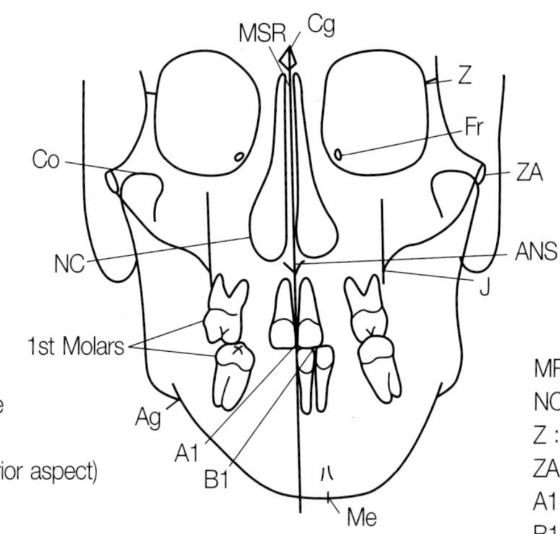

Ag : Antegonial Notch
ANS : Anterior Nasal Spine
Cg : Cirsta Gaili
Co : Condylion(most superior aspect)
Fr : Foramen Rotundum
J : Jugal Process
Me : Menton

MRS : Mid-Sagittal Reference Line at Crista Gaili
NC : Nasal Cavity at Widest Point
Z : Zygomatic Frontal Suture, Medial Aspect
ZA : Zygomatic Arch
A1 : Upper Central Inclsor Edge
B1 : Lower Central Inclsor Edge

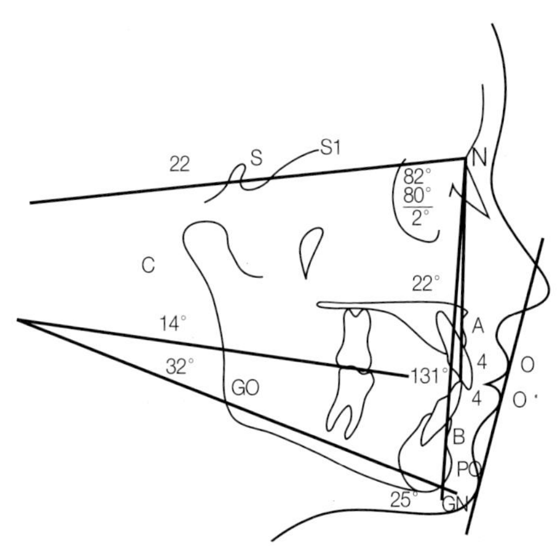

그림 16-1. 두개계측분석(cephalometric analysis)

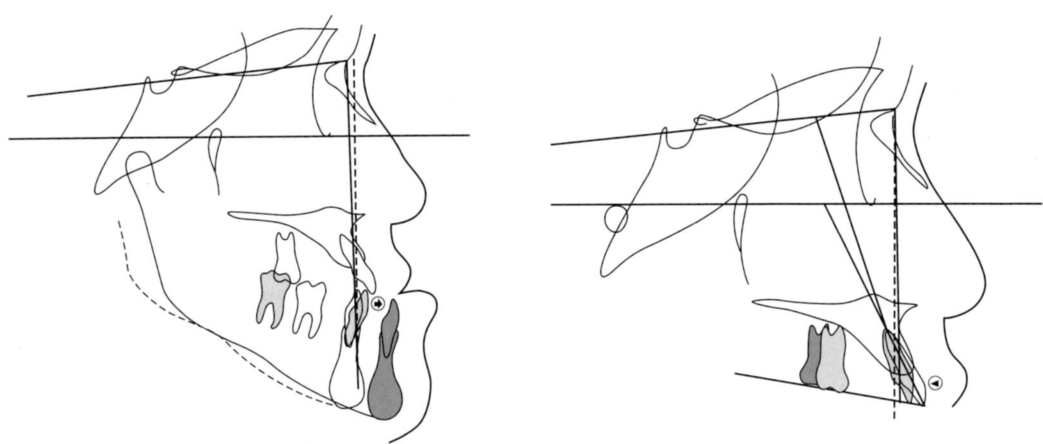

그림 16-2. 가상수술(mock surgery) 두개조영술 사진위에 아세트지를 올려놓고 윤곽을 그린다음 절골 예정선을 따라 맞추어 봄으로써 얼굴 옆모습의 변화를 미리 예측할 수 있다.

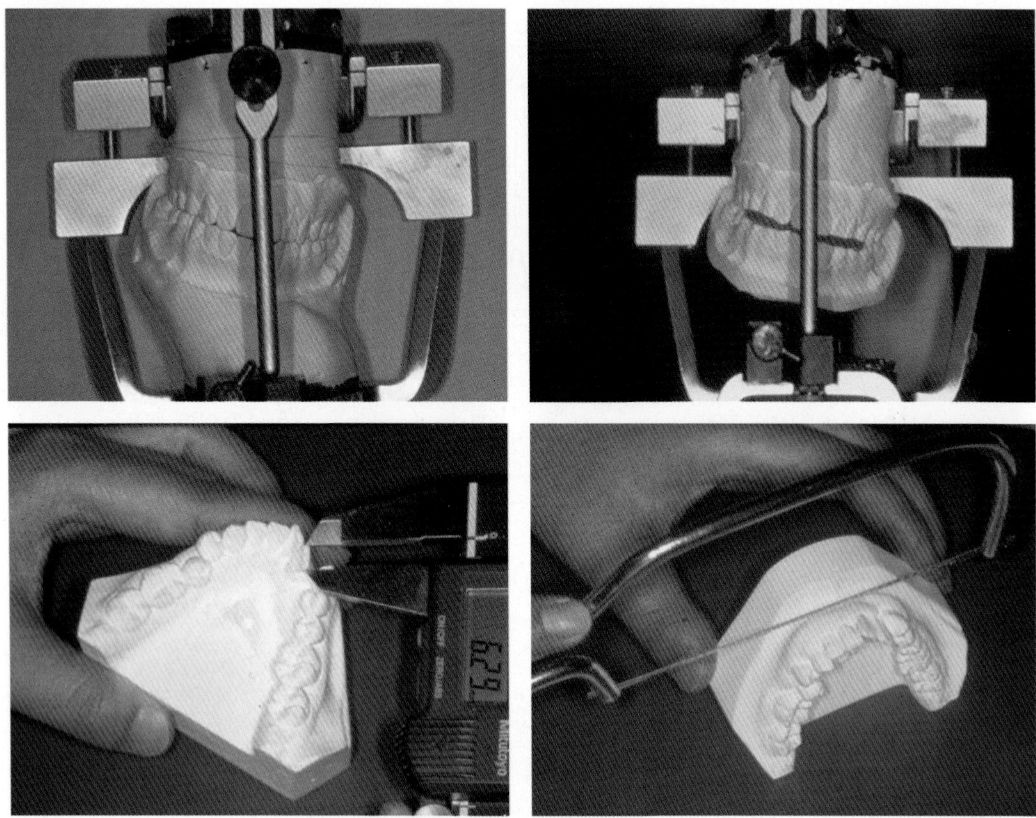

그림 16-3. Occlusal analysis 치열모형을 분석하여고 이것을 이용하여 가상수술을 해본다음 교합판부목(occlusal wafer splint)을 만들어 둔다.

(5) 두개계측분석

상악과 하악에 변형이 있을 때 두개계측 분석을 하면 다음과 같다(표 16-1). 구순구개열 환자의 두개조영술 사진을 분석해 보면, SNA 각은 좁고, SNB 각은 정상이고, ANB 각은 - 쪽으로 증가되어 있다. 즉, 이차뼈대 변형으로 인한 3급 교합 장애를 보인다.

표 16-1. 두개계측분석

계측	정상치		상악		하악	
	평균	범위	돌출	후퇴	돌출	후퇴
SNA	82°	75~85°	↑	↓		
SNB	80°	76~84°			↑	↓
ANB	2°	0~4°	↓	↑	↑	↓
MP-SN	35°	30~40°	↑	↑		
UI-SN	104°	100~110°			↑	
UI-NA	22°	15~29°			↑	
LI-MP	93°	87~99°	↓	↑	↑	↓
LI-NB	25°	18~32°	↓	↑	↑	↓
UIE~NA	4mm	0~8mm			↑	↓
LIE~NB	6mm	2~10mm	↓			

III. 수술 방법

상악치조돌기는 상악골분절이 구개측 점막 · 골막이나 구순측 점막 · 골막 중 어느 한쪽만 붙어 있어도 생존할 수 있을 정도로 풍부한 혈액공급을 받고 있다. 그러나, 구순구개열 환자에서는 그 자체의 변형과 이전의 수술의 영향이 있을 수 있으므로 골분절에 대한 혈액공급에 유의하지 않으면 괴사로 인해 상악과 치아를 잃을 수 있으므로 주의해야 한다. 따라서, 구순구개열 환자에서 절골술을 할 때에는 점막 · 골막에 절개를 최소로 하고 점막 · 골막피판을 잘 들어 그 하측으로 절골술을 시행하여 혈관 손상을 최소화 한다. 상악의 혈관 분포를 살펴보면 상악골분절은 내상악동맥(internal maxillary artery)으로부터 혈액을 공급받는다.

내상악동맥으로부터 익돌구개와(pterygopalatine fossa)에서는 후상치조동맥(posteriorsuperior alveolar artery)이 나와 상악결절(maxillary tuberosity) 위를 하행하면서 여러 가지로 갈라져 큰어금니와 작은어금니에 분포하며 나머지는 계속 갈라져 치조돌기(alveolar process)를 지나 잇몸에 분포한다.

하안와관(infraorbital canal)에 들어있는 들어있는 하안와동맥(infraorbital artery)에서는 전상치조동맥(anteriorsuperior alveolar artery)이 나와 전치조관(anterior alveolar canal)을 하행하여 하악 앞니와 송곳니 및 주위 골과 점막에 혈액을 공급한다. 이들 혈관은 얼굴에 혈액을 공급하는 안동맥과 외상악동맥의 가지와 연결된다.

내상악동맥의 가지인 하행구개동맥(descending palatine artery)은 대구개공(greater palatine foramen)을 빠져나와 구개 대부분에 혈액을 공급한다. 이 혈관은 앞니구멍(incisive foramen)을 빠져나와 후중격지(posterior septal nasal branch)와 전구개동맥(anterior palatine artery)과 연결된다.

접형구개동맥(sphenopalatine artery)은 내상악동맥의 또하나의 가지로 접형구개공(sphenopalatine foramen)을 통해 코안으로 들어가 비중격에서 후중격지(posterior septal branch)로 갈라진다. 이 가지는 하행구개동맥과 상구순동맥의 중격지와 연결된다.

1. 이차골변형에서 주로 사용하는 절골술

상악의 변형을 교정하는 방법은 르포 I 절골술(LeFort I Osteotomy), 전상악절골술(premaxillary ostetomy), 분절 절골수(segmental osteotomy), 르포 I 1/2 절골술(LeFort I 1/2 Osteotomy), 르포 II 절골술(LeFort II Osteotomy), 시상분리절골술(sagital split osteotomy), 관절골기하절골술(subcondylar osteotomy), 턱끝교정술(genioplasty)가 있다. 주로 사용하는 턱교정술은 다음과 같다.

1) 르포 I 절골술(LeFort I Osteotomy)

르포 I 절골술은 상악골변형을 교정할 때 가장 보편적으로 시행하는 수술 방법이다. 양쪽의 비중격하방에서 상악 내 · 외벽과 상악의 관골돌기를 따라 익돌판(pterygoid plate)의 전방부까지를 하나의 분절로 잘라서 원하는 위치로 재배치시키는 방법이다. 이 때 가장 보존해야 할 혈관은 대구개동맥이다.

수술 방법을 살펴보면 먼저, 상악의 양쪽 점막 · 골막피판을 들어 양측의 이상구(pyriform aperture)에서 상악결절까지를 노출시킨다. 이상구의 하연에서 상악결절까지 전동톱(oscillating saw)으로 뼈를 자른다. 이때 치아뿌리를 보호하기 위하여 치아뿌리끝에서 약 3-5mm의 높이의 간격을 둔다. 비중격 하부의 양쪽에 있는 점막 · 연골막과 점막 · 골막피판을 들어올리고 서골(vomer)의 기저부를 코바닥(nasal floor)의 전측에서 수평으로 잘라준다. 그리고, 상악의 절골선으로 코바닥을 통해 코안쪽의 외측뼈와 상악의 외측벽도 끊어준다. 그 후 붙어있는 익돌 · 상악봉합선(pterygomaxillary suture)에 뼈절단기(ostetome)을 이용하여 분리한다. 상악의 하부가 완전히 분리되면 Rowe 당김 집게(Rowe disimpaction forceps)로 원하는 위치로 상악분절을 이동시킨다.

상악분절을 이동시키고 나면 강직고정(rigid fixation)을 하는 것이 좋다. 강직고정의 장점은 안전하고, 수술 후 뼈의 치유가 빠르고, 감염에 강하며, 턱운동을 빨리 시작할할 수 있고, 뼈이식의 필요성을 줄여준다. 그러나 고정은 간단하고 효과적으로 해야 한다. 악간고정(intermaxillary fixation) 2-3주정도 유지하여 원하는 교합이 되도록 한다.

2) 르포 I 1/2 절골술(LeFort I 1/2 Osteotomy)

이 방법은 비골과 상악이 심하게 후퇴되어 얼굴이 접시모양인 경우에 이상구 옆에 있는 부분을 전진시켜주기위해 르포I 절골술보다 높은 수준에서 뼈를 잘라 전진시키는 방법으로 비

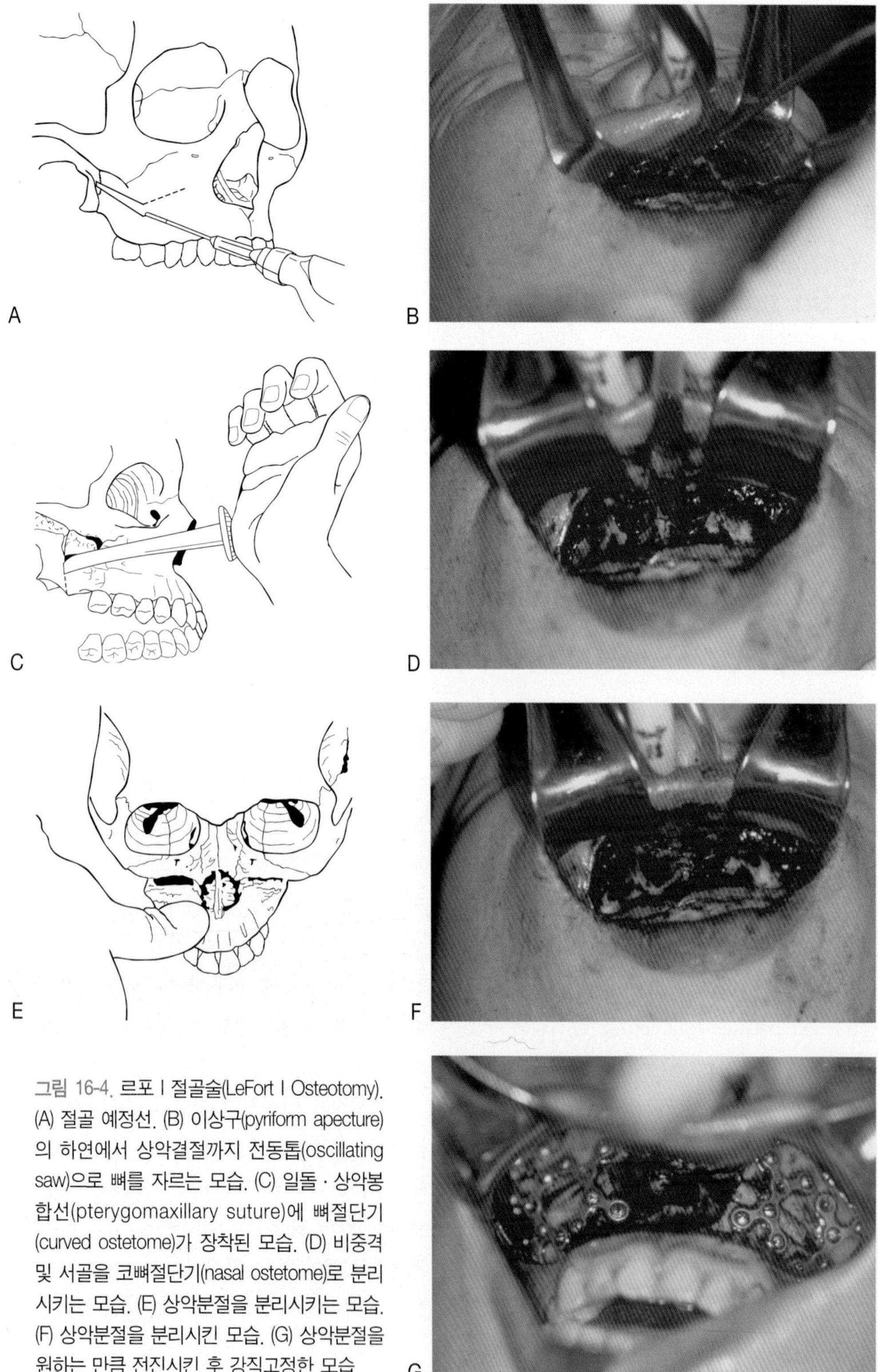

그림 16-4. 르포 I 절골술(LeFort I Osteotomy). (A) 절골 예정선. (B) 이상구(pyriform apecture)의 하연에서 상악결절까지 전동톱(oscillating saw)으로 뼈를 자르는 모습. (C) 일돌 · 상악봉합선(pterygomaxillary suture)에 뼈절단기(curved ostetome)가 장착된 모습. (D) 비중격 및 서골을 코뼈절단기(nasal ostetome)로 분리시키는 모습. (E) 상악분절을 분리시키는 모습. (F) 상악분절을 분리시킨 모습. (G) 상악분절을 원하는 만큼 전진시킨 후 강직고정한 모습

루관(nasolacrimal duct)이 끝나는 부분을 손상하지 않도록 주의한다.

3) 르포 II 절골술(LeFort II Osteotomy)

관상절개(coronal incision)나 코곁피부절개(pasanasal incision)를 통하여 안와내벽의 골막을 일으키고, 내안각인대(medial canthal tendon)를 놔둔 채 양쪽 누구(lacrimal groove)에서 골막을 들어 누낭(lacrimal sac)을 들어 올린다. 또, 입속 접근법으로 상악골을 노출하여 올라가 상악 · 관골봉합(maxillozygomatic suture)을 노출한다.

절골선은 비골 · 전두골(nasofrontal junction)에서 가로로 진행하여 지판(lamina papyracea)을 지나 수직방향으로 진행하여 안와바닥(orbital floor)에 도달한 후, 상악 · 관골봉합을 하후방으로 진행하여 익돌 · 상악봉합선에 이른다. 비중격은 전방에서 시작하여 후비극을 향해가면서 절단한다. 이 분절을 Rowe 당김 집게로 원하는 위치로 전진시켜 강직고정한다.

4) 동시 양악교정술(two-jaw operation) 및 시상분리절골술(sagital split osteotomy)

구순구개열로 구개를 수술받은 환자에서는 이전의 수술에 의한 흉터가 남아있으므로 르포I 1/2 절골술(Le Fort I 또는 Le Fort I 1/2 Ostetomy)로 윗턱을 전진(maxillary advancement)시킬 수 있는 양과 윗니의 위치가 제한을 받는다. 또한, 구개열에서는, 수술 후 다시 발음 이상이 올 수 있다. 정상인은, 구개범인두가 적응력을 갖지만, 구개열 환자는 이미 구개범인두가 최고의 적응력을 보이고 있는 상태이므로 상악을 조금만 전진시켜도 폐쇄부전이 나타난다. 그러므로, 턱교정수술과 인두피판술의 2단계 수술로 나누어 시행할수도 있다.

흉터 형성과 발음문제로 상악의 이동이 제한되므로 후방 윗니돌출(reverse overjet)이 10-12mm 이상이면, 비록 상악의 문제가 주된 문제라 하더라도, 르포 I 1/2 절골술로 상악을 전진하고, 동시에 하악을 후퇴(mandibular setback)시키는 양악교

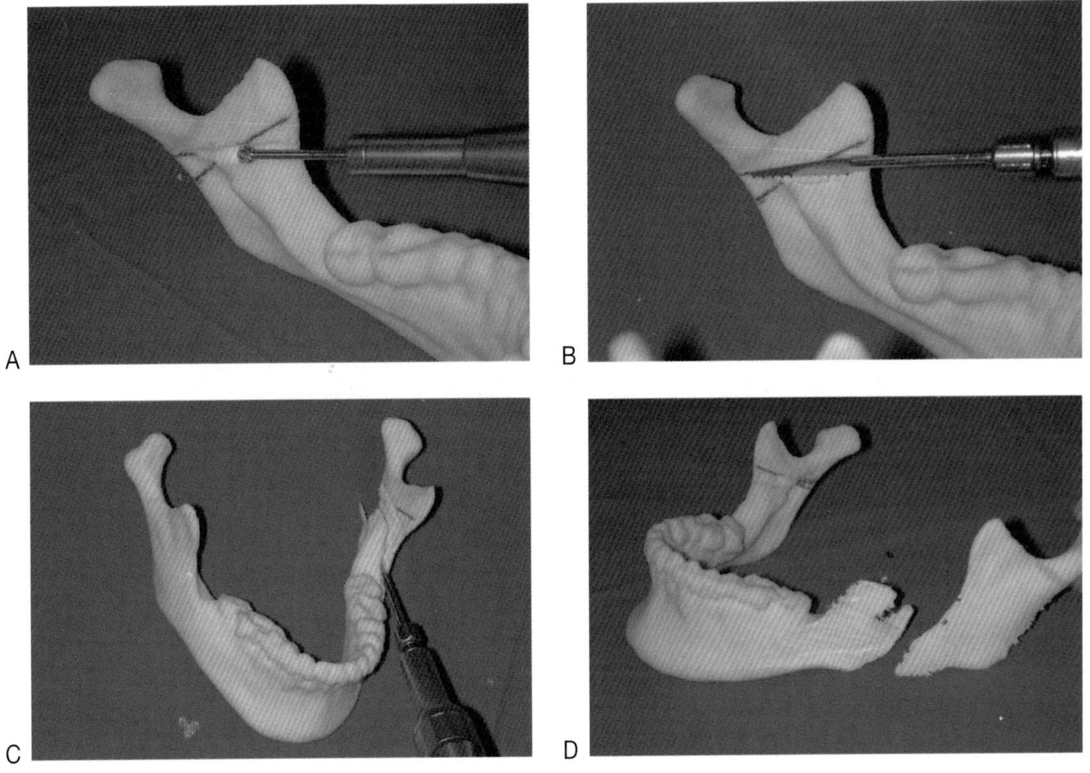

그림 16-5. 시상분리절골술(sagital split osteotomy). (A) marking burr로 하악 내측면에 있는 하악공(mandibular foramen) 1cm 상방을 표시한다. (B) 표시한 지점에서 전동톱이 수평방향으로 외측으로 진행한다. (C) 하악골가지의 사선(oblique line)을 따라 하악골 첫째 혹은 둘째큰어금니까지 진행후 자름선이 수직으로 방향을 바꾸어 내려간다. (D) 시상분리가 이루어진 모습

정수술(two-jaw operation)을 시행하기 위하여 시상분리절골술(sagital split osteotomy)이 필요하게 된다.

수술방법은 하악가지(ramus)의 중간에서 하악 첫째어금니까지 점막·골막절개를 넣고 점막·골막 피판을 들어올린다. 외측면에서는 하악 하연을 노출시키고, 내측에서는 하악 혀돌기(lingula)와 신경혈관 다발이 있는 곳까지 노출시킨다.

시상 분리절골선은 전동톱을 이용하여 하악골 내측면에 있는 하악공(mandibular foramen) 1cm상방에서 시작한다. 이 자름선은 수평방향으로 외측으로 진행하다가 하악가자의 사선(oblique line)을 따라 하악골의 첫째 혹은 둘째큰어금니까지 진행한다. 여기서부터는 절골선이 수직으로 방향을 바꾸어 내려가는 데 하치조신경(inferior alveolar nerve)을 다치지 않기 위해 하악체부(body)의 피질골(cortical bone)을 보면서 따라 내려간다. 하악골을 분리한 다음 전방골 분절을 계획한 만큼 후퇴시키면 후방골의 앞부분에 있는 외측 피질판이 남게 되는데 이 부분은 잘라낸다.

술전에 제작한 교합판부목(occlusal wafer splint)을 물리고 교합을 확인한 다음 양악을 원하는 위치로 재배치한다. 관절돌기가 하악와에 있는지 확인하고나서 피부위에 뚫개(trocha)를 꽂아 2-3개의 miniscrew로 분절을 고정하고 고무줄로 2-3주간 악간고정을 한다.

구순구개열 환자에서는 동시 양악교정술로 턱교정을 할 때 약 2mm의 과교정(overcorrection)이 도움이 될 수 있다. 수술후 회귀(relapse)에 대한 보상이 될 수도 있고, 단기적 치아교정을 위한 범위내에 교합을 둘 수 있다. 그러나, 지나친 과교정은 수술후 치아교정이 힘들어지므로 피해야 한다.

Ⅳ. 수술후 합병증과 추적관찰

다른 수술에서도 볼 수 있는 일반적 합병증이 나타날 수 있다. 기도가 폐쇄될 수 있는 데 특히 상악절골술을 시행한 경우에는 부종과 혈종으로 말미암아 비호흡이 곤란해질 수 있으므로 비인두튜브(nasopharyngeal tube)를 꽂아주고 튜브가 막

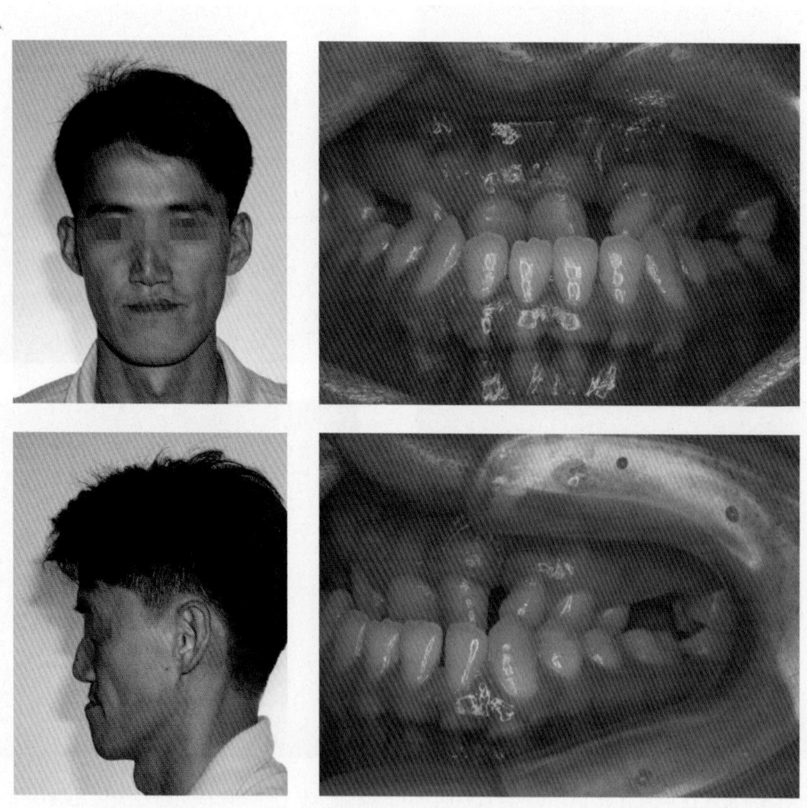

그림 16-6. 구순구개열에 의한 이차골변형을 가진 환자의 수술전사진과 근접 치아교합 사진으로 상악의 후퇴와 하악의 돌출소견과 3급 교합장애를 관찰할 수 있다.

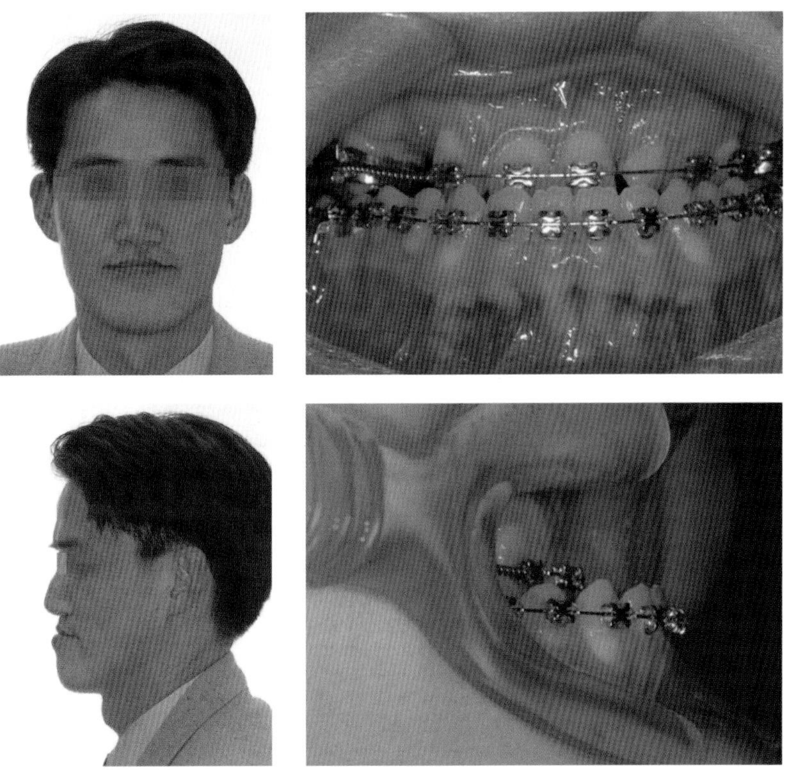

그림 16-7. 수술 전 치과교정치료(orthodontic treatment)를 하고있는 모습

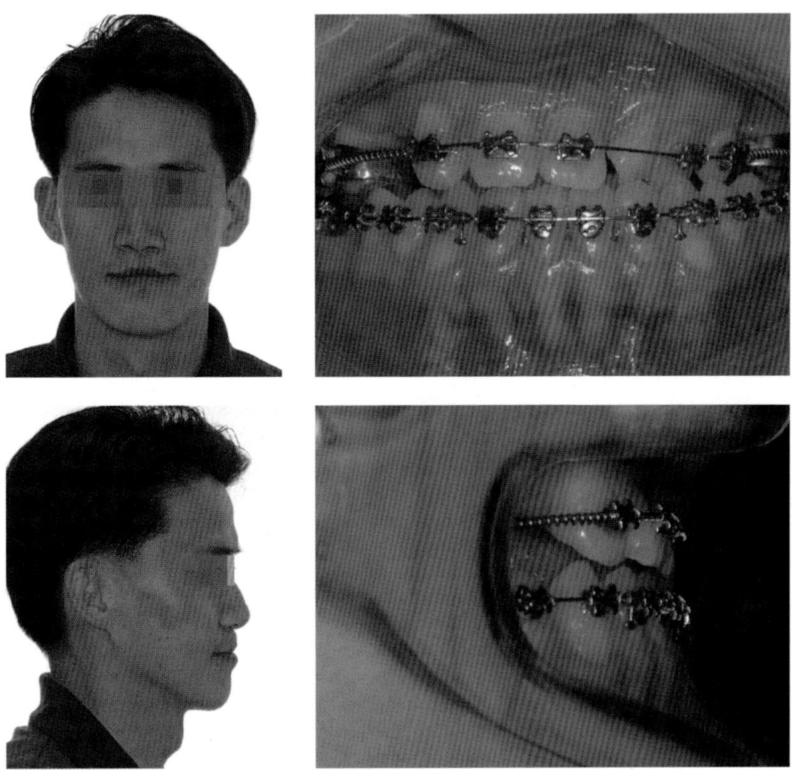

그림 16-8. 르포 I 절골술과 시상분리절골술을 동시에 시행한 양악교정술(two-jaw operation)을 시행한 후의 환자사진과 근접 교합 사진으로 상악의 후퇴와 하악의 돌출소견이 교정되었고, 1급 교합 장애를 얻었으며 턱모습은 조화를 이루고 있다.

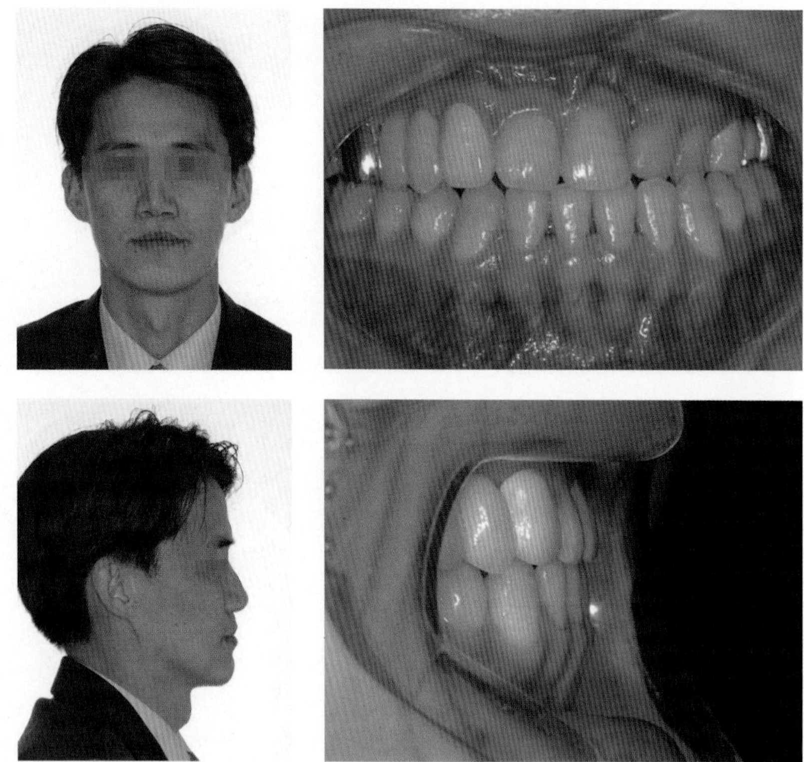

그림 16-9. 수술후 치아 교정이 끝나고 교정기를 제거한 후의 모습으로 얼굴의 전체적인 윤곽이 조화를 이루고 있다.

히지 않도록 잘 흡인해야 한다.

혈종은 상악절골술을 하다가 익돌·상악봉합(pterygo-maxillary suture)을 분리하면서 익돌정맥총(pterygoid plexus)을 다치거나, 하악 시상분리절골술을 하다가 내상악동맥(internal maxillary artery)이나 안면동맥(facial artery)을 다치면서 올 수 있다.

골괴사는 가장 무서운 합병증으로 골분절 전체에 혈액이 충분히 공급되지 못하면 올 수 있다. 혈관 역할을 하는 점막·골막이 골분절에 그대로 붙어있도록 해야하고, 골분절의 이동으로 지나치게 점막·골막이 압박받지 않게 해야 한다.

부정유합과 불유합은 수술계획을 잘못세워 수술하였거나 잘못고정하여 일어난다. 이때는 끝에 생긴 섬유조직을 제거하고, 골이식편으로 채워준다음 강직고정을 적당기간 유지한다.

신경손상이 오는 곳은 변연하악신경(marginal mandibular nerve), 하치조신경(inferior alveolar nerve), 설신경(lingual nerve)이 손상될 수 있으므로 주의한다.

교합 장애는 분절의 교정이 적절치 못하였거나 회귀하여 재발하는 경우가 있다. 이동한 분절이 연부조직의 흉터형성으로 구축이 일어나도 버틸 수 있도록 강직고정을 해주어야 한다.

수술후 턱뼈교정이 성공적이었더라도 골분절이 원래의 위치로 돌아가려는 경향이 있다. 이는 하악골 관절돌기의 변위, 수술전 치과교정치료, 고정방법, 상설골근육(suprehyoid muscle)의 긴장, 골분절의 이동 방향에 따라 영향을 받는다. 수술의 결과가 유지되기 위해서는 강직고정을 해주고, 일반적으로 전방으로 약간의 과도교정을 하는 것이 도움이 된다. 시상분리절골술로 하악을 후퇴한 경우 수술 후 전방으로 회귀하기는 하지만 비교적 안정하다. 동시양악교정수술을 한 경우에는 수술을 따로한 경우보다 더 안정하다. 악교정수술 후 회귀가 드물지 않게 일어나지만 강직고정을 정확히 하고, 성형외과 의사와 교정치과 의사가 수술 후 정기적으로 두개조영술을 하여 회귀를 추적하고 치과교정을 지속적으로하면 치아의 교합이 만족스럽게 되고 얼굴은 전체적으로 아름다워지게 된다.

참고문헌

1. American cleft palate-Craniofacial association: parameters for evaluation and treatment of patients with cleft lip/palate or other craniofacial anomalies. *Cleft palate Craniofacial J* Vol 30, March 1993
2. Bishara SE Cephalometric evaluation of facial growth in operayed and nonoperated individuals with isolated clefts of the palate. *Cleft Palate J* 10: 239-246, 1973
3. Byrd HS Cleft lip, In: smith J. W., Aston S. J. (eds): *Grabb and Smith's Plastic Surgery,* ed 4. Boston, Little Brown, 1991
4. Epker BN, Wolfod LM (eds) Dentofacial deformities: integrated orthodontic surgical correction. St Louis, CV Mosby Co. P642, 1986
5. Freihofer, HPM Results after midface ostetomies. *J Maxillofac Surg* 1:30, 1973
6. Gross DB The surgical sequence of combined total maxillary and mandibular ostetomies. *J Oral Surg* 36:513, 1978
7. Houston, WJ, James D R, Jones E, Kavvadia S. Le Fort I maxillary osteotomy in cleft palate cases. *J Craniomaxillofac Surg* 17: 9, 1989
8. Mansour S, Burstone C, Legan H. An evaluation of soft tissue changes resulting from Le Fort I maxillary surgery. *Am J Orthod* 84: 37-47, 1983
9. McCance AM, Orth M, Moss JP, et al. Three-dimensional analysis techniques-Part4 Three dimensional analysis of bone and soft tissue to bone ratio of movements in 24 cleft patients following Le Fort I osteotomy: A preliminary report. *Cleft Palate Craniofac J* 43:58-52, 1997
10. Obwegeser, HL, Trauner R The surgical correction of mandibular prognathism and retrogenia with consideration of genioplasty: I. Surgical procedures to correct mandibular prognathism and reshaping of the chin. *Oral Surgery.* 10:667, 1975
11. Ortiz-Monasterioi F, Serrano R, Barrera P, et al: A study of untreated adult cleft palate patients. *Plast Reconstr Surg* 38: 36, 1996
12. Posnick JC, Tompson B. Modification of the maxillary Le Fort I osteotomy in cleft-orthognathic surgery: The unilateral cleft lip and palate deformity. *J Oral Maxillofac Surg* 50: 666, 1992
13. Posnick JC, Tompson B. Modification of the maxillary Le Fort I osteotomy in cleft-orthognathic surgery: The bilateral cleft lip and palate deformity. *J Oral Maxillofac Surg* 51: 2, 1993
14. Posnick, JC, Tompson B. Cleft-Orthognathic Surgery: Complications and Long-Term Results. *Plast Reconstr Surg* 96(2): 265, 1995
15. Ross, RB. Treatment variables affecting facial growth in complete unilateral cleft lip and palate: Part 7. An overview of treatment and facial growth. *Cleft Palate J* 24:71, 1987
16. Scheideman GB, Lrgan HL, Bell WH. Soft tissue changes with combined mandibular setback and advancement genioplasty. *J Oral Surg* 39: 505, 1988
17. Thomas WB, Sotereanos GC. Orthognathic and secondary cleft reconstruction of adolescent patient with cleft palate *J Oral Surg* 38: 425, 1980
18. Turvey TA. Simultaneous mobilization of the maxilla and mandible. *J Oral Maxillofac Surg* 40: 96, 1982
19. Turvey TA. Intraoperative complications of sagital ostetomy of the mandibular ostetomy of the mandibular ramus: Imcidence and management. *J Oral Maxillofac Surg* 43: 509, 1985
20. West RA. Orthognathic surgery: An adjunct for correcting for correcting secondary cleft deformities. *Oral Maxillofacial Surg North Am* 3: 641, 1991.
21. Wolford LM. Effects of orthognathic surgery on nasal form and function in cleft patient. *Cleft Palate Craniofac J* 29: 546-555, 1992

제17장 이차구개열골변형의 골신연술

Distraction Osteogenesis in Secondary Deformity of Cleft Palate

조병채, 엄기일

두개안면열이나 구개열 수술 후 성장함에 따라 수술후 반흔에 의해 상악의 형성부전을 나타내고 상악이나 치조골의 개열이나 반흔, 누관, 치아기형 등을 동반하는 경우가 많다. 완전 일측 구순구개열을 가지고 태어난 환자는 구순성형술, 구개성형술로 인한 반흔으로 수술방법과 개인에 따른 성장차이는 있으나 20-25%정도는 수술 후 이차적으로 기능적 미용적 측면에서 상악의 신장술이 필요한 것으로 추정되고 있다(Ross, 1987). 이와 같이 상악의 심한 형성부전이 있는 경우, 상악골의 성장이 완료된 후 절골술을 시행하여 상악을 전진하여 교정하는 것이 효과적이다. 그러나 이러한 환자의 경우 상악 전진술시 고려해야 할 점으로는 구개조직 반흔의 심한 정도이며 수술 반흔은 상악의 전진후 수축하는 특성으로 인해 재발의 우려가 많다(Ross, 1987). 또한, 술전에 치치조(dentoalveolar)의 횡적인 상악증대를 이루어야 하며 교합의 불안정과 불량한 치주 위생을 막기 위해 치아 교정 계획을 수립하여야 한다. 혼합 치열기에 있는 환자의 경우 영구치의 발아(bud)에 손상을 주지 않고 골 이식 및 플레이트에 의한 내고정을 하는 것이 기술적으로 상당히 어렵기 때문에 절골술과 교정을 시행하는 경우는 골 성숙이 끝난 사춘기 이후에 하는 것이 좋다. 학동기에 심한 상악골 발육부전을 나타내는 환자에서 절골술이 가능한 성장이 완료되는 16-18세까지 기다리는 것이 정신적으로 힘든 경우가 많고 성장이 될 수록 상악과 하악의 부조화가 더욱 심해지는 경향이 있다. 성장후 상악과 하악의 심한 부조화가 있는 경우 하악의 시상 절골술을 같이 시행해야 하고 절골술후 재발의 가능성이 있다.

이에 비해 상악골 신연술은 골이식 없이 상악골을 점진적으로 신연함으로서 신연된 부위에 골형성을 유도 할 수 있기 때문에 성장이 완료되지 않은 혼합치열기인 학동기에도 적용이 가능한 잇점이 있다. 중안면골 신연 방법은 1993년 Rachmiel 등이 체계적인 동물 실험 결과를 보고한 이래 임상적으로 중안면골의 골 신연술이 다양하게 응용되었다. Cohen(Cohen, 1999)은 내고정 장치(internal distraction system), Polley와 Figueroa(Polley, 1998)는 외고정 장치(rigid external distraction system: RED system)를 이용하여 중안면골 신연을 시도하였으며 여러 저자들에 의해 그 방법이 약간씩 응용하여 그 결과가 보고되고 있다.

I. 상악골 골신연 장치의 종류

1. 내고정 장치

상악골 신연에 사용되는 신연장치에는 내고정 장치를 이용하는 내부 신연기와 외고정 장치를 이용하는 외부 신연기로 대별된다. 내고정 장치를 사용하는 내부 신연기는 주로 Le Fort III 절골술 부위에서 시행되어졌으나 Le Fort I 절골술 부위에서도 부분적으로 이용되고 있다(그림 17-1~3). 사용하기 편리하고 적응도가 좋고 고정시 안정성이 있으며 상처의 관리에 유리하고 신연후 골경화 될 때까지 충분한 기간동안 착용할 수 있는 장점이 있다. 그러나 기구를 장치하고 제거할 때 두 번의 수술이 필요하며 장치물의 조절 나사(activating arm)를 위해 외부 출구가 필요하고, 골 신연시 신연 벡터 설정이 제한되고, 내고정 장치 사용시에는 절골선 상부와 하부에 신연장치를 고정해야 할 충분한 안정된 골이 있어야 하기 때문에 횡 상악 절골술(transverse maxillary osteotomy)시 디자인이 매우 어렵다. Cohen(Cohen, 1999)은 구개열, 두개안면왜소증, Pfeiffer 증후군 등의 선천성 기형 환자를 대상으로 11례를 대상으로 내고정 장치(그림 17-1)를 이용하여 11mm

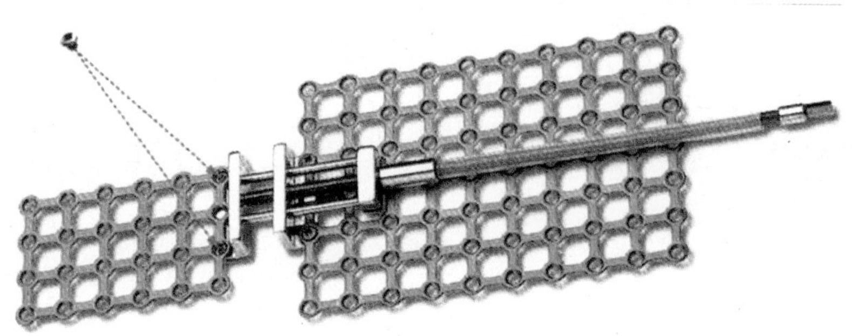

그림 17-1. 내고정 장치

에서 28mm까지 중안면골을 신연하였다. 또한 Chin과 Toth(Chin, 1997)는 중안면 발육저하가 있는 9례의 환자에서 Le Fort I 절골술후 내고정 장치(그림 17-2)를 이용하여 급속 골신연술로 중안면골 신연을 시행하여 환자의 적응도, 고정의 안정성, 상처 관리면에서 우수하였으나 조절핀(activation pin)이 뺨의 앞으로 돌출되는 단점이 있다. 또한 Guerrero등은 경구개를 통하여 상악골 절골술을 시행하고 구강내 골신연 장치(그림 17-3)를 이용하여 상악골과 경구개를 골신연하였다.

2. 외고정 장치

외고정 장치를 이용한 외부신연기는 안면마스크 탄성 신연(face mask elastic distraction)과 외부 신연장치를 이용한 방법으로 크게 나눌 수 있다. Molina등(Molina, 1998)은 'Petit' face mask를 이용하여 상악발육부전을 교정하였으나 안면 마스크 착용에 따른 불편감과 고무밴드의 탄력성에 의해 골신연이 이루어지므로, 타액과의 접촉에 의한 고무밴드의 탄성력 변화를 방지하기 위해 하루에 2-3회 고무밴드를 갈아주어야 하는 번거로움이 있었다. 안면 마스크 탄성 신연에 의한 방법을 상악골 발육저하가 있는 환자에 시도한 결과 상악의 신연 효과가 미약한 것으로 나타났다. 그리고 4-6mm정도의 신연은 치과 교정학적인 방법으로도 가능한 것으로 받아들여지고 있다.

Polley와 Figueroa(Polley, 1998)는 그들이 개발한 외고정 장치(rigid external distraction system: RED system)(그림 17-4)를 이용하여 중안면골 신연을 시도하였으며 여러 저자들에 의해 이 장치를 사용하여 그 수술 결과가 보고되고 있다. 외고정 장치를 이용할 때 두개골을 고정부위로 하고 있으며 두개골을 고정부위로 이용하는 것은 경추손상 등에서와 같이 오래전부

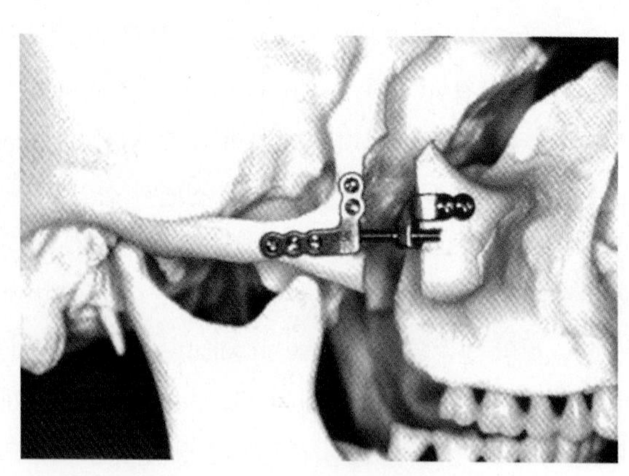

그림 17-2. 내고정 장치

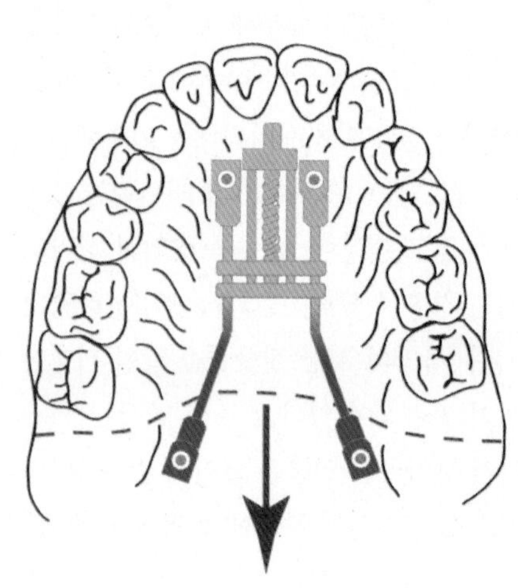

그림 17-3. 내고정 장치

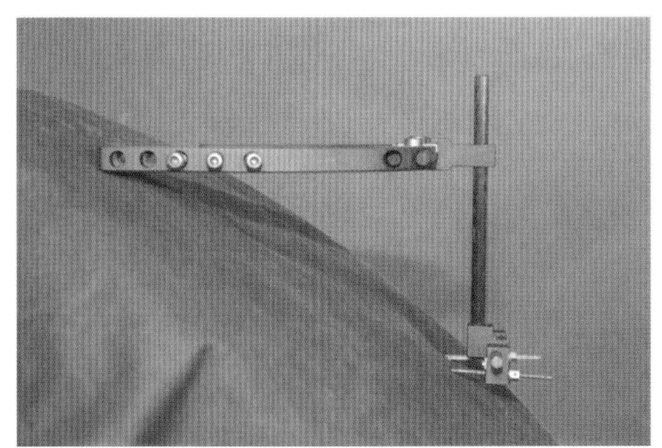

그림 17-4. 외고정 장치 (RED system)

터 사용되어졌으며 효과 면에서도 우수한 것으로 평가되고 있다. 두개골을 고정부위로 하여 양측 두정골에 두피를 통하여 한쪽에 3-4개의 핀을 고정하며 연고 등을 간단히 도포함으로서 핀을 관리할 수 있다. 외고정 장치 제거시 핀 부위만 국소 마취하여 제거할 수 있기 때문에 추가 수술이 필요하지 않으며 입원하지 않고 외래에서 시술이 가능하다. 그러나 외고정 장치는 환자에게 장기간 착용해야 되기 때문에 일상 생활에 지장을 줄 수도 있고, 협조가 힘든 소아인 경우 외부 충격을 받지 않도록 부모의 세심한 주의가 요구되는 단점이 있다.

II. 골신연 Protocol

저자들에 따라 약간씩 차이가 있으나 상악골 절골술후 골신연을 시작하는 시기는 소아인 경우 술후 1,2 일째부터, 성인 인 경우 4 일에서 7일 경에 하는 경우가 많다 (표 17-1). 골신연 정도는 성인에서는 하루에 1mm 씩 하는 경우와 소아에서는 하루에 1mm 혹은 2mm 씩 하는 경우가 있다. 매일 12시간 간격으로 0.5 mm 혹은 1 mm씩 2번 신연하는 경우도 있으나 일반적으로 하루에 한번 1mm 혹은 2 mm 신연한다. 골 신연을 원하는 길이 만큼 얻은 후 골경화를 위해 골신연 장치를 계속 유지해야 하는데 골 경화 기간은 환자의 나이에 따라 다양하다. 현재까지 알려진 바로는 골신연기를 오래 유지 할수록 골 경화가 잘되는 것으로 보고되고 있으나 장기간 골신연기를 장착함으로서 환자에게 불편함을 줄 수도 있다. 일반적인 상악골 골경화 기간은 소아에서는 4주, 성인에서는 6 - 8주로 알려져 있다. 외고정 장치를 사용하는 경우 골신연후 외고정 장치를 4-8주간 착용후 치과 교정용 안면 마스크를 1, 2 개월 더 착용하여 골 경화를 촉진시킨다. 내고정 장치를 사용하는 경우 더 오랜 기간 2개월에서 6개월까지 유지할 수도 있다. 저자들의 생각으로는 골 경화기에 매주 방사선 촬영을 하여 골 경화 정도를 확인하여 충분한

표 17-1. 각 저자들이 사용한 상악골, 중안면골 골신연 protocol

Report	Latent Period (days)	Distraction Rate and Rhythm	Consolidation Period	Number of Cases
Cohen (1999)	3 - 7	1 mm/day or 2 mm/day	2-3 months	9
Molina et al. (1998)	5	2-3 mm/week	2 months + face mask 4 months	38
Britto et al. (1998)	2	1 mm/day for 1week + 2 mm/day for 3weeks	6 weeks	1
Polley and Figueroa (1998)	4 - 5	1 mm/day	2-3 weeks + face mask 4-6 weeks	14
Chin & Toth (1997)	1 - 5	initial 8-20 mm+ 2-3 mm/day	6 months	9
Guerero and Salazar (1996)	7	1 mm/day	8 weeks	18
Cohen et al. (1997)	1	2 mm/day	6 weeks	1
Hierl (1999)	4	two 0.5mm turns 1day	6 weeks	1
Gosain et al. (2002)	5	1 mm/day	8 weeks	8
Satoh et al. (2003)	5	1 mm/day	internal device 7.7 months external device 3 weeks + face mask 4-6 months	4

골 경화를 확인한 후 골 신연기를 제거하는 것이 재발률을 줄일 수 있다.

III. 외고정 장치를 이용한 상악골 골신연술

술전에 상악골과 신연기구 사이를 연결해 주는 구강내 교정 장치를 먼저 환자의 양측 제 1대구치에 견고하게 장치하고 외부 견인 고리(external traction hook)를 상구순 쪽으로 구부려 고리의 끝은 구개 수준으로 높이를 정한다(그림 17-5A, B, C). 구순구개열 수술로 인한 상악골 발육저하가 심한 경우에는 완전한 Le Fort I 절골술을 시행하고, Le Fort I 절골술시 점막치은 접합부(mucogingival junction)의 7mm 상부에 절개를 하여 골막을 박리한 다음 비강의 외측과 기저부, 중격의 하부 점막을 일으키고 이상구(piriform aperture)에서부터 상악조면(maxillary tuberosity)까지 수평으로 절골을 하며 절골선의 높이는 치아 첨부보다 5mm 정도 높게 정한다. 비중격은 서골(vomer)의 중간 부위에서 비강 저부의 전길이에 걸쳐 절개한다. 절골도를 이용하여 익돌상악 접합부(pterygomaxillary junction)와 중격을 분리하고 로왜 겸자(Rowe forcep)를 이용하여 상악을 완전히 하방 골절시켜 상악분절을 유동적으로 만든다(그림 17-5D). Le Fort I 절골술을 시행한 상악 이상구 부위의 직상부와 직하부에 4mm 길이의 금속나사를 고정하여 골신연후 골신연 길이를 측정하는 지표로 한다. 외고정 장치(RED I system, KLS Martin, Jacksonville, U.S.A.) 를 이용하여 두개골에 윤상의 고정장치를 양측 두정골에 각각 4개씩의 스크류를 이용하여 고정하고 외고정 장치의 중간부위에서 수직 막대를 하방으로 고정하여 막대의 하방부에 구강내 교정장치의 외부견인 고리와 500번 철사로 견인 방향에 맞게 고정한다(그림 17-5E, F). Crouzon 증후군과 같이 중안면골의 심한 후퇴가 있는 경우에는 Le Fort III 절골술을 시행하고 외고정 장치(RED II system, KLS, Martin, Jacksonville, FL, U.S.A.)를 이용하여 양측 안와하연에 금속나사를 고정하여 외고정 장치에 500번 철사로 연결하고 동시에 제1 대구치에 연결된외부 견인 고리를 외고정 장치에 연결한다.

절골술후 1일에서 5일째부터 하루에 1mm씩 골연장을 시행하며 상악골 신연중 적합한 교합을 위해서 수시로 교정과 의사와 상의하여 신연 벡터를 조절한다. 골 신연이 끝난 후 골성형을 위해 외고정 장치를 6주간 더 착용하고 그 후에는 교정용 안면 마스크로 바꾸어 8주간 유지한다(그림 17-5G).

IV. 저자들의 방법

1. 대상 및 방법

저자들은 1998년 1월부터 2003년 8월까지 상악골 발육저하로 정상적으로 발육한 하악골에 비해 10mm 이상의 부조화가 있는 10례를 대상으로 중안면골을 신장하였다. 상악발육 저하의 원인으로는 구순,구개열 수술로 인한 경우가 9례, Crouzon 증후군이 1례였다. 남자가 6례, 여자가 4례였으며 수술 당시 나이는 13세에서 25세였다. 수술 방법과 골신연 방법, 골경화기간은 전술한 바와 같이 시행하였다.

술후 경과 관찰을 위해 두개골 계측(cephalometry)을 시행하였고 두개골 계측에 사용되어진 기계는 Pennwalt X-ray(S.S. White Co., U.S.A.)와 Cephalometer W-105A(S.S. White Co., U.S.A.)였고, 측면 두개골 계측 X-선 사진(lateral cephalogram)을 술전과 술후 6개월, 그후 경과 관찰시에 사진을 촬영하였고 방사선 소견에서 두개골 계측학적 측정을 하였다. 동일인이 0.003 inch 아세테이트 트레이싱지와 0.3 mm 직경의 연필을 이용하여 두개골 계측 방사선 사진의 투사도를 작성하고 원하는 계측점과 계측 항목을 평가하였다. 술후 골신연 부위의 변화와 하악골과의 관계를 비교하기 위해 SNA(sella-nasion-subspinale angle), SNB(sella-nasion-supramentale angle), ANB(SNA-SNB angle)를 계측하였고, 상악골의 골신연 길이는 수술시 Le Fort 절골술시 이상구 근위부와 원위부에 고정한 금속나사를 기준으로 측정하였다. 술전과 술후에 계측된 값은 paired t-test를 시행하여 통계학적 검증을 하였다.

2. 연구 결과

모든 례에서 술 후 24시간 후부터 정상적인 구강관리가 가능하였고 유동식의 섭취도 가능하였으며 악간고정은 하지 않았다. 감염 및 출혈 등의 합병증은 없었으며 수혈이나 치아의 손상도 없었다. 외부 고정 장치에 의한 통증이나 불편

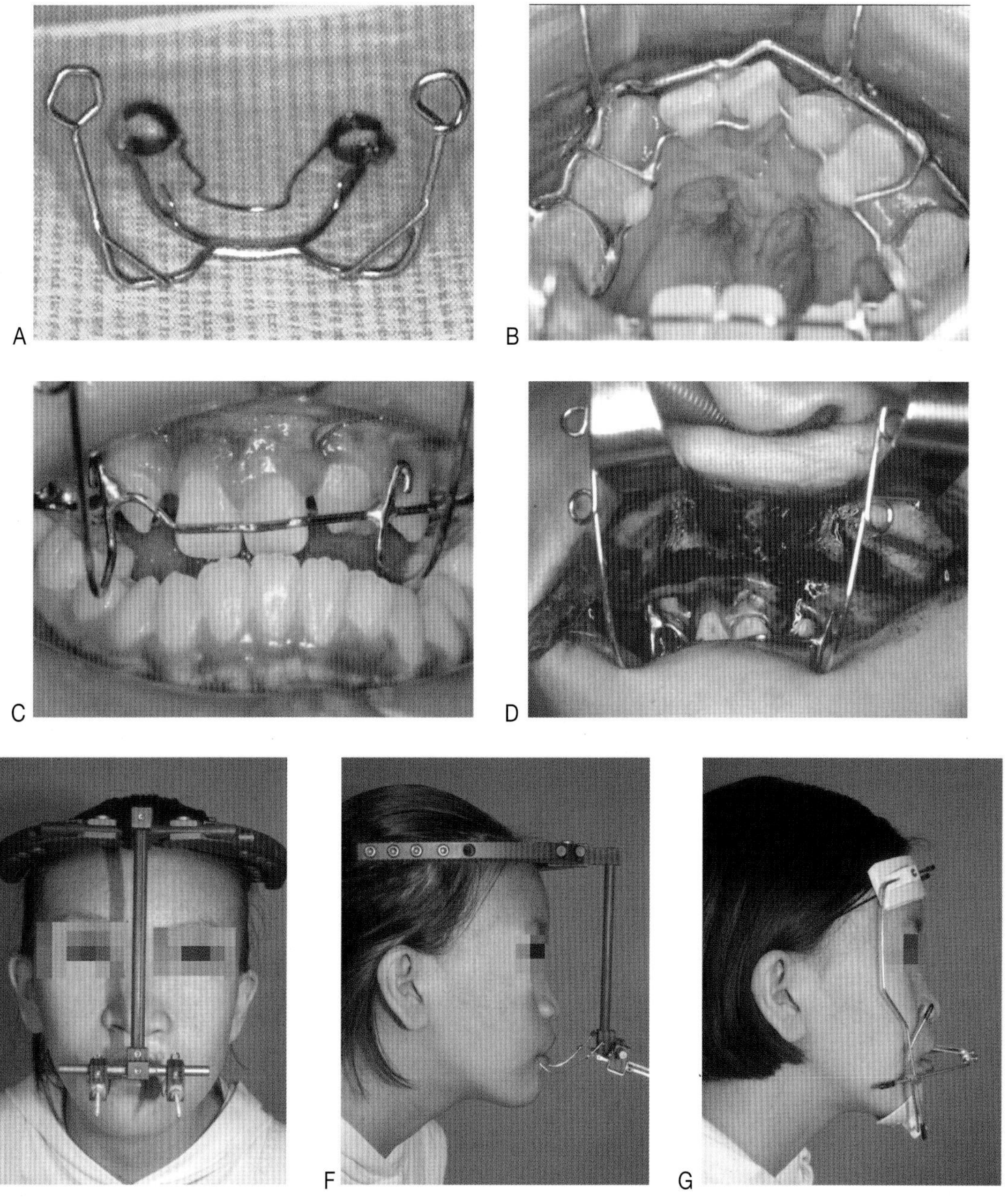

그림 17-5. 외고정 장치를 이용한 상악골 신연술. (A) 구강내 교정장치, (B, C) 구강내 교정 장치를 착용한 모습, (D) Le Fort I 절골술 모습, (E, F) 외고정 장치를 사용하여 상악골 신연하는 정면, 측면 모습, (G) 교정용 안면 마스크 착용 모습

감은 첫 2, 3일간은 있었으나 그 이후부터는 환자가 잘 적응하였다. 외고정 장치 및 구강내 장치의 유지도 신연기간 및 골 형성기간 동안 문제점을 나타내지 않았다. 외고정 장치는 혼합 치열기에도 적용이 가능하였고 내고정 장치에 비해 신연기간 동안 벡터를 항상 조절할 수 있었으며 외고정 장치 제거시 별도 수술의 필요 없이 외래에서 국소마취하에 간단하게 제거하였다.

신연술 시행후 10개월에서 최대 6년간 경과 관찰하였다. 골신연 길이는 최소 10mm에서 최대 17mm까지 평균 13.9±2.0 mm 였다. 술후 6개월에 골신연 길이는 7 - 14mm, 평균 11.1±1.9 mm로 골신연 직후에 비해 평균 20.4±5.9%의 재발률을 나타내었고, 10개월에서 6년까지 경과 관찰시, 평균

10.8±1.8 mm로 골신연 직후에 비해 평균 22.4±5.9% 재발률을 보였다. SNA 각도는 술전 73.2도에서 80.0도까지 평균 77.9±1.9도 로서 상악골 발육저하가 심하였고 골신연 직후에는 평균 90.7±0.9도, 신연후 6개월에는 평균 87.3±1.6도, 10개월에서 6년까지 경과 관찰시 평균 87.0±1.4도 였다(표 17-2). 골 신연후 6개월까지 재발이 있었으나 그 이후에는 큰 변화가 없었다. 골신연 길이와 SNA각도의 감소는 술후 6개월까지는 통계학적 의의($p<0.05$)가 있었으나 그 이후의 감소는 개개인에 따라 조금씩 차이는 있었으나 통계학적인 의의는 없었다.

성장기에 있는 3명의 환자를 대상으로 5년간 추적 관찰한 결과 골신연된 상악은 성장력이 있어 전방으로 발육되었으나 하악의 발달에 비해 상대적으로 성장력이 느렸다. 이들 환자에서 ANB 각도가 골신연 직후에는 7.1 - 8.5도 였으나 6개월에는 2.8 - 4.0도, 5년째에는 0.4 - 1.0도로 감소하였다(표 17-3).

6례에서는 치조열을 동반하였으며 이 경우 치조열 교정을 위하여 골이식을 먼저 시행하고 6개월에서 1년후 골이식이 생착된 후에 상악골 신연술을 시행하였으며 치아 교합을 대칭적으로 조절하기가 용이하였다.

3. 증례

증례 1: 8세 여자 환자로 좌측의 완전 구순구개열이 있어 생후 3개월과 1년에 구순성형술과 구개성형술을 시행하였다. 성장을 하면서 상대적으로 상악골의 발육부전이 있어 상악골의 전진을 위해 Le Fort I 절골술을 시행 후 5일째부터 하루에

표 17-2. 골신연 길이와 SNA 각도

Case	Name	Sex	Age	Distraction length(mm)					SNA(degrees)			
				Immdiate postD.	6-mo postop.	relapse rate	10-mo to 6-yr postop.	relapse rate	Preop.	Immediate postD.	6-mo postop.	10-mo to 6-yr postop.
1	Ahn, SH	M	19	10	7	30.0%	7(6yrs)	30%	79.5	89.6	85.1	85.1(6yrs)
2	Huh, JY	F	13	15	12	20.0%	12(5yrs)	20.0%	79.0	92.0	88.0	88.0(5yrs)
3	Park, WJ	M	14	13	10	23.1%	10(5yrs)	23.1%	78.5	91.0	87.1	87.0(5yrs)
4	Cho, MW	M	15	15	11	26.7%	11(5yrs)	26.7%	76.5	91.4	85.9	85.9(5yrs)
5	Kim, CH	M	25	17	14	17.7%	14(3yrs)	17.7%	73.2	90.2	88.2	88.2(2yrs)
6	Ko, YR	F	13	15	11	26.7%	10(2yrs)	33.3%	80.0	91.0	88.1	87.0(2yrs)
7	Kim, KT	M	13	12	10	16.7%	10(2yrs)	16.7%	78.5	90.1	87.5	87.5(2yrs)
8	Choo, JH	F	14	14	12	14.3%	11(1yr)	21.4%	77.9	90.4	87.8	87.0(1yr)
9	Kim, DW	M	18	15	13	13.3%	12(1yr)	20.0%	78.1	91.6	90.1	89.5(1yr)
10	Han, SI	F	13	13	11	15.4%	11(10mos)	15.4%	78.2	89.5	85.0	85.0(10mos)
mean				13.9	11.1	20.39%	10.8	22.43%	77.94	90.68	87.28	87.02
±D				±2.0	±1.9	±5.89	±1.8	±5.88	±1.92	±0.85	±1.57	±1.40

Statistical significances of $p<0.05$ were between immediate postdistraction and 6-months postoperation in distraction length. Statistical significance of $p<0.05$ were between preoperation and immediate postdistraction, between immediate postdistraction and 6-month postoperation in SNA degree.

postD. : postdistraction
preop.: preoperation
postop.: postoperation
yr : year
mo : month
SD : standard deviation

표 17-3. 5년간 경과 관찰이 가능한 혼합치열기 환자의 상악골과 하악골의 변화

Case	Name	Sex	Age	Preoperation			Immediate postdistraction			6-month postdistraction			5-year postdistraction		
				SNA	SNB	ANB	SNA	SNB	ANB	SNA	SNA	ANB	SNA	SNB	ANB
2	Huh, JY.	F	13	79.0	83.5	-4.5	92.0	83.5	8.5	88.0	84.0	4.0	88.0	87.0	1.0
3	Park, WJ.	M	14	78.5	83.2	-4.7	91.0	83.2	7.8	87.1	84.1	3.0	87.0	86.2	0.8
4	Cho, MW.	M	15	76.5	84.3	-3.8	91.4	84.3	7.1	85.9	83.1	2.8	85.9	85.4	0.4

1mm 씩 15일간 골연장술을 시행하여 15mm의 상악골 신연을 얻었다. 술후 3개월에 골신연 길이는 12mm로 골신연 직후에 비해 20.0% 재발률을 보였다. SNA 각도는 술전 80도에서 골신연 직후에는 92도로 증가 하였으나, 신연후 3개월에는 88도로 감소하였다(그림 17-6).

증례 2: 13세 여자 환자로 양측의 완전 구순구개열이 있어 생후 3개월과 1년에 구순성형술과 구개성형술을 시행하였다. Le Fort I 절골술을 시행 후 5일째부터 하루에 1mm 씩 14일간 골연장술을 시행하여 14mm의 상악골 신연을 얻었다. 술후 6개월에 골신연 길이는 12mm, 1년까지 경과 관찰시 11mm로 골신연 직후에 비해 14.3%와 21.4%의 재발률을 보였다. SNA 각도는 술전 77.9도에서 골신연 직후에는 90.4도로 증가 하였으나, 신연후 6개월에는 87.8도, 술후 1년에는 87.0도로 감소하였다(그림 17-7).

증례 3: 13세 여자 환자로 좌측의 완전 구순구개열이 있어 생후 3개월과 1년에 구순성형술과 구개성형술을 시행하였다. 성장을 하면서 상대적으로 상악골의 발육부전이 있어 상악골의 전진을 위해 Le Fort I 절골술을 시행 후 5일째부터 하루에 1mm 씩 15일간 골연장술을 시행하여 15mm 의 상악골 신연을 얻었다. 술후 6개월에 골신연 길이는 12mm, 5년까지 경과 관찰시 12mm로 골신연 직후에 비해 20.0% 재발률을 보였다. SNA 각도는 술전 79도에서 골신연 직후에는 92도로 증가 하였으나, 신연후 6개월에는 88도로 감소하였고, 술후 5년에는 88도로 변화가 없었다. 골신연후 5년째 모습에서 골신연된 상

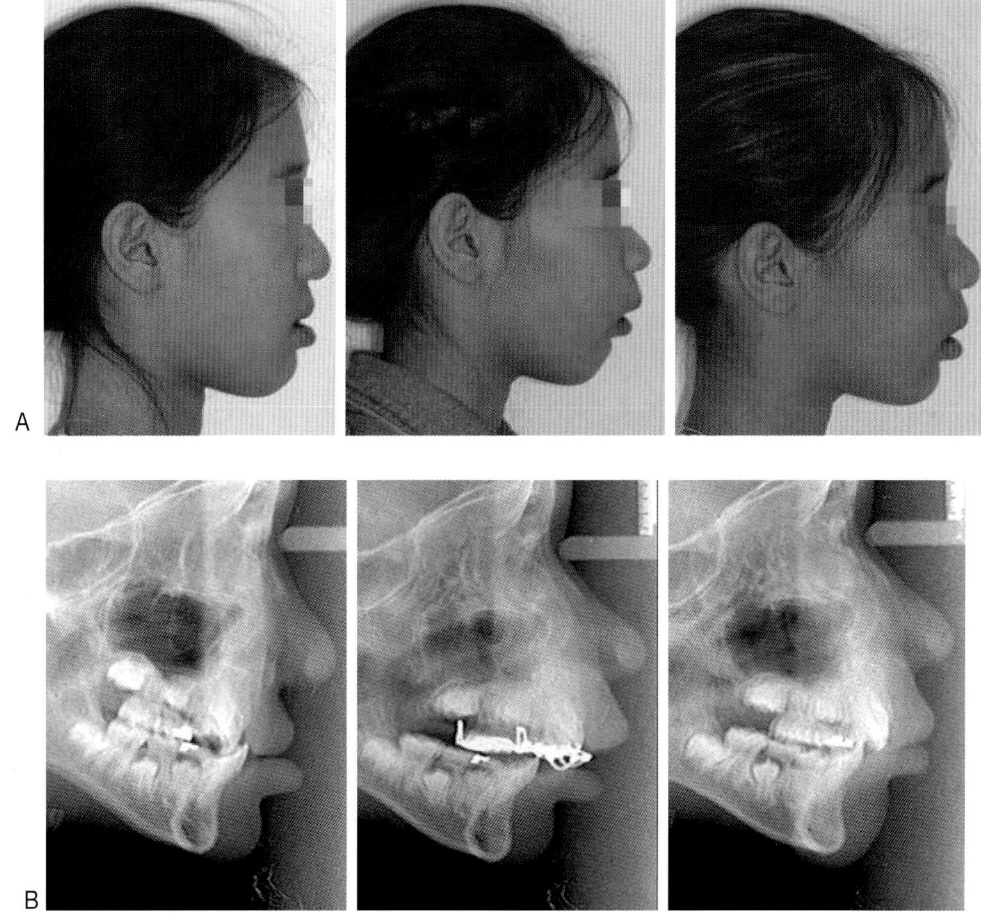

그림 17-6. 증례 1. (A) 술전, 상악골 신연직후, 3개월째 측면 모습, (B) 술전, 상악골 신연직후, 3개월째 측면 방사선 사진

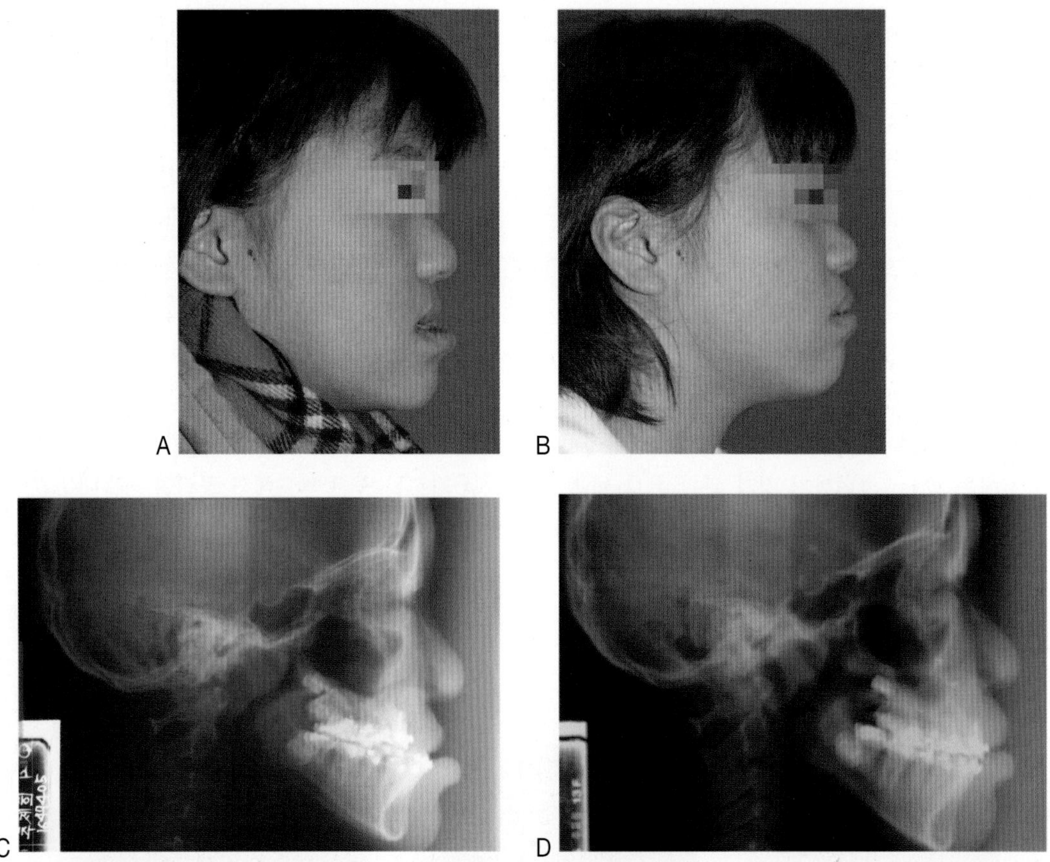

그림 17-7. 증례 2. (A) 술전 측면 모습, (B) 술후 1년째 모습, (C) 술전 측면 방사선 사진, (D) 술후 1년째 측면 방사선 사진

악골이 잘 유지되었다. 그러나 ANB 각도는 골신연 직후에는 8.5도 였으나 6개월과 5년째에는 4.0도, 1.0도로 감소하여 골신연된 상악골이 상대적으로 하악골의 발육에 비해 느렸다. 치아의 교합 상태는 술전에 심한 교합 부전이 상악골 신연후 많이 호전 되었다(그림 17-8).

증례 4: 15세의 남자 환자로 좌측의 완전 구순구개열이 있어 생후 3개월과 1년에 구순성형술과 구개성형술을 시행하였다. Le Fort I 절골술을 시행 후 5일째부터 하루에 1mm 씩 15일간 골연장술을 시행하여 15mm 의 상악골 신연을 얻었다. 술후 6개월에 골신연 길이는 11mm, 5년에는 11mm로서 골신연 직후에 비해 26.7% 재발률을 보였다. SNA 각도는 술전 76.5도에서 골신연 직후에는 91.4도, 신연후 6개월에는 85.9도, 5년에는 85.9도였다 그러나 ANB 각도는 골신연 직후에는 7.1도 였으나 6개월과 5년째에는 2.8도 0.4도로 감소하였다(그림 17-9).

V. 고찰

Polley와 Figueroa(Polley, 1998)는 일측 구순구개열을 가진 10례, 양측 구순구개열을 가진 6례, 안면열 2례로 총 18례에서 중안면골 신연을 시행하였으며, 이중 14례는 직접 고안한 외고정 장치를 시행하여 평균 11.7mm의 상악골 신연을 이루었고, 일측 구순구개열 3례, 양측 구순구개열 1례에서 안면마스크 탄성 신연을 이용하여 중안면골 신연술을 시행한 군에서는 평균 5.2mm의 골신연을 이루어 완전한 교정을 이루지 못하였다. Gosain 등(Gosain, 2002)은 외고정 장치를 이용하여 중안면골을 9 - 26 mm, Satoh등(Satoh, 2003)은 11 - 21mm를 골신연한 결과를 보고하여 외고정 장치는 이환된 부위에 한정해서 심한 변형을 교정할 수 있는 장점을 가지고 있음을 입증하였다.

저자들은 외고정 장치를 이용하여 중안면골 신연을 시도하였으며 이 장치는 신연과정 중 그 신연의 양이나 벡터의 방향

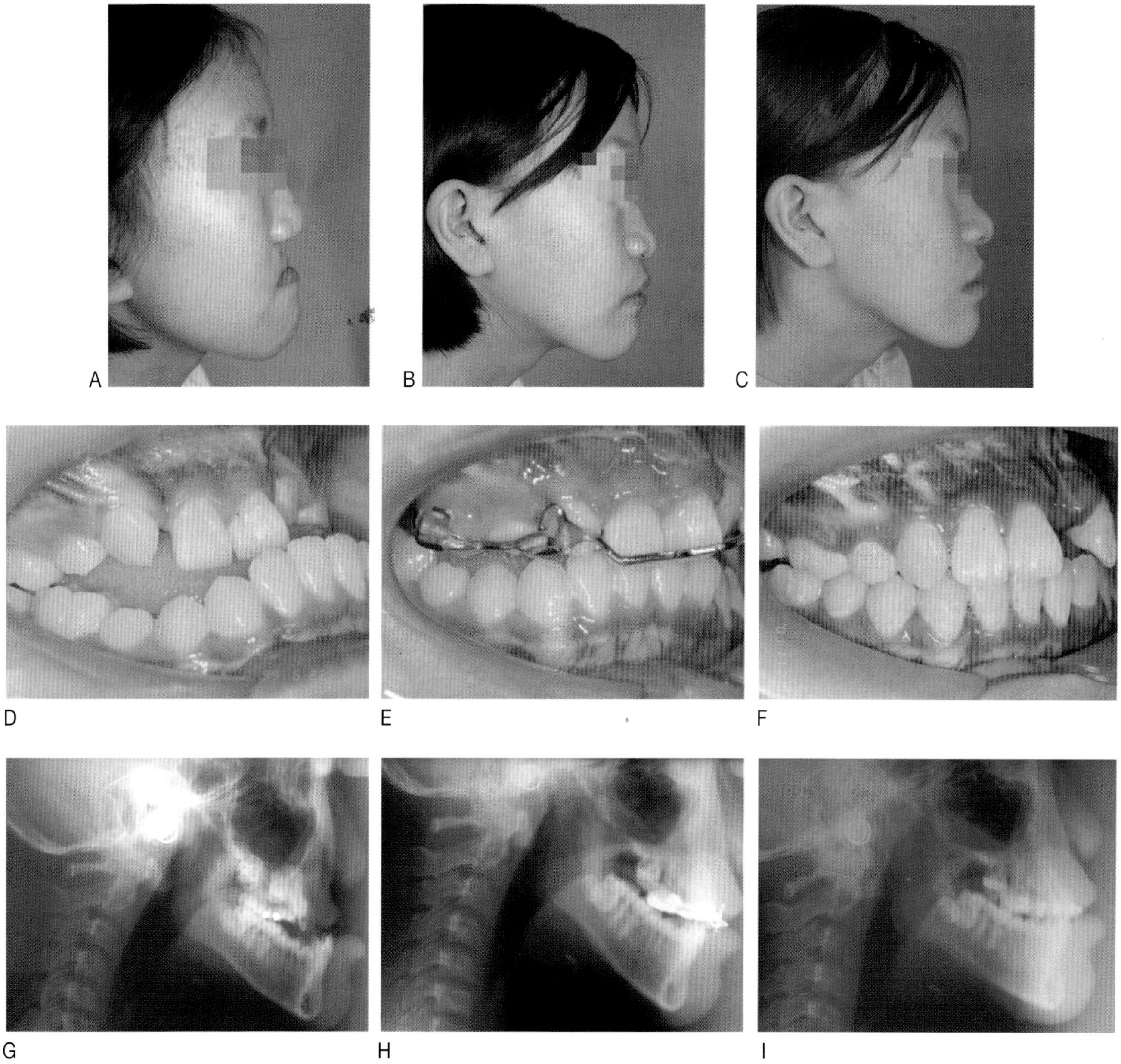

A B C

D E F

G H I

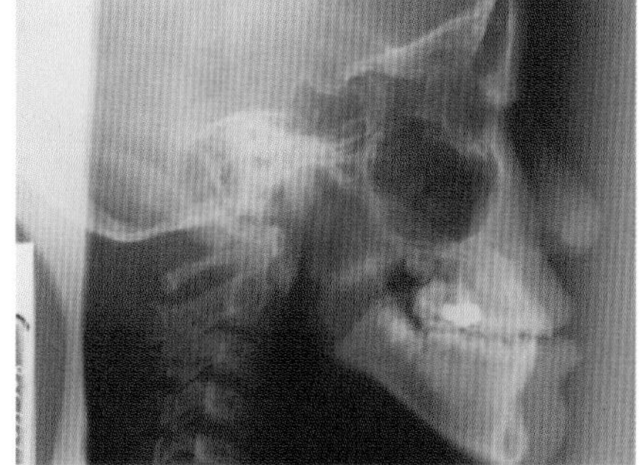

J

그림 17-8. 증례 3. (A) 술전 측면 모습, (B) 상악골 신연후 6개월째 측면 모습, (C) 상악골 신연후 3년째 측면 모습, (D) 술전 치아 교합 모습, (E) 신연후 6개월째 치아 교합 모습, (F) 신연후 1년째 치아 교합 모습, (G) 술전 측면 방사선 사진, (H) 술후 6개월째 측면 방사선 사진, (I) 술후 1년째 측면 방사선 사진, (J) 술후 5년째 측면 방사선 사진

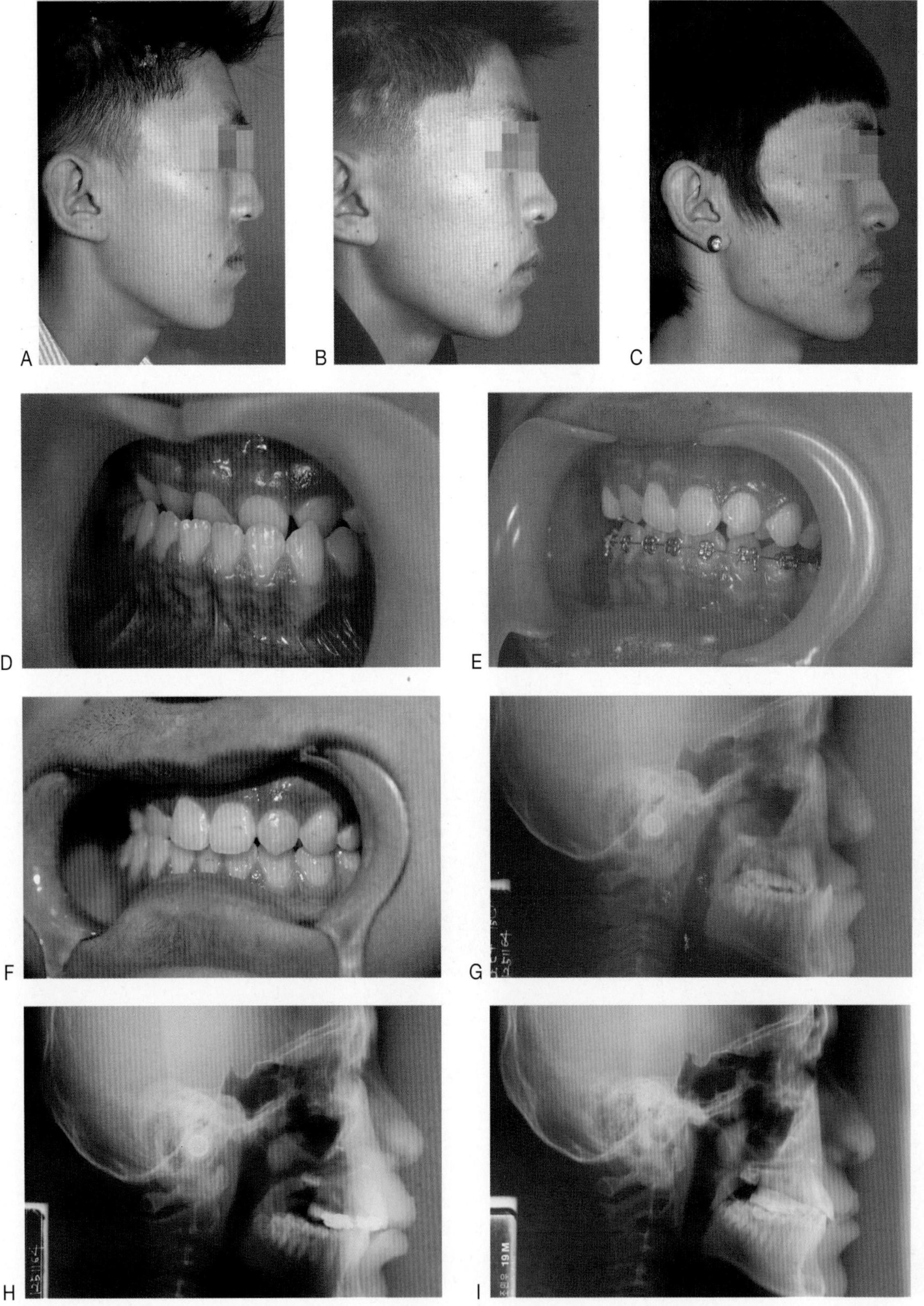

그림 17-9. 증례 4. (A) 술전 측면 모습, (B) 상악골 신연후 6개월째 측면 모습, (C) 상악골 신연후 4년째 측면 모습, (D) 술전 치아 교합 모습, (E) 신연후 6개월째 치아 교합 모습, (F) 신연후 4년째 치아 교합 모습, (G) 술전 측면 방사선 사진, (H) 술후 6개월째 측면 방사선 사진, (I) 술후 4년째 측면 방사선 사진

에 유용성이 많다. 신연 방향을 결정하는 벡터는 상방, 전방, 하방의 3가지로 구분할 수 있고 그중 전방 벡터가 가장 중요하며 이때 수평 방향은 대구치(molar)와 절치(incisor)와의 관계를 고려한 교합면(occlusal plane)에 수평이 되게 하며 전방 개방교합(open bite)이 생기지 않도록 주의하여야 한다. 저자들의 경우 교합면에 수평이 되도록 상악골 골신연을 시행하였고, Crouzon 증후군이 있는 1례에서는 양측 안와 하연과 동시에 제1 대구치에 연결된 외부 견인 고리를 RED II 외고정 장치에 연결하여 균형적으로 중안면골이 골신연 되도록 하였다. 또한 저자들의 증례 중 6례에서는 치조열을 동반하였으며 이 경우에는 치조열 교정을 위하여 골이식을 먼저 시행하고 6개월에서 1년후 골이식이 완료된 후에 상악골 신연술을 시행하였으며 치아 교합을 대칭적으로 조절하기가 용이하였다.

외고정 장치를 이용한 중안면골 신연후 재발률에 관한 정확한 문헌 보고는 아직까지 미흡한 실정이다. Polley와 Figueroa(Polley, 1998)는 상악골 신연후 골경화를 위해 외고정 장치를 2-3주간, 4-6주간 안면마스크를 착용하여 경과 관찰을 4개월간 한 결과 골 신연길이의 큰 변화가 없음을 보고하였다. Hierl와 Hemprich(Hierl, 1999)는 상악골을 20 mm 정도 신연한 1례에서 외고정 장치를 6주간 착용한 결과 술후 5개월까지 안정성을 유지하였다고 보고하였다. Harada등(Harada, 2001)은 2명의 환자에서 상악골 신연후 술후 6개월까지 각각 15%, 17% 재발되었고 그후 술후 1년까지 큰 변화가 없음을 보고하였다. 또한 국내에서는, 김등(김석화, 2003)이 1례를 시행하여 약간의 재발이 있음을 보고하였다.

저자들은 10명의 환자를 대상으로 최소 10mm에서 최대 17mm까지 골신연을 하였다. 그러나 외고정 장치 제거후 경과 관찰기간 동안 부분적인 재발이 나타났으며 술후 6개월에 골신연 길이는 7-14mm, 평균 11.1±1.9mm로 골신연 직후에 비해 평균 20.4±5.9%의 재발률을 나타내었고, 10개월에서 6년까지 경과 관찰시, 평균 10.8±1.8mm로 골신연 직후에 비해 평균 22.4±5.9% 재발률을 보였다. SNA 각도는 술전 73.2도에서 80.0도까지 평균 77.9±1.9도 로서 상악골 발육저하가 심하였고 골신연 직후에는 평균 90.7±0.9도, 신연후 6개월에는 평균 87.3±1.6도, 10개월에서 6년까지 경과 관찰시 평균 87±1.4도였다. 따라서 골 신연후 6개월까지 재발이 있었으나 그 이후에는 큰 변화가 없음을 알 수 있었다.

Satoh등(Satoh, 2003)은 중안면골의 발육저하가 심한 증례에서 Le Fort I 과 III 절골술을 동시에 시행하였으며, Le Fort III 절골술에는 내고정 장치, Le Fort I 절골술에는 외고정 장치를 이용하여 골 신연하였다. 그들은 골 경화를 위해 골 신연후 내고정 장치를 3 개월에서 12개월간 유지시키고, 외고정 장치를 3주간 유지후 4 - 6개월간 안면마스크를 착용하여 술후 10개월에서 최장 38개월 정도 경과 관찰한 결과 특별한 합병증이 없다고 보고하였다. 그러나 그들의 증례 방사선 사진을 자세히 관찰하면 골 신연 직후보다 술후 8개월, 1년에서 조금씩 재발되었음을 관찰할 수 있으나 저자들의 증례보다는 재발률이 적었다. 이것은 내고정 장치를 오랫동안 작용하여 충분한 골경화를 유도했기 때문인 것으로 추정된다. 저자들의 경우 골신연후 외고정 장치를 6주간 착용하였고 그 후에 교정용 안면 마스크로 바꾸어 8주간 유지하였으나, 골경화 기간을 좀 더 연장시키기 위해 외고정 장치를 2 - 3개월간 착용하고 환자의 불편함을 줄이기 위해 교정용 안면 마스크 대신 치과 교정용 나사를 상악과 하악에 고정하여 서로 고무 밴드로 걸어 2개월 이상 유지하면 재발율을 줄일 수 있을 것으로 생각된다.

저자들의 증례 중 성장기에 있는 3명의 환자를 대상으로 5년간 추적 관찰한 결과 골신연된 상악은 성장력이 있어 전방으로 발육되었으나 하악의 발달에 비해 상대적으로 성장력이 느렸다. 이들 환자에서 ANB 각도가 골신연 직후에는 7.1 - 8.5도 였으나 6개월과 5년째에는 2.8 - 4.0도, 0.4 - 1.0도로 감소하였다(표 17-2). Hollier등(Hollier, 1999)이 성장기 환아에서 골 신연된 하악골의 성장력이 정상측보다 낮음을 보고한 바와 같이 저자들의 증례에서도 같은 결과를 보였다. 또한 Le Fort 절골술로 인한 수술 자체가 상악골의 성장에 영향을 미칠 것으로 생각되며, 익돌상악 접합부 분리시 상악골의 성장중심부에 가급적 손상이 약하도록 매우 주의해서 하는 것이 바람직하다. 기능적인 문제점들로 조기에 수술해야 되는 경우가 아니면 가능하면 상악골의 횡적 전방 성장이 완료되는 9세 이후에 Le Fort 절골술을 시행하는 것도 고려할 사항으로 생각된다. 따라서 성장기에 있는 환아의 경우에는 재발률과 하악의 발달 정도를 고려하여 성인의 경우 보다 더 많이 상악골 골신연을 하는 것이 좋을 것으로 생각된다.

골 신연술에 의한 상악의 신연은 호흡에 영향을 주는 기능적인 변화를 가져오며 비구순각(nasolabial angle)의 증대와 코와 인두부위의 공간의 확장에 기인하여 비기도(nasal airway)로의 공기흐름 및 비호흡이 호전된다. 또한 상악의 전진에 의한 구개인두 기능부전이 악화될 가능성이 제기되고 있다. 그러나 Molina등(Molina, 1998)은 구개인두 기능부전이 없던 환자에서는 구개인두 기능부전이 나타나지 않았고 점진적인 연부조직의 신연이 구개인두 기능을 유익한 방향으로 호전시켰고 혀 위치의 호전 역시 구개인두 기능을 호전시켰다고 보고 하였다. 저자들의 증례에서도 경과 관찰시 상악골 골신연후 구개인두 기능의 향상이나 악화는 없었다.

따라서 외고정 장치를 이용한 중안면골 신연술은 매우 효과적이나 재발률을 고려하여 과교정하는 것이 바람직하다. 또한 성장하는 학동기에서는 신연된 중안면골의 발육이 정상 하악골보다는 상대적으로 늦기 때문에 이의 예방을 위해서는 혼합치열기에 있는 환자의 상악골 신연시 성인의 경우보다 더욱 과교정하는 것이 효과적일 것으로 생각한다.

VI. 결론

상악골 신연술은 골이식 없이 상악골을 점진적으로 신연함으로서 신연된 부위에 골형성을 유도 할 수 있기 때문에 성장이 완료되지 않은 혼합치열기인 학동기에도 적용이 가능한 잇점이 있고 외고정 장치 사용시 국소마취하여 제거할 수 있기 때문에 추가 수술이 필요하지 않으며 입원하지 않고 외래에서 제거가 가능하다. 그러나 외고정 장치는 환자에게 장기간 착용해야 되기 때문에 일상 생활에 지장을 줄 수도 있고, 협조가 힘든 소아인 경우 외부 충격을 받지 않도록 부모의 세심한 주의가 요구된다.

결론적으로 외고정 장치를 이용하여 상악골을 효과적으로 신연골 형성을 할 수 있으나 재발률을 고려해서 구개의 반흔 정도와 상악골의 후퇴 정도에 따라 20-30%정도 과교정 하는 것이 좋을 것으로 생각한다. 또한 성장하는 학동기에서는 신연된 중안면골의 발육이 정상 하악골보다는 상대적으로 늦기 때문에 이의 예방을 위해서는 혼합치열기에 있는 환자의 상악골 신연시 성인의 경우보다 더욱 과교정하는 것이 효과적일 것으로 생각한다.

참고 문헌

1. Ross RB. Treatment variables affecting facial growth in complete unilateral cleft lip and palate: Part 7. An overview of treatment and facial growth. Cleft Palate J 24: 71, 1987
2. Rachmiel A, Jackson IT, Potparie Z, Sugihara T, Clayman L, Topf JS, Forte RA. Midface advancement by gradual distraction. Br J Plast Surg 46: 201, 1993
3. Polley JW, Figueroa AA. Rigid external distraction: Its application in cleft maxillary deformities. Plast Reconstr Surg 102: 1360, 1998
4. Molina F, Monasterio FO, Maria PA, Barrera J. Maxillary distraction: Aesthetic and functional benefits in cleft lip-palate and prognathic patients during mixed dentition. Plast Reconstr Surg 101: 951, 1998
5. Cohen SR. Craniofacial distraction with a modular internal distraction system: Evolution of design and surgical techniques. Plast Reconstr Surg 103: 1592, 1999
6. Chin M, Toth BA, Le Fort III advancement with gradual distraction using internal devices. Plast Reconstr Surg 100: 819, 1997
7. Hierl T, Hemprich A. Callus distraction of the midface in the severely atrophied maxilla-A case report. Cleft palate-Craniofac J 36: 5, 1999
8. Gosain AK, Santoro TD, Havlik RJ, Cohen SR, Holmes RE. Midface distraction following Le Fort III and monobloc osteotomies: Problems and solutions. Plast Reconstr Surg 109: 1797, 2002
9. Satoh K, Mitsukawa N, Hosaka Y. Dual midfacial distraction osteogenesis: Le Fort III minus I and Le Fort I for syndromic craniosynostosis. Plast Reconstr Surg 111: 1019, 2003
10. Mitsukawa N, Satoh K, Hayashi T, Uemura T, Hosaka Y. Salvaged Le Fort II halo distraction for an unfavorable outcome of midfacial distraction using an internal device in syndromic craniosynostosis. Plast Reconstr Surg 113: 1219, 2004
11. Lee J, Shin D, Park J, Cho B, Baik B, Yoon K, Kyung H, Sung J. Osteodistraction of midface using rigid external distraction device. J Korean Soc Plast Reconstr Surg 27: 590, 2000
12. Kim S, Park J, Park C, Baek S, Choi J. Midface advancement with rigid external distraction system in Crouzon's disease. J Korean Soc Plast Reconstr Surg 30: 532, 2003
13. Harada K, Yoshiyuki B, Ohyama, K. Maxillary distraction osteogenesis for cleft lip and palate children using an external,

adjustable, rigid distraction device: A report of 2 cases. J Oral Maxillofac Surg 59: 1492, 2001

14. Hollier L, Kim J, Grayson B, and McCarthy JG. Mandibular growth after distraction in patients under 48 months of age. Plast Reconstr Surg 103: 1361, 1999

15. Guerrero C, Bell WH, Gonzalez M, Rojas A. Maxillary advancement combined with posterior palate reposition via distraction osteogenesis: A case report. In Samchukov ML, Cope JB, Cherkashin AM(Eds), Craniofacial Distraction Osteogenesis. St. Louis: Mosby, 2001. P 531.

제17장 이차구개열골변형의 골신연술

치간 신연골형성술 (interdental distraction osteogenesis)

김석화

일차 및 이차 치조골이식술은 치조열의 치료 방법으로 널리 사용되어 오고 있다[1,2]. 1950년대부터 시행된 일차 치조골 이식술 보다는 이차 치조골이식술이 여러 연구를 통해 장점이 알려지면서 현재의 표준 치료법으로 자리 잡고 있다[3]. 치조골 이식술의 목적은 상악궁에 안정성을 주고, 구비강 누공을 닫아주며, 비익 기저부를 지지해 주며, 치아가 돋아날 수 있는 골의 기반을 만들어 주는 것이다. 이러한 골 이식을 성공적으로 시행하려면 상악궁 확장과 치아의 술전 교정이 반드시 필요하다[4,5]. 그러나 교정치료를 하면서 상악궁이 확장됨에 따라 치조열과 구비공 누공의 간격이 넓어지고 치조열 부근의 치조골 점막이 부족해 골 이식 부위를 완전하게 일차 봉합으로 닫기 어렵거나 불가능하게 된다. 치조열의 간격이 넓으면 봉합 후 점막의 지나친 장력으로 인해 이식한 골이 노출되는 경우가 생겨 구강내 협부나 혀 등의 주변 피판을 이용해 봉합해 주어야 하거나, 혹은 수술 후에도 골이 흡수되는 빈도가 높아 다시 골이식을 필요로 하는 수도 있다[6].

I. 신연골형성술

두개안면 영역의 신연골형성술(distraction osteogenesis)은 하악골 저형성 환자에 사용되기 시작했으며[7] 상악골[8], 관골 및 중안면부[9,10] 에도 적용되고 있다. Liou 등은 치간 신연골형성술을 고안해 넓은 치조열에서의 골 이식의 한계를 극복하고자 하였다[11]. 신연골형성술로 상악궁에 새로운 치조골과 점막을 생성시킨 후 생성된 치조골에 치아 교정으로 치아를 이동시키며[12] 치조열 부위는 서로 근접이 되게 하여 골이식이나 점막이식이 따로 필요하지 않거나 최소화하는 방법이다. 부족한 치조골 주위 점막을 함께 연장하는 효과도 있어 향후 치아 발생에 중요한 역할을 하는 치조골 주위 점막을 제공하여 치아의 안정성에 기여를 한다[11]. 넓은 치조열에 있어서 단순 골이식술은 부정적 결과[4]를 나타낼 수 있으나 치간의 신연골형성술로 좋은 결과를 보고하고 있다[1,11,13-17].

II. 수술방법[11,18]

수술에 앞서 조절 가능한 수평 막대가 부착된 골연장 기구를 설치할 구강 내 장치를 설치한다(그림 17-10). 구강 내 장치는 제 2소구치와 제 1대구치에 금속 띠로 된 틀을 설치하고, 그 틀의 외측에 골연장기구를 고정할 부착물을 접착시킨다(그림 17-11). 제 2소구치와 제 1대구치 사이에 수직으로 절골한 부

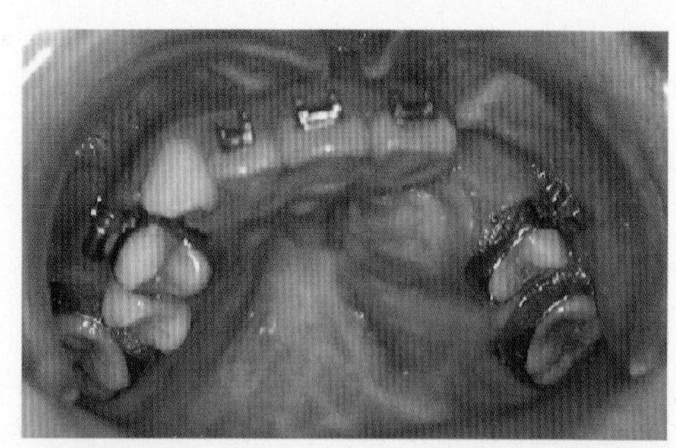

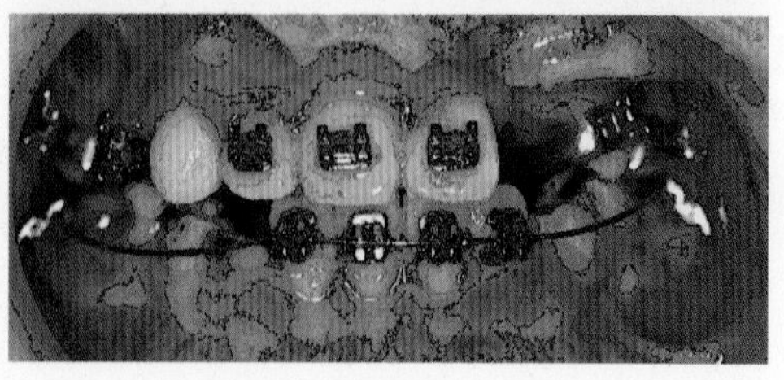

그림 17-10

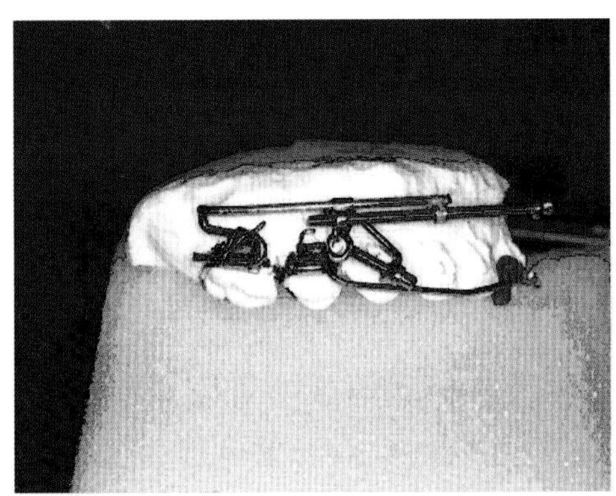
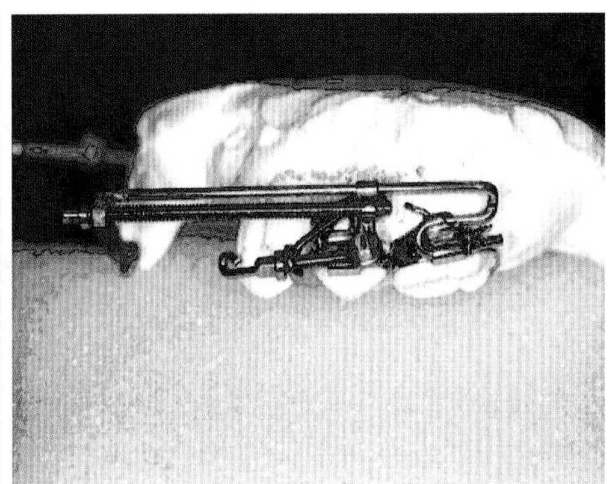

그림 17-11

위의 치근사이 간격이 좁아서 양측 치근의 손상이 우려될 경우 절골할 위치를 바로 옆의 근위부 혹은 원위부로 옮길 수 있다. 비기관 삽관하에 마취를 시행하고 구강을 통해 상부의 협측치은(buccal gingiva) 부위의 점막에 수평 절개를 가한 후 상부의 점막골막 피판을 박리하여 수평 절골할 부위를 노출시킨다. 수직 절골할 부위에는 외측 치조골 점막에서부터 수평 절개를 한 점막 까지 수직으로 박리를 하여 수직 절골을 할 수 있게 치조골을 노출시킨다. 한편, 구개쪽 점막에는 작은 절개를 가하여 수직 절골을 할 예정선을 따라 구개골 후방 경계 부위까지 가능하면 좁게 점막 골막 피판을 박리하면 치간 절골할 부위가 노출되게 된다. 구개부 점막을 너무 광범위하게 박리 하지 않도록 주의해야 한다. 방사선 사진 분석을 한 후 치근 부위에 손상을 주지 않도록 전기톱을 이용하여 치근의 윗 경계부위로부터 3~5mm 떨어진 부위에서 수평 절골을 한다(그림 17-12). 수직 절골은 치근 사이의 노출된 예정선을 따라 작은 둥근 뼈갈개(bur)를 이용하여 표시하고 해면골이 노출되면 그 후에 골절단기(osteotome)을 이용하여 조심스레 구개부까지 시행한다(그림 17-12). 반대쪽의 절골도 같은 방법으로 시행한다. 절골이 완성되면 양측의 원위부의 절골된 치조골이 자유롭게 움직이는지를 확인한 후 구비강 누공을 닫아주고, 점막을 흡수성 봉합사로 일차 봉합한다. 이미 치아에 설치되어 있는 고정물에 양측으로 골연장 기구를 설치한다. 이것이 절골 원위부와 근위부를 이어주면서 연장하게 된다(그림 17-12).

III. 골연장 및 치아교정

치조열의 양측 말단을 근접시키기 위하여 수술 후 골연장을 해야 한다. 수술 후 3일 혹은 5일에 골연장을 시작한다. 골연장을 시작한 첫 주에는 하루에 양측 각각 0.5mm씩 총 1mm

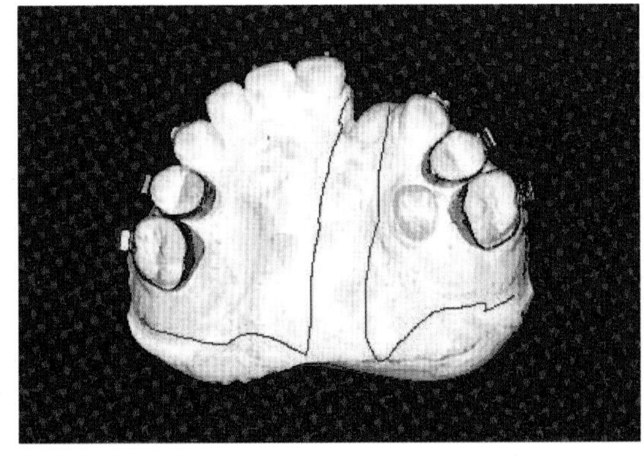
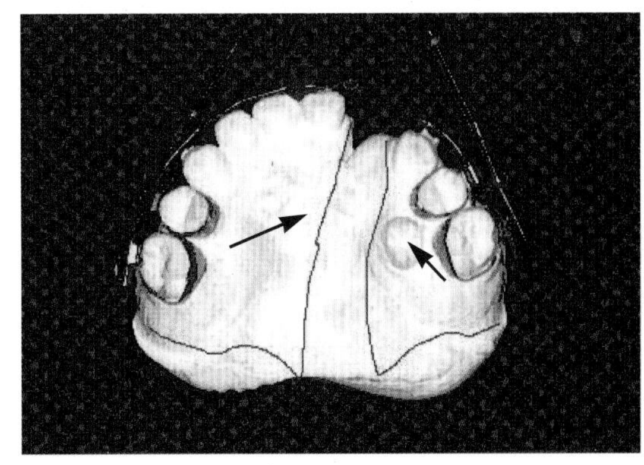

그림 17-12

를 연장시키고, 둘째 주부터는 양측 각각 0.25mm씩 총 0.5mm를 연장하여 지주 역할을 하는 치아의 움직임을 최소화한다. 연장을 하는 동안 두개골 계측 방사선 사진으로 치조골의 연장 상태 및 치조열의 근접 여부를 확인하면서 연장골의 이동방향을 조정한다. 치조골의 완전한 근접이 이루어진 후 골 연장을 중단하고, 약 1~4주동안 골유합기간을 가진 후 구강내 골연장 기구를 제거하면서 교정 치료를 시작한다. 골 신생 부위에 생긴 간격을 유지하기 위해 구강내 코일(coil)로 된 장치로 교체한다. 그 후 연장된 골 신생 부위를 이용하여 환자의 현재 치아 상태에 맞추어 탄성 밴드나 코일로 치과적 교정 치료를 시행한다.

Ⅳ. 증례(그림 17-13~16)

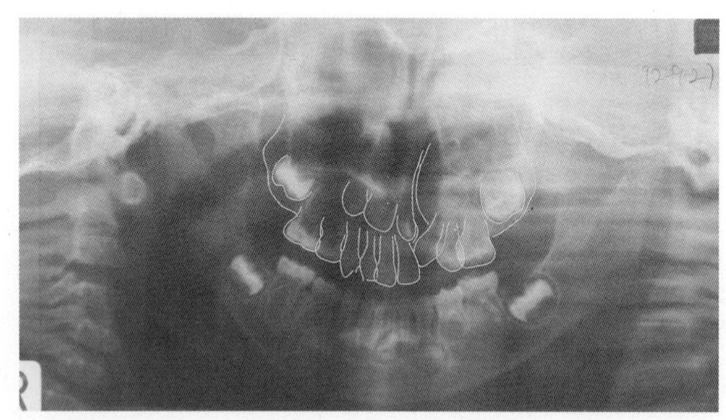

그림 17-13. Panoramic view of a 10-year-old girl who had left alveolar cleft. Alveolar cleft was not so wide before the maxillary expansion

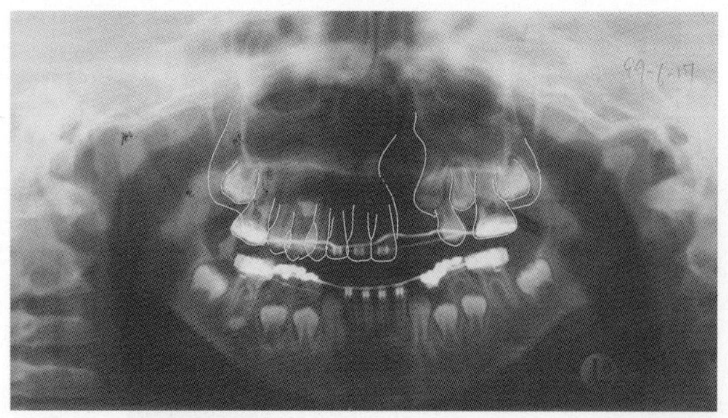

그림 17-14. Alveolar cleft became wider (16mm) after maxillary expansion

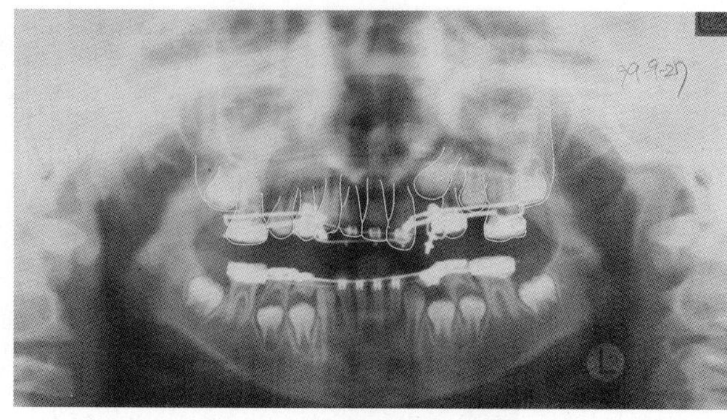

그림 17-15. Alveolar cleft was closed by interdental distraction osteogenesis.

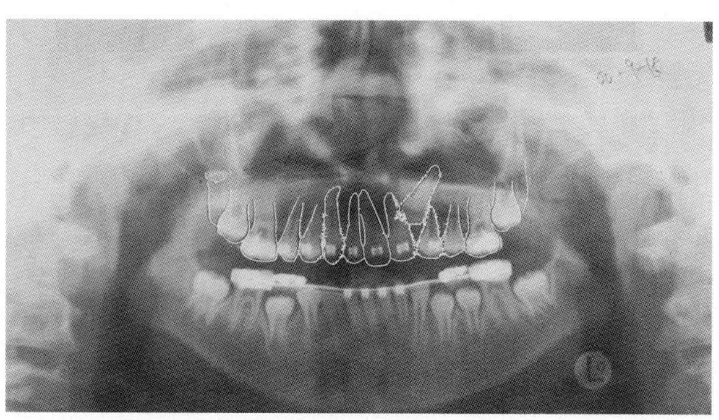

그림 17-16. After removal of inderdental distraction devices, alveolar cleft was approximated successfully.

참고문헌

1. Michael SB, Deneen C, Andrew C, Gottesegen GB: Anterior maxillary advancement using tooth-supported distraction osteogenesis, J Oral Maxillofac Surg 53:561,1995
2. Rosenstein S, Dado DV, Kernahen D, Griffith BH, Grasseschi M: The case for easy bone grafting in cleft lip and palate: a second report. Plast Reconstr Surg 70: 297, 1982
3. Troxell JB. Fonseca RJ, Osbon DB: A retrospective study of alveolar cleft grafting. J Oral Maxillofac Surg 40: 721, 1982
4. Long RE Jr, Spangler BE, Yow M: Cleft width and secondary alveolar bone graft success. Cleft Palate Craniofac J 32: 420, 1995
5. Cohen M, Polly JW, Figueroa AA: Secondary (intermediate) alveolar bone grafting. Clin Plast Surg 20: 691, 1993
6. Jackson IT : Closure of secondary palatal fistulae with intra-oral tissue and bone grafting. Br. J Plast Surg 25:93, 1972
7. McCarthy JG, Schreiber J, Karp N, Thorne CH: Lengthening the

human mandible by gradual distraction. Plast Reconstr Surg 89:1, 1992

8. Polley JW, Figueroa AA: Management of severe maxillary deficiency in childhood and adolescence through distraction osteogenesis with external adjustable rigid distraction device. J Craniofac Surg 8:181, 1997
9. Chin M, Toth BA: Distraction osteogenesis in maxillofacial surgery using internal device: Review of five cases. J Oral Maxillofac Surg 54:45, 1996
10. Cohen SR, Boydston W, Burstein FD, and Hudgins R: Monobloc distraction osteogenesis during infancy: Report of a case and presentation of a new device. Plast Reconstr Surg 101:1919, 1998.
11. Liou EJ, Chen PKT, Huaung CS, Chen YR: Interdental distraction osteogenesis and rapid orthodontic tooth movement: a novel approach to approximate a wide alveolar cleft or bony defect. Plast Reconstr Surg 105: 1262, 2000
12. Liou EJ, Polley JW, and Figueroa AA Distraction osteogenesis: The effects of orthodontic tooth movement on distracted mandibular bone. J Crainofac Surg 9:564, 1998
13. Kim SW: Distraction osteogenesis of mandible in hemifacial microsomia, J Korean Soc Plast Reconstr Surg 25: 581, 1998
14. MaCarthy JG, Schreiber J, Karp N, Throne CH, Grayson BH: Lengthening the human mandible by gradual distraction. Plast Reconstr Surg 89: 1, 1992
15. Jonsson B, Siemssen SJ: Arced segmental mandibular regeneration by distraction osteogenesis, Plast Reconstr Surg 101: 1925, 1998
16. Liou EJW, Figueroa AA, Polly JW: Rapid orthodontic tooth movement into newly distracted bone after mandibular distraction osteogenesis in a canine model. Am J Orthod Dantofac Orthop 117: 391, 2000
17. Block MS, Akin R, Chang A, Gottsegen GB, Gardiner D: Skeletal and dental movement after anterior maxillary advancement using implant-supported distraction osteogenesis in dog, J Oral Maxillofac Surg 55: 1433, 1997
18. Kim SW, Ryu HS, Kim JC: The treatment of wide alveolar cleft: Bilateral interdental osteogenesis, J Korean Soc Plast Reconstr Surg 29: 131, 2002

제18장 구순구개열의 술전 악정형술

Presurgical Orthopaedics in Cleft Lip and Palate

권순만

이 장에서는 술전 악정형술의 역사와 종류 및 장단점에 대해 알아보고, 그 중에서 가장 최근에 개발되었고 효과적인 장치로 알려진 비치조정형술(nasoalveolar molding, NAM)에 대해 집중적으로 소개하고 자 한다.

구순구개열 수술은 많은 역사적 진보가 있었음에도 불구하고 수술 결과로 인해, 환자와 그 가족들이 많은 좌절과 어려움을 겪어 왔다. 그 어려움을 줄여주기 위해 다양한 수술법이 보고 되었으며, 다른 전문가들과의 협진으로 수술전에 구순구개열의 난이도를 줄이기 위한 노력도 계속되어 왔다.

또한, 얼굴 모습과 윗 턱의 성장뿐 아니라 발음이 치료 결과 평가의 중요한 항목으로 인식되어 왔다. 그리하여, 외과수술의와 교정치과의, 그리고 언어 치료사를 포함하는 구순구개열 팀의 필요성이 현대에 들어와 많이 중요하게 여겨져 왔다. 그러므로, 구순구개열 치료 결과에 대해 예전처럼 수술의 혼자 고민하고 걱정하는 시대는 지났고, 이제는 외과수술의, 교정치과의, 언어치료사 및 다른 전문가와의 협진으로 치료 결과를 향상시키는 시대를 맞이하고 있다.

I. 술전 악정형술(presurgical infants orthopedics, PSIO)

1. 발달 배경

양측 구순구개열 치료에서 가장 어려운 난제들은 앞으로 많이 돌출된 전상악(pre-maxilla)의 처리와 정중비주(columella) 늘리기와 비첨(nasal tip)의 회복 등이다. 이런 문제점들은 따로 떨어진 문제라기 보단 전상악이 어떻게 잘 뒤로 들어가느냐에 따라서 다른 문제들도 연계되어 결과가 나타난다. 그러므로 지난 수 세기동안 외과의들은 돌출된 전상악을 뒤로 넣기 위해 많은 시도를 해 왔다. 16,17,18세기의 수술방법은 전상악을 절단하고 뒤로 이동시켜 양쪽 치조 분절과 결합하는 것이었다. 19세기에 외과의들은 전상악을 절개하면 입술이 골의 지지를 받지 못하여 상악골 열성장과 협착등 심한 부정교합을 일으킨다는 것을 알게 되었다.

그래서 좋은 수술 결과를 위해, 전상악을 보전하면서, 후방위치시키는데 초점을 두었다. 두개의 치료 철학이 발전됐다. 수술 단독법 vs 술전 악정형술 적용이다.

전상악 후방 이동을 위한 수술 방법은 vomer 골절술, vomer나 비중격 일부의 절개술, 또는 전상악 전방부 일부의 절개술, 그리고 비중격의 전층 수직 절개(full-thickness vertical incision)를 하여 근심부와 원심부의 분절들이 서로 겹치게(slide over) 하는 방법 등이다. 비록 이 방법으로 전상악의 후방 이동이라는 기본적 목적은 달성했지만, 심각한 후유증이 수반되었다. 장기간의 임상적 관찰과 동물 실험들을 통해, vomer, 전상악 그리고 비중격의 절개술은 인접 골들의 성장을 심하게 억제한다는 것이 알려졌다. 이 술식은 그 밖에도 전상악의 설측 이동으로 인한 상악 전치의 설측 경사, 기도 폐쇄, 편평한 안모(flat face)등 다른 제한 요인들이 있다.

또 다른 수술법은 입술 피부 접합술(lip adhesion)이다. 이는 한번에 양쪽의 입술 근육들을 연결할 수 없기 때문에 먼저 입술 피부만을 당겨서 연결하면, 돌출된 전상악이 후방으로 이동하므로 수개월 후에 재수술을 통하여 입술 근육들을 연결시켜주는 술식이다.

1961년에 Johnanson과 Ohlsson은 일차 골 이식전에 lip adhesion 방법에 대해 기술하였다[1]. 1964년에 Millard는 최종적인 입술 폐쇄인 rotation advancement technique을 준비하기 위하여, 구순열 분절의 상위 1/3 부위에서의 lip adhesion

방법을 보고 한 바 있다[2].1965년에 Randall은 짧고 넓은 삼각 피판(short broad triangular flaps)을 사용하여 연조직의 폐쇄가 그 하방의 골 조직을 형상화 하여, 입술의 긴장도를 감소하고, 코의 ala base를 제 위치 시킨다고 주장했다[3]. Randall은 큰 구순열 공간이 있을 때는, 필요하면 측방 입술(lateral lip)은 손실을 입혔다.

Lip adhesion 방법의 단점들은 추가적인 수술의 가능성과, 관련 조직들의 반흔, 그리고 수술 부위의 열개등이다. 그리고, 수술을 통하여 닫힌 입술의 장력이 치조 분절에 가해지는, 조절되지 않은 힘은 이 분절들이 항상 이상적인 위치에 배열되도록 하지 않아서, 빈번히 악궁의 붕괴를 야기한다[4]. 그러므로, 상악궁이 이미 수축된 경우에는 이 술식을 사용하지 않는 것이 좋다.

그리하여, 수술전에 돌출된 전상악을 고무밴드나 모자등을 이용하여 뒤로 밀어 넣으려는 초기 형태의 술전 악정형술이 자연스럽게 발달하였다.

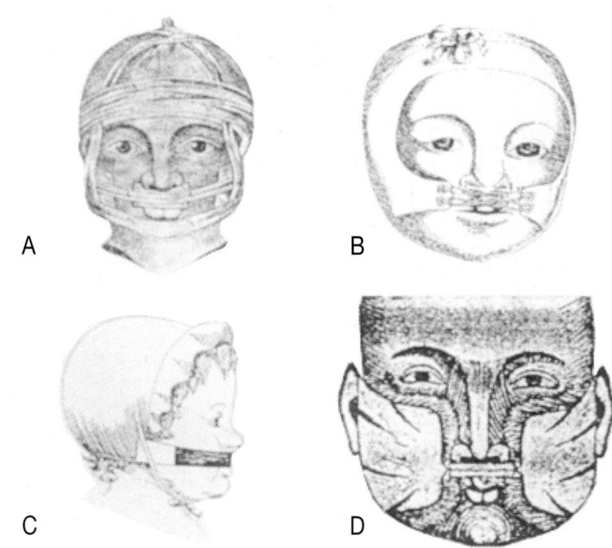

그림 18-1. 초기 술전 악정형술의 예. (A) Franco' s head cap. (B) Hoffman' s head cap. (C) Desalut' s bandage. (D) Hullihen' s strapping.

2. PSIO의 역사 및 종류

술전 유아정형술의 기원은 1500년대로 거슬러 올라가는데 양측 구순구개열에서 돌출된 전상악의 절제술이 사용되는 시기였다. 이 방식에 대한 장기간 결과에 대해 만족하지 못하여, 외과의들과 치과의들은 더 좋은 결과를 얻기 위해 새로운 방식을 연구했다.

1561년에 Franco(그림 18-1A)는 head cap을 이용한 방법을 기술했고, Hoffman(그림 18-1B)은 1686년에 이 head cap을 입술까지 연장하여 전상악에 압박을 가해서 구순열의 간격을 줄였다. 1776년에 Chaussie와 1790년에 Desalut(그림 18-1C)는 전상순(prolabium)에 bandage를 써서 역시 전상악을 압박했다. 1844년에 Hullihen(그림 18-1D)은 안면에 adhesive strapping을 사용하여 생후 1달 동안 술전에 벌어진 치조열의 간격을 닫는 것이 적절한 입술 폐쇄에 필수적이라고 믿었다. Von Bardenleben은 1868년에 bonnet과 함께 압박 붕대를 사용했으며 Thiesch는 1875년에 rubber band를 사용했다; Von Esmarch와 Kowalzig는 1892 head cap에 탄력붕대를 착용하여 이 분야의 발전에 기여했다.

1927년, Brophy는 구강내 방법으로 교정용 철사를 치조열(alveolar cleft)t에 가까운 치조골를 통하여 양 측에 지나가게 하고 wire를 천천히 조여서 양 분절이 마주 닿도록 노력하였다.

현대적인 술전 유아정형술(presurgical infant orthopedics, PSIO)은 McNeil에 의해 시작되었다. 그는 그 당시 사용되던 방법들을 사용한 후에 상악골이 제대로 자라지 못하고 상악 치열이 삐뚤어지는 것에 실망하게 되었다[5]. 그는 신생아에서 치과인상을 채득하여 석고모형을 만들었으며, 모형을 자르고 다시 붙어서 갈라진 간격을 줄일 수 있게 변형시켜서 아크릴 장치를 제작하였다. 그는 이 과정을 반복하면서 자주 장치를 변화시켜 치조열의 간격을 닫았을 뿐 아니라, 골의 성장 방향에 영향을 주어 경구개도 근접 시킬 수 있다고 주장하였다. 그는 치조열과 구개열에 대한 수술을 완전히 피할 수 있어, 연조직과 심지어 경조직도 모두 폐쇄할 수 있다고 믿었다. 그는 또한 이 방법은 발음, 수유, 연하기능을 향상시킬 뿐 아니라, 나중에 치열교정 치료의 필요성도 현저히 줄일 수 있다고 설명했다. McNeil의 과장된 주장은 이 방법에 대한 신뢰성을 손상시켰고[5]. 그 후로 이 주제를 둘러싸고 논쟁이 일어났다.

McNeil에 감동된 W.R. Burston(1958)은 그의 업적을 평가한 후에 가장 충실한 지지자의 한 사람이 되었다. 동시에 Shuchardt는 이 방법을 일차 골 이식술을 위한 방법으로 이용했다.

지난 40여 년간 많은 술전 유아정형술에 대한 다양한 방법들이 개발돼 왔다. 이 장치들은 그 분류법에 있어서 모두가 동

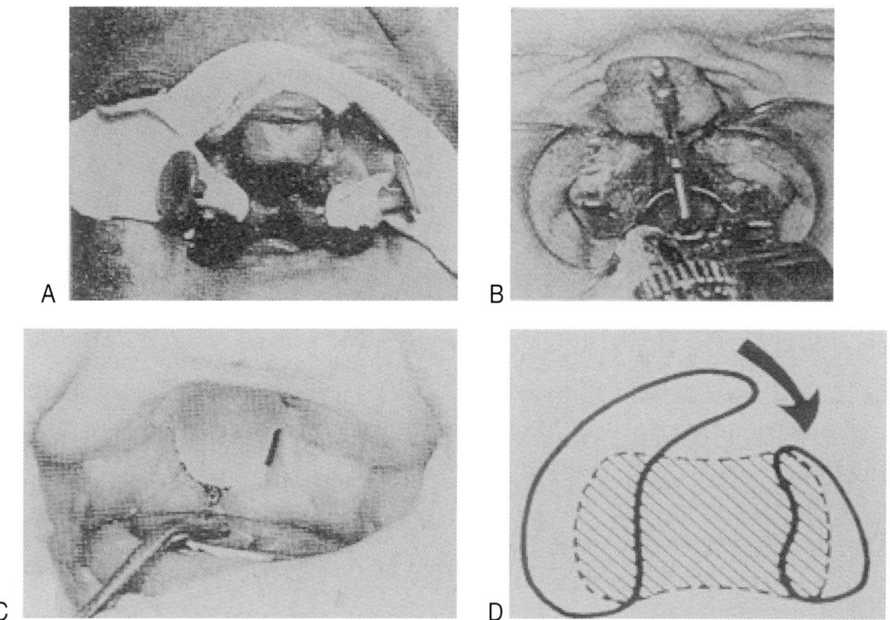

그림 18-2. 현대적인 술전 유아정형술의 예. (A) facial tapping. (B) Latham' s appliance. (C) Gnoinski' s plate. (D) Rosenstein' s obtulator.

의하는 일목요연한 분류법은 없지만, 수동적 장치 이냐 능동적 장치냐로 분류되어 왔다. Huebener와 Liu는 이 장치들은 presurgical, postsurgical, active, passive, extraoral 그리고 intraoral로 분류했다[6]. 일반적으로, 능동적 장치들은 단단하여 상악의 치조 분절들을 능동적으로 이동시켜 근접시킨다.

다른 종류의 장치는 Latham의 pin-retained variety인데(그림 18-2B), 일측성 cleft maxilla의 lesser posterior segment에 전방력을 주기 위해 고안되었다. 양측성 결함을 치료하기 위해서 그는 다른 pin-retained 장치를 사용했는데 전상악을 고무 줄로 후방 견인 하면서 후방 분절들의 폭경을 조절하였다. 이 방법에서는 치배 손상에 관한 가능성이 염려되었다.

또 다른 장치는 단단한 외부(hard outer shell)와 부드러운 내장(soft lining)을 지닌 alveolar molding plate 이다(그림 18-2C). 아크릴릭 판의 조직면을 점진적으로 변화시켜 치조제 분절을 바라는 모양과 위치로 부드럽게 성장하고 형상화된다. 이 방법은 Gnoinski[7]에 의해 기술되었다. Rosenstein, Rosenstein과 Jocobson[8] 그리고 Monroe 등 아크릴 obtulator를 치조제의 언더컷 부위까지 확장한 장치를(그림 18-2D) 고안했다[9], 이 장치는 협측 분절(buccal segment)의 내방 이동을 허용하지 않으면서 수동적 조절 작용에 의한 지속적 성장을 허용한다. 일단 분절들이 적절한 위치에 있게 되면, 조기 입술 치유와 골 이식이 수행될 수 있다. 최근에는 1993년, Grayson 등은 구순구개열 유아에서 치조골, 입술 코를 수술전에 미리 교정하여 보다 더 정상에 가깝게 만들어 놓고, 첫 번째 수술에서 입술, 코, 치조골을 한꺼번에 수술하는 방법을 기술했다[10].

3. PSIO의 장단점

1) 술전 악정형술의 장점 및 효과

가장 논란이 되는 주제는 바로 상악 성장에 관한 이 장치의 효과이다. 일차 입술수술 시기에 외과의가 gingivo-periosteoplasty를 시행한다면 그 딜레마는 더욱 복잡해진다. Ross(1987)는 구순구개열 환자들이 이 장치를 사용하거나 하지 않거나 결과적으로 안모의 성장에는 차이가 없다고 보고했다[11]. 반면에 Robertson(1983)은 한 명의 외과의사에 의해 시술 된 10년간의 연구를 통해, PSIO를 사용한 환자들이 대조군보다 더 좋은 안모의 성장을 보였다고 보고했다[12]. 이어서. Wood 와 동료들은 상악의 성장이 악정형 술식과 1차 gingivoperiosteoplasty를 시술한 환자들에서 억제되지 않았다고 했다[13]. 이런 논란을 객관적으로 평가하기는 어려운데, 그 이유는 모든 구순구개열 환자들이 장기간에 걸쳐 여러 종유의 수술을 겪게 되므로, 악정형 장치 자체만의 상악에 대한 영향을 평가하기가 어렵기 때문이다. 일반적으로, 입천장 수술 후 유증이 상악 열성장의 주된 요인으로 받아들여진다. 반면, PSIO를 사용하여 수술 후 입술의 치유에 미치는 영향에 대해, PSIO의 장점을 기술한 보고들은 없었다. 따라서, 입술에 관한 이 장치의 효과는, 상악 분절을 술전에 정상 해부학적 형태로 회복하여 주어, 1차 입술 repair가 더 적은 장력을 받도록 하는 것이 합리적일 듯하다. 즉, Ross와 MacNamara에 따르면, PSIO사용 후에, 상악 분절이 재위치 되어, 입술의 분절들이 보다 가까워지므로, 입술 수술은 더 쉬워지고, 더 적은 장력으로 정확한 repair가 가능하다고 했다[14]. 만일 이런 기전을 통해 수술 결과가 향상된다면, 이는 PSIO 술식을 받아들이는 강한 동기부여가 될 것이다.

2) 술전 악정형술의 단점 및 논란

술전 악정형술의 반대하는 대표 학자는 Pruzansky이다. 1964년, 그는 McNeil의 술전 악정형 술식에 반대하는 의견을 개재했다[4]. 그에 따르면, 입술 치료 후에는 전상악이 자발적인 재위치로 안정화되므로, 악정형 장치에 의한 조절 및 간섭의 필요가 없다고 믿었다. 최근의 이 술식에 대한 반대 학자로는 Ross와 Shaw가 있다.

일반적인 단점 및 한계에 관해 알려진 바로는, PSIO로는 상악의 성장을 증진시킬 수 없고, 교정적인 이점들은 제한적이며, 수술을 하지 않는 한. 입천장골이나 연조직의 폐쇄는 불가능하다는 점들이다. 문헌들 상의 이러한 논쟁에도 불구하고 술전 악정형술은 계속해서 널리 사용되었고, Brogan과 McComb은 이 장치를 cleft 재활팀에서 최상의 협동의 예로서 언급한 바 있다. Hotz와 동료들은 1984년에 취리히의 구개 구순열 재활 센터 32곳 중 22곳이 술전 악정형 장치를 사용했다고 보고했다. 1990년에 Asher-McDade와 Shaw는 45군데 중 40군데의 영국의 구개 구순열 팀이 이 장치를 사용한다고 보고했다. 미국에서의 공식화 되지 않은 최근 보고에 의하면, Huebener와 Marsh등은 지난 5년간 이 장치의 사용이 증가되고 있음을 보여주었다[6]. 이런 논란이 일목요연하게 정리되지 않는 주요한 이유는, 이 장치를 둘러싼 여러 가지 다양한 문제들이, 예컨대 치료방법, 수술의 시기, 표준 데이터의 부재, 여러 연령에서의 골 이식 수술등, 표준화되기 어려워서, 서로 다른 보고서들의 비교 평가가 어렵기 때문이다.

II. 비치조정형술(NAM) : 일측 구순구개열

비치조정형술(Naso-Alveolar Molding, NAM)을 이용한 일측 구순구개열의 치료에 대해 알아보기 전에 환아들이 갖고 있는 전형적인 문제점들을 먼저 살펴보자. 특징적인 문제점은 다음과 같다. 정상적인 코의 모양을 유지해주는 비익연골(alar cartilage)이 아래로 처지고 길게 일자형 내지는 심하면 S자형으로 가운데 부분이 더 처진다. 정상적인 반대편 비익연골은 뒤집어진 부드러운 V자형을 이루며 비첨(nasal tip)을 오똑하게 받쳐준다. 그리하여 비첨과 비주(columella)가 갈라진 쪽으로 기울어지면서 코 입구의 모양이 무너진다(그림 18-3A). 또한 큰 치조골 분절(larger alveolar segment)은 바깥쪽으로 회전되어 돌아가 있으며, 작은 치조골 분절(lessor alveolar segment)은 약간 안쪽으로 회전되어 있다(그림 18-3B). 종종 큰 치조골 분절이 수직으로 자라 내려오지 못해 코 입구에 맞닿아 있기도 한다. 그리고 치조골과 상순이 심한 정도에 따라 갈라져 있어 일그러진 코와 입술의 모습을 나타내준다(그림 18-3A).

NAM을 이용한 일측 구순구개열의 치료 목표는 변형된 비익연골, 비첨, 비주, 상순 및 치조골 등을 수술 전에 가능한 정상적인 해부학적 모습으로 만드는 것이다. 그리하여 외과수술의가 코 입술 봉합수술을 보다 쉽고 정확하게 해서 수술 후에 코 입술 부분이 정상에 가까운 해부학적 모습을 유지함은 물론, 수술 후 반흔과 그로인한 장력이 현저히 줄어들어 정상적인 얼굴 성장을 유도하는 것이다.

1. 인상 채득

NAM치료가 성공적이기 위해선 먼저 신생아에서 정확한 구강 내 인상을 채득하여 좋은 석고 모델을 만들어야 한다. 신생아에게서 인상을 채득하는 것이 어렵고 기도 폐쇄의 우려가 있어서 보통 전신 마취를 하였으나, 술자가 몇 가지 사항만 숙지하면 쉽게 인상을 채득할 수 있다.

첫째, 모양과 크기가 다른 여러 종류의 신생아용 인상 트레이를 준비하여 아기에게 맞는 개인용 트레이를 사용하여야 한다.

둘째, 인상 재료는 끊어지기 쉬운 알지네이트 대신에 탄성이 좋은 실리콘 러버 인상재를 사용한다.

셋째, 아기를 엎어서 얼굴이 아래로 가도록 뉘이고 아기를

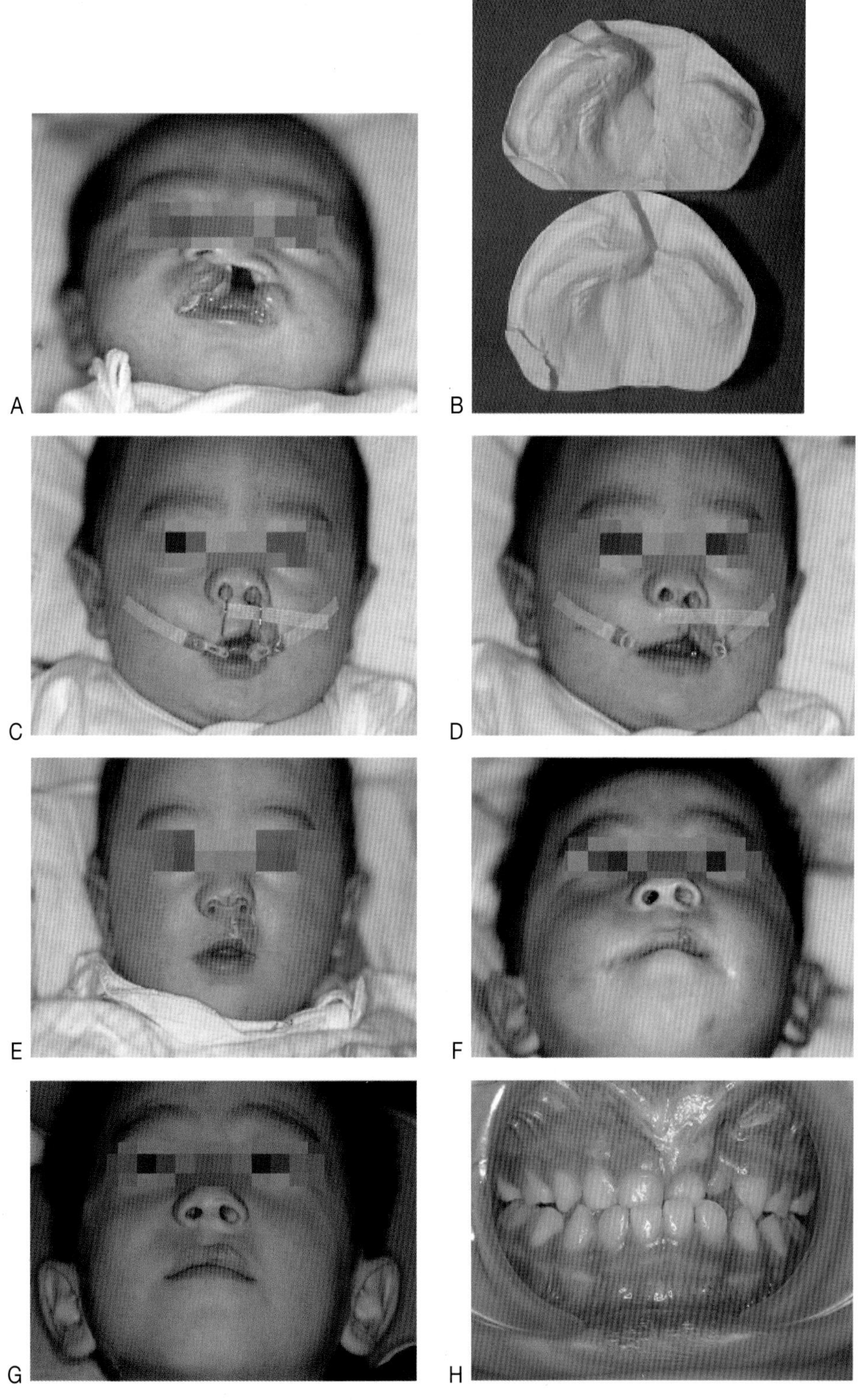

그림 18-3. 일측 구순구개열 NAM 이용 치료 케이스 (A) 초진시 모습. 생후 5주에 내원하였으며 입술이 많이 벌어지고 코의 변형을 보여준다. (B) NAM 치료 전후의 구강내 치조골 변화를 보여주는 치과 모형. (C) 생후 16주로 일차 수술 직전, 약 11주 NAM 치료 후 장치를 착용한 모습. (D) NAM 치료 11주후, 장치 제거후의 모습으로 입술이 거의 붙어 있고 코가 정상적으로 변화된 모습을 나타낸다. (E) 생후 18주, 일차 수술 2주 후의 모습. 코의 위축되는 것을 막기 위해 실리콘 코 리테이너를 사용하고 있다. (F) 생후 1돌. (G) 만 3년 3개월, 거의 정상적인 모습의 입술과 코를 보여준다. (H) 3년 3개월 후의 구강 내 모습, 약간의 전치부 반대 교합을 보여준다.

울려서 입이 벌어지도록 한다(그림 18-4).

넷째, 인상재가 구개열 안으로 또는 목젖 뒤로 너무 많이 밀려들어가지 않도록 적당량을 사용하여야 한다. 일반적으로 인상재를 너무 많이 넣어서 문제점을 더 많이 만든다.

그리고, 인상 채득 시간을 단축시키기 위해서 재료의 배합을 조절하여 인상재가 빨리 경화되도록 한다.

인상을 잘 채득하는 것도 중요하지만 그보다 더 중요한 것은 안전하게 인상을 얻는 것이다. 유아의 인상 채득에서 안전과 관련된 가장 중요한 것은 인상재에 의해 기도가 막힘으로 생기는 호흡 곤란이다. 그러므로 인상 채득하는 동안 기도 확보를 위해 반드시 미리 아기를 울려야 한다. 아기가 울어야 입을 스스로 벌려서 인상 트레이가 구강내로 잘 위치시킬 수 있으며, 또한 아기가 스스로 숨을 쉴 수가 있다. 또한 안전을 위하여 항상 구급 장비와 의사가 대기하고 있는 상태에서 인상을 채득하는 것을 권고한다.

2. NAM 장치 조절

잘 만들어진 석고 모델에서 교정용 레진을 이용하여 맞춤형 구강 내 장치를 만든다. 구강내 장치를 처음 시접하여 장치의 안정성과 접합성을 살펴본다. 먼저 구강 내 장치의 앞쪽 외면에 1-2개의 핸들을 만들고 얼굴 테이프에 연결된 고무줄을 거는 고리를 만들어야 한다. 그리고 내면은 큰 치조골 분절이 내측으로 회전할 수 있도록 적절히 삭제하여야 한다. 아울러 장치가 구강내 연조직에 닿는 부분은 항상 핑크색의 연한 레진으로 충분히 덮어주어야 연조직의 상처를 줄이거나 막아줄 수 있다.

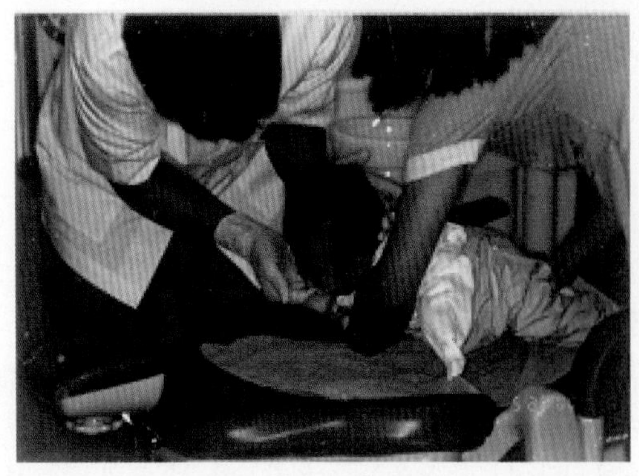

그림 18-4. 유아 인상 채득 장면. 2-3인이 필요하며 아기를 배가 아래로 가도록 눕히고 인상 채득하는 동안 계속 울려야 한다.

NAM 장치 성공의 첫 번째 고비는 아기가 구강 내 장치에 적응하여 우유를 잘 먹는 것이다. 구강 내 장치는 기본적으로 갈라진 입천장을 막아주기 때문에 수유에 도움이 되지만, 적응하기까지에는 다소 시간이 걸린다. 보통 2-3일 정도 적응하면 익숙해져서 우유를 더 많이 그리고 더 빨리 먹게 된다. 구강내 장치가 너무 길면 아기가 우유를 먹다가 토할 수 있으므로 주의를 기울여야 한다.

그리고 장치의 내면과 외면은 항상 매끄럽게 다듬어야 하며, 두께는 약 1mm 정도가 되도록 조절하여야 한다. 너무 두꺼우면 혀 운동에 지장을 주게 되고, 너무 얇으면 장치가 부러질 수 있다.

마지막으로 얼굴 테이핑을 잘 해 주어야 장치가 구강 내에 안정되게 유지될 수 있다. 장치가 구강 내에 잘 붙어있는 것은 얼굴 테이프에 연결된 약 1.5-2배 정도 늘어난 고무줄의 인장력에 의존한다(그림 18-3C, D). 장치 유지력을 구강 내 구개열 틈새를 이용하지 않기 때문에 NAM 치료 기간인 약 2-4개월간의 경구개의 자연스런 성장을 방해하지 않는 장점이 있다.

3. 구강내 치조골 교정(oral molding)

NAM 치료의 첫 단계는 먼저 구강 내 벌어진 치조골을 교정하는 것이다. 밖으로 벌어진 큰 치조골 분절을 내측으로 밀고 안쪽으로 들어간 작은 치조골 분절은 밖으로 밀도록 내면을 삭제하고 연한 레진을 첨가한다. 매 방문시마다 위와 같이 내면 삭제와 레진 참가를 적절히 하여 벌어진 치조골이 조금씩 움직이고 성장하여 양쪽이 맞닿도록 유도한다. 치조골 간격이 점차 좁아짐에 따라 벌어진 양쪽 입술간의 간격도 같이 줄어들게 된다.

첫 일주일은 장치에 적응하는 기간이므로 무리하지 않으며 아기가 우유를 잘 먹을 수 있는 정도면 된다. 시간이 지남에 따라 적응이 되어 우유를 잘 먹으므로 시간이 단축되고 먹는 양이 늘어나게 된다. 그러면서 벌어진 치조골과 입술의 간격이 현저히 줄어들어 nasal molding을 시작할 준비가 되어진다.

oral molding이 이루어지면서 술자가 결정해야할 중요한 사항은 치조골을 어느 정도까지 모아주어야 하는 것이다. 양쪽 치조골을 맞닿게 하려면 종종 상악 치조골이 하악에 비해 더 뒤에 위치하는 경우가 생긴다. 이는 나중에 위턱이 잘 자라지 못해 생기는 주걱턱 얼굴 모습을 유발하므로 가급적 피하는 것이 좋다. 그러므로 반대 교합이 되지 않는 범위 내에서 적절한 정도로 치조골을 모아 주면된다. 그러면 종종 치조골 사이에 갈라진 공간이 남게 된다(그림 18-3B). 이 공간이 약 2mm 이내이면 Dr. Millard가 주장한 GPP(gingivoperiosteoplasty)방법으로 치조골을 연결할 수 있으며, 그 이상이면 GPP를 시행하지 않고 자연스런 치조골 성장을 유도하여 혼합 치열기에서 시행하는 2차 치조골 이식술에 의해 양쪽 치조골을 연결하는 것이 좋다.

구강 내 장치가 매주 조금씩 변형되고, 또한 아기가 성장함에 따라서 종종 구강내 장치가 잘 맞지 않고 안정적이지 못 한 경우가 있다. 이때는 구강 내 인상을 다시 채득하여 잘 맞는 새로운 장치를 만들어서 사용한다. 치조골 교정은 약 4-8주가 소요 되지만, 중요한 변화는 첫 3-4주에 많이 일어난다.

4. 코 교정(nasal molding)

두 번째 단계는 코 교정이다. 현대적 방법의 술전 악정형술(PSIO)이 도입된 이래 대부분 구강내 치조골 교정에만 관심을 기울여 왔으며, 코 교정을 시작하고 완성시킨 것은 NAM 장치가 처음이다. 1990년대에 Dr. Grayson에 의해 NAM 장치가 소개된 이후 전 세계적으로 널리 퍼져 사용되고 있으며, 21세기 들어 술자는 구강내 치조골 교정보다도 코 교정의 중요성을 더 인식하고 있다. 또한 치조골 교정이 이루어지지 않으면 코 교정이 쉽게 이루어지지 않으므로, 술자는 항상 초기의 구강내 치조골 교정을 적절하게 그리고 가능한 빨리 완성하는 것이 코 교정의 성공 요인임을 숙지하고 있어야 한다.

구강 내 교정이 적절히 이루어지면 손잡이의 위치가 거의 변하지 않으므로 이제 손잡이에다 코 교정을 할 수 있는 비교정대(nasal stent)를 만들어야 한다. 비교정대는 초기에는 교정용 레진을 이용하여 만들었으나 이제는 강한 교정용 철선을 이용하므로 만들기가 쉽고 조절이 용이하다. 완성된 비교정대는 가늘고 길게 백조의 목처럼 모양이 이루어져 있다(그림 18-5A, B). 비교정대의 끝 부분은 두 개의 봉우리처럼 만들어져 있는데, 하나는 코 안쪽으로 들어가고 다른 하나는 밖에 위치하여 길게 늘어진 변형된 비익 연골을 들어 올리는 역할을 한다(그림 18-5B).

비교정대를 사용한 후에 코 교정을 도와주기 위해 입술 테이핑을 사용한다. 장력이 있는 접착성 테이프를 이용하여 큰 입술 분절을 잡아 당겨서 반대쪽 얼굴에 붙여준다(그림 18-5A). 그리하여, 입술이 당겨져서 서로 닿게 되고 기울어진 비주(columella)를 잡아 당겨서 수직으로 중앙에 모이게 유도한다. 아기가 웃거나 울을 때 테이프가 잘 떨어질 수 있으므로, 보조 테이프들을 이용하여 잘 떨어지지 않도록 주의한다. 매주 방문 시 연한 레진을 조금씩 첨삭하여 약 4-8주 후에는 늘어진 비익연골이 정상적인 모양인 뒤집어진 부드러운 V자형이 되도록 유도한다. 그리하여 결국에는 비교정대가 없어도 정상적인 코의 모양을 갖게 되면 NAM 치료는 끝나고 1차 수술준비가 완성된다(그림 18-3D).

코 교정을 시작하는 시기는 구강 내 교정이 반 이상 이루어진 상태에서 가능한 일찍 시작한다. 신생아 혈중 에스트로젠 농도가 비교적 높은 생후 약 1개월 전후에 코 교정을 시작하여야 연골의 가소성을 이용하여 삐뚤어진 비익연골의 모양을

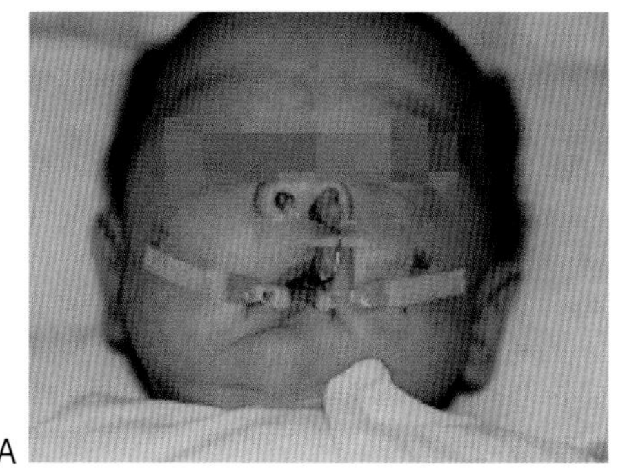
A

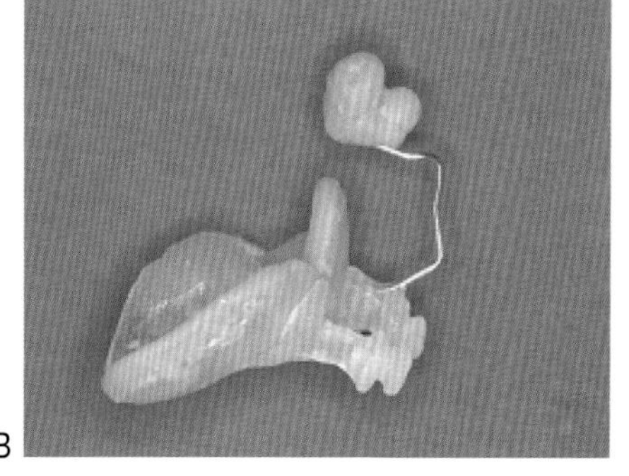
B

그림 18-5. (A) 입술 테이핑과 코 교정대에 의해 대칭적인 코의 모습을 보여준다. (B) 코 교정대의 옆 모습

최대한 정상으로 만들어줄 수 있다. 혈중 에스트로젠 농도는 생후 약 2개월이 지나면 급격히 떨어지는 것으로 알려져 있다. 그러므로 이상적으로는 생후 1-2주에 치조골 교정을 시작하고 약 2-3주후에 코 교정을 시작하여 약 10-12주에 1차 입술 수술을 하는 것이 바람직한 것으로 여겨진다.

5. NAM 장치의 특징

이번에는 NAM 장치의 독특한 특징들에 대해 알아보기로 한다.

첫째는 NAM 장치에 의해 치조골과 입술이 상당히 가까워지고 코가 정상 모습에 유사하므로 첫 수술에서 코 입술 및 치조골을 한번에 무리없이 이어주는 수술을 할 수 있다는 것이다. NAM장치를 개발한 뉴욕대 의대 성형외과 Grayson 박사팀은 첫 수술에서 GPP를 시행한 10개의 치조골중애서 60%는 혼합 치열기때 시행하는 2차 치조골 이식수술이 필요하지 않았으며, 40%의 경우에도 적은 양의 치조골 이식수술이 필요했다고 보고했다. 이는 한번의 수술로 코, 입술 및 치조골을 연결하고 입술과 코의 모양을 어려서부터 정상에 가까운 모습으로 만들어 주고, 또한 혼합 치열기 때 거의 대부분의 환아들이 받아야하는 치조골 이식수술을 60%에서 피할 수 있는 큰 장점이다. 일반적으로 2차 치조골 이식수술의 성공 여부는 사실상 치조골 결손 부위의 위치와 크기에 달려있다. 치조골 결손이 너무 넓으면 인접치아의 치근 부근까지 충분히 뼈를 심어주지 못하는 어려움이 있어 뼈 이식 수술이 항상 성공하지 못한다. 이를 감안하면 GPP후에 40% 정도에서만 2차 치조골 이식이 필요하였으며 또한 결손 부위가 매우 적어서 수술이 쉽고 항상 성공적이었다는 것은 커다란 장점이자 특징이다.

또 다른 특징은 NAM 사용 후의 구개열 폐쇄효과이다(그림 18-6). 일반적으로 구강 내 장치가 움직이지 않고 잘 붙어있도록 입천장의 갈라진 틈새에 장치를 연장하여 안정성을 얻는다. 그러나 구개열 틈새로 레진을 연장하면 구개의 내측 성장을 방해하기 때문에, NAM 장치 제작시 구강 내 안정성은 전적으로 얼굴 테이프에 연결된 고무줄의 장력에서 얻도록 한다. 최근에 20 cases의 일측 구순구개열 환아들에서 NAM을 적용하여 구개열 간격의 폐쇄 효과 및, 치조골 대분절과 소분절의 악교정 효과를 분석하여 발표하였다[26].

그림 18-7은 전형적인 NAM 치료 전과 치료 후의 결과를 나타낸 것이다. 전형적인 치료 전,후의 반응을 중첩한 그림을 통해 이 장치의 효과를 일목요연하게 볼 수 있다. 계측점을 마크하여 정량적 분석(길이 및 각도, 면적) 결과, (1) 구개 간극의 폐쇄량은 길이로는 26%, 면적으로는 42%(선형 25%)이며, (2) 대분절과 외분절의 차등적 변화, 즉, 대분절(내-후방 회전)과 소분절(전방으로 곧게 성장)의 서로 다른 성장 양상 및 (3) 구개 전체에 대한 성형효과를 얻을 수 있었다. 이와 같은 결과는 이전의 연구들이 주장한 구개열부 간격의 폐쇄가 주로 대분절 전체의 후방 굴곡으로 이루어졌다는 결과[25]와는 달리, NAM을 다룰 때 레진을 세심하게 선별적으로 삭제와 첨부하여 소분절의 전방성장을 유도할 수 있음을 보여준다. 이는 NAM 치료의 가장 최근에 밝혀진 것으로 처음부터 의도된 결과라 기보다는 장기간에 걸친 치료 경험에서 발견된 것으로 이번 연구에서 처음으로 증명된 것이다. NAM 장치에 의해 대분절과 소분절이 자연적인 성장을 방해받지 않고 오히려 자연 성장을 유도받음으로써 비교적 짧은 기간이지만 약 2-3개월에 상당한 양의 경구개열 폐쇄가 이루어짐을 알 수 있다. 그러므로 NAM 치료 효과에서 구개열 폐쇄효과를 추가할 수 있겠다.

III. 비치조정형술(NAM) : 양측 구순구개열

양측 구순구개열 치료에서 가장 어려운 점은 앞으로 돌출되거나 회전되어 있는 전상악골(prolabium)을 어떻게 구강 내로 후퇴시키냐는 것이다. 역사적으로 모든 수술외과의들은 이런 전상악골을 어떻게 구강 내로 포함시켜야할지 항상 고민하여 새로운 수술방법들을 개선해왔으며, 그것이 곧 양측 구순구개열 치료의 역사이다. 아직도 이 문제는 미완의 해결로 남아 있다. 술전 악정형술 치료에 회의적이거나 반대하는 학자들도 NAM을 이용한 양측 구순구개열 치료에 동의하는 것은 그만큼 양측성 치료의 어려움을 나타내는 단면이다. 전상악골을 구강내로 잘 넣기 위해서는 구강 내 장치를 맞추고, 내면 삭제를 충분히 하여 전상악골이 뒤로 이동할 공간을 확보한 후에 연한 레진을 첨가하여 서서히 그리고 꾸준하게 전상악골을 뒤로 밀어야 한다. 전상악골을 뒤로 미는 힘은 얼굴 테이프에 연결된 고무줄의 장력에 의해 나온다.

다른 문제점들을 좀 더 살펴보면 다음과 같다. 전상악골이 앞으로 튀어나감에 따라 비주(columella)가 거의 존재하지 않

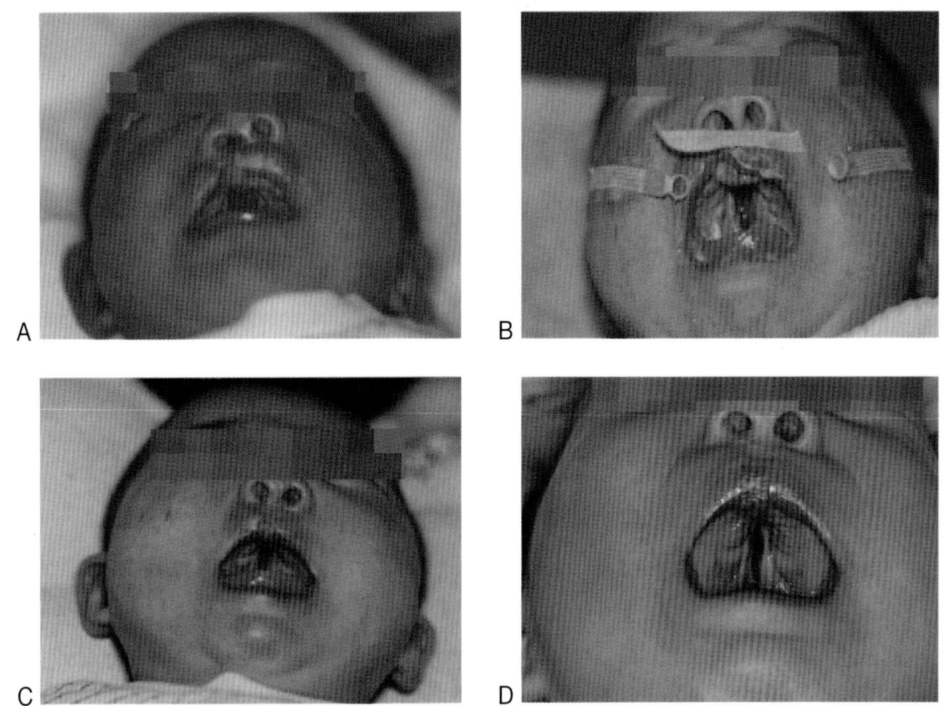

그림 18-6. 불완전 일측 구순구개열 환아의 NAM 치료 전후의 변화. (A) 초진시 모습, 생후 4주, (B) 생후 10주, 약 6주간의 NAM 치료 후 일차 수술 직전, 구개열 폐쇄를 확인 할 수 있다. 입술 테이핑으로 비주가 중앙에 위치하고 보다 대칭적인 코 모습을 보여준다. (C) 생후 15주, 일차 수술 약 4주 후의 모습으로 완전한 코의 대칭성과 구개 폐쇄가 보인다. (D) 생후 9개월, 지속적인 구개열 폐쇄가 보인다. 또한 코의 안정적인 대칭성을 유지하고 있다. 초진시 구개열의 넓이와 비교하면 거의 완전한 구개열 폐쇄 효과를 보여주며, 그리고 일차 수술 후에도 지속적인 구개열 폐쇄가 보인다.

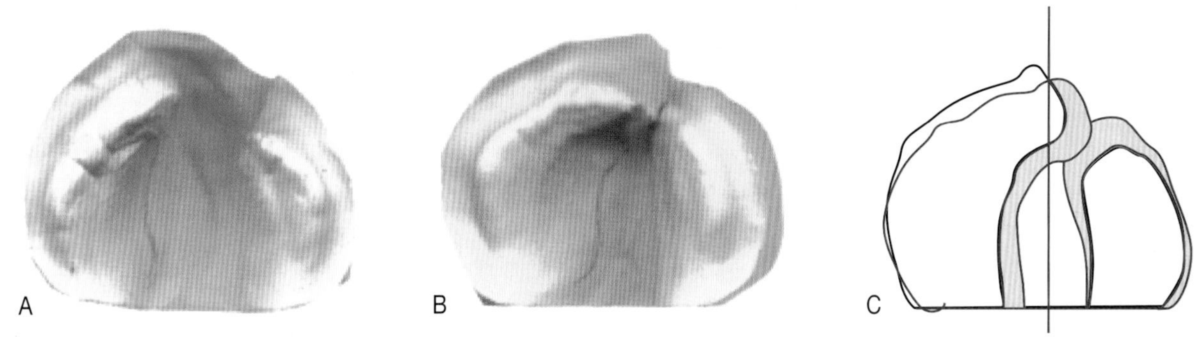

그림 18-7. NAM 치료 전과 치료 후의 결과. (A) NAM 치료 전 모형, (B) NAM 치료 후 모형, (C) 치료 전후의 중첩도(검은 선: 치료 전, 붉은 선: 치료 후)

는다. NAM과 같은 PSIO방법을 사용하지 않은 경우에는, 일차 입술 수술 후에도 비주가 거의 없고 또한 비첨이 아래로 처져있는 양측 구순열의 특징적인 모습을 나타낸다. 그리하여 보통 4-7세경에 비주 연장술을 시행하여 비주를 늘려주고 비첨을 오뚝하게 세워준다. 그러므로 양측성 NAM 치료의 가장 큰 특징 중 하나는 일차 수술 전에 비외과적인 방법으로 비주 연장술을 시행하는 것이다. 이는 연조직과 연골을 동시에 양쪽에서 잡아당기는 연조직 확장 개념(tissue expansion)으로, 가능하면 정상적인 비주의 길이인 약 3-4mm 보다 더 늘리도록 노력한다. 다른 문제점 중에서 중요한 사항은 전상순(prolabium)의 크기와 위치이다. 일반적으로 양측 구순열에서 전상순이 매우 작아서, 갈라진 좌우 입술과 연결하는데 어려움이 많게 되어 결과적으로 위 입술이 오그라들며 당겨지는 모습을 나타나게 된다. 또한 전상순이 위로 또는 좌우로 회전되어 있어서 좌우 입술과 연결하는데 어려움이 있다. 그래서 NAM 장치를 이용하여 전상악골을 올바른 위치로 모아주면(molding) 전상순도 같이 움직여서 제 위치로 이동하므로 수술시에 많은 도움을 줄 수 있다.

1. 인상 채득

인상채득에서 일반적인 사항은 앞서 기술한 일측성 NAM 치료와 같으나, 양측성 NAM 치료의 인상 채득에서 일측성과 다른 사항은 다양한 양측 구순구개열을 대변하듯이 제 각각 다른 모양의 개인 인상 트레이를 미리 갖추어야 한다. 간 태어난 신생아의 전상악골은 앞으로 또는 좌우로 돌출되거나 회전되어있어서, 한가지 형태의 트레이로 여러 다양한 형태의 양측 구순구개열 인상을 제대로 채득할 수 없다. 또한 신생아의 전상악골은 아직 뼈의 석회화가 많이 진행되지 않아 연하고 외력을 가하면 쉽게 변형이 된다.

인상 채득시 또 다른 주의 사항은 인상재를 너무 많이 넣으면, 갈라진 구개열 안으로 인상재가 밀려들어가므로 조심하여야 한다. 실리콘 러버 인상재의 배합을 적절히 조절하면 약 1분 이내에 좋은 인상을 얻을 수 있다.

인상 채득 후에 모형을 만들어야 하는데, 양측성의 경우에는 전상악골의 변형이 심해서 종종 모형을 두개 만들기 어려울 때가 있다. 그런 경우에는 먼저 만든 모형에서 다시 인상을 채득하여 두 번째 모형을 만들 수 있다. 첫 번째 모형으로 보통 Nam 장치를 만들고, 두 번째 모형은 나중에 연구 목적으로 보관하는 것이 좋다.

2. 구강 내 치조골 교정

양측 구순구개열 치료를 위한 NAM 치료의 시작은 돌출되고 삐뚤어진 전상악골을 먼저 뒤로 당기고 중앙으로 이동시키기 위해 내면 삭제를 적절하게 하여야 한다. 움직여 갈 부분의 내면을 충분히 삭제하고 반대쪽 내면에 연한 레진을 첨가하여 전상악골을 천천히 이동시킨다.

NAM 치료를 너무 늦게(생후 4주 이후) 시작하면 치조골 교정이 잘 안되고 또한 시간이 많이 걸려서 그 다음에 하는 코 교정을 할 적절한 시간을 놓치게 되어 코 교정을 충분히 할 수 없게 된다. 그래서 양측 구순구개열의 경우에 늦어도 태어난지 2-3주 내에 NAM 치료를 시작하여 약 2-3주간 치조골 교정을 한 다음에, 약 생후 4-6주에는 코 교정을 시작하는 것이 좋다. 그 후 약 8-10주 정도 계속 코 교정을 시행한 후에, 생후 약 14-18주에는 1차 수술을 행하는 것이 적절한 시나리오이다. 만약 늦게 NAM 치료를 시작한 경우에는 1차 수술 시기가 생후 약 5-6개월로 늦어질 수도 있다.

양측성 NAM 치료에서는 전상악골의 이동량이 많기 때문에 종종 장치가 잘 맞지 않고 헐거워질 때가 있다. 이럴 경우에는 인상을 다시 채득하여 새 장치를 만들어 치료를 진행하는 것이 더 좋다.

3. 코 교정

양측성 NAM 치료의 성공 여부는 코 교정을 얼마나 잘 해서 비주(columella)를 정상적인 길이인 3-4 mm 이상으로 확장시키느냐에 달려있다. 코 교정의 첫 단계는 구강내 치조골 교정에 의존한다. 즉 전상악골이 구강내로 들어가면 자연적으로 내측으로 회전되어서 튀어나간 전상순(prolabium)이 안으로 움직이면서 비주가 만들어지기 시작한다.

양측성 NAM 치료의 코 교정대(nasal stent)는 일측성의 그것과 동일하며, 양쪽으로 코 교정대를 만드는 것만 다르다. 보통 전상악골이 내측 회전되면서 뒤로 이동하기 때문에 코 입구가 매우 좁고 넓어서 코 교정대가 코 안으로 위치시키기가 처음에는 조금 어렵다. 그래서 처음엔 가능한 작게 만들어서 잘 들어가도록 유도하고 1-2주 지나면서 서서히 크게 만들어 주는 것이 좋다.

코 교정이 이루어지면서 코 입구가 넓어지고 커져서 아기가 코로 숨을 쉬는 것이 더 쉬워지고 많이 쉬게 된다. 심한 양측 구순열에서 전상악골이 돌출되고 뻗어나가면서 코 입구가 거의 존재하지 않는 것처럼 보인다. 그래서 부모들이 NAM장치에 의해 코 호흡을 잘 못하고 구강 호흡을 한다고 생각하는데, 이는 반대로 NAM 장치에 의해 코 교정이 잘 이루어지면서 오히려 코 호흡이 더 좋아지는 장점이 있다.

코 교정대가 안정되고 익숙해지면 다음 단계인 입술 테이핑으로 넘어간다. 일측성 입술 테이핑은 주로 옆으로 상순을 끌어당기는 일을 하지만, 양측성에서는 주로 전상순(prolabium)을 아래로 당겨주는 일을 한다(그림 18-8B). 주지하다시피, 양

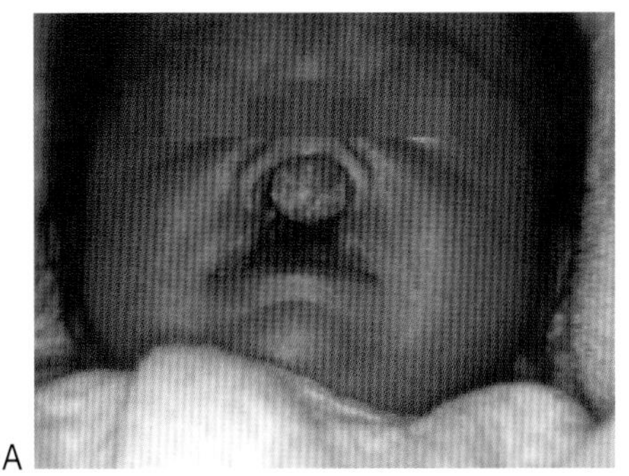

A

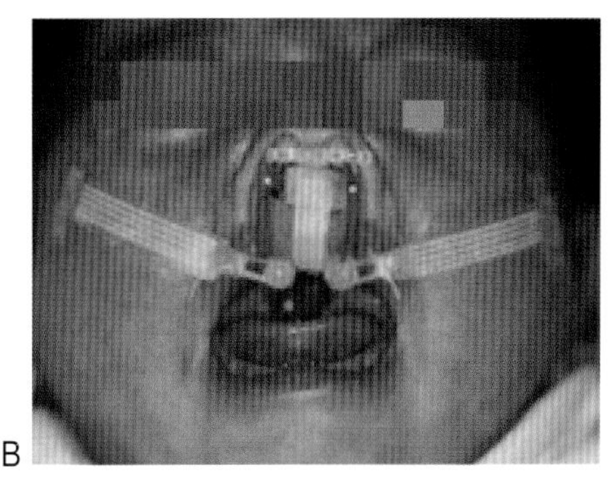

B

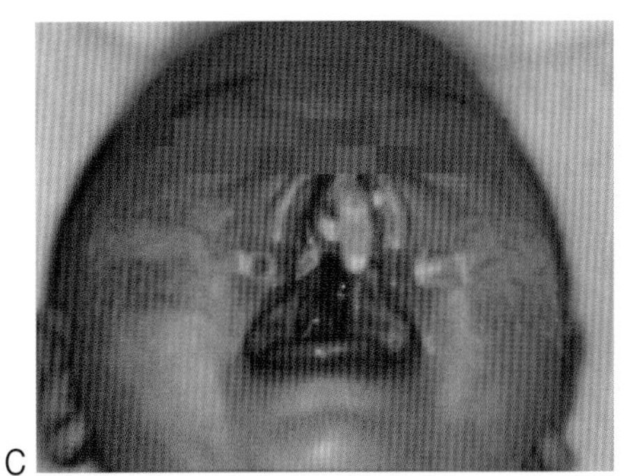

C

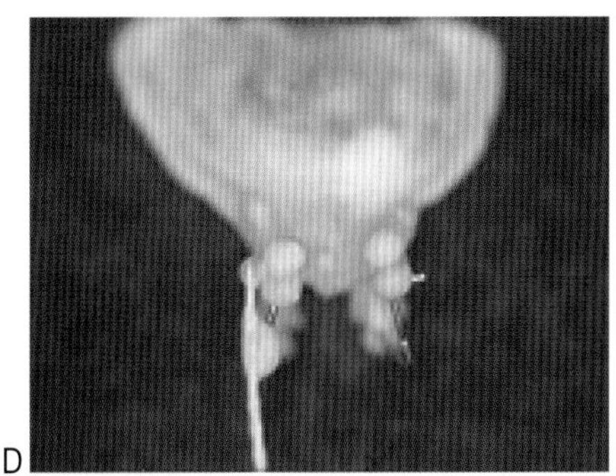

D

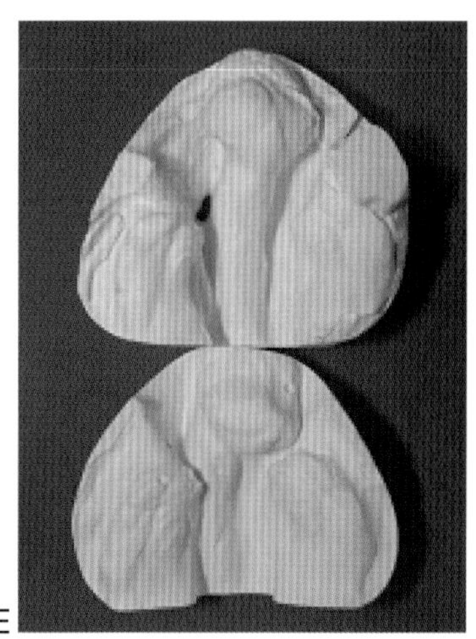

E

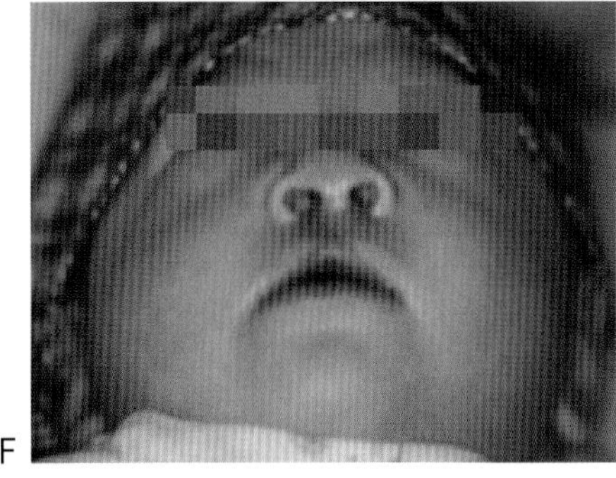

F

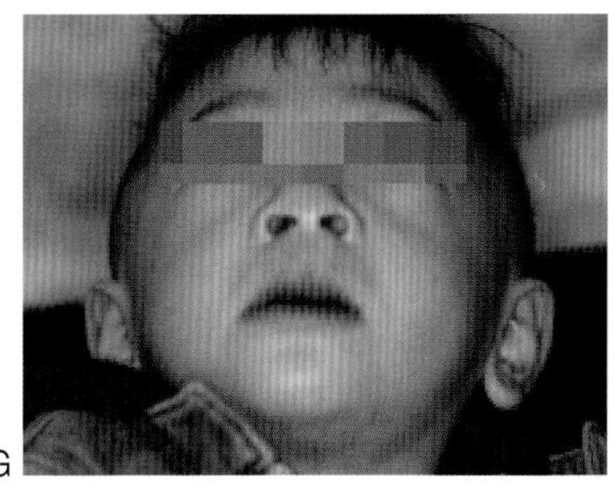

G

그림 18-8. 양측구순구개열 환아의 NAM 치료 전후의 모습 변화. (A) 생후 5주, 초진시 모습. (B) 생후 14주, NAM 치료 9주 후의 변화된 모습으로, 코교정대, 입술 테이핑 및 비주 늘리기를 시행하는 핑크 레진과 치과용 고무줄을 보여준다. (C) 생후 16주, 수술 직전 모습으로 NAM 장치가 제거된 상태이다. 구개열 폐쇄가 보이며 비주가 약 3mm 정도 늘어난 것으로 보인다. (D) NAM 장치의 상방 사진으로 비주 늘리기용 치과 고무줄이 한쪽에만 걸려있고, 구강 내 장착 시 반대쪽에 걸리면서 두꺼운 핑크 레진이 비주 아랫부분을 눌러준다. (E) NAM 치료 전후의 치과 모형. (F) 생후 6개월, 일차 수술 2개월 후의 모습으로 대칭이 된 코와 약 2mm의 비주를 보여준다. (G) 생후 21개월로 비주가 약간 줄어든 듯하나 좋은 상순과 코를 보여준다.

측구순열 아기의 전상순은 매우 작아서 양쪽 좌우 입술과 연결하기가 매우 어렵다. 또한 길이가 짧아서 인중과 비주(columella)를 잘 만들기가 어렵다. 전상순을 아래로 당겨주는 주 이유는 비주를 늘려주는 것이다. 코 교정대가 코 안으로 들어가서 비첨(nasal tip)을 위로 밀어주는 일을 하고, 입술을 아래로 당겨서 비주를 아래로 늘려주는 일을 한다.

다음 과정은 비주와 전상순의 경계부위에 핑크 레진과 치과용 고무줄을 이용하여 비주 늘리기(columella lenthening)를 도와주는 것이다. 이는 비교정대의 양쪽에 치과용 버튼을 고정시키고 고무줄을 늘려서 양쪽 버튼에 연결함으로서 고무줄에 연결된 도톰한 핑크 레진이 비주 아래 부분을 눌려줌으로써 비주 늘리기에 기여한다(그림 18-8B).

위와 같이 연조직을 위 아래로 밀고 당기고 또한 비주 아래 부분을 눌려주는 방법, 즉 연조직 확장술을 약 6-8주 정도 시행하여 비주를 비 외과적인 방법으로 정상 비주 길이인 3-4 mm로 늘려주는 것이 양측성 NAM 코 교정의 가장 중요한 목표이다.

Ⅳ. 결론

상기와 같이 구순구개열 수술 전 비치조골 교정에 대해 알아보았다. PSIO 즉 술전 유아정형술은 1950년대 이후 전 유럽을 풍미하면서 많이 사용되다가, Dr. Pruzansky로 대변되는 미국 교정 전문의의 반대에 부딪쳐 많은 논란과 토론을 거쳐 여러가지 형태의 술전 교정 장치로 거듭나면서 발전되어 왔다. PSIO 술식의 반대파들이 주장하는 논란은 상악골 성장 억제 효과와 불필요하고 가족에게 더 큰 부담을 준다는 것이었다. 그러나 많은 연구들에 의해 상악골 억제효과는 구순구개열 환자에게서 나타나는 필연적인 현상이고 특별히 PSIO를 사용하지 않은 그룹과 비교하여 별 차이가 없다고 많이 보고되어 왔다. 그리고 PSIO 술식의 장점들은 초기에 비해 많이 부각되지 못한 면이 있다. 그러나 NAM 장치는 기존의 PSIO 장치들과 달리 단점들은 버리고 장점들을 취합하였으며 특히 일차 수술을 쉽고 정확하게 할 수 있게 수술의를 도와줌으로써 보다 더 정상에 가까운 입술과 코의 모습을 유아 때부터 얻음으로써 어린이와 청소년기를 거치면서 기존의 구순구개열 아이들에 비해 아름다운 얼굴을 가지고 자라므로 본인과 가족들의 사회 적응도가 많이 향상되어 구순구개열 아이들이 사춘기를 거치면서 겪는 사회 정신적인 충격을 현저히 줄일 수 있다. 최근에는 NAM 치료의 장점들이 많이 알려지면서 NAM을 구순구개열 치료의 일반적인 치료 프로토콜로 채택하는 병원들이 늘어나는 것이 전 세계적인 추세이다. 그리고 NAM 치료가 제대로 이루어지기 위해서는 숙련된 경험 있는 교정 전문의가 구순구개열 팀의 중요한 일원으로 수술의 및 언어치료사와 수시로 상의하여 최상의 결과를 만들어야 한다. NAM 치료의 단점으로 여겨지는 가족의 부담이 늘어나는 것은 오히려 부모가 초기부터 치료에 관여하여 좋아지는 모습을 관찰하면서 정신적인 위안이 되어 가족간의 유대감이 더욱 증가한다고도 볼 수 있다.

아울러, NAM 치료의 이차적인 효과로 구개열 폐쇄 효과가 관찰되어 NAM을 이용하여야할 또 하나의 이유가 되어 앞으로 이에 대한 많은 연구가 뒤따를 것으로 예상된다.

마지막으로, NAM 치료는 구순구개열 치료에 있어서 수많은 치료법 중에서 가장 현대적이고 최근에 개발된 치료법이지만 아직도 보완하고 발전해야할 사항이 많으며 약 15-20년 후의 장기 결과들이 보고 되어 그 효과가 입증되어야 할 술식이다.

참고문헌

1. Johanson D.V, Ohlsson.A.: Bone grafting and dental orthopedics in primary and secondary cases of cleft lip and palate. Acta Chir.Scand 122:112,1961
2. Millard D.R.: Refinements in rotation-advancement cleft lip technique.Plast.Reconstrr.Surg 33:26,1964.
3. Randall P.A: lip adhesion operation in cleft lip surgery. Plast. Reconstr. Surg 35:371,1965
4. Pruzansky S.: Pre-surgical orthopedics and bone grafting for infants with cleft lip and palate: A dissent. Cleft Palate Craniofac J(1):164,1964.
5. McNeil C.K.: Orthodontic procedure in the treatment of congenital cleft palate. Dent. Record 70:126,1950.
6. Huebeber D.V., Lie J.R.: Advances in management of cleft lip and palate. Clin. Plast. Surg 20:723,1993.
7. Gnoinski W.M.: Infant Orthopedics Later Orthodontic Monitoring H.L.Morris(eds), Multidisciplinary Management of Cleft Lip and Palate. Philadelphia: Saunders 1990.P.578.
8. Rosenstein S.W., Jacobson B.N.: Early maxillary orthopedics; A sequence of events. Cleft Palate J.4:197,1967.
9. Monroe C.W., Griffith B.H., Rosenstein S.W.: The correction and preservation of arch form in complete clefts of the palate and alveolar ridge. Plast. Reconstr. Surg 41:108,1968.
10. Grayson B., Cutting C., Wood R.: Preoperative columella lengthening in bilateral cleft lip and palate, Plast Reconstr Surg 1993;92:1422-3.
11. Ross R.B.: Treatment variables affecting facial growth in complete unilateral cleft lip and palate, Cleft palate Craniofacial J. 24:5-77, 1987.
12. Robertson N.R.E.: Facial form of patients with cleft lip and

palate-The long-term influence of presurgical oral orthopedics, Br. Dent. J. 155:59-61, 1983.

13. Wood R., Grayson B.H. and Cutting C.B.: Gingivoperiosteoplasty and growth of the widface. Surg. Forum 16:229, 1993.
14. Ross R.B. and MacNamara M.C.: Effect of presurgical infant orthopedics on facial esthetics in complete bilateral cleft lip and palate. Cleft palate Craniofacial J. 31: 68-73, 1994.
15. Matsuo K., Hirose T and Tonomo T.: Nonsurgical correction of congenital auricular deformities in the early neonate: A preliminary report. Plast. Reconstr. Surg 73:38,1984.
16. Maull D, Grayson B, Cutting C, Brecht L, Bookstein F, Khorrambadi D, at al.: Long-term effects of nasoalveolar molding on three-dimensional nasal shape in unilateral clefts. Cleft Palate Craniofac J 1999;36;391-7.
17. Lee C, Grayson B, Cutting C.: The need for surgical columella lengthening and nasal width revision before the ager of boen grafting in patients with bilateral cleft lip followong presurgical nasal molding and columella lengthening. : In Program and abstracts of the 56th Annual Session of the American Cleft Palate-Craniofacial Association. Scottsdale: American Cleft Palate-Craniofacial Association;1999.
18. Sato Y, Grayson B, Barillas I, Cutting C: The effect of gingivoperiosteoplasty on the outcome of secondary alveolar bone graft. :In Program and abstracts of the 59th Annual Session of the American Cleft Palate-Craniofacial Association. Seattle: American Cleft Palate-Craniofacial Association; 2002.p.51.
19. Santiago P, Grayson B, Cutting C, Gianoutsos M, Brecht L, Kwon S. : Reduced need for alveolar bone grafting by presurgical orthopedics and primary gingivoperiosteoplasty. Cleft Palate Craniofac J 1998;35:77-80.
20. Henkel K, Gundlach K.: Millard gingivoperiosteoplasty: an alternative to osteoplasty of alveolar clefts. Mund Kiefer Gesichtschir 20026:261-5.
21. Cutting CB, Bardach J, Pang R.: A comparative study of the skin envelop of the unilateral and bilateral clefts. Cleft Palate Craniofac J 2001;38:193-8.
22. Millard Jr D, Latham R.: Improved primary surgical and dental treatment of clefts. Plast Reconstr Surg 1998;101:630-9.
23. Wood R, Grayson B, Cutting C: Gingivoperiosteoplasty and midfacial growth. Cleft Palate Craniofac J 1997;34:17-20.
24. Lee C, Grayson B, Cutting C: Unilateral cleft lip and palate patients following gingivoperiosteoplasty. : In Program and abstracts of the Annual Session of the American Association of Orthodontics and Dentofacial Orthopedics. San Diego: American Association of orthodontics and Dentofacial Orthopedics;1999.
25. Na-Young Kim, Shin-Jae Lee, Seung-Hak Baek: Effect of presurgical nasoalveolar molding(PNAM) appliance and cheiloplasty on alveolar molding of complete unilateral cleft lip and plalate patients, Korea K. Orthod 2003:33(4):235-45.
26. Soon-Man Kwon, Wha-Sung Chae: The impack of NAM on the reductionof Palatal cleft gap for UCLP : in Programs & abstracts of the 5th Asian Pacific Craniofacial Conference.

제19장 구순구개열의 치열교정치료

Orthodontic Treatment of Cleft Lip and Palate

백승학

I. 서론

1. 구순구개열 치료팀에서의 교정의사의 역할

현대교정학의 아버지인 Edward Angle은 '교정(Orthodontics)'을 치열의 부정교합을 해소하는 것이라고 정의하였고, Noyes는 악안면의 성장 발육에 대한 치열의 관계를 연구하고 성장 발육의 이상을 치료하는 것이 교정이라고 하였다. Graber는 교정의 정의에는 예방교정(preventive orthodontics), 차단교정(interceptive orthodontics), 치료교정(corrective orthodontics)이 포함되어야 한다고 하였다. 구순구개열 환자를 교정치료할 때에는 위의 모든 정의 뿐만이 아니라 악안면의 형태, 기능, 성장 발육에 대한 전문지식, 장기적인 관찰과 연구가 포함되어야 한다.

구순구개열 환자를 치료하기 위해서 교정의는 발생학, 조직학, 두경부해부학, 세포생물학, 생물통계학, 수술교정학, 치아이동역학, 두부계측 방사선사진학, 안면과 치아의 성장과 발육 등을 종합적으로 이해해야 한다.

성공적인 치료결과를 얻기 위해서 협진팀 전체의 노력(team approach)과 환자 개개인의 상태와 요구에 맞는 치료계획을 수립하고 적용하는 것이 중요하다. 따라서 교정의는 구순구개열 치료팀의 일원으로써 파열부의 봉합수술, 연조직피판(flap), 치조골이식, 치아맹출유도, 비구강누공의 폐쇄(oronasal fistula closure), 입술과 코의 2차수술, 구개부와 인두부위의 재건수술, 언어치료, 악교정수술 등의 일반적인 치료방법, 종류, 시기에 관한 이해가 필요하다. 그리고 이러한 치료가 치열궁 형태와 악안면의 성장 발육에 미치는 영향을 파악하고 있어야 한다.

심미적이고 기능적인 교합의 관점에서 좋은 치료 결과를 얻기 위해서 가장 중요한 것은 구순구개열 환자의 악안면과 치열의 성장과 발육을 이해하고 예측하는 것이다. 따라서 협진팀은 환자의 성장과 발육에 대한 평가, 예측과 치료 여부를 교정의와 상의해야 한다.

2. 교정 진단 자료

교정치료에 있어서 가장 중요한 부분은 문제의 근원을 파악해 언제, 무엇을, 어떻게 할 것인지를 결정하는 '진단과 치료계획 수립'의 단계이다. 구순구개열 환자는 일반 교정 환자들보다 복잡한 문제들을 가지고 있기 때문에 이 과정이 힘들다. 문제의 개요를 파악하는 첫 번째 과정은 자료를 채득하는 것이며, 이때 일반 교정 환자들과 다른 점은 출생 직후부터 자료를 채득해야 한다는 것이다. 발육중인 치아의 수, 상태와 위치에 관한 정보는 치료계획을 세우는데 교정의 뿐만이 아니라 협진팀의 다른 전문가들에게도 매우 중요하다.

진단과 치료계획 수립을 위해서 채득해야 하는 자료들은 다음과 같다.

1) 안면사진
2) 구강내 사진
3) 정모와 측모 두부계측 방사선사진(postero-anterior and lateral cephalometric radiograph)
4) 전악 치근단 방사선사진(full mouth periapical radiograph) 또는 파노라마 방사선사진(panoramic radiograph)
5) 기저골이 잘 표현된 상하악 석고 모형
6) 구강내 검사와 기능 검사 기록
7) 의과, 치과 기왕력

구순구개열 환자의 성장과 발육을 고려한 치료계획을 수립하는데에 있어서 정확한 상하악 석고모형의 제작과 방사선사진 분석이 중요하다.

모형제작은 치료전과 치료 단계별로 정기적으로 하는 것이 좋으며, 교합관계를 정확히 재현하도록 해야 한다. 교합평면의 기울기(canting), 안면비대칭(faical asymmetry), 개방교합(open bite) 등이 있는 구순구개열 환자들은 face-bow transfer를 통해 교합기에 mounting하는 것이 좋다. 그리고 악교정수술 증례에서는 모형수술(model surgery)에 도움이 되도록 기저골이 잘 표현되어야 한다.

두부계측 방사선사진은 그 투사도를 작성하여 전후방과 수직적인 면에서 현재의 상태를 파악하고 수술 후의 변화를 예측할 수 있기 때문에 최종 치료 계획 수립에 중요하다. 대부분의 측모 두부계측 방사선사진은 치아가 서로 접촉하고 있는 상태인 최대교두감합위(centric ccclusion)에서 찍게 된다. 두부계측 방사선사진을 정확히 찍을 수 있도록 다음 사항을 확인해야 한다.

1) 두부계측 방사선 촬영기에 머리를 정확히 위치시킨다.
2) 척추에 긴장 없이 두부가 정상적인 자세(natural head position)에 있어야 한다.
3) 방사선 초점과의 거리를 표준화해서 필름 카세트를 위치시켜야 한다.
4) 정확한 투사도 작성을 위해서 적절한 대조도를 가지도록 노출량과 시간을 조절해야 한다.
5) 방사선사진 촬영동안 안면 근육은 편안히 있도록 하고 최대교두감합위를 계속 유지하도록 한다.

정모 두부계측 방사선사진은 안면비대칭 문제를 분석하는데 필요하며, 촬영시 확인 사항은 측모 두부계측 방사선사진과 동일하다. 정면 투사도에서 안와와 비중격, 상하악 전치와 구치의 측방관계를 알 수 있지만, 연조직 분석에는 한계가 있다.

파노라마 방사선사진은 상하악 치아들의 전체적인 발육상황, 상악동과 하악지를 관찰, 평가할 수 있다. 정확한 치아의 상태를 알기 위해서는 교익 방사선사진(bitewing radiograph)이나 교합면 방사선사진(occlusal radiograph) 혹은 치근단 방사선사진(periapical radiograph)을 이용해야 한다. 악관절의 분석할 수 있는 측두하악관절 방사선사진(temporomandibular joint radiograph)도 유용하다. 그리고 3차원 CT(Computerized Tomography)와 MRI(Magnetic Resonance Imaging)는 두개악안면구조를 정확하게 재현할 수 있으므로 구순구개열환자의 치료계획을 세우는데 더 좋은 자료를 제공한다.

3. 구순구개열 환자의 교정치료와 안면성장의 이해

교정치료는 보통 성장이 끝나는 시기까지 계속되므로 구순구개열 환자의 악안면성장에 관한 정확한 지식을 가지고 있는 것이 매우 중요하다. 먼저 수술을 받지 않은 구순구개열 환자의 악안면 성장양상에 관해 알아본 다음, 수술이 악안면 성장에 미치는 영향과 특히 하악골의 성장발육에 관해 기술하고자 한다.

1) 수술을 받지 않은 구순구개열 환자의 안면성장

수술을 받지 않은 구순구개열 환자의 악안면 성장 양상은 일반 정상인과 유사하게 나타난다. 그 이유는

(1) 출생시 존재하는 기형은 성장 발육 기간중에서 일시적인 장애이며, 다른 장애가 존재하지 않는 한 성장잠재력은 정상이기 때문이다.
(2) 주위 연조직이 정상적인 기능을 수행할 때 상악골의 전방 및 측방성장은 정상범주 내에 들 수 있다.
(3) 정상적인 치조골의 기능은 자연스러운 치성보상(dental compensation)을 유도할 수 있기 때문이다.

그러나 몇가지 점에서 일반 정상인과는 다른 성장 양상을 보이게 된다.

(1) 구순구개열로 인해서 입술과 구개의 근육연결(muscle ring)이 끊어진다.
(2) 구순구개열로 인해서 상악골의 연결이 상실된다.
(3) 혀와 협근의 작용에 의해서 파열부가 넓어지지 때문에 안면 길이에 대한 안면 폭경의 비율이 크며 안와사이의 폭경도 넓어질 수 있다.
(4) 안면고경은 거의 정상이지만 일측 구순구개열에서는 이환측의 상악골 높이가 비이환측보다 약간 작다.
(5) 대개의 경우 상악골의 길이가 약간 짧거나 후방위치한 것으로 나타난다.
(6) 일측 구순구개열의 경우 상악전치부가 파열부쪽으로 경사되어 있다.
(7) 양측 구순구개열의 경우 상악전치가 과맹출(overeruption) 되어 있고 상악견치가 구개열측으로 경사되어 맹출되어 있거나 구개열내에 매복(impaction)

되어 있는 경우가 흔하다.

2) 수술을 받은 구순구개열 환자의 안면성장

구순구개열 환자는 수술 직후 안모의 심미성과 기능이 현저히 개선되지만, 수술로 인하여 여러 부위에서 성장장애가 발생하게 된다. 그 예는 아래와 같다.

(1) 구개열 봉합수술(palatoplasty) 부위에 생긴 반흔조직(scar tissue)이 상악골의 성장부위인 상악 결절(maxillary tuberosity)에 발생하면 상악골의 전방성장을 억제한다.

(2) 구개열 봉합수술(palatoplasty)에 따른 반흔 조직과 외상이 전치부에 발생하면 전치의 맹출과 상악골 전방부 치조골의 성장장애를 가져온다.

(3) 대부분의 구순구개열 환자에서 상악골의 폭경이 좁기 때문에 혀의 위치가 낮아지게 된다. 안정상태(rest)와 기능시 혀가 상악 전치부와 치조골에 정상적인 압력을 가하지 못하게 되어 상악골의 전방성장이 영향을 받게 된다.

(4) 상악골의 열성장으로 인한 전치부의 반대교합에 의하여 상악 전치와 치조골이 하악 전치의 지지를 얻지 못하게 된다. 따라서 하악골의 성장이 진행됨에 따라 상악전치와 치조골의 후퇴(retrusion)가 점진적으로 악화된다.

위와 같은 성장장애에 따라 일측 구순구개열 환자는 상악과 중안면부의 전방성장이 감소하여 후퇴되어 있으며, 전두개저에 비해 상악의 길이가 짧다. 양측 구순구개열 환자는 처음엔 상악이 전방위치하지만 시간이 지남에 따라 전방성장 감소에 의하여 후방위치하게 된다. 일측과 양측 구순구개열 환자 모두 후안면고경이 감소되어 있고 전치부나 구치부에서 반대교합이 나타날 수 있다.

3) 구순구개열 환자에 있어서 하악골의 성장발육

일반적으로 구순구개열 환자는 하악지 고경(mandibular ramus height; Go-Ar)과 하악체 장경(mandibular body length; Go-Gn)이 짧은 특징을 보인다. 그리고 하악각(gonial angle)이 둔각(obtuse)이고 하악평면이 급하게 경사져 있어서 하악골이 후하방 회전되는 경향을 띈다. 이에 의하여 하악골은 정상인에 비하여 후방위치하게 된다.

4. 치아의 명칭과 치열에 따른 시기 구분

치아는 유치와 영구치로 나눌 수 있으며, 치아의 명칭과 치열에 따른 시기 구분을 알고 있는 것이 치과 치료를 이해하는데 도움이 될 것으로 생각된다.

1) 유치

유치는 영구치가 나오기 전까지 기능을 맡아 하는 치아를 말한다. 유치의 기능은 영구치가 나오기 전까지 교합과 저작을 담당하고 영구계승치가 나올 수 있는 공간을 확보, 유지해 주는 것이다.

유치의 종류로는 유중절치, 유측절치, 유견치, 제1 유대구치, 제2 유대구치가 있으며, 편측당 5개로 총 20개가 있다. 유치는 보통 생후 6개월에 구강 내로 맹출하고, 만 2-3세 경에는 모두 맹출 한다. 때때로 유치의 맹출이 다소 빠르거나 늦어질 수도 있다(그림 19-1).

2) 영구치

영구치의 종류로는 중절치, 측절치, 견치, 제1 소구치, 제2 소구치, 제1 대구치, 제2 대구치가 있으며, 편측당 7개로 총 28개(제3 대구치는 제외함)가 있다. 영구치는 유치와 관련하여 크게 2종류로 나눌 수 있다. 첫째는 유치탈락이후 나오는 계승영구치(중절치에서 제2 소구치까지를 말한다)이고, 둘째는 제2 유구치 후방에서 나오는 제1과 제2 대구치이다.

3) 치열에 따른 시기 구분

치열에 따라 성장시기를 구분하기도 하는데 이것은 치령(dental age)과 관계하여 평가하는 것이다.

(1) 유치열기 : 유치로만 이루어진 시기로서 통상 만 6세까지의 시기이다.

(2) 혼합치열기 : 유치의 일부가 탈락하고 영구치가 일부 나오는 시기이며 대략 만 6세에서 12세까지의 시기이다.

(3) 영구치열기 : 모든 치아가 영구치로 구성된 시기이며 만 12세 이후의 시기이다.

5. 구순구개열 환자의 치아 수와 형태 이상

구순구개열 환자 치열의 대표적인 특징으로는 상악전치의

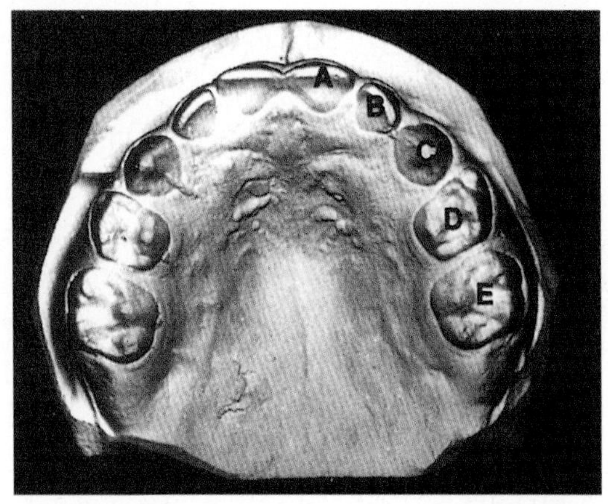

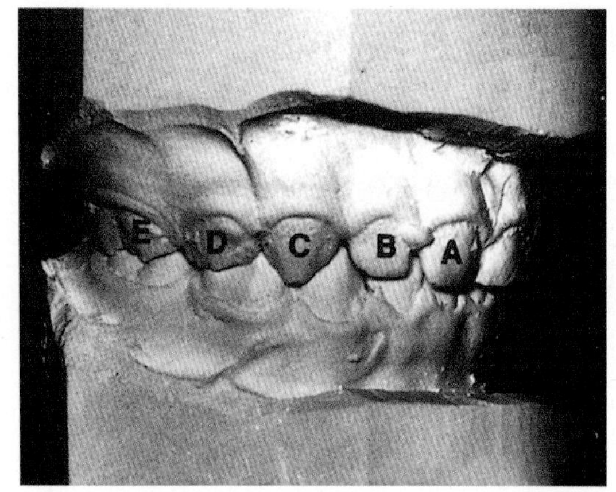

그림 19-1. 유치의 종류와 위치. 구개열이 없는 정상 어린이의 모형이며 이상적인 치아배열상태와 교합상태를 보여준다. 좌측 : 교합면쪽에서 본 상악 치열, 우측 : 측면에서 본 상하악 치열의 이상적인 교합상태. A, 유중절치; B, 유측절치; C, 유견치; D, 제1 유대구치; E, 제2 유대구치.

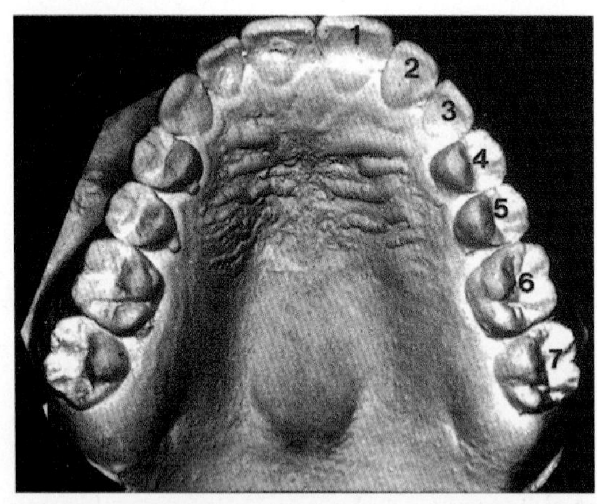

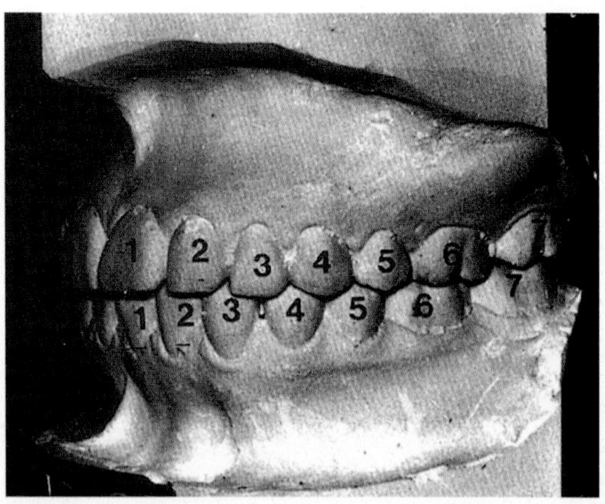

그림 19-2. 영구치의 종류와 위치. 구개열이 없는 정상 영구치열의 모형이며 이상적인 치아배열상태와 교합상태를 보여준다. 좌측 : 교합면 쪽에서 본 상악 치열, 우측 : 측면에서 본 상하악 치열의 이상적인 교합상태. 1, 중절치; 2, 측절치; 3, 견치; 4, 제1 소구치; 5, 제2 소구치; 6, 제1 대구치; 7, 제2 대구치; 제3 대구치는 사랑니라고 하며 치아 수에 포함시키지 않는다.

회전 및 총생(공간이 부족하여 치아가 겹쳐나는 것, crowding), 치아의 수, 크기와 형태 및 맹출 이상을 들 수 있다. 그런데 영구치열 뿐만이 아니라 유치열에서도 치아이상을 발견할 수 있다.

대부분의 치아의 수 이상은 상악에서 발견되며 특히 치조파열 부위와 연관되어 나타난다. 이것은 구개파열의 원인이 과잉치와 결손치의 원인과 관련이 있기 때문으로 생각되며, 치배와 치아의 발생이 태생 37일부터 일차상피띠에서 개시되는 것과 밀접한 관련이 있을 것으로 추측된다. 그러나 출생 후의 수술에 의한 치배 이상이나 치배 상실 등의 측면도 간과할 수 없는 것으로 생각된다.

1988년 3월 1일부터 1999년 2월 28일까지 서울대학교 치과병원 교정과에 내원하였던 구순구개열 환자 250 명중에서 치아의 수, 크기와 형태 및 맹출 이상을 감별하기 어려웠던 신생아 환자들을 제외한 총 241명의 환자들을 조사대상으로 연구를 진행 하였다(백과 양, 2001). 초진시 교정 챠트와 순구개열 챠트, 파노라마 방사선사진, 치과용 구강내 방사선사진, 진단용 모형을 연구재료로 사용하여 결손치, 과잉치, 매복치, 왜소치의 유무와 위치를 조사하였다. 이때 문진과 병력지를 토대로 치아의 사전 발거 유무를 판단하였으며 제3 대구치는 조사대상에서 제외하였다. 그리고 현저한 형태이상을 보인 치아의 경우는 과잉치로 판단하였다.

구순구개열 환자에서 가장 흔히 보이는 치아이상은 상악 측절치의 이상이다. 본 연구에서는 결손치, 과잉치, 매복치, 왜소치 등 측절치와 관련된 치아이상이 조사대상의 41.1%에서 발견되어 구순구개열 환자에서 측절치의 치아이상이 매우 큰 빈도로 발생함을 알 수 있었다.

구순구개열환자의 상악 측절치에서 이상이 발생하는 원인으로는 다음과 같다.

(1) 구순구개열에 의해 구강상피의 견치 전방부(precanine section)에 존재하는 치막(dental lamina)이 신장(lengthening) 되어 과잉치가 발생한다는 주장
(2) 치막(dental lamina)의 상피잔존물(epithelial remnants)에서 발생한다는 주장
(3) 구순구개열의 직접적인 영향으로 치배가 나누어져 발생된다는 주장
(4) 구순구개열로 인한 조직결손으로 측절치 치배에 대한 결합조직(mesenchymal support)이 부족해 발생된다는 주장

위와 같이 여러 가지 영향이 복합적으로 작용할 것으로 생각된다.

1) 결손치

결손치는 비교적 높은 발생빈도를 보였으며(56.8%), 한국인 정상 아동의 9.75%에서 치아결손이 있었다고 한 차등(1975)의 보고보다 높게 나타나서, 구순구개열 환자에 있어 결손치의 발생 확률이 정상인보다 높다는 선학의 보고와 일치하였다.

구순구개열 환자의 결손치 분포에 있어서 파열 인접부 이외의 부위에서 발생되는 결손치도 정상인에 비해 높은 빈도를 보이는 것으로 알려져 있으며, 상악 제2 소구치, 하악 제2 소구치, 순구개열 반대측의 상악 측절치의 순서로 빈발하는 것으로 보고된 바 있다. 그러나 아직까지 제2 소구치의 결손치 빈도가 높은 원인은 규명되지 못하였다. 본 연구의 치아별 결손양상은 상악 측절치(29.3%), 상악 제2소구치(5.8%)의 순으로 나타나(그림 19-3), 강등(1993), Ranta와 Tulensalo(1988), Olin(1964)과 같은 결과를 보였다.

구순구개열을 흔히 동반하는 Pierre Robin sequence, Van der Woude syndrome 등은 구순구개열만 있는 경우보다 결손치의 발생률이 더 높은 것으로 알려져 있다. Pierre Robin

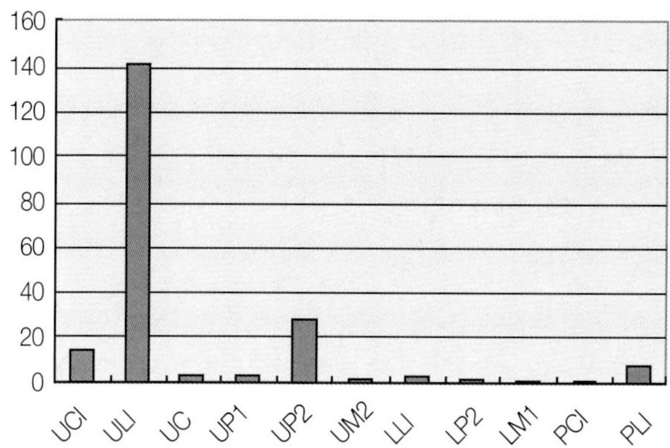

그림 19-3. 치아별 결손치 발생빈도(UCI: 상악 중절치, ULI: 상악 측절치, UC: 상악 견치, UP1: 상악 제1 소구치, UP2: 상악 제2 소구치, UM2: 상악 제2 대구치, LLI: 하악 측절치, LP2: 하악 제2 소구치, LM1: 하악 제1 대구치, PCI: 상악 유중절치, PLI: 상악 유측절치)

sequence는 50 % 이상, Van der Woude syndrome은 69 % 정도로 결손치가 발생된다는 보고가 있으며, 이것은 결손치 발생에 미치는 유전적인 영향의 중요성을 나타내는 것으로 생각된다. 그리고 Jordan 등(1966), Kraus 등(1966)은 결손치를 유발하는 원인요소와 순구개열의 원인요소가 유사하다는 보고를 한 바 있다.

순구개열 종류별 결손치의 발생률은 구순열군(47.4%)과 구개열군(43.5%)에 비해서 구순치조열군(50.0%)과 구순구개열군(62.3%)이 높게 나와서, 강등(1993)의 결과와 일치하였다. 그리고 이러한 현상은 결손치의 발생이 구순구개열의 정도가 심할수록 더 자주, 더 광범위하게 발생되는 것과 연관 지을 수 있다. 따라서 순구개열 군별 결손치의 발생률 차이는 1차 구개의 파열 여부와 결손치 발생 사이의 상관관계가 있다고 생각된다. 그리고 특이하게 구순열군, 구순치조열군, 구순구개열군에서 양측성의 결손치 발생률이 일측에 비해서 크게 나왔다(백과 양, 2001).

Kraus 등(1966)은 영구치보다 유치의 치아 결손율이 낮다고 하였는데, 본 연구결과에서 유치열 환자의 수가 적어 직접적인 비교가 어렵기는 하지만 유치의 결손율이 작게 나타났다(그림 19-3). 그리고 파열부위에 인접한 영구 측절치는 이전의 유치가 존재하였더라도 결손될 수 있다(백과 양, 2001).

2) 과잉치

과잉치는 전체의 11.2 %에서 발견되었으며, 이 수치는 강등(1993)이 보고한 26.8%에 비해서는 낮은 수치를 보였지만, 한국인 정상 아동의 2.75%에서 과잉치가 있었다고 한 차등(1975)의 보고보다 높게 나타났다. 따라서 구순구개열 환자의 과잉치 발생확률이 정상인보다 높다는 Nagai 등(1965)의 보고와 일치하였다.

부위별 발생빈도는 영구치에서는 파열부 쪽의 상악 측절치와 견치 사이(29%)에서 가장 많이 발생되었고 파열부 쪽의 상악 중절치와 상악 측절치 사이(19.4%), 좌우 상악 중절치 사이(16.1%)의 순이었으며(그림 19-4), 이것은 Swanson 등(1956)과 Kraus 등(1966)의 연구와 유사한 결과를 보였다. 유치열에서 과잉치의 발생 빈도가 더 높다는 연구보고가 있었으나, 이번 조사에서는 유치열 환자의 수가 적어 비교가 어려웠다(그림 19-4).

그리고 과잉치의 형태 연구에서 Swanson 등(1956)은 과잉치의 분화 정도가 다양하나 견치 치관을 닮은 '못 모양의 치관(pegged shaped crown)'이 일반적이라고 하였다. 그리고 Kraus 등(1966)은 치조 파열부의 근심측 과잉치는 전형적인 절치 형태를 띠나, 원심측 과잉치는 오히려 견치 형태와 더 유사하다고 하였다.

유치열에서 과잉치는 파열부 쪽의 상악 측절치와 견치사이(12.9%)에서 가장 많이 발생되었고 좌우 상악 중절치 사이(9.7%), 파열부 쪽의 상악 중절치와 상악 측절치 사이(3.2%)의 순이었다(그림 19-4).

순구개열 종류별 과잉치의 발생률은 구순열군(21.1%), 구순치조열군(14.6%), 구개열군(13.0%), 구순구개열군(8.6%)의 순이었다. Nagai 등(1965)은 불완전 구개열이 완전 구개열보다 과잉치 빈도가 높다고 하였는데, 본 연구에서도 구순치조열의 발생률(14.6%)이 구순구개열(8.6%) 보다 높게 나타나 동일한 결과를 보였다. 한국인 순구개열 환자의 과잉치 발생률에 관한 연구에서 강등(1993)은 양측순구개열, 일측순구개열, 구개열 순이었다고 하였으나, 본 연구에서는 구순열과 구순치조열이 구개열과 구순구개열에 비하여 높게 나타나서 구개파열의 정도가 클수록 과잉치의 발생률이 떨어지는 것으로 생각된다(백과 양, 2001).

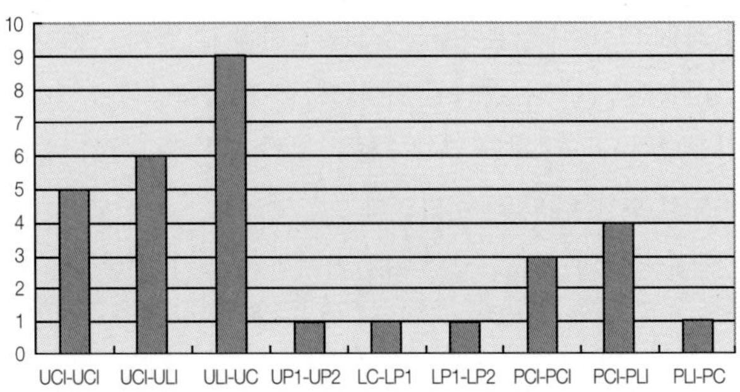

그림 19-4. 장소별 과잉치 발생빈도(UCI-UCI : 좌우 상악 중절치 사이, UCI-ULI : 동측 상악 중절치와 측절치 사이, ULI-UC : 동측 상악 측절치와 견치 사이, UP1-UP2 : 동측 상악 제 1, 2 소구치 사이, LC-LP1 : 동측 하악 견치와 제 1 소구치 사이, LP1-LP2 : 동측 하악 제 1, 2 소구치 사이, PCI-PCI : 좌우 상악 유중절치 사이, PCI-PLI : 동측 상악 유중절치와 유측절치 사이, PLI-PC : 동측 상악 유측절치와 유견치 사이)

3) 매복치

구순구개열 환자에서는 영구치의 형성과 맹출 시기가 정상인보다 늦어지며, 파열의 정도가 심할수록 지연되는 정도도 심해지는 것으로 알려져 있다. 그리고 결손치의 수가 많을수록 영구치의 형성과 맹출 시기가 더욱 지연된다는 보고도 있다.

영구치의 형성과 맹출이 지연되는 원인은 결손치의 발생 원인과 같으며, 치아의 형성 지연과 맹출 지연은 결손치 발생의 가벼운 형태라는 주장도 있다. 이에 비하여 유치의 형성과 맹출은 순구개열 환자와 정상군 사이에 유의할 차이가 없다고 보고되었다. 따라서 순구개열이 영구치의 맹출력에 영향을 미치는 것으로 생각되며, 이는 매복치의 발생과도 연관지을 수 있다.

조사대상 구개구순열 환자의 18.3% 에서 매복치가 관찰되었으며, 치아별 발생빈도는 상악 측절치(30%)와 상악 견치(27%)가 가장 많았고, 상악 제2 소구치(16%)와 상악 중절치(16%), 상악 제2 대구치(7%), 하악 제2 소구치(4%)의 순으로 감소하였다(그림 19-5). 따라서 파열부에 인접한 치아들이 직접적인 영향을 받는 것으로 나타났다(백과 양, 2001). 종류별 분포에서 특이하게도 구순열군에서 발생률이 31.6%로 가장 높게 나왔고, 구순구개열군(20.5%), 구개열군(17.4%), 구순치조열군(6.3%)의 순으로 낮게 나와서, 치배의 형성 위치 이상이 맹출 장애에 영향을 주는 것으로 생각 된다(백과 양, 2001). 이 점과 연관하여 구순구개열이 치아형성과 맹출력에 미치는

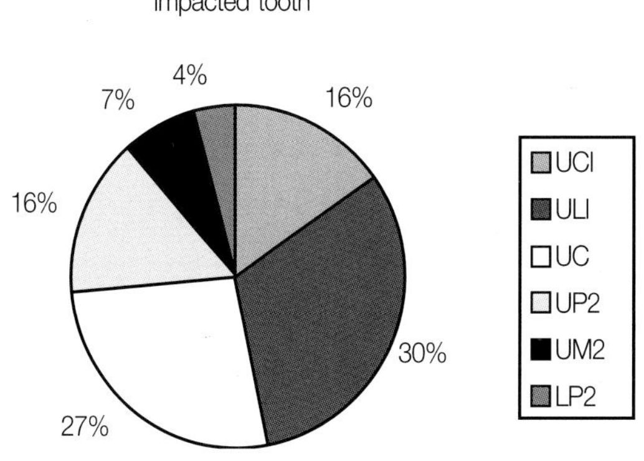

그림 19-5. 치아별 매복치 발생률 (UCI: 상악 중절치, ULI: 상악 측절치, UC: 상악 견치, UP2: 상악 제2 소구치, UM2: 상악 제2 대구치, LP2: 하악 제2 소구치)

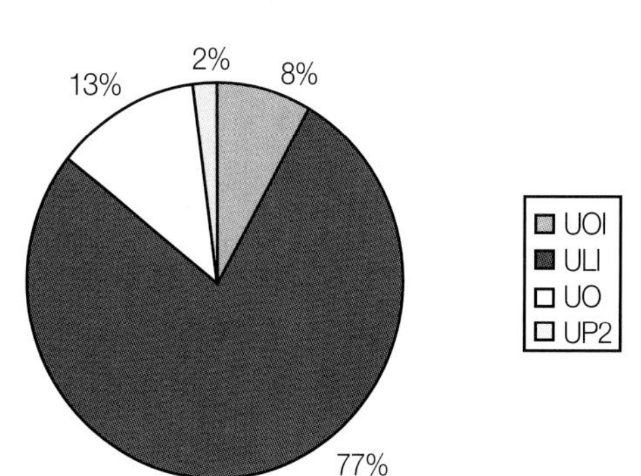

그림 19-6. 치아별 상대적 왜소치 발생률 (UCI: 상악 중절치, ULI: 상악 측절치, UC: 상악 견치, UP2: 상악 제2 소구치)

영향에 관한 연구가 필요하다고 여겨진다.

4) 왜소치

Kraus 등(1966), Olin(1964)은 파열부 근처의 치아가 형태나 크기 이상을 보이는 경우가 많다고 하였으며, Hellquist 등(1979)은 구순구개열 부위에서 상악 측절치는 6.2%, 상악 중절치는 44%만이 정상적인 형태와 크기를 보였다고 하였다. 구순구개열 환자의 치아크기 연구에서 Sofaer(1979), Foster와 Lavelle(1971)은 구순구개열 환자에서 정상인보다 치아크기가 작은 경향이 있음을 보고하였으며, Adams와 Niswander(1967), 복과 손(1995)은 일측 구순구개열의 경우 이환측의 치아가 비이환측의 치아보다 작은 경향이 있음을 보고하였다.

왜소치는 전체의 15.8%에서 발견되었으며, 치아별 발생빈도는 상악 측절치(77%)에서 가장 많았으며 상악 견치(13%), 상악 중절치(8%), 상악 제2 소구치(2%)의 순으로 나타나(백과 양, 2001)(그림 19-6) 선학들의 연구와 일치되는 결과를 보였다.

구순구개열 종류별 왜소치 발생률을 살펴보면 구순치조열(20.8%)과 구순구개열(17.9%)이 구순열(5.3%)과 구개열군(0%)에 비해서 많게 나타났다. 이러한 현상은 1차 구개 파열이 발생하지 않을수록 치조골 내에 위치하는 치배에 영향을 주는 경우가 작아지게 됨으로써 왜소치의 발생률이 떨어지기 때문으로 생각된다(백과 양, 2001).

6. 구순구개열 환자의 구강위생 관리

구순구개열 환자의 유치와 영구치의 위생 관리는 매우 중요하다. 구순구개열 환자의 치아는 법랑질이나 상아질 형성부전, 치관형태 이상, 위치이상을 가지고 있는 경우가 많으므로, 다른 아이들보다 치아 우식증이나 치주염이 생길 확률이 높다. 치아 우식증이나 치주염으로 인한 유치나 영구치의 조기 상실은 교정치료나 악교정수술 및 보철치료를 어렵게 만들기 때문에, 치아가 나오자마자 구강위생 관리가 시작되어야 한다.

1) 치태(플라그)의 제거

침에서 유래된 끈적끈적하고 무색인 치태(플라그)가 치아에 붙게 되고, 식사 후 남은 음식찌꺼기가 이것에 붙게 된다. 이때 박테리아가 치태 내에 들어와 당과 녹말을 분해하면서 치아의 법랑질을 용해하는 산을 만들고 이것에 의해 치아의 표면에 와동(cavity)이 생기게 된다. 이것을 치아 우식증(dental caries)이라고 한다. 일단 우식증이 치아의 법랑질(enamel)을 뚫으면 부드러운 상아질(dentin)과 치수(pulp; 치아 내부의 신경과 혈관 조직)를 향해 계속해서 치아내부로 진행되고, 치수와 치근첨(root apex)에 통증이 심한 농양을 일으킬 수 있다.

아이가 설탕이 들어있는 우유나 다른 음료를 마시다 잠든 경우가 자주 반복되거나 오랫동안 지속되면, 치아전체에 치아우식증이 유발되며 이것을 '다발성 치아우식증' 혹은 '우유병 우식증' 이라고 부른다(그림 19-7). 따라서 매 식사 후 어린이 치약과 끝이 둥근 모를 가진 부드러운 칫솔을 사용하여 잇솔질을 해야 한다. 그리고 칫솔은 매 석달 또는 넉달마다 교체하는 것이 좋다. 아이가 만 2-3살이 되면 대개 유치가 다 나오게 되므로 치아 우식증과 치아상실을 방지하기 위해서 매 6개월마다 치과 검진을 받아야 한다.

2) 치실로 닦기(Dental flossing)

치아사이와 잇몸과 치아 사이에 있는 치태는 칫솔로 쉽게 제거되지 않는다. 이 부분의 치태는 치실(dental floss)을 사용하여 제거하는 것이 좋다(그림 19-8).

3) 불소(Fluoride)

불소는 치아의 재석회화를 촉진하고 탈회를 억제하며 산에 대한 용해도를 낮추고 미생물의 증식을 억제하여 치아 우식증의 진행을 막는다. 불소를 사용하는 법은 불소가 함유된 치약, 불소 용액 양치, 불소 도포법, 상수도 불소농도조절법 등이 있다(그림 19-9).

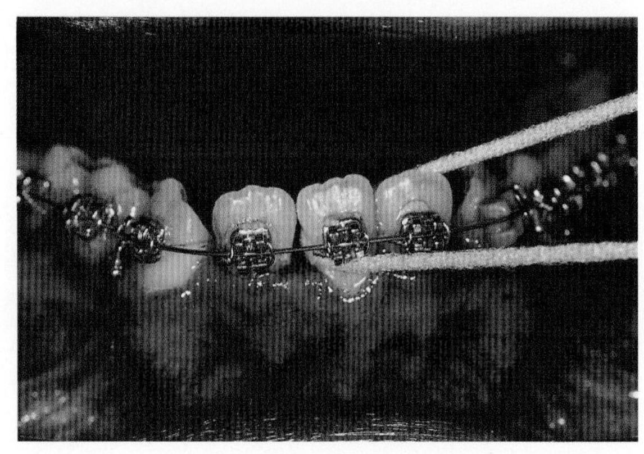

그림 19-8. 치실(dental floss)사용의 예

4) 치면열구전색(Sealants)

치아에서 음식을 씹는 면을 교합면(occlusal surface)이라고 하는데 이 부분에는 치면열구(pit and fissure; 가는 홈)이 있다. 여기에 치태와 박테리아가 끼게 되면 쉽게 충치가 생기게

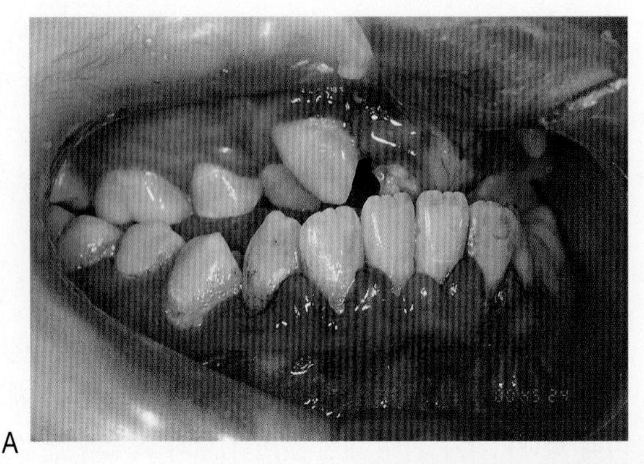

A

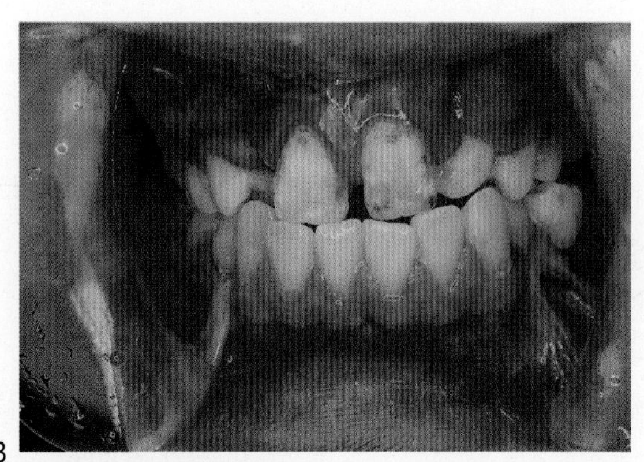

B

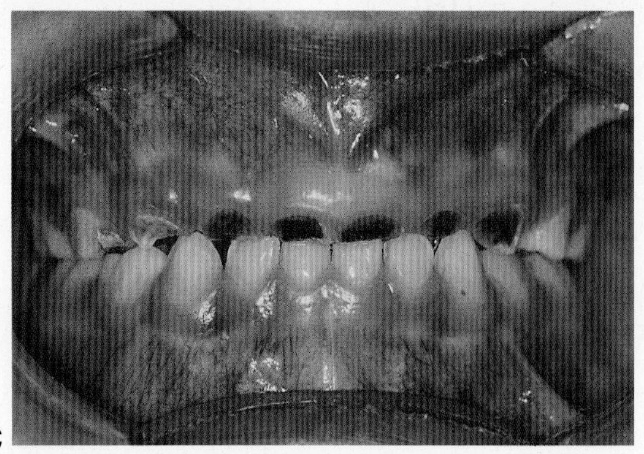

C

그림 19-7. (A) 치태(플라그)에 의하여 잇몸에 염증이 있다. (B) 법랑질 형성부전. (C) 다발성 치아우식증

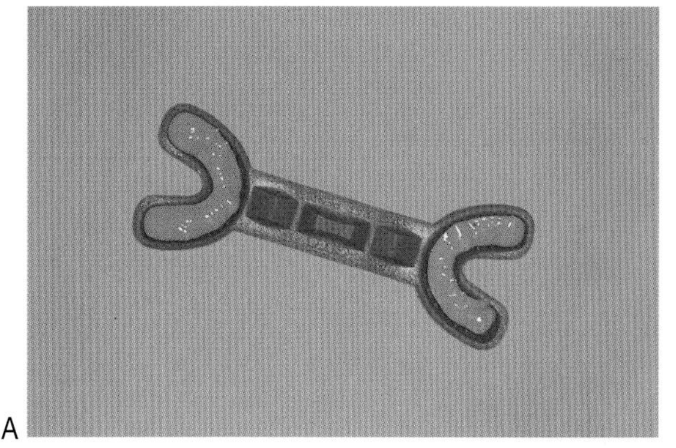
A

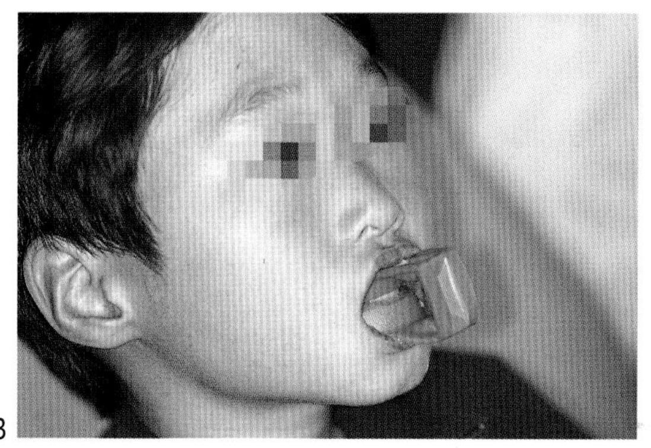
B

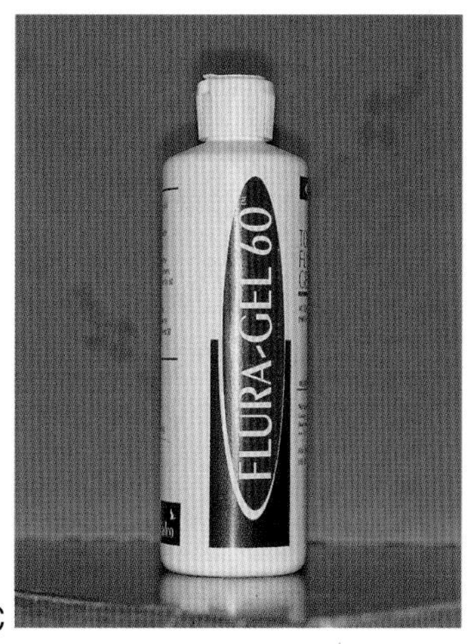

C

그림 19-9. 불소도포법. (A) 불소를 담은 트레이, (B) 불소를 도포하는 모습, (C) 불소도포용액.

된다. 따라서 홈을 얇은 플라스틱 막(전색제, sealant)으로 메워주면 음식물이나 치태가 법랑질을 뚫거나 파괴시키는 것을 막아줄 수 있다(그림 19-10). 이 방법을 '치면열구전색'이라고 하며, 15세까지의 아동을 대상으로 시행하는데 2년마다 전색제를 교체하기도 한다.

5) 교정 장치를 사용하는 경우의 구강위생관리

교정 장치를 장착하였을 때 피해야 할 음식으로는 얼음, 땅콩, 캬라멜, 사과, 생야채, 깍두기, 갈비 등과 같은 딱딱하거나 끈적끈적한 음식과 설탕이 많이 든 음료수와 음식등을 들 수 있다. 이러한 음식들은 교정장치를 탈락시키거나, 교정용

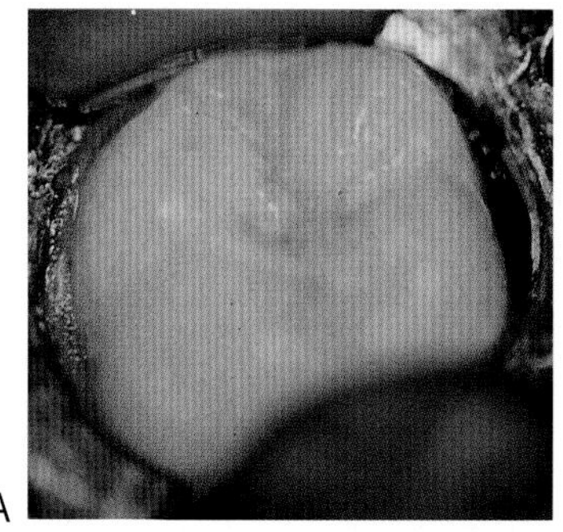
A

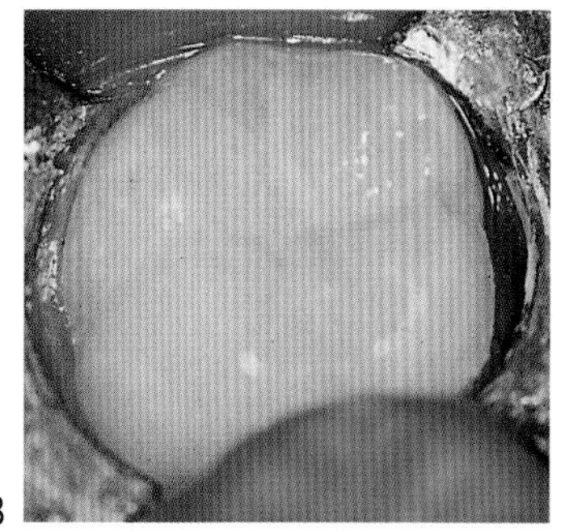
B

그림 19-10. 치면열구전색. (A) 치면열구전색 전 사진으로 교합면에서 열구(pit and fissure)를 볼 수 있다. (B) 치면열구전색 후 열구(pit and fissure)부위가 전색제(sealant)로 메워진 것을 확인할 수 있다.

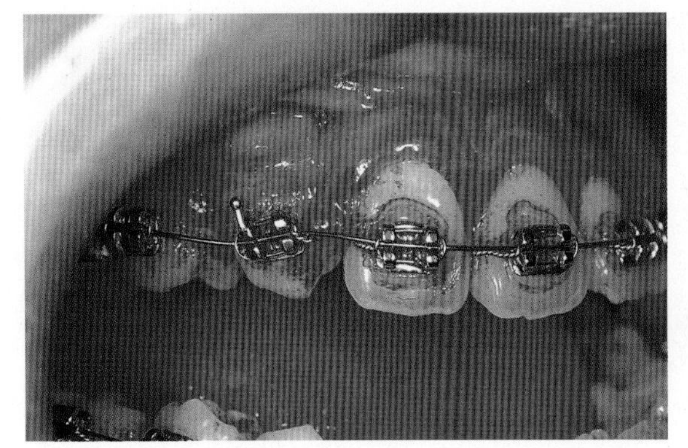

그림 19-11. 교정장치주위에 침착된 치태(플라그)를 착색제(붉은 색)를 사용하여 확인할 수 있다.

wire를 끊어지게 하며, 교정장치와 치아 접착부위에 쉽게 달라붙어 치아우식증을 더 잘 유발할 수 있다(그림 19-11).

교정 전용칫솔과 워터픽(water pik)과 같이 물로 헹구는 장치를 사용하여 잇솔질을 하는 것이 효율적이다. 그리고 교정장치 장착 후 잇솔질이 익숙해질 때까지는 약국에서 치태 착색용액을 사서 이를 닦은 후에 남아 있는 치태를 염색시켜 다시 닦는 것이 필요하다(그림 19-12).

II. 본론

1. 구순구개열 환자의 치료가 장기화되는 이유

구순구개열 환자의 치료는 시간이 많이 걸리고 여러 치료단계와 여러 분야의 전문가를 필요로 한다. 이처럼 치료가 장기화되는 이유로는

1) 출생 직후 병원에 내원하게 되고,
2) 성장잠재력을 이용하기 위하여 조기치료가 필수적이며,
3) 수술 후 발생하는 반흔 조직이 상악의 성장 장애를 야기하고(그림 19-13),
4) 사춘기 이후 하악골의 잔여 성장에 의하여 상하악의 관계가 변화될 가능성이 있기 때문이다(그림 19-14).

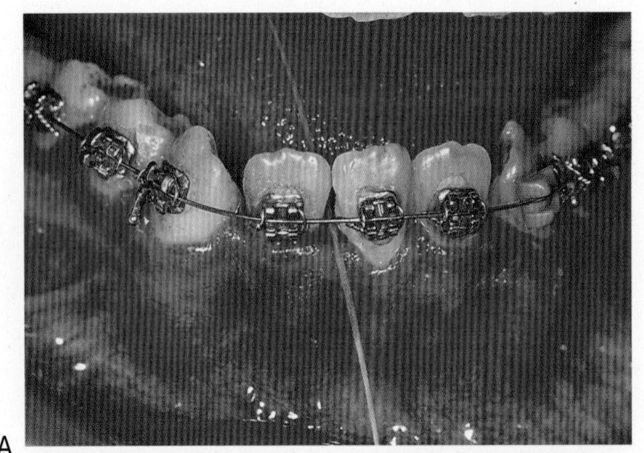

A

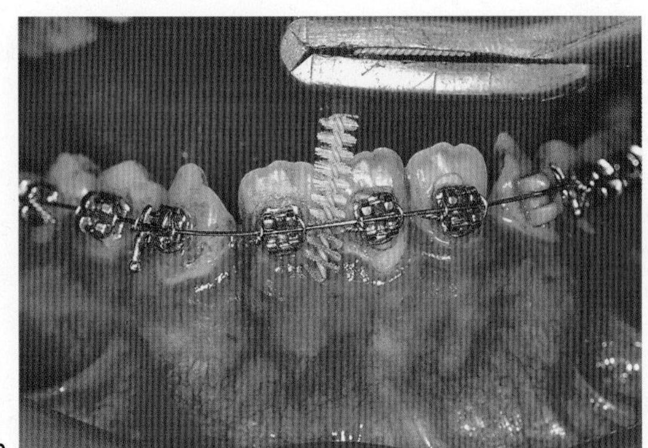

B

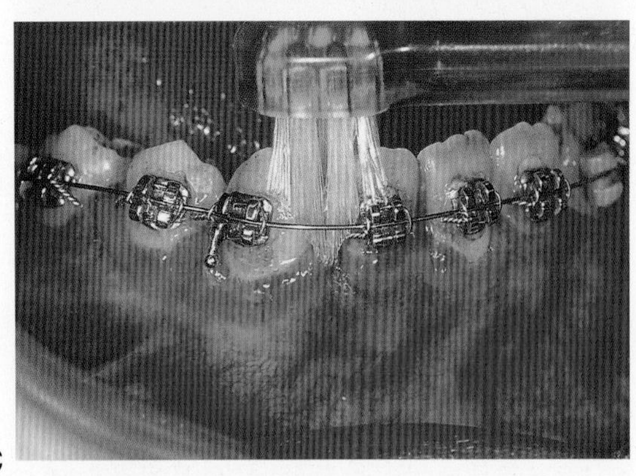

C

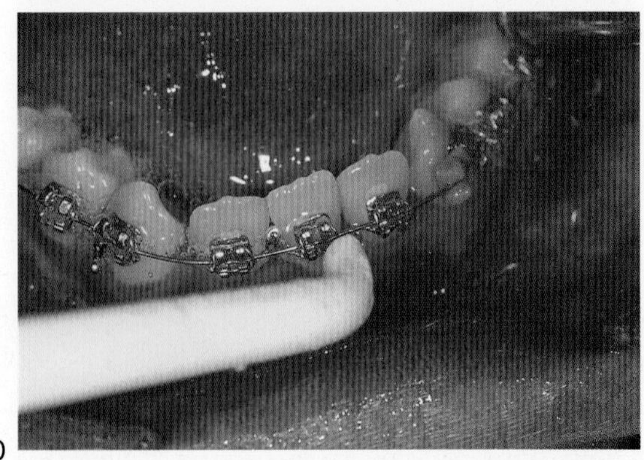

D

그림 19-12. 교정치료 중 구강위생관리 방법. (A) 치실의 사용예, (B) 치간치솔의 사용예, (C) 교정 전용 치솔의 사용예, (D) 워터픽의 사용예

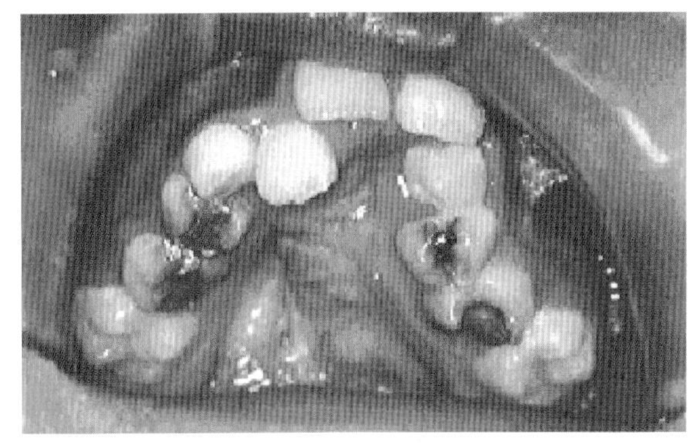

그림 19-13. 구개열 봉합수술 후 발생하는 반흔조직에 의해 상악의 협착이 발생된다.

장기간에 걸친 치료를 받았음에도 불구하고 그 치료 결과가 불만족스러운 경우도 많이 볼 수 있는데 그 이유는 내부적 요인과 외부적 요인으로 나눌 수 있다. 내부적 요인으로는 조직 결손과 갈라진 구개분절의 위치변동 등을 들 수 있다. 외부적인 요인으로는 부적절한 수술시기와 방법, 협진 체계의 미확립 등을 들 수 있다.

2. 구순구개열 환자의 치과적 문제점과 해결

구순구개열은 치아 발육, 치열, 외모, 발음과 저작에 영향을 끼친다. 구순구개열 환자의 치과적 문제점으로는 파열부의 조직 결손(그림 19-15), 갈라진 구개 분절의 위치 변동, 파열부에 인접한 치조골의 성장장애, 치아 수와 형태이상(그림 19-16), 치아의 회전과 경사 및 맹출장애(그림 19-17), 상악골 협착에 의한 전치부와 구치부에서의 교합장애나 반대교합(그

A B C D E F

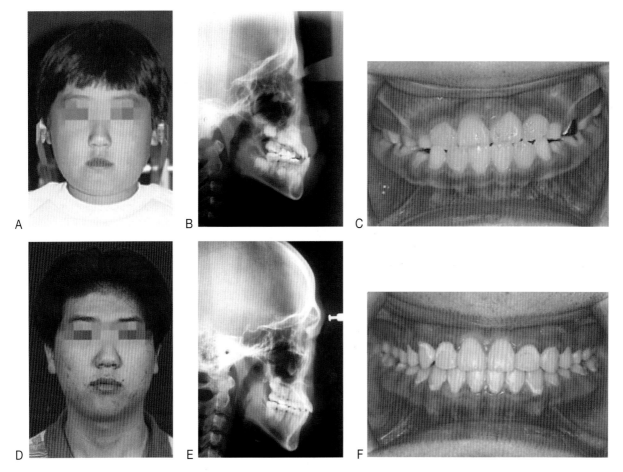

그림 19-14. 구개열 환자로서 사춘기 이후 하악골의 잔여 성장에 의하여 상하악의 전후방관계가 변화되어 치료기간이 장기화된 증례이다. (A~C) 치료 개시기의 얼굴사진과 측모 두부계측 방사선사진 및 구강내 사진 소견에서 경미한 전치부 반대교합을 보인다. (D~F) 치료 종료까지 8년 6개월이 소요되었으며 전치부 반대교합이 개선되었다.

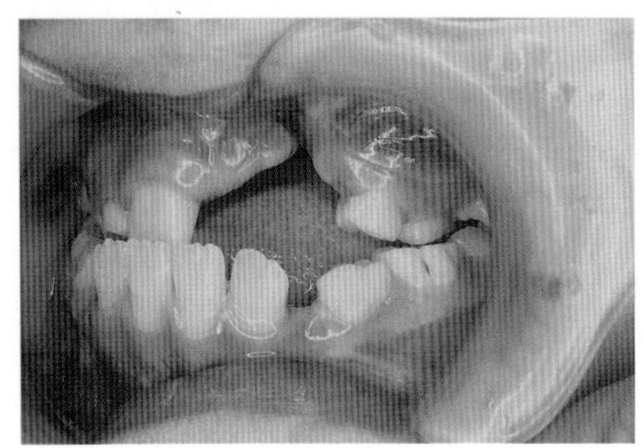

그림 19-15. 파열부에서 치조골의 조직 결손을 볼 수 있다.

림 19-18), 혀의 위치 변화에 따른 하악골 형태 변화(그림 19-19), 상악골의 전방과 측방 성장 장애(그림 19-20) 등을 들 수 있다.

전치부와 구치부의 반대교합은 교합간섭(occlusal interference)에 의한 하악골의 기능적인 변위(functional shifting)를 야기할 수 있다. 그리고 치아의 맹출여부, 맹출방향과 위치는 치조골의 정상적인 발달에 매우 중요하다. 따라서 유치열기에 전치부의 반대교합을 해소시켜서 정상적인 교합을 유지해주는 것이 상악골의 전방 성장에 중요한 역할을 한다.

구순구개열 환자는 상악골의 전방 성장 결핍에 의한 III급 부정교합의 발생 비율이 높다고 알려져 있다. 유형별에 따른 III급 부정교합의 발생 확률에 관한 통계연구결과에서 구순열군(cleft lip group)에 비해서 구개열군(cleft palate group)은 3.9배, 구순구개열군(cleft lip and palate group)은 5.5배가 높다($p < 0.01$)(Baek et al., 2001). 즉 구개가 파열부에 포함될수록, 조직 결핍의 양이 많을수록, 수술시의 외상과 반흔조직의

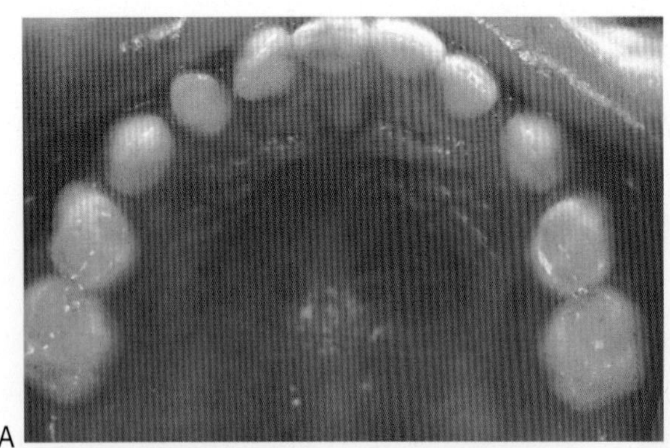

A

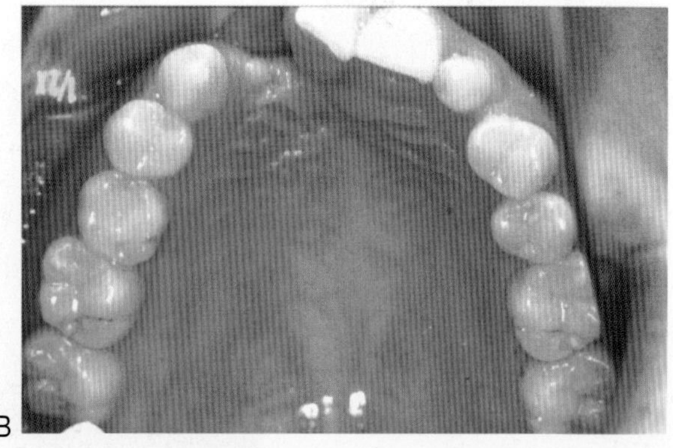

B

그림 19-16. 파열부에 인접한 유치에서는 과잉치가 많이 관찰되고, 영구치에서는 결손치가 많이 발견된다. (A) 우측 유측절치의 과잉치, (B) 우측 영구 측절치의 결손.

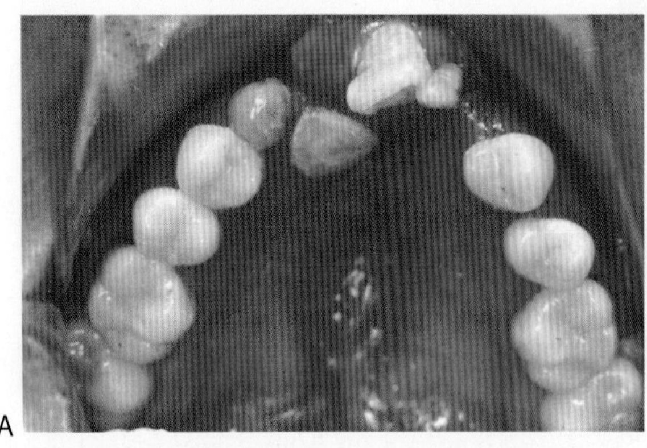

A

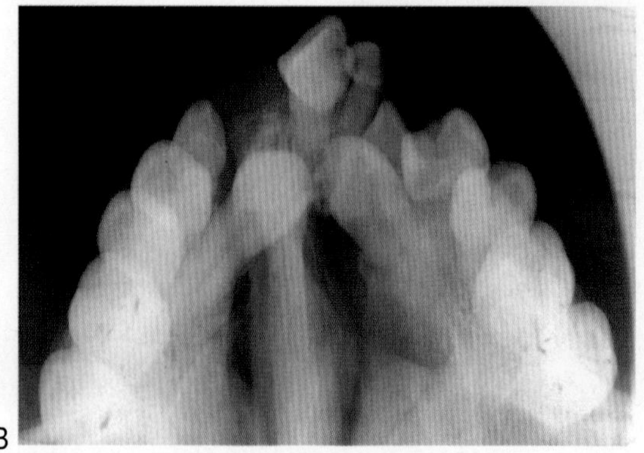

B

그림 19-17. 양측 구순구개열 환자의 상악 치열 사진. (A) 상악 영구 중절치의 파절과 좌측 유측절치의 잔존을 보인다. (B) 방사선사진 상에서 영구 견치가 구개 파열부에 매복되어 맹출하지 못하고 있다.

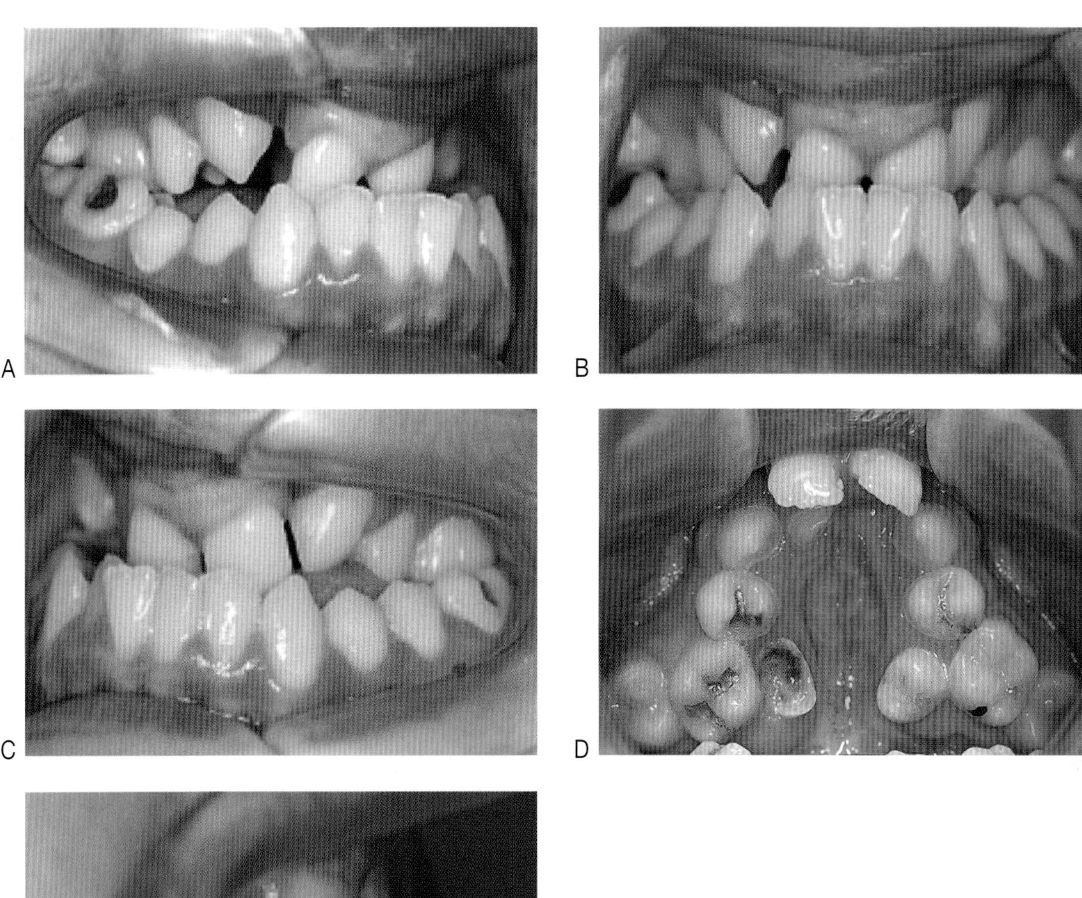

E

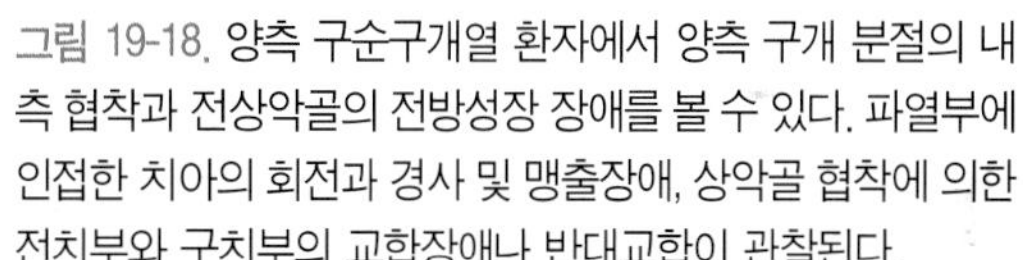

그림 19-18. 양측 구순구개열 환자에서 양측 구개 분절의 내측 협착과 전상악골의 전방성장 장애를 볼 수 있다. 파열부에 인접한 치아의 회전과 경사 및 맹출장애, 상악골 협착에 의한 전치부와 구치부의 교합장애나 반대교합이 관찰된다.

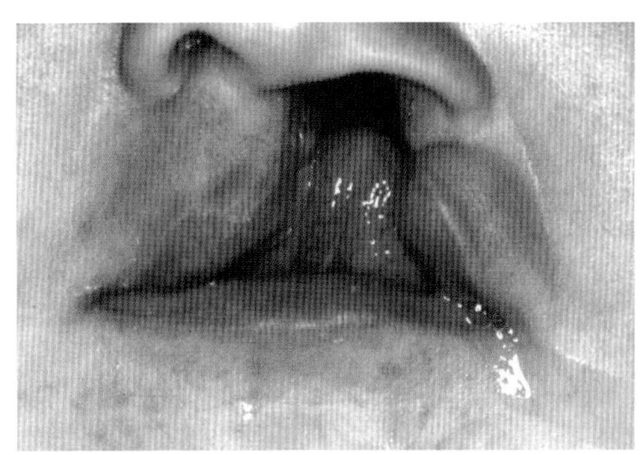

그림 19-19. 구개 파열부로 혀가 밀려 올라가는 위치 변화에 따라 하악골의 형태 변화가 올 수 있다.

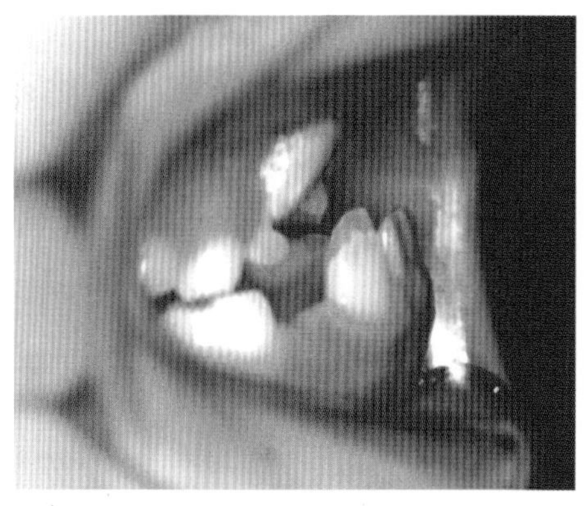

그림 19-20. 양측 구순구개열의 경우 전상악골의 전방과 하방 성장 장애에 의해 상악 중절치가 설측 경사되어 있다.

형성이 커질수록 상악골의 성장 결핍에 의한 III급 부정교합의 발생 확률이 증가한다고 할 수 있다.

상악골의 성장(surface growth)는 6-7세에 왕성하므로 이 시기의 기능적인 자극(functional stimulation, 저작에 의한 교합력)이 매우 중요하다. 구순구개열 환자는 상악궁 분절의 협착(collapse)에 의하여 골 표면의 침착(surface apposition)이 이루어지지 않게 되어 분절 성장이나 치열궁장경의 증가가 억제된다. 따라서 치료시기가 늦어질 경우 치료효과가 감소된다. 구순구개열 환자에서 횡적확장(transverse expansion)과 상악골의 전방이동(protraction) 같은 악정형치료(orthopedic treatment)를 조기에 시도하여 정상적인 교합관계를 형성해 주면 상악골의 성장을 유도할 수 있다.

3. 구순구개열 환자의 치료 단계

구순구개열 환자에 대한 모든 치료법과 그 과정을 이 장에서 설명하는 것은 불가능하며, 모든 구순구개열 환자를 동일한 방법으로 치료할 수도 없다. 환자의 연령, 파열부의 크기와 형태, 안모의 성장 양상에 따라 수술과 교정치료의 시기가 환자별로 개별화 되어야 한다. 따라서 담당의사의 임상 경험과 협진팀 구성원간의 상의에 의해 각 환자별로 가장 적합한 치료내용과 시기를 결정해야 한다.

모든 구순구개열 환자에게 적용할 수 있는 일반적인 원칙은 다음과 같다.

1) 각 치료 단계는 가능한 짧아야 한다. 이는 장치 장착에 의한 구강위생, 발음, 기능, 편안함, 협조도에 미치는 악영향을 최소화하기 위해서이다. 재치료나 교정치료의 장기화에 의해 환자가 치료에 무관심해 질 수 있다. 초기의 좋은 치료 결과가 환자가 성장하면서 서서히 악화된다면 환자나 그 가족들은 좌절하게 된다.
2) 협진팀의 전문가들이 정기적으로 치료 계획을 서로 상의해 세우는 것이 필요하며, 좋은 치료 결과를 얻기 위해서 치료 계획과 치료 시기는 다른 전문가들의 치료 원칙과 조화를 이룰 수 있도록 해야 한다.
3) 치열과 골격의 성장과 발육 시기를 교정치료에 적극 이용해야 한다.

교정치료 전에 유치와 영구치에 대한 정기적인 검사와 치아우식증에 대한 예방과 보존치료가 선행되어야 하고, 치아의 발치는 치조골의 위축과 상실을 가져온다는 것을 항상 명심해야 한다.

구순구개열 환자의 치료는 크게 조기 치료와 후기 치료로 나눌수 있다.

조기 치료 단계는 보통 다음과 같다.

1) 술전 악교정술(presurgical infant orthopedics)
2) 입술봉합술(cheiloplasty)
3) 구개봉합술(palatoplasty)
4) 언어치료(speech therapy)
5) 조기교정(early orthodontics)
6) 치조골 이식(alveolar bone graft)과 치아의 맹출 유도

술전악교정술, 입술봉합술, 구개봉합술, 언어치료 등은 앞장에서 상세히 기술되었으므로 여기서는 '조기교정'과 '치조골 이식과 치아의 맹출 유도'에 대해 설명하고자 한다.

1) 조기 교정치료

조기 교정치료의 목표는 전치의 위치이상과 반대교합을 수정하고, 악궁의 대칭성을 회복하고, 구치부 반대교합을 개선하는 것이다.

수술 전에 이미 존재하고 있던 조직결손과 수술 후에 발생되는 반흔 조직에 의하여 상악골의 협착과 상악골의 발육부전이 유발된다. 이에 따라 전치부 또는 구치부에 반대교합이 나타나게 되며, 파열부 근처의 상악 영구전치가 회전, 위치이상, 치아의 선천 결손 및 형태이상을 보이기도 한다(그림 19-21).

조기 교정치료 방법의 종류는 다음 4가지로 나누어서 설명할 수 있다.

(1) 상하악의 골격부조화가 거의 없는 경우에는 악정형력을 이용한 치료가 필요없으며, 7-8세 경에 파열부의 영구치를 배열해 주고, 8-11세 경에 치조골이식을, 11-13세 경에 통상적인 교정치료를 시행한다.
(2) 상하악의 관계는 정상이지만 구치부에서 치성 반대교합이 있는 경우에는 상악의 확장을 시행한다. 7-8세 이후의 치료는 위와 동일하다.
(3) 하악은 정상이지만 상악의 저성장으로 인하여 전치부나 구치부에서 반대교합이 있고 중등도의 골격부조화가 있는 경우에는 6-7세 경에 상악의 확장과 상악골 전방견인으로 치료한 후 재평가해야 한다.
(4) 상악의 심한 저성장과 하악골의 과성장에 의하여 전치

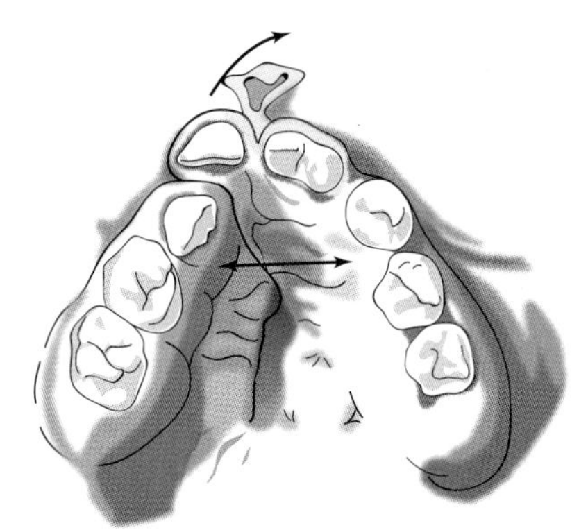

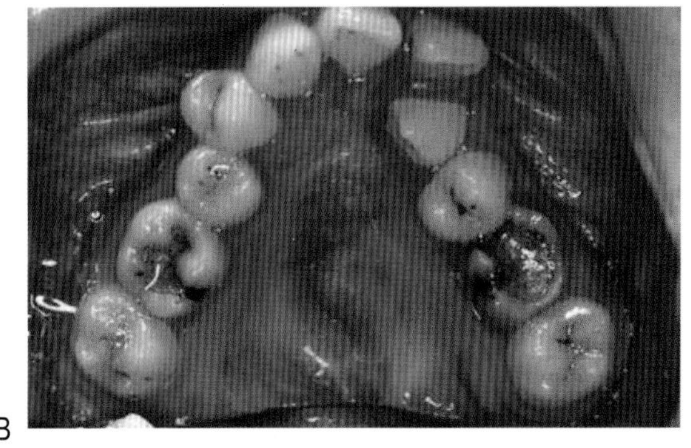

그림 19-21. 상악골의 협착이 특히 전방부에서 심하게 나타나며, 파열부 근처의 상악 영구전치가 회전, 위치이상, 치아의 선천 결손 및 형태이상을 보이기도 한다.

부와 구치부 모두 반대교합을 보이며 개방교합과 심한 골격 부조화가 있는 경우에는 일단 상악의 확장과 상악골 전방견인으로 치료를 시작하지만 성장완료 후 악교정수술과 교정치료를 같이 해야 할 가능성이 매우 높다.

교정치료 시기를 결정할때에는 골격부조화의 정도와 환자의 협조도를 고려하여야 한다. 만약 심한 골격부조화가 없거나 환자의 협조도가 좋지 않으면 치료시기를 영구 전치와 제1 대구치의 맹출 후로 연기하는 것이 좋다. 환자의 협조도가 좋다면 4세 정도의 어린 나이에도 교정 치료가 가능하다.

경미한 전치부 반대교합을 보일 경우에는 가철식이나 고정식 교정 장치를 사용하여 상악전치를 전방으로 이동시켜 전치부 반대교합을 수정하고, 상악 치열궁을 확장하여 구치부의 반대교합을 해소한다(그림 19-22, 23).

중등도의 전치부 반대교합과 상악골의 후방위치를 보이는 경우에는 상악골 전방 견인장치(protraction face mask)를 사용할 수 있다. 이 단계에서의 치료목표는 (1) 중안면부의 후퇴 해소 (2) 전치부와 구치부 반대교합의 해소 (3) 자발적인 전치 맹출을 위한 공간확보 (4) 연조직 측모의 향상 등이다.

상악골 전방 견인시 상악골 전방견인과 함께 측방확장(transverse expansion)을 같이 시행해야 한다. 그 이유는 상악골 주위 봉합부의 분리(circummaxillary suture opening)를 시도하여 중안면부의 전방 견인을 용이하게 하기 위한 것이다. 이때 측방확장은 약 3개월정도 하게 되며 한 달에 3mm 정도 확장하게 된다. 상악골의 측방확장은 재발 경향이 크기 때문에 과도한 확장(overexpansion)이 필요하다. 측방확장장치는 Quad-Helix(그림 19-24), RPE(Rapid Palatal Expansion)(그림 19-25), 가철식 확장장치(removable expansion plate) 등을 사용할 수 있다. 상악골 전방 견인시 힘은 편측당 350g정도로 가하고 하루에 14시간 정도 착용하게 한다. 전방견인 완료 후 고정식 구개호선(transpalatal arch, TPA)로 장치를 교환하고 정기적으로 검사하며, 만약 성장양상이 좋지 않을 때에는 FR-3(Fränkel Regulator III)를 사용할 수도 있다(그림 19-26).

측방확장 후 공간이 충분함에도 불구하고 영구 상악 중절치가 회전, 경사 되거나 구개측으로 맹출될 수 있다. 이럴 경우 고정식 교정장치를 사용하여 전치를 배열한다. 그 이유는 전치부의 치조골 결손을 예방하고 심미적으로 전치를 배열할 수 있기 때문이다.

하악골이 전방위치를 보이는 경우에는 이모장치(chin cap)을 사용하여 하악골의 성장을 억제할 수도 있다(그림 19-27).

수정된 상악 치열궁의 형태를 유지하고 원래의 반대교합 위치로 돌아가지 않도록 고정식이나 가철식 유지장치를 후기 교정치료 시기까지 장착하여야 한다.

2) 치조골 이식

일반적으로 치조골 파열은 하방에서 작고 상방으로 올라갈수록 크게 나타난다(그림 19-28). 따라서 3차원 CT사진을 이용하면 정확한 진단과 치료계획을 세울 수 있다(그림 19-29).

치조골 이식은 결손된 치조골 부위에 자가골, 동종골, 또는 합성된 골형성 유도체를 이식하여 골 형성을 유도하는 술식이다. 이식된 골은 새로운 골 형성을 유도하는 기질로 작용하고, 골재형성과 신생골 형성에 따라 흡수되어 없어진다. 치료효과는 환자 자신의 몸에서 채득한 자가골 이식이 가장 뛰어난

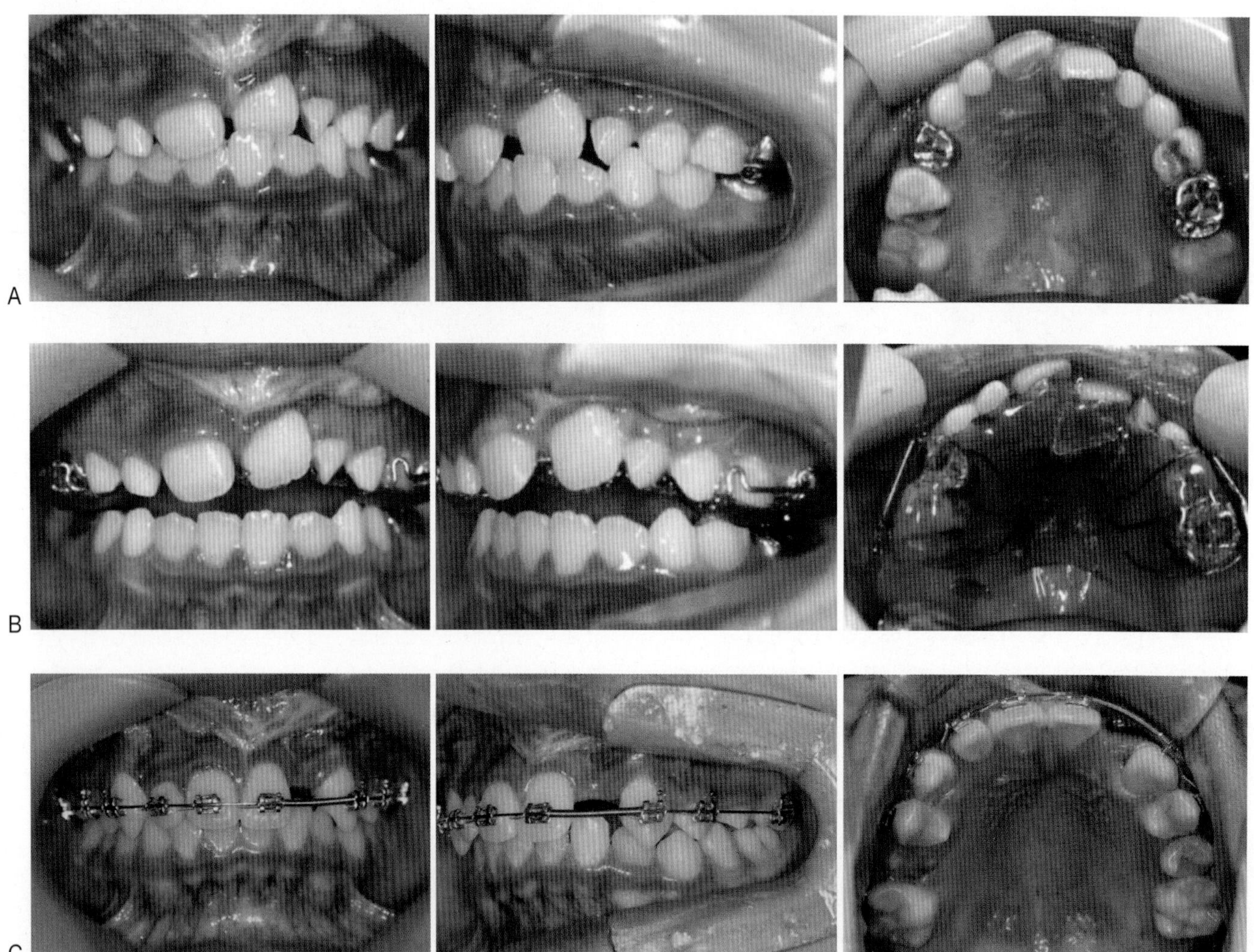

그림 19-22. 일측 구순치조열 환자의 전치부 반대교합을 가철식 교정장치(active plate with spring)로 해소한 후 고정식 장치로 치열을 배열하고 있는 증례. (A) 상악 좌측 중절치가 반대교합을 보인다. (B) 가철식 교정장치를 장착하고 4주마다 스프링을 활성화(activation)한다. (C) 상악 좌측 중절치의 반대교합을 해소한 후 상악 전치부의 회전을 조절하기 위하여 고정식 장치가 부착된 모습.

것으로 보고되고 있다.

치조골 이식은 파열부 양쪽의 치조골을 연결하고, 비구강 누공(oronasal fistula)를 메워주고, 맹출되지 않은 측절치나 견치를 이식된 골을 통해 맹출하게 하여 치열궁내에서 보다 이상적인 위치에 놓이게 하며(그림 19-30, 31), 결손된 측절치 부위의 치은(잇몸) 외형을 향상시킨다. 그리고 파열부에 인접한 중절치와 측절치 및 견치는 치주염과 치조골 상실에 의하여 발치될 가능성이 높으므로 이를 방지하기 위하여 치조골 이식을 시행한다.

치조골 이식에 사용되는 자가골로는 좌골(ilium)과 두개골, 늑골 등을 들 수 있다. 좌골(ilium)은 채취할 수 있는 망상골(cancellous bone)의 양이 많고, 수술이 쉬우며, 골재생 능력이 좋기 때문에 많이 사용한다. 두개골은 골채취후 통증이 작고 막성골(membraneous bone) 인 치조골과 발생학적으로 유사하며, 혈관재형성이 빠르다는 장점에도 불구하고 채취할 수 있는 골조직의 양이 작은 단점 때문에 사용의 빈도가 높지 않다.

치조골 이식은 시기에 따라 일차와 이차 이식으로 나눌 수 있다.

일차 치조골 이식술은 생후 몇 주 내에 이식수술을 행하는 것으로 1960년대에 많이 시행되었으나 상악골의 성장 억제 효과가 많이 나타난다고 보고되어 현재는 많이 시행되지 않는다.

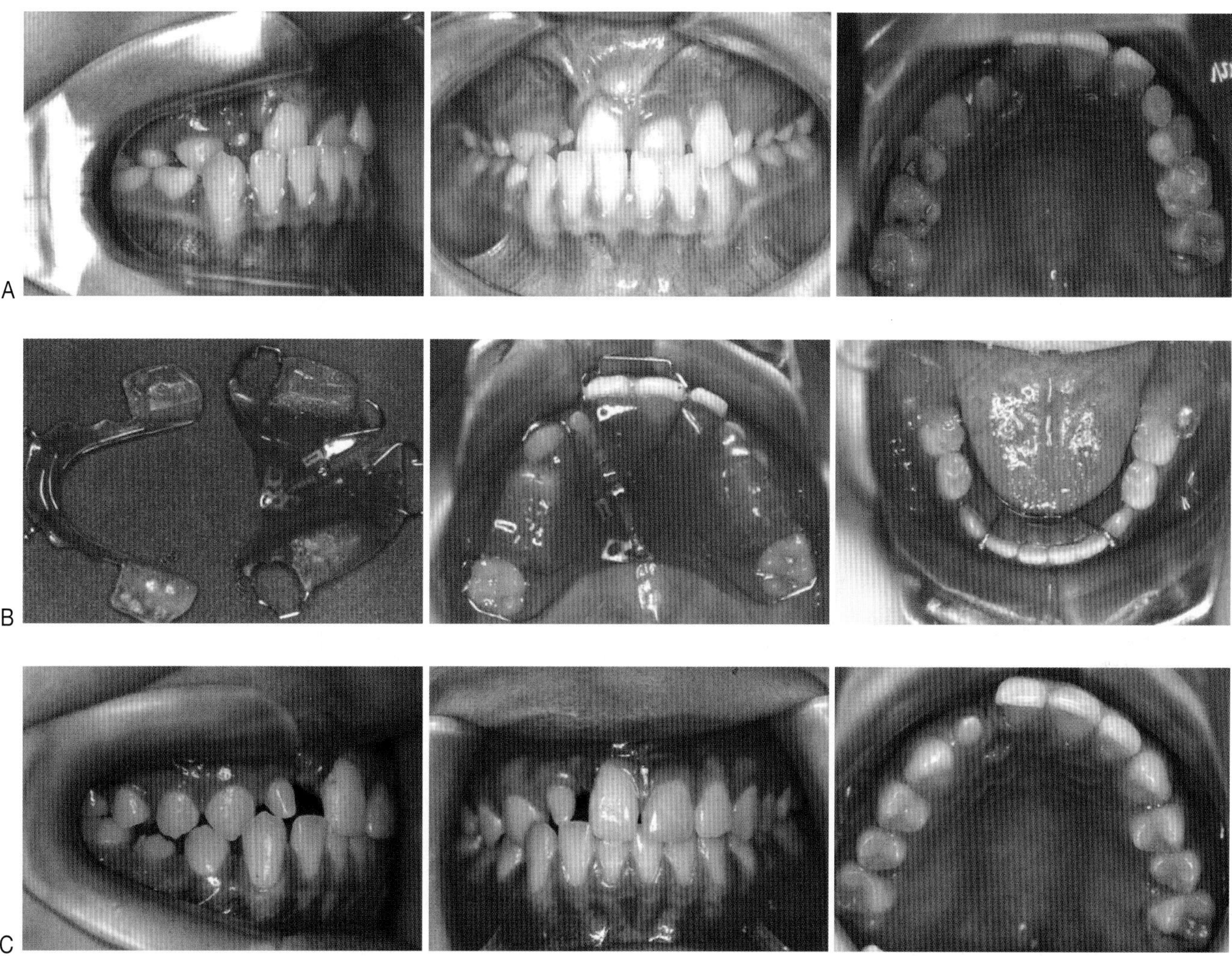

그림 19-23. 일측 구순치조열 환자의 전치부 및 구치부 반대교합을 가철식 교정장치 (Twin block appliance)로 치료한 증례. (A) 전치부와 우측 구치부에서 반대교합의 소견을 보인다. (B) Twin block appliance를 1주일에 2회씩 확장하면서 식사와 양치하는 시간을 제외하고 하루종일 착용한다. (C) 3개월 후 전치부와 구치부의 반대교합이 해소되었다.

이차 치조골 이식술은 치아와 구개 분절을 교정치료로 적절히 확장하고 배열한 후, 치조골이 결손된 부위에 골을 이식하는 방법이다. 수술 전후에 고정식 교정장치로 상악궁을 안정화시키는 것이 필요하다. 이상적인 골이식 시기는 상악골의 성장을 고려하여 가능한 한 늦추되, 일반적으로 영구견치의 치근이 1/2-2/3 정도 형성된 8-12세 경에 행해진다(그림 19-32). 그러나 정확한 수술시기는 치아의 발달 시기와 측절치의 존재 유무에 따라 결정된다.

이차 치조골 이식 수술 이후의 견치의 맹출에 관한 Deeb 등(1982)의 연구 결과에 의하면, 견치가 치조골이식 부위로 자발적으로 맹출한 경우가 27%, 견치가 맹출하기 위해서 상부의 연조직을 제거해야 했던 경우가 17%, 견치의 맹출을 위해 연조직 제거수술과 교정치료가 필요했던 경우가 56%라고 하였다(그림 19-33, 34).

3) 후기 치료 단계

후기 치료 단계는 보통 다음과 같다.

(1) 본격적인 교정치료

(2) 이차성형수술(nose/lip revision)

(3) 악교정수술(Orthognathic surgery)

(4) 골신장술(Distraction Osteogenesis)

(5) 보철치료

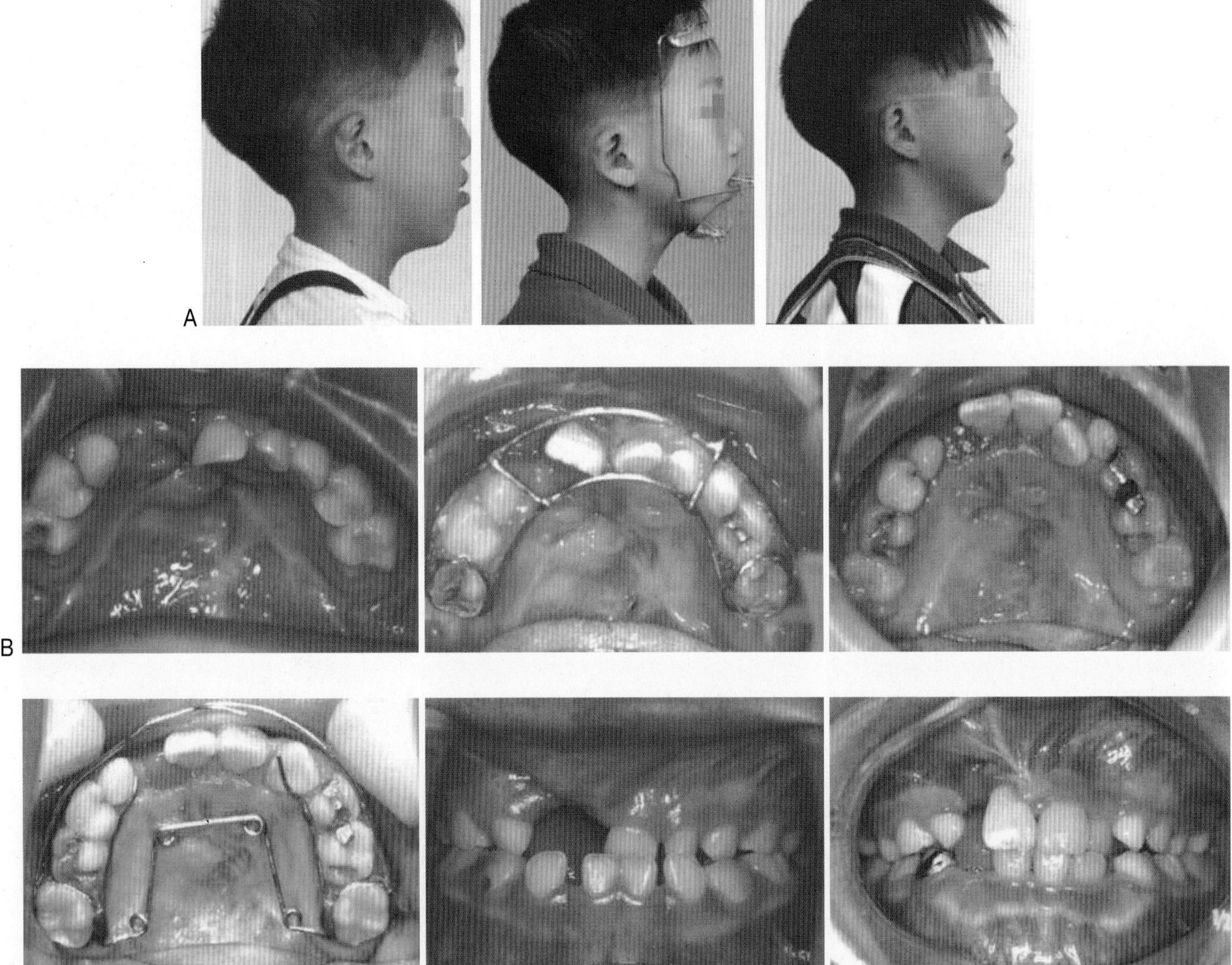

그림 19-24. 일측 구순구개열 환자의 전치부와 구치부 반대교합을 상악골 전방 견인장치 (face mask)와 고정식 상악골 확장장치 (modified quad-helix)로 치료한 증례. (A) 치료전과 장치착용 및 치료후의 옆얼굴 사진비교에서 입술과 턱 부분의 개선을 볼 수 있다. (B) 전치부 반대교합을 해소하기 위하여 상악골 전방 견인장치 (face mask)와 설측호선 (lingual arch)을 사용하였다. 이때 상악 호선상의 고리에 고무줄을 걸어서 상악골 전방 견인장치에 연결한다. (C) 구치부 반대교합을 해소하기 위하여 상악골 확장 장치 (modified quad-helix)를 사용하였다. (D) 치료 전후의 구강내 정면사진. 전치부와 구치부의 반대교합이 해소되었다.

이중에서 이차성형수술은 앞장에서 다루었고, 악교정수술, 골신장술은 뒷장에서 다룰 것이므로 본격적인 교정치료와 보철치료에 대해 설명하겠다.

(1) 본격적인 교정치료

본격적인 교정치료는 영구치열이 완성되는 만 12-14세 경에 시작된다. 치료 목적은 배열이 불량한 치열과 치열궁의 형태를 정상화하며, 전치부나 구치부의 반대교합을 제거하는 것이다(그림 19-35).

여러 차례에 걸친 입술 수술 후 발생한 흉터조직에 의해서 상순의 긴장도가 지나치게 강한 경우에는 상악전치를 정상적인 각도로 경사이동 시킬 수 없다(그림 19-36). 그렇다고 해서 하악에서 보상성 발치를 해서는 안 된다. 이 경우 상하악골 간의 전후방 길이부조화를 해소하기 위해서 악교정수술을 하는

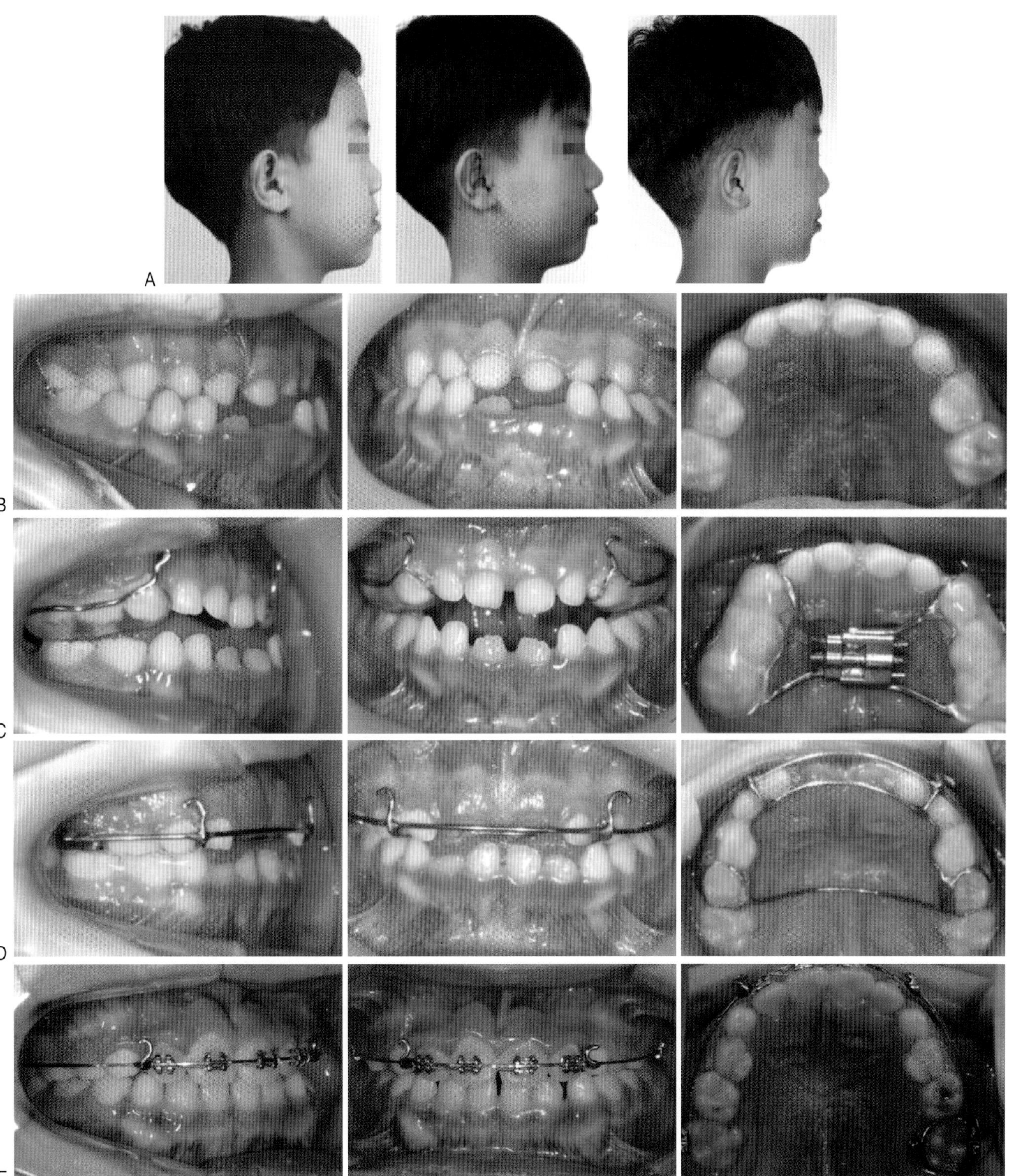

그림 19-25. 구개열 환자의 전치부와 구치부의 반대교합을 고정식 상악골 확장장치 (bonded rapid palatal expansion appliance)와 상악골 전방 견인 장치 (face mask)로 치료한 증례. (A) 치료전과 장치착용 및 치료후의 측모 사진비교에서 중안면부와 입술, 턱 부분의 개선을 볼 수 있다. (B) 치료전 구강내 사진. 전치부와 구치부의 반대교합을 볼 수 있다. (C) 상악골 확장장치가 장착된 모습. 상악골 전방 견인장치에 고무줄을 걸기위한 고리가 유견치부분에 보인다. (D) 구치부 반대교합이 해소되어 상악골 확장장치를 제거하고 순설측호선 (labio-lingual arch)를 장착한 상태. (E) 영구전치의 배열을 위해 고정식 교정장치(fixed appliance)를 부착하고 계속 상악골 전방 견인장치로 치료하는 모습. 치료전의 전치부 반대교합이 해소되어 적절한 수직피개도 (overbite)와 수평피개도(overjet)를 보인다.

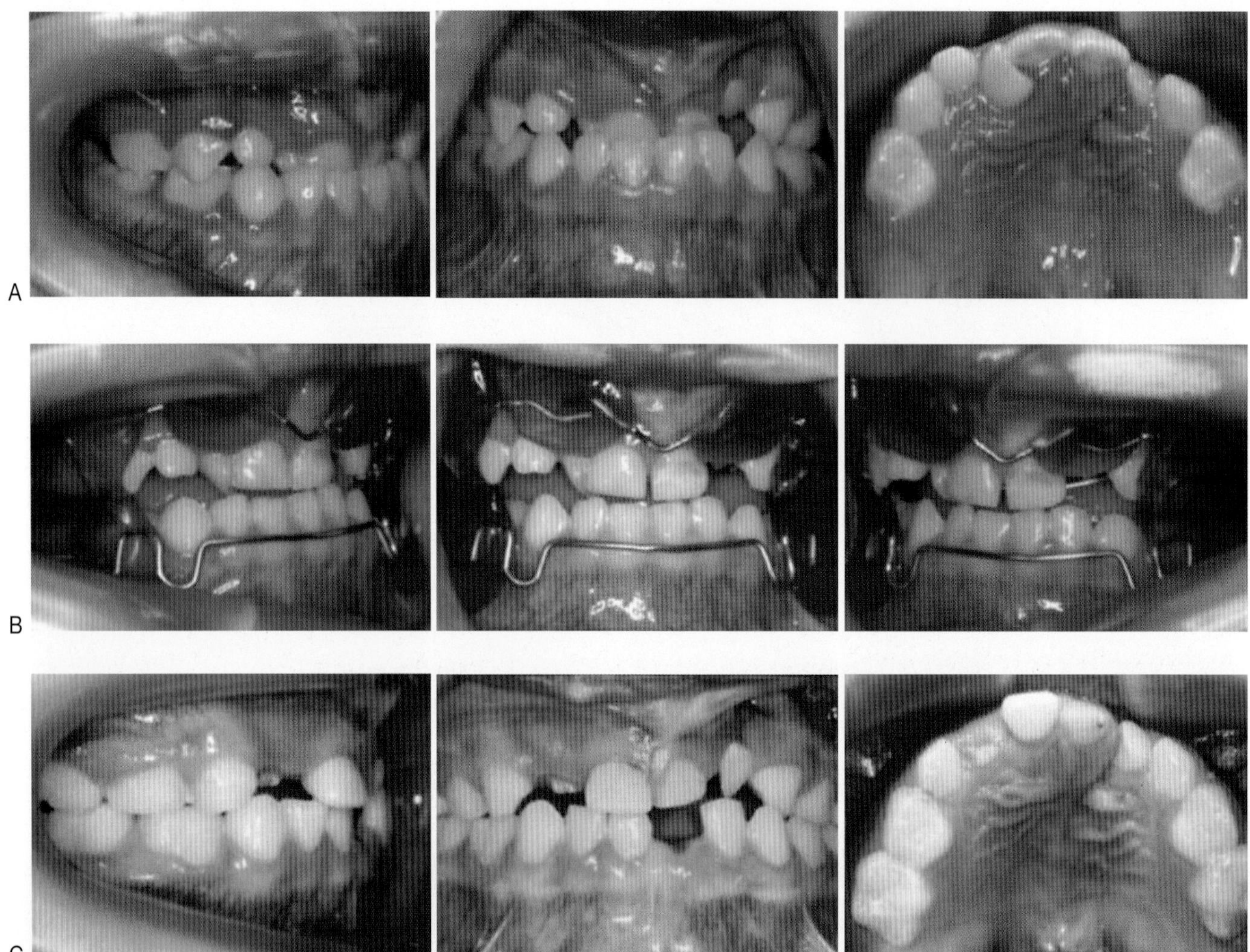

그림 19-26. 양측 구순열과 일측치조열 환자에서 가철식 기능교정장치 (Fränkel Regulator III, FR-3)를 사용해 치료한 증례. (A) 전치부 반대 교합을 보인다. (B) Fränkel Regulator III를 장착한 사진. 4주마다 내원하여 장치를 조절한다. (C) 전치부의 반대교합이 해소된 모습.

것이 바람직할 수도 있다.

구순구개열 환자의 대다수가 측절치가 결손되거나 형태 이상을 가지고 있다. 이러한 경우에는 치열상태와 상하악골의 전후방 관계 및 하악골의 성장 양상에 따라 다음 두 가지 치료방법이 존재한다.

(1) 측절치 공간을 폐쇄하고 견치를 측절치 대신 사용하는 방법이 있다. 이 방법은 구치부 관계가 Angle 씨 II 급 관계로 된다. 만약 Angle 씨 I 급 관계로 만들기 위하여 하악에서 보상성 발치를 해야 한다.

(2) 측절치 공간을 유지하거나 만든 후, 보철치료로 측절치를 제작하는 경우이다. 이 방법은 구치부 관계가 Angle 씨 I 급 관계로 되며, 하악에서 비발치로 치료할 수 있다 (그림 19-37, 19-38).

구개열 환자는 상악골의 중앙부에 존재하는 정중구개봉합(midpalatal suture)이 없어서, 상악골의 측방확장은 가능하나 확장된 조직부에 뼈가 침착되지 않는다. 그리고 상악골 확장시 늘어난 구개조직(stretched palatal tissue)이 구개열 수술에 의한 흉터 때문에 다시 좁아지는 경향을 보이기 때문에 일반 교정환자보다 구치부 반대교합이 재발되기 쉽다(그림 19-39). 따라서 상악골 확장 후에는 영구적인 보정장치가 필요하다.

전치부 반대교합을 개선하기 위하여 상악 대구치에서 하악 전치까지 고무줄을 사용하는데 이를 III급 고무줄이라고 하며, 편측당 200-300 gm의 비교적 강한 힘을 수개월 이상 사용한다. 고무줄 사용에 의하여 상악구치의 하방 이동과 이에 따른

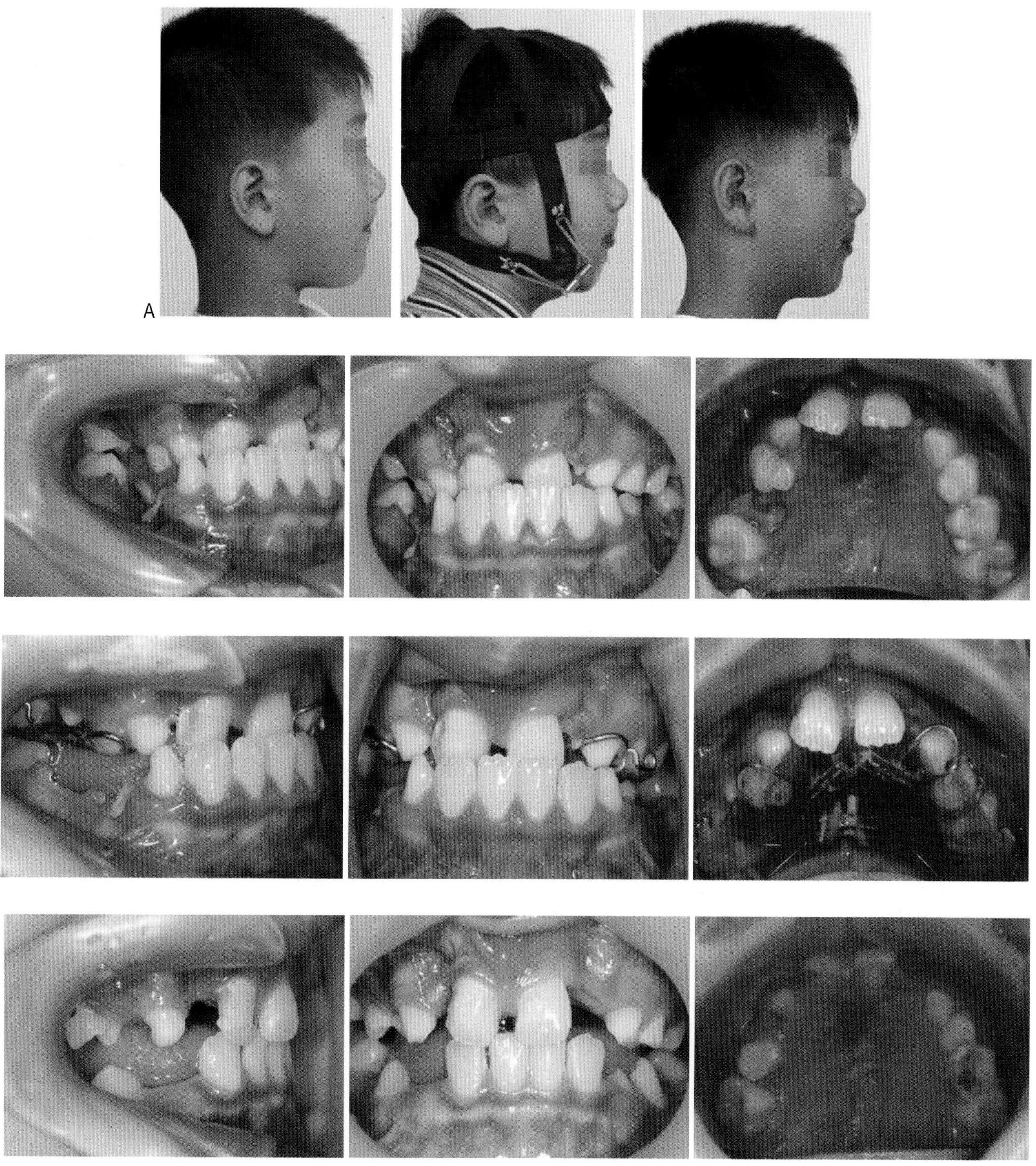

그림 19-27. 양측 구순구개열 환자의 전치부 반대교합과 협착된 상악 전방부를 가철식 상악골 확장장치 (removable expansion plate)와 이모장치(chin-cap)를 사용해 치료한 증례. (A) 치료전과 장치착용 및 치료후의 측모 사진비교에서 턱 부분의 개선을 볼 수 있다. (B) 치료전 구강내 사진. 전치부의 반대교합과 상악 전방부의 협착을 볼 수 있다. (C) 가철식 상악골 확장장치가 장착된 상태. (D) 전치부의 반대교합이 해소되고 협착된 상악 전방부의 확장이 이루어진 것을 확인할 수 있다.

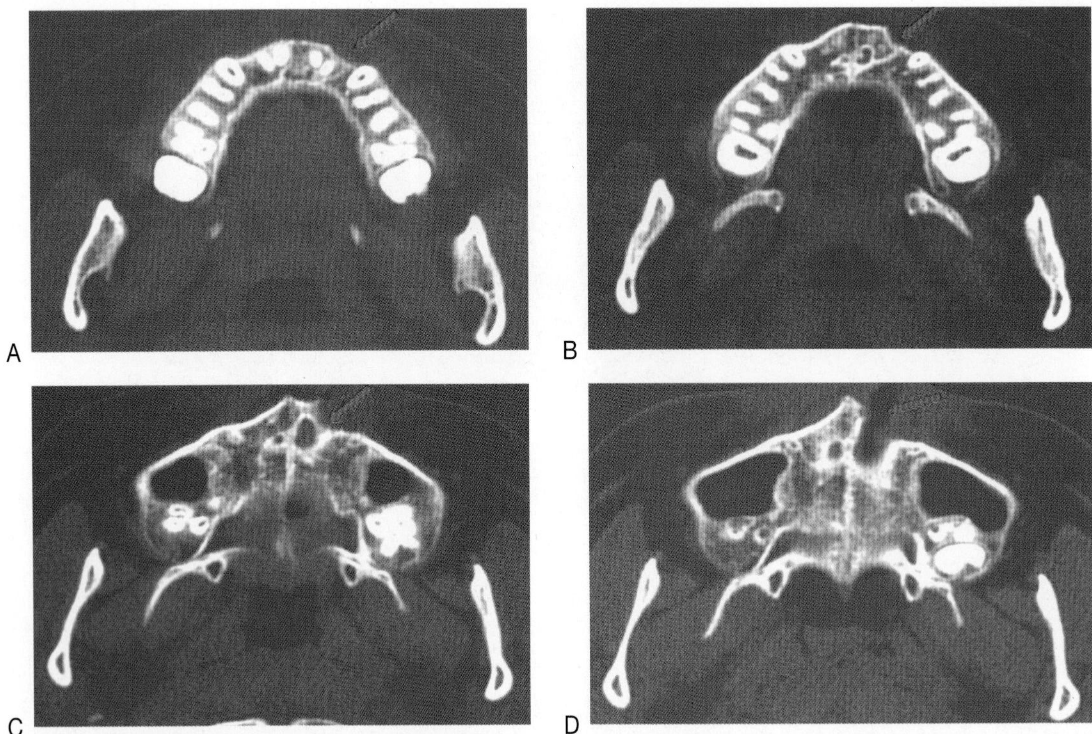

그림 19-28. 일측 구순치조열 환자의 CT 사진. 하방 (A)에서는 치조골 파열 부위가 아주 작으나, 상방으로 올라가면서 (B~D) 치조골 결손부위가 커지는 것을 알 수 있다. 이런 종류의 치조골 이식이 비교적 어려운 것으로 보고되고 있다.

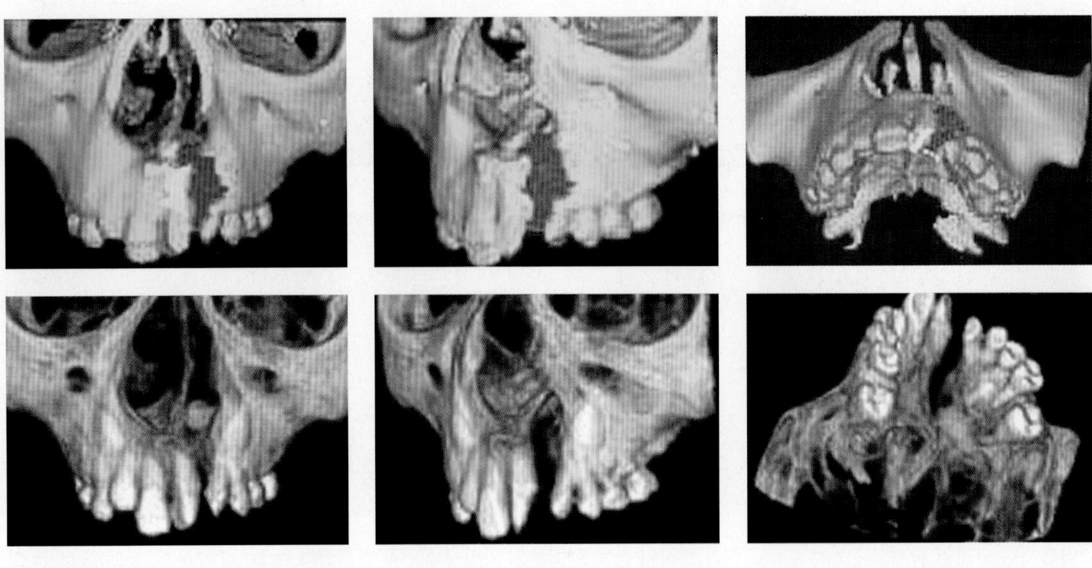

그림 19-29. 일측 구순구개열 환자의 3차원 CT사진. 좌측 부위의 치조골 결손부위를 3차원적으로 잘 확인할 수 있다. 상단의 파란색 부분이 치조골의 결손 부위를 나타낸다.

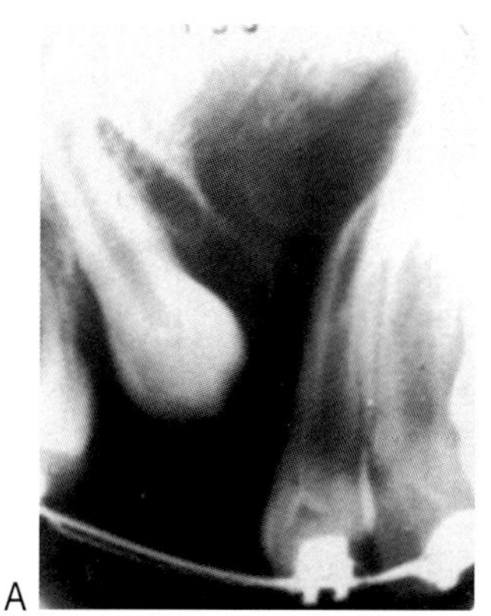

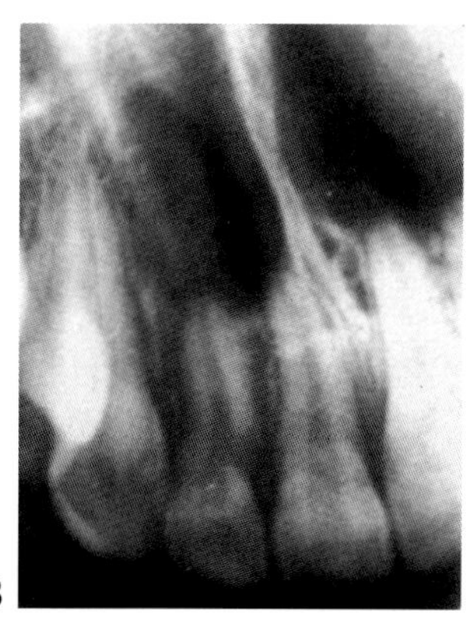

그림 19-30. 치조골 이식 전과 후의 비교. (A) 치조골 파열부와 미맹출된 상악 견치를 볼 수 있다. (B) 치조골 이식 부위로 견치가 맹출하여 배열되었고 치조골 높이도 정상이다.

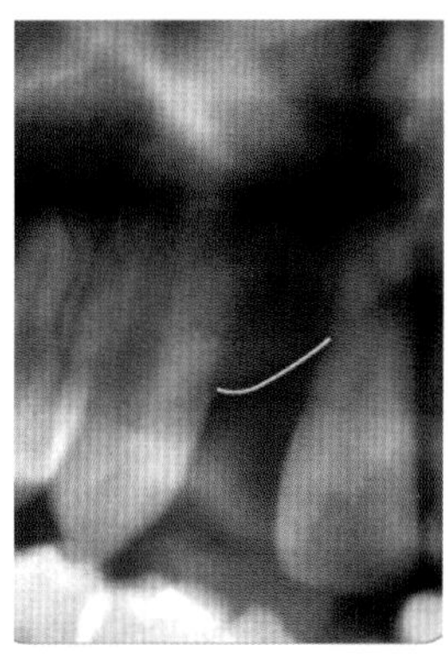

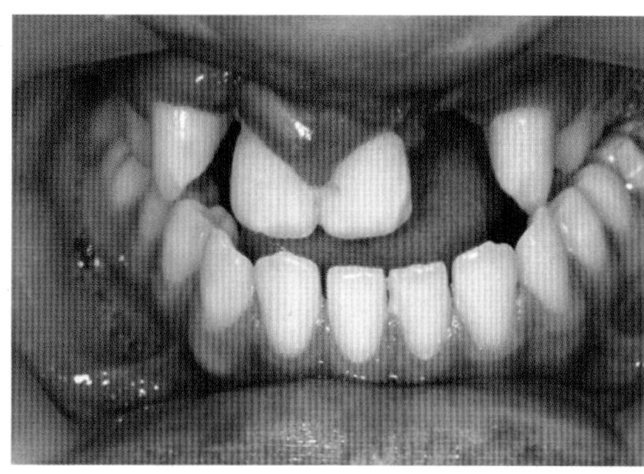

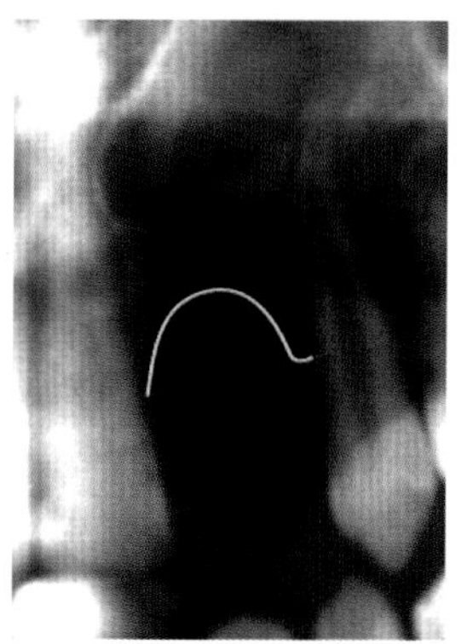

그림 19-31. 양측 구순구개열 환자의 치조골 이식후 사진. 치조골 이식은 파열부 양쪽의 치조골을 연결해서 분리되어있던 상악골을 하나로 만들어준다. 치조골 이식 수술의 성공여부는 치조골의 연속성과 인접 치아의 치조골 높이로 평가한다.

하악골의 시계방향 회전이 발생하여 구치부 III급 관계의 해소와 전치부 반대교합의 개선에 도움이 된다. 그러나 III급 고무줄의 사용에 의한 하악 전치의 지나친 정출을 방지하기 위하여, 두꺼운 직사각형 교정용 wire를 사용하여 하악 치열을 안정화시켜야 한다(그림 19-40).

교정치료후 유지장치에 인공치를 장착하여 상실된 치아를 대체하고 수정된 악궁형태를 안정화시킬 수 있다. 그러나 상악의 측방 확장은 영구적으로 보정해야 한다(그림 19-41).

10대 초반에 만족스럽게 교정치료가 된 듯 하여도 하악골의 잔여 성장이 지속되면, 상하악골의 전후방 관계에서 중등도의 반대교합이 재발되어 성장 종료 후에 악교정수술을 해야 하는 경우도 발생한다(그림 19-42). 따라서 교정치료는 사춘기 최대성장기를 지나 악안면성장이 완료되었을 때 끝낼 수 있다.

(2) 보철 치료

구순구개열 환자는 대개 측절치가 결손되거나 형태이상이 있는 경우가 많다. 따라서 교정치료와 악교정 수술 등이 완료되고, 성장이 종료된 17-25세 경에 얼굴과 치아의 모양과 발음을 좋게 하기 위해 결손된 치아, 모양이 이상하거나 크기가 작은 치아에 대하여 보철 치료를 하게 된다.

① 측절치가 결손된 경우

교정장치를 제거한 후에 결손된 측절치 부위에 인공치(pontic)가 부착된 유지장치를 장착하여 치료결과를 유지시킨다(그림 19-43). 연령이 어린 경우에는 치아내부에 있는 치수조직의 크기가 크다. 이런 경우에는 보철치료를 위하여 치아를 삭제하기가 곤란하며, 임시로 접착할 수 있는 고정식 가공의치(temporary bonded fixed bridge, Maryland bridge)를 사

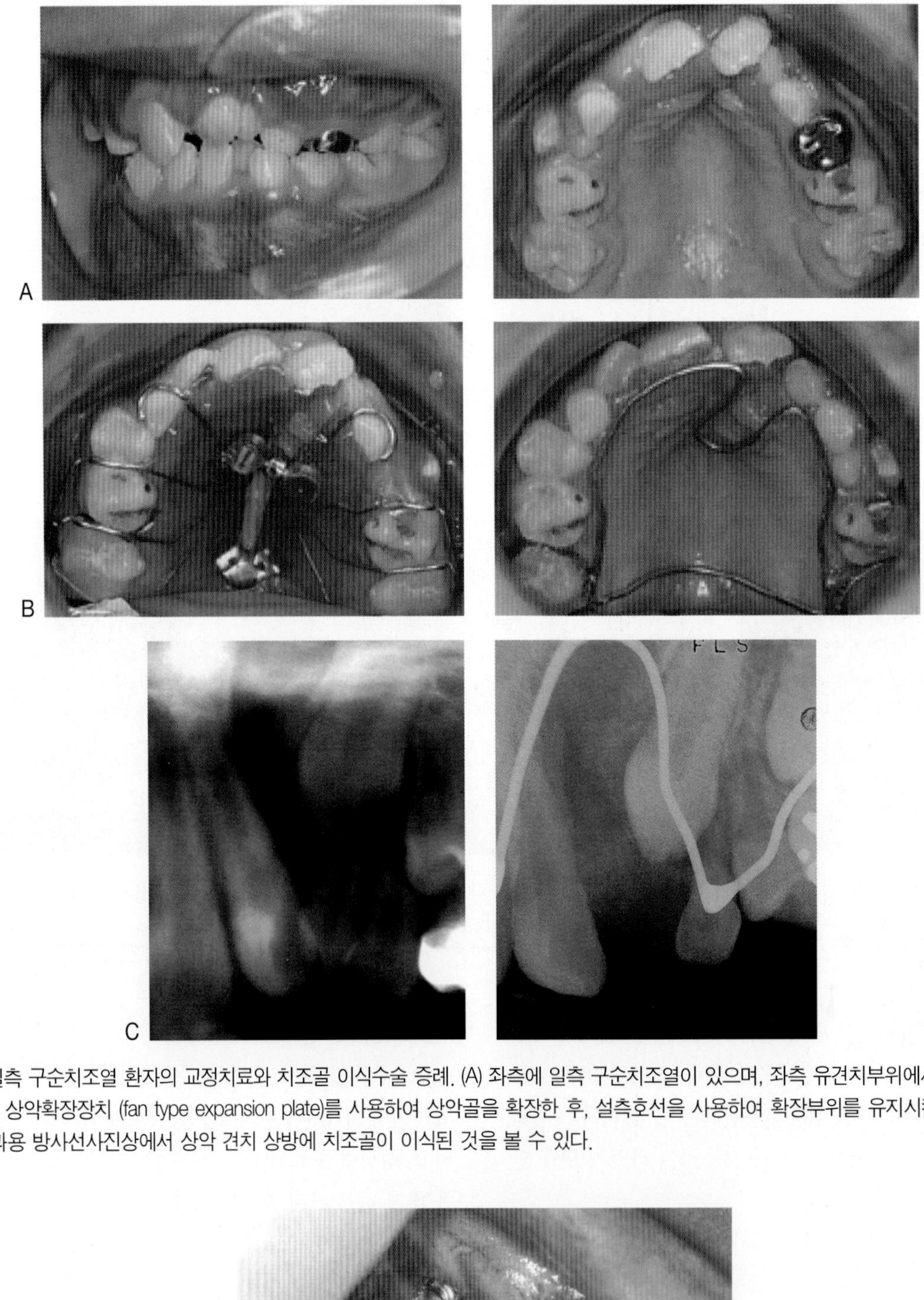

그림 19-32. 일측 구순치조열 환자의 교정치료와 치조골 이식수술 증례. (A) 좌측에 일측 구순치조열이 있으며, 좌측 유견치부위에서 반대교합이 보인다. (B) 가철식 상악확장장치 (fan type expansion plate)를 사용하여 상악골을 확장한 후, 설측호선을 사용하여 확장부위를 유지시킨다. (C) 치조골 이식 전후의 치과용 방사선사진상에서 상악 견치 상방에 치조골이 이식된 것을 볼 수 있다.

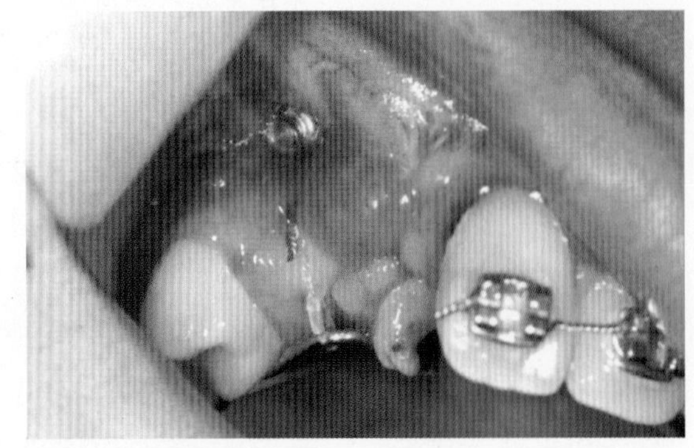

그림 19-33. 치조골 이식 수술 후에 매복된 상악견치를 교정치료로 정상 위치로 끌어내리는 모습이다.

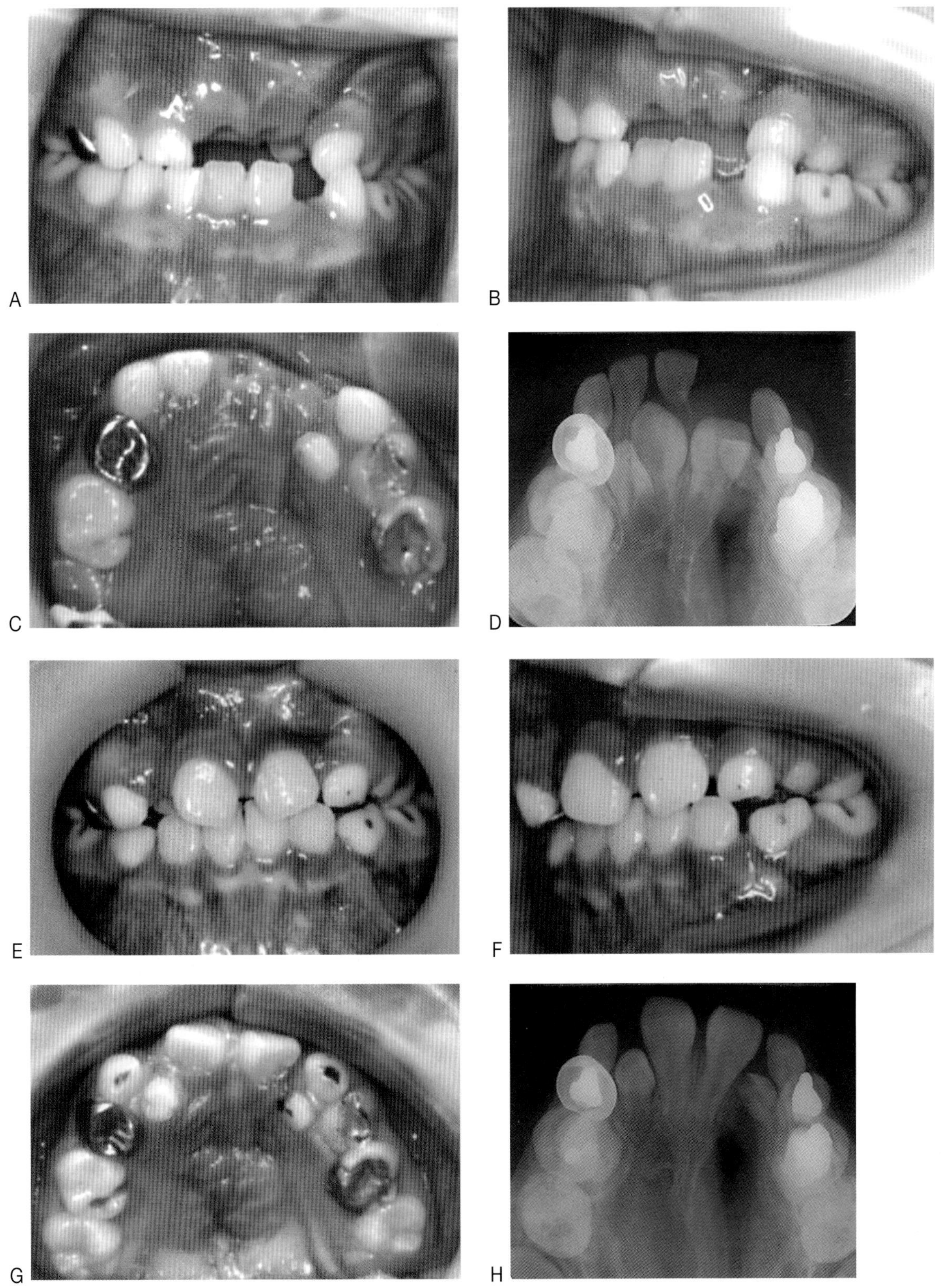

그림 19-34. 일측 구순구개열 환자에서 치조골 이식 후 상악 좌측 견치가 맹출한 증례. (A~D) 치료전 구강내 사진과 상악 교합면 방사선사진. 좌측 전치부의 협착과 치조골 결손을 볼 수 있다. (E~H) 가철식 교정장치(fan type expansion plate)로 확장한 후의 구강내 사진과 상악 교합면 방사선사진.

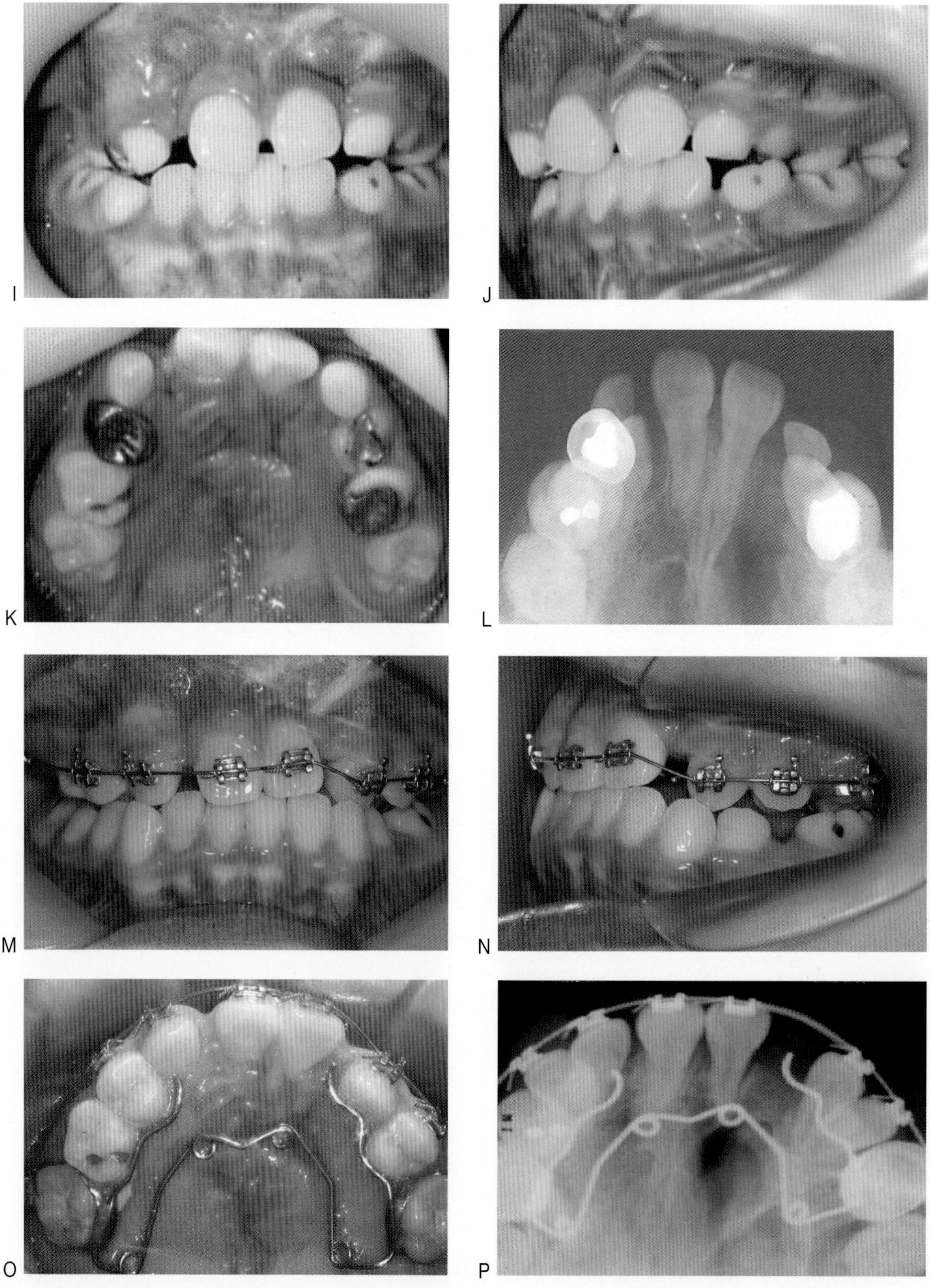

그림 19-34. (계속). (I~L) 치조골 이식 수술 후의 구강내 사진과 상악 교합면 방사선사진. 치조골 파열부에 골이 이식된 모습을 보여준다. (M~P) 치조골 이식 수술 후 상악 좌측 견치가 맹출하였으며, 상악 전방부를 더 확장하기 위해 quad-helix장치를 장착하였고, 고정식 교정장치(fixed appliance)를 사용해 치아를 배열하고 있는 모습.

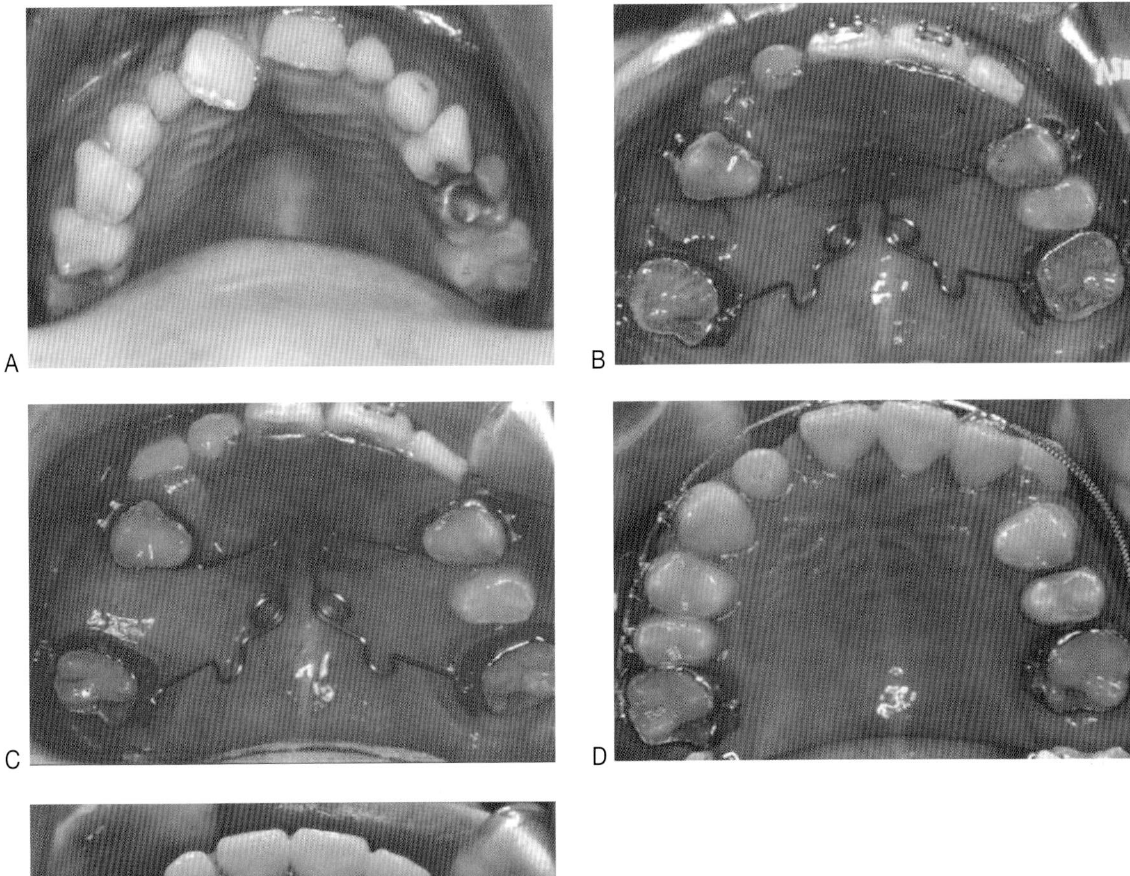

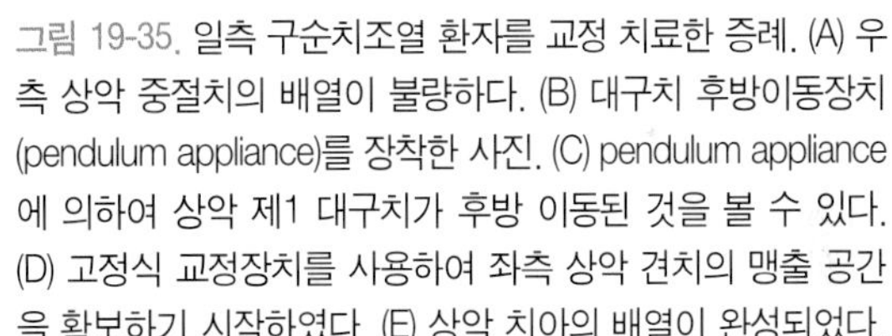

그림 19-35. 일측 구순치조열 환자를 교정 치료한 증례. (A) 우측 상악 중절치의 배열이 불량하다. (B) 대구치 후방이동장치(pendulum appliance)를 장착한 사진. (C) pendulum appliance에 의하여 상악 제1 대구치가 후방 이동된 것을 볼 수 있다. (D) 고정식 교정장치를 사용하여 좌측 상악 견치의 맹출 공간을 확보하기 시작하였다. (E) 상악 치아의 배열이 완성되었다.

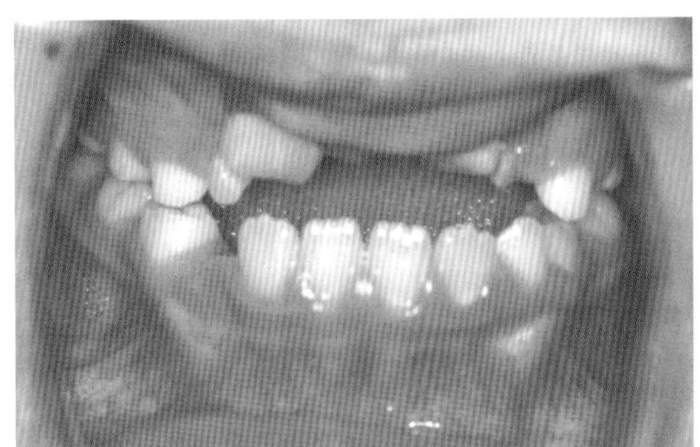

그림 19-36. 양측 구순구개열 환자에서 윗입술의 긴장도가 지나치게 강하여 전상악골과 상악전치의 심한 설측 경사가 발생하였다.

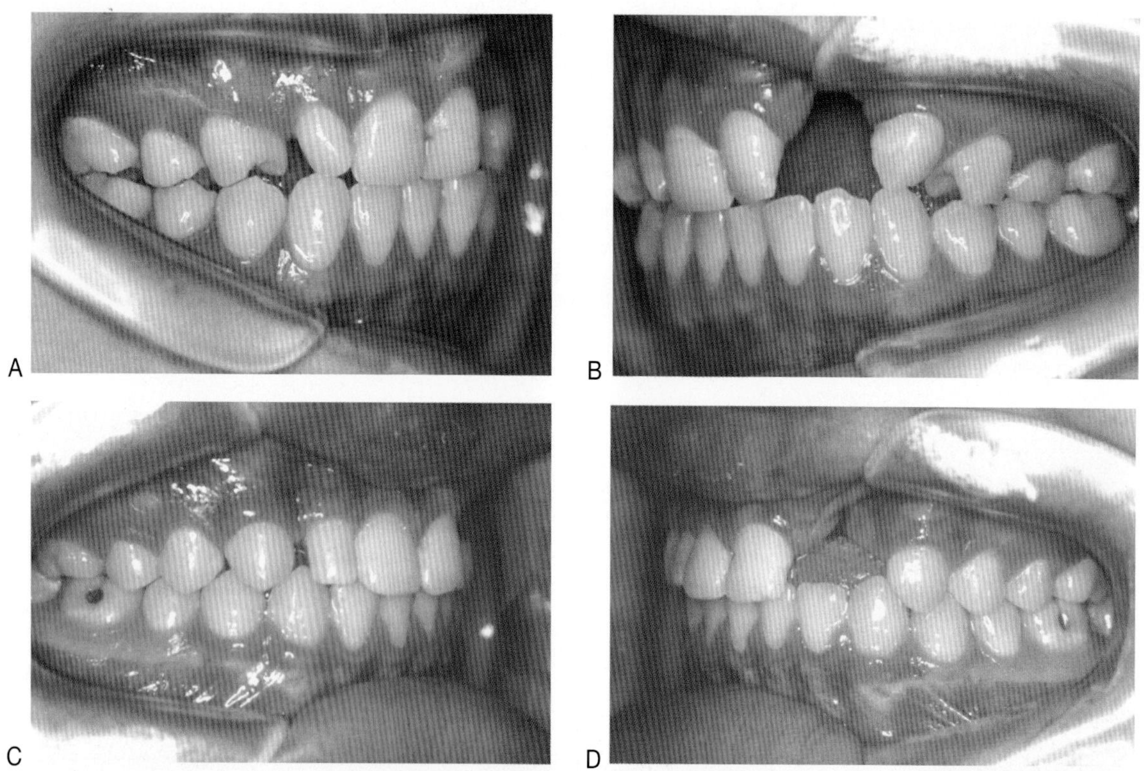

그림 19-37. 좌측 상악 측절치가 결손되고 우측 상악 측절치는 왜소치인 일측 구순구개열 환자(A, B)를 정상적인 측절치 크기가 되도록 공간을 만들고 구치부 관계가 Angle 씨 I 급 관계가 되도록 교정치료한 증례(C, D).

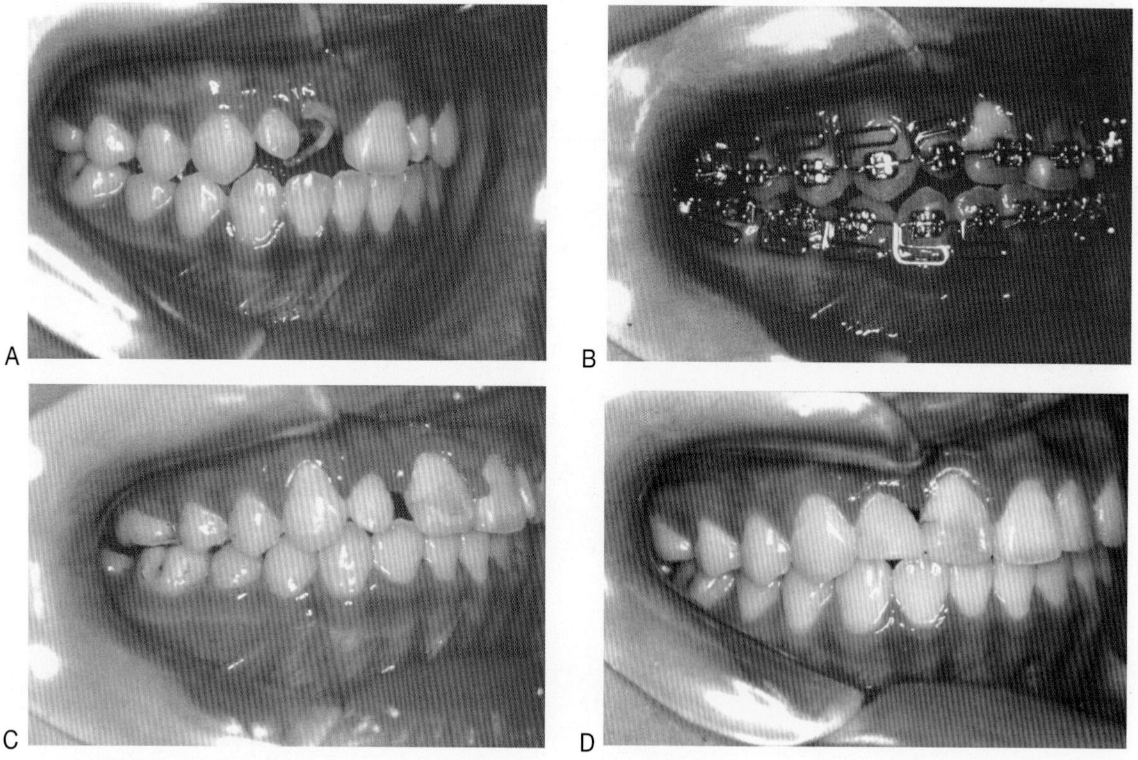

그림 19-38. 좌우측 상악측절치가 왜소치인 일측 구순구개열 환자(A, B)을 교정치료하여 정상적인 측절치 크기가 되도록 공간을 만든 후 composite resin으로 수복한 증례(C, D)

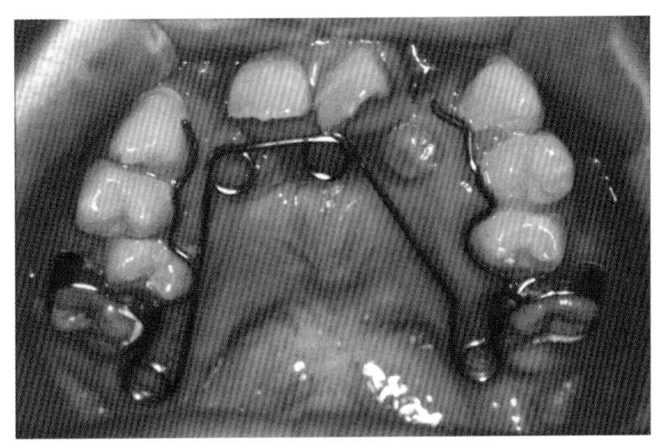

그림 19-39. 상악골 확장시 구개열 봉합수술에 의한 흉터 때문에 일반 교정환자보다 구치부 반대교합이 재발되기 쉽다.

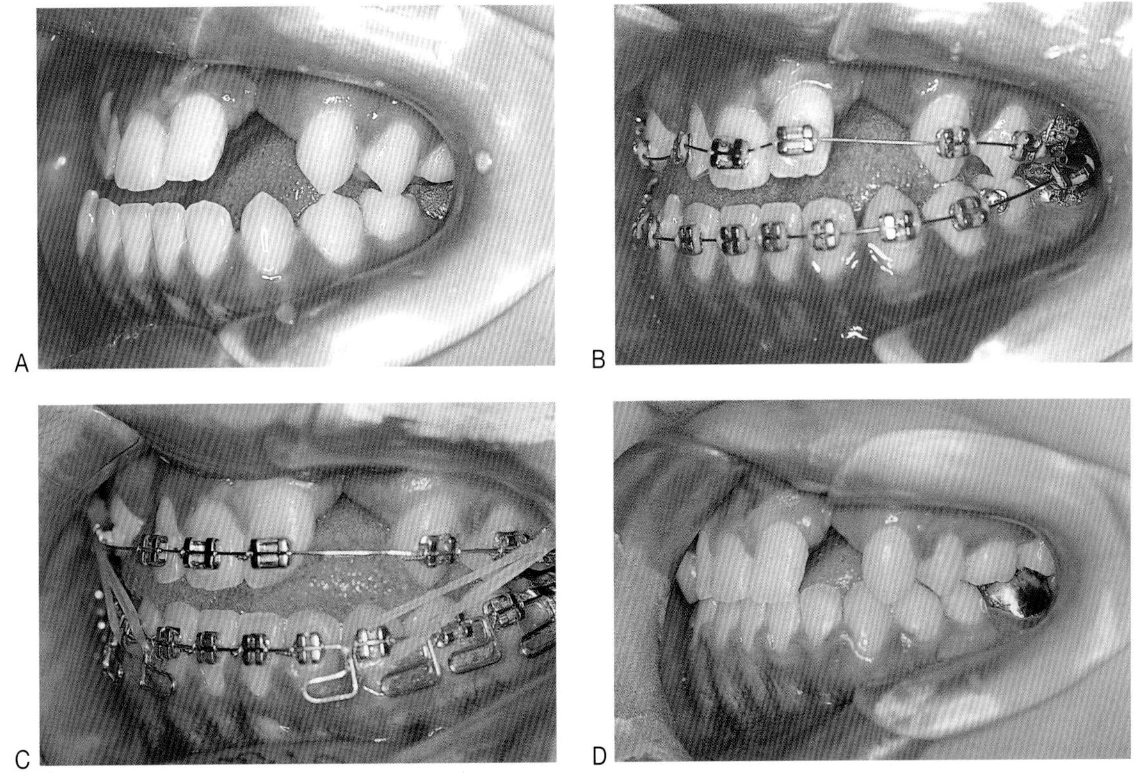

그림 19-40. 전치부 반대교합과 전치부 개방교합을 보이는 양측 구순구개열 환자(A)를 악교정수술없이 MEAW (multiloop edgewise archwire) technique으로 고정식 교정장치만을 사용하여 치아를 배열한 후(B), Ⅲ급 고무줄을 24시간 착용하여(C) 교정치료를 끝낸 증례(D).

용한 후에 영구 접착용 고정식 가공의치(그림 19-44)나 implant(그림 19-45)로 교체한다.

② **측절치의 형태이상이 있는 경우**

측절치의 형태이상이 있는 경우에는 컴포지트 레진 (Composite resin build-up)이나 도재로 된 라미네이트 치관 (laminate crown)을 사용하여 정상적인 모양에 가깝게 재형성 해줄 수 있다(그림 19-46).

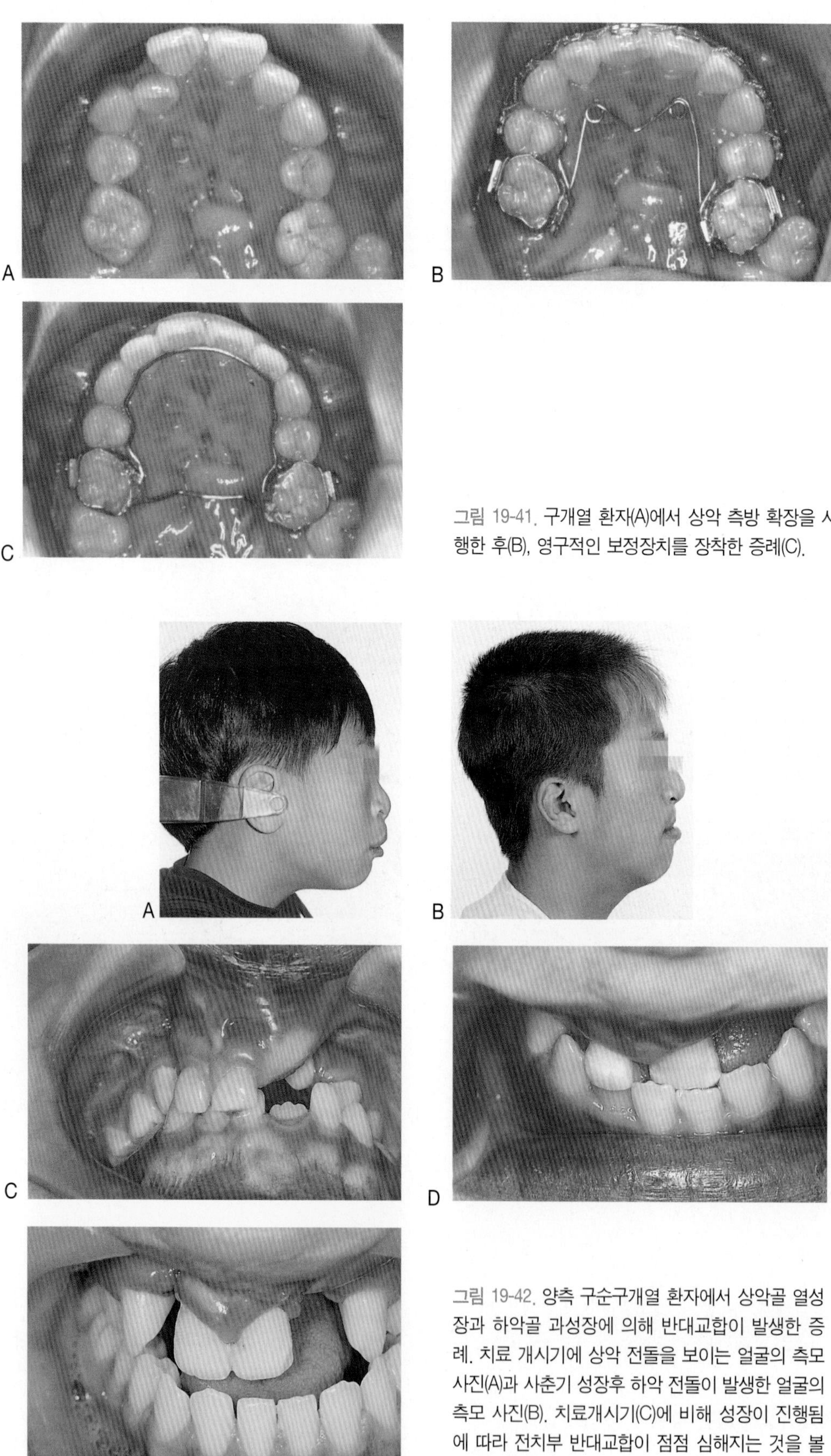

그림 19-41. 구개열 환자(A)에서 상악 측방 확장을 시행한 후(B), 영구적인 보정장치를 장착한 증례(C).

그림 19-42. 양측 구순구개열 환자에서 상악골 열성장과 하악골 과성장에 의해 반대교합이 발생한 증례. 치료 개시기에 상악 전돌을 보이는 얼굴의 측모 사진(A)과 사춘기 성장후 하악 전돌이 발생한 얼굴의 측모 사진(B). 치료개시기(C)에 비해 성장이 진행됨에 따라 전치부 반대교합이 점점 심해지는 것을 볼 수 있다(D, E).

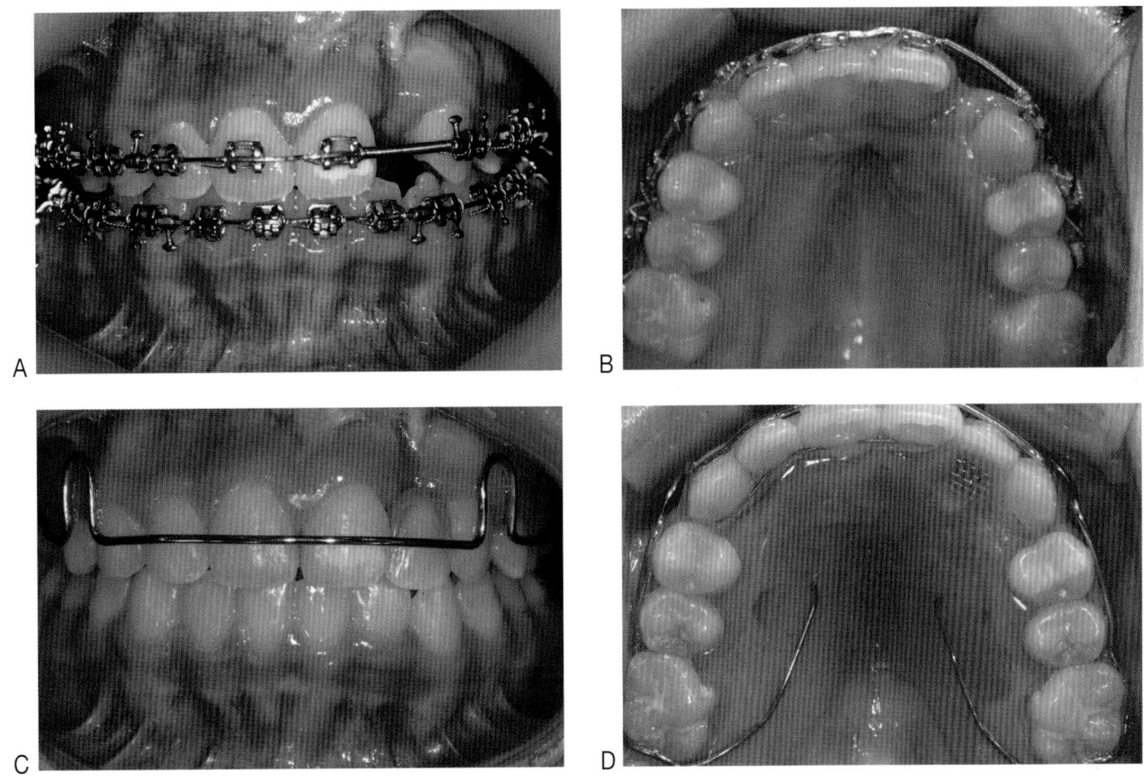

그림 19-43. 상악 좌측 측절치가 결손된 일측 구순치조열 증례의 교정치료시 정상 크기로 측절치의 공간을 만든다(A, B). 교정치료 종료 후 인공치가 부착된 가철식 유지장치를 장착한 모습(C, D).

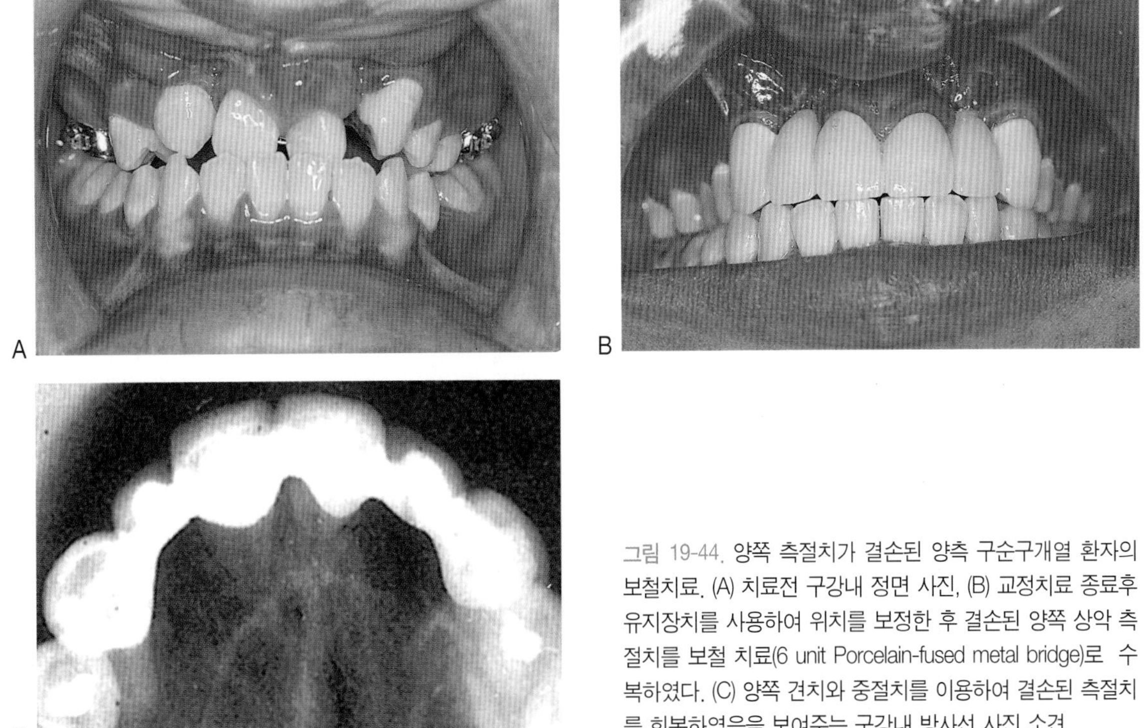

그림 19-44. 양쪽 측절치가 결손된 양측 구순구개열 환자의 보철치료. (A) 치료전 구강내 정면 사진, (B) 교정치료 종료후 유지장치를 사용하여 위치를 보정한 후 결손된 양쪽 상악 측절치를 보철 치료(6 unit Porcelain-fused metal bridge)로 수복하였다. (C) 양쪽 견치와 중절치를 이용하여 결손된 측절치를 회복하였음을 보여주는 구강내 방사선 사진 소견.

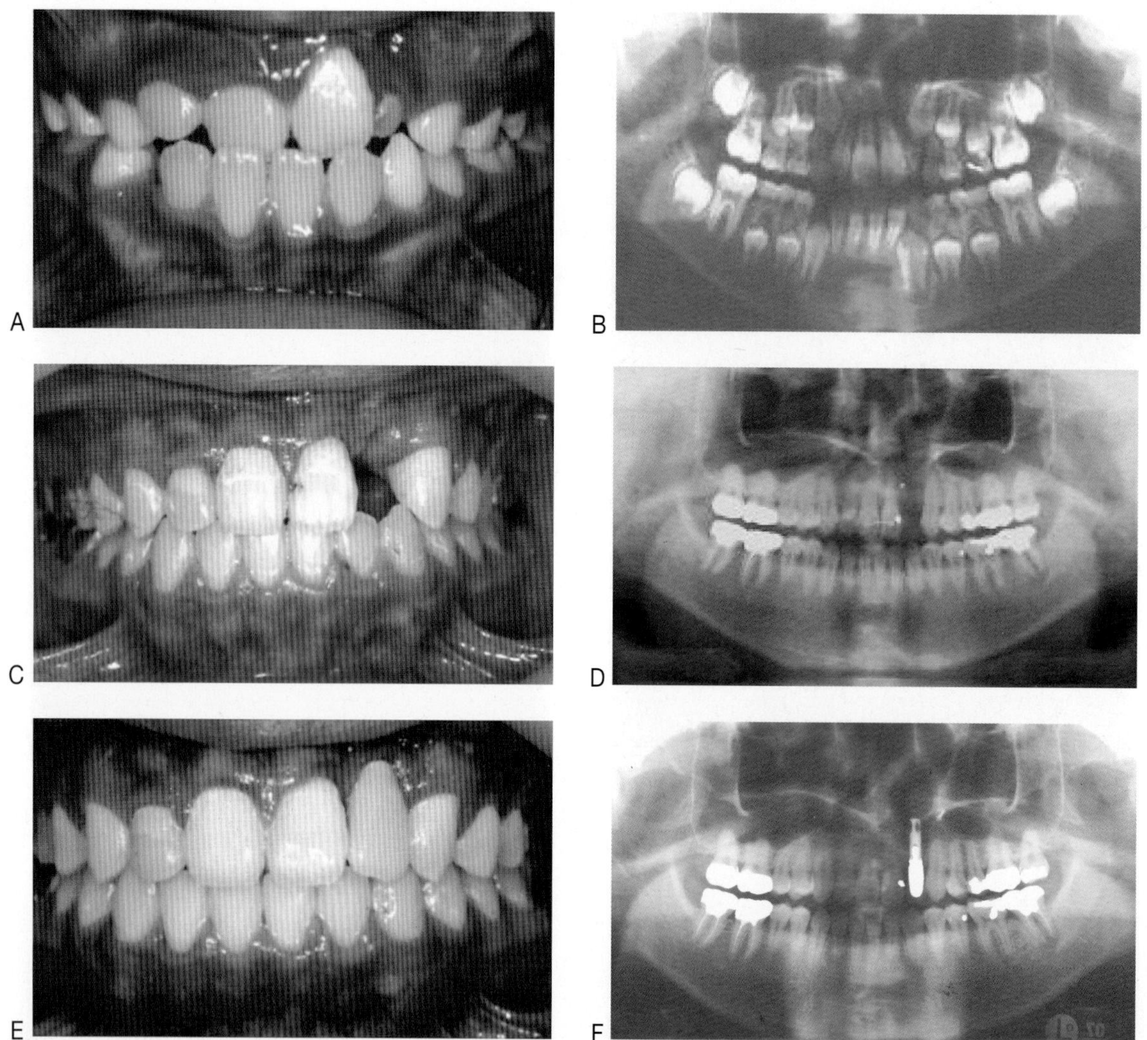

그림 19-45. 결손된 상악 좌측 측절치를 임플란트를 이용해 보철치료한 증례. (A, B) 교정치료 전의 구강내 정면사진과 파노라마 방사선 사진. (C, D) 상악골 확장과 고정식 교정장치를 사용하여 반대교합을 해소하고 치조골 이식을 시행한 후, 결손된 상악 좌측 측절치의 공간을 확보한 사진. (E, F) 임플란트가 성공적으로 식립된 모습을 보여주는 구강내 정면사진과 파노라마 방사선 사진.

III. 결론

구순구개열환자를 성공적으로 치료하기 위해서는 외부적인 요소와 내부적인 요소를 잘 조절해야 한다.

부적절한 치료시기나 수술방법, 협진 체계의 부족 등으로 인해 생길 수 있는 외부적인 요소를 조절하기 위해서 협진팀은 정기적으로 만나야하며 multidisplinary protocol을 가지고 적절한 시기에 적절한 치료 목표를 가지고 치료해야 하며 이를 위한 교정의의 역할이 중요하다.

조직의 결손이나 갈라진 상악골 분절의 변위와 같은 내부적 요소를 조절하기 위해서는 반흔조직이 생기지 않는 태내수술(intrauterine surgery), 치조분절과 중안면부의 골신장술(distraction osteogenesis), genetic screening을 통한 유전자 치료(genetic therapy)등도 고려할 수 있다.

구순구개열 환자의 교정 치료의 원칙으로는 장기간의 치료를 위해 치료를 단계화하며, 각 치료단계의 목표를 명확히 설정하고, 교정치료 기간을 최소화해야하며, 협진팀의 다른 치료들과 잘 조화되게 교정치료를 시행하며, 안정된 치료결과를 유지하기 위해 장기간의 보정을 시행하고, 치열과 악안면의 성장과 발육을 최대한 발현하게 하는 것 등을 들 수 있다.

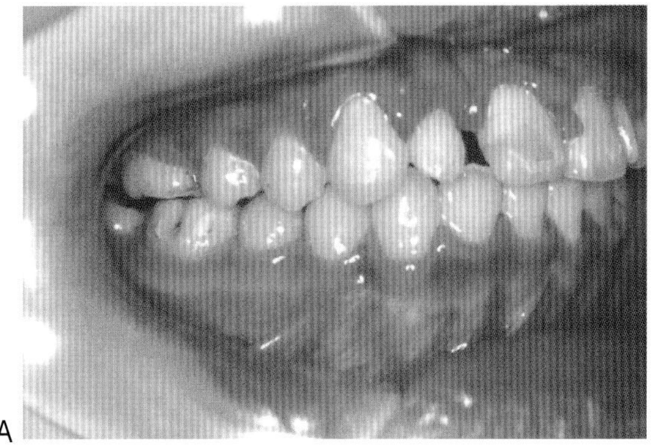

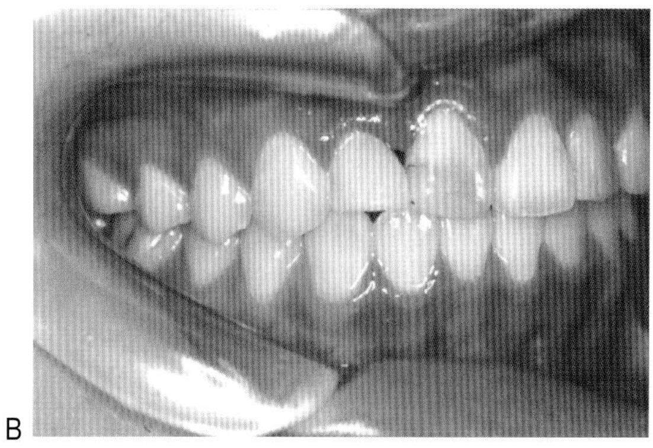

그림 19-46. 측절치의 형태이상이 있는 경우(A)에는 컴포지트 레진 (Composite resin build-up)을 사용하여 정상적인 모양에 가깝게 재형성해준 증례(B).

참고문헌

1. 강종화, 강정숙, 손우성. 순구개열자의 선천결손치와 과잉치의 발생빈도에 관한 연구. 대한치과교정학회지 1993;23:319-26.
2. 복재권, 손우성. 순구개열이 영구치 근원심 폭경에 미치는 영향. 대한치과교정학회지 1995;25:447-51.
3. 차문호, 김진태, 우원섭. Orthopantomography에 의한 과잉치와 결손치의 발생빈도에 관한 고찰. 대한소아치과학회지, 1975;2:132-5.
4. 백승학, 양원식. 순구개열환자의 치아수와 형태이상에 관한 연구. 대한치과교정학회지 31: 51, 2001.
5. Baek SH, Moon HS, Yang YS. Cleft type and Angle's classification of malocclusion in Korean cleft patients. *Eur J Orthod* 24: 647, 2002.
6. 양원식, 손우성, 백승학. 알기쉬운 순구개열 이야기, 서울: 지성출판사, 2001. Pp 46-102.
7. Adams MS, Niswander JD. Developmental "noise" and a congenital malformation. Genet Res 1967;10:313-7.
8. El Deeb M, Messer LB, Lehnert MW, Hebda TW, Waite DE. Canine eruption into grafted bone in maxillary alveolar cleft defects. Cleft Palate J. 1982 Jan;19(1):9-16.
9. Foster TD, Lavelle CL. The size of the dentition in complete cleft lip and palate. Cleft Palate J. 1971 Apr;8:177-84.
10. Hellquist R, Linder-Aronson S, Norling M, Ponten B, Stenberg T. Dental abnormalities in patients with alveolar clefts, operated upon with or without primary periosteoplasty. Eur J Orthod. 1979;1(3):169-80.
11. Jordan RE, Kraus BS, Neptune CM. Dental abnormalities associated with cleft lip and/or palate. Cleft Palate J 1966;3:22-55.
12. Kraus BS, Jordan RE, Pruznasky S. Dental abnormalities in the deciduous and permanent dentition of individuals with cleft lip and palate. J Dent Res 1966;45:1736-46.
13. Nagai I, Fujiki Y, Fuchihata H, Yoshimoto T. Supernumerary tooth associated with cleft lip and palate. J Am Dent Assoc 1965;70:642-7.
14. Olin WH. Dental anomalies in cleft lip and cleft palate patients. Angle Orthod 1964;34:119-23.
15. Ranta R, Tulensalo T. Symmetry and combinations of hypodontia in non-cleft and cleft palate children. Scand J Dent Res. 1988 Feb;96(1):1-8.
16. Richard RB. Orthodontic Diagnosis and Treatment Procedures. In Karlind TM, Clark DS(Eds), *Cleft Palate: Interdisciplinary Issues and Treatment.* Texas: Shoal Creek Boulevard, 1993. Pp 121-144.
17. 김명래, 최장우, 김태원 공역. 구개열의 종합치료, 서울: 지성출판사, 1998. Pp 239-309
18. Sofaer JA. Human tooth-size asymmetry in cleft lip with or without cleft palate. Arch Oral Biol. 1979;24(2):141-6.
19. Swanson LT, McCollum DW, Richardson SO. Evaluation of the dental problems in the cleft palate patients. Am J Orthod 1956;42:749-65.
20. William HO. Timing of Orthodontic Treatment. In Nicholas GG, Robert FH(Eds), *Symposium on Management of Cleft Lip and Palate and Associated Deformities*, Vol 8. Durham: The C.V. Mosby Company, 1974. Pp 248-249.

제20장 악안면교정수술과 치열교정치료

Orthognathic Surgery and Orthodontic Treatment

이지나

교정치료의 목적은 심미와 기능을 회복시켜 주는 과정이다. 그러나 정상교합일지라도 안면의 심미와 정상교합이 서로 상관관계가 밀접한 것은 아니다. 또한 치열만 교정하는 것으로 항상 안면을 심미적으로 개선시키지 못하며, 때로는 오히려 심미성을 감소시킬 수도 있다. 그 이유는 아무리 상하 치열이 완벽하게 맞는다 해도 치열을 포함하고 있는 상하 골격의 관계가 맞지 않거나, 골격을 싸고 있는 연조직이 겉으로 조화를 이루지 못하여 미적으로 보이지 않을 수 있기 때문이다. 우리가 환자에게 최상의 결과를 주고자 한다면 경조직뿐 아니라 겉으로 나타나는 연조직의 심미가 치료의 궁극적 목표가(treatment objectives) 되어야 한다.

또한 교합은 개개의 치아들이 악골 내에서 올바른 위치를 가진 정상교합이어야 하고 동적인 교합의 요구 조건들도 충족된 기능교합(functional occlusion)이어야 한다. 기능교합에 선행 되어야 할 필수 요건이 있는데 올바른 악관절 관계와 건강도이다.[1,2] 수술 전 악관절 과두의 위치가 제대로 평가되어야만 올바른 진단과 수술계획이 수립되고, 더 나아가 술후 결과로 나타날 수 있는 relapse를 최소한으로 줄일 수 있다.[3]

I. 심미적이고 기능적인 악교정 수술을 위한 치료 목표

아래에 열거된 6 가지 사항들은 성공적인 치료를 결정하는 요소들이다.

1. 환자 주소 해결

2. 악관절 건강도

1) TMJ remodeling이 없는 상태

개인의 악관절에 가해지는 유해한 충격에 적응하거나 수용하는 능력은 기능적(functional) 또는 비기능적(dysfunctional)인 악관절을 재형성(TMJ remodeling) 하는데 기여할 수 있다.[4,5,6] TMJ는 교정이나 악교정 수술 치료를 완성하기 위한 기초라 할 수 있다. 치료 후에는 기능적 악관절 재형성이(functional remodeling) 최소화되어야 결과가 잘 유지되고 relapse를 줄일 수 있다.[7]

2) 악관절의 무압박

수술 중 악관절을 압박하게 되면 악간고정(intermaxillary fixations)을 풀었을 때 하악이 전방으로 밀리게 되고, 수술 후 악관절 흡수가 발생하거나 후에 원래 모습으로 돌아갈 가능성이 있다. 하악 전방 이동 거리가 아주 크거나, 하악이 반시계 방향으로 회전하도록 전방 이동시키면 pogonion에서 커다란 움직임을 야기하며, 악관절을 압박하게 된다. 악간고정을 장기적으로 사용했을 때 관절 액의 정상적인 생리작용과 균형이 파괴될 수 있다.[8,9]

3. 안면의 심미성(facial esthetics)

4. 교합의 심미성(dental esthetics)

구강의 심미가 이루어지려면 정적인 교합 상태가 정상이고 아름다워야 할 뿐 아니라 기능 교합이 이루어져야 한다.[10,11] 하악이 border movement할 때 적절한 피개교합(3~4mm), 과개교합(2~3mm) 그리고 cuspid guidance를 따라 움직이는 기능

교합이 치료 후 relapse를 최소화 시킨다.[12,13,14]

5. 치주 조직(periodontal health)의 건강도

6. 장기간 동안의 안정성(long-term stability)

1) 안모 개선의 안정성
2) 교합의 개선의 안정성

II. 정확한 진단을 위한 중요한 기록 5가지

1. 환자 병력

- Medical, Dental, TMJ 등의 병력과 수면 무호흡 등

2. 관절 검사

1) 임상적인 악관절 검사 : 안정된 과두의 파악은 Wax bite를 이용한 교합기 mounting 후에 관찰할 수 있으며, 하악 운동 시 악관절 축의 궤적(axis path recording) 등을 교합기 상에서 기록하고 평가한다.
2) TMJ Tomogram이나 MRI[15,16,17] 중심의 방사선 사진들
3) 병력 : internal derangement, parafunctional habit 등의 병력이 과거에 있었는지, 현재도 변화가 진행 중인지 파악해야 한다.[18]

3. 임상적 안면 검사

문제를 가지고 있는 환자에 대한 술자의 임상적인 관점(operator's clinical impression)이 낮게 평가 되어서는 안 된다.[19,20,21,22] 오히려 방사선 사진이나 모델과 같은 다른 진단적 도구는 임상적인 검사와 더불어 상세한 치료 계획을 확정하는데 사용된다. 이상적인 안면 구조에 대해 아래에 열거된 구성요소들을 통해 환자를 검사하는 것은 술자가 정확한 진단과 구체적인 변화량의 수치를 파악하는데 도움을 준다.

4. 교합기 상에서 모델 분석

1) 부정교합의 요소들

(1) 회전 : 치아 회전이 없어야 한다.
(2) 축경사도 : 후방치아들은 교합면에 대하여 일정한 경사도를 갖고 있어야 한다. 다만 골격성 부정 교합 형태에 따라 경사도에 차이가 있다.
(3) 인접치아와 변연 능선의 높이(marginal ridge level)
(4) 악궁 길이[23]
(5) 치조골의 위치[24]
(6) 악궁 폭 [25]
(7) 악궁의 형태[26]
(8) 교합 평면
(9) 피개교합(overbite) [27,28]
(10) 과개교합(overjet)
(11) 중심선

2) 골격성 부정교합(skeletal malocclusion)

치아가 치조골에 이상적인 배열을 한 후에도 남아있는 상하 악궁 간의 폭이나 모양의 부조화

3) 부정교합을 치료하는 방법

(1) 치열 만 교정하는 경우 : 안모가 심미적이며, 교정치료 만으로 적절한 교합이 이루어지고, 치주조직에 무리가 없으며, 관절에 병변이 없고, 치료 결과에 안정성을 보일 때.
(2) 하악골 만 수술하는 경우
하악골 후방전위
하악골 전방전위
하악골의 비대칭
악골의 형태와 폭의 부조화
(3) 상악골 만 수술하는 경우
과도한 수직적 상악골
부족한 수직적 상악골
상악골 전방전위
상악골 후방전위
상악골 중심선의 변이
(4) 상, 하악골을 같이 수술하는 경우

5. 연조직 분석(soft tissue analysis) 및 경조직 분석

연조직의 두께, 길이, 형태가 개개인마다 서로 다르며, 연조직의 이런 모습이 연조직을 지지하는 치성두개골 구조와 서로 연관이 없다는 많은 연구 결과들이 있다. 방사선 사진(head film analysis)의 평가 시 경조직뿐 아니라 연조직에 대한 평가도 반드시 해야 한다. 더 나아가 방사선 사진에서 얻은 정보가 임상에서 관찰된 소견과 일치하는지 확인해야 한다.

III. 연조직 분석법

상하악 골격 구조의 불균형을 판별해 내는 것이 중요하다.[27,28,29,30,31] 그러나 상하악 골격의 조화가 안면 조화와 일치하지 않는 경우가 많이 있다. 더구나 우리가 육안으로 보는 부분은 골격이 아니고 연조직이다.[32,33,34,35,36] 이상적인 안모로 개선하기 위해서는 해당 개체의 안모 형태가 이상적 기준에서 얼마나 벗어났는지, 그리고 그 차이를 개선 할 수 있는지를 알게 하는 분석법이 필요하다.

안모의 미적인 관계를 분석하기 위해서 측두방사선 사진을 촬영하고 전통적으로 기준점(reference point)을 계측하는 방법을 사용해 왔다. 그런데 측두방사선 사진에 나타난 구조물들은 골격이며 술자가 환자를 바라 볼 때는 연조직 형태를 보게 된다. 이런 점에서 볼 때 전통적 측두방사선 사진 분석법은 다음의 몇 가지 점에서 안모 분석에 부적절하다.

1. 기준 평면(reference plane)과 각도 자체가 가지고 있는 기하학적 부적합성.
2. 대부분의 분석법은 수직적 문제점(vertical problem)에 대한 분석이 포함되어 있지 않다.
3. 경조직은 반드시 연조직과 1:1의 상관관계를 가지지 않는다.
4. Cephalometric norm은 평균치이고 이상적 혹은 미적인 수치가 아니다.
5. 기준이 되는 해부학적 구조물이 방사선 상에서 부정확하거나 부적절한 경우가 있다.

기존의 측두방사선 분석에 의해 치료 계획을 세우는 방법들의 가장 중요한 결정 요소나 전제 조건은 하악 전치의 위치이다. 이것은 하악전치가 치아 이동의 한계를 결정한다는 전제에서 기인한다. 그래서 먼저 하악 전치의 위치를 결정하고, 그리고 하악의 위치를 결정한다. 다음에 상악궁과 마지막으로 안면의 심미를 결정한다. 반면에 연조직 분석의 기본적인 개념은 개개 환자의 이상적인 연조직 측면 모습을 결정하고, 이렇게 얻어진 연조직 위치에 따라 경조직을 이동하는 것이다. 즉 외면에서부터 내면으로 접근해가는 방법이다. 그러기위해 경조직에 대한 분석뿐 아니라 위에 열거한 점들을 보완한 연조직 분석이 필요하게 된다.

Soft tissue analysis points(그림 20-1)

1. G' (Soft tissue Glabella): The most anterior of the forehead in front of the superior bony margin of the orbit.
2. Na' (Soft tissue nasion): A point in the inner most curvature in front of the frontonasal suture.
3. PN(Pronasale): The most outward point of the nasal tip
4. Sn(Subnasale): The point where the columella and the upper lip intersect on the medial sagittal plane. On a practical way, is the most posterior superior point on the nasolabial curvature

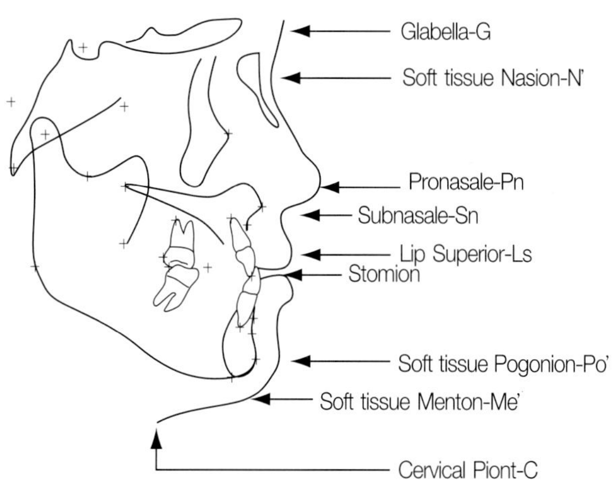

그림 20-1. Soft tissue analysis points

5. Stms(Superior Stomion): The most inferior point of the upper lip
6. Stmi(Inferior Stomion): The most superior point of the lower lip
7. Me' (Soft tissue menton): The most inferior point of the soft menton contour traced with a true vertical projection from the hard tissue menton
8. Ls(Labiale superior): Most prominent upper lip point
9. LI(Labiale inferior): Most prominent lower lip point
10. Pg' (Soft tissue Pogonion): Most anterior point on the soft tissue menton(Symphysis)
11. C(Cervical Point): A point in the innermost curvature of the lines joining the neck with the submandibular contour
12. Gn' (Soft tissue Gnathion): An intersection of a line from Sn to Pg' and the tangent to submandibular contour traced from C.

IV. 임상적, 방사선적 검사를 위한 기본적인 조건들

1. 자연스런 머리 위치(Natural Head Position)
2. 안정적으로 위치된 과두(Seated Condyle)
3. 최초 치아 접촉 상태의 위치(First tooth-contact position)
4. 긴장이 완화된 입술(Relaxed lip)

측정 방법

연조직을 분석하기 위해 측두방사선 사진은 환자의 자연스런 머리 위치(natural head position) 상태에서 촬영하고 입술의 긴장이 완화되었는지 확인한다.[39,40]

True vertical line과 True horizontal line을 결정하고 이 선에서 수직거리와 각도를 측정한다. 특히 연조직 계측은 subnasale(Sn)에서 수선을 내린 Subnasale Vertical(Sn Vertical) line에서 수직적 비율(vertical proportion)과 수평적 돌출 정도를 판단한다.

V. 안면 심미의 이상적 요소들

1. 대칭성
2. 안면 장광폭의 조화(여자 - 1.3:1, 남자 - 1.35:1). 안면 상부 1/3(upper 1/3 of the face height)은 앞머리로 가려지는 경우가 많으므로 안면 하부2/3(lower 2/3 of the face height) 길이와 얼굴 폭경(bizygomatic width)의 비율을 비교하는 것이 바람직하다. 그리고 이 비율은 0.92~1사이가 적절하다(그림 20-2A).
3. 협골 융기부와 비익 기저부 사이의 전방 안면 뺨의 돌출 정도(그림 20-2B)
4. 안정위 상태에서의 상악전치부가 상순 아래로 3~5mm 노출
5. 활짝 웃는 상태에서 상순이 상악 전치 치경부 ±2mm 상에 놓이는 것이 바람직하고 구치부로 갈수록 치은의 노출이 적은 것이 더 심미적이다.
6. 긴장 없는 상태에서의 입술의 자연스러운 피개
7. 상순이 약간의 곡선을 그리며, 상순의 순첨이 전방으로 위치(그림 20-2C)
8. 비저부에서 비첨까지의 비 융기가 16~20mm, 비 융기에 대한 비익저의 폭 비율은 0.55
9. 안면부의 상, 중, 하 비율이 1:1:1 이지만 여성의 경우 안면 하부는 0.85~0.95 정도가 더 심미적이다(그림 20-2D).
10. 상순과 하순의 길이는 1:2의 수직 비율이지만 여성의 경우 하순의 길이가 2보다 작은 것이 더 심미적이다.
11. 측면에서 볼 때 Sn 수직선에서 상순, 하순 그리고 pogonion에 대한 거리(그림 20-2E)
12. 잘 정의된 하악저의 형태와 안면 하부 길이의 80%보다 적지 않는 인후 길이(그림 20-3)

VI. 수술 전 교정치료

1. 안정적으로 위치된 과두(seated condyle)

부정교합 환자들은 관절 원판의 이상, 과두의 재형성, 흡수 외에도 과두의 위치가 glenoid fossa의 전, 상방에 위치(Centric Relation, CR)하지 않는 경우가 대부분이다. 즉 치아의

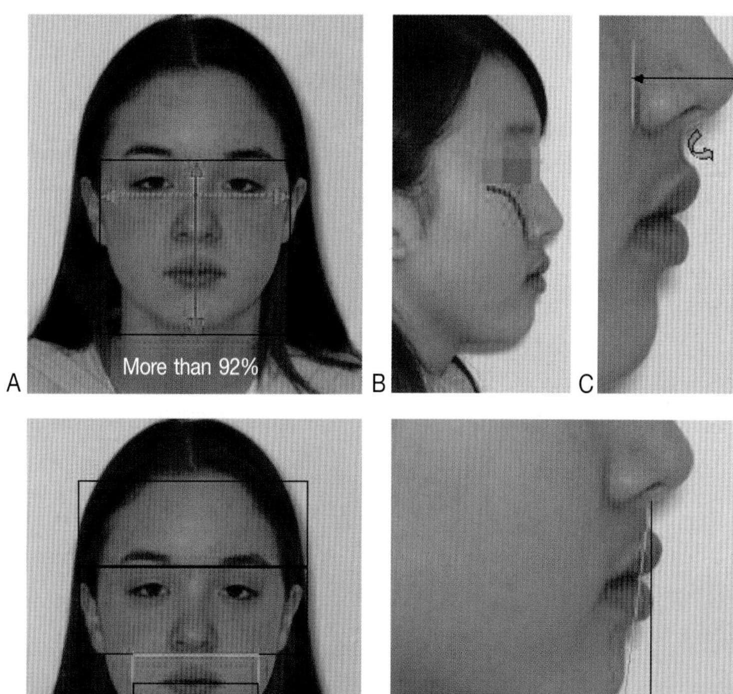

그림 20-2. 안면 심미의 이상적 요소들. (A) 안면의 장광 폭의 조화, (B) 안면 뺨의 convexity, (C) 상순이 약간의 곡선, (D) 중, 하 안면 비율, (E) Sn 수직선에서 상순, 하순 그리고 Chin에 대한 거리

표 20-1. 주요 계측치(그림 20-3).

Intramaxillary	U1 to Mx occlusal plane	55°
	L1 to Mn occlusal plane	66°
Intermaxillary	Interincisal angle	125°
	Overbite	4mm
	Overjet	3mm
Craniomaxillary	FH plane to Mx occl plane	11°
	Sn Vertical to Mx occl plane	100°
Facial Balance	Gl' -Me'	142mm
	Sn-Me'	73mm
	Sn-Me' /Gl' -Me' (ratio)	1:1(ratio)
	Sn-Stms	24mm
	Stmi-Me'	47mm
	Stmi-Me' /Sn-Stms(ratio)	1:2(ratio)
	Interlabial gap	0mm
	U1 exposure	2mm
	Upper lip thickness	12mm
	Lower lip thickness	14mm
	Nasolabial angle	91°
	Nose height	13.5mm
	SnV to UL	5mm
	SnV to LL	2.5mm
	SnV to Pog'	- 3mm
	SnV to Upper lip angle	16°

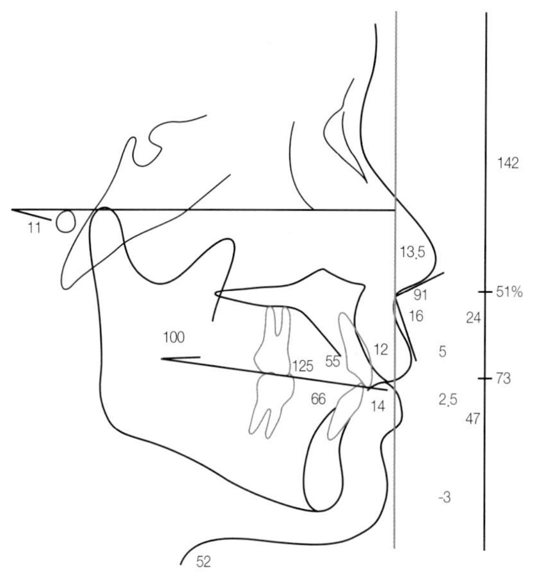

그림 20-3. 정상 계측치

maximum intercuspation(Centric Occlusion, CO) 시의 과두의 위치는 Centric Relation이 아닌 후, 하방이나 측방으로 변이 되어 있게 된다. CR 과 CO 가 다른 상태에서 어떤 교합 조건과 심미적 안모가 충족되어졌다 해도 치료결과가 나빠지는 것은 시간문제일 뿐 불을 보듯 뻔하다.[41,42,43,44,45]

먼저 CO-CR 차이가 어느 정도인지 초진 치아 모형을 wax bite에 맞춰 교합기에 올려 관찰한다(그림 20-4). 환자의 TMJ 증상과 CO-CR 차이 정도에 따라서 Repositioning Splint를 3~6개월 사용하며, 장착 후 증상이 없어지고 과두가 안정적으로 위치된 상태에서 치료계획을 세운다(그림 20-5).

2. Visualized Surgical Treatment Objective(VSTO)

치료계획은 치아이동을 시작하기 전에 이루어져야 하며, condyle이 안정적으로 위치 된 상태에서 수립 되어야 한다. VSTO 과정에서 치아의 이동량을 미리 예측하여 결과적으로 나타나는 경조직 및 연조직의 움직임을 예견 해본다. 필요에 따라 발치, 또는 비발치를 결정하게 된다.

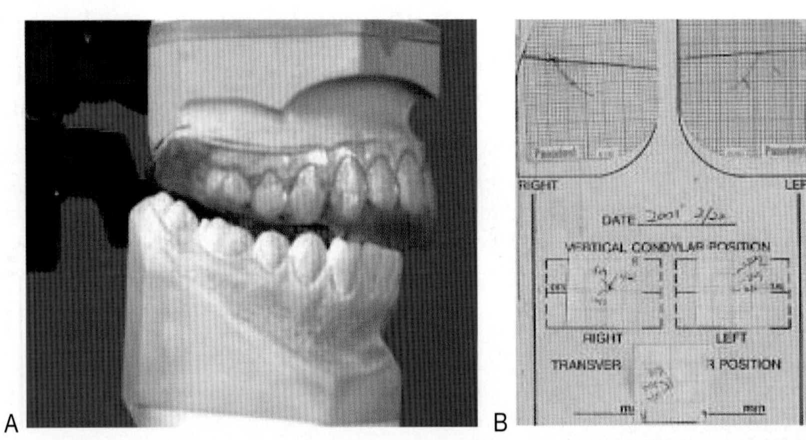

그림 20-4. (A) Centric Occlusion과 Centric Relation (CO-CR) 차이가 어느 정도인지 초진 치아 모형을 wax bite에 맞춰 교합기에 올려 Repositioning Splint를 제작한다. (B) Splint를 3~6개월 사용하며 계속적으로 CR의 변화를 기록한다.

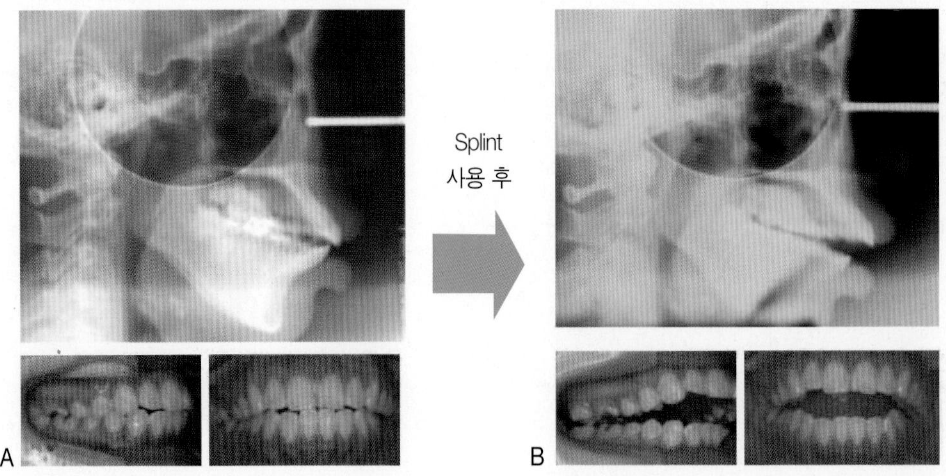

그림 20-5. Repositioning Splint를 3~6개월 사용하면 과두가 seating되면서 감추어졌던 원래 부정 교합이 나타나게 된다. (A) 초진 시 측두방사선 사진과 교합, (B) Splint사용 후 측두 방사선 사진과 교합

3. 치아 이동

수술 전 교정치료는 단순히 총생(crowding)을 해소하고 치열을 고르게 펴주는 과정이 아니다. 얼굴에 대한 계획과 그에 따르는 새로운 치아의 위치, 새로운 교합평면의 형성, 그리고 치아의 정상적인 각도와 경사도를 회복시키면서 발치, 혹은 비발치로 총생을 해소해 주어야 한다(그림 20-6~13). 비발치의 경우 치조골과 치주조직의 한계를 넘어 무리한 확장을 시행하

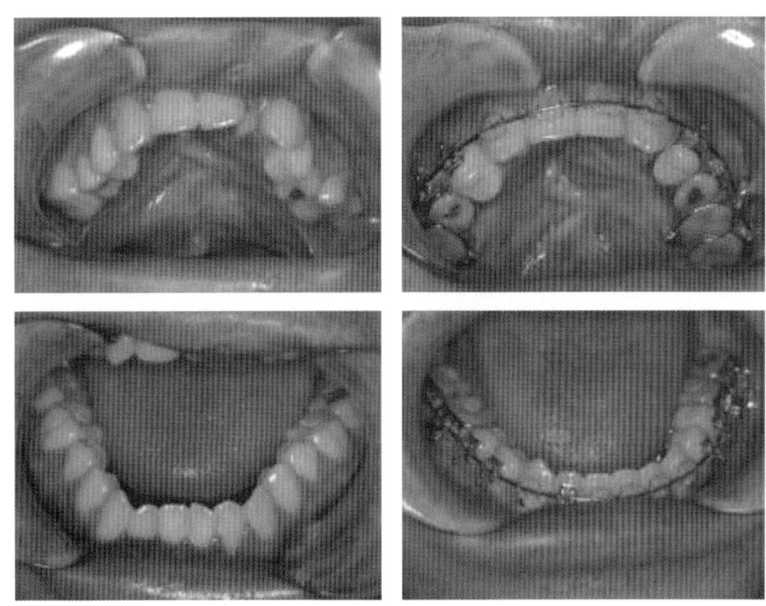

그림 20-6. 일측 구순구개열(좌측: 초진 구강 사진, 우측: 수술 전 교정치료 후 구강 사진). 상악 우측 측절치는 선천적으로 결손 되었다. 상악궁의 대칭을 위해 좌측의 peg lateral 을 발치해 치료하였다.

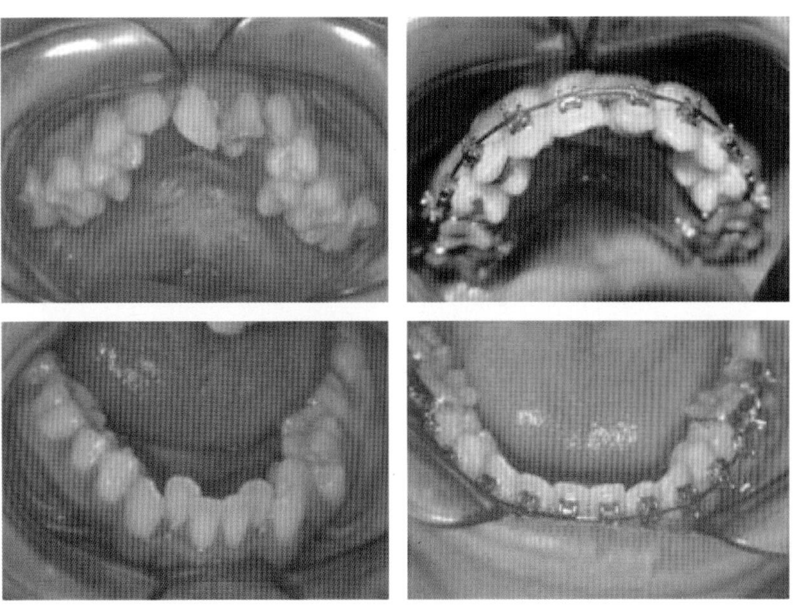

그림 20-7. 양측 구순구개열. 초진 사진에서 상악 좌우 측절치는 선천적으로 결손 되었다. 구개열 봉합 시 발생할 수 있는 소구치 부위의 협착과 구치부위의 flare-out을 보이고 있다. 약 9개월의 교정치료로 하악궁과 synchronize 될 수 있는 모양의 'U' 자 형의 상악궁이 되었다. 설 측으로 기울어져 있던 하악의 전치와 구치들이 악골 위에 바로 세워졌다.

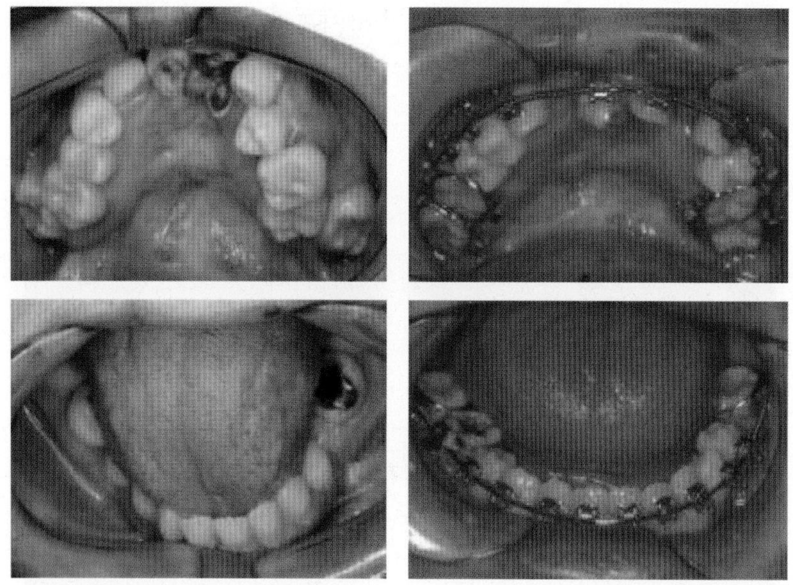

그림 20-8. 양측 구순구개열. 상하악 15mm 임에도 불구하고 환자의 여건상 편악 수술밖에 할 수 없었다. 안모의 심미성을 compromise 하고 악골간 전후방적 차이를 상악구의 expansion을 통해 줄여주어야 했다. 상악 제 3대구치를 발거해 구치부 crowding을 해소하였고, 결손된 좌우 측절치 공간을 확보함으로써 premaxilla expansion을 시행하였다.

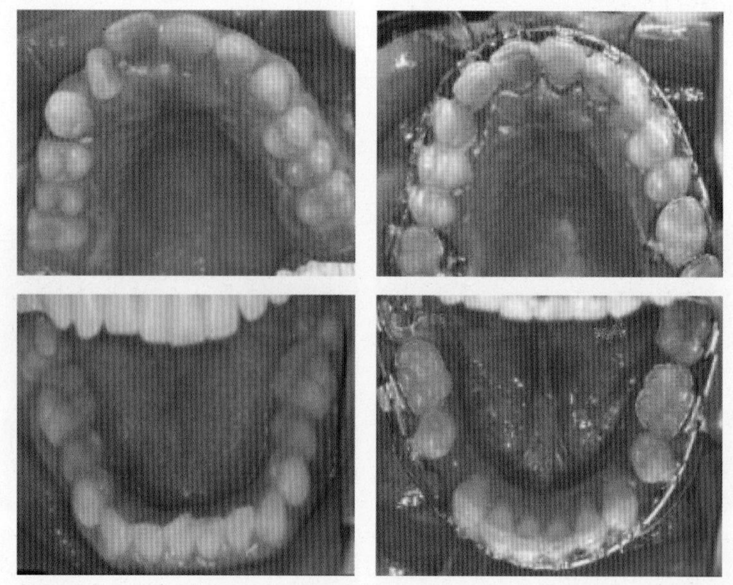

그림 20-9. Incomplete cleft lip. 상악 측절치는 선천적 결손이 없고 전치의 전후방적 위치는 적절했다. Gummy smile 해소를 위해 비발치로 상악골의 impaction을 시행하였다. 하악궁의 autorotation으로 하순부위가 돌출되어 보이는 것을 막기 위해 하악소구치를 발치해 segmental osteotomy를 준비하였다.

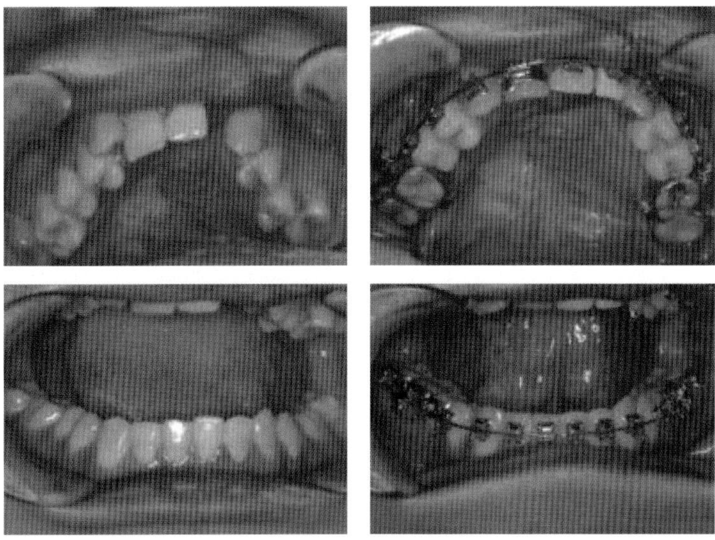

그림 20-10. 일측 구순구개열. 상악 좌우측 측절치는 선천적으로 결손 되었다. 초진 시 상악궁의 중심선이 두 중절치 사이에 존재하였다. 대칭을 유지하기 위해 좌측의 측절치를 수술 후 보철적으로 수복해 줄 수 있는 공간을 마련해 주었다.

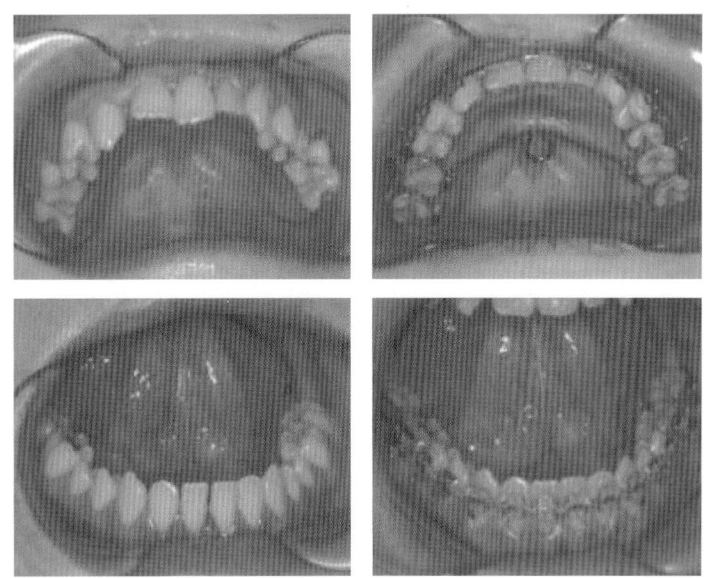

그림 20-11. 양측 구순열. 상악 측절치의 편측 결손에도 불구하고 발치나 결손부위의 공간 확보 없이 약 6개월의 기간 동안에 상하악 악궁이 조화를 이룬 경우이다. 초진 사진에서 치석으로 퇴축되어있던 치은조직이 수술 전 사진에서 회복된 모습을 보이고 있다.

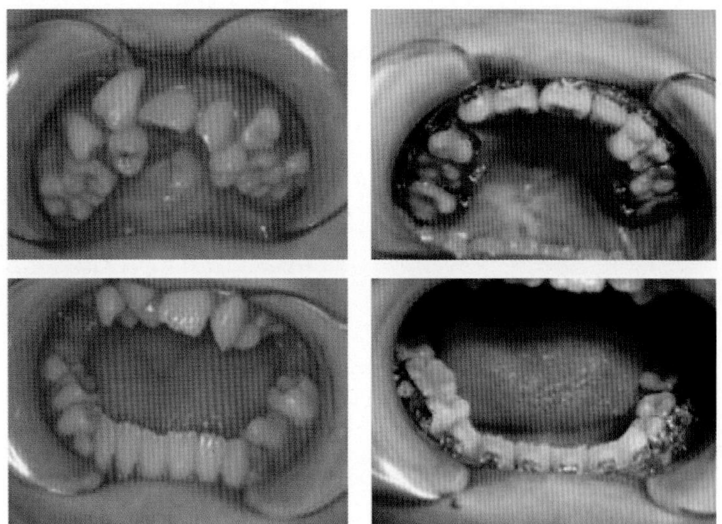

그림 20-12. 일측 구순구개열. 초진사진에서 상악 좌우 측절치와 우측 제2 소구치의 결손에도 불구하고 심한 crowding 보였다. 우측 견치와 제1소구치는 transposition되어 있었다. 하악에 비해 상악 치아의 개수가 많이 부족하므로 비발치로 악궁을 확장하여 crowding을 해소 하였다. 동시에 transposition 되었던 견치와 제1소구치도 위치를 변경해 주었다.

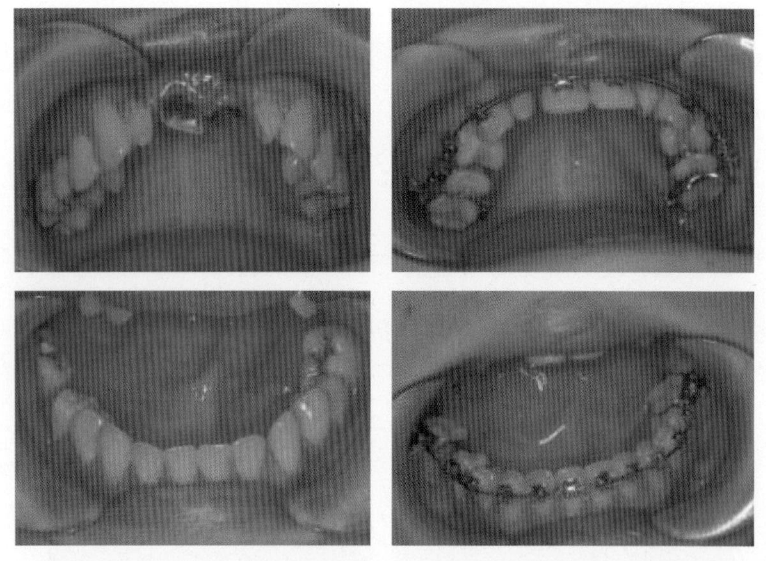

그림 20-13. 양측 구순열. 치아 우식증으로 심하게 부서진 상악 중절치를 치료하고 임시 치관을 씌워서 상악은 그대로 expansion 했다. 교정치료가 종결된 후 peg lateral 과 중절치를 보철치료로 최종 수복 하게 된다. 하악 제1대구치의 조기 상실로 인해 제2, 제3 대구치들이 전방으로 기울어져 있었는데 uprighting 시켰다.

면 치주조직의 퇴축과 치근의 노출을 발생시킨다.[39,40] 골격성 부정교합에서 상하 악궁의 폭이나 형태를 맞추려 해서는 안 되며, 전후방 관계도 개선시키려 해서는 안 된다.

VII. Visualized Surgical Treatment Objective (VSTO)

Visualized Surgical Treatment Objective는 안면 심미의 이상적 요소들을 얻기 위해 필요한 경조직의 움직임을 시도하는 것으로, 환자의 정면과 측면 얼굴의 수평(sagittal) 및 수직적(vertical) 길이와 비율을 최적으로 만들어 주는 과정이다. 측두방사선 사진의 tracing을 가지고 mock surgery를 하는데, 술전 측면 사진과 중첩된 tracing을 컴퓨터 프로그램을 이용해 morphing 하게 되면 VSTO가 손쉽게 이루어진다.

이 과정에서 기준선은 Sn Vertical Line이다. 이 선을 기준으로 상하악 구조물들을 상, 하, 전, 후로 직선 이동하거나 각도를 바꿔준다. 이때 가장 먼저 위치를 잡아주는 구조물이 상악 전치이다. 상순의 모양을 형성하는 상악 전치가 Sn Vertical Line에 대해 상순이 이상적인 위치에 놓이게 하면서, 교합 면에 대한 적절한 기울기를 갖게 하는 것이다(그림 20-14). 또한 입술의 긴장이 완화된 상태에서 전치 절단면이 상순보다 2~3mm 하방으로 내려오게 한다. 안면의 노령화 특징 중 하나가 입술의 긴장이 완화된 상태에서 상악 전치가 점차 보이지 않는 것이다. 그러므로 gummy smile을 해결하기 위해 상악골 impaction을 계획할 때, gummy smile을 해결하는 것보다 입술의 긴장이 완화된 상태에서 전치가 보이는데 우선권을 두고 impaction량을 결정해야 한다.

이상에 언급된 방법은 일반 환자들의 경우이고, 제3급 골격성 부정교합이나 구순구개열에서는 고려할 점이 하나 더 있다. 일반적인 경우 환자의 측두방사선 사진 tracing에서 Sn vertical line이 Glabella 보다 전방에 위치하고 있다. 그러나 제3급 골격성 부정교합이나 구순구개열에서는 흔히 Sn vertical line이 Glabella 보다 후방에 위치하고 있다. 그 이유는 상악골 열성장으로 인한 Sn의 후방 위치 때문이다(그림 20-15). 그래서 상악골을 전방으로 위치시키는 Le fort I Osteotomy 등의 악교정 수술을 시행하면 심미적으로 개선이 된다. 문제는 어느 정도의 전방이동이 적절한지를 결정하는 방법이다.

일반적으로 상악골의 수술적 전방이동은 코와 상순 주위 연조직의 전방이동을 가져오는데, 그림 20-5에 표시된 평균치처럼 각 위치마다 다른 결과를 보인다. Paranasal area는 30%의 전방이동이 일어나는 반면, 상순은 80%의 효과가 나타난다(그림 20-16). 이런 이유로 적절한 Sn Vertical Line이 얻어져도 상순이 돌출되는 결과가 초래될 수 있다(그림 20-17). 이런 경우 Sn은 전방 이동을 시키면서 상순은 후방으로, 혹은 원래의 위치에 남기는 방법이 있다. 하나는 상악 소구치를 발치하고 그 공간으로 전치를 후방 견인 하는 방법이다. 다른 방법은 협착된 상악 치궁을 좌우로 넓혀줌으로써 상악 전치의 후방견인 내지는 치아 돌출을 최소한으로 유도할 수도 있다. 증례의 환

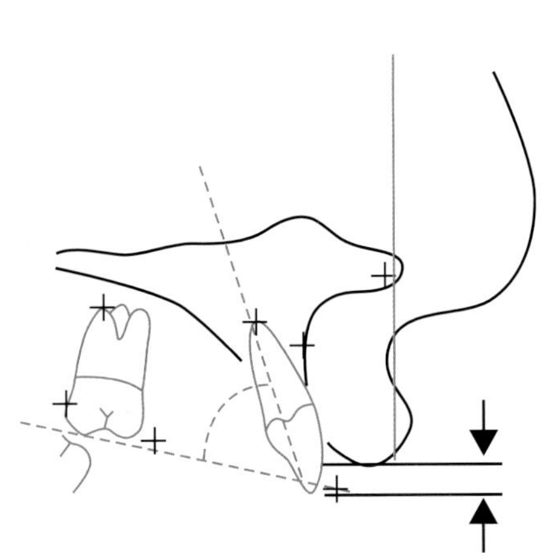

그림 20-14. 상악 전치의 위치는 교합평면에 대해 약 55도의 경사를 가지면서, Sn Vertical Line에 대해 상순이 3~5mm 전방으로 위치하도록 상순을 지지해야 한다. 그리고 lip relaxed 상태에서 전치 절단면이 상순보다 2~3mm 하방으로 내려오도록 한다.

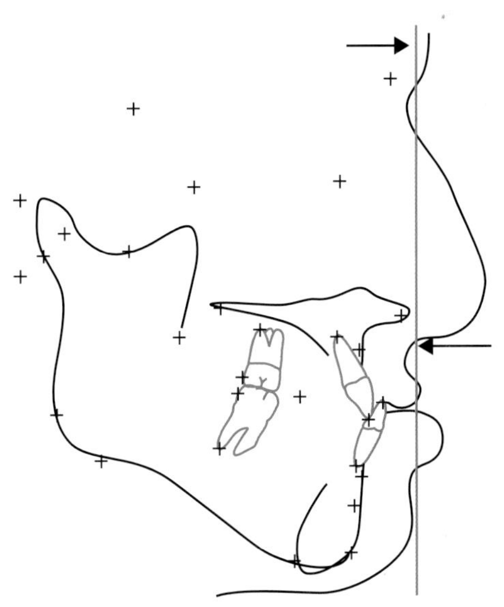

그림 20-15. 구순구개열 환자들은 초진 측두방사선 사진 tracing 에서 상악골의 전후방적 성장 결핍이 Sn Vertical line이 Glabella 보다 후방에 위치되는 결과로 흔히 나타난다.

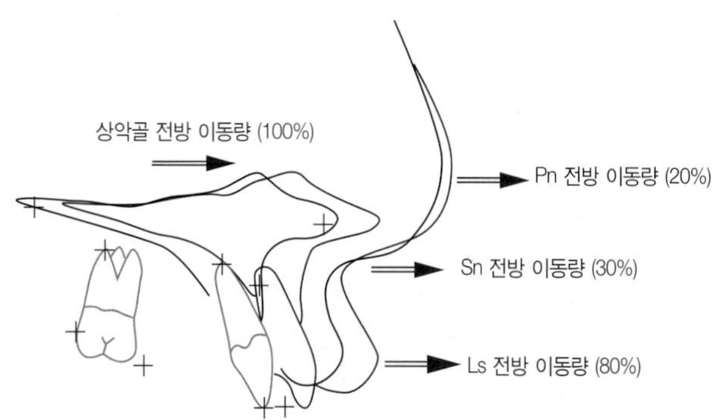

그림 20-16. 상악골의 수술적 전방이동은 코와 상순 주위 연조직의 전방이동을 가져오는데, 그림에 표시된 평균치처럼 각 부위마다 다른 결과를 보인다. Subnasale point 는 30%의 전방이동, Upper lip 에서는 80%의 효과가 나타난다.

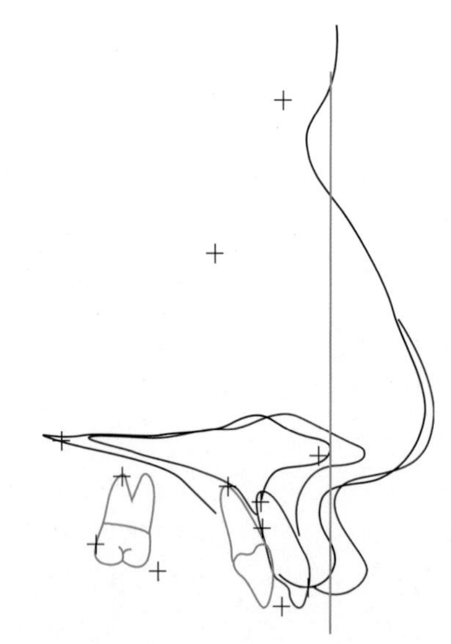

그림 20-17. 상악골의 수술적 전방이동은 상순 돌출의 결과가 초래될 수 있다.

자의 VSTO 과정을 아래에 설명해 놓았다.

1. 치료 증례

22세의 양측 구순구개열의 남자이다(그림 20-18). 초진 임상 검진 시 상악의 수직적, 전후방적 열성장, 상악궁 협착을 동반한 하악골의 over-closure, 웃을 때 불충분한 상악 전치의 노출, mentalis muscle 과도한 수축, 상악 치아로 지지 받지 못한 상순을 보였다. 구강 내 검진에서는 구개 봉합수술 후 수축으로 초래된 상악궁 협착, 제2대구치를 제외한 전 치열의 반대교합, 상악 좌우 측절치 결손, 심한 상하악 총생(crowding)을 보였다.

증례의 측두방사선 사진 tracing에서 Sn vertical line이 Glabella 보다 후방에 위치하고 있다(그림 20-19). 그 이유는 상악골 열성장으로 인한 Sn의 후방 위치이다. 그래서 상악골을 전방으로 위치시키는데, 그 이동량은 이전 수술에 의해 형성된 수술 상흔 정도 또는 심도에 의하여 제한 받을 수 있다. 이런 현상을 고려하여 수술시 relapse되는 것을 최소로 하기 위하여 overcorrection한다.

하악 전치의 경우, 일반적으로 decompensation 과정을 거치면 하악 치열의 총생 정도에 따라 치관이 전방으로 기울어지게 된다. 하악 치관의 전방 이동량은 하악 치열 총생과 curve of spee를 합한 수치의 50% 정도로 어림잡는다(그림 20-20). 상악골의 전방이동은 실제로 필요한 Subnasale의 이동량과 수술의 기술적인 한계, relapse 예측치 등을 고려해서 몇 개의 술후 예상도를 그려본다. 상악골의 전방이동은 일반적으로 교합평면을 따라 일어나므로 하악골이 열리면서 lower anterior facial height가 길어지는 효과가 나타난다. 본 증례의 환자는 교합의 collapse로 하악의 overclosure가 일어났으므로 교정치료과정을 통해 치아들이 바로 세워지면서 하악은 더 열리게 된다.

상악의 위치가 결정되면 Sn vertical line에 대한 하악골의 전후방 관계와 G-Sn 길이에 대한 Sn-Me' 의 비율을 검토해서 필요한 부분의 이동 여부를 결정한다. 그림 20-6에서 하순은 전방으로 돌출되어 있지만 chin(Pg')의 위치는 적절하므로 하악 전체의 후방이동 보다는 하순에만 후퇴를 일으킬 수 있는 하악 전치의 후방 견인을 시도해 본다(그림 20-21).

수술 전 교정 치료는 상하악 악궁의 조화, 총생이나 치간 간격을 없애고 치축을 기저골에 바로 세워주어 수술 후 안정성을 높여주는 과정이다. 치료 전에 어느 정도 접촉되어 있던 상악과 하악 치아들이 이 과정 중에 상악과 하악 두개의 교합평면으로 분리 된다. 치료의 난이도에 따라 6개월에서 15개월이 소요된다. 이 과정이 충분히 이루어지면 VSTO를 하기 위한 검사 자료를 채득한다. 증례의 경우, 수술 전 자료에서 상하 전치간의 anterior-posterior discrepancy가 약 9mm 정도이다(그림 20-22).

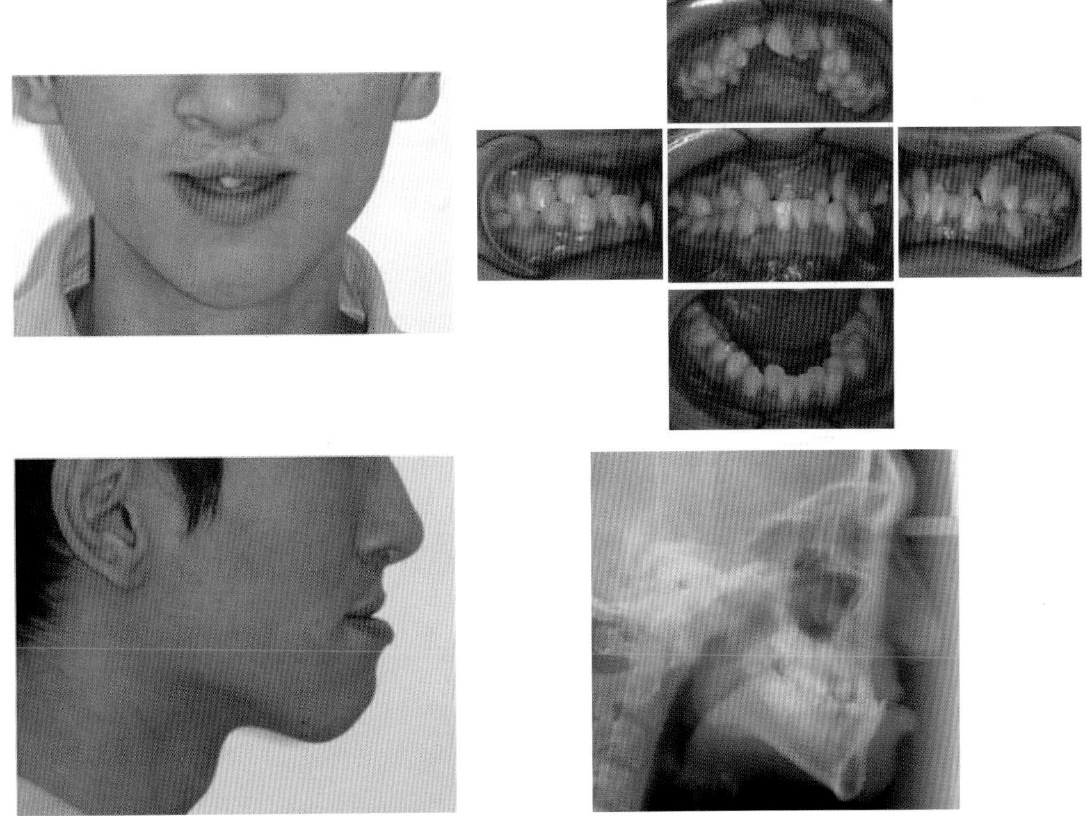

그림 20-18. 양측 구순구개열의 22세 남자의 초진 기록이다. 얼굴 사진은 smile 시 전치의 노출되는 정도를 보여주고 있다. 측면 사진은 상하악 구치가 접촉하지 않은 하악의 rest position 인 반면, 측두방사선 사진은 maximum intercuspation 시 하악의 overclosure 상태이므로 상순과 하순이 서로 밀착되고 눌려있는 모습이다. 컴퓨터로 치료 후 상태를 morphing 할 때나 prediction tracing을 그려 볼 때 고려해야 할 점이다.

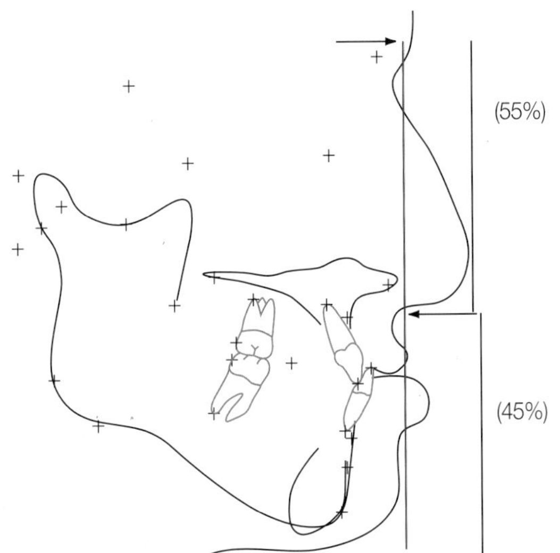

그림 20-19. 증례의 초진 측두방사선 사진 tracing 에서 상악골의 전후방적 성장 결핍이 Sn Vertical line이 Glabella 보다 후방에 위치되어 있었다. 수직적으로도 하악의 과 피개로 인해 midface에 비해(55%) lower face의 길이가(45%) 짧다.

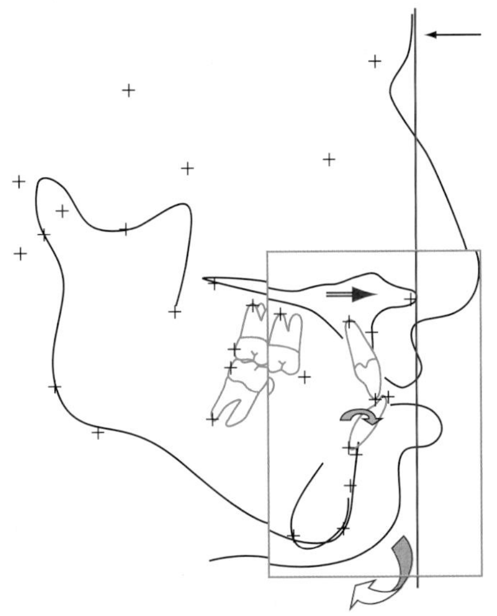

그림 20-20. Prediction tracing에서 Sn Vertical line이 Glabella보다 전방에 위치되는데 필요한 상악골 전방 이동량이 어느 정도이고, 그때 상순은 어떤 위치에 있게 되는지 예상도를 컴퓨터나 수작업으로 그려본다.

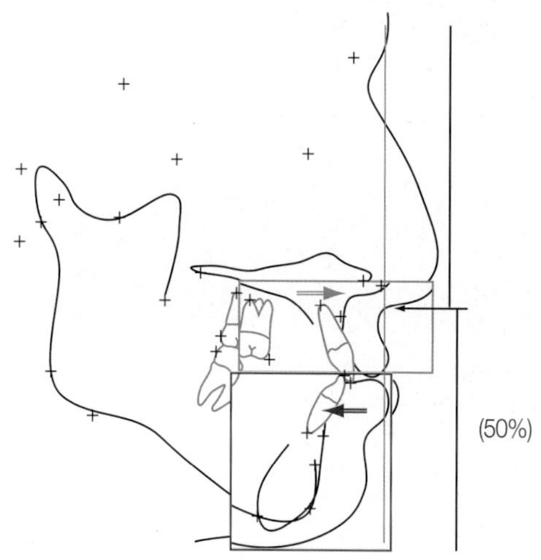

그림 20-21. Sn Vertical line에 대한 Chin의 전후방적 위치가 정상 범주에 있다. 그러므로 하순의 전후방적 위치 개선을 위해서 하악골의 set-back 술식을 이용한 하악골 전체의 후방 이동 보다는, 하악 전치의 subapical osteotomy나 교정적 후방 이동을 시도해 본다. 교정 치료와 수술 과정 중 overclosure 되어있던 하악골이 시계 방향으로 열리면서 lower face height가 증가된 효과가 있다고 예상된다.

VSTO 제 1안은 열성장된 상악골의 위치를 5mm 전방으로 이동시켜, Sn 의 전방이동과 상악 전치로 지지된 상순을 만들었다(그림 20-23). 새로 그려진 Sn Vertical Line에 대한 턱의 전후방 위치는 이상적이므로 하순만 후방 위치 되도록 하악 전치의 교정적 견인만을, 혹은 수술적 후방견인(segmental osteotomy)을 고려해 보았다. 물론 이때는 하악의 좌우 소구치를 발치하여 후방 견인할 수 있는 공간 확보가 전제되어야 한다. 구순구개열에서 상악골 전방이동 시 강한 relapse 경향을 고려했을 때 하악에서는 4mm의 후방이동이 아니라 6mm가 필요하게 된다. Morphing된 결과를 보면 상순과 하순의 모양이 그다지 심미적이지 않다. 증례의 상순은 philtrum 길이가 짧고 상흔이 심하며 두께가 얇다. 반면에 하순은 비후하다. 그래서 정상인 연조직 이동의 평균치에 따라 컴퓨터로 morphing 된 예측도 보다, 실제 수술 후 결과는 하순이 상순보다 더 돌출되어 제3급 부정교합이 충분히 교정되지 않는 듯

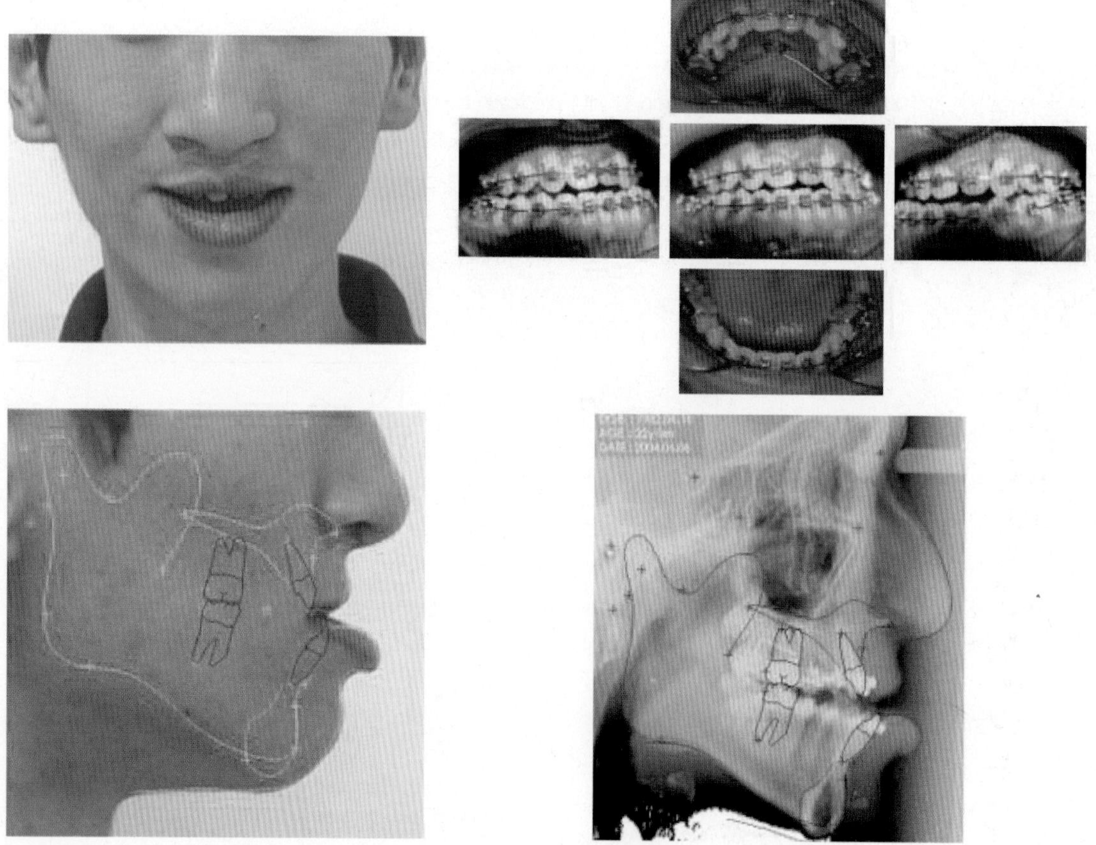

그림 20-22. 증례의 수술 직전 기록

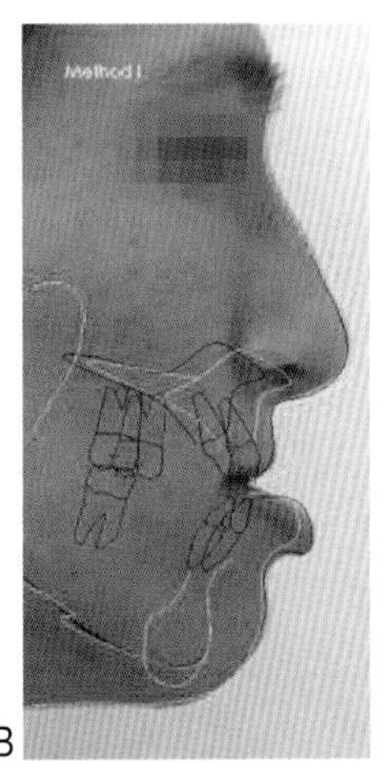

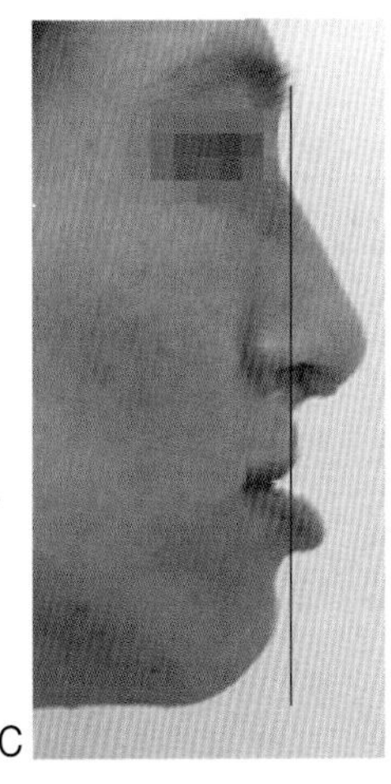

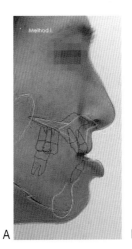

A B C

그림 20-23. 증례의 VSTO 제 1안. 측두방사선 사진 tracing을 가지고 mock surgery를 하는데, 술전 측면 사진과 중첩된 tracing을 컴퓨터 프로그램을 이용해 morphing 해본다. 상악골을 약 20%의 relapse를 고려해서 5mm 전방 이동하였더니 Sn Vertical Line이 Glabella 보다 전방에 위치하게 되었다(A). 이 때 Chin의 전후방 위치는 이상적이므로 하순만 후방 위치 되도록 하악 전치의 교정적, 혹은 수술적 후방견인을 고려해 보았다(B). mophing을 통해 컴퓨터가 합성한 측모 변화의 예측 결과가 그림 C이다.

한 인상을 남길 수 있다.

VSTO의 제 2안은 상악골의 전방이동은 5mm로 그림 20-12와 동일하게 하고, 하악은 무발치로 전체를 6mm 후방이동 하였다(그림 20-24). morphing한 예측도는 턱이 약간 후퇴한 인상을 주지만, VSTO 제 1안에서 우려된 상하순의 모양은 조금 더 개선 시켜 줄 수 있다.

치료가 VSTO의 제 2안으로 완료되었다(그림 20-25). 얼굴 전면 사진에서 보면 웃을 때 상악의 전면 이동으로 인하여 상악 전치가 술전 사진보다 더 많이 드러나 보이게 되었다. 측면 사진에서는 위 입술이 너무 얇기 때문에 아직도 아랫입술이 두드러진 모습으로 나타난다. 그러나 전반적인 모습에서는 안모가 개선되어 보인다. 초진 시 측면 사진(그림 20-18)에서 최대 교합상태가 아니라 안정위 교합 상태로 있었기 때문에 방사선 사진에서 보이는 것보다 하악 고경이 더 길게 보였다. 술후 사진은 최대 교합 상태를 보여 주고 있고 적절한 하악 고경을 보이고 있다. 구강 내 사진은 상악 측절치의 결손

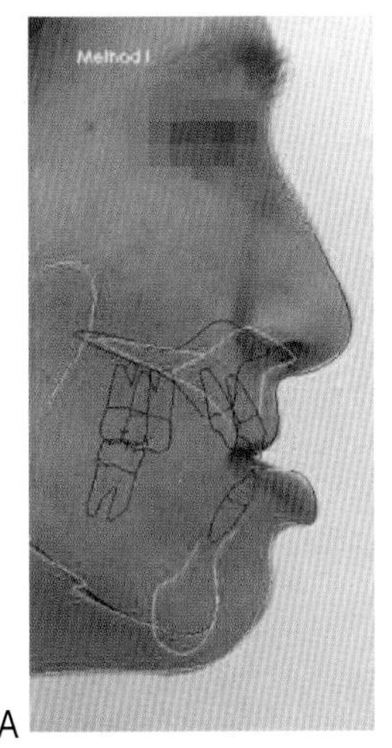

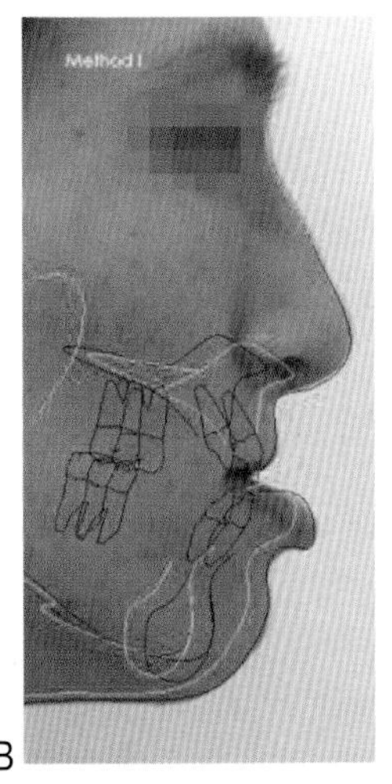

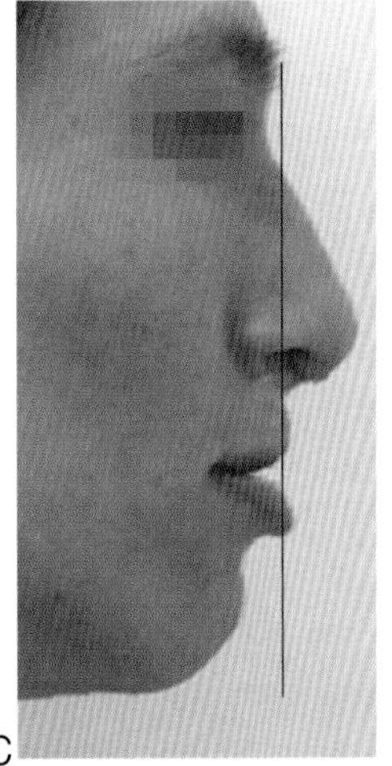

A B C

그림 20-24. 증례의 VSTO 제 2안. 그림 20-9와 다른 수술 방법을 시도해본 VSTO이다. 상악골을 전방으로 5mm 이동시켰고(A), 하악골은 치아를 발치하지 않고 하악골 전체를 후방으로 위치시켰다(B). 그 결과, 하악소구치를 발치하고 전치와 치조골만을 후방위치 시켰던 그림 20-15의 morphing 결과와 비교해서 Chin 이 이상적인 모습에 미치지 못한다.

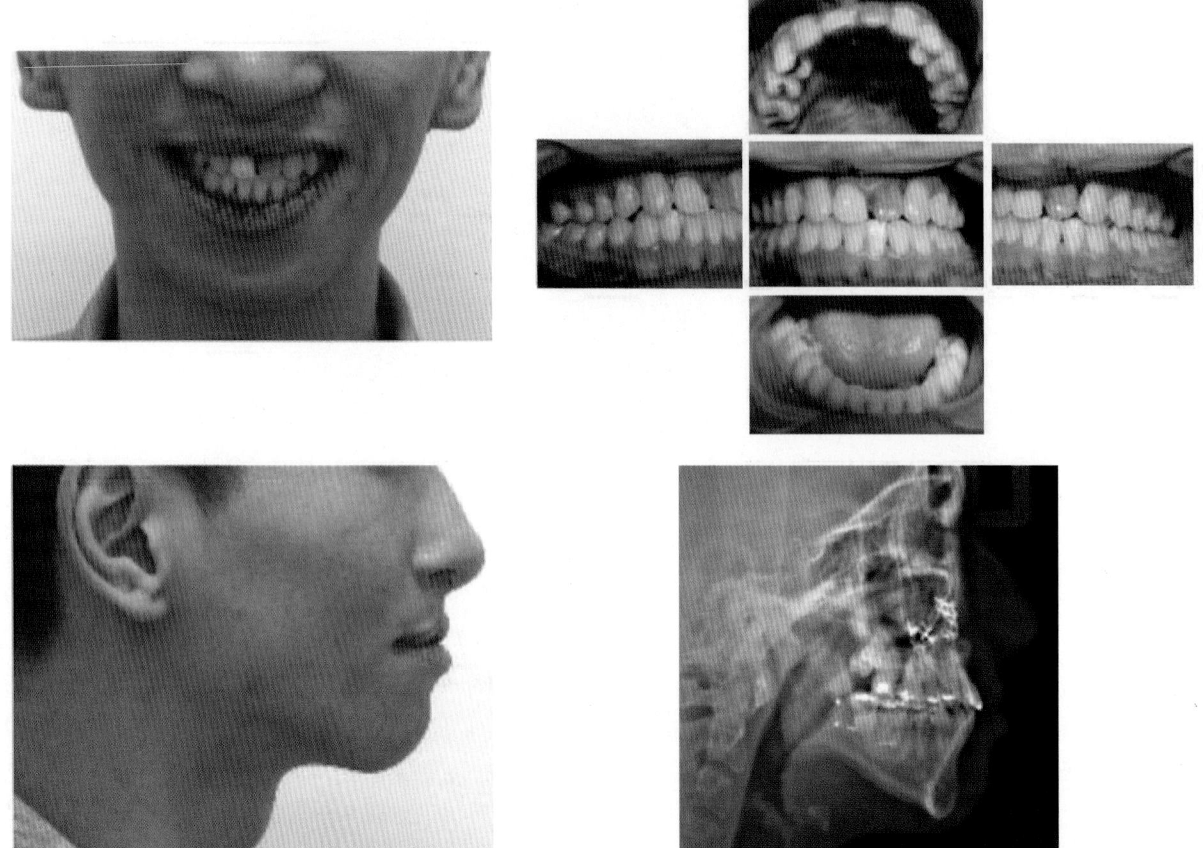

그림 20-25. 증례의 교정과 수술이 끝나고 심미적 치과 치료와 최종적인 성형수술을 기다리는 단계. 스마일 시 상악 전치의 노출량이 초진 기록에(그림 20-7) 비해서 상당량 증가 되었다.

으로 인해서 Class II 구치부 교합으로 맞추어져 있고, 전치부에서는 적절한 과개교합과 피개교합을 가지게 되었다. 상악궁의 모양은 V형에서 U형으로 바뀌어서 하악궁과 조화를 이루고 있다. 변색된 상악 좌측 중절치의 보철적 치료와 좌우측 측절치 위치에 놓이게 된 견치의 모양을 측절치 형태로 수정하는 일이 남아있다. 그리고 연조직의 성형이 남아 있다.

2. VSTO시 구순구개열 환자의 상악 전방이동 수술시 주의점

일반인에게서는 상악 전방이동 수술시 코와 입술에서 나타나는 연조직의 이동량을 예측할 수 있다. 저자의 경험에는 구순구개열 환자의 상악 전방이동 수술시 midface의 움직임은 일반인과 다른 경우가 종종 있었다. 구순구개열 환자는 성장과정 중 여러 번의 수술과정을 거치게 된다(표 20-2)[41-79]. 그래서 코와 상순의 이동량이 구순구개열 환자에게서는 일반 환자와 어떻게 다르게 나타나는지, 또 이동량에 대한 예측이 가능한지 조사해 보았다.

성장이 끝난 일측성 및 양측성 환자 중에서 상악 전방 이동 수술을 받은 16명의 환자의 술전 · 술후 측두방사선 사진을 tracing하여 이동량을 측정하였다(표 20-3). 이 환자들은 예전에 받은 수술의 방법과 횟수가 다 다른 경우로 상악 전방 이동술로 각각 다른 4명의 성형 외과의사로부터 시술 받았다. 변화를 관찰한 측정 점은 Pn, Sn, A, Ls의 네 지점에서 하였다.

각 sample에서 상악의 이동량과 4가지 관찰점의 이동량을 점으로 표시해 보았다(그림 20-26). 각 관측점에서 평균치에 대한 신뢰도를 표준 편차의 크기로 그려보았다(그림 20-27). 그 결과 cleft 환자에 있어서 연조직 움직임의 표준편차가 지나치게 크므로 상악골 이동량에 따른 연조직 이동량에 대한 평균치는 신뢰할 수 없다.

표 20-2. 연령별 교정치료 및 cleft team 의 치료 내역

	Orthodontics	Plastic Surgery	Speech	Ear, Nose Throat
AFTER BIRTH	presurgical orthopedics? surgeon decides (only in cases: wide)			
6 MTHS		Closure of lip	Parent counseling on speech development	Presurgical control.
12 MTHS		Closure of hard and soft palate	Further parents counseling, contact local speech therapist	Presurgical control. If necessary, myringotomy with tube insertion
2 YRS	Check up, tooth-brushing instruction		Age 2 and 3 years : phone calls to parents	Recommended controls every 4months
4 YRS	Check up	Control. BCLP: Sulcus plasty, Columella plasty.	Diagnosis of nasality. speech development and articulation	Examination of ears, nose and throat.
6-7 YRS	Treatment plans	Team assembly	Disscusses all individual	Treatment plans
7-9 YRS	Interceptive orthopedics? (by mx deficiency). a. Transverse expansion, b. Protraction	secondary bone graft		
9-11 YRS	Mx Distraction setup?	Distraction osteogenesis		Individal controls of ears & hearing status.
11-15 YRS	Conventional orthodontics for good grower			In some cases : nasopharyngoscopy or surgical treatment of ears
16 YRS & Up	Presurgical orthodontics for orthognathic cases Implant or other esthetic dentistry	Orthognathic surgery Lip and nose		

비구순구개열 그룹에서 기대 되는 상순의 이동량과 구순구개열 그룹에서의 결과를 막대그래프로 그려 보았다(그림 20-28). 구순구개열 그룹에서 Sn과 A에서의 이동량이 비구순구개열 그룹보다 크게 나타난데 비해서 입술 하방인 Ls는 적게 나타났다. 그 원인은 구순구개열의 특성상 조직의 크기가 부족하기 때문일 수도 있고, 방사선 사진 촬영 시 하악의 over closure에 의해 입술의 모양이 변형되기 때문이기도 하다. 물론 본 pilot study는 변형의 형태, 수술 방법, 시기 등의 많은 변수가 포함되어 있어 그 결과를 그대로 받아들일 수 없다. 좀 더 많은 sample에서 결과에 영향을 줄 수 있는 변수들을 조절한 연구가 이루어져야 하겠다.

Cleft 환자의 상순을 평가할 때 상순이 하악 치아나 하순에 의해서 눌리거나 변형되어 보이기 쉽다. 일반적으로 측두방사선을 촬영 시 치아를 interdigitation한 상태에서 촬영한다. 그래서 그림 20-29A에서처럼 하악의 over closure에 의해 상순의 두께가 상부나 하부에서 일정한 모습처럼 보일 수도 있다. 그러나 실제로는 그림 20-29B에서 보이듯이 Sn에서 Ls로 갈수록 입술의 두께가 얇아지는 것을 볼 수 있다. 그래서 보다 정확한 입술의 모양을 파악하고자 할 시에는 maximum interdigitation한 상태와 상순이 완전히 이완될 만큼 상하악 치아를 이개 시킨 두 장의 방사선 사진을 촬영해야 한다. 그러나 실제적으로는 이런 모든 방법을 사용하여도 예를 들어 상흔의 단단함, 원래 연조직의 부족한 정도 등과 같은 또 다른 변수가 있을 수 있다.

표 20-3. 구순구개열 환자의 상악 전방이동 수술시 코와 상순의 이동량 측정. 환자의 술전 · 술후 측두방사선 사진을 tracing하여 이동량을 측정 하였다.

환자 이름	측정점				
	Maxilla	Pn	Sn	A	Ls
JH	3	0	0	1	1
BK	3	8.5	8.5	3.5	2.5
DK	2	2	6	4	1
JM	10	*	6	5	4
DY	5	2.5	4	4	2
MS	4	2.5	6	4	2
GS	5	4	4	4.5	3
BJ	3	1.5	2.5	4	3
KS	6	4	7	8.5	5
KC	6	3	3	5	6
YJ	5	1	2	3	3
HJ	10	*	5.5	7	6
HS	2	0	4	3	1
JY	8	*	6	5	4
SH	4	1.5	4	3	4
KD	5	0	3	2	3
Mean	5.0625	2.34615	4.46875	4.15625	3.15625

(단위 : mm)

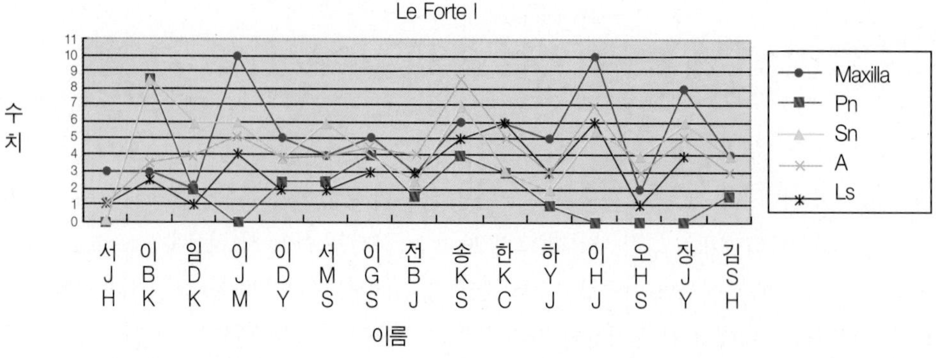

그림 20-26. 상악 전방 이동에 따른 Pn, Sn, A, Ls의 네 점의 각각 다른 이동량(표 20-3)을 plot해봤다.

환자 초진 시 술자가 적절한 안모의 평가가 이루어진다면 술후에 어떤 모습을 보일지 예측을 할 수 있다. 위 증례에서 측모 사진 촬영 시 교합이 maximum interdigitation한 상태가 아니라 이완된 상태에서 잘못 촬영된 사진이지만 이것은 술후 입술의 형태와 유사한 모습을 보인다. 술자는 초진 시 두 종류의 사진을 찍어 비교해 보므로 술후에 어떤 입술의 모습을 보일지 예측할 수 있는 것이다(그림 20-30).

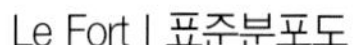

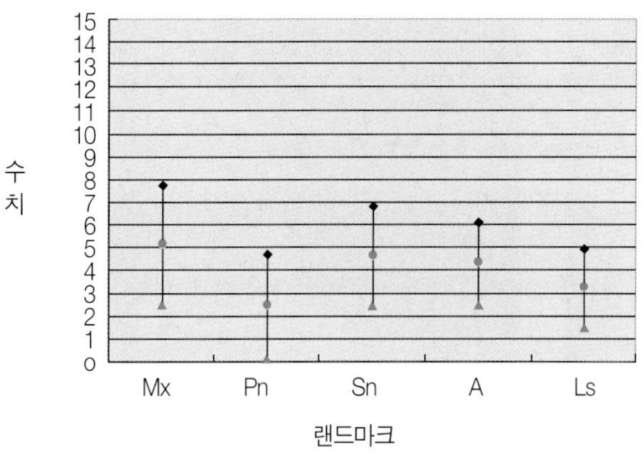

그림 20-27. 표 20-3의 데이터를 평균치와 표준 편차의 크기로 그려 보았다.

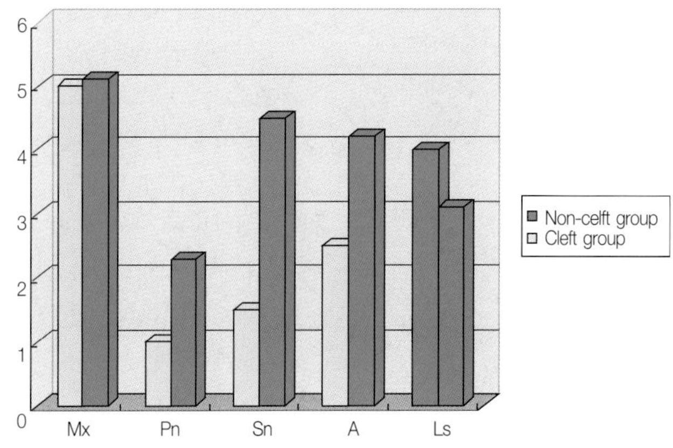

그림 20-28. 정상 그룹과 구순구개열 그룹에서 상악 전방 이동에 따른 Pn, Sn, A, Ls의 네 점의 평균 이동량을 막대그래프로 그려보았다.

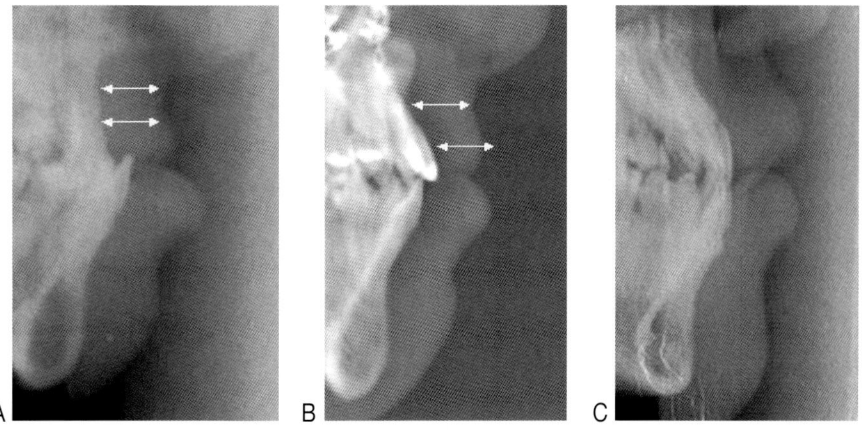

그림 20-29. 측두방사선 사진에서 평가 할 수 있는 상순의 두께. (A) 증례의 초진 사진, (B) 증례의 치료 후 사진, (C) 제 3급 부정교합 비구순구개열의 초진 사진.

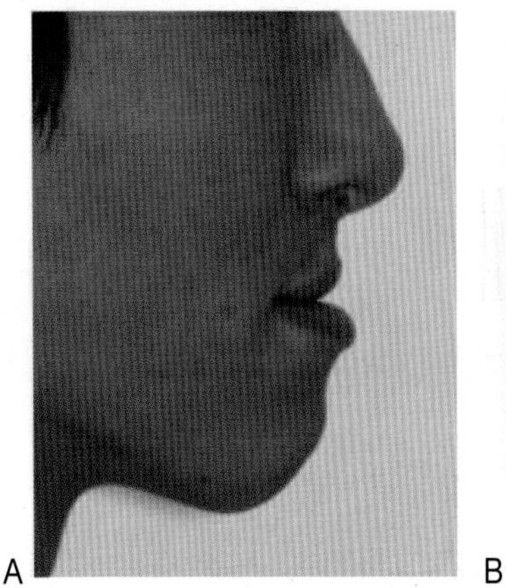
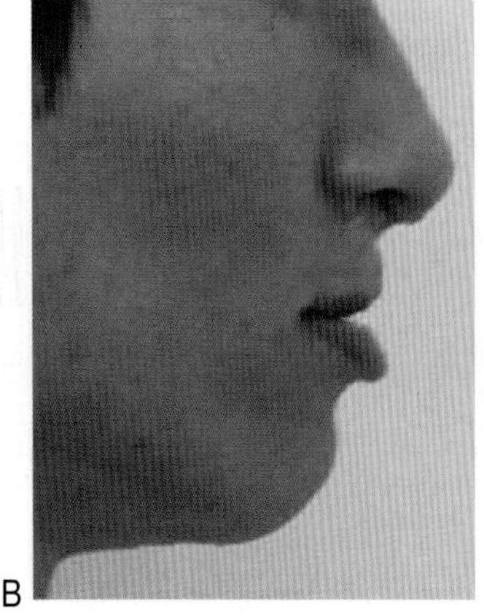
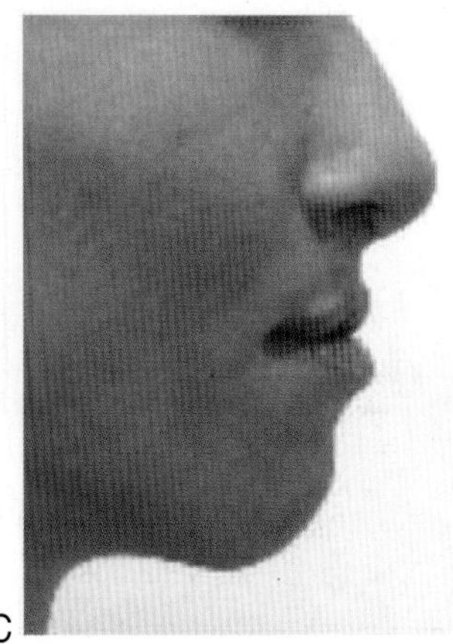

그림 20-30. 증례의 측면 상순의 모양. (A) 초진 사진, (B) VSTO, (C) 치료 후 사진.

참고문헌

1. Westersson PL, Eriksson L, Kurita K. Relability of negative clinical temporomandibular joint examination: prevalence of disk displacement in asymptomatic joints. Oral Surg Oral Med Oral Path 1989;68:551-554
2. Solberg WJ, Woo MW, Houston JB. Prevalence of mandibular dysfunction in young adults. J Am Dent Assoc 1979;98:25.
3. Kohn MW. Analysis of relapse after mandibular advancement surgery. J Oral Surg. 1976;36:676-684.
4. Arnett GW, Milam SB, Gottesman L. Progressive mandibular retrusion - idiopathic condylar resorption. Part II. Am J Orthod Dentofac Orthop 1996;117-127.
5. Hackney FL, Van Sickels JE, Nummikiski PV. Condylar displacement and temporomandibular joint dysfunction following bilateral sagittal split osteotomy and rigid fixation. J Oral Maillofac Surg 1989;47:223.
6. Nitzan DW. Intra-articular pressure in the functioning human temporomandiublar joint and its alteration of uoniform evaluation of the occlusal plane. J Oral Maxillofac Surg 1994;52:691-699.
7. Crawford, Stoelinga, Blijdorp and Brouns. Stability after reoperation for progressive condylar resortion after orthognathic surgery: report of 7 cases. J Oral Maxillolfac Surg 1994;52:460-466.
8. Adams CD, Meikle MC, Norwick KW, Turpin DL. Dentofacial remodeling produced by intermaxillary forceds in macaca mulatta. Arch Oral Biol 1972;17:1519-1535.
9. Ellis E III, Hinton RJ. Histologic examination of the temporomandibular joints after mandibular advancement with and without rigid fixation: an experimental investigation in adult macaca mulatta. J Oral and Maxillofac Surg. 1991;49:1316-1327.
10. Roth RH. Functional occlusion for the orthodontist. J Clin Orthod 1981;12:1-80.
11. Cordray FE. A crisis in orthodontics? It's time to look within. Am J Orthod dentofac Orthop 1992;101:472-476.
12. Harris EF, Beherants RG. The intrinsic stability of Class I molar relationhip: a longitudinal study of untreated cases. Am J Orthod Dentofac Orthop 1988;94(1):63
13. Polson AM, Subtelny JD, et al. Long-term effects of orthodontic treatme수 on periodontal health. Am J Orthod 1981;80:156-172
14. Sinclair M, Little RM. Maturation of untreated normal occlusions. Am J Orthod 1983;83:114-123
15. Katzberg RW, Westesson P-L, Tallents RH, Anderson R, Kurita K, Manzione JV, Totterman S. Temporomandiublar joint: MRI assessment of rotational and sideways disk displacemetns. Radiology 1988;169(3):741-748.
16. Sanchez-Woodworth RE, Tallents RH, Katzberg RW, et al. Bilateral internal derangements of the temporomandibular joint; evaluation by magnetic resonance imaging. Oral Surg Oral Med Oral Path 1988;65:281-285.
17. Pullinger AG, Solberg WK, Hollender L, et al. Tomographic analysis of mandibular condyle position in diagnostic subgroups of temporomandibular disorders. J Prosthet Dent 1986;55:723-729.
18. Rasmussen OC. Description of population and progress of

symptoms ina longitudianl study of temporomandibular arthropathy. Scand J Dent Rest 1981;89(2);196-203.

19. Farkas LG, Kolar JC. Anthropometrics and art in the aesthetics of women's faces. Clinics in Plastic Surg 1987;14:599-615.
20. Arnett GW, Bergman RT. Facial keys to orthodontic dagnosis and treatment planning - Part I. Am J Orthod Dentofac Orthop 1993;103(4):299-312.
21. Arnett GW, Bergman RT. Facial keys to orthodontic dagnosis and treatment planning - Part II. Am J Orthod Dentofac Orthop 1993;103(5):395-411.
22. Spadley FL, Jacobs JD, Crowe DP. Assessment of the antero-posterior soft-tissue contour of the lower facial third in the ideal young adult. Am J Orthod 1981;79:316-325.
23. Little RM, et al. Mandibular arch length increase during the mixed dentition: postretention evaluation of stability and relapse. Angle Orthod 1990;61(2):133.
24. Little RM, et al. Stability and relapse of mandibular anterior alignment - first premolar cases treated by traditional edge-wise orthodontics. Am J Orthod 1981;80:349.
25. Little RM. Stablitily and relapse of dental arch alignment. Brit J Orthod 1989;17:235.
26. Shapiro PA. Mandiibular dental arch form and dimensions. Am J Orthod 1974;66:58.
27. Lopez-Gavito G, Wallen TR, Little RM, Joondeph DR. Anterior open bite malocclusion: a longitudinal ten year postretention evaluation of orthodontically treated patients. Am J Orthod 1985;87:175-186
28. Simons ME, Joondeph DR. Change in overbite: a ten year postretention study. Am J Orthod 1973;64:349.
29. Downs WB. Analysis of the dentofacial profile. Angle Orthod 1956;26:191-212.
30. Michiels LYF, Tourne LPM. Nasion true vertical: a proposed metnod for testing the clinical validity of cephalometric measurements applied to a new cephalometric reference line. Int J Adult Orthod Orthog Surg 1990;5(1):43-52.
31. Riedel RA. An analysis of dentofacial relationships. Am J OR? 1957;43:103-119.
32. Tweed CH. Frankfort mandibular incisor angles in dagnosis, treatment planning and prognosis. Angle Orthod 1954;24:121-169.
33. Wylie GA, Fish LC, Epker BN. Cephalometrics:a comparison of five analysses currently used in the diagnosis of dentofacial deformities. Int J Adult Orthod Orthog Surg 1987;2(1):15-36.
34. Gonzales-Ulloa M, Stevens E. The role of chin correction in profile plasty. Plast Reconstr Surg 1961;36:364-373.
35. Holdaway RA. A soft-tissue cephalometric analysis and its use in orthodontic treatment planning - Part II. Am J Orthod 1984;85:279-293
36. Jacobson A. Planning for orthognathic surgery - art or science? Int J Adult Orthod Orthog Surg 1990;5(4):217-224.
37. Park YC, Burstone CJ. Soft tissue profile - fallacies of hard tissue standards in treatment planning. Am J Orthod dentofac Orthop 1986;90(1):52-62.
38. Spradley FL, Jacobs JD, Crowe DP. Assessment of the antero-posterior soft-tissue contour of the lower facial third in the ideal young adult. Am J Orthod 1981;79:316-325.
39. Cooke MS, Wei SHY. The reproducibility of natural head posture: a methodological study. Am J Orthod dentofac Orthop 1988;93(4):280-288.
40. Moorrees CFA, Kean MR. Natural head position, a basic consideration in the interpretation of cephalometric radiographs. Am J Phys Anthropol 1958;16:213-234.
41. Fenlon MR, Woelfel JB. Condylar position recorded using leaf gauges ad specific closure forces. Int J Prosthodont 1993;6:402-408
42. Greco PM, Vanarsdail RL. An evaluation of anterior temporalis and masseter muscle activity in appliance therapy. Angle Orthod 1999;69:141-146.
43. Karl PJ, Foley TF. THe use of a deprogramming appliance to obtain centric relation records. Angle Orthod 1999;69:117-125.
44. Shildkraut M, Wood DP, Hunter WS. The CR-CO discrepancy and its effect on cephalometric measurements. Angle Orthod 1994;64:333-342.
45. Laskin D, Greene CS. Diagnostic methods for emporomandibular disorders: What have we learned in two decades? Anesth Prog 1990;37:66-71.
46. Sjolien R, Zachrisson BU. Periodontal bone support and tooth length in orthodontically treated and untreated persons. Am J Orthod 1973;64(1):28-37.
47. Zachrisson BU, Alnaes L. Angle Orthod 1977;43(4)402-411.
48. Pruzansky S; Description, classification and analysis of unoperated cleft lips and palate. Am J Orthod 195339:590
49. Harvold E; Cleft lip and palate. Morphologic studies of the facial skeleton. Am J Orthod 195440:493
50. Peyton WT; The dimensions and growth of the palate in the normal infant and in the infant with gross maldevelopment of

the upper lip and palate. Arch Surg 193122:704.

51. Peyton WT; Dimensions and growth of the palate in infants with gross maldevelopment of the upper lip and palate. Further investigations Am J Dis Child 193447:1265.

52. Dorrance GM, Bransfield JW; Cleft palate. Ann Surg 1943117:1.

53. Huddart AG; Presurgical change in unilateral cleft palate subjects. Cleft Palate J 197916: 147.

54. Subtelny JD, Brodie AG; An analysis of orthodontic expansion in unilateral cleft lip and cleft palate patients. Am J Orthod 195440:686.

55. Muir IF Maxillary development in cleft palate patients with special reference to the effects of operation. Ann R Coll Surg 198668:62.

56. Subtelny JD; Orthodontic treatment of cleft lip and palate, birth to adulthood. Angle Orthod 196636:273.

57. Frided H, Johanson B;A follow-up study of cleft children treated with vomer flap as part of a three-stage soft tissue surgical procedure. Scand J Plast Reconstr Surg 197711:45.

58. Subtelny JD; Oral respiration; Facial maldevelopment and corrective dentofacial orthopedics. Angle Orthod 198050:147.

59. Coupe TB, Subtelny JD; Cleft palate-deficiency or displacement of tissue. Plast Reconstr Surg 1960;26:600.

60. Hotz M, Gnoinski W; Comprehensive care of cleft lip and palate children at Zurich University; A preliminary report, Am J Orthod1976;70:481-504.

61. Huddart AG, Huddart AM; An investigation to relate the overall size of the maxillary arch and the area of palatal mucosa in cleft lip and palate cases ant birth to the overall size of the upper dental arch at five years of age. J Craniofac Genet Devel Biol suppl 1985;1:89.

62. Olin WH; Cleft lip and palate rehabilitation. Am J Orthod 1966;52: 126.

63. Ross RB; Treatment variables affecting growth in complete unilateral cleft lip and palate. Cleft Palate J 1988;24:5.

64. Pruzansky S; Pre-surgical orthopaedics and bone grafting for infants with cleft lip and palate; A dissent. Cleft Palate J 1964;1:154

65. Backdahl MK, Nordin E; Replacement of the maxillary bone defect in cleft palate. A new procedure. Acta Chir Scand 1961;122:131.

66. Georgiade NG, Pickrell KL, Quinn GW; Varying concepts in bone grafting of alveolar palatal defects. Cleft Palate J 1964;1:43.

67. Johanson B, Ohlsson A; Bone grafting and dental orthopedics in primary and secondary cases of cleft lips and palate. Acta Chir Scand 122;112, 1961

68. Hellquist R, Linder-Aronson S, Norling M, et al; Dental abnormalities in patients with alveolar clefts, operated upon with or without primary periosteoplasty. Eur J Orthod 1979;169.

69. Wada T, Mizokawa N, Miyazaki T, et al; Maxillary dental arch growth in different types of cleft of cleft. Cleft Palate J 1984;21:180.

70. Wada T, Yakushiji N, Tachimura T, ea al; Late results of two-stage palatal closure in complete unilateral cleft lip and palate. J Osaka Univ Dent Sch 1987;27:253.

71. Rintala A, Haataja J; The effect of the lip adhesion procedure on the alveolar arch with special reference to the type and width of the cleft and age at operation. Scand J Plast Reconstr Surg 1979;13:301.

72. Subtelny JD, Brodie AG; An analysis of orthodontic expansion in unilateral cleft lip and cleft palate patients. Am J Orthod 1954;40:686.

73. Pruzansky A. Aduss J; Arch form and the deciduous occlusion in complete unilateral clefts. Cleft Palate J 1964;1:411-418.

74. Ogidan O, Subtelny JD; Eruption of incisor teeth in cleft lip and palate, Cleft Palate J 1983;20:331.

75. Friede H, Lennartsson B; Forwad traction of the maxilla in cleft lip and palate patients. Eur J Orthod 19813:2.

76. Ranta R; Protraction of the cleft maxilla, Eur J Orthod 1988; 10:215.

77. Sarnas K-V, Rune B; Extraoral traction to the maxilla with face mask; A follow-up of 17 consecutively treated patients with and without cleft lip and palate. Cleft Palate J 1987;24:95.

78. Turvey TA, Vig K, Moriarty J, et al; Delayed bone grafting in the cleft maxilla and palate; A retrospective multidisciplinary analysis. Am J Orthod 1984;86:244.

79. Abyholm FE, Bergland O, Semb G; Secomdary bone grafting of alveolar clefts. A surgical/orthodontic treatment enabling a non-prosthodontic rehabilitation in cleft lip and palate patients. Scand J Reconstr Surg 1981;15:127.

제21장 구개인두기능부전

Velopharyngeal Dysfunction

배용찬

구개인두기능부전(velopharyngeal dysfunction, VPD)은 국어로는 같은 단어로 해석이 되지만 아직 용어의 통일이 되지는 않아 'velopharyngeal incompetence', 'velopharyngeal insufficiency', 'velopharyngeal inadequacy' 등으로 불리며, 구강과 비강 사이에 존재하며 말을 할 때 구강과 비강이 분리되도록 하는 구개인두괄약(velopharyngeal sphincter)이 적절한 기능을 하지 못하는 경우를 말한다.

굳이 구별하자면, 'velopharyngeal inadequacy'란 과대비성(hypernasality)를 가진 VPD와 같은 뜻이며 원인에 관계없이 구개인두 폐쇄가 불충분한 경우를 말하며, 'velopharyngeal insufficiency'는 구개열, 점막하구개열(submucous cleft palate), 비인두(nasopharynx)의 깊이에 비해 짧은 구개를 가진 경우 등에서 흔히 볼 수 있는 것처럼 구개인두괄약의 구조적, 해부학적인 문제로 인한 VPD를 말한다. 'velopharyngeal incompetence'는 신경근육 병변을 가진 구개인두괄약을 말하며, 언어 치료, 발음보조기, 수술에 의한 치료로 효과적인 결과를 얻기가 어렵다(Senders, 2001).

구개인두(velopharynx)는 정상적으로 숨쉬고, 먹고, 말하는데 필수적인 역동적인 해부학적 구조물이다. 구개인두는 평상시에 대충 사각형의 모양이데, 앞쪽은 연구개(velum), 뒤쪽은 인두 후벽, 외측은 좌우의 인두 측벽으로 구성되어 있다. 이 공간에 포함된 조직은 수축시 공간을 축소시키는 근육을 가지며, 이 조직들이 구개인두괄약(velopharyngeal sphincter)을 구성한다.

구개인두를 구성하는 각 부분의 통상적인 움직임을 살펴보면, 연구개는 상후방으로 움직이며, 인두 후벽은 전반적으로 앞쪽으로 움직이거나 선반처럼 융기를 형성하고(Passavant's ridge), 인두의 측벽은 중앙으로 움직인다. 인두 후벽에 위치한 아데노이드(adenoid)와 인두 측벽에 위치한 편도는 두개인두 폐쇄시 각 부위의 기능에 도움이 되는 경우도 있고, 방해가 될 수도 있다.

구개인두 공간을 이루는 구조물들의 움직임이 유기적으로 조합되어 음식을 삼킬 때 코로 역류되는 것을 막고, 구강자음(oral consonant)를 만들 때 구개인두를 닫는다. 반면에 이런 근육들의 이완은 숨쉬기와 특별한 비성 발음을 위해 구개인두를 연다. 구개인두괄약이 이런 기능을 적절하게 시행하지 못하는 것을 구개인두기능부전이라고 한다.

구개인두기능부전이 있으면 특유의 발음을 내게 되는데, 지나치게 콧소리가 많이 나는 과대비성(hypernasality), 코로 공기가 빠져나오는 비강배출(nasal emission)이 일반적으로 나타나고, 성문폐쇄음(glottal stop)이나 인두마찰음(pharyngeal fricative)도 나타난다.

구개인두기능부전에 대한 조사와 처치에 대한 관심은 19세기에 구개열의 재건을 위한 술기의 개발에 이어 나타났다. 기대와는 반대로 성공적으로 구개성형술을 시행하여도 완벽한 발음이 항상 보장되지는 못했기 때문에 구개인두 기능에 대하여 관심을 가지게 되었던 것이다. 지난 150년 간 의사들은 구개성형술을 크게 두 가지 방향으로 개선시켜왔다. 하나는 pushback구개성형술이나 Z-plasty 같이 구개의 길이를 연장시키는 것이고, 다른 하나는 연구개내근성형술(intravelar veloplasty)나 Z-plasty 같이 구개근육의 기능을 향상시키는 방법이다. 문헌상으로는 지난 50년 간 구개성형술 후에 구개인두기능부전의 빈도가 감소했지만, 기능적 결과를 개선시키는 절대적인 요소는 아직도 불확실하다. 술기의 변화와 함께 몇 가지 점에서는 변화가 있었는데, 구개성형술을 최소 18개월 이전에 수술하자는 것이 받아들여졌으며, 구개열에 연관된 특수한 언어치료가 발전하였고, 여러 분야가 함께 팀을 구성하여 치료하는 것이 일반화되었으며, 구개열 진료에 대한 중앙

집중화가 증가되었고, 진단 능력의 발전으로 부적절한 치료의 경우를 감소시켰다. 구개인두기능부전을 가진 환자에 대한 조사와 처치는 구개열 팀 치료에 중요한 요소인데 왜냐하면 어떠한 구개성형술도 100%의 구개인두 기능을 만들 수 없고, 구개열 없이도 구개인두기능부전을 가진 환자들이 있기 때문이다(Marsh, 2004).

I. 구개인두기능부전의 원인

임상에서 만나게 되는 과대비성이나 비강배출을 가진 환자들은 대부분 점막하구개열(submucous cleft palate)을 가지고 있거나 구개열 수술을 받은 환자들이다.

점막하구개열은 점막 자체는 갈라지지 않았으나 연구개의 근육이 정중선에서 연결되지 못하는 경우이다. 구개를 올리려고 하면 구개범거근(levator veli palatini muscle)이 양쪽을 각각 당기기 때문에 연구개의 정중앙에 근육 없이 점막으로만 된 골처럼 패인 부분이 투명하게 보인다(zona pellucida). 환자는 다양한 정도의 과대비성를 보일 수 있다. 점막하구개열의 일반적인 특징은 목젖이 갈라져 있고(bifid uvula), 손가락으로 만져보면 경구개열의 후연 중앙이 패여 있으며(bony notch), 연구개 근육이 중앙에서 분리되어 있는 것이다. 이런 특징을 뚜렷이 보이지 않으면서도 과대비성을 내는 잠재성점막하구개열(occult submucous cleft palate)도 있다(Kaplan, 1975). 이 경우에도 연구개의 근육은 비정상적인 부착을 보이며, 비내시경을 해 보면 구개의 비측면에 구개수근이 없어 V자 형의 함몰을 보이거나 오목하게 들어가서 구개인두를 닫으려고 하면 중앙에 결손이 생긴다.

구개열을 재건하고 난 다음에 구개인두기능부전이 오는 경우는 10-20%이다(Ysunza 등, 2002). 연구개가 짧아서 인두 후벽에 닿지 못하는 경우도 있으며, 연구개가 충분히 올라가더라도 인두의 후벽이나 측벽이 적절하게 활동하지 않아서 결손이 생기는 경우도 있다. 모든 요소들이 적절하게 작동을 하더라도 원형의 중앙 결손이 생기는 경우도 있다. 수술 후에 구개가 짧은 것은 부적절한 수술 때문이라기 보다는 원래 구개 조직이 불충분해서 일어난다고 여겨진다. 구개성형술 후에 생긴 구개누공(palatal fistula)이 원인일 수도 있기 때문에 구개인두기능부전에 대한 교정 수술 전에 반드시 구개 누공을 막아주어야 한다.

그 이외에도 과대비성이나 비강배출을 보이는 경우가 있다(David와 Bagnall, 1990). 특발성 근부전(idiopathic insufficiency of the musculature)에서는 괄약을 구성하는 모든 요소가 작동은 하지만 발음하는 동안 구강 내에 발생하는 양압을 충분히 견디지 못하는 경우이다. 구강을 검사해 보면 특별한 이상 소견은 보이지 않지만, 환자는 목이 쉽게 피곤해진다고 호소하고 주위 사람들에게서 발음이 명료하지 못하다는 소리를 듣게 된다. 대개는 심한 과대비성이나 비강배출 현상을 가지고 있고, 비내시경과 동조측면투시촬영을 해 보면 괄약의 폐쇄에 약간의 결손을 보인다. 이런 경우에는 수술하지 않고 언어 치료로 문제 해결이 가능하다.

선천성 구개부전(congenital palatal insufficiency)은 연구개가 너무 짧아서 인두 후벽에 닿지 못하는 경우이다. 반대로 연구개에 비해 인두가 과도하게 용량이 커서 생길 수도 있으며, 괄약의 모든 요소들이 작동을 하지만 균형을 이루지 못하는 것이다.

아데노이드적출술(adenoidectomy) 후에 구개인두기능부전이 올 수도 있다(Calnan, 1971). 아데노이드 조직 때문에 구개인두 괄약이 쉽게 패쇄되다가 이 조직이 없어지면서 기능부전이 오는 경우이다. 대부분은 시간이 지나면서 적응하게 되지만 과대비음화가 계속 남아 있으면 철저한 검사와 수술이 필요할 수도 있다. Stewart 등(2002)은 아데노이드적출술 후에 영구적인 구개인두기능부전이 오는 경우는 드물지만 1200명당 1명 정도에서 볼 수 있으며, 구개열 수술을 받은 환자나 점막하구개열을 가진 경우가 많았기에 수술 전에 충분한 검사가 필요하다고 하였다.

편도비대(enlarged tonsil)도 구개인두기능부전의 한 원인이 될 수 있다. 편도가 너무 크면 구인두(oropharynx)가 좁아져 기도를 확보하기 위해 괄약을 열려고 하기 때문이다. 아주 심한 경우에는 구개인두궁(palatopharyngeal arch)이 너무 무거워져서 연구개가 잘 올라가지 못해서 구개인두 패쇄가 어렵게 된다.

중안면전진술(midface advancement) 후에도 구개인두기능부전이 올 수 있다. 특히 이전에 구개열 수술을 받았던 환자나 수술 전에 비강배출이나 과대비성이 있던 환자에서는 그 위험이 높다. 상악전진술을 시행하면 연구개도 앞으로 당겨지게 된다. Sell 등(2002)은 Le Fort I 전진술을 시행한 환자들을 대상으로 수술전후의 비교를 하였는데, 발음 상태의 측정과 비내시경 검사에서의 구개인두 폐쇄를 조사하여 별 차이가 없다고 하였다. 반대로 Ward 등(2002)은 일정하지 않은 발음의 결과를 초래한다고 하였다. 수술 후 6개월에 시행한 검사에서 비록 발음이나 공명을 기능적으로 제약하는 변화가 일어난 환자는 없었지만 변화는 측정되는 정도였고 예상할 수 없는 것이었다고 한다. 따라서 상악전진술 후에 발음의 변화가 올 수도 있다는 것에 대하여 환자에게 충분한 설명을 하는 것이 좋겠다. 상악신연술 후에도 구개인두 기능의 변화가 올 수 있다(Satoh 등, 2004).

여러 신경성 상태가 구개인두 기능에 영향을 줄 수 있다. 반안면왜소증(hemifacial microsomia), 말초성 신경염(peripheral neuritis), 중증근무력증(myasthenia gravis), 연수형소아마비(bulbar poliomyelitis) 등의 신경성 병변에 의해 구개인두 기능에 장애가 올 수 있다.

발음시 구개인두괄약의 움직임이 없는 경우도 있다. 음식을 삼킬 때는 괄약이 정상이지만 말을 하는 경우에는 전혀 움직임이 없어 구개인두기능부전을 보인다. 이 경우에는 인두성형술이 효과가 없고, 상부에 기저를 둔 넓은 인두피판술이 유용할 수 있다.

기능성 혹은 히스테리성 과대비성(functional/hysterical hypernasality)은 감정의 조절 장애에 기인하는 것이다. 구조적, 기능적 문제는 없으며, 비내시경 검사에서도 구개인두 괄약의 정상적인 움직임과 폐쇄를 보인다. 놓아들은 구개인두 괄약의 부적절한 사용 때문에 과대비성를 흔히 보인다. 물론 이런 경우에는 절대로 수술을 해서는 안 된다.

II. 구개인두기능의 분석

구개인두기능부전을 가진 환자의 적절한 치료를 위해서는 발음과 구개인두의 기능을 잘 살펴보아야 한다. 이런 검사는 수술이 반드시 필요한 상황인지, 수술을 한다면 어떠한 방법을 선택해야할지를 결정하는 중요한 자료가 되며, 이를 통하여 불필요한 수술을 막을 수 있고, 수술의 효과를 최대한 기대할 수 있으며, 치료 전후의 변화를 확인하여 더 나은 치료의 방법을 찾을 수 있기 때문이다.

구개인두기능부전의 치료 목표는 결국 현실적으로 상대방이 잘 알아들을 수 있고 부담감을 가지지 않는 발음으로 말을 할 수 있게 하는 것이다. 따라서 구개인두기능부전의 정도, 치료 전후의 비교, 치료의 효과 비교 등의 임상적 이유와 연구적 목적으로 발음의 평가는 반드시 이루어져야 한다. 현재 국내에는 구개인두기능부전에 대한 발음을 평가하는 통일된 기준은 없으며, 저자는 정옥란의 '구개 파열자를 위한 비음화 진단도구' 를 기초로 하고, 음성 분광사진검사(sound spectrography), 검사자간 비교, 반복 검사시 일치도 조사를 적용하여 만든 발음평가표를 사용하고 있다(김종현 등, 1999)(표 21-1). 표 21-2는 구개인두기능부전의 특징적인 발음상의 문제점을 쉽게 찾을 수 있도록 구성된 국내에서 흔히 사용되는 예문이다. 뒷부분의 문장은 비음이 하나도 들어가지 않도록 구성되어 과대비성이나 비강배출을 쉽게 알 수 있도록 구성되어 있다. 이 예문은 비내시경 검사나 방사선 투시촬영 시에도 사용된다.

때로는 과대비성과 과소비성(hyponasality)을 구분하기 힘들다. 이 때에는 말을 계속하게 해 놓고, 코 끝을 쥐었다 놓았다 해보면 발음상 비성의 정도가 바뀌게 된다. 과소비성을 가진 환자에서는 코를 잡아도 소리의 변화가 별로 없고, 과대비성을 가진 환자에서는 뚜렷한 비성의 변화를 볼 수 있어 쉽게 구분할 수 있다.

비강배출을 눈으로 확인하기 위해서는 환자에게 비음이 없는 단어를 말하게 하고 후두경(laryngeal mirror)을 코 밑에 대어 서리가 끼는지 본다. 말하는 동안에만 후두경을 코 밑에 놓아 비호흡에 의한 영향을 받지 않도록 주의한다.

구개인두기능부전의 정도를 결정하기 위한 가장 기본적인 도구는 훈련된 귀다. 경험이 많은 언어치료사나 성형외과 의사는 환자의 말을 들어 보면 구개인두기능부전의 유무와 그 정도를 짐작할 수 있다. 그러나, 불행히도 개개인의 발음에 대한 평가는 주관적인 것이므로 수술 전후의 비교가 어렵고, 각 병원 사이의 결과 비교가 어려우며, 특히 다른 종류의 언어를 사용하는 경우에는 한계를 가지게 된다. 따라서 공명의 정도나 발성시 비강배출의 정도를 객관적으로 측정하는 방법들이 발달하게 되었다. 그러나, 이것은 반드시 임상적으로 너무나 유용한 발음인지검사(perceptual speech examination)를 염두에 두고 해석해야 된다.

Nasometry scores는 비강배출을 측정하는 도구로 사용한다. 비강과 구강으로 유출되는 공기 사이의 비는 정상적인 표준치와 비교 가능하다(Hardin 등, 1992). 반복 검사가 가능하고 쉽게 측정할 수 있다. 그러나, 이 결과는 구개인두괄약에

표 21-1. 전반적인 발음의 상태를 파악할 수 있는 발음평가표 (김종현, 배용찬, 황소민, 전재용. 국내 구개열 환자의 발음평가법. 대한성형외과학회지, 26: 858, 1999)

			1	2	3	score
Hypernasality evaluation		ㅏ				
		ㅓ				
		ㅗ				
		ㅜ				
		ㅣ				
Articulation evaluation	파열음	가구/ㄱ/				
		바퀴/ㅋ/				
		들깨/ㄲ/				
		머리띠/ㄸ/				
		가방/ㅂ/				
		아프다/ㅍ/				
		아빠/ㅃ/				
	마찰음	호수/ㅅ/				
		눈썹/ㅆ/				
	파찰음	모자/ㅈ/				
		자동차/ㅊ/				
		한쪽/ㅉ/				
	설측음	기린/ㄹ(r)/				
		마을/ㄹ(l)/				
	비음	그네/ㄴ/				
		가마/ㅁ/				
		강/ㅇ/				
Total score						

표 21-2. 구개인두의 기능을 검사하기 위해서 국내에서 흔히 사용되는 예문. 첫째 줄은 모음, 둘째 줄은 비성, 셋째 줄은 무비성 단어로 구성되어 있고, 마지막 문장은 비성이 들어가지 않도록 구성한 것이다.

아 이 우 에 오
나무 누나 엄마
밥 학교 푸르다
(침을 삼켜보세요, 꿀꺽)
거북이와 토끼의 달리기 이야기죠. 토끼가 자기하고 달리기 시합하자고 크게 소리치자 거북이가 그러자고 했어요.

생긴 틈의 크기와 비례하지는 않는다. 틈이 작은 경우에 비인두로 고압의 흐름이 방출되므로 수치가 높게 나올 수 있기 때문이다. 이 측정의 실질적인 적용은 임상적인 해석에 연관해서 이용해야 한다.

비강내 공기 흐름 패턴의 기류역학적 자료(aerodynamic data of the pattern of nasal airflow)는 구개인두괄약의 기능을 반영한다. 일초당 일제곱센티미터당 비강내 공기 흐름의 측정과 공기 흐름의 변화의 비율은 구개인구괄약의 기능을 육안적으로 볼 수 있게 해 준다. 100%의 감수성(sensitivity)와 90%의 특이성(specificity)을 가진다(Dotevall 등, 2002). 그러나, 이 검사도 구개인두 괄약에 생긴 틈의 크기나 결손 부위에 대한 정보는 제공하지 않는다.

환자가 계속 말을 하게 하면서 방사선학적 검사와 내시경적 검사를 비인두에 대해서 시행하면 구개인두괄약의 기능에 대한 육안적인 조사가 가능하다(Yules 등, 1968)(그림 21-1, 21-2). 환자가 말하는 동안에 측면, 정면과 기저에서 투시촬영(speech videofluroscopy, SVF)을 시행한 동영상은 구개인두 괄약의 삼차원적인 해석이 가능하게 해 준다. 반면에 위치 잡기가 어렵고, 그림자가 겹치는 문제, 구개인두기능의 비대칭성 등이 이 연구의 해석에 장애가 된다.

환자가 말하는 동안에 비인두에 대한 내시경적 검사(videonasoendoscopy, VNE)는 구개인두괄약 부위의 이차원적인 시야를 제공한다(D'Antonio 등, 1989). 구개인두 괄약에 생기는 틈의 위치와 상대적인 크기를 결정할 수 있고, 구개인두 패쇄가 일어나는 부위를 정확히 확정지을 수 있다. 렌즈의 뒤틀림(lens distortion), 확대로 인한 영향(magnification affects), 시각의 편위(obliquity of the viewing angle), 시차 오차(parallax error) 등으로 발생하는 광학적인 문제로 인해 내시경으로부터 얻은 결과에 혼란이 생길 수 있다.

복잡한 기구를 사용하지 않고, 언어 검사와 육안적으로 연구개의 움직임만 관찰해서 수술 여부를 결정하고 수술 후의 결과를 비교 확인한다는 의사들(Meek 등, 2003)도 있지만, 대부분의 병원에서는 구개인두기능부전을 교정하기 위해서 수술 계획을 세울 때에 이런 검사들이 필수적이 되었으며, 구개인두기능의 측정을 최적화하기 위해 동시에 두 가지 방법을 사용하는 것이 좋다(Pigott, 2002). 이렇게 환자가 말하는 동안에 구개인두 괄약 부위를 직접 봄으로써 결손부를 적절히 기록할 수 있고(Golding-Kushner 등, 1990), 그 결손에 맞는 수술을 계획하는데 도움이 된다.

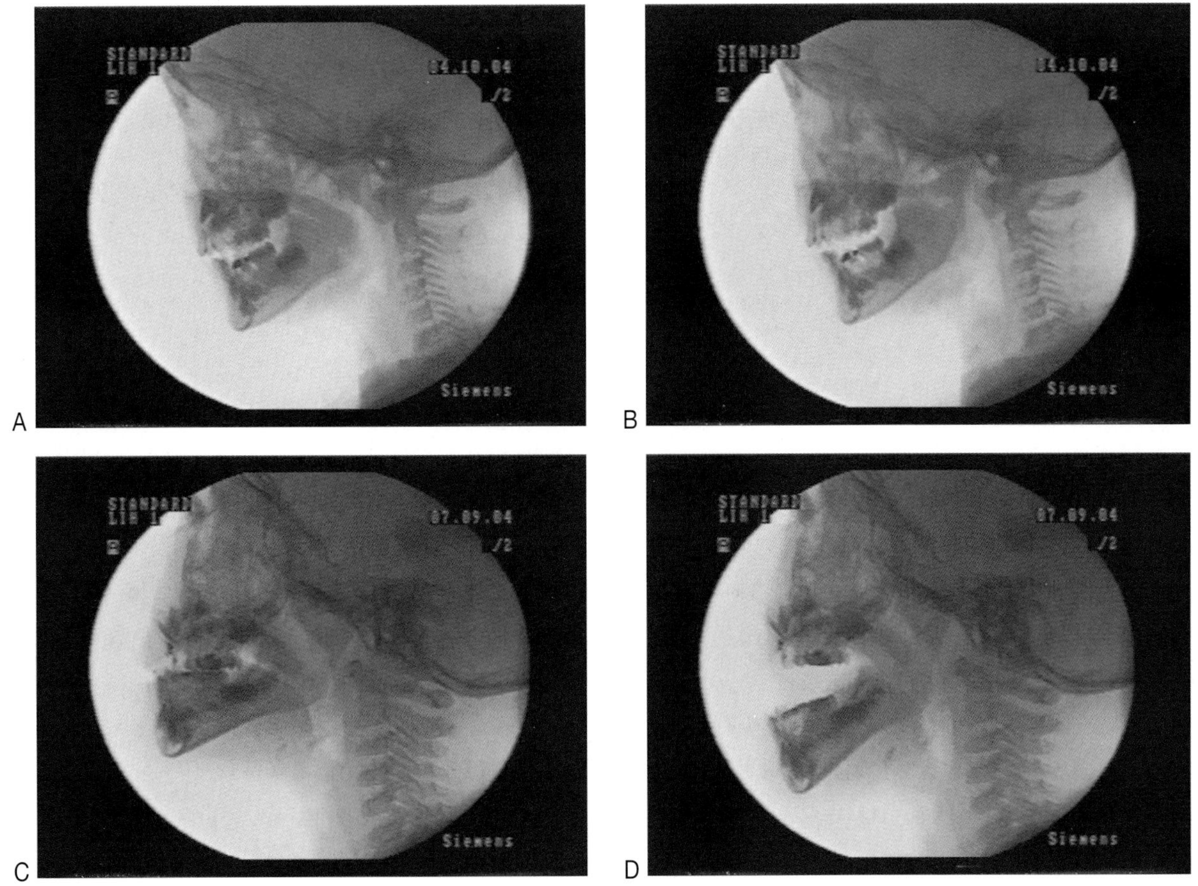

그림 21-1. 측면 투시촬영 동영상에서 정지 화면을 잡은 사진. (A) 평상시 구개인두가 열린 상태. (B) 구개인두 폐쇄를 요하는 발음을 하면 목젖 앞 부분의 연구개와 인두 후벽에 접촉이 일어나 측면상으로 구개인두기능괄약이 닫히는 것을 볼 수 있다. (C) 구개인두가 열린 상태로 상악의 성장장애가 심하다. (D) 구개인두를 최대한 닫은 상태인데도 연구개와 인두 후벽 사이에 접촉이 일어나지 않고 큰 간격이 보인다.

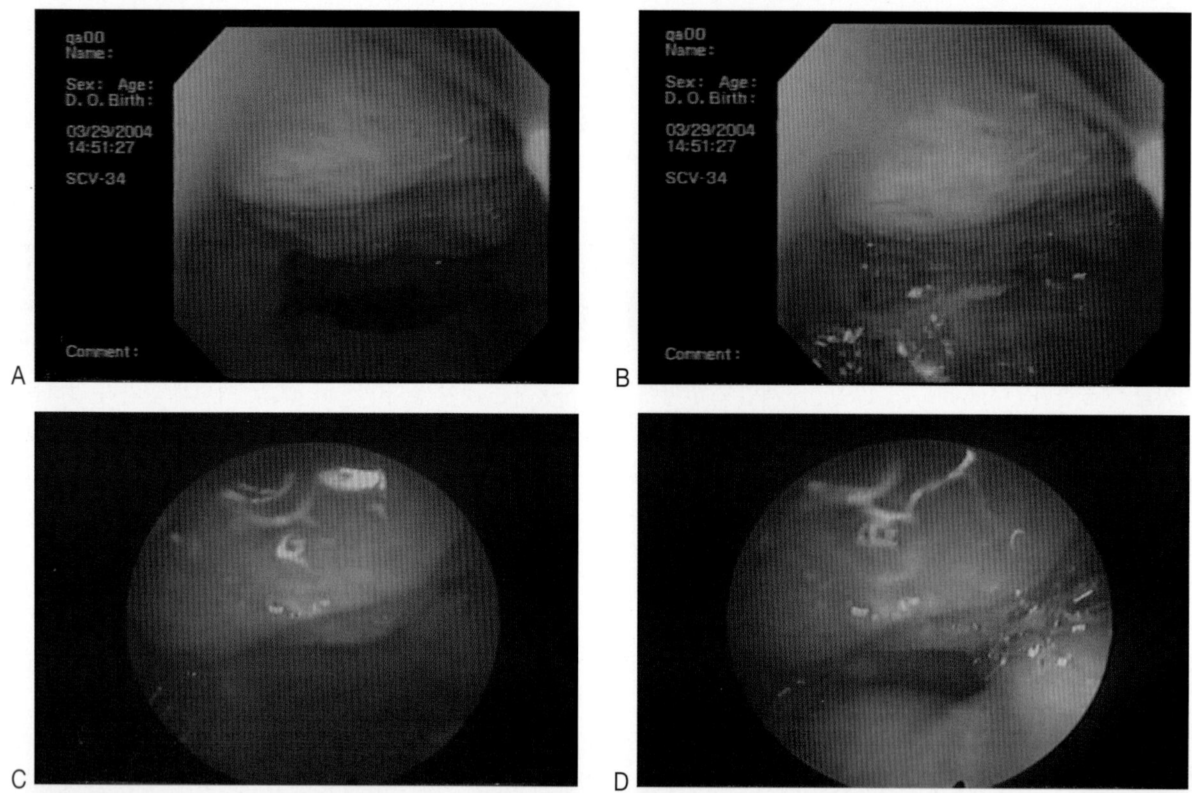

그림 21-2. 비내시경 동영상에서 정지 화면을 잡은 사진. (A) 평상시 구개인두가 열린 상태. (B) 연구개와 인두 후벽, 측벽이 모두 잘 움직여 구개인두 폐쇄가 잘 일어나고 있다. (C) 심한 구개인두 부전을 가진 환자에서 구개인두가 열린 상태. (D) 구개인두를 닫으려해도 결손이 생기는 모습.

III. 구개인두기능부전의 수술 전에 고려할 사항

1. 수술 전 언어치료

구개인두기능부전이 의심되는 경우에는 일단 발음인지검사(perceptual speech evaluation)를 시행한다. 조음이 정확하지 않으면 일단 언어치료를 통해 조음 자체를 먼저 교정하고 철저한 발음인지검사를 다시 시행한다(Marsh, 2004). 이 검사에서 과대비성, 비강내 난기류(nasal turbulence), 얼굴 찌뿌림(facial grimacing) 등의 구개인두기능부전의 증상이나 소견을 보이면 비내시경과 투시촬영에 의한 객관적인 검사를 실시하고, 만약 이런 증상이 없으면 구개인두기능부전에 의한 발음장애가 아니라고 판단하여 언어치료실로 보내 그에 따른 적절한 치료를 받게 한다.

수술 전의 언어 치료에 대하여는 논란이 있다. 밑 빠진 독에 물 붓기이므로 소용이 없다는 주장(Orticochea, 1999)도 있고, 나이에 따라 다르다는 주장도 있다. Senders(2001)는 10세 이상의 심한 과대비성을 가진 환자는 언어 치료에 효과가 없으므로 바로 수술적 치료를 고려한다고 하였다. 반면, Ysunza 등(2002)은 구개인두기능부전과 연관된 보상적인 조음장애가 있을 때는 언어치료가 필요하다고 하였다. 구개인두에 대한 수술을 하기 전에 조음 치료를 하면 구개인두 괄약의 운동성 증가를 기대할 수 있고, 구개인두기능 이상을 없애기 위한 비폐쇄의 정도를 줄일 수 있기 때문이다. 수술 전 언어치료로 92%의 환자에서는 구개인두 운동성이 증가하고 결손의 크기가 줄어들지만 구개인두기능부전 자체는 교정되지 않으며, 결손의 형태도 변하지 않는다.

일반적으로는 언어치료실과 적절히 협동하여 검사 중 필요한 경우에는 언어치료를 하도록 하고 모든 검사 상에서 구개인두 치료에 언어치료 이외의 다른 방법이 필요하다고 판정이 되면 발음보조기(speech prosthesis)와 수술 중에 치료를 선택하게 된다(Marsh와 Wray, 1980).

2. 구개인두발음보조기

마취가 어려운 경우, 상기도가 불안정한 경우, 구개인두기능부전이 불안정하거나, 진행 중인 신경성 증상과 연관이 있는 경우, 복잡한 언어 장애가 있어 수술로 개선된다고 확신할 수 없는 경우, 환자나 보호자가 수술을 거부하는 경우에는 발음보조기를 고려한다. 그 외의 환자에 대해서는 수술을 시행한다.

구개인두발음보조기는 연구개를 올리거나(lift), 남는 구개인두 간격을 채우거나(obturator), 혹은 둘 다의 기능을 가진 것(lift-obturator)이 있다. 연구개상승기(velar lift, palatal lift)는 신경성 병변에 이차적으로 오는 구개인두기능부전에서 볼 수 있는 것처럼, 구개인두 깊이에 비해 정상적인 구개의 길이를 가진 환자에서 효과적이다. 구개인두폐쇄기(velopharyngeal obturator)는 구개열 재건 후에 가끔 볼 수 있는 상태인, 짧고 반흔화된 구개를 가지며 구개의 길이에 비해 구개인두의 깊이가 심한 경우에 필요하다. 복합발음보조기(combined prosthesis)는 연구개를 올리기만 해서는 구개인두 폐쇄가 충분하지 못한 경우에 유용하다(Marsh, 2004).

3. 수면무호흡증

구개인두기능부전의 수술과 연관된 가장 심각한 문제는 폐쇄성수면무호흡증(obstructive sleep apnea, OSA)이며 때로는 사망의 위험도 있다. 이 위험을 최소화하기 위해서는 수술 전에 상기도에 대한 철저한 조사가 필요하다. 무호흡증의 증상과 관련된 환자의 병력, 호흡 상태, 하악과 혀의 크기와 위치, 일상적인 수면조사 등을 시행한다. 상기도가 불안하면 수술을 연기하고 안정화될 때까지 기다려야 하며, 안정화되지 않는다면 구개인두발음보조기를 권유해야 한다.

4. 편도와 아데노이드

편도와 아데노이드의 상태를 수술 전에 고려해야 한다. 이 조직들은 구개인두 폐쇄, 수술 자체, 술후 결과 모두에 영향을 줄 수 있기 때문이다(D'Antonio 등, 1996). 편도나 아데노이드가 비후되어 있다면 술전에 제거하는 것이 좋다. 때로는 구개인두강 내로 빠져나와 있는 패쇄성의 큰 편도를 제거해 주면 구개인두기능부전이 좋아지는 경우도 있다.

괄약인두성형술(sphincter pharyngoplasty)을 할 수도 있으므로 편도 제거 시에는 편도지주(tonsillar pillars)를 보존하도록 알려주어야 한다. 편도절제술이나 아데노이드제거술을 시행한 3개월 후에 다시 구개인두에 대한 기능 검사를 해서 변화가 있는지 확인하고 수술 방법을 선택한다. 수술의 간격에 대하여는 논란이 있는데, Meek 등(2003)은 적응증이 되면 수술 6주 전에 아데노이드와 편도제거술을 시행했고 제거술 후에는 모든 환자에서 과대비음화가 심해졌다고 한다. 반면, Senders(2001)는 구개인두 수술을 하기 10-14주 전에 시행하는데 그 이유는 수술 부위의 상처가 낫고 재혈관화할 시간을 주기 위해서다. 대부분은 두 가지의 수술을 따로 시행하는 것을 주장하지만 동시에 해도 별 문제가 없다는 주장도 있다(Reath 등, 1987; Lo와 Thaller, 2003).

아데노이드를 제거하면 인두성형술 시에 양측 피판을 더 위쪽으로 전이시킬 수 있고, 인두피판술의 경우에는 기저부를 더 높이 올릴 수 있다.

5. 혈관 주행의 기형

Mitnick 등(1996)은 velocardiofacial 증후군을 가진 20명의 환자에서 자기공명혈관촬영술(magnetic resonance angiography, MRA)을 시행하여 모두가 경동맥이나 척추동맥 혹은 둘 다의 기형을 가지며, 그 중 2명은 내경동맥이 첫번째 경추의 기저에서 인두 정중선 근방의 인두 점막 직하방에 위치하는 것을 발견했다. 따라서 모든 velocardiofacial 증후군 환자는 수술 전에 자기공명혈관촬영술을 시행해야하고(Sloan, 2000), 수술시에 공여부를 손으로 만져보고 맥박이 있는지 확인해 보아야 한다.

Ⅳ. 구개인두기능부전의 교정을 위한 수술의 종류와 선택

1. 구개인두기능부전을 교정하기 위한 수술의 종류

1) 이차 구개성형술

연구개 길이의 연장을 위해서 pushback구개성형술 등의 구개연장술(palatal lengthening procedures)을 이차적으로 다시 사용할 수도 있다. Furlow palatoplasty도 사용되는데(Senders, 2001), Sie(2001)는 구개범거근이 시상으로 위치한 환자에서 Furlow palatoplasty를 시행해서 반 이상의 환자에서 발음이 만족스러웠다고 한다. Sommerlad 등(2002)은 현미경을 사용하여 연구개 근육을 광범위하게 박리하고 뒤로 재배치시키는 방법을 사용하여 좋은 결과를 얻었다고 한다.

2) 인두후벽융기술(augmentation of posterior pharyngeal wall)

인두 후벽의 근육능이 더 두드러지도록 하기 위한 방법이다. 여러 가지 물질들이 주사용으로 혹은 삽입시키는 방법으로 시도되었는데, 이것은 인두 후벽이 균일하지 않거나 작은 결손이 있을 때 사용이 가능하다. Silastic, Proplast, 연골, Teflon, 콜라겐 등으로 만들어진 이런 물질들은 염증으로 인한 합병증, 육아종 형성, 물질의 이동이나 흡수 등의 문제가 있어 이상적이지 못하다. 최근에 cross-linked hyaluronan이 동물 실험에 사용되었고 경미한 조직 반응을 보이며 주사후 6개월간 안전성을 보여 향후 많은 발전의 가능성을 가진다고 생각되고 있다(Hallen과 Dahlqvist, 2002). 인두 후벽에서 상부에 기저를 둔 피판을 만들고 말아서(rolled pharyngeal flap) 인두 후벽을 보강하는 방법도 있다(Gray, 1996; Hoshikawa 등, 2003). 구개인두괄약의 결손부가 작고 관상형인 경우에 사용하는데, 결손부가 3 mm 이하인 경우에 적합하다.

3) 인두피판술(pharyngeal flap)

V. 인두피판술 참조

4) 괄약인두성형술(sphincter pharyngoplasty)

VI. 인두성형술 참조

5) 복합 수술

일차 혹은 이차구개성형술을 시행하면서 인두피판술이나 인두성형술을 동시에 시행할 수도 있다.

2. 수술 방법의 선택

아직까지 구개인두기능부전을 해결하기 위한 절대적인 수술 방법은 없다. 일반적으로 인두피판술이·가장 표준적인 수술법이었으나 수면무호흡증에 대한 염려로 최근에는 인두성형술이 더 흔히 쓰이는 듯 하다. 인두피판술과 인두성형술 중 어느 것도 일정한 성공을 보장해 주지 못하고 두 방법 모두 부정적인 결과를 초래할 수 있다. 폐쇄성수면무호흡증은 인두피판술에서 더 흔한 것으로 보이지만, 많은 전문가들은 인두피판술이 구개인두기능부전을 교정하는데는 더 효과적인 방법이라고 생각하며, 특히 기능부전이 심한 경우에는 더욱 그렇다(Sloan, 2000). Ysunza 등(2002)은 비내시경과 다각도의 투시촬영의 소견에 맞추어서 계획을 세우면 인두피판술과 인두성형술 중 어느 방법을 선택하여도 결과의 차이는 없다고 하였다.

보통은 구개인두기능부전의 정도와 상태에 따라서 각각 다른 수술을 선택하는 것이 최근의 추세이다(Marsh, 2003). 다르게 말하면, 구개인두가 완전히 닫히지 않는 틈의 크기와 모양에 따라 수술 방법을 달리한다(Peat 등, 1994). 전후 방향의 움직임이 좋고 측면의 운동성이 나쁘거나, 둘 다의 운동성이 안 좋을 때는 인두성형술이 더 효과가 있으며, 측벽의 움직임이 좋고 정중선의 결손이 있을 때는 인두피판술이 더 낫다. Argamaso 등(1980)도 인두피판술의 성공은 술전에 인두 측벽의 운동성의 유무와 직결되므로 술전에 인두 측벽의 운동성이 없을 때는 괄약인두성형술이 더 좋은 선택이라고 하였다. 수술 후에 만족스럽지 못한 결과로 이차 수술을 시행할 때 인두성형술은 인두피판술보다 더 쉽고 성공적으로 시행 가능하다(Sloan, 2000).

Marsh(2004)는 다음과 같이 수술 방법 선택의 기준을 제시하였지만(그림 21-3) 최근에는 기도 폐쇄의 위험 때문에 넓은 인두피판술은 사용하지 않는다고 하였다.

구개인두를 최대한 닫았을 때 남은 구개인두 간격이 작고 중앙에 있으면 구개수근(musculus uvulus)의 상태를 조사한다. 연구개의 비강측 정중선이 올라와 불룩하면 근육이 건전하고 기능을 한다고 판단하고, 이런 경우에는 중등도의 넓이를 가진 상부에 기저를 둔 인두피판술을 시행한다. 이는 활동적인 인두 측벽의 운동과 잘 조화되고 기도의 패쇄를 최소화한다. 구개수근의 융기가 확인되지 않으면, Sommerlad(2002)

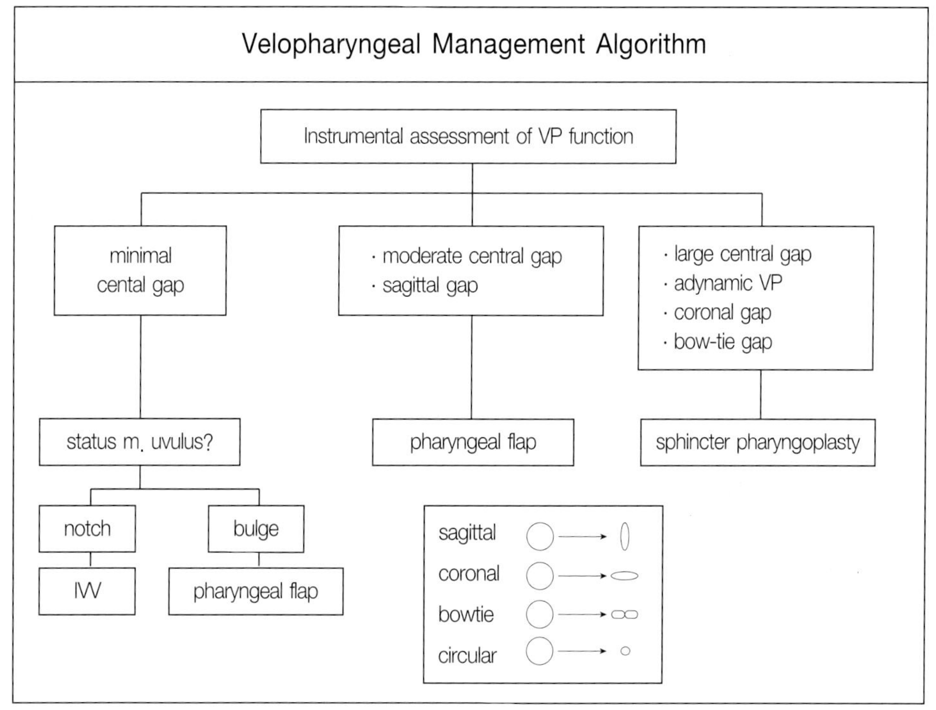

그림 21-3. 구개인두기능의 객관적인 분석에 따른 수술 방법의 선택을 위한 알고리즘 (Marsh JL. The evaluation and management of velopharyngeal dysfunction. *Clin Plastic Surg* 31: 261. 2004)

가 주장하는 근치적 연구개내근성형술(radical intravelar veloplasty)을 시행하거나 혹은 Furlow의 'double Z-plasty'를 시행한다. 구개인두 폐쇄시에 남는 간격이 중등도의 크기이고 중앙에 있거나 혹은 시상형(sagittally oriented gap)을 보이면 중등도 크기의 상부에 기저를 둔 인두피판술을 시행한다. 중앙에 큰 간격이 있거나(large central gap), 관상형(coronally oriented gap), 보우타이(bow tie)의 형태를 보이거나, 혹은 구개인두가 운동성이 없는 경우(adynamic velopharynx)에는 괄약인두성형술(sphincter pharyngoplasty)를 시행한다.

한편, Senders(2001)는 표 21-3 과 같은 기준을 가지고 수술 방법을 선택하였으며, David와 Bagnall(1990)은 각각의 상황에 따른 해결책을 다음과 같이 제시하였다.

표 21-3. 구개인두괄약의 운동성과 결손의 형태에 따른 수술 방법의 선택 (Senders CW. Management of velopharyngeal competence. Facial Plast Surg Clin North Am 9: 27, 2001)

Defect	Sphincter Motion		Procedure
Coronal	Lateral wall	Poor	Dynamic pharyngoplasty
	Anterior-posterior	Good	
Coronal-minimal gap	Lateral wall	Poor	Rolled pharyngeal flap
	Anterior-posterior	Good	
Central	Lateral wall	Good	Pharyngeal flap
	Anterior-posterior	Poor	
Notch in soft palate	Lateral wall	Good	Furlow Palatoplasty
	Anterior-posterior	Good	
Black Hole	Lateral wall	Poor	Pharyngeal flap or dynamic pharyngoplasty
	Anterior-posterior	Poor	

작은 중앙의 결손이 있는 경우(small central defect)에는 여러 방법에 잘 반응할 것으로 기대가 되어, 인두후벽증강술(posterior wall implant), 상부 기저의 좁은 인두피판술, 연구개 근육의 후방전이술을 포함하는 이차 구개성형술을 한다. 구개인두 괄약의 구성 요소들이 전반적으로 잘 움직이지 않을 때는 좋은 결과를 기대하기 어렵고, 발음보조기를 사용하거나, 넓은 인두피판술을 적용할 수는 있지만 어떤 방법으로 수술을 해도 효과는 별로 없다. 연구개의 움직임이 한쪽에만 없거나 인두 측벽의 움직임이 비대칭적으로 일어나 구개인두 괄약에 비대칭적인 결손이 생기는 경우에는 상부에 기저를 둔 인두피판술이나 편측의 인두성형술이 좋다. 연구개는 잘 올라가지 않지만 인두 측벽의 움직임이 좋을 때는 상부 기저의 인두피판술이 이상적이다. 반대로 연구개의 움직임은 좋지만 인두 측벽의 움직임이 약한 경우는 가장 흔히 볼 수 있는 형태인데, 괄약인두성형술이 좋다. 인두 측벽의 움직임이 약할수록 인두피판술의 효과는 적다.

V. 인두피판술

1865년 Passavant가 연구개와 인두 벽의 유착을 만들어서 구개인두기능부전을 치료하는 방법을 소개한 후로 18세기 후반에 하방에 기저를 두거나 상방에 기저를 둔 인두피판술이 소개되었으며, Hogan(1973)에 의해 외측구멍조정(lateral port control) 개념이 도입되었다. 하방에 기저를 둔 인두피판술이 더 쉽고 합병증이 적다는 보고도 있지만(Hofer 등, 2002), 대부분은 상방 기저 피판을 많이 사용한다. 상하방 기저에 따른 결과의 차이는 없다는 보고도 많다(Halmen, 1970; Karling 등, 1999; Meek 등, 2003).

1. 상부에 기저를 둔 인두피판술

수술전 비내시경과 방사선 투시촬영술을 시행한 비디오를 보고 결손의 정도에 피판을 맞추도록 준비한다. 경구기관내 삽관을 하여 전신마취하에서 적당한 개구기(mouth gag)를 사용하여 구개와 구강인두가 잘 보이도록 한다. 술자는 수술대의 머리 부분에 앉아서 헤드 램프를 착용하여 좋은 시야를 확보하는 것이 좋다.

구개의 중앙과 인두 후벽에 에피네프린이 함유된 리도케인을 주사한다. 연구개 중앙에 절개를 가하고 양측을 분리시키는데 경구개에는 절개가 들어가지 않도록 한다. 분리된 연구개의 비강측 점막에 횡으로 절개를 넣고 아래 쪽의 근육층에서 점막 피판을 박리해서 일으킨다. 인두 후벽에서 결손의 크기를 고려해서 적절한 폭을 가진 피판을 작도하고, 피판의 끝부분에서 시작하여 피판을 일으키는데, 척추전근막(prevertebral fascia)으로부터 점막과 인두근육을 박리하여 인두 후벽의 점막과 근육이 포함된 피판을 만든다. 피판의 기저부에 손상을 가하지 않도록 조심해야 하는데 아데노이드 부근에 오면 점막이 무르고 약하게 된다. 완성된 피판의 끝 부분을 경구개의 후연에 남아 있는 비강측에 봉합한다. 외측으로도 연구개의 비강측 가장자리와 피판을 봉합하고, 미리 만들어 두었던 연구개의 비강측에서 만든 점막 피판으로 인두피판의 노출면을 덮도록 봉합한다. 목젖을 만들고 남아 있는 연구개의 구강측면을 봉합한다(그림 21-4, 21-5).

상부에 기저를 둔 인두피판술의 결과는 수술 후에 남게 되는 양측의 구멍을 닫아줄 수 있는 인두 측벽의 움직임에 좌우되며, 인두피판은 가능한 높이 위치시켜야 효과가 좋다. 피판의 길이는 짧을수록 좋은데, 긴 피판은 하인두(hypopharynx)를 좁히기 때문에 폐쇄성수면무호흡증을 더 잘 유발하기 때문이다.

2. 수술 후 처치와 합병증

수술 후에는 최소 12시간은 정맥 주사로 수액을 공급하고 항생제를 투여한다. 다음 12시간 동안에는 맑은 물 종류의 음식을 마시게 하고 3주간은 유동식을 먹게 한다.

인두피판술 후의 합병증으로는 수술 직후에 오심, 구토, 출혈, 심한 분비물, 기도 폐쇄 등이 있을 수 있다. 그 이후에 생기는 인두피판술의 문제점으로 과소비음화(hyponasality)가 생길 수 있고, 첫 몇 주간 코골이가 심할 수 있으며, 수면무호흡증의 가능성이 있고, 불쾌한 맛이나 구취증(halitosis)을 호소할 수 있으며, 구개인두기능부전이 남아 있을 수도 있다.

인두피판술 후의 폐쇄성수면무호흡증(obstructive sleep apenea, OSA)에 대하여는 여러 보고가 있다.

Orr 등(1987)에 의하면 인두피판술 후에 10명 중 9명에서 수술 직후에 시간당 폐쇄 증상의 빈도가 급격히 증가하다가 3

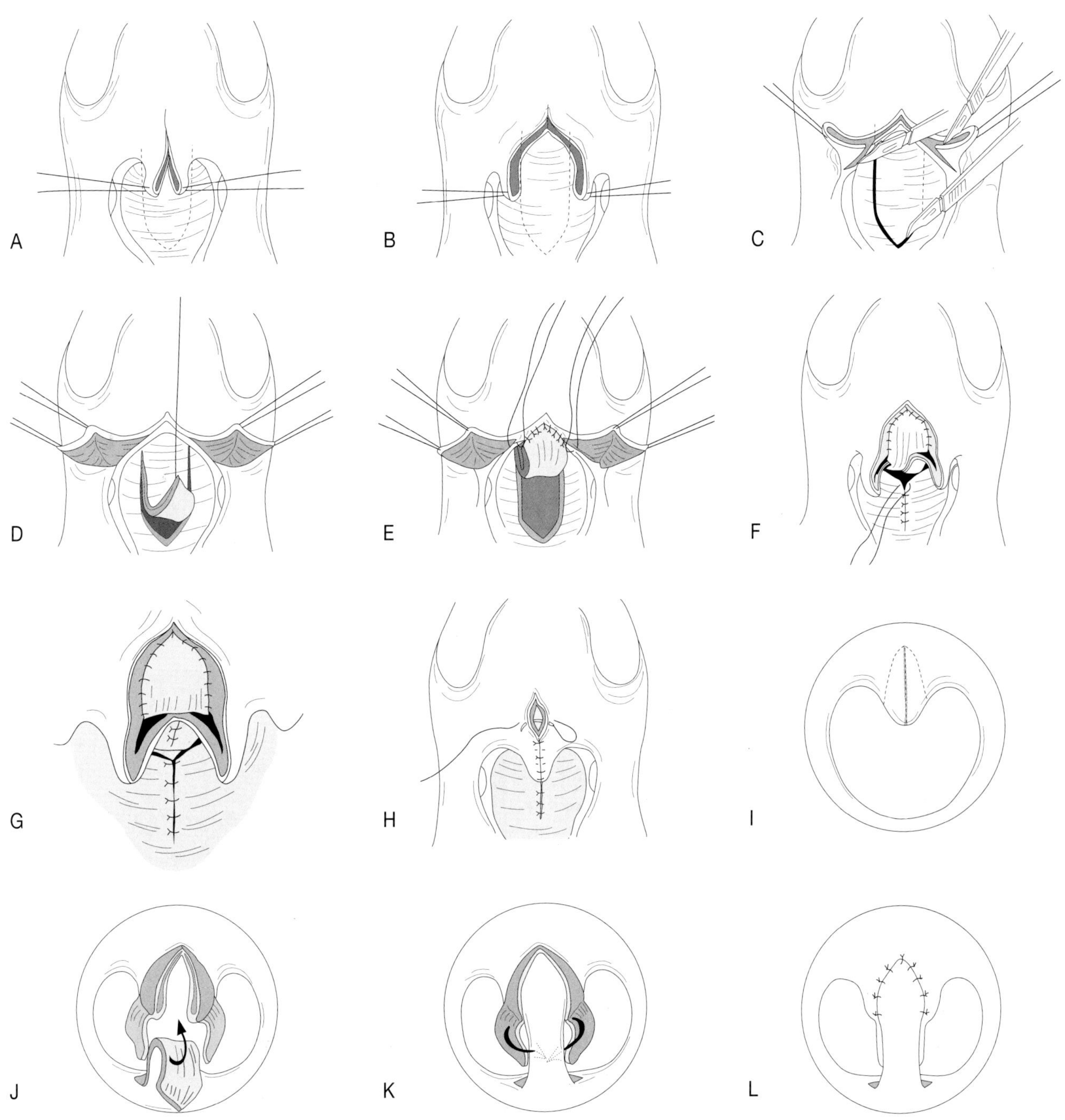

그림 21-4. 상부에 기저를 둔 인두피판: Hogan의 방법 (A) 연구개를 중앙에서 반으로 가르고 인두 후벽에 인두피판을 작도한다. 목젖에 실을 걸어 두면 인두 후벽을 보기가 쉬워 편리하다. (B) 연구개를 완전히 분리시킨 상태. (C) 인두 후벽에 절개를 가하고 척추전근막(prevertebral fascia) 위로 박리하여 인두피판을 만든다. 연구개의 비강측에서 점막 피판을 일으킨다. (D) 상부에 기저를 둔 인두피판을 일으킨다. 피판 끝에 실을 걸어 사용하면 편하다. 연구개의 비강측에서 점막 피판을 완성한다. (E) 인두피판을 연구개의 비강측 가장자리에 봉합한다. (F) 양측 구멍의 크기를 조절하면서 상부에 기저를 둔 인두피판을 연구개 결손부의 비강측에 봉합하고 연구개의 비강측에서 만들었던 점막 피판을 인두피판의 기저부에 봉합하여 노출면을 덮는다. 인두 후벽의 결손부를 봉합한다. 이 때 척추전근막을 함께 떠서 봉합하면 사강이 생기는 것을 막을 수 있다. (G) 연구개의 비강측에서 만든 양측 점막 피판으로 인두피판의 노출면 전체를 덮어 준다. (H) 목젖을 만들고 연구개의 구강측면을 닫아준다. (I) 연구개와 구개인두 괄약을 뒤에서 본 모양. (J) 연구개를 중앙에서 반으로 가르고 비강측에서 점막 피판을 만들어 올리고, 인두 후벽에서 상부에 기저를 둔 인두피판을 일으킨다. (K) 인두피판을 연구개의 결손부에 봉합한다. (L) 연구개의 점막 피판으로 인두피판의 노출면을 덮는다(Bardach J. *Salyer and Bardach's Atlas of Craniofacial & Cleft Surgery*, Vol II. Philadelphia, Lippincott-Raven Publishers, 1999. pp 785-807).

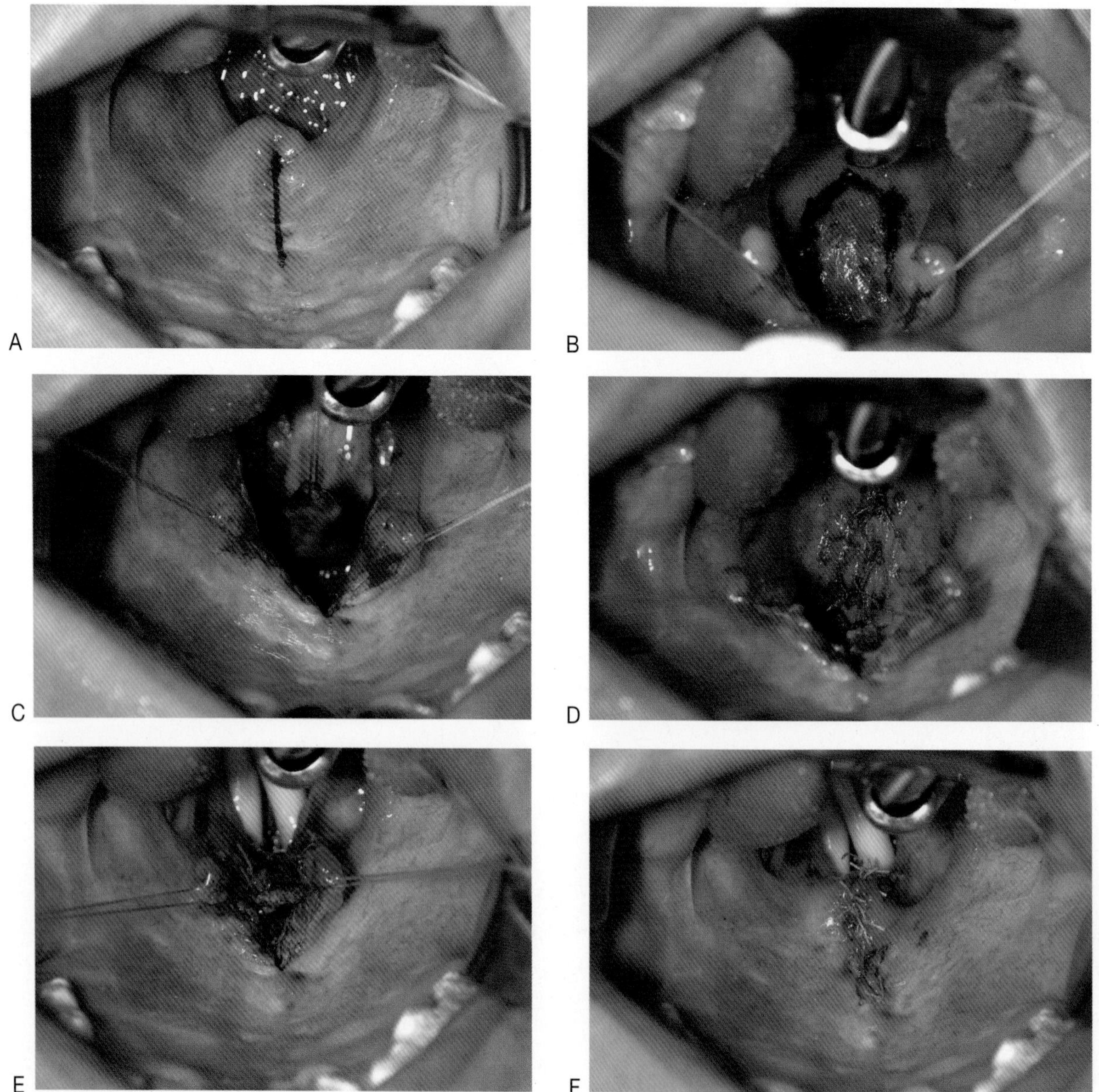

그림 21-5. 인두피판술의 실제 수술 과정을 술자의 시각에서 본 사진. (A) 연구개 중앙에 절개를 가한다. (B) 연구개를 반으로 나누고, 상부에 기저를 둔 인두피판을 작도한다. (C) 인두피판을 일으킨다. 인두의 후벽에 남아있는 척추전근막이 보인다. (D) 인두피판의 끝 부분을 연구개의 비강측에 봉합하고 인두피판의 공여부를 봉합한다. 양측 구멍의 크기를 조절하면서 인두피판과 연구개의 비강측을 봉합한다. (E) 연구개의 비강측 점막으로 만든 피판으로 인두피판의 노출면을 덮어준다. (F) 목젖을 만들고 연구개의 구강측면을 봉합한다.

개월 째에는 2명을 제외하고는 정상으로 돌아왔다고 한다. Ysunza 등(1993)은 571명의 인두피판술 환자 중 14명이 폐쇄성수면무호흡증으로 확인되어 모두 수술을 다시 했다고 하며, 인두피판술 시행 후 6개월에 수면 연구를 해 보면 92%가 비정상적인 수면을 가지며, 중증도에서 심한 수준의 폐쇄성무호흡증이 성인 환자의 10%에서, 소아 환자의 58%에서 있었다는 보고도 있다(Liao 등, 2002). 최근에 Willging(2003)은 인두피판술이 폐쇄성무호흡증과 과소비음화의 발생과 관련이 있으며, 과소비음화의 빈도는 5-10%, 폐쇄성무호흡증의 빈도는 2-10%로 보고하였다. 따라서 인두피판술 후에는, 특히 소아 환자에서는 비호흡의 적정성을 확보하기 위하여 충분한 주의가 요구된다.

그 외에 출혈이나 피판이 떨어지는 문제점에 대한 보고도 있는데, Valnicek 등(1994)은 219명의 소아에서 인두피판술을 시행한 결과를 살펴보고, 18명(8.2%)에서 출혈이 있었고 그 중에서 5명은 수혈이 필요했으며, 20명(9.1%)에서 기도 폐쇄, 9명(4%)에서 수면무호흡, 3명은 재삽관이 필요했으며, 결국 11명은 재수술을 했고 그 중 4명에서는 피판을 제거했다고 보고했다. Hofer 등(2002)은 275명의 환자에서 287개의 인두피판술을 시행하고 그 합병증을 조사하였는데, 합병증은 모두 6%에서 일어났으며, 6주 이내에 2.4%, 그 이후에 3.8%를 보였다고 한다. 가장 흔한 합볍증으로는 피판이 떨어지는 것으로 9명(3.1%)에서 발생하였으며, 3명은 6주 이내, 6명은 그 이후에 발생하였다고 한다. Meek 등(2003)도 53명의 인두피판술 중에서 피판이 떨어진 경우 3명(1%), 출혈 2명을 경험하였다고 한다.

VI. 인두성형술

1950년 Hynes는 구개열 수술이 실패한 경우에 이관인두근(salpingopharyngeus muscle)과 그 점막을 비인두 후벽에 횡으로 만든 점막 결손부로 전이시키는 두 차례의 수술로 발음개선에 효과를 보았다고 보고하였다. 그 후 그는 20년간의 인두성형술의 경험을 보고하면서 피판에 가능한 많은 근육을 포함시키는 것이 중요하며, 일 회의 수술로도 가능하다고 하였다(Hynes, 1967). 이 수술의 방법은 다음과 같다.

후편도지주(posterior tonsillar pillar)의 뒤편에서 구개인두근을 포함하는 근점막피판을 상방에 기저를 두고 양측에서 일으킨다. 이 두 피판의 기저부는 연구개가 닿을 것으로 예상되는 수준에서 만드는데 1번 경추를 지표로 사용한다. 이 수준의 인두 후벽에 상인두수축근까지 횡으로 절개를 가하고 양측 피판을 내측으로 전이하여 겹치도록 위치시켜 절개연의 상하 점막에 봉합한다. 양측 피판을 서로 봉합해서 새로운 괄약이 생성된다. 공여부는 일차봉합한다.

1968년 Orticochea는 피판을 좀 더 아래로 전이시키고, 인두 후벽에 하방 기저의 피판을 만들어 양측 피판의 끝을 봉합하는 다른 형태의 괄약인두성형술을 발표하여 역동적 괄약의 개념을 처음 도입하였다. 이 수술의 방법은 다음과 같다(그림 21-6).

후편도지주(posterior tonsillar pillars)에서 피판을 만든다. 기저가 넓을수록, 길이가 짧을수록 좋다. 인두 후벽에서 하방에 기저를 둔 작은 피판을 만든다. 이 때의 피판 상연은 근육에 의해 당겨지는 후편도지주 수준에 위치하도록 한다. 구강인두 내에서 낮은 곳보다는 다소 높은 곳에서 피판을 만드는 것이 좋다. 그렇다고 비인두에서 만들면 안되는데, 그렇게 되면 수술이 아주 어려워진다. 높게 위치시키면, 후편도지주와 봉합되었을 때, 긴장이 덜하고 창상 파열의 위험이 줄고, 역동적인 괄약을 형성하는 상인두수축근(superior constrictor muscle)이 좀 더 운동성을 갖는다.

Riski 등(1984)은 이 방법을 시행해보고 양측 피판을 좀더 위로 올려서 구개인두 폐쇄가 예상되는 위치로 전이시키는 것이 결과가 더 좋다고 하였다. 그 후 많은 경험을 토대로 인두성형술의 실패의 주원인은 양측 피판이 아래쪽으로 전이된 경우라고 밝혔다(Riski 등, 1992).

Jackson과 Silverton(1977)은 Orticochea의 방법을 변형시켜 양측 후편도지주(posterior tonsillar pillar)에서 상부에 기저를 두고 구개인두근을 포함하는 피판을 만들고, 인두 후벽에서 상부에 기저를 두고 만든 피판의 노출면에 봉합시켜 양측 피판이 높게 위치할 수 있도록 하였다.

한편, Bardach(1999)은 인두 후벽에 어떠한 절개를 넣거나 피판을 만들지 않고 구개인두 공간을 줄이는 방법으로 효과를 보았다(그림 21-7).

수술 후에는 베개 없이 옆으로 누워서 자도록 하고, 만약에 피판의 봉합이 떨어지면 일년 후에 다시 수술한다. 양측 피판 사이를 잘 봉합하면 피판이 떨어지는 가능성이 감소한다(Orticochea, 1999).

괄약인두성형술을 하면 연구개의 운동성을 증가시킬 수 있다(Georgantopoulou 등, 1996). 이것은 구개인두근을 자르고 전이시킴으로써 구개범거근이 더 자유롭게 움직여 연구개의 움직임이 증가한다고 해석할 수 있다.

괄약인두성형술 후에도 기도 폐쇄의 문제는 일어날 수 있는데, Witt 등(1996)은 58명의 환자 중 8명(14%)에서 기도와 관련된 문제가 있었고, 2명을 제외하고는 3일 이내에 해소가 되었으며, 수술적 조치를 요한 경우는 없었다고 했다. 아울러 8명의 환자는 모두 출생후 호흡 곤란 등의 병력이 있는 것으로 알려졌다.

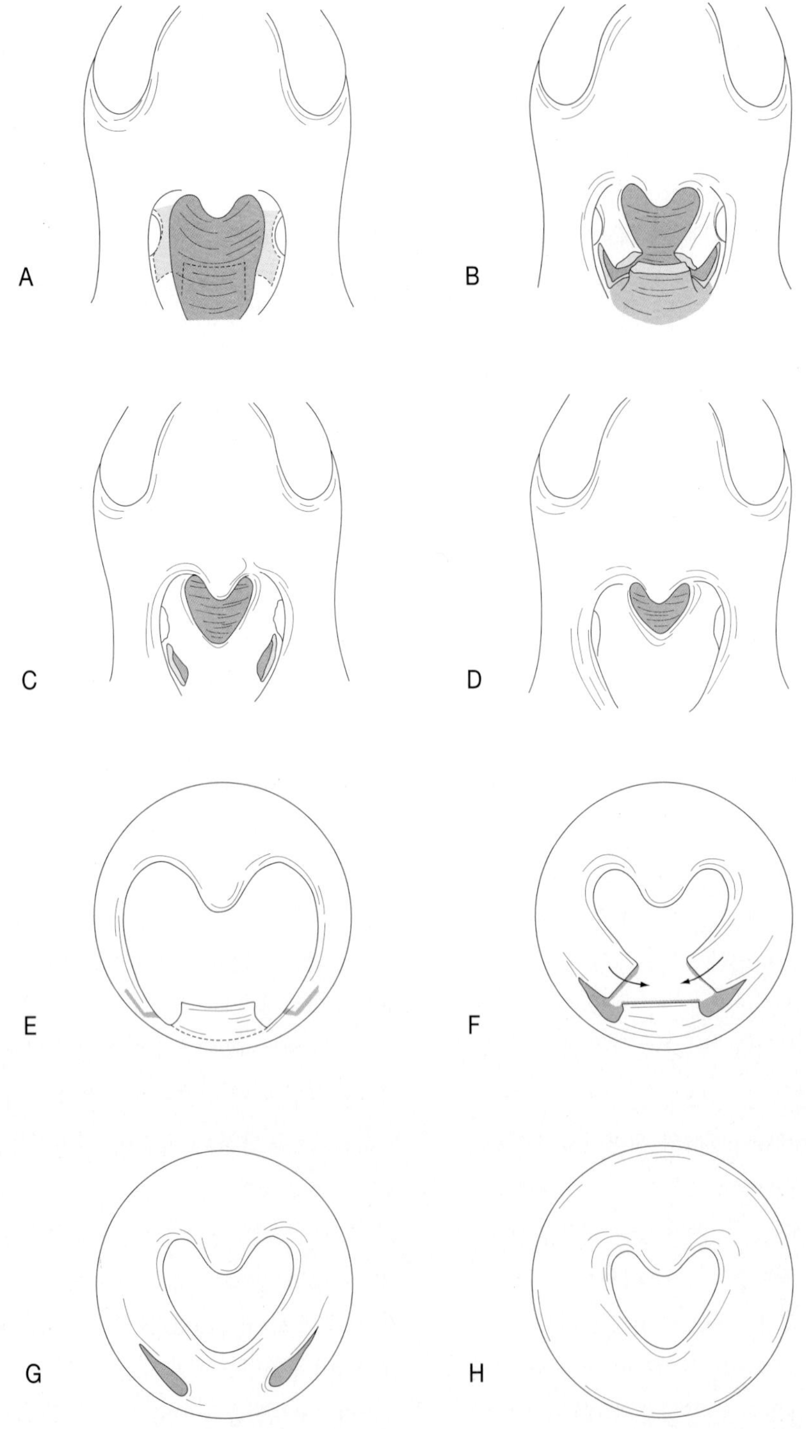

그림 21-6. 인두성형술. (A) 인두피판술에서는 양측에 구멍을 만들어 주지만 이 방법은 중앙에 하나의 구멍을 만드는 방법이다. 구개인두근(palatopharyngeus muscle)을 포함하는 상부에 기저를 둔 두 개의 피판을 양측면에서 작도한다. 인두의 후벽에서 작은 피판을 만들어 양측의 피판 끝부분이 붙을 수 있는 노출면을 제공하게 한다. (B) 짧은 피판을 일으키고 두 개의 측면 피판을 박리해서 내측으로 전이시킨다. (C) 양측의 측면 피판을 인두 후벽에서 일으킨 작은 피판의 노출면에 봉합한다. D, 창상 치유가 진행되면 중앙의 구멍의 크기가 감소되어 정상적인 발음에 도움이 된다. (E, F, G, H) 인두 괄약의 뒤측에서 본 그림(Bardach J. *Salyer and Bardach's Atlas of Craniofacial & Cleft Surgery*, Vol II. Philadelphia, Lippincott-Raven Publishers, 1999. Pp 785-807).

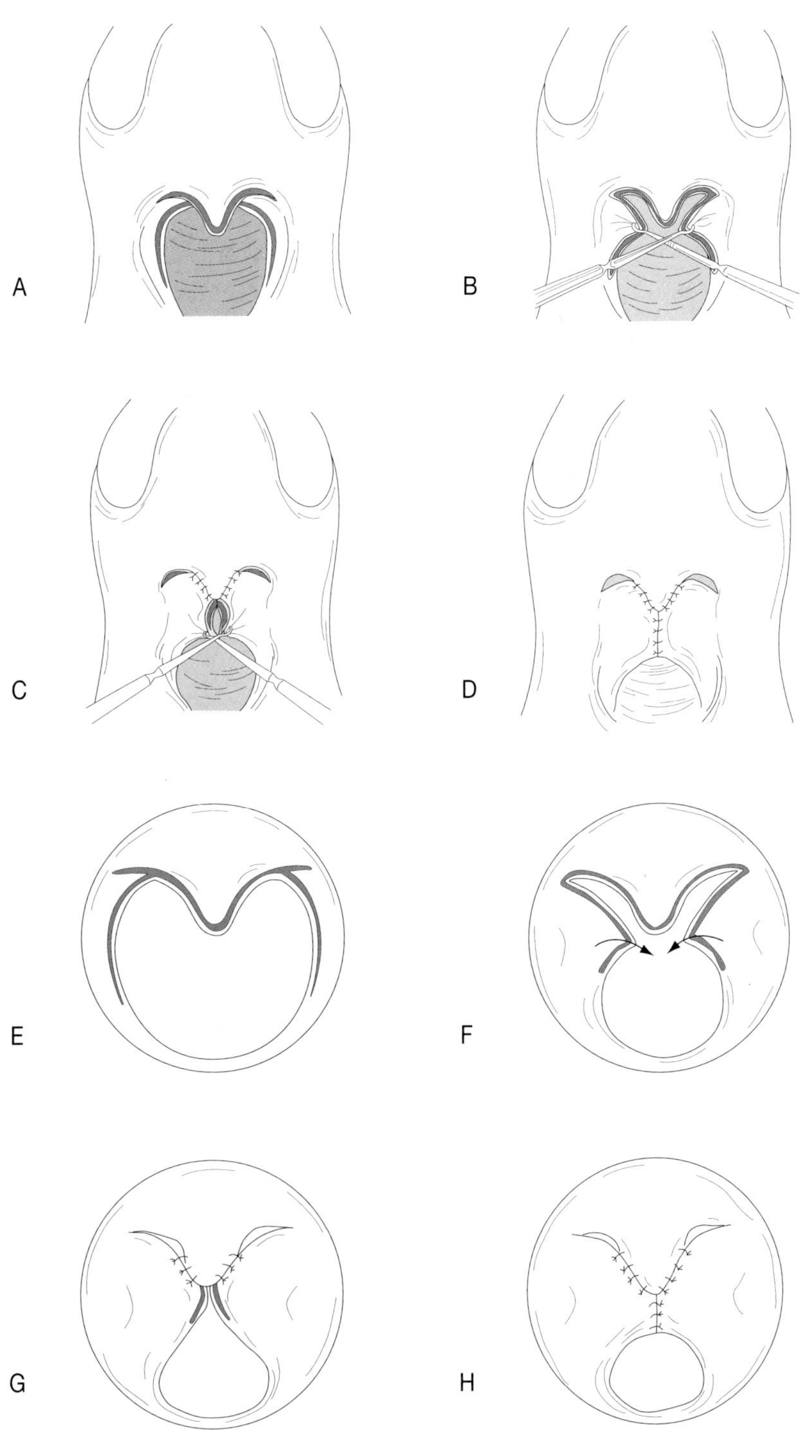

그림 21-7. 인두성형술: Bardach 방법. 인두 후벽에 절개를 가하거나 피판을 만들지 않고 구개인두 공간을 줄이도록 고안되었다. (A) 연구개의 후연과 후편도지주(posterior tonsillar pillars)의 측연을 따라서 절개를 가한다. 후편도지주의 내측연에 넣은 반원형의 절개로 두 개의 피판이 만들어지고 이는 쉽게 전위되어 연구개 후방의 중앙선에 봉합할 수 있다. (B) 절개를 넣은 다음 훅으로 후방편도지주를 접근시키고 있다. (C) 목젖 주위와 연구개의 후연에 봉합한다. 과도한 긴장이 생기지 않는 범위에서 최대한 아래쪽으로 봉합한다. (D) 피판을 내측으로 용이하게 전이시키기 위해 측면의 절개를 아래로 연장할 수도 있다. (E, F, G, H) 인두 괄약의 뒤측에서 본 그림(Bardach J. *Salyer and Bardach's Atlas of Craniofacial & Cleft Surgery*, Vol II. Philadelphia, Lippincott-Raven Publishers, 1999. Pp 785-807).

VII. 수술 결과

수술 후에는 적절히 추적 조사를 해야하며, 환자의 발음 상태, 음식 삼키기, 호흡 등을 관찰한다.

성공적인 구개인두기능부전의 치료란 말을 할 때 정상적인 비공명(nasal resonance)이 이루어지고, 음식을 먹을 때 코로 역류가 없어야 하고, 입을 닫고 코로 숨쉬면서 씹고 삼킬 수 있어야 한다. 폐쇄성무호흡증이 없어야 하며, 구강인두 내에 분비물이 고이지 않아야 한다.

수술 결과에 대해 많은 보고들이 있지만 구체적인 수술 방법, 결과의 분석 방법 등이 다양하고 제각각이기 때문에 일률적으로 적용하기는 어렵다. 보통은 수술 후 3-4개월이 지나면 수술 전에 시행했던 발음인지검사, 비내시경, 방사선 투시촬영을 시행하여 그 결과를 분석한다.

괄약인두성형술로 구개인두 폐쇄가 되는 환자에서 수술 후의 언어 치료는 구개인두기능부전을 개선시키지만 그 개선의 정도는 재건된 괄약을 통한 공기의 배출 정도, 괄약의 운동성, 환자의 언어 능력, 언어의 종류와 환자의 인종 등에 따라 영향을 받으며, 수술의 시기가 늦을수록 괄약의 운동성은 떨어지고 성별과는 연관이 없다(Orticochea, 1999). 수술 시기와 수술 결과의 연관성에 대하여는 논란이 있는데, 일반적으로 4-6세에 수술을 시작하면 결과가 좋다라고 하지만(Senders, 2001), 나이에 관계없이 효과가 있다(Meek, 2003; Seyfer 등, 1988), 4-8세 사이에서는 나이에 따른 수술 결과의 차이는 없다(Ysunza 등, 2002), 나이, 성별에 따른 재수술의 정도는 관계가 없다(Losken 등, 2003)는 보고도 있다.

일반적으로 인두피판술이나 괄약인두성형술로 구개인두기능부전의 80-90%는 교정된다고 알려져 있으며, 그 결과에 대해서는 다양한 보고가 있다.

Hogan(1973)은 외측구멍조절로 인두피판술을 시행하여 93명의 환자 중에서 91명(98%)에서 구개인두기능을 회복하였으며, 6개월 이상 지속되는 과소비성은 3명(3%)이었다고 보고하였으며, Shprintzen 등(1979)은 '맞춤형' (tailor-made) 인두피판술을 60명에서 수술하여 47명(78%)은 정상, 11명(18%)은 과소비성, 2명(3%)은 과대비성을 보였다고 했다. Ysunza 등(2002)은 인두피판술 후에도 구개인두기능부전이 남는 경우는 12%이고 인두성형술 후에는 16%라고 했으며, Meek 등(2003)은 인두피판술로 과대비성은 96%에서, 비강배출은 98%에서 만족스러웠다고 보고했다.

인두성형술 후의 결과도 다양하게 보고되고 있는데, Hynes(1967)는 인두성형술 후 재수술율은 20%라고 했고, Orticochea(1970)는 환자의 62%에서 구개인두괄약이 닫힌다고 보고했다. Riski 등(1992)은 인두성형술 후에 78%의 성공률이 있었고, 재수술률은 12%였으며, 재수술 성공은 50%라고 하였는데, 실패의 주원인은 구개인두 폐쇄가 시도되는 지점 아래쪽에 피판이 삽입되었기 때문이라고 했다. Witt(1998)는 재수술률이 16%였고, 재수술을 하여 성공한 경우가 80%였으며, 실패의 주원인은 부분적 혹은 전체적으로 피판이 떨어졌기 때문이라고 하였다.

최근에 Losken 등(2003)은 괄약인두성형술 후에 87%가 성공적이었고, 한번의 재수술로 99%까지 성공률이 올랐다고 보고했다. 총 250명 중에서 32명(12.8%)이 재수술을 받았는데 이 중 25명(78%)은 구개인두기능부전이 지속되어 괄약을 더 올려주거나 당겨주는 수술을 했고, 7명(22%)에서는 과소비성과 비기도의 폐쇄 증상이 있어 괄약을 더 크게 만들어 주었으며, 이차 수술로 구개인두기능이 개선된 경우는 94%였다. 인두성형술은 velocardiofacial syndrome이 있는 환자, 술전 과대비음화가 심한 경우, 구개인두의 공간이 넓은 경우에 재수술의 빈도가 높았다.

구개인두기능부전의 교정 수술 후의 발음 결과는 환자의 술전 상태에 가장 영향을 많이 받는다. 증후군을 동반한 구개열 환아에서 예후가 가장 좋지 않으며, 연구개열만 가진 경우에 결과가 가장 좋다고 한다. 또한 구개인두기능부전의 수술적 교정의 방법보다 술자의 경험이 더 중요한 것으로 보인다(Willging, 2003).

수술 후 2-5년 사이에 시행한 검사와 5-14년에 시행한 검사를 비교하면, 그 결과가 안정적으로 지속되며, 환자가 성장할수록 오히려 개선되는 경향도 있다고 한다(Cable 등, 2004).

참고문헌

1. 김종현, 배용찬, 황소민, 전재용. 국내 구개열 환자의 발음평가법. *대한성형외과학회지*, 26: 858, 1999.
2. Argamaso RV, Shprintzen RJ, Strauch B, Lewin ML, Daniller AI, Ship AG, Croft CB. The role of lateral wall movement in pharyngeal flap surgery. *Plast Reconstr Surg* 66: 214, 1980.

3. Bardach J. *Salyer and Bardach's Atlas of Craniofacial & Cleft Surgery*, Vol II. Philadelphia, Lippincott-Raven Publishers, 1999. Pp 785-807.

4. Cable BB, Canady JW, Karnell MP, Karnell LH, Malick DN. Pharyngeal flap surgery: long-term outcomes at the University of Iowa. *Plast Reconstr Surg* 113: 475, 2004.

5. Calnan JS. Permanent nasal escape in speech after adenoidectomy. *Br J Plast Surg* 24: 197, 1971.

6. David DJ, Bagnall AD. Velopharyngeal incompetence. In McCarthy JG(Ed), *Plastic surgery*. Philadelphia: WB Saunders Co, 1990. P2903.

7. D' Antonio LL, Marsh JL, Province MA, Muntz HR, Phillips CJ. Reliability of flexible fiberoptic nasopharyngoscopy for evaluation of velopharyngeal function in a clinical population. *Cleft Palate J* 26: 217, 1989.

8. D' Antonio LL, Snyder LS, Samadani S. Tonsillectomy in children with or at risk for VPI: effects on speech. *Otolaryngol Head Neck Surg* 115: 319, 1996.

9. Dotevall H, Lohmander-Agerskov A, Ejnell H, Bake B. Perceptual evaluation of speech and velopharyngeal function in children with and without cleft palate and the relationship to nasal airflow patterns. *Cleft Palate Craniofac J* 39: 409, 2002.

10. Georgantopoulou AA, Thatte MR, Razzelle RE, Watson ACH. The effect of sphincter pharyngoplasty on the range of velar movement. *Br J Plast Surg* 49: 358, 1996.

11. Golding-Kushner KJ, Argamaso RV, Cotton RT, Grames LM, Henningsson G, Jones DL, Karnell MP, Klaiman PG, Lewin ML, Marsh JL, et al. Standardization for the reporting of nasopharyngoscopy and multiview videofluoroscopy: a report from an International Working Group. *Cleft Palate J* 27: 337, 1990.

12. Gray SD, Pinborough-Zimmerman J. Diagnosis and treatment of velopharyngeal incompetence. *Facial Plastic Surgery Clinics of North America* 4: 405, 1996.

13. Hardin MA, Van Demark DR, Morris HL. Correspondence between nasalance scores and listener judgements of hypernasality and hyponasality. *Cleft Palate Craniofac J* 29: 346, 1992.

14. Hogan VM. A clarification of the goals in cleft palate speech and the introduction of lateral port control (L.P.C) pharyngeal flap. *Cleft Palate J* 10: 331, 1973.

15. Hofer SOP, Dhar BK, Robinson PH, Goorhuis-Brouwer SM, Nicolai JA. A 10-year review of perioperative complications in pharyngeal flap surgery. *Plast Reconstr Surg* 110: 1393, 2002.

16. Hallen L, Dahlqvist A. Cross-linked hyaluronan for augmentation of the posterior pharyngeal wall: an experimental study in rats. *Scan J Plast Reconstr Surg Hand Surg* 36: 197, 2002.

17. Hamlen M. Speech changes after pharyngeal flap surgery. *Plast Reconstr Surg 46*: 437, 1970.

18. Hoshikawa H, Goto R, Karaki M, Miyabe K, Mori N. Clinical analysis of velopharyngeal incompetence in patients with folded pharyngeal flap. *Nippon Jibiinkoka Gakkai Kaiho* 106: 700, 2003.

19. Hynes W. Pharyngoplasty by muscle transplantation. *Br J Plast Surg* 2: 128, 1950.

20. Hynes W. Observations on pharyngoplasty. *Br J Plast Surg* 20: 244, 1967.

21. Jackson IT, Silverton JS. The sphincter pharyngoplasty as a secondary procedure in cleft palates. *Plast Reconstr Surg* 59: 518, 1977.

22. Kaplan EN. The occult submucous cleft palate. *Cleft Palate J* 12: 356, 1975.

23. Karling J, Henningsson G, Larson O, Isberg A. Comparison between two types of pharyngeal flap with regard to configuration at rest and function and speech outcome. *Cleft Palate Craniofac J* 36: 154, 1999.

24. Liao YF, Chuang ML, Chen PK, Chen NH, Yun C, Huang CS. Incidence and severity of obstructive sleep apnea following pharyngeal flap surgery in patients with cleft palate. *Cleft Palate Craniofac J* 39: 312, 2002.

25. Lo TP Jr, Thaller SR. Velopharyngoplasty and tonsillectomy: whether to perform them simultaneously. *J Craniofac Surg* 14: 445, 2003.

26. Losken A, Williams JK, Burstein FD, Malick D, Riski JE. An outcome evaluation of sphincter pharyngoplasty for the management of velopharyngeal insufficiency. *Plast Reconstr Surg* 112: 1755, 2003.

27. Marsh JL. The evaluation and management of velopharyngeal dysfunction. *Clin Plastic Surg* 31: 261. 2004.

28. Marsh JL. Differential diagnosis for differential management of velopharyngeal dysfunction. *J Craniofac Surg* 14: 621, 2003.

29. Marsh JL, Wray RC. Speech prosthesis versus pharyngeal flap: a randomized evaluation of the management of velopharyngeal incompetence. *Plast Reconstr Surg* 65: 592, 1980.

30. Meek MF, Coert JH, Hofer SO, Goorhuis-Brouwer SM, Nicolai JP. Short-term and long-term results of speech improvement

after surgery for velopharyngeal insufficiency with pharyngeal flaps in patients younger and older than 6 years old: 10-year experience. *Ann Plast Surg* 50: 13, 2003.

31. Mitnick RJ, Bello JA, Golding-Kushner KJ, Argamaso RV, Shprintzen RJ. The use of magnetic resonance angiography prior to pharyngeal flap surgery in patients with velocardiofacial syndrome. *Plast Reconstr Surg* 97: 908, 1996.
32. Orr Wc, Levine NS, Buchanan RT. Effects of cleft palate repair and pharyngeal flap surgery on upper airway obstruction during sleep. *Plast Reconstr Surg* 80: 226, 1987.
33. Orticochea M. The timing and management of dynamic muscular pharyngeal sphincter construction in velopharyngeal incompetence. *Br J Plast Surg* 52: 85, 1999.
34. Orticochea M. Construction of a dynamic muscle sphincter in cleft palates. *Plast Reconstr Surg* 41: 323, 1968.
35. Peat BG, Albery EH, Jones K, Pigott RW. Tailoring velopharyngeal surgery: the influence of etiology and type of operation. *Plast Reconstr Surg* 93: 948, 1994.
36. Pigott RW. An analysis of the strengths and weaknesses of endoscopic and radiological investigations of velopharyngeal incompetence based on a 20 year experience of simultaneous recording. *Br J Plast Surg* 55: 32, 2002.
37. Reath DB, LaRossa D, Randall P. Simultaneous posterior pharyngeal flap and tonsillectomy. *Cleft Palate Craniofac J* 24: 250, 1987.
38. Riski JE, Serafin D, Riefkohl R, Georgiade GS, Georgiade NG. A rationale for modifying the site of insertion of the Orticochea pharyngoplasty. *Plast Reconstr Surg* 73: 882, 1984.
39. Riski JE, Ruff GL, Georgiade GS, Barwick WJ, Edwards PD. Evaluation of the sphincter pharyngoplasty. *Cleft Palate Craniofac J* 29: 254, 1992.
40. Satoh K, Nagata J, Shomura K, Wada T, Tachimura T, Fukuda J, Shiba R. Morphological evaluation of changes in velopharyngeal function following maxillary distraction in patients with repaired cleft palate during mixed dentition. *Cleft Palate Craniofac J* 41: 355, 2004.
41. Sell D, Ma L, James D, Mars M, Sheriff M. A pilot study of the effects of transpalatal maxillary advancement on velopharyngeal closure in cleft palate patients. *J Cranio-Maxillo Fac Surg* 30: 349, 2002.
42. Senders CW. Management of velopharyngeal competence. *Facial Plast Surg Clin North Am* 9: 27, 2001.
43. Seyfer DA, Prohazkan D, Leahy EL. The effectiveness of the superiorly based pharyngeal flap in relation to the type of palatal defect and timing of the operation. *Plast Reconstr Surg* 82: 760, 1988.
44. Sie KC, Tampakopoulou DA, Sorom J, Gruss JS, Eblen LE. Results with Furlow palatoplasty in management of velopharyngeal insufficiency. *Plast Reconstr Surg* 108: 17, 2001.
45. Shprintzen RJ, Lewin ML, Croft ML, Danieller AI, Argamaso RV, Ship AG, Strauch B. A comprehensive study of pharyngeal flap surgery: tailor made flaps. *Cleft Palate J.* 16: 46, 1979
46. Sloan GM. Posterior pharyngeal flap and sphincter pharyngoplasty: the state of the art. *Cleft Palate Craniofac J* 37: 112, 2000.
47. Sommerlad BC, Mehendale FV, Birch MJ, Sell D, Hattee C, Harland K. Palate re-repair revisited. *Cleft Palate Craniofac J* 39: 295, 2002.
48. Stewart KJ, Ahmad T, Razzell RE, Watson AC. Altered speech following adenoidectomy: a 20 year experience. *Br J Plast Surg* 55: 469, 2002.
49. Valnicek SM, Zuker RM, Halpern LM, Roy WL. Perioperative complications of superior pharyngeal flap surgery in children. *Plast Reconstr Surg* 93: 954, 1994.
50. Ward EC, McAuliffe M, Holmes SK, Lynham A, Monsour F. Impact of malocclusion and orthognathic reconstruction surgery on resonance and articulatory function: an examination of variability in five cases. *Br J Oral Maxillofac Surg* 40: 410, 2002.
51. Willging JP. Velopharyngeal insufficiency. *Curr Opin Otolaryngol Head Neck Surg* 11: 452, 2003.
52. Witt PD, Marsh JL, Muntz HR, Marty-Grames L, Watchmaker GP Acute obstructive sleep apnea as a complication of sphincter pharyngoplasty. *Cleft Palate Craniofac J* 33: 183, 1996.
53. Witt PD, Myckatyn T, Marsh JL. Salvaging the failed pharyngoplasty: Intervention outcome. *Cleft Palate Craniofac J* 35: 447, 1998.
54. Yules RB, Chase RA. Quantitative cine evaluation of palate and pharyngeal wall mobility in normal palates, in cleft palates, and in velopharyngeal incompetency. *Plast Reconstr Surg* 41:124, 1968
55. Ysunza A, Garcia-Velasco M, Garcia-Garcia M, Hare R, Valencia M. Obstructive sleep apnea secondary to surgery for velopharyngeal insufficiency. *Cleft Palate Craniofac J* 30: 387, 1993.
56. Ysunza A, Pamplona C, Ramírez E, Molina F, Mendoza M, Silva

A. Velopharyngeal surgery: a prospective randomized study of pharyngeal flaps and sphincter pharyngoplasties. *Plast Reconstr Surg* 110: 1401, 2002.

제22장 구개열언어

Speech of Cleft Palate

박혜숙

구개열에 동반되는 언어장애를 구개열 언어(cleft palate speech)라고 부르고 있다. 그 원인으로서는 비인강폐쇄부전이 있으나, 그 외에 구개의 형태, 치열, 교합부정, 수술 후의 구개의 누공 등도 영향을 준다. 또한, 구개열 환자에게 고빈도로 보이는 삼출성 중이염에 동반되는 청력장애, 영유아기의 정상과는 다른 수유동작 등도 언어장애의 한 원인이 될 수 있다.

구음기관의 선천적 형태이상인 구개열 및 그 유사질환은 적절한 치료가 행하여지지 않으면 기질성 구음장애의 원인이 된다. 생후 1세 전후에서 행하여지는 구개열의 수술은 비인강폐쇄기능의 획득이 목적이다. 따라서 검사의 항목에서는 비인강폐쇄기능의 평가, 구강형태나 기능의 평가를 중심으로 기술하고 언어발달평가는 생략하며, 구음의 평가는 간략히 기술하고자 한다. 훈련지도는 구개열영유아의 양친에 대한 조언 및 지도, 수유지도, 비인강폐쇄기능의 훈련에 관해 기술하며, 구음훈련은 구개열에서 특징적으로 보여지는 성문파열음, 인두마찰음, 인두파열음, 구개화구음, 측음화구음, 비인강구음 등을 중심으로 그 증상의 특성 및 구음지도법을 설명해보고자 한다.

I. 구개열 언어의 증상

1. 언어발달 지체

구개열에 중복하여 청력장애나 정신발달지체가 있으면 언어발달도 지연된다. 또한, 구개열의 경우 그러한 중복장애가 없다고 해도 초기의 언어발달 특히 표출면의 언어발달이 약간 늦어지는 경향이 있으나, 보통은 3세 정도 까지는 정상이 된다.

2. 목소리의 장애

구개열에 동반되는 장애는 주로 공명의 이상이다. 비강공명의 과잉으로 유발되는 개비성과, 비강공명이 과소이기 때문에 생기는 폐비성 등이 있다. 개비성은 비인강폐쇄부전에 의한 것이므로, 적절한 구개수술을 받음으로써 개선된다. 한편, 폐비성은 중격만곡이나 수술기술에 의한 비강의 협소화에 의해, 또는 인두변의 폭이 너무 넓으면 발생된다. 증례에 따라서는 개비성과 폐비성이 혼재되는 혼합성 비성을 나타내는 경우도 있다.

3. 구음장애

일반적으로 구음장애의 오류유형은 생략(omission), 대체(substitution), 왜곡(distortion), 부가(addition)로 나누어진다. 구개열언어 구음장애의 분류방법은 학자에 따라 다양하나, 본 장에서는, 구개열언어 구음장애를 치료해 가는데 있어 중요한 비인강폐쇄기능을 기준으로 하여, 주로 비인강폐쇄부전과 관련되는 것과, 관련이 적은 것으로 나누고, 구음산출의 동태 및 구음장애의 특성을 기술해본다.

1) 비인강폐쇄부전에 관련되는 구음장애

(1) 호기비누출에 의한 자음의 왜곡(자음의 비음화, nasal emission).

(2) 성문파열음(glottal stop)

(3) 인(후)두 마찰음(pharyngeal / laryngeal fricative)

(4) 인(후)두 파열음(pharyngeal / laryngeal stop)

2) 비인강폐쇄부전에 관련이 적은 구음장애

(1) 구개화구음(palatalized articulation)

(2) 측음화구음(lateral articulation)

(3) 비인강구음(nasopharyngeal articulation)

(4) 그 밖의 대치, 생략, 왜곡

1) 비인강폐쇄부전에 관련되는 구음장애

(1) 호기비누출에 의한 자음의 왜곡(자음의 비음화)(nasal emission)

비인강폐쇄기능 부전상태에서 높은 구강내압을 요하는 파열음, 마찰음, 파찰음을 산출할 경우, 호기는 비강으로 유출되어 구강내압을 높일 수가 없다. 따라서 산출되는 자음은 약하며, 비음화가 된다. 이것을 호기비누출에 의한 자음의 왜곡이라고 한다. 음 산출시에 연구개는 인두후벽에 접하지 않으나 혀나 구개 등의 구음동작은 원칙적으로 정상구음과 같다. 음 산출시에 비공으로부터 호기의 유출음을 동반하는 때와 동반하지 않는 때가 있다.

청각적특징을 보면, 무성파열음 [p], [t], [k] 또는 마찰음 [s], [ʃ]는 약하고, 코로 빠져나간 듯한 음이 된다. 유성음의 경우에는 [b]가 [m]로, [d]가 [n]로, [g]가 [ŋ]에 가까운 음으로 들린다. 호기비누출에 의한 자음의 왜곡음은 구음동작은 원칙적으로 정상구음이므로 비공을 폐쇄하면 정상음에 가깝게 들린다.

경과를 관찰해보면, 구개열 수술 후 잠시동안은 자음의 비음화가 보이나 서서히 정상적으로 되는 일이 있다. 특히 조기에 구개열 수술을 행한 유아는 1-2년은 경과를 볼 필요가 있다. 훈련을 행하는 일도 있으나, 자음의 비음화가 명백할 경우는 재수술 또는 보철물의 장착에 의해 그 경감을 시도한다.

(2) 성문파열음(glottal stop)

구음의 습득과정에서 비인강폐쇄부전이 있으면, 높은 구강내압을 요하는 음의 산출이 곤란하므로, 대상적으로 성문에서의 파열음으로 대치되는 일이 있다. 이것을 성문파열음이라고 하며, 구개열의 대표적인 구음장애이다. 성문파열음은 일단 습득되면 그 후 비인강폐쇄기능이 개선되어도 남는 일이 있다.

X선상으로 보면, 구음시에 혀 운동은 거의 보이지 않는다. 정면에서 보면, 성대와 가성대의 폐쇄가 보이며 비인강폐쇄기능이 양호한 경우에도 성문파열음의 발화시에는 연구개는 인두 후벽에 닿지 않는다(그림 22-1).

구음산출의 특성을 보면 구음전에 성대 및 가성대를 강하게 접촉시켜, 성대를 완전히 폐쇄시킨 후, 성대를 강하게 닫아 성문하압을 높인 후 일시에 개방시키면서 호기류를 방출시키고 있는 것을 볼 수 있다.

청각적으로 변별하기 위해서는 성문파열음과 대응되는 모음과를 교대로 발음을 하게 한다. 예를 들면 [pa]가 성문파열음인 경우 [pa]와 [a]를 교대로 발화시키면, 청각인상에서 차이를 알 수 있다. 성문파열음의 경우에는 비공을 폐쇄시켜도 음의 청각인상은 변하지 않는다.

성문파열음은 구음발달의 초기에서부터 볼 수 있으며, 4세

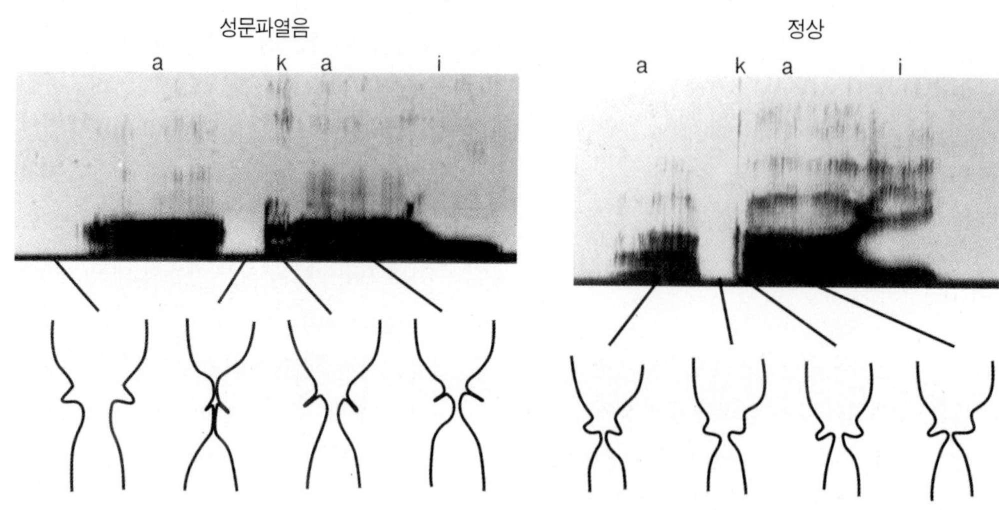

그림 22-1. 성문파열음과 정상음의 후두 X선 영화에 의한 관찰

이후까지 개선이 보이지 않는 경우에는 자연치유가 되는 일은 드물다. 비인강폐쇄부전이 있으면 수술을 행하거나 보철물을 장착한 후 성문파열음의 훈련을 행한다. 경도부전의 경우에는 성문파열음의 훈련을 우선 행한 후 구개의 2차수술의 적응을 결정한다. 그 경우는 시행적인 훈련을 하고 정상구음의 습득이 곤란하거나 훈련이 장기화 될 경우에는 재수술을 검토한다.

(3) 인(후)두 마찰음 · 파찰음(pharyngeal/laryngeal fricative · affricate)

마찰음[s], [ʃ]는 치아나 치경과 혀끝의 협착으로 산출되나, 구음습득과정에서 비인강폐쇄부전이 있으면, 설근과 인두벽의 협착으로 산출되는 일이 있다. 이 이상구음을 인두마찰음이라고 한다. 같은 메커니즘으로 파찰음 [ts], [tʃ]가 산출되면 인두파찰음이 된다. 발현빈도는 낮으며, 설근이 후두개를 눌러, 후두개와 인두후벽의 협착으로 음이 산출되는 일도 있으므로 후두마찰음이라고 부르는 경우도 있으나 일반적으로는 인두마찰음이라고 칭하는 일이 많다.

청각적 특징은 「히」를 목 속에서 산출하는 듯한 괴로운 듯한 음으로 청취된다. 「시」가 인두마찰음인지 「히」[çi]인지를 청각적으로 변별하는 데에는, 「시」와 「히」를 교대로 발화시켜 청각인상에 차이가 있는지의 여부를 본다. 비공을 폐쇄해도 청각인상은 변하지 않는다.

구음동태를 보면, 정상인 [s], [ʃ]에서는 혀끝의 거상이 있으나, 인두마찰음에서는 혀끝은 거상되지 않으며, 혀가 수평후방으로 끌려진다.

X선상에 의한 특징을 보면, [s]의 인(후)두 마찰음은 설근이 후방으로 끌려져, 후두개가 인두후벽에 접근하고, 인두후벽과의 사이에 협착을 만들어 인두마찰음을 산출하고 있는 것을 볼 수 있다. 비인강은 폐쇄하지 않는다(그림 22-2).

마찰음이 습득되는 3-4세경까지 비인강폐쇄부전이 존속되면 인두마찰음이 출현되는 일이 있다. 인두마찰음은 구음발달이 진행되는 시기에 출현되며, 자연치유되는 일은 드물기 때문에 훈련의 대상이 된다. 근년에는 구개열의 수술시기가 조기에 이루어지고, 또한 비인강폐쇄기능이 양호한 예가 증대되어온 결과, 유아에서의 인두마찰음의 발현빈도는 낮으나, 비인강폐쇄부전이 있는 성인의 증례에서 보이는 일이 있다.

(4) 인(후)두 파열음(pharyngeal/laryngeal stop)

혀의 중앙부 또는 후설과 연구개의 폐쇄 후 개방에 의해 산출되는 「ㄱ」[k], 「ㅋ」[kʰ], 「ㄲ」[k']가 구음습득 과정에서 비인강폐쇄부전이 있을 경우, 대상적으로 인두에서 산출된다. 이것을 인두파열음이라고 한다.

설근이 후방으로 이끌려지고, 설근과 인두벽이 폐쇄된 후 개방되면서 산출되는 음이다. 폐쇄위치는, 중인두 유형(설근이 중인두에 접한다), 중하인두 유형(설근이 후두개와 함께 하인두 후벽에 접한다), 후두개 유형(후두개만이 하인두벽 후벽에 접한다) 등 3가지 유형이 있으며, 이 중 중하인두 유형이 가장 많다(磯部 등 1994). 발현빈도는 낮으나 인(후)두 파열음

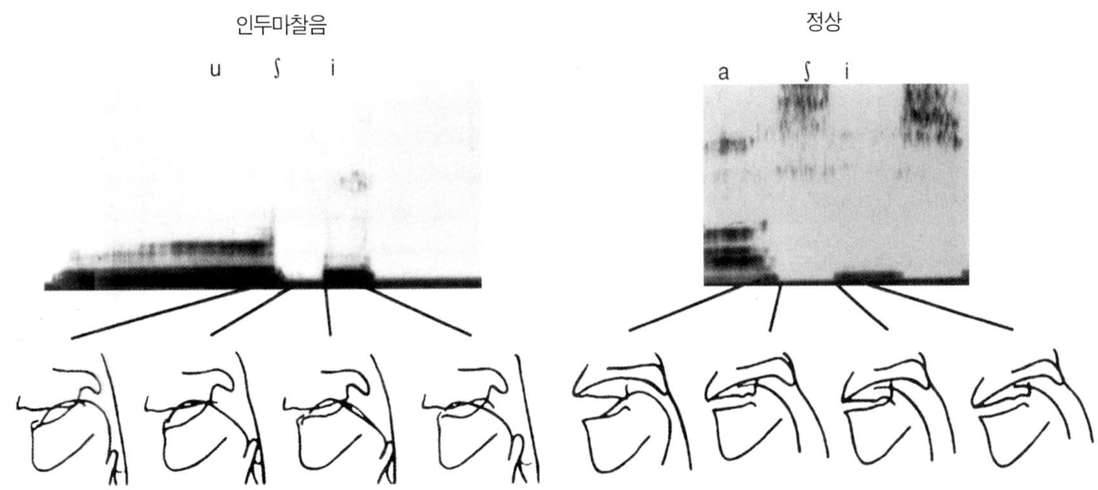

그림 22-2. 인두마찰음과 정상음의 X선 영화에 의한 관찰

이 출현되었을 경우에는 자연치유는 드물다.

청각적특징을 보면, [k], [k^h], [k']를 목 속에서 구음하고 있는 것 같이 들리며 정상구음에 가깝게 들리기 때문에 시각적인 특징을 병행하여 볼 필요가 있다.

정상적인 연구개 파열음 [k], [k^h], [k']는 후설의 거상을 볼 수 있으나, 인두파열음은 혀가 후방쪽으로 수평으로 이끌려진다. 성문파열음의 경우는 혀가 거의 움직이지 않으므로, 인두파열음과 구별된다.

X선상으로의 관찰에 의하면, 혀는 후방으로 후퇴되며, 설근이 후두개를 누르는 듯이 하여 인두후벽에 접촉한 후, 떨어졌을 때 인두파열음이 산출된다. 앞에서도 진술한 바와 같이 설근이 접촉하는 위치는 증례에 따라 다르며, X선 영상에 의해 접촉위치는 확인된다(그림 22-3).

비인강폐쇄부전이 있을 경우, 연구개 파열음 [k], [k^h], [k']는 성문파열음으로 되는 일이 많다. 그러나 적은 빈도이기는 하나 인두파열음이 출현되기도 한다. 발현 시기는 조기에 출현되나 자연치유는 드물기 때문에 훈련의 대상이 된다.

2) 비인강 폐쇄부전과 관련이 적은 구음장애

(1) 구개화구음(palatalized articulation)

구개의 형태가 협소하고, 특히 구개전방부의 협착이 있는 증례에서 많이 보이므로 구개의 형태이상이 원인의 하나로 생각되고 있다(Okazaki et al, 1991).

일측 구순구개열 환자의 구개를 보면, 정상구음 예에 비해 구개화구음 예는 구개가 얕고, 전방부가 협착되어 있는 증례가 많다(그림 22-4).

구개화구음은 치음, 치경음의 전체 또는 일부가 혀끝과 치아 또는 치경에서 산출되는 것이 아니고, 설배의 중앙부와 경구개의 후방에서 산출되는 왜곡음이다. 마찰음은 구개마찰음으로, 파열음은 구개파열음으로 산출된다.

구개파열음의 경우, 혀 전체가 일단 구개에 접한 후 음을 산출하는 것에서부터 구개의 상당히 후방쪽에서만이 접촉하여 산출되는 것까지 그 동태는 다양하나 혀끝을 사용하지 않는 점, 구음점이 치아, 치경부에서 구개쪽으로 이동하여 있는 점은 일치되고 있다(福迫 등 1974, 岡崎 1980, 1982)

구개화구음의 평가진단 상 유의해야 할 점은, 우선 청각적으로 음의 특징을 기억하는 일이 가장 중요하나, 구개화구음은 본래는 설첨과 치아 · 치경부에서 만들어져야하는 음이 혀의 중앙과 구개에서 만들어지므로, 구음시에는 입이 약간 열려있고 입 속쪽에서 혀의 중앙부가 산과 같이 솟아올라있거나, 혀가 구개에 접하고 있는 것이 관찰된다(그림 22-5). 혀가 구개의 전방에 접할 경우에도 설첨은 내려가 있으므로 혀의 뒷면이 보이는 일은 없다. 또한 입을 크게 벌리게 하면 설배가 거상되기 쉬우며, 혀를 전방으로 내밀게 하면 혀는 평평하게 되지 않고 원주상태로 되는 일도 많이 보인다(그림 22-6).

구개화구음의 출현빈도는 구개열환자 가운데에서 가장 높다. 구개화구음의 출현이 확인될 수 있는 것은 3세 이후인 경우가 많다. 자연치유의 비율이 낮으므로 훈련의 대상이 되며, 성문파열음에 비해 훈련이 장기에 걸치는 증례가 많다.

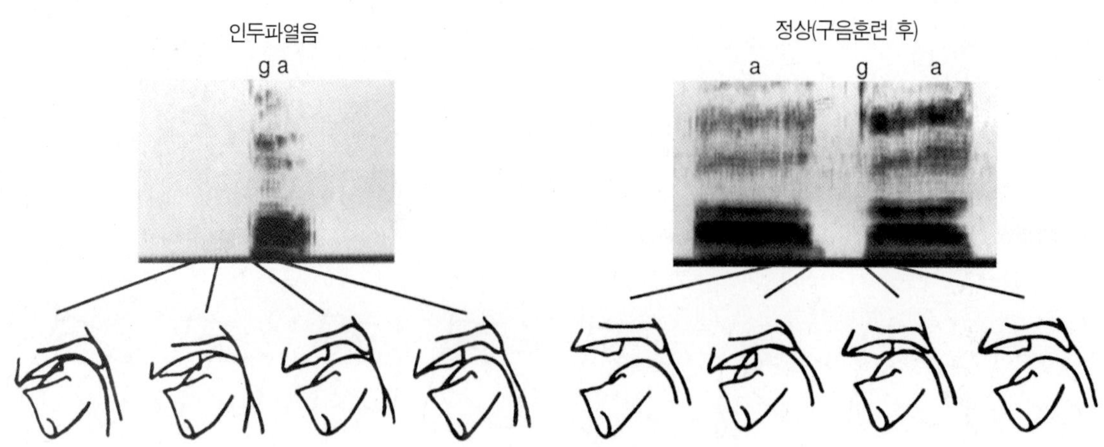

그림 22-3. 인두파열음의 구음훈련 전후의 X선 영화에 의한 관찰

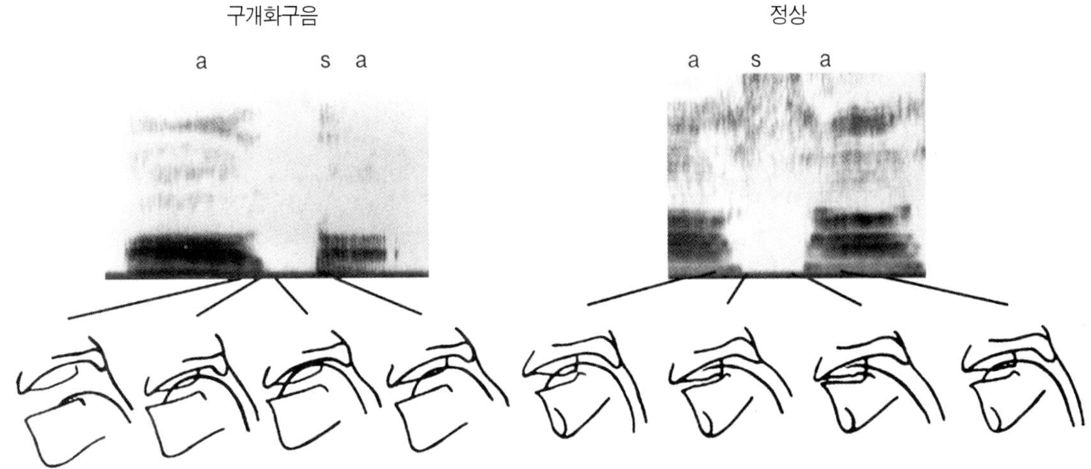

그림 22-4. 구개화구음과 정상음의 X선 영화에 의한 관찰

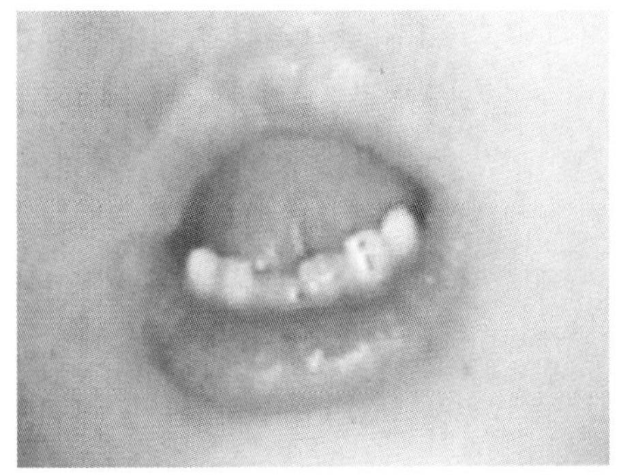

그림 22-5. 구개화구음의 「세」발화시

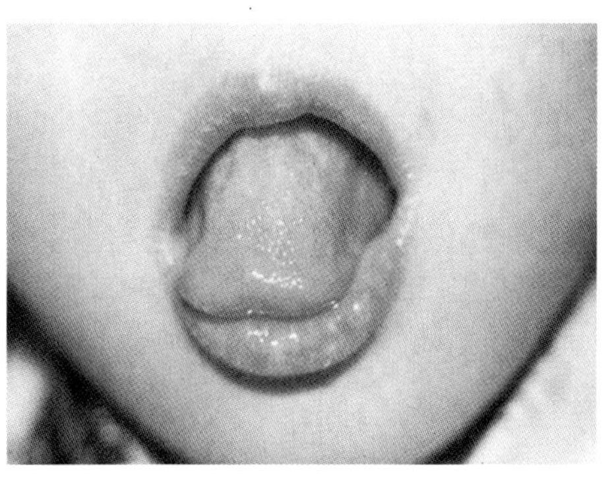

그림 22-6. 구개화구음 증례의 혀를 전방으로 내밀 때

(2) **측음화구음**(lateral articulation)

원인질환은 특정되어 있지 않으나, 치열부정과의 관련이 시사되고 있다(福迫 등 1976, 長澤 등 1989, 加藤 1991).

정상구음의 경우 호기는 구강의 중앙에서 유출되나, 측음화구음의 경우는 혀가 경구개의 거의 전체 면에 접하고, 혀의 가장자리와 어금니의 구개측면이거나 교합부에서 음이 산출된다. 호기는 구강의 측방으로부터 유출된다. 거의 대부분의 경우 혀가 편측으로 편위되고 호기는 편측의 구각으로부터 유출되나, 드물게는 양측으로부터 유출된다. 혀의 편위에 동반되어 호기의 유출 측으로 구순이나 하악이 측방으로 끌리는 일이 있다.

비인강폐쇄기능이 양호한 경우 측음화구음의 발현빈도는 구개화구음 다음으로 높다.

그림 22-7은 측음화구음의 구음훈련 전후의 혀와 구개의 접촉양상을 관찰한 경구개 파라토그램(palatogram)이다. 측음화구음의 경우는, 혀는 측방에서 접촉을 시작하나 음이 산출될 때에는 경구개 전체에 혀가 접촉되어 있으며, 경구개의 중앙에 공간은 보이지 않는다. 정상음의 경우에는, 음이 산출되고 있는 동안은 혀가 경구개의 양측에 접해있고 중앙에는 접하고 있지 않다. 그림 22-8은 초음파에 의한 구음훈련 전후의 혀의 후방을 안면의 전방에서 관찰한 것이다. 측음화 구음의 경우는 파열음의 산출전에서 혀가 거상하고, 음이 산출될 때에는 호기유출측의 혀 가장자리가 내려가고 있는 움직임이 관찰된다. 그러나 정상음은 거의 좌우 대층적으로 혀가 움직이고 있다. 즉 측음화구음은 혀의 후방의 혀 가장자리에서 만들어지나, 혀와 구개로 구강이 폐쇄되어 있으므로 음성이나 호

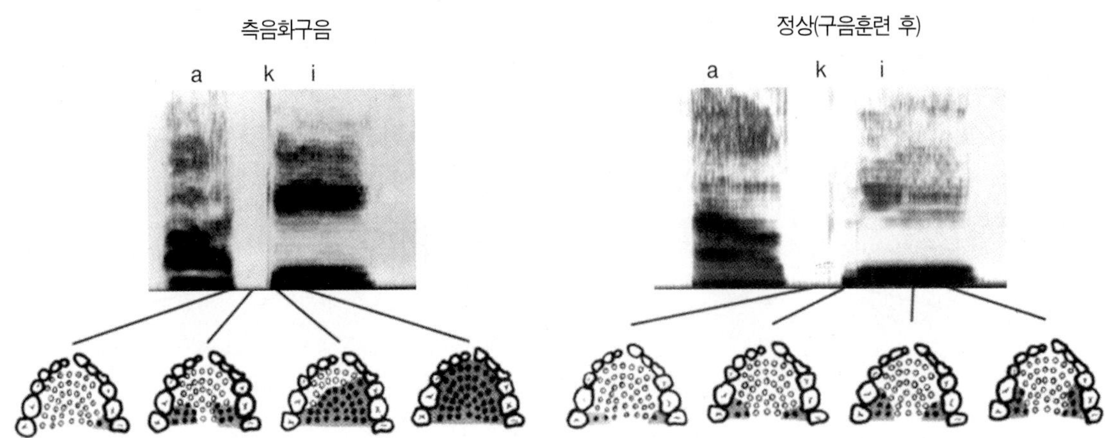

그림 22-7. 측음화구음의 구음훈련 전후의 동적 인공 구개도

기가 구강의 중앙으로부터 유출되지는 못하며, 뺨과 치열사이에서 나오는 왜곡음이라고 할 수 있다.

측음화구음의 진단 평가상 유의해야 할 점은 음의 청각인상을 기억하는 일이 중요하나, 구음시에 구음기관의 움직임에서 특징이 보이므로, 그것을 참고로 하면 좋다. 구음시에 입 주변의 움직임을 보면 구각이나 하악이 한쪽으로 이끌리며 설첨(혀끝)은 반대방향으로 움직이는 일이 많다(그림 22-9)(그림 22-10).

(3) 비인강구음(nasopharyngeal articulation)

구개열아에게서 비교적 많이 발현되는 것으로부터, 비인강폐쇄기능이나 인두, 구개의 형태와의 관련이 시사된다.

산출동태를 보면, 혀가 거상하여 구개에 접하여 구강으로의 호기를 차단하므로, 호기는 비강쪽으로 유출된다. 그때, 상인두에서 연구개와 인두후벽과의 협착 또는 폐쇄, 개방에 의해 음이 산출된다. 「이」열음, 「우」열음에서 많으며, 마찰음 [s], [ʃ]에서 보이는 일도 있다. 구음점은 정상구음과 전혀 다르나, 마

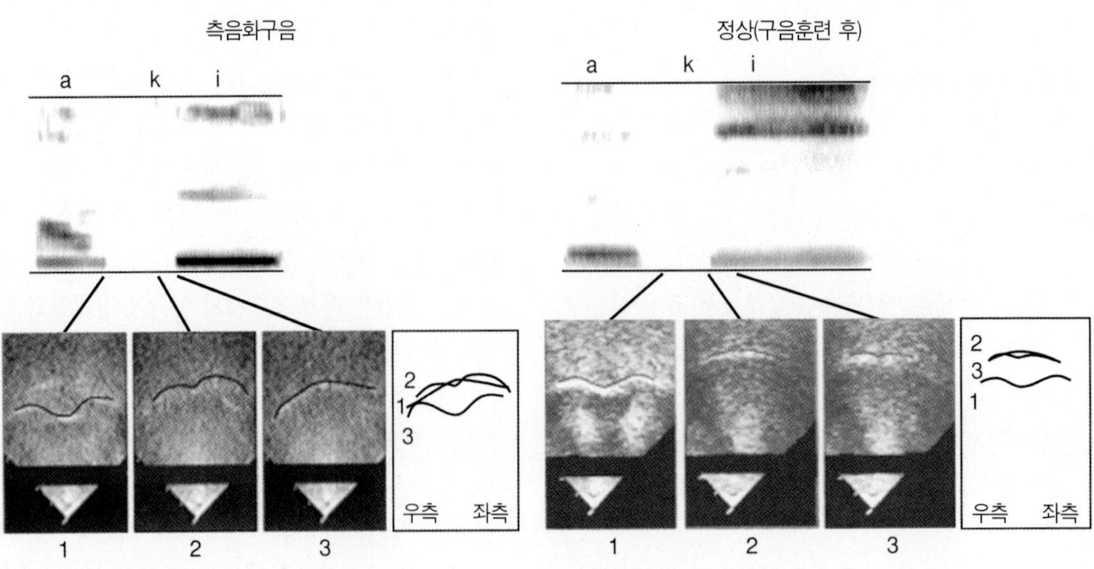

그림 22-8. 측음화구음의 구음훈련 전후의 혀의 초음파영상

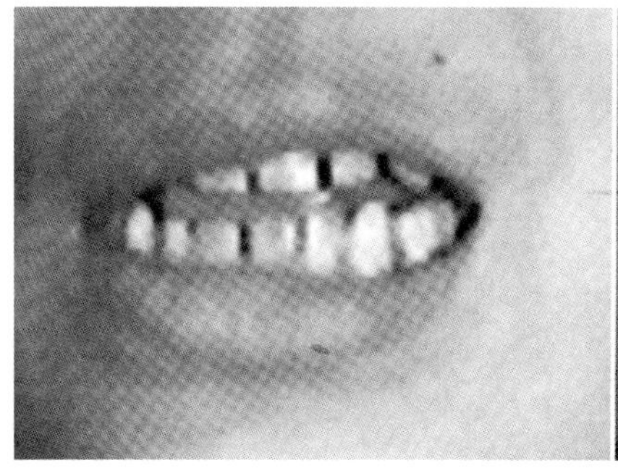

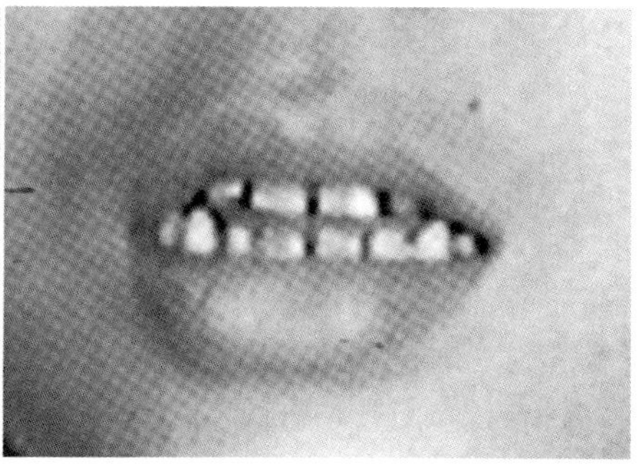

그림 22-9. 측음화구음(좌측에서 나오고있음)과 안정시의 입 모양

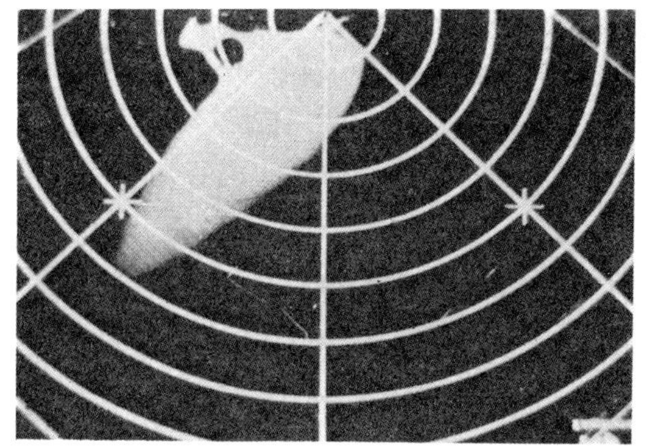

그림 22-10. 측음화구음의 호기유출(비식경에 의한 관찰)

찰음은 비인강구음의 마찰음으로, 파열음은 비인강구음의 파열음과 같이 구음방법은 그대로 유지되는 일이 많다(阿部 1987, 1988).

그림 22-11은 비인강구음과 정상음의 「시」발화시를 X선 영화로 관찰한 것이다. 비인강구음의 경우에는 혀가 구개에 접한 채 구강이 폐쇄되어 있으며, 음은 연구개가 인두후벽에 접한 후 개방될 때 만들어지나, 정상음의 경우에는, 연구개는 계속 인두후벽에 접한 채로 비인강은 폐쇄되어 있으며, 음은 혀와 치경부에서 만들어진다.

비인강구음의 진단평가상의 유의점은, 음에 특징이 있으므로 이 음성의 특징을 기억하고 있으면 진단은 용이하다. 또한, 이것은 구강이 폐쇄되어있고, 음성이나 호기가 모두 비강으로부터 나오고 있기 때문에, 비공을 폐쇄하면 음성을 만들수가 없으며 호흡곤란으로 괴로워한다.

음이나 호기가 모두 비공으로부터 나오기 때문에 비인강폐

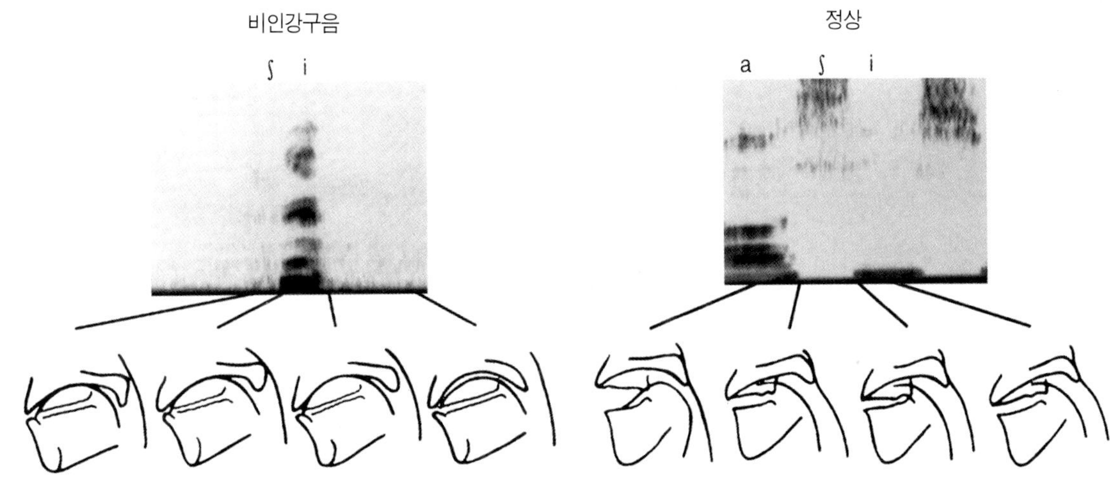

그림 22-11. 비인강구음과 정상음의 X선 영화에 의한 관찰

쇄부전으로 잘못 이해되는 일이 있으므로, 개비성이나 호기비누출에 의한 자음의 왜곡과의 감별이 중요하다. 개비성이나 호기비누출에 의한 자음의 왜곡은 비인강폐쇄부전 때문에 발생되는 것이기 때문에 통비음 이외의 음 전반에 영향이 나타나며, 비공을 폐쇄하면 정상음에 가깝다. 그러나 비인강구음은 구음조작의 이상에 의해 발생되므로 특정음에서 나타나며, 그 이외의 음은 정상이다. 또한 비공을 폐쇄하면 음 그 자체가 만들어지지 못하거나, 산출되기 어렵게 되거나 한다.

그림 22-12에 비인강구음의 동태를 간략히 도식화하여 제시한다. 그림에서 나타내고 있는 것과 같이 혀와 구개로 구강을 폐쇄하고, 모음의 경우에는 연구개가 하강하고, 자음의 경우에는 연구개와 인두벽에서 마찰이나 파열음을 만들며, 만들어진 음이나 호기는 모두 비강으로부터 방출된다. 그림 22-13은 비인강구음 /s/ 발화시의 화이바스코프에 의한 관찰로서 /s/ 구음시에 비인강부위의 개방이 관찰된다.

청각적인상은 「응」또는 「긍」에 가까운 왜곡음으로 들린다. 「응」으로의 왜곡음이 주체가 되나, 산출되는 음이 파열음인 경우에는 nasal plosion이라고 하는 코를 울리게 하는 듯한 「긍」에 가까운 음으로, 마찰음의 경우에는 비잡음(nasal snort)을 동반한 「응」에 가까운 왜곡음으로, 파열이나 마찰이 없는 음의 경우에는 「응」으로 청취된다.

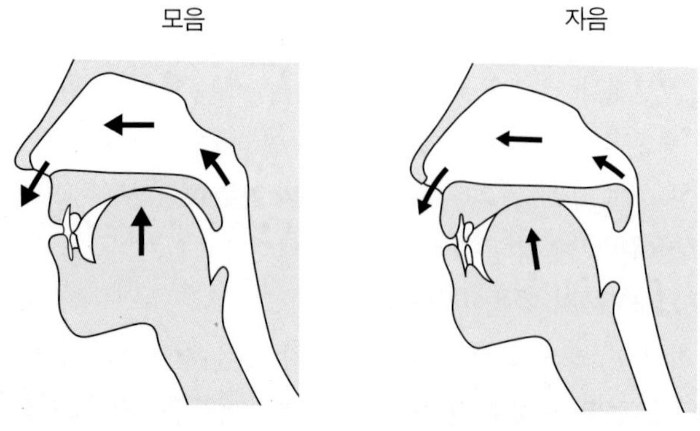

그림 22-12. 비인강구음의 동태

II. 구개열언어 진단 평가

1. 생육력 · 병력조사

구개열아/자의 생육력과 병력을 조사하여 치료, 지도에 도움이 되도록 하며, 모든 증례가 대상이 된다. 이에는 질문지를 사용하나, 언어장애아/자에게 사용하고 있는 일반적인 질문지에 구개열환자에게 필요한 항목을 부가한다. 조사는 질문

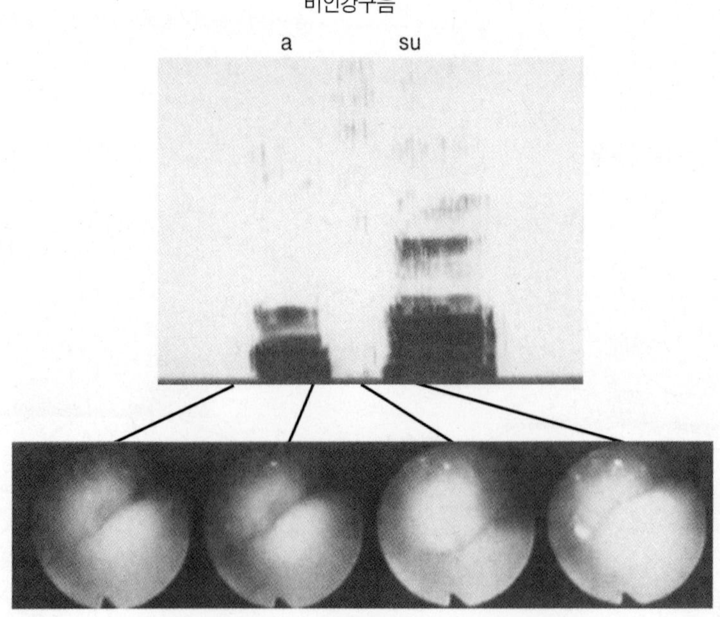

그림 22-13. 비인강구음/s/의 화이바스코프에 의한 관찰

지에 따라 임신력, 출산력, 가족력, 기왕력 등에 응답하도록 하며, 질문항목에 따라서는 카르테에서 전사하여 기재한다.

영유아가 대상인 경우에는 수유에 관해 조사하며, 수유의 종류(모유, 인공유, 혼합우유), 인공우유의 경우는 사용하고 있는 우유, 수유병, 수유시간, 수유횟수, 수유량, 수유시의 밀크의 비인강 유출 유무 등에 대해 조사한다. 또한 양육자가 수유곤란을 느끼고 있는지, 수유곤란이 있다면 어떤 점인가 등을 묻는다.

주의해야 할 점은 가족력에 관한 질문은 구개열아의 출생으로 심리적 쇼크를 받고 있는 양친을 더욱 상처를 주지 않도록 배려해야하며, 구개열 이외의 중복장애의 정보는 소아과의사, 성형외과의사 등으로부터 직접 또는 카르테로부터 정보를 수집하도록 한다.

명백한 구개열이 인정되지 않음에도 불구하고, 수유시에 밀크의 비인강 누출을 호소하는 경우에는 점막하 구개열 또는 선천성 비인강폐쇄기능 부전증의 의심이 있으므로 구음기관의 정밀검사가 필요하다.

2. 발어기관의 형태와 기능검사

구개열 환자의 수술 전 또는 수술 후의 발어기관의 상태를 파악하여 훈련 및 지도에 도움이 되도록 하는 것이 목적이다. 이 검사는 수술 전 또는 수술 후의 구개열아/자가 모두 대상이 된다.

구강내를 검진할 때에는 설압자, 펜라이트가 있으면 편리하며, 설압자는 스테인리스제의 것 보다 목제의 것이 소독할 필요도 없으며 사용 후 버려도 좋으므로 편리하다. 그림 22-14에 제시된 것과 같은 검사용지를 사용하면, 검사 항목 누락 등을 막을 수 있어 유효하다.

절차는 발어기관의 각 부위에 대하여 형태와 기능을 조사하여 기술하는 것으로서 아래에 각 부위의 검진내용의 대략을 기술한다.

코는 비익, 비공, 비강에 관한 변형의 유무와 대칭성에 대해 관찰한다. 일측 구순구개열의 경우는 열측으로 비중격이 만곡되어 있고, 비강이 협착되어 있는 일이 많다. 기능면은 입술을 다물고 안정호흡을 하게 하여 비호흡을 충분히 할 수 있는지의 여부를 보며, 좌우의 비강에서 차이가 없는지의 여부를 비공 밑에 비식경(스테인리스 판)을 대고 호기의 방출로 비식경면이 흐려지는 상태를 확인한다(그림 22-15).

입술은 열의 유무, 수술흔적의 유무, 적순(赤脣)의 대칭성, 큐피드 궁의 형태가 유지되고 있는지, 인중(人中)이 형성되어 있는지 등에 대하여 관찰한다(그림 22-16). 기능으로서는, 입술의 개폐동작, 개구시의 입술의 개대(開大)상태, 입술을 앞으로 내밀거나 옆으로 당기는 동작과 상하 교대운동에 관해 평가한다.

혀에 대해서는 혀의 크기가 적절한지의 여부를 보며, 혀가 비정상적으로 크고, 혀의 측면에 치아로 인해 눌린 흔적이 보이고, 혀 측면이 구각까지 접촉되어 있을 경우에는 거설증(巨舌症)의 의심이 있다. 반대로 혀가 비정상적으로 작고, 설첨의 거상이 곤란할 경우에는 소설증(小舌症)이다. 또한 혀를 앞으로 내밀었을 때에 혀의 앞 끝이 안으로 끌려져 하트형이 되거나 거상이 곤란할 경우에는 설소대 단축증이다(그림 22-17). 혀는 구음운동의 주체이므로 기능의 평가는 중요하다. 혀를 앞으로 내밀기, 좌우운동, 거상운동 및 내밀고 넣기의 반복운동을 평가한다.

치아는 솟아나 있는 상태를 조사하고, 연령에 비해 치아가 솟아나온 시기가 지체되고 있는지의 유무, 과잉치나 결손치, 충치의 유무를 본다. 구개열의 경우는, 악열(顎裂)을 동반하는 경우 결손치(주로 유치열기에는 상악의 유절치, 영구치열기에는 상악측절치)가 있는 경우가 많다. 치열에 관해서는 특히 상악의 치열부정의 유무나 협착의 정도를 본다. 교합은 어금니를 물고 있는 상태를 하도록 하여, 검사자가 입술을 가볍게 벌려본다. 상악절치가 하악절치보다 후방에 있으면 전치부 반대교합(그림 22-18), 양자가 접해있으면 절단교합이다. 또한 어금니 부위의 교차교합 유무에 관해서도 기술한다. 교합의 상하관계에서는 개교(開咬)(상하의 치아가 수직방향으로 겹쳐지지 않는다. 그림 22-19)의 유무를 본다.

경구개에 대해서는 수술 흔적이나 누공의 유무, 구개의 깊이를 본다(그림 22-20). 누공은 위치, 형태, 크기를 관찰하여 그림에 표시한다(그림 22-21). 연구개는 수술흔적 및 누공의 유무를 보며, 기능검사로는 비인강폐쇄기능 검사 항목을 참조한다.

주의해야할 점은, 기능검사는 동작을 하게하여 그 결과를 관찰하기 때문에, 유아의 경우는 그 행동 자체를 못하거나, 또는 검사자의 지시를 충분히 이해하고 있지 못하여서 할 수가 없는지를 확인할 필요가 있다. 검사자가 견본을 보이고 나서

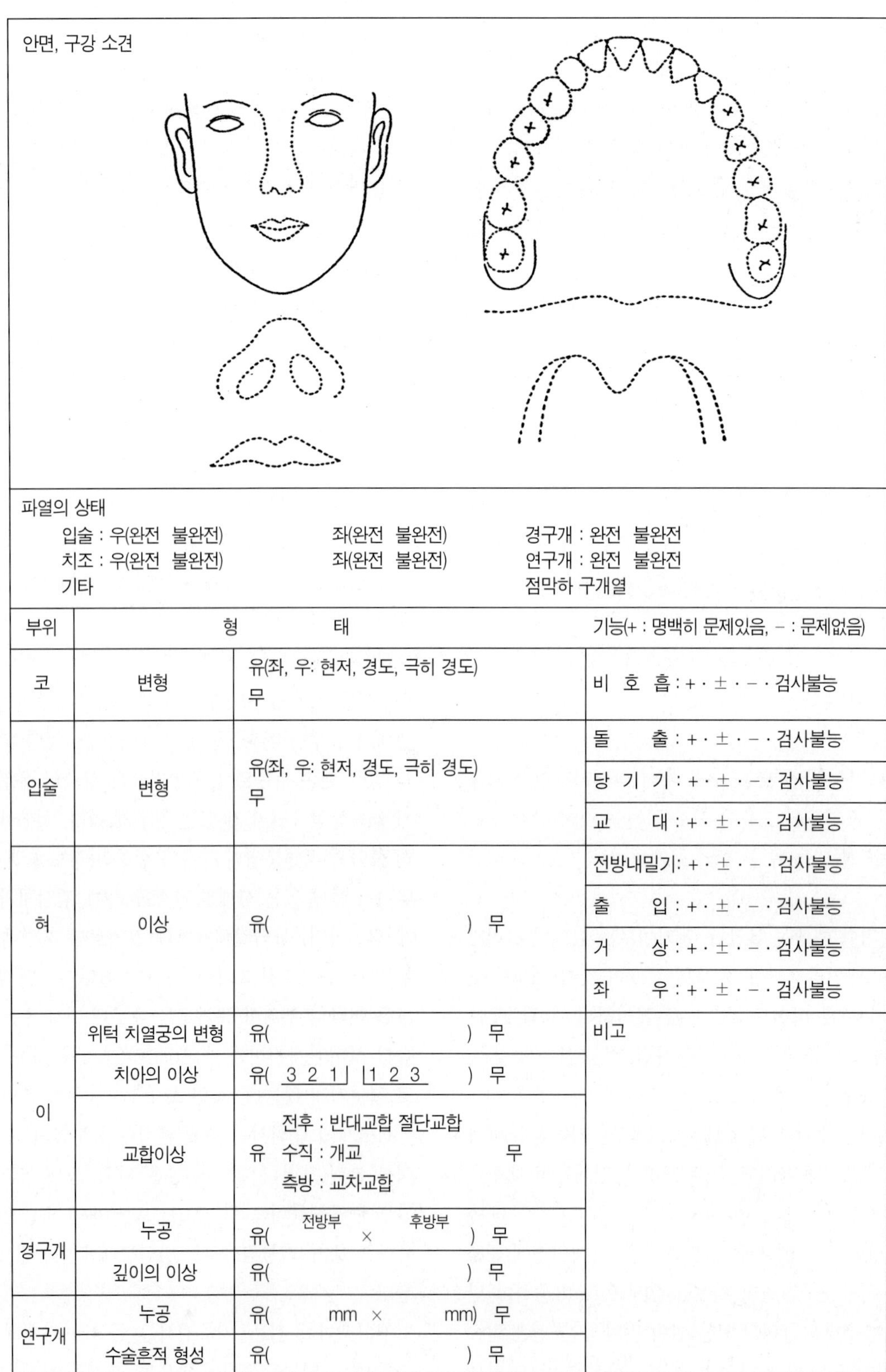

안면구강기관의 검사

안면, 구강 소견

파열의 상태

입술 : 우(완전 불완전) 좌(완전 불완전) 경구개 : 완전 불완전

치조 : 우(완전 불완전) 좌(완전 불완전) 연구개 : 완전 불완전

기타 점막하 구개열

부위	형	태	기능(+ : 명백히 문제있음, − : 문제없음)
코	변형	유(좌, 우: 현저, 경도, 극히 경도) 무	비 호 흡 : + · ± · − · 검사불능
입술	변형	유(좌, 우: 현저, 경도, 극히 경도) 무	돌 출 : + · ± · − · 검사불능 당 기 기 : + · ± · − · 검사불능 교 대 : + · ± · − · 검사불능
혀	이상	유( ) 무	전방내밀기: + · ± · − · 검사불능 출 입 : + · ± · − · 검사불능 거 상 : + · ± · − · 검사불능 좌 우 : + · ± · − · 검사불능
이	위턱 치열궁의 변형	유( ) 무	비고
	치아의 이상	유(3 2 1 | | 1 2 3) 무	
	교합이상	유 전후 : 반대교합 절단교합 수직 : 개교 측방 : 교차교합 무	
경구개	누공	유(전방부 × 후방부) 무	
	깊이의 이상	유( ) 무	
연구개	누공	유(mm × mm) 무	
	수술흔적 형성	유( ) 무	

그림 22-14. 안면 구강소견

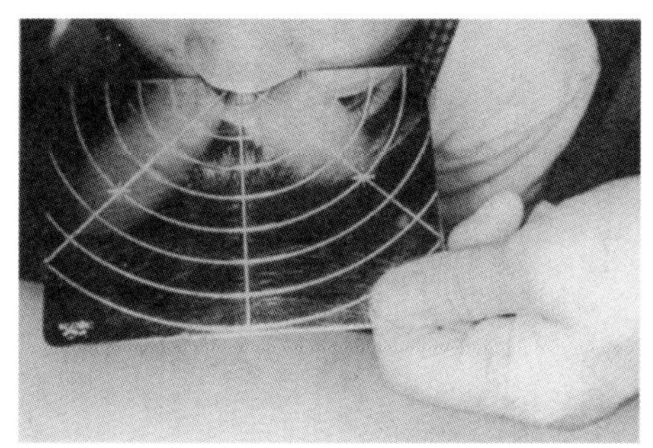

그림 22-15. 비호흡의 검사

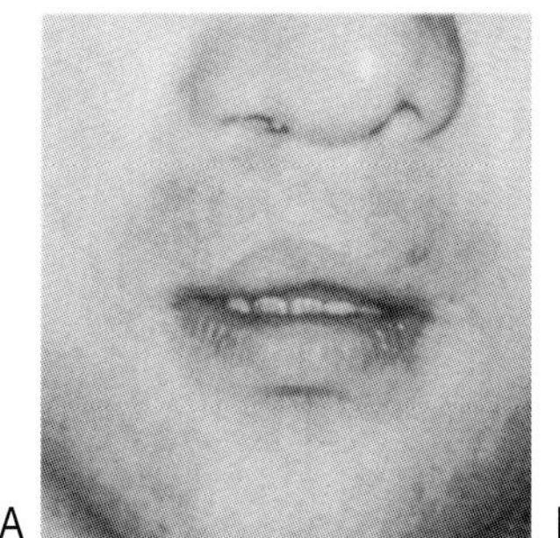

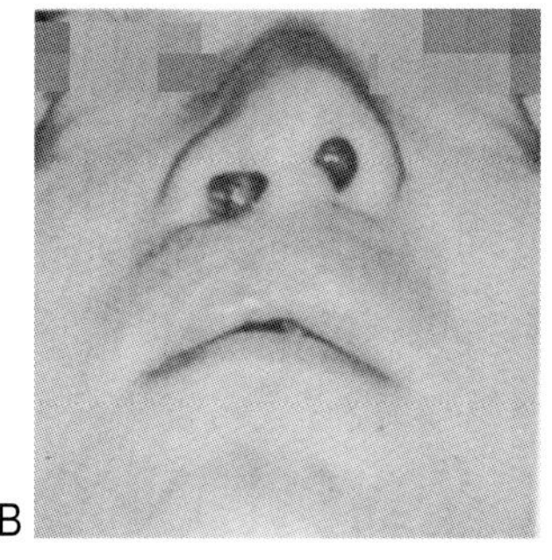

그림 22-16. 입술과 코의 현저한 변형. (A) 정면, (B) 하방

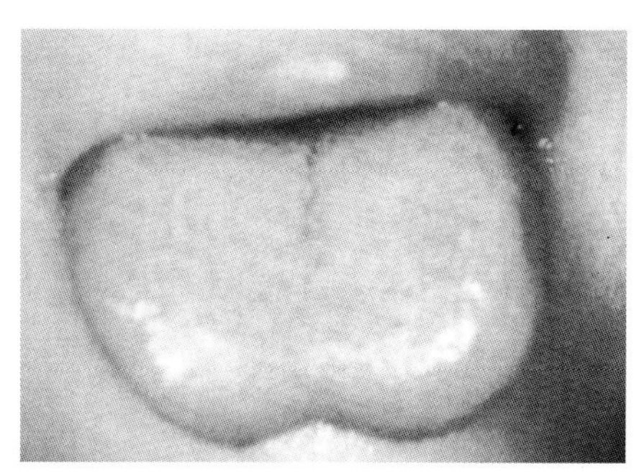

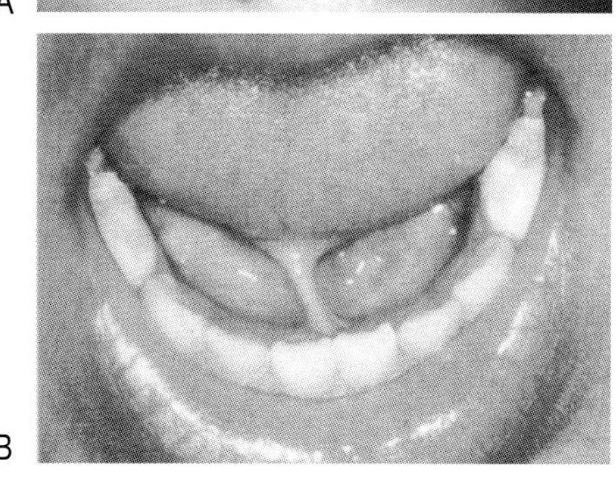

그림 22-17. 설소대 단축증. (A) 혀를 앞으로 내민 상태, (B) 혀를 들어올린 상태

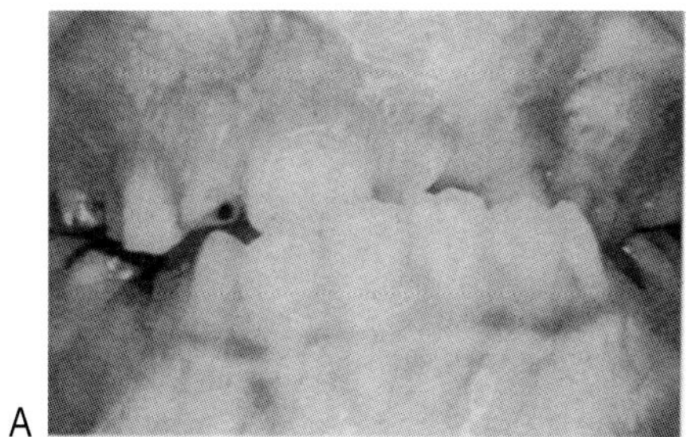

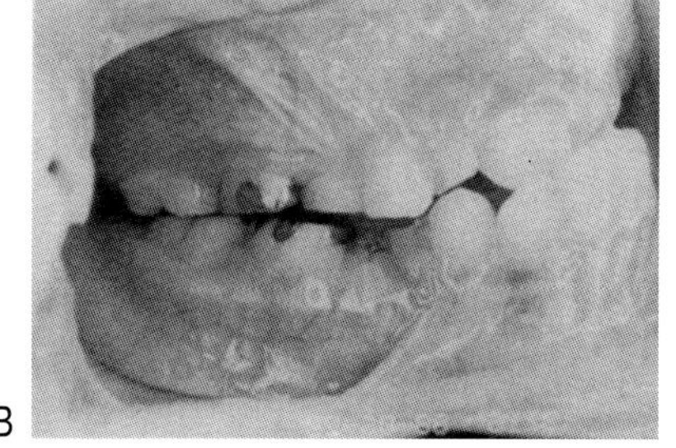

그림 22-18. 전치부 반대교합. (A) 정면, (B) 측면

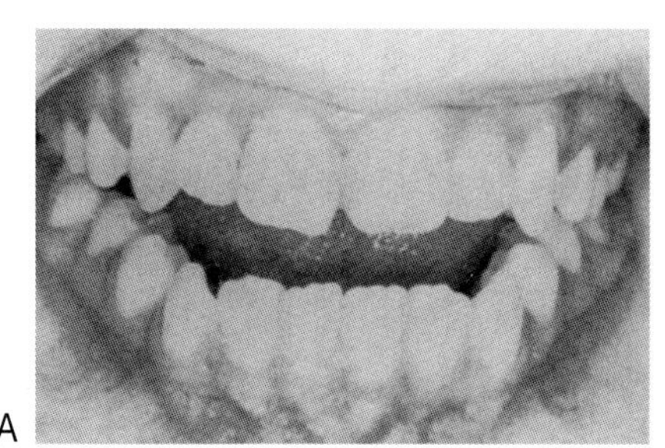

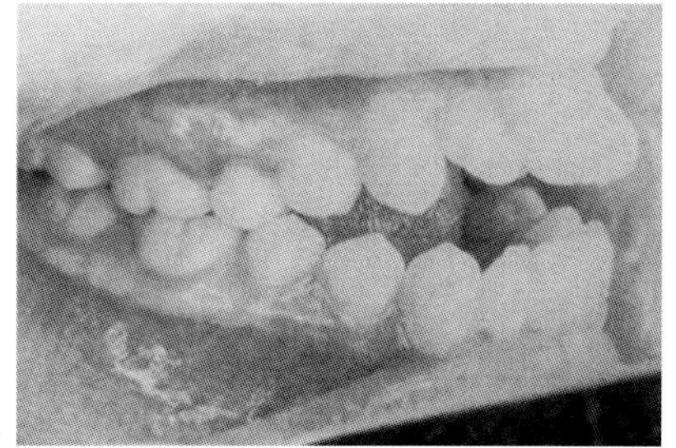

그림 22-19. 개교. (A) 정면, (B) 측면

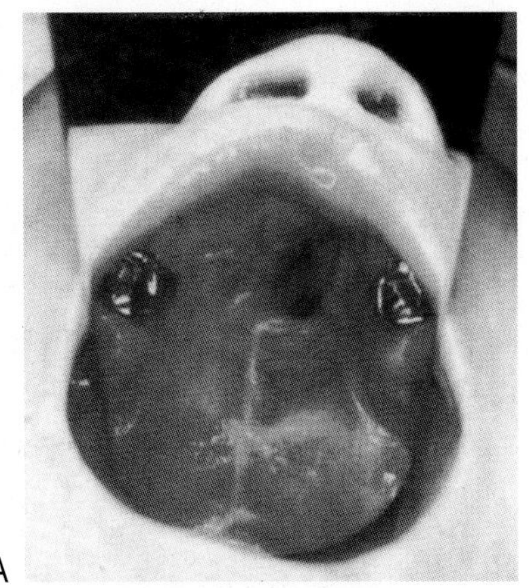

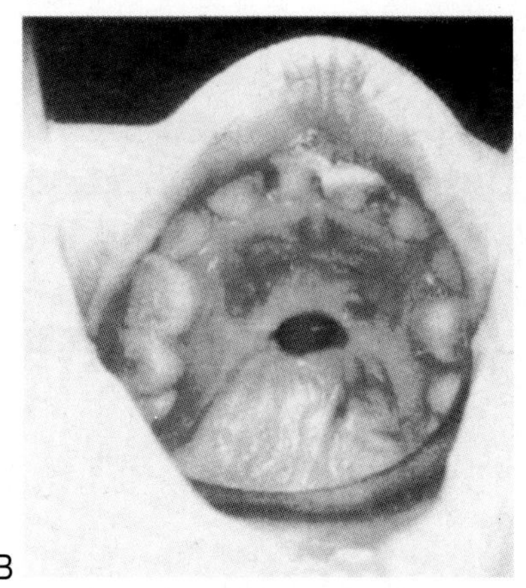

그림 22-20. 경구개의 누공. (A) 전방부, (B) 후방부

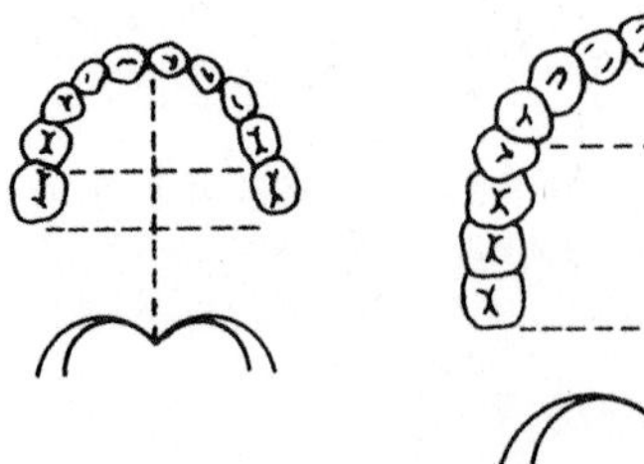

누공 : 있음 · 없음(그림에 표시)
시진상 특기할 만한 것이 있으면 그림에 제시
비고 :

그림 22-21. 누공의 위치, 형태, 크기의 기술

검사를 하는 것이 바람직하다.

3. 비인강폐쇄기능 검사

1) 정상인의 비인강폐쇄운동과 어음산출

(1) 구강내압과 어음생산의 관계

비인강폐쇄운동에 의해 비강으로의 통로가 폐쇄되면, 폐로부터 보내져온 호기류는 구강으로 유입된다. 그때 구순도 폐쇄되어 있으면 구강내의 압력은 상승되는데 이 호기압을 구강내압이라고 한다. 즉, 비인강폐쇄는 구강내압을 형성하기위해 필요하다. 우리들이 산출하는 대부분의 어음(통비음은 제외)은 구강내압을 에너지로 하여 만들어지므로, 어음산출에는 구강내압이 불가불하며, 구강내압을 높이는 최대의 요인은 비인강폐쇄기능이다.

정상성인이 파열음이나 마찰음을 연속적으로 산출하는데에는 평균 64.4mm H_2O의 구강내압이 필요하다. 비인강폐쇄부전에 있어 구강내압이 상승되지 못할 경우의 구강내압의 하한(下限)은 22.2mm H_2O이며 그 이하가 되면 어음으로 청취하기가 곤란하게 된다. 즉, 64.4mm H_2O에서부터 구강내압이 저하됨에 따라 어음명료도는 나쁘게 되며 어음생산도 곤란하게 된다.

(2) 비인강폐쇄강도란

blowing을 지속하거나 연속적으로 어음을 산출하는 데에는, 그 목적운동에 필요한 구강내압의 강도에 대응 가능한 비인강폐쇄의 강도가 유지되는 일이 필요하다. 정상인에게서 보이는 비인강폐쇄운동은 필요에 따라 완전폐쇄를 유지하는 비인강폐쇄강도(폐쇄압)가 조절된다. 비인강부에 삽입한 벌브에 가해지는 압력을 변환기(transducer)에 의해 검출하는 측정장치를 이용한 연구에 의하면, 어음산출중의 비인강폐쇄에는 어음의 종류에 적합한 폐쇄강도가 존재하는 일이 명백한 것으로 되어있다. 이에 의하면, 정상인의 경우 모음 산출에 있어서의 비인강폐쇄강도는 /a/가 가장 약하고, /u/가 가장 강한 것으로 되어있다. 파열자음 /p, b, k, g/는 모음 /u/보다 더욱 강하며, blowing은 파열자음의 약 2배가 된다. 즉, 폐쇄압과 각 동작의 관계는, 모음 〈 파열자음 〈 blowing 의 순으로 강해진다. 부연하여 말한다면, 최강 blowing의 강도는 평균 140.6g, 연하의 강도는 125.1g이다. 그림 22-22은 정상인의 비인강폐쇄압 측정의 기록이다. 모음, 파열자음, blowing에 있어서의 폐쇄압의 관계를 잘 알 수 있다.

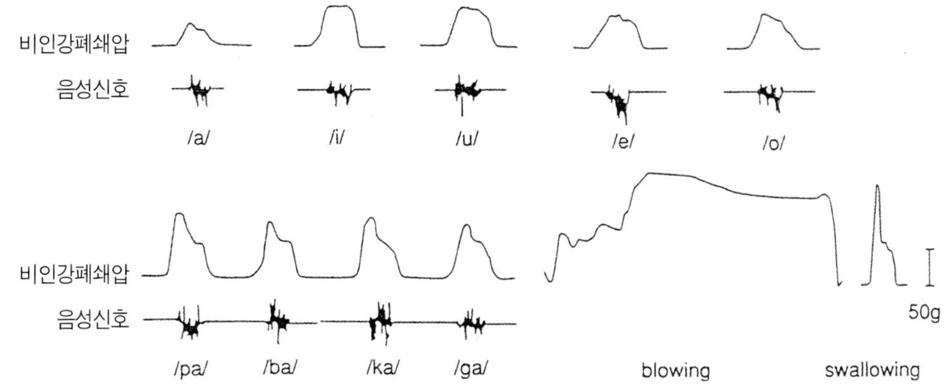

그림 22-22. 정상인의 비인강폐쇄 강도의 기록. 모음, 파열음, blowing시의 폐쇄강도의 관계를 알 수 있다.

(3) 어음의 종류와 비인강폐쇄운동의 정도

정상인에 있어서의 어음 산출시의 비인강폐쇄운동의 정도를 비인강 내시경으로 관찰하면, 어음의 종류에 따라 정도가 다른 것을 알 수 있다. 모음 /a/에서는 약 30%의 사람이 완전폐쇄가 아니고 비인강에 약간의 개방부분이 인정된다. 그 밖의 모음에서는 대체로 완전폐쇄를 보이나 드물게는 약간의 개방부분이 보이는 경우도 있다.

파열자음 /p, t, k, b, d, g/, 마찰자음 /s,z/, 파찰자음 /ts, dz/에서는 활발한 폐쇄운동에 의해 비인강은 완전폐쇄가 된다. 통비음 /n, m/는 연약한 폐쇄운동이 보이며 폐쇄운동은 반폐쇄상태에서 정지한다. 폐쇄운동 양식에는 연구개 주도형, 인두측벽 주도형, 양자의 협동동작 등이 있으나, 어느 타입의 폐쇄양식에서도 모음 /i/는 완전히 폐쇄되며 통비음 /mi/는 반폐쇄상태를 보인다.

2) 비인강폐쇄기능 검사

(1) 구강시진

안정시, 발성시의 연구개 및 인두의 형태와 움직임을 관찰하여 비인강폐쇄기능판정을 하는 것이 목적이다. 대상은 구개열 수술후의 환자 및 비인강폐쇄기능부전이 의심되는 환자이며, 영유아에서부터 검사는 가능하나, 발성시의 검사는 3세 이하에서는 곤란한 경우가 있다.

사용되는 검사도구는, 설압자와 펜라이트가 필요하다.

진행 절차는, 우선 환자를 의자에 앉히고, 머리를 가볍게 뒤로 젖힌 후 입을 벌리게 한다(그림 22-23).

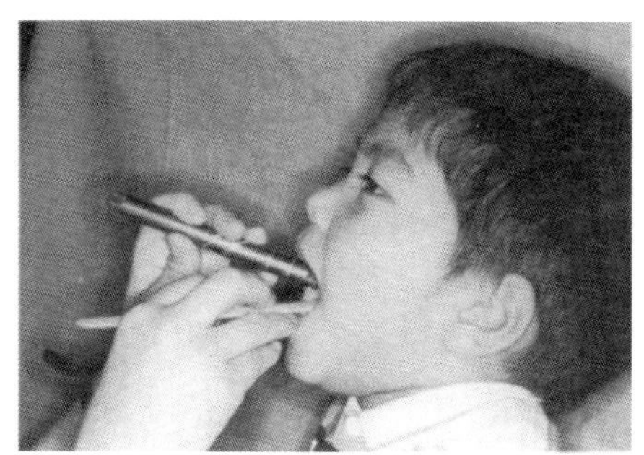

그림 22-23. 구강시진

영유아의 경우는 부모와 검사자가 마주앉아서, 부모가 영유아를 안고 머리를 검사자의 무릎에 조용히 내려놓은 상태에서 입을 벌리게 한다.

검사는 검사실시 안내요강에 기반을 두고 행한다(그림 22-24).

안정시의 연구개의 길이와 인두구개간 거리를 관찰하여 3단계 평가를 행한 후, /a/를 강하게 발성시켜 연구개와 인두측벽의 움직임, 인두구개간 거리를 각각 3단계로 평가한다. 이때 구강내부가 충분히 보이도록 펜라이트를 사용하나, 환자에 따라서는 설압자로 혀를 누르고 관찰한다.

주의할 점은 발성시의 연구개의 움직임을 관찰할 경우, 머리를 뒤로 지나치게 젖히면 평소의 연구개의 움직임과 다르므로 주의한다. 또한 설압자를 사용할 경우는, 설압자를 설근에 가까이 대면 구토반사를 일으켜 환자에게 불쾌감을 주므로 주의한다.

특히 유아는, 설압자의 사용을 싫어하는 경우가 많으므로, 될 수 있는 한 설압자를 사용하지 않고 검사하거나, 모든 검사

비인강폐쇄기능검사

검사년월일 : · · 제 회 검사자 :

No. 성명 생년월일 · · 연령 (:) 성별 (남 · 여)

진단 : (양 · 좌 · 우) 순악구개열 · 구개열 · 점막하구개열 · 기타 ( )

구개의 수술 (구개형성술 , 인두변형성술 , 누공폐쇄술 등)

전 · 후 ; 수술년월일 · · 연령 : 술식

수술년월일 · · 연령 : 술식

수술년월일 · · 연령 : 술식

구개의 보철물 (Speech aid · 연구개 거상 장치 · 누공폐쇄상 등)

장착기간 : 년 월 일 ~ 년 월 일 사용보철물 ( )

장착기간 : 년 월 일 ~ 년 월 일 사용보철물 ( )

(검사시에 장착 · 비장착)

<시진>

	안정시	/a/ 발성시
연구개의 길이	정상 · 약간짧다 · 짧다 · 검사불능	
연구개의 움직임		잘움직임 · 움직임 · 거의움직이지않음· 검사불능
인두구개간 거리	정상 · 약간짧다 · 짧다 · 검사불능	정 상 · 약간크다 · 크 다 · 검사불능
인두측벽의 움직임		잘움직임 · 움직임 · 거의움직이지않음· 검사불능

누공 : 있음 · 없음 (그림에 제시)

사진상 특기사항 있으면 그림에 제시

비고 :

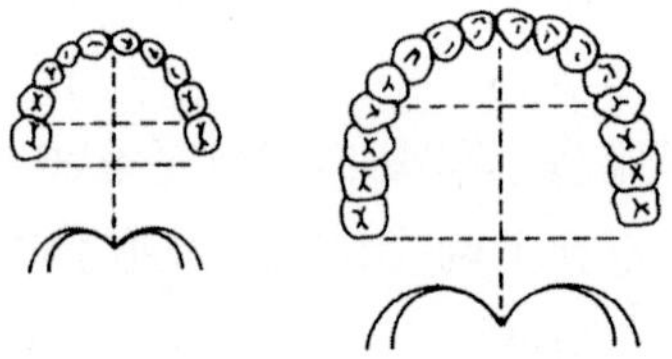

<불기검사>

		비공 개방시의 호기의 비누출	비공 폐쇄시의 호기의 비누출	보철물 사용시의 호기의 비누출
약하게불기 (soft blowing)	스트로와 물	- · + · ++ · 검사불능	- · + · ++ · 검사불능	- · + · ++ · 검사불능
강하게불기 (hard blowing)	끝이말린피리	- · + · ++ · 검사불능	- · + · ++ · 검사불능	- · + · ++ · 검사불능
	나 팔	- · + · ++ · 검사불능	- · + · ++ · 검사불능	- · + · ++ · 검사불능

(- : 없음(0) + : 있음(0 < 2) ++ : 중도로 있음 (2 이상))

누공 폐쇄시의 약하게불기 : 가능 · 불가능 / 비공 폐쇄시의 강하게불기 : 가능 · 불가능

호기 비누출(그림제시) 비호흡시 약하게불기 강하게불기

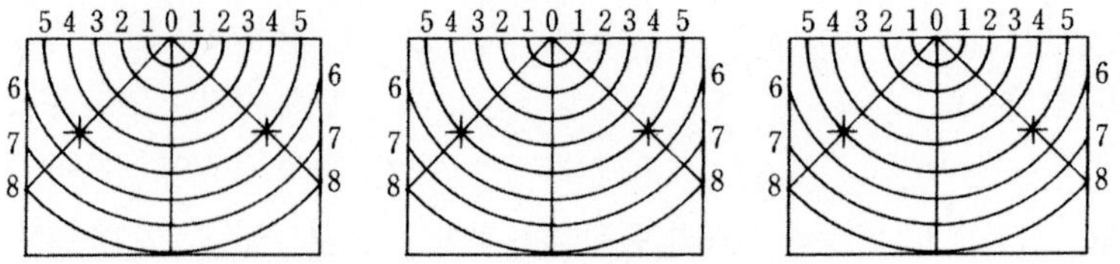

5 4 3 2 1 0 1 2 3 4 5 6 7 8   5 4 3 2 1 0 1 2 3 4 5 6 7 8   5 4 3 2 1 0 1 2 3 4 5 6 7 8

비고 :

그림 22-24. 비인강폐쇄기능 검사

<청각판정>

개 비 성		호기 비누출	폐 비 성	
/a/	-・+・++・검사불능	-・+・++・검사불능	/ma/	-・+・++・검사불능
/i/	-・+・++・검사불능	-・+・++・검사불능	(/na/)	-・+・++・검사불능
회화	-・+・++・검사불능	-・+・++・검사불능	회화	-・+・++・검사불능
≪참고≫				
/ao/	-・+・++・검사불능	-・+・++・검사불능	/namu/	-・+・++・검사불능
/ie/	-・+・++・검사불능	-・+・++・검사불능	/nomo/	-・+・++・검사불능
/ue/	-・+・++・검사불능	-・+・++・검사불능		

	호기 비누출에 의한 자음의 왜곡	호기의 비누출	비잡음
/p(a)/(p^h,pp)	-・+・++・검사불능	-・+・++・검사불능	-・+
/t(a)/(t^h,tt)	-・+・++・검사불능	-・+・++・검사불능	-・+
/k(a)/(k^h,kk)	-・+・++・검사불능	-・+・++・검사불능	-・+
/s(a)/(ss)	-・+・++・검사불능	-・+・++・검사불능	-・+
회화	-・+・++・검사불능	-・+・++・검사불능	-・+
≪참고≫			
/haqpa/	-・+・++・검사불능	-・+・++・검사불능	-・+
/tate/	-・+・++・검사불능	-・+・++・검사불능	-・+
/kaki/	-・+・++・검사불능	-・+・++・검사불능	-・+
/sasa/	-・+・++・검사불능	-・+・++・검사불능	-・+

\- 없음
\+ 있음
++ 중도로있음

비고 :

<그밖의 것>

찡그림 : 비익 -・+ 미간 -・+

구음조작의 오류

성 문 파 열 음 ( )
구 개 화 구 음 ( )
측 음 화 구 음 ( )
인 두 파 열 음 ( )
인(후)두마찰음 ( )
비 인 강 구 음 ( )
그 밖 의 것 ( )

그밖의 방법에 의한 판정
(실시년월일 ・ 방법 ・ 결과)

<종합판정 ・ 방침>

비인강폐쇄기능 [양호 ・ 불량 ・ 판정보류(언어의 견지로부터 조치가 필요 ・ 불요 ・ 경과관찰)]

누공 [폐쇄필요 ・ 폐쇄불요]

방침 :

그림 22-24. (계속)

의 최후에 행하도록 한다.

비인강폐쇄가 행하여지는 상·중인두 부분의 움직임은 구강시진으로는 직접 관찰할 수가 없으므로, 비인강폐쇄기능부전이 의심될 경우는 비인강 화이바스코프나 X선 검사 등 다른 검사를 병행하여 행할 필요가 있다.

구강시진은 간편하고도 비인강폐쇄기능검사로서 타당성이 있으나, 검사에 익숙해 있지 않으면 잘못된 판정을 하는 경우가 있다.

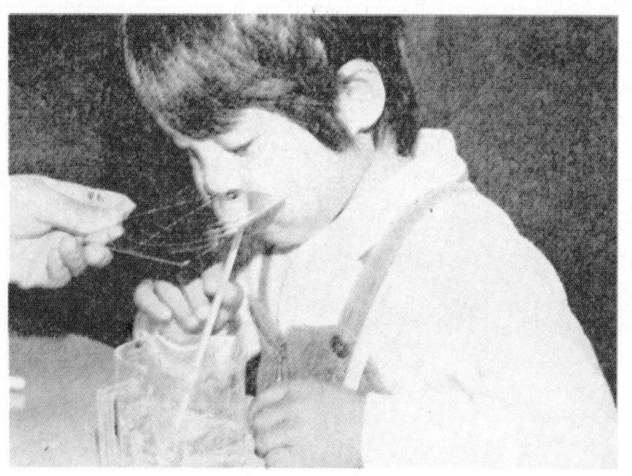

그림 22-26. 부드럽게 불기(soft blowing) 검사

(2) 불기검사(blowing검사)

① 부드럽게 불기검사(soft blowing)

조용히 불었을 때의 비인강폐쇄기능을 관찰하는 것이 목적이다.

이는 구개열 수술 및 비인강폐쇄기능부전이 의심되는 환자로서, 불기동작이 가능한 2-3세 이상이면 가능하다.

사용되는 검사도구는 컵, 스트로, 물, 비식경(스테인리스판)이며, 스트로는 시판의 것이면 좋으나 지나치게 굵거나 가는 것은 피한다(그림 22-25).

절차는 컵에 1/3정도의 물을 넣고 스트로를 물속에 넣은 후, 물을 가볍게 거품을 내게 한다. 깊이 숨을 들여 마신 후, 될 수 있는 한 길게 거품을 내도록 지시한다. 도중에 숨을 재차 들이켜 계속하는 일이 없도록 한다(그림 22-26).

거품이 일고 있는 사이의 호기의 비누출 유무를 비공 밑에 댄 비식경상의 김이 서린 상태로 판정한다.

판정은, -:없음, ±:있음(2cm 이하), +:고도로 있음(2cm 이상)의 3단계로 한다. 최저 2회 실시하고, 비식경상에서 김이 서린 상태가 보이면 그림으로 표시한다(그림 22-27).

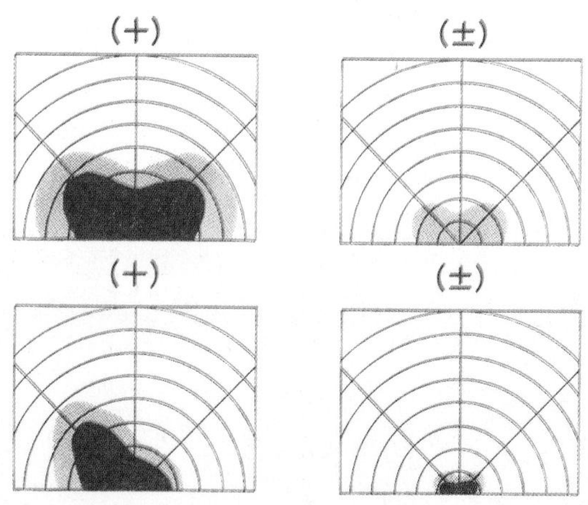

그림 22-27. 부드럽게 불기(soft blowing)검사에서의 비식경에 의한 판정

주의할 점은 구개열 수술 후 상처부위가 치유되기까지(2개월 정도)는 검사를 해서는 안 된다.

그림 22-25. 불기검사에서 사용하는 기구

유아의 경우는 불기동작이 습득되어 있지 않은 경우가 있으므로 검사자가 모범을 보이거나, 연습을 한 후에 검사한다. 비식경은 따뜻할 경우 호기누출을 검색하지 못하므로 검사 전에 비식경을 차갑게 해둔다.

누공이 있을 경우에는, 혀로 누공을 폐쇄하지 않도록 혀를 입술 밖으로 내민 상태에서 스트로를 불게하면 누공으로부터의 호기비누출 유무를 확인할 수 있다.

② 강하게 불기검사(hard blowing)

강하게 불었을 때의 비인강폐쇄기능을 관찰하는 것이 목적이며, 구개열 수술 후의 환자 및 비인강폐쇄기능부전이 의심되는 환자에게 적용된다. 스트로불기를 할 수 없는 영유아의 경우에도 검사가 가능하다.

사용되는 검사도구는 끝이 말린 피리, 나팔, 피리 등 부는 악기와 비식경 등이 사용된다.

절차는 나팔이나 끝이 말린 피리 등을 불게하고, 호기의 비누출 유무를 비공 밑에 댄 비식경상의 김이 서린 상태로 판정한다. 최저 2회 실시한다.

주의해야할 점은 중이염을 앓고 있을 때에 강하게 불게하면, 중이염을 악화시킬 수가 있으므로 주의한다. 그 이외의 주의할 점은 부드럽게 불기(soft blowing)검사에 준한다.

끝이 말린 피리는 말린 상태가 빡빡하여 불 수 없는 경우가 있으므로 검사 전에 말려있는 상태를 확인한다.

(3) 청각판정

음성언어에서 보이는 개비성이나 자음의 호기비누출에 의한 왜곡의 청각판정으로부터 비인강폐쇄기능을 평가한다.

적용대상은 구개열 수술 후의 환자 및 비인강폐쇄기능부전이 의심되는 환자이며, 영유아로부터 성인에 이르기까지 모두 적용된다.

사용되는 검사도구는 검사 시트, 그림카드(유아), 녹음기 등이다.

절차는 모음 및 높은 구강내압을 필요로 하는 파열음(/p,t,k/), 마찰음(/s/)의 음절 및 문장, 회화 등으로부터 청각판정을 행한다. 3단계평가(- , ±, +)를 하며 기록한다.

주의해야 할 점은, 모든 환자에게 간편하게 행할 수는 있으나, 검사자의 판정능력이 충분하지 않으면 잘못된 판정이 되기도 하고, 판정의 일관성이 결여되는 일이 있으므로, 검사자는 항상 자신의 청각판정에 관해 다른 검사자와의 합동시도를 꾀하는 일이 필요하다. 견본 테이프를 듣고 귀를 훈련하는 일은 유효하다.

(4) X선에 의한 검사

① 세팔로그램(Cephalogram, 두부X선 규격사진)

발성시의 연구개와 인두후벽의 폐쇄상태를 두부측면으로부터 관찰한다. 또한, 안정시의 상태에서 연구개의 길이, 두께, 인두강의 깊이를 계측함으로써, 수술법의 선택이나 연구개 마비, 연구개 단소증, 심인두(深咽頭)의 감별판단을 행한다.

적용대상은, 비인강폐쇄기능부전이 의심되는 환자이며, 연령은 3~4세이다.

사용되는 검사도구는, 두부X선 규격사진(Cephalogram)촬영장치이며, 진행절차는, 우선 두부X선 규격사진 촬영장치 앞의 의자에 앉힌 후, 자세를 고정하기 위해 이어로드(ear-rod)를 양쪽 귀에 넣는다(그림 22-28).

연부조직의 명확한 상을 얻기 위해서는 전압을 80KV, 320mA로 하는 것이 적당한 것으로 되어있다. 보통, 안정시와 [a], [i], [s] 등의 발성시를 촬영한다. 안정시에는 연구개의 길이(ANS에서 PNS까지의 거리)와 두께, 인두후벽의 형태, 아데노이드의 유무, 인두강의 깊이(ANS에서 PNS로의 직선을 연장해서 PPW에 달한 점과 PNS간의 거리)가 얻어진다. 발성시에는 연구개와 인두후벽이 접하고 있는지의 여부를 보고, 간격이 있을 때에는 그 최단거리를 계측한다. 또한 연구개의 거상정도를 보는 것도 중요하며, ANS에서 PNS의 수평선을 넘어서 거상되어 있으면 움직임은 양호한 것으로 된다(그림 22-29). 이 때, 인두후벽에 팟사반트 융기(Passavant's ridge)가 보였을 경우는 기록한다(그림 22-30).

이 검사의 이점은 3세 이상이면 검사가 가능한 점이다. 또한 계측된 연구개의 길이나 두께, 인두 구개간거리는, 구개의 2차 수술이 필요한 경우에 수술법의 선택에 관해 유력한 정보가 된다. 결점은 측면으로부터의 2차원 상이므로 비인강폐쇄기능을 입체적으로 파악할 수 없는 것, 스피치에 있어서의 연

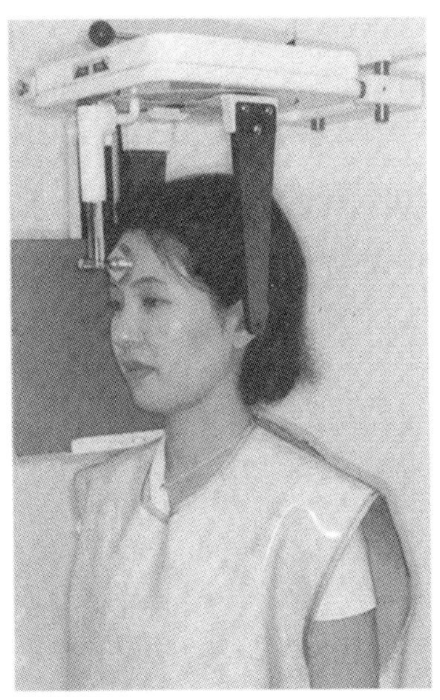

그림 22-28. 두부X선 규격사진(Cephalogram)촬영장치

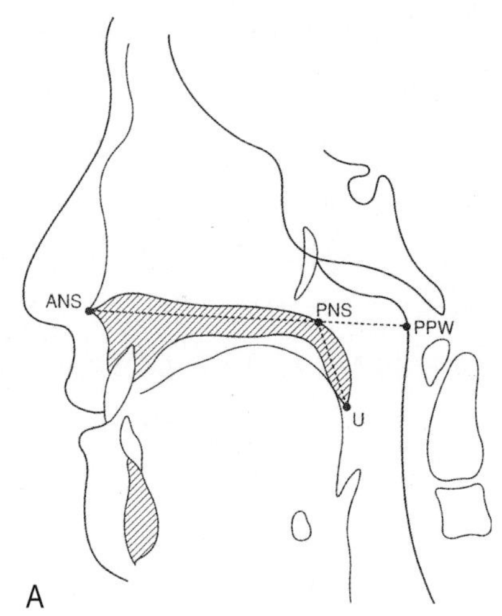

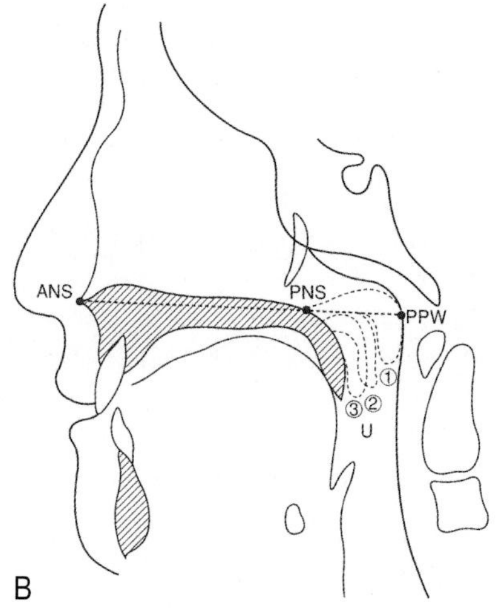

A: 측면 세팔로그램에 의한 계측
ANS→PNS : 경구개의 길이
PNS→U : 연구개의 길이
PNS→PPW : 인두강의 깊이

B: 측면 세팔로그램에 의한 발성시 연구개 움직임의 측정
① 양호
② 약간 불량
③ 불량

그림 22-29. 측면 세팔로그램(Cephalogram)

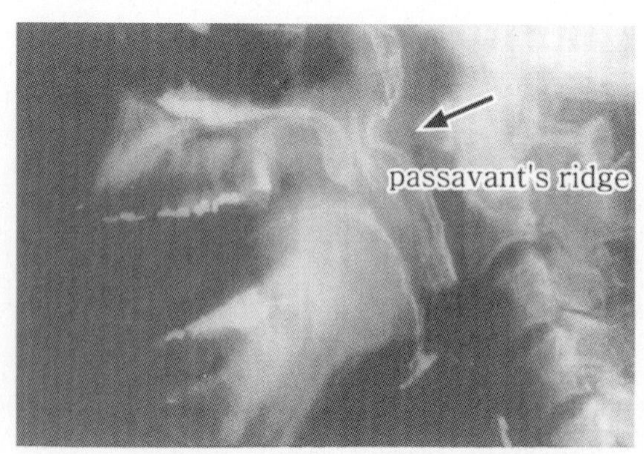

그림 22-30. 팟사반트 융기(passavant's ridge) (「아」발성시)

속된 비인강폐쇄의 동태를 해명하지 못하는 점, 검사음이 지속음에 한정되는 것 등이다. 또한 저연령의 경우, 이어로드에 의한 두부의 고정을 싫어하거나 발성의 지시에 따르지 못하는 경우가 있는 것, X선 피폭의 문제가 있는 것 등도 불리한 점이다.

② X선 비디오 · X선 영화

세팔로그램과 똑같이 주로 측면에서 촬영한다. 근년에는 X선 영화보다 간편한 X선 비디오를 사용하는 일이 많다. 이 검사의 장점은 연속발화시의 비인강폐쇄기능의 동태를 관찰할 수 있는 일이다. 결점은 표준화 되어있지 않으므로 증례간의 비교를 할 수 없는 점, 세팔로그램보다 더욱 X선 피폭양이 큰 점이다.

(5) 내시경검사

발화시의 비인강폐쇄기능의 상태를 경비적(經鼻的)으로 관찰하는 것이 목적이다.

적용대상은 비인강폐쇄기능부전이 의심되는 환자이며, 4세 이하의 유아의 경우는 실시가 곤란한 일이 있다.

사용되는 검사도구는 비인강 화이바스코프(fiberscope, 직시형 또는 측시형), 또는 전자스코프, 광원장치, 국소마취제 등, 그리고 가능한 한 기록장치로서의 비디오장치 등이다.

절차는 비강의 점막표면에 마취를 행하고, 화이바스코프를 비공으로부터 삽입하여, 상인두에서 비인강폐쇄상태를 관찰한다(그림 22-31).

직시형의 화이바스코프의 경우는 상인두에서 끝단을 직각으로 구부려, 시야를 조절하면서 될 수 있는 한 수직상방에서 관찰한다. 검사음은 모음이나 높은 구강내압을 요하는 파열음, 마찰음 및 이들 음을 합한 단어, 문장으로 한다.

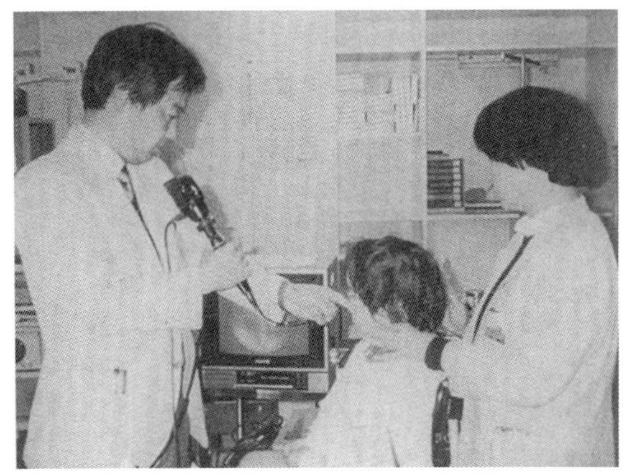

그림 22-31. 비인강 화이바스코프(fiberscope)에 의한 검사

검사음의 발화시나 불기동작을 행하게 할 때의 연구개의 움직임 또는 거상의 정도, 인두측벽 · 후벽의 움직임과 전체의 폐쇄정도를 관찰하고 기록한다. 폐쇄의 정도는 보통, 완전폐쇄, 경도의 간격(port)있음, 폐쇄없음의 3단계로 판정한다(그림 22-32A~C).

또한 폐쇄양상이 연구개 주도형인지, 인두측벽 주도형인지 또는 양자의 협동동작이 보이는지 등을 관찰한다(今富, 1995).

본 검사는 의사가 행하는 검사이며 언어치료사는 검사음의 선정, 결과에 관한 기록, 판정을 행한다.

성문파열음, 비인강구음 등 구음조작 이상에 의한 구음장애가 인정되는 경우에는, 비인강에서의 폐쇄는 행하여지지 않는 일이 많다. 따라서, 검사음으로 하는 것은 적절하지 않으므로 주의해야한다.

(6) 네조메타(nasometer)에 의한 검사

기구에 의해 비인강폐쇄기능을 객관적으로 판정하는 것이 목적이다.

사용되는 검사도구는, 네조메타 및 그 부속품이다.

검사절차는 구강과 비강으로부터 방출된 음성을 각각 채취하기 위해 환자에게 헤드피스를 장착하고, 구강과 비강을 분리하도록 안면에 수직으로 격벽판을 부착시킨다. 통비음을 포함하지 않은 검사문장을 음독시키고, 두개의 마이크로폰으로 채취하여 녹음하며, 구강으로부터의 음압에 대한 비강으로부터의 음압비인 개비성도(nasalance)를 전시판에 표시한다.

주의해야할 점은 청각적인 개비성의 평가와 본 장치에 의한 개비성도는 상당히 상관이 높은 것으로 되어있으나(Fletcher, 1976; 內山, 1991), 검사문장에 관한 검토나 자료의 축적이 금후의 문제로 남아있는 점이다(그림 22-33).

(7) 플로우 네이잘리티 그래프(Flow Nasality Graph)에 의한 검사

기재에 의해 비인강폐쇄기능을 객관적으로 판정하는 것이 목적이다.

절차는 구강과 비강을 분리하도록 만들어진 마스크를 장착하고, 모음이나 구강내압이 높은 마찰성음 또는 파열음을 발화시켜, 구강으로부터의 호기량(N)과 비강으로부터의 호기량(M)을 계시적(繼時的)으로 전시판 상에 표시한다. 또한, 비음화 지수로서 M/N비가 자동적으로 산출된다(그림 22-34).

주의해야할 점은 마스크가 성인용과 소아용 2종류이므로, 환자에 따라서는 안면에 꼭 장착되지 못하므로 구강과 비강을 완전히 분리하지 못하는 것이다. 따라서 정확한 계측을 할 수

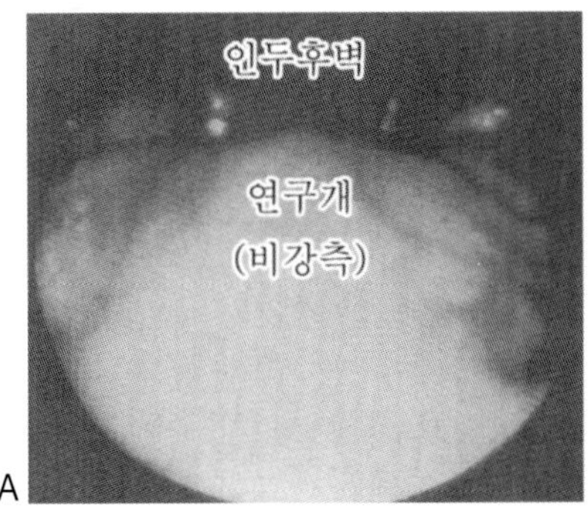

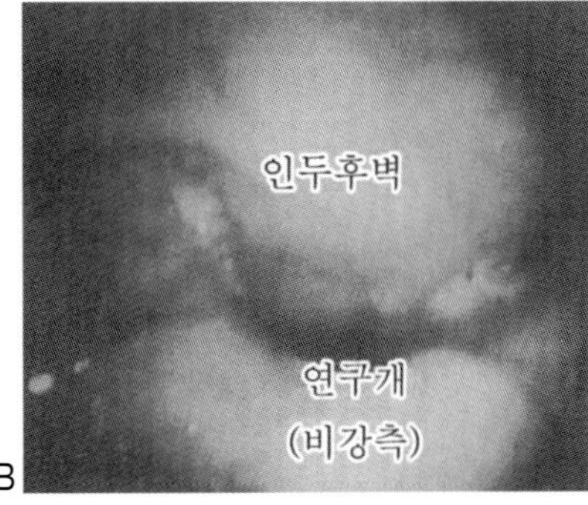

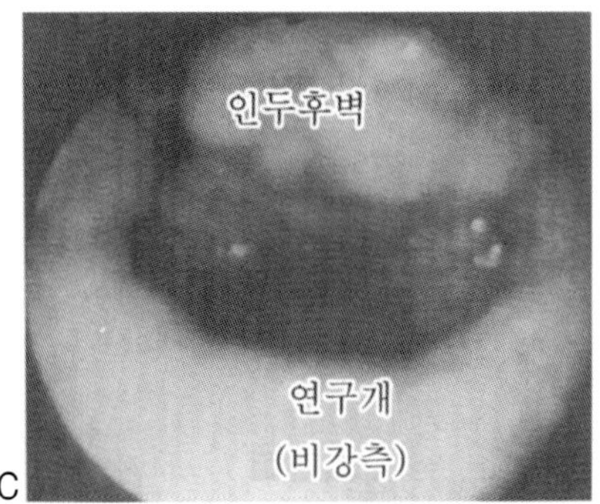

그림 22-32. (A) 비인강의 완전폐쇄. (B) 비인강에 경도의 간격있음. (C) 비인강의 폐쇄 없음.

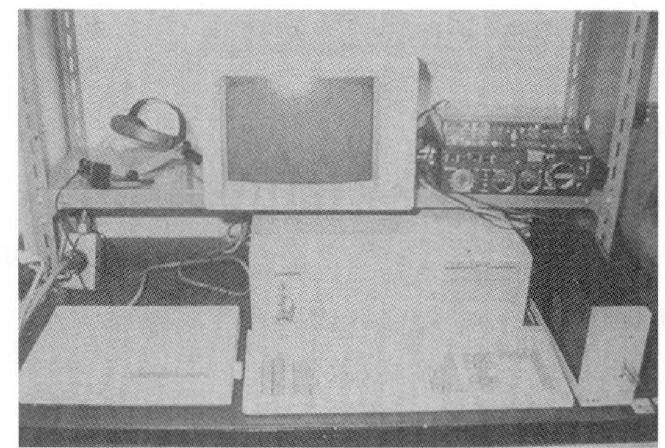

그림 22-33. 네조메타(Nasometer)

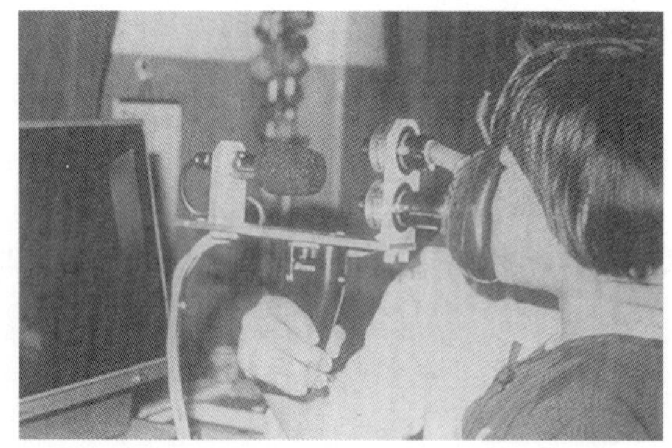

그림 22-34. 플로우 네이잘리티 그래프 (Flow Nasality Graph, SN-01)

없는 일이 있으므로 주의해야한다.

본 검사의 결과와 청각인상으로서의 파열음이나 마찰음의 비음화와는 상관이 높으나, 개비성과의 상관이 낮다고 하는 문제가 있다(松井, 1987).

(8) 근전도 검사

근육활동에서 발생되는 전위(電位)를 전극으로 파악하는 방법이다. 신경근 활동의 이상의 유무, 근운동의 패턴을 직접 조사하기 때문에, 비인강폐쇄관련근의 활동상태를 양적으로도, 질적으로도 측정할 수 있는 우수한 방법이다. 특히, 구개열 수술후 비인강폐쇄기능부전의 연구개운동 패턴의 검사법으로서 중요하다. 그러나 연구개에 전극을 삽입하는 검사이므로 피험자의 연령은 대게 10세 이상으로 제한된다. 근전도학적 검사에 관한 지식을 깊게 하는 일은, 발성발어기관의 이상에 기인되는 언어장애의 원인이나 메커니즘을 이해하는데 도움이 된다. 그림 22-35은 정상 비인강폐쇄기능에서의 /pɯ/ 발음시의 구개범거근 활동을 나타낸다.

4. 구음검사

구음장애의 유무, 오류 구음의 종류, 오류 구음의 일관성이

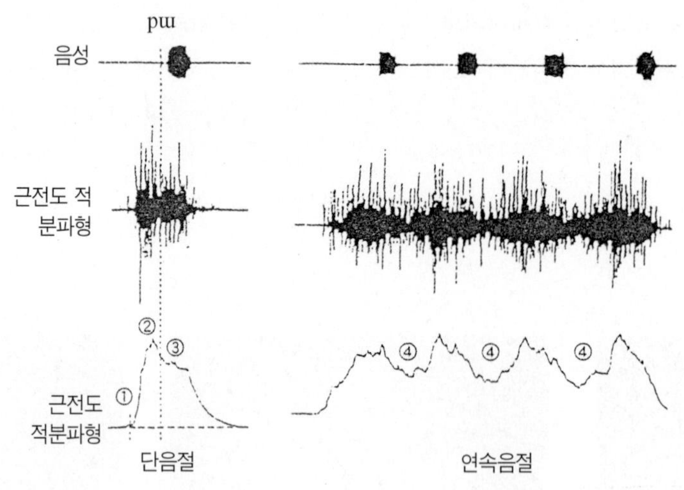

점선 : 발음개시시(voicing 시)
1. 발음개시 전에 비인강운동이 개시된다.
2. voicing 직전 또는 동시에 비인강의 폐쇄강도가 최대가 된다.
3. 폐쇄상태가 후속모음에 있어서도 계속된다.
4. 연속하는 음절부에서 비인강은 안정위치까지 복위되지 않고, 지속적으로 폐쇄된다.

그림 22-35. 정상 비인강폐쇄기능에서의 /pɯ/발음시의 구개범거근 활동

나 피자극성의 유무를 보고, 구음훈련의 필요성을 판정하며, 훈련계획을 확정한다.

적용대상은 영유아에서부터 성인에 이르기까지 구개열환자 전반에 적용된다. 검사도구는 기능성구음장애의 검사용구에 준하나, 특히 구개열영유아의 경우는 조기에 습득되는 파열음/p, pp/를 유도하기 쉬운 장난감(자동차=부부, 구급차=삐뽀삐뽀 등)이나 그림카드(부친=빠빠, 기차=뽀-뽀- 등)를 사용한다. 또한 유아용으로서는 구개열에 특징적인 오류구음을 검출하기 쉬운 단어검사가 있다(표 22-1).

한국에는 현재 공통으로 사용되고 있는 구개열언어 단어구음검사는 없는 상태이다. 그러므로 구개열환자에게 있어 빈도 높은 오류음을 보이는 자음들을 다수 삽입하여 세브란스병원 언어치료실에서 제작한 단어구음검사를 일예로 제시해 둔다. 단어의 음성표기는 국제음성기호에 기반을 두고 표기되었으나(이호영 1996, 신지영 1997, 신지영 등 1998), 한국어음에 특성을 나타내는 적절한 표기가 없을 경우에는 기존의 표기방법을 사용하였다.

녹음기는 될 수 있는 한 성능이 좋은 것을 선택하며, 마이크는 지향성이 높은 것으로 한다.

구음동태의 검색에는 동적 인공구개나 내시경을 사용하는 일도 있다.

검사절차는 기능성 구음장애의 구음검사에 준한다. 계통적인 구음검사가 가능한 경우에는, 음절, 단어, 문장, 회화 등에 관해 검사한다.

오류음에 대해서는 종류, 청각적 및 시각적 자극에 의한 피자극성의 유무를 관찰하고 녹음을 함과 동시에 음성표기를 한다.

청각판정이 주체가 되나, 구음시의 혀나 구순의 운동에도 주목하여 기술한다. 영유아나 연소(年少)의 유아에 대해서는, 앞에서 제시한 장난감이나 그림카드를 사용하여 자유놀이 중에서 발화를 유도한다. 「빠빠라고 불러봐」라던가, 퇴실시에는 「빠이빠이」라고 하는 등의 말을 걸어서 반응을 촉진하는 것도 유효하다.

주의할 점은 될 수 있는 한 자유로운 분위기를 유지하면서 발화를 유도하도록 시도하나, 아무리해도 검사실에서의 발화가 얻어지지 않을 경우에는, 가정에서 테이프에 녹음을 해 오도록 한다.

구음의 판정은 기능성구음장애와 동일하나, 구개열에서 특징적으로 보이는 성문파열음, 인두마찰음, 인두파열음, 구개화구음 등에 관해서는 충분한 지식을 갖고 정확한 평가를 할 수 있도록 한다. 평가는 청각판정이 주체가되나, 개비성의 판정에서와 같이, 검사자는 타 검사자와의 청각판정과의 일치도를 꾀하거나 견본테이프에 의한 귀의 훈련을 행한다. 구개에의 혀 접촉을 나타내는 음 산출시의 동적 인공구개도 등도 구음장애의 판정훈련을 위해 도움이 된다.

5. 점막하구개열, 선천성 비인강폐쇄기능 부전증의 검사

구개열에 유사한 언어장애가 인정되는 점막하 구개열(그림 22-36)이나 선천성 비인강폐쇄기능부전증을 진단하고 필요한

표 22-1. 단어 구음 검사

1 twɛʥi	2 ɕimmun	3 so	4 kʰok'iɾi (kʰoc'iɾi)	5 çim	6 satʰaŋ	7 sʌmpʰuŋgi (sʌmpʰuŋɟi)	8 ʨʰɛks'aŋ
9 t'algi (t'alɟi)	10 kiʨʰa (ciʨʰa)	11 mal	12 kʰʌpʰi	13 lobot˺	14 ʧuʥʌnʥa	15 p'ul	16 halmʌni
17 pʰuŋsʌn	18 ʨip˺	19 pakʰwi	20 kɛmi	21 mʌɾit'i	22 pʰiano	23 ladio	24 k'aŋʧʰuŋ -k'aŋʧʰuŋ
25 p'op'o	26 tanʧʰu	27 ʨʌn(ɦ)wa	28 ʨ'ɛkʨ'ɛk˺	29 napʰal	30 tʰok'i (tʰoc'i)	31 ʨʰi(t)s'ol	32 p'ijak˺ - p'ijak˺
33 tʰɛllɛbiʥʌn	34 kabaŋ	35 kʰal	36 hɛ	37 k'ot˺	38 ɕ'iɾɯm	39 ʨ'aʥaŋmjʌn	40 usan

치료를 행하는 것이 목적이다.

검사절차는 개비성이나 성문파열음 등 구개열에서 특징적으로 보이는 발화장애를 주소로하며 오는 경우가 많으므로, 우선 구개열의 유무를 확인하고, 명백한 구개열이 없는 경우에는 검사에 의해 상기의 질환유무를 조사하여 기능성 구음장애와의 감별진단을 행한다.

검사방법은 구개열의 비인강폐쇄기능 검사에 준한다. 점막하구개열은, 구강시진에 의해 구개수열(口蓋垂裂), 구개골후단의 골결손, 연구개의 근육이단(筋肉離斷)과 주행이상이 인정된다. 구개골후단의 골결손은 촉진(觸診)에 의해서도 확인할 수 있다.

연구개근육의 주행이상은 「아」를 발성시키면, 보다 명백해진다. 그 밖에 X선 검사, 내시경검사에 의해 비인강폐쇄기능의 정도를 확인할 수가 있다. 선천성 비인강폐쇄기능 부전증은 점막하구개열과 같은 구강소견이 없음에도 불구하고 개비성 등이 인정되며, 정상보다 인두강이 깊거나(그림 22-37A), 발성시의 연구개의 움직임이 나쁘기 때문에(그림 22-37B) 비인강폐쇄부전을 초래하고 있다.

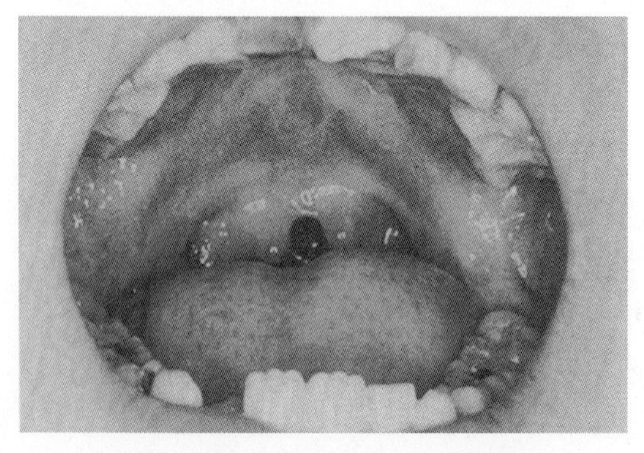

그림 22-36. 점막하 구개열 (「아」발성시)

주의할 점은 명백한 열이 있는 구개열과는 달리, 시진(視診)으로는 발견되기 어려운 면이 있다. 발화가 활발하게 되는 3~4세에서 말의 지연이나 발음장애를 주소로 하여 언어 상담기관을 방문하는 경우가 많으므로, 언어치료사는 이들 환자에 대해 올바른 지식을 갖고 있지 않으면 안 된다.

점막하구개열의 경우는 약 반수의 증례가 영유아기에 밀크의 비강누출을 인정하므로, 생육력에서 이 점에 관해 확인하는 일도 필요하다. 또한, 이들의 질환은 비인강폐쇄기능의 정도가 다양하고, 정신지체를 동반하는 비율도 높으므로, 수술이나, 보철적 치료, 구음훈련을 어떻게 선택하는가는 증례에 따라 다르다. 정밀검사를 행한 후에 치료방침을 정하지 않으면 안 된다.

6. 그 밖의 검사(청력검사, 정신발달검사, 언어발달검사 등)

청력, 정신발달이나 언어발달의 상태를 파악하는 것이 목표가 된다.

검사도구는 청력에 관해서는 청각장애, 정신발달이나 언어장애에 관해서는 언어발달지체 검사용구에 준한다.

검사절차는 청력검사, 정신발달검사, 언어발달검사에 준한다.

주의해야 할 점은, 구개열환자는 삼출성중이염 질환율이 극히 높으므로, 청력에 관한 검사는 필수이다. 이비인후과 의사

A

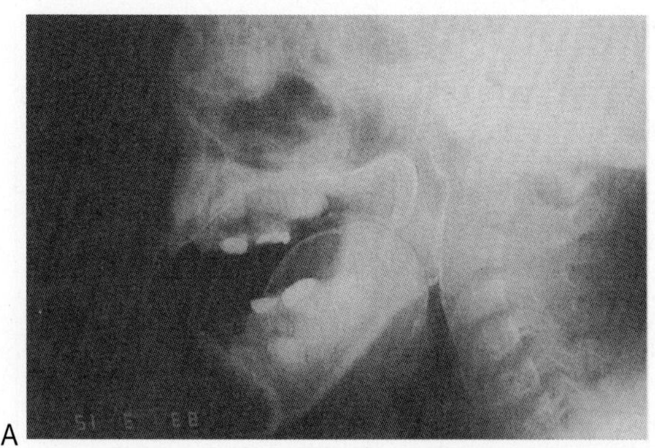

B

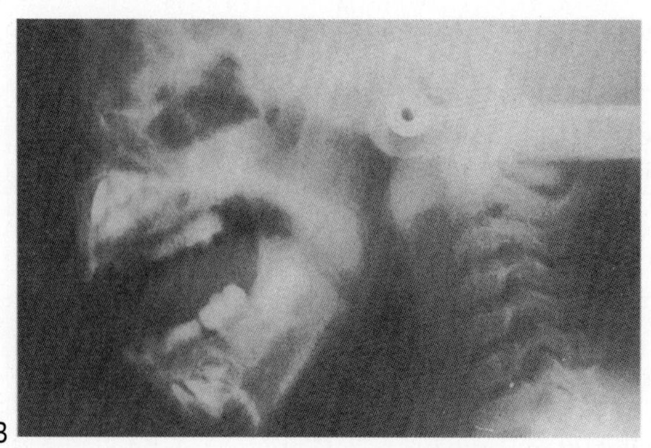

그림 22-37. 선천성 비인강폐쇄부전증 (「아」발성시). (A) 심인두, (B) 연구개 부전마비

에 의한 정기적인 고막진찰과 될 수 있는 한 틴패노메트리(tympanometry)에 의한 검사가 필요하다. 감음 난청의 출현빈도도 다소 높으므로 영유아기로부터 행동관찰을 행한다. 난청의 의심이 있는 경우는 이비인후과에 정밀검사를 의뢰한다.

III. 언어치료

1. 양친에 대한 지도 및 조언

구개열아가 출생함으로써 심리적 충격을 받은 가족을 받쳐주고, 금후의 치료계획을 설명하여 적절한 시기에 효율성이 높은 팀 접근이 진행될 수 있도록 도와준다. 또한, 어린아이의 말이나 구음이 순조롭게 발달될 수 있도록 양친에 대해 지도하며, 조언을 행하여 올바른 언어환경의 육성을 도모한다. 이에는 구개열 영유아의 양친이 모두 적용대상이 된다.

이에 대해서는, 구개열이라고 하는 질환에 대한 설명이나 치료경과에 관해 기술한 치료안내서가 있다면, 정확한 설명을 할 수 있으며 양친의 이해를 깊게 하는데 유익하다.

절차는, 구개열아가 탄생된 직후, 될 수 있는 한 빠른 시기에 양친을 만나 이야기를 하도록 한다. 의사, 간호사, 보건사 등과 협력하여 장애아가 출생된 일에 의해 커다란 충격을 받고, 자책감으로 고민하는 양친과 이야기를 나누고, 될 수 있는 한 빨리 안정된 정신상태에서 어린아이를 받아들일 수 있도록 지도한다. 구개열이나 이에 동반되는 문제에 대해 지식을 부여해주며, 금후 치료계획을 설명하는 일도 필요하다.

구개열 수술 후에는 1개월 후인 상처가 치유된 시기로부터 정기적으로 언어, 구음, 비인강폐쇄기능 등의 각 측면에 관해 경과관찰을 행하고, 그때그때 필요한 지도 또는 조언을 행한다. 경과관찰은 보통 6개월에 1번 정도이나, 양친의 불안이 고조되거나, 문제가 있을 경우에는 좀 더 빈번히 행한다.

주의할 점은, 구개열 이외의 장애, 구순열이나 정신지체, 심질환 등의 중복의 유무, 가족구성, 양친의 성격 등 여러 가지 인자를 고려하여 적절한 조언 및 지도를 행하지 않으면 안 되는 점이다. 또한, 유전에 관한 질문이 있었을 경우에는 질문의 내용에 따라 유전 카운슬러를 소개하기도 한다.

2. 수유지도

이는, 수유지도에 의해 경구적(經口的)으로 식사섭취를 할 수 있도록 하는 일이다. 그렇게 함으로써 정상적인 친자관계를 키워나갈 수 있음과 동시에, 구음동작의 기반인 입술이나 혀운동의 발달을 원조하게 된다.

적용대상은 구개열 및 구개열 유사질환의 영유아이며, 구순열 만의 경우에는 수유장애는 거의 일어나지 않는다.

사용도구에 있어서는 보통의 젖꼭지 구멍을 크게하거나, 구개열아용의 특수한 수유병을 사용한다. 비죤P형 수유병(젖꼭지부위는 젖꼭지가 약간 길며 구개열측은 약간 딱딱하고 설측(舌側)은 부드러운 Y자형의 구멍, 병은 플라스틱제품), 츄츄, 누크 등이 시판되고 있다(그림 22-38). 홋츠 상(床)이라고 불리우는 구개상을 장착할 경우도 있다(그림 22-39).

사용절차로는 도구로서 제시하여 설명한 수유병을 사용해본 후 그 영유아에게 가장 적합한 수유병을 선택한다. 선택기

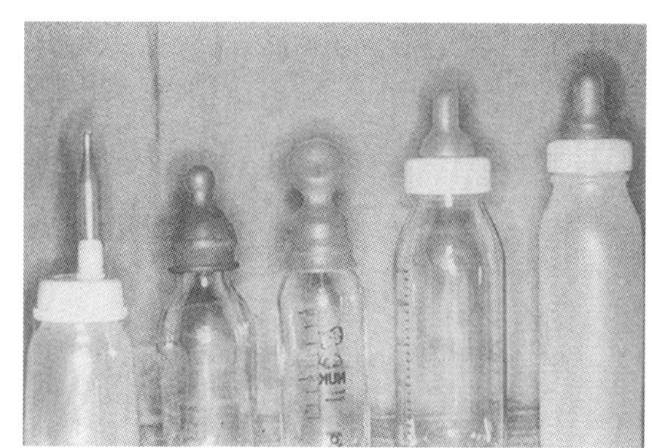

그림 22-38. 구개열아용 수유병

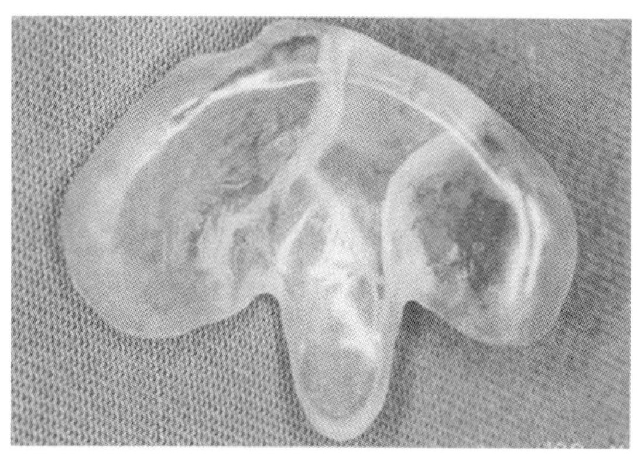

그림 22-39. 홋츠 상

준은 영유아의 월령에 따른 수유량이 거의 20분 정도로 먹을 수 있다면 좋다. 수유자세는, 영유아를 무릎위에 눕히고, 60도 정도의 자세로 한다. 밀크와 함께 공기를 삼키는 양이 많으므로, 수유후에는 충분히 트림을 시킨다. 수유병에 신경을 써서 선택해도 1회의 수유량이 적을 경우에는, 수유횟수를 늘리기도 하고, 구개상을 장착하거나, 순열의 부분에 테이프를 붙이면 좋다.

주의해야할 점은, 구개열 이외의 중복장애 등에 의해 수유병을 사용하여 입을 통해 젖을 먹는 일이 아무리해도 곤란할 경우에는, 스포이드를 사용하기도 하고, 비강튜브를 사용하나, 유아의 발육상태를 보면서 될 수 있는 한 빨리 수유병으로의 수유로 바꾸어간다. 모유가 충분할 경우에는 젖을 짜서 수유병으로 먹인다.

3. 비인강폐쇄기능에 관한 훈련

이 훈련은 구개열의 수술후, 비인강폐쇄기능이 충분치 않은 환자 및 점막하구개열이나 선천성 비인강폐쇄기능 부전증의 환자, 불기훈련(blowing)이외는 연장자가 대상이 된다.

1) 불기에 의한 훈련

준비물은 나팔, 끝이 말린 피리, 종이조각, 탁구공 등 부는 동작을 요하는 것이나 스트로와 컵 및 물 등이다.

절차는 호기의 비누출 상태를 보기위한 부는 동작을 하지 못하는 경우, 손가락으로 비공을 가볍게 누르고 불게 한다. 그 상태에서 불 수 있게 되면 서서히 손가락을 떼어간다. 스트로에 의해 물거품을 내는 경우는, 비공을 폐쇄한 상태에서의 지속시간과 비공을 개방했을 때의 지속시간을 계측, 기록하고, 그 시간 차이를 단축시켜간다(加藤, 2001).

2) 청각적 되먹이기(feedback)에 의한 훈련

절차는, 모음을 발성시켜 청각적으로 확인시키면서, 개비성의 감소를 꾀한다. 모음 가운데에는 /i, u/에서 개비성이 강한 경우가 많으므로, /a, e/에서부터 /i/로, /o/에서부터 /u/로 이행시켜간다.

3) 시각적 되먹이기(feedback)에 의한 훈련

도구는 비식경(鼻息鏡), 비인강 화이바스코프(fiberscope), 네조메타(nasometer), 블로우 네이잘리티 그래프(blownasality graph) 등이 있다.

훈련방법은 비공 밑에 비식경을 대고 발화시에 보이는 비식경상의 김이 서린 양상을 감소시켜 나가는 것이 가장 간편한 방법이다.

네조메타의 경우는 표시되는 발화시의 개비성도의 수치를 감소시켜 가는 방법으로, 그리고 블로우 네이잘리티 그래프(blownasality graph)의 경우는, 비공으로부터의 호기유출을 감소시켜 가는 방법으로 발성을 조정해간다.

또한, 화이바스코프를 사용할 경우는, 비인강 화이바스코프를 삽입하여, 직접 비인강폐쇄상태를 보면서 훈련을 한다.

단, 어느 훈련법도 훈련에 의한 개선에는 한계가 있으므로, 미리 훈련기간을 설정하고 개선이 보이지 않을 경우에는 중지하도록 한다.

4. 구음훈련

1) 구음훈련 실시 기준

(1) 비인강폐쇄기능과의 관계

구음훈련을 시작할 것인지의 여부를 결정할 경우 고려해야 할 첫째 문제는 비인강폐쇄기능이다. 비인강폐쇄부전에 직접 관련되는 개비성이나 호기 비누출에 의한 자음의 왜곡의 경우에는, 구음훈련에 의해서 개선을 도모하기 보다는, 원칙으로서 앞에서 진술한 구개의 2차 수술(인두변 성형수술, 그림 22-40, re-push back법 등) 또는 보철적 치료를 우선으로 한다. 즉, 벌브형의 스피치 에이드(speech aid)(그림 22-41A,B)와 연구개를 거상시키는 파라탈 리프트(palatal lift)(그림 22-42)가 있으며, 전자는 연구개의 움직임은 좋으나, 연구개가 짧거나,

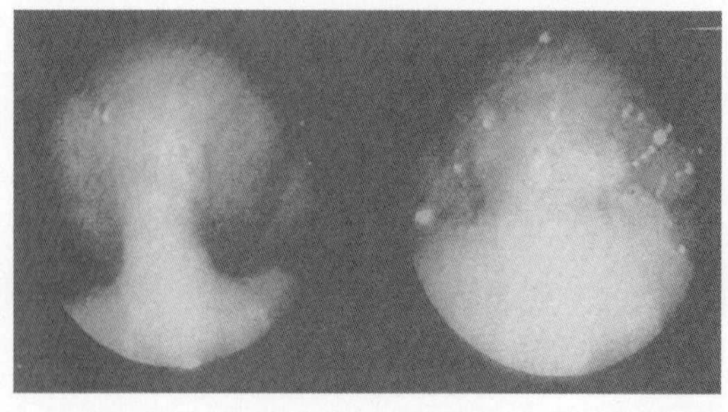
그림 22-40. 인두변 성형수술 후의 비인강 화이바스코프에 의한 소견 (좌: 안정시, 우: 발성시)

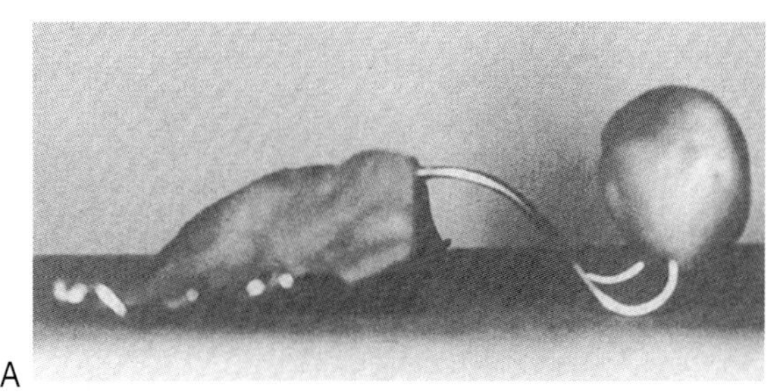
A

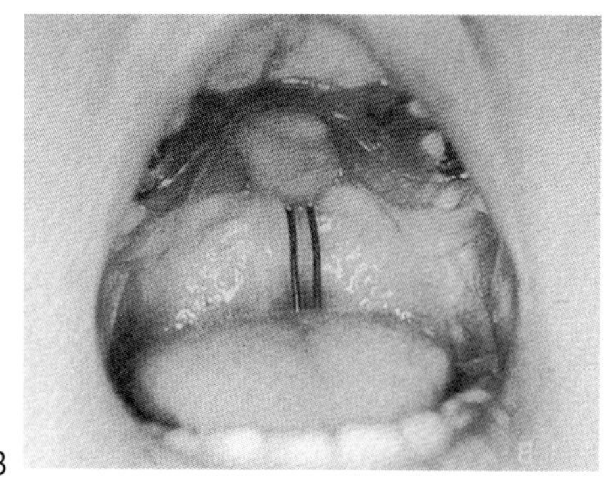
B

그림 22-41. (A) 벌브형 Speech Aid, (B) 벌브형 Speech Aid 장착시

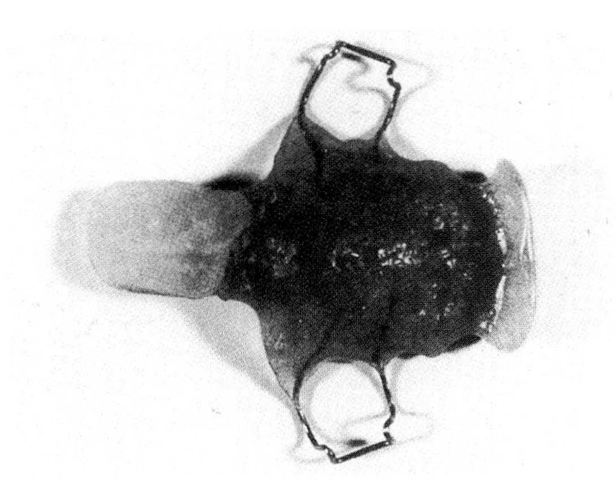

그림 22-42. Palatal Lift

인두강이 깊은 경우에 적합하며, 후자의 파라탈 리프트(palatal lift)는 연구개의 움직임은 좋지 않은 경우에 적합하다. 어느 쪽이든 이들 보철물은 원칙으로 일시적으로 장착하는 것이므로, 훈련과정에서 벌브를 작게 하거나 하면서 최종적으로는 제거하는 일을 생각한다. 제거가 불가능할 경우에는 구개의 2차 수술을 검토한다.

비인강폐쇄부전의 정도가 경도인 경우에는 구음훈련을 선행(先行)하고 폐쇄기능의 경과를 본다. 그 경우의 훈련은 3~6개월의 시험적 훈련으로 하며, 훈련에 의해 개비성이나 자음의 비음화가 개선되지 않는다고 판단된 경우에는, 짓궂게 훈련을 계속하여 환자에게 부담을 주어서는 안 된다. 비인강폐쇄기능의 재평가를 행한 후, 적절한 의학적 조치를 의뢰하는 일이 필요하다.

비인강폐쇄기능과 관련이 있다고 되어있는 성문파열음이나 인두마찰음이 인정된 경우에는, 우선 비인강폐쇄기능의 정확한 평가를 행하고, 구개의 2차적 조치를 선행(先行)할 것인지, 구음훈련을 선행할 것인지를 정한다.

통비음을 제외한 대부분의 자음이 성문파열음으로 되어있는 증례의 경우는 말소리(speech)의 청각적 인상으로 개비성을 판정하는 것이 어려운 경우가 있으므로, 그 외의 검사를 병행하여 비인강폐쇄기능을 평가한다. 명백한 비인강폐쇄부전이 인정되었을 경우에는 재수술 또는 보철적 치료가 적용된다. 또한, 폐쇄기능이 양호한 경우는 곧바로 구음훈련을 시작한다.

비인강폐쇄기능이 경도부전으로 판정되었을 경우에는 우선 구음훈련을 시도하나, 앞에서도 진술한 바와 같이 시험적 훈련이 된다. 이 경우, 구음훈련에 의해서 정상구음의 습득을 할 수 있었다고 해도, 일상 회화에의 습관화가 곤란한 경우가 있으며 이러한 때에는 의학적 조치를 고려한다.

(2) 구음훈련의 개시시기

구음훈련은 음의 추출이나 분해를 할 수 있게 되는 4-5세경(天野 1970)에 훈련을 개시하는 것이 적당하다고하는 것이 일반적인 사고방식이다. 4-5세가 적절한 시기라고 하는 또 하나의 근거는, 구음장애가 출현되어도 4-5세까지는 자연치유 또는 자연개선이 인정되는 증례가 존재하는 일과, 구개화구음이나 측음화구음과 같이 비교적 연장아가 되어서야 비로소 그 출현이 명확하게 된다고 하는 것 등을 들 수 있다. 또한, 4-5세에서 훈련을 개시해도 취학시에는 훈련이 종료되어서, 말소리의 장애 없이 취학을 할 수 있다고 하는 것도 있어서, 현재로는 구개열 아동의 구음훈련은 4-5세에서 개시한다고 하는 것이 일반적인 흐름으로 되어 있다.

그러나, 훈련개시시기를 보다 조기(早期)에 한다고 하는 경우도 있다. 구음장애의 자연개선은 3세 이후에도 일어난다고 하는 가능성은 있으나, 조기훈련은 어린아이의 언어발달을 촉진하고, 부모의 말소리에 대한 근심을 빠른 시기에 없앨 수가 있다고 하는 이점(利点)이 있다. 필자의 임상경험으로 보면, 어린아이에 따라서는 3세가 되면 훈련은 가능하다. 이 시기의 어린아이의 훈련경과의 특징은 음에서 음으로, 음에서 단어로의 일반화(generalization)가 일어나기 쉽고, 일상회화로의 습관화가 용이하다.

조기훈련에서 주의해야할 점은, 훈련이 부담이 되지 않도록 훈련회수를 적게 하고, 훈련내용도 어린아이의 발달에 맞추지 않으면 안 된다. 또한, 가정에서의 지도가 주체가 되므로, 가정에서의 훈련프로그램을 작성하는 일, 가정에서의 훈련을 담당하는 양육자의 지도를 충분히 하는 일이 필요하다(philips 등 1990, Broen 등 1993).

(3) 구음훈련의 양식과 빈도

구음훈련은 개인훈련으로 하며, 훈련은 주1-2회, 1회의 훈련시간은 유아는 15~30분 정도, 학동이상은 30분부터 1시간으로 한다. 단, 이것은 원칙이며 훈련의 단계에 대응하여 그룹훈련을 취하기도 하고, 훈련회수도 집중적으로 빈번한 회수로 행하는 것으로부터 1개월에 1-2회의 것까지 다양하다. 환자의 상태나 환경 및 언어임상가가 놓여진 환경을 감안하여 훈련양식이나 회수를 설정한다.

구음훈련은 새로운 음을 습득하는 작업이 중심이 되므로, 훈련시에 있어서의 훈련연습과 가정에서의 매일의 복습이 중요하다. 연소자의 경우는 특히 가정에서 복습을 담당하는 양육자의 협력이 필수가 되며, 올바른 방법으로 복습하기 위해서는 언어임상가의 훈련을 견학한다. 훈련시간 중에, 숙제로서 내주는 과제를 양육자에게 실제로 해보도록 하는 것도 좋다. 가정학습에서 중요한 일은, 매일 연습을 하는 일, 지시된 내용 이외의 것은 하지 않는 일이다. 일상회화로의 습관화의 단계에서는, 형제의 협력도 유효하다(船山 등 1993).

2) 구음훈련의 실제

구음훈련은 구음장애로 판정된 음을 개선하는 것을 목적으로 행하는 것으로서, 최종적으로는 습득된 구음을 일상회화 가운데에서 자유롭게 사용할 수 있도록 한다. 구개열 환자의 구음훈련은 음의 산출훈련이 주최가 된다.

(1) 청각적 변별훈련(auditory discrimination training)

음의 산출훈련을 시작하기 전에, 환자가 자신의 오류음을 청각적으로 인지하고 있는지 어떤지를 검사하고, 변별을 하지 못할 때에는 훈련을 한다. 변별검사는 표준화되어있는 것은 없으나, 오류음과 올바른 음을 쌍으로 하여 변별시킨다. 예를 들면 [t]가 [k]로 대치되고 있을 때에는 [ta]와 [ka], [to]와 [ko], [te]와 [ke]를 쌍으로 하여, 음절에서 또는 단어 내에 배치하여(「둑」과 「국」), 양자가 같은지 어떤지를 판단시키도록 하고, 올바른 음과 오류음을 무작위로 들려주고, 정오(正誤)의 판단을 시킨다(船山 등 1993). 구개열의 구음장애는 단순한 음의 치환은 적으며, 성문파열음으로의 치환, 왜곡음인 구개화구음이나 측음화구음이 많으나, 언어임상가는 이들의 이상구음(異常構音)을 자신도 산출할 수 있도록 해두면, 청각적 변별훈련에 도움이 된다.

언어임상가가 산출한 음에 대해 오류음과 올바른 음의 변별을 할 수 있게 되면, 자신이 산출한 오류음을 변별하게 하나, 변별이 어려운 경우가 있다. 정상구음을 산출할 수 있게 함으로써 청각적 변별력의 개선이 인정되는 일도(William 등 1975) 있으므로, 그와 같은 경우에는 청각적 변별훈련에 구애받지 말고 음의 산출훈련으로 들어간다.

(2) 음의 산출훈련

새로운 음을 산출하는 전통적인 방법으로서는 이하의 것이 있다(Van Riper 1978, Secord 1989).

① **청각자극법(auditory stimulation)**

청각적으로 올바른 음을 들려주고, 올바른 음을 모방시킨다. 청각자극법은 음의 산출훈련의 기본이며, 구음훈련에 있어서 어느 방법을 취한다고 해도 올바른 음을 들려주는 청각자극법을 병용하는 일이 필요하다.

② **열쇠가 되는 음을 이용하는 방법(using key sounds)**

음절이나 단어에서의 음 산출에 일관성이 없을 경우, 올바른 음을 이용하여 오류음을 개선하는 방법이다. 예를 들면 [pɯ]에서는 [p]가 산출되나, [po]에서는 오류음이 되는 경우, [pɯ]를 속삭임의 소리로 말하게 하여 [p]를 유도하고, [p]에 모음 [o]를 붙여서 [po]를 산출시킨다. 또한 「가니」에서는 [ka]가 산출되나, 「가사」에서는 [ka]가 오류음으로 되는 경우에는 「가니」의 [ka]를 이용한다. 구개열구음의 오류는 일관성이 있는 경우가 많으므로 이 방법을 이용할 수 있는 증례는 적다.

③ **점차접근법**(progressive approximation)

음으로의 접근법(sound approximation)의 하나이다. 언어임상가가 오류음으로부터 서서히 올바른 음으로 접근해가는 것을 모방시킨다. 예를 들면 [i]가 왜곡음일 때, 왜곡음으로부터 서서히 바른 [i]로 접근해간다.

④ **다른 음으로부터 이행하는 방법**(modification of other sounds)

점차접근법과 똑같이 음으로의 접근법의 하나로서, 구음 가능한 다른 음으로부터 목적음으로 이행하는 방법이다. 예를 들면 [s]를 산출할 수 있으나 [ʃ]가 오류음인 경우는, [s]에 후속모음 [i]를 붙여서 [si]를 만들고, 서서히 구음점을 후방으로 이동하여 [ʃi]를 유도한다. [ki]가 오류음인 경우, [kɯ]를 산출할 수 있을 때에는, [kɯ]에 모음[i]를 붙여서 [kɯi]로부터 [ki]를 유도한다.

⑤ **구음점법**(phonetic placement)

올바른 구음점을 가르치는 것으로 음을 습득시키는 방법이다. 구개열의 경우, 가장 이용범위가 넓은 방법이다. 구음점의 지시방법은 대상 연령이나 학습능력에 따라 다르나, 언어임상가가 음을 산출할 때의 발어기관의 움직임을 보이고 혀의 위치나 준비방법, 호기유출방법을 가르친다. 이때, 거울로 자기 혀의 모양 등을 보이거나 스테인리스 판으로 호기의 흐름을 보이는 것도 좋다. 파라토그래프(palatograph)의 이용도 이 방법의 하나이다.

(3) 훈련의 진행방법

우선 훈련음을 설정한다. 오류음이 복수일 경우는, 훈련의 제1 목적음을 정한다. 제1 목적음은 ① 구음발달의 순서, ② 개선이 쉬운 음, ③ 다른 음으로의 일반화가 일어나기 쉬운 음, ④ 전체의 명료도가 올라가기 쉬운 음 등 몇가지 조건을 고려하여 결정한다. 예를 들면, [p, t, k, s, ts, ʃ, tʃ]가 성문파열음인 경우, 구음 발달 순서나 개선하기 쉬운 것으로부터 생각한다면 구순음인 [p]를 제1 목적음으로 하나, 말의 명료도를 높임으로써 훈련에 대한 의욕을 높인다고 한다면 [t]나 [k]가 제1 목적음이 된다. 어느 것을 제1 목적음으로 할 것인가는 훈련에 임하는 언어임상가가 훈련대상자의 구음상태, 학습능력, 의욕 등을 고려하여 결정한다.

훈련의 제1 목적음을 결정한 후에는 음 · 음절의 단계로부터 훈련을 시작하여, 단어 · 단문 · 회화로 진행하는 계통적인 훈련을 행한다.

절차는, 1음절에서 구음이 가능하게 되면, 2음절의 연속([pɯ][pɯ]), 3음절([pɯ][pɯ][pɯ]), 4음절의 연속([pɯ][pɯ][pɯ][pɯ]) 등으로 진행하며, 습득한 음절을 반복해도 구음의 오류가 발생하지 않도록 한다. 최초는 1음절씩 끊어서 천천히 행하고, 점차 속도를 빨리하며, 음절의 구획간격도 좁혀간다. 최종적으로는 될 수 있는 한 빠르게 반복해도 오류음이 산출되지 않도록 한다. 같은 음절을 연속으로 하는 훈련과 동시에 전후에 모음을 붙여서 무의미 음절의 훈련을 행한다.

목적음 – 모음([pɯa], [pɯi] ……)
모음 – 목적음([apɯ], [ipɯ] ……)
모음 – 목적음 – 모음([apɯa], [apɯi], [apɯe] ……)

모음으로 할 수 있게 되면, 모음 대신에 목적음 이외의 자음을 포함하는 음절을 넣은 무의미음절로 훈련을 행하여도 좋다. 이 훈련은 다음에 행하는 단어 훈련의 도입이 된다. 음절로 목적음이 습득되면 단어의 도입으로 들어간다. 단어 가운데에서의 목적음의 위치는 어두, 어중, 어말이 있으나, 보통은 구음이 용이한 어두(「프린」)로부터 시작하여, 어말(「스프」), 어중(「에프론」)의 순서로 훈련한다. 환자에 따라서는 단어내의 3위치에서의 훈련을 병행하여 행하여도 좋다. 단어는 음절수나 음맥(音脈)을 고려함과 기존의 훈련책 중에서 언어임상가가 선택하여도 좋으나, 환자 자신이나 어린아이의 경우는 부모에게 생각하게 하면, 숙지도가 높은 단어를 선택할 수 있을 뿐 아니라, 단어 가운데에서의 목적음의 위치에 대한 인지를 높일 수가 있다.

단어에서 정상구음의 산출이 가능하게 되면, 구(句)부터 시작하여, 문절수를 많이 늘려간다. 단문에서의 훈련 후, 장문의 단계로 들어간다. 이 단계에서는 음독을 이용하나, 문자를 읽지 못하는 유아의 경우는 복창이나 암송으로 행한다.

훈련대상이 되는 목적음이 몇 개인가 있을 경우에는, 훈련에 의한 반화(般化)의 상태를 보면서 다음 목적음을 선택해간다. 제1 목적음이 어느 단계까지 습득되면 다음 목적음으로 들어가는가에 대해서는, 일정한 규칙은 없다. 환자의 학습상태를 보면서 언어임상가가 설정해간다.

구음훈련의 최종단계는 회화에서의 훈련이다. 구음동작 그 자체에 신경을 쓰지 않고 어떤 장면에서도 편안히 정상구음을 할 수 있도록 하는 것이 훈련의 최종 목표이다. 유아의 경우는 단기간에 종료하는 일이 많으며, 그 중에는 자연스럽게 회화에서 정상구음을 익숙히 사용할 수 있게 되어 회화의 훈련을 필요로 하지 않는 일도 있다. 한편, 연장자의 경우는 이 단계에서 시간을 요하는 일이 많으며, 또한 최종목표에 달하지 못하는 경우도 있다.

회화에서의 훈련은 설정된 장면에서의 회화(그림의 설명, 좋아하는 음식물의 이름 등)로부터 시작한다. 카드(줍기)놀이나 끝말잇기 놀이는 어린아이가 좋아하는 것을 선택하여 훈련 교재로 하는 것도 좋을 것이다. 그밖에 장보기놀이, 보물찾기, 이름대기놀이, 수수께끼, 종이연극놀이, 노래 등도 좋다. 연장자의 경우는 학교생활의 보고, 독서감상, 전화 대응 등 환자의 환경에 맞추어 훈련 내용을 생각한다. 어떤 교재를 사용하여 어떻게 지도해 가는가는 언어임상가가 환자의 연령, 환경 등에 대응하여 생각한다. 이때, 언어임상가에게 요구되는 것은 임상에 관한 지식과 경험 외에 환자의 상태를 재빨리 파악하여 대응할 수 있는 유연한 임상관찰이다.

(4) 구음장애별 훈련방법

구개열환자에게서 자주 보이는 구음장애를 선출하여 개개의 구음장애훈련방법에 관해 진술한다. 구음점법이 중심이 되나 앞에서 진술한 바와 같이 청각자극법은 항상 병용된다.

① 성문파열음

성문파열음은 구순이나 치경, 구개에서 구음되는 음이 성문부의 파열음으로 대치된 이상구음이다. 성문파열음을 청각적으로 인지시키거나, 후두에 손을 대고 성문파열음 산출시의 후두의 움직임을 촉각적으로 인지시키는 일도 있으나, 훈련의 주체는 음의 산출훈련이다. 성문의 비정상적인 긴장을 제거하고 정상적인 구음위치에서 음이 산출되도록 유도한다. 성문부에서의 강한 폐쇄를 제거하는 데에는, /h/또는 /ɸ/와 같은 음을 사용하여 훈련을 하면 좋다. 또한, 무성음은 성문파열음이나, 동일구음위치의 유성음이 올바르게 구음될 경우는 보통 유성음을 무성화시켜(속삭임소리) 올바른 무성음을 유도한다. 예를 들면 /k/는 성문파열음이나 /g/는 정상구음인 경우는 /ga/를 속삭임소리로 말하게 하여 /ka/를 유도하는 일이 많다.

/p/의 성문파열음은 구순을 폐쇄하고 호기압을 높인 후, 구순을 개방하여 /p/를 산출한다. 이 경우, /p/후에 /ɸ/를 붙혀서 산출시키면 성문파열음과의 이중구음을 막을 수가 있다. /t/의 성문파열음은 혀차기로부터 도입할 수 있으나, 혀차기가 잘 되지 않는 경우는, 혀끝과 윗입술과의 파열음으로부터 유도하면 비교적 용이하게 습득할 수 있다.

② 인두마찰음

인두마찰음은 치 · 치경마찰음 /s, ʃ/가 하인두와 후두개 또는 설근의 협착에 의해 만들어지는 음이다. 따라서 구음위치를 치 · 치경으로 이동시키는 일이 훈련의 목표가 되므로, 우선 혀를 평평하게 펴고 혀끝을 상하 치아 사이에 끼고, 혀의 중앙부로부터 호기를 방출시켜 마찰음을 산출하는 치간음 /θ/를 도입한다. 치간음이 구음가능하게 되면, 혀를 서서히 입 안으로 넣고 정상음 /s, ʃ/가 산출되도록 한다.

③ 구개화구음

치 · 치경 부위에서 구음되어야할 음이 설배 중앙부와 구개에서 산출되는 음으로 되었을 경우에, 구개화구음이라고 부른다. 따라서, 훈련의 초점은, 혀의 힘을 빼고, 구강의 후방에 있는 구음위치를 전방으로 이동시키는 일이다. 치음, 치경음의 대부분이 구개화구음이 되는 일이 많으므로, 하나의 음이 개선됨에 따라, 다른 음으로의 반화(般化)를 도모할 수가 있다.

훈련의 제1 목표음으로는, /s/또는 /t/를 선택하는 일이 많으나, 지속음인 /s/에서부터 시작하는 편이 혀의 안정을 꾀한다는 점에서 용이하다. 인두마찰음에서 진술한 수법을 사용하여 치간음 /θ/로부터 /s/를 도입할 수가 있으나, 구개화구음의 경우는 인두마찰음과는 달리 설배가 거상되기 쉬우므로, 혀의 힘을 빼는 일에 주의하지 않으면 안 된다(그림 22-43).

④ 인두파열음

[k], [g]의 성문파열음의 훈련에 준하여 행한다. 단, 인두파열음은 청각적으로 [k],[g]에 가까우므로, 청각적 피드백보다는 시각적 피드백, 즉 정상적인 [k]는 설배가 거상하는데 비해, 인

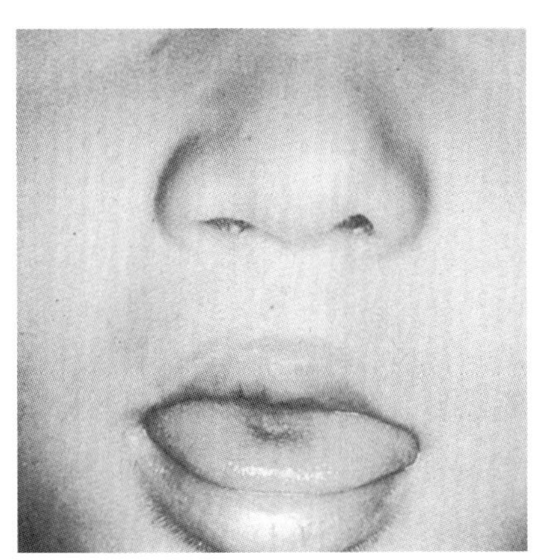

그림 22-43. /s/ 훈련에서 혀의 힘을 뺀 상태

두파열음 [k]는 혀가 후방으로 이끌려져 가는 것을 확인시키는 편이 좋다.

⑤ **측음화구음**

측음화구음은 구개화구음과 똑같이 설배가 거상되나, 호기가 구강의 중앙부가 아닌 측방으로부터 유출되는 점이 구개화구음과 다르다. 따라서 설배의 거상을 없애는 것과 동시에 호기를 구강의 중앙에서 방출되는 훈련을 하여야한다. 측음화구음은 「이」열 음에서 계통적으로 보이는 일이 많다. 모음 [i]의 개선에 의해 [i]를 후속모음으로 하는 음절의 개선이 얻어지기 쉬우므로 [i]의 훈련부터 시작한다(加藤 1991). 한편, [ʃ], [tʃ], [dʒ]가 측음화구음이 되어 있는 경우에는 마찰음 [ʃ]부터 훈련하면 좋다.

⑥ **비인강구음**

비인강구음은 설배가 구개에 접하여 구강으로의 호기 유출이 정지되므로, 호기를 비강으로 유출할 때에 음이 산출되는 구음장애이기 때문에, 우선 설배의 거상을 억제하고 호기를 구강으로 유인하는 것으로부터 훈련을 시작한다. 「이」열 음, 「우」열 음에서 계통적으로 보이는 일이 많으므로, 모음을 훈련의 제1 목적음으로 하던가, 지속음인 마찰음 [ʃ]를 제1 목적음으로 하면 다른 음으로의 반화(般化)가 일어나기 쉽다.

5. 기재 사용에 의한 구음훈련

동적인공구개(dynamic palatograph : DP)를 사용하여 훈련하는 일이 있다(山下 등 1976, 岡崎 등 1980, 山下 등 1988)(그림 22-44, 45)

DP는 구개에 대한 혀 접촉이 경시적으로 제시되므로 청각적 피드백과 시각적 피드백이 동시에 가능하다고 하는 이점이 있다. 따라서 청각장애를 동반하는 구개열아에게 있어서는 유효한 기재이며, 언어임상가도 훈련과정에 있어서의 훈련음의 개선이나 다른 음으로의 반화(般化)상태를 정확히 알 수 있는 점에서 우수한 훈련방법이다(加藤 1991).

결점은 기재 가격이 고가이며, 인공구개를 작성하지 않으면 안되는 점이다. 인공구개는 개인마다 필요하며, 구개의 모형을 따서 작성하므로 시간과 경비가 든다. 또한 인공구개는 그라습(grasp)에 의해 치아에 고착시키므로, 치아의 교환기에 있는 어린아이의 경우는, 재작성이 필요하게 되는 일이 있다. 특히 구개열아는 결손치가 많기 때문에, 교정장구를 사용하는

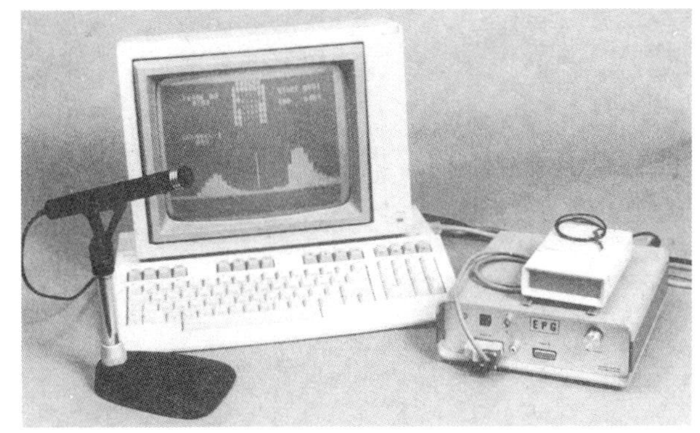

그림 22-44. Electro-palatography에서 사용되는 기재

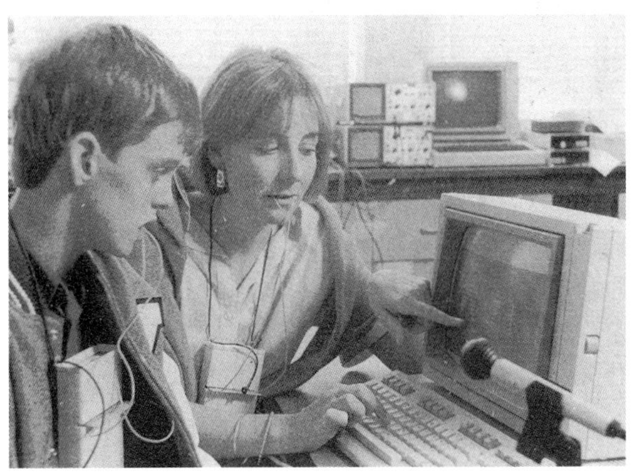

그림 22-45. 어린아이가 언어치료사와 함께 Electro-palatography System 사용중

일이 있으므로, 인공구개를 장착할 수 없는 일이 있다. DP는 경구개와 혀가 접촉되는 것을 제시하는 것이므로 훈련음으로서는 치음, 치경음, 모음([i],[e],[ɯ])에 한정된다. 따라서 구개화구음이나 측음화구음의 훈련으로 사용하는 데에는 적합하다.

〈참조 : 본 22장은 편역임〉

참고문헌

1. 磯部美也子, 川野通夫, 田野口二三子ほか. 咽頭破裂音の構音運動. 耳鼻臨床7, 1994. Pp933-940.
2. Okazaki K, Kato M, Onizuka T. palate morphology in children with cleft palate with palatalized articulation. Ann Plast Surg 26, 1991. Pp156-163.
3. 福迫陽子, 澤島政行, 阿部雅子. 口蓋裂術後の言語症狀の經過-13歲手術例について. 音聲言語醫學15, 1974. Pp37-46.
4. 岡崎惠子, 鬼塚卓弥, 阿部雅子ほか. 口蓋裂における異常構音としての口蓋化構音について-ダイナミック・パラトグラフおよびX線映畵による觀察. 音聲言語醫學21, 1980. Pp109-120.
5. 岡崎惠子. 口蓋裂言語の1型としての口蓋化構音. 日形會誌 I, 1982. Pp164-176.
6. 福迫陽子, 澤島政行, 阿部雅子. 小兒にみられる構音の誤り(いわゆる技能的構音障害)について. 音聲言語醫學17, 1976. Pp60-71.
7. 長澤泰子, 梅村正俊. 側音化構音のprevalenceに關する研究. 國立特殊教育總合研究所. 研究紀要16, 1989. Pp83-91.
8. 加藤正子. 側音化構音の動態について-エレクトロ齒冠パラトグラフによる觀察. 音聲言語醫學32, 1991. Pp18-31.
9. 阿部雅子. 鼻咽腔構音(いわゆる鼻腔構音)の病態-音の分析と構音動態の觀察. 音聲言語醫學28, 1987. Pp239-250.
10. 阿部雅子. 鼻咽腔構音(いわゆる鼻腔構音)の臨床研究. 音聲言語醫學29, 1988. Pp8-14.
11. 今富攝子, 角谷德芳, 河原明子ほか. 鼻咽腔ファイバー所見における鼻咽腔閉鎖動態. 日口蓋誌20, 1995. Pp172-180.
12. Fletcher, S. G.. "Nasalance" Vs. listener judgement of nasality. Cleft palate J.,13, 1976. Pp31-44.
13. 內山健志, 小枝弘實, 北村信隆他. Nasometerによる開放性鼻聲の客觀的評價について. 日口蓋誌16, 1991. Pp130-138.
14. 松井義郎, 鈴木規子, 今井智子他. 發聲時口腔鼻腔流出氣量について-フローネイザリティーグラフとサウンドスペクトログラフによる同時觀察. 日口蓋誌12, 1987. Pp175-192.
15. 加藤正子. 開鼻聲の訓練. JOHNS 17, 2001. Pp1167-1172.
16. 天野淸. 語の音韻構造の分析行動の形式とかな文字の讀みの學習. 教育心理學研究18, 1970. Pp76-89.
17. Philips BJ. Early speech management In Bardach J, Morris HL(eds):Multidisciplinary Management of Cleft Lip and Palate, WB Saunders, Philadelphia. 1990. Pp732-735.
18. Broen PA, Doyle SS, Bacon CK. The velopharyngeal inadequate child-phonologic change with intervention. Cleft Palate Craniofac J30, 1993. Pp500-507.
19. 船山美奈子, 岡崎惠子 = 監譯. 臨床家による臨床家のための構音障害の治療. 協同醫書, 1993. p127-132. [Winitz H(ed). Treating Articulation Disorders for Clinicians by Clinicians, Pro-ed, Texas. 1985.]
20. Williams GC, McReynolds LV. The relationship between discrimination and articulation training in children with misarticulations. J Speech Hear Res 18, 1975. Pp401-412.
21. Van Riper. Speech Correction-Principles and Methods(6th ed), Prentice-Hall, Englewood Cliffs NJ, 1978. Pp166-220.
22. Secord WA. The traditional approach to treatment, In Creaghead NA etal : Assessment and Remediation of Articulatory and Phonologic Disorders (2nd ed), Macmillan, New York. 1989. Pp129-158.
23. 加藤正子. 構音訓練による音の改善經過-口蓋化構音と側音化構音. 島津一夫先生 喜壽記念出版會=編:現代心理學の諸研究, ミーダーカンパニー, 1991. Pp317-333.
24. 山下眞司, 柴田貞雄, 船山美奈子ほか. ダイナミック・パラトグラムによる構音訓練-腦性マヒ者(兒), 卒中後舌マヒ者, 口蓋裂兒, 難聽兒への試用經過, 國立聽力言語障害センター紀要昭和50年度, 1976. Pp81-96.
25. 岡崎惠子. ダイナミック・パラトグラフによる口蓋化構音の訓練. 日口蓋誌5, 1980. Pp154-161.
26. 山下夕香里, 道健一, 今井智子ほか. 口蓋裂術後構音障害患者の構音訓練におけるダイナミック・パラトグラフィーの有效性について-/s/音の訓練經過の評價. 日口蓋誌13, 1988. Pp242-252.
27. 이호영. 국어음성학. 태학사, 1996.
28. 신지영. 말소리의 이해. 한국문화사, 1997.
29. 신지영, 차재은. 우리말 소리의 체계-국어음운론 연구의 기초를 위하여. 한국문화사, 1998.

제23장 구순구개열의 청력

Hearing of Cleft Lip and Palate

정명현

정상인 보다 구순구개열 환자에서 중이염이나 난청이 더욱 흔하게 발병하는 귀 질환이란 것은 이미 오래전에 여러 학자들의 연구에 의하여 잘 밝혀져 있다. Alt는 1878년에 구순구개열이 귀 질환과 관련이 있음을 최초로 보고하였고, Thorington은 1892년에 구순구개열을 치료하는 경우 난청이 회복될 수 있다고 발표하였다. 또한 Gutzmann은 1893년에 그가 돌보던 구개열 환자의 약 반수에서 난청이 있음을 보고하였다. 그 이후 구순열만 있는 환자에서는 귀 질환의 발병빈도가 정상인과 비슷하며, 구개열이 있거나 구순구개열이 같이 있는 환자에서는 난청의 빈도가 정상인에 비해 매우 높다고 많은 학자들의 보고가 뒤따라 있었다. 또한 Brunck는 1906년에 모든 구순구개열 환자에서 반드시 난청을 포함한 귀 질환 유무를 확인하여야 한다고 강조하였다. 이상과 같은 근거로 구순구개열 환자를 치료하는 모든 의사는 구순구개열과 귀 질환의 발병빈도, 발병기전, 난청의 특성, 난청의 정도 등에 관한 상관관계를 잘 이해하여 구순구개열 환자의 귀 질환을 적절히 치료해야 할 뿐만 아니라 수술치료 후 뒤따르는 언어치료 때에 발생할 수 있는 문제점을 해결하는데 조언 할 수 있어야 한다.

I. 구순구개열 환자에서 귀 질환

구순구개열 환자에서의 귀 질환의 발병기전을 이해하기 위해서는 귀의 구조와 구개인두의 구조 및 기능을 이해하여야 한다. 구조적으로 중이강은 이관을 통해 비인강과 연결이 되어 있으며 기능적으로도 매우 밀접한 관련이 있다. 그러므로 우선 비인강, 구개인두, 중이 및 이관의 구조와 기능을 살펴보면 다음과 같다.

1. 구개인두의 구조와 기능

구개성형술이 발달하며 구개인두의 구조와 기능에 관해 더욱 자세한 지식이 필요하게 되었고 그 결과로 최근에 이 분야에 대한 지식이 급속히 발전하였다. 구개인두는 연구개와 anterior and posterior pillar muscles과 구개편도와 인두의 superior constrictor muscle로 구성되어 있으며 음식물의 저작과 연하운동 때에 비인강과 구강 사이를 차단하여 음식물이 비인강으로 역류하는 것을 막아주거나 또는 언어를 구사할 때 적절하게 개방과 폐쇄를 조절하여 조음기능을 한다.

이와 같은 지식은 구순구개열 환자의 기형적인 구순이나 구개의 구조적 복원뿐 아니라 수술 치료 후의 기능적 회복을 이룩하는데 절대적으로 필요하다. 구조적 복원이 완성된 후 음식물을 삼키거나 언어를 구사 할 때 구개인두의 개폐 기능은 이관의 원활한 기능을 유지하는데 매우 중요하다. 만약에 구개인두의 개폐기능이 불완전한 경우 구개인두부전증이 나타난다. 그러므로 구개인두의 개폐에 관여하는 특별한 근육들의 구조와 역할을 이해하고 구개열 환자에서는 연구개를 형성하는 근육의 기형적 특성과 연구개의 운동을 지배하는 운동신경과 혈액순환에 관계하는 혈관들의 분포를 잘 알아서 수술 중 손상을 피하고 나아가 구순구개열과 동반될 수 있는 악안면기형의 성질을 밝히고 이들을 치료할 때에 그 지식을 최대한 이용할 수 있어야 한다(그림 23-1).

2. 이관의 구조와 특성

이관은 성인에서 길이가 약 31mm 내지 38mm 정도 되고 직선 형태는 아니고 약간 굴곡이 져 있으며 골부, 접합부, 연골부로 세 부분으로 나눌 수 있다. 이관의 구조를 이해하기 위

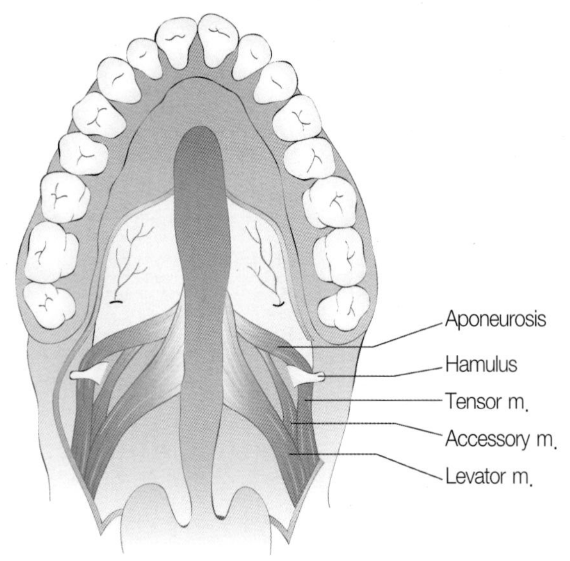

그림 23-1. 구개열 환자에서 연구개 근육의 분포. 연구개 근육들이 비정상적으로 세로로 주행하여 얇고 좁은 건막으로 경구개의 뒤쪽 가장자리에 붙어있다. 구개성형술 때 근섬유의 방향을 가로로 바꿔 levator sling을 만들어, 연구개의 수축시 구개인두가 효과적으로 폐쇄될 수 있도록 복원하여야 한다.

해서는 이관을 통해 서로 연결 되는 중이강과 비인강의 구조를 먼저 이해해야 한다.

이관은 중이강 내의 앞쪽 골벽에 개구하는 골부와 비인강 쪽으로 개구하는 연골부와 또 두 부위가 서로 만나는 연결부로 이루어져 있다. 골부는 중이강의 중간쯤(mesotympanum)에서 앞쪽 아래쪽으로 이관의 중이강 쪽 시작부위가 열려 있다. 이관의 중이강 쪽 골부는 비인강을 향해 앞쪽 아래쪽으로 비스듬히 내려가며 비인강 쪽 연골부로 연속되며 이와 같이 골부와 연골부가 만나는 부위를 협부(isthmus)라고 한다. 과거에는 연결부가 이관 중 가장 좁은 곳으로 알려졌었으나 최근에 학자들의 3 차원 그래픽을 이용한 결과에 의하면 연결부의 골부 쪽 끝부분 가까운 곳, 즉 과거에 가장 좁은 곳으로 알았던 연결부의 바로 안쪽에 가까운 부위가 잘록하여 내경이 가장 좁은 협부를 이룬다 하였다. 즉 연결부는 중이강 쪽에서 비인강 쪽으로 이어지는 아주 좁은 관상의 이음부로 구분할 수 있는 구조이다. 골부는 골벽과 점막으로 이루어져 공간이 항상 개방되어 있으며 연골부는 이관 연골과 구개범장근(tensor veli palatini m.), 구개거근(levator veli palatini m.), 이관인두근(salpingopharyngeus m.)들로 구성되어 있으며 내면은 섬모로 덮인 점막으로 되어 있으며 평상시에는 닫혀있다. 이관의 내면을 이루는 점막의 상피는 조직학적으로 상기도 호흡상피와 연결된 pseudostratified cilliated columnar epithelium 으로 되어 있다. 섬모는 상피하층에 분포한 장액선과 점액선에서 분비된 액체를 중이강 쪽에서 비인강 쪽으로 쓸어내는 섬모운동을 한다. 상피하층에 있는 장액선과 점액선이 분비하는 분비물에는 선천 면역기능을 갖는 락토페린, 리소자임, 면역글로불린 A와 같은 물질을 함유하여 감염을 예방하는 기능이 있다. 또한 표면활성물질를 분비하여 이관의 원활한 개폐가 이루어지도록 도움을 준다, 이관의 발육과 성장 및 구조와 기능을 잘 아는 것은 왜 영유아가 청소년이나 성인 보다 중이 감염이 더 쉽고 흔하게 발병하는지 이해하는데 중요하다. 또한 정상인에 비해 구개열 환자에서 중이 염증의 빈도가 훨씬 높은 것을 이해하는데 크게 도움이 된다.

비인강 쪽 연골부는 비인강 측벽으로 개구하며 그 입구는 경구개 평면높이에서부터 약 2cm 정도 높게 비인강의 측벽에 위치한 이관융기(torus tubarius)의 앞쪽으로 많은 점막의 주름으로 둘러싸여 개구하고 있다(그림 23-2).

유소아에서는 중이강 쪽 골부가 전체 길이의 약 2/3에 해당하며 비인강쪽 연골부가 약 1/3에 해당하고 높이 위치한 중이강과 낮게 위치한 비인강 사이의 하향 경사도는 약 10도 정도로 완만하다. 그러나 성장과 더불어 이관의 발육이 완성되는 성인에서는 골부가 약 1/3정도이고 연골부가 약 2/3 정도로 변하고 수평면에 대한 기울기도 약 40도 정도로 훨씬 가파르게 되어 중력에 더욱 저항하게 된다. 성인에 비해 유소아의 이관은 상대적으로 관강(lumen)은 넓고 길이는 길다. 또한 이관을 개폐하는데 관여하는 근육들의 불완전한 발육으로 기능도 미숙하기 때문에, 유소아 때가 성인에 비해 이관을 통한 중이의 감염이 쉽고 흔하다.

이관은 약 12세경이 되면 구조와 기능이 거의 성인의 수준에 도달하나 완전한 발육과 성장은 18세경에 완성된다. 그러므로 일반적으로 정상 소아에서도 12세경 까지는 중이에 질환이 생기기 쉽다. 구개열환자의 경우는 생후 12내지 24개월 때에 구개형성술을 받은 후에는 중이염의 발병이 많이 감소하기는 하지만 구개형성술을 받고 나서도 구개인두부전증이 호전되지 않았거나 또 성인이 되어서도 이관의 발육과 성장이 완전치 못하여 중이염이 반복해서 생기거나 쉽게 치료되지 않는 경우도 있다. 이관은 출생 시에 약 13mm 정도의 길이로 수평

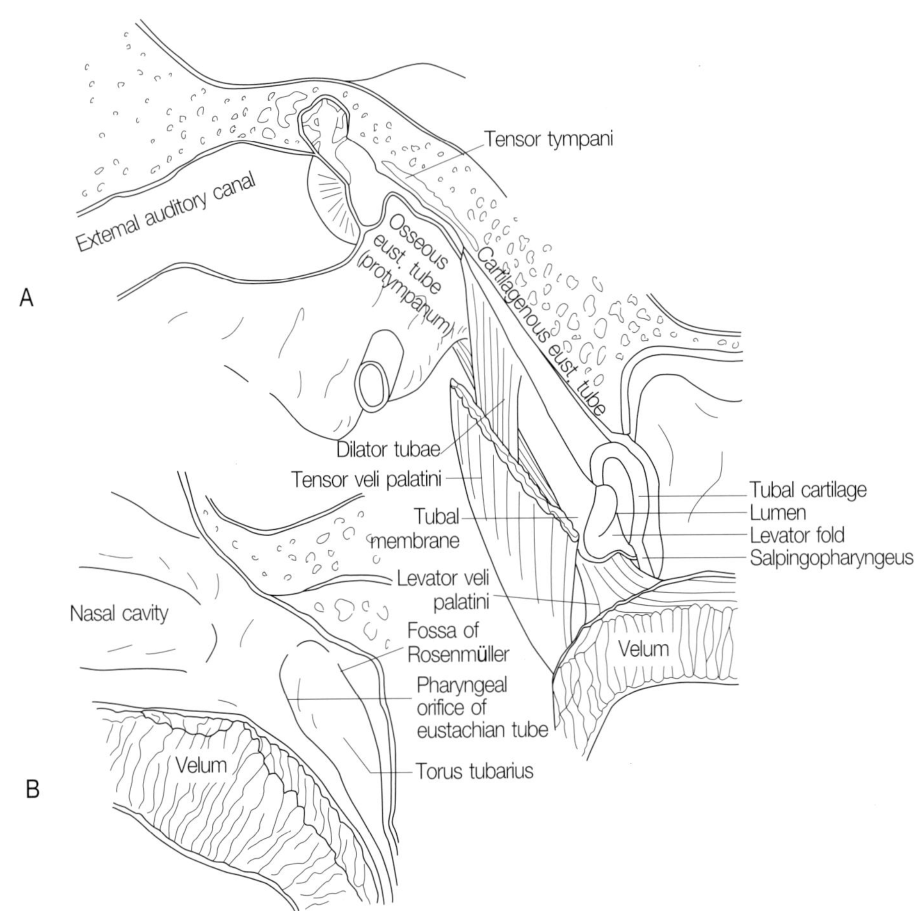

그림 23-2. 중이강과 이관의 연결 및 개구. (A) 이관의 중이강 쪽 개구부와 이관의 골부와 연골부가 만나는 이관협부를 보여준다. 또한 이관의 개폐에 관여하는 주변 근육들을 보여준다. (B) 이관융기의 앞쪽으로 이관의 비인강 쪽 개구부가 열리며 이관융기의 먼 쪽 끝은 이관인두근으로 연결된다.

면과 약 10도 정도의 각도로 골부보다 연골부가 비스듬히 낮게 연결되어 출생 후 유년기까지 지속된다. 그러나 소아기가 되며 머리뼈가 급속히 성장하기 시작하면 머리뼈 바닥이 상하좌우로 커지고 경구개가 낮아져 이관도 수평면과 이루는 각도가 커져 골부와 연골부의 연결각도가 약 45도 정도로 더욱 경사가 커지고 길이도 약 33mm로 길어진다. 이 연결 각도가 가파르게 경사가 커지면 비인강과 중이강 내의 중력의 차이가 커지고 이관의 직경도 유 소아에 비해 청소년이나 성인에서 절대적으로는 약간 넓어지고 길어지나 상대적으로는 유 소아 때보다 좁아지므로 성장할 수 록 이관의 환기, 청소, 보호기능이 완성되어 이관을 통한 중이의 감염 기회가 줄어든다(그림 23-3).

이관의 골부는 항상 열려져 있으나 연골부는 평상시 닫혀 있다가 음식물을 삼키거나 하품을 할 때에 순간적으로 열렸다 닫힌다. 짧지만 이러한 개방기간에 중이강과 비인강 사이에 공기의 흐름이 이루어져 중이강 내의 기압이 대기의 압력과 같아져서 중이강이 소리를 전달하기에 가장 좋은 상태로 기압이 유지되고, 중이점막으로부터 분비되는 분비물도 배출된다. 이때 이관 관강의 점막표면에 있는 섬모들의 운동이 점액성 분비물의 배출을 주도한다.

1) 이관의 개폐를 조절하는 근육

이관은 단순한 관 형태의 기관이 아니라 관강(lumen)과 이를 덮고 있는 점막과, 주변의 연조직과, 이관 연골과 이관 주위의 구개범장근(tensor veli palatini m.), 고막긴장근(tensor tympani m.), 구개거근(levator veli palatini m.) 이관인두근(salpingopharyngeus m.) 같은 근육들과, 접형골구(sphenoid sulcus), 내측날개평판(medial pterygoid plate)과 같은 지지 골

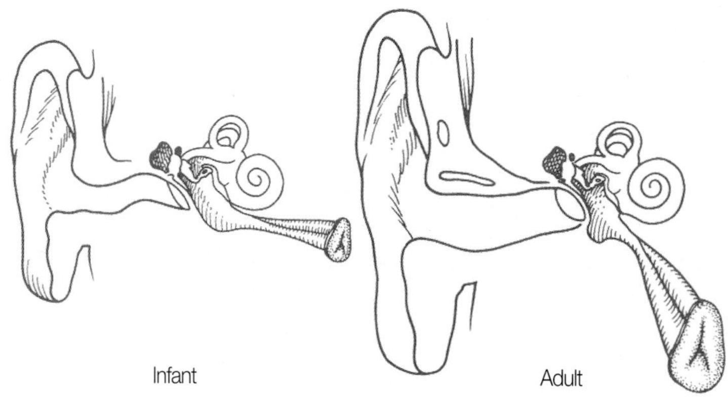

그림 23-3. 유소아와 성인 이관의 차이. 유소아 이관은 성인에 비해 중이강 쪽 개구부와 비인강 쪽 개구부의 기울기가 수평면에 가깝고 상대적으로 길이도 길고 내경도 넓다. 이관의 개폐에 관여하는 근육들의 발육도 불완전하여, 유소아의 이관 기능이 성인에 비해 중이염 발병에 취약하다.

부로 구성 되어있는 근접기관계의 일부로 직접 또는 간접적으로 이관의 기능과 밀접한 관련이 있다.

이관은 평상시에는 닫혀 있으나 연하, 하품, 또는 재채기를 할 때에 이관을 열어주는 근육은 주로 구개범장근의 역할이며 이때 구개거근이 보조적인 역할을 한다. 구개범장근의 수축으로 이관연골이 태엽모양으로 감기며 열렸던 이관은 구개범장근이 이완되면 이관연골의 탄성섬유의 복원 성질에 의하여 수동적으로 닫히게 된다.

구개를 긴장시키는 구개범장근(tensor veli palatini muscle)의 수축으로 구개가 긴장되는 경우 이관은 열리게 된다. 구개범장근은 고막긴장근과 힘줄로 연결되어 있으며 두 근육은 같은 운동신경의 지배를 받으므로 이 두 근육은 이관의 배출기능에 협력하고 있다. 그 근거로 Dickson은 구개의 긴장으로 고막긴장근이 고막을 안쪽으로 당기면 고실내의 압력이 높아져 이관의 배출기능이 시작되도록 유발할 것이라고 추정하였다. Kamerer는 이관의 배출시 이들 근육이 비슷한 latency response time을 보이는 것을 밝혀 두 근육사이의 공조를 재확인 하였다. 그러나 Honjo나 Honda 등의 보고에 의하면 정상인에서도 약 20%의 경우에서 이관의 배출과 고막긴장근의 수축이나 연하 사이에 필수적인 관련이 없는 경우도 있다는 연구 결과를 근거로, 단지 고막긴장근의 수축은 구개범장근의 수축에 간접적으로 영향을 주어 이관의 배출기능을 유발하지 직접적으로 작용하기는 않는다고 보고하였다(그림 23-4).

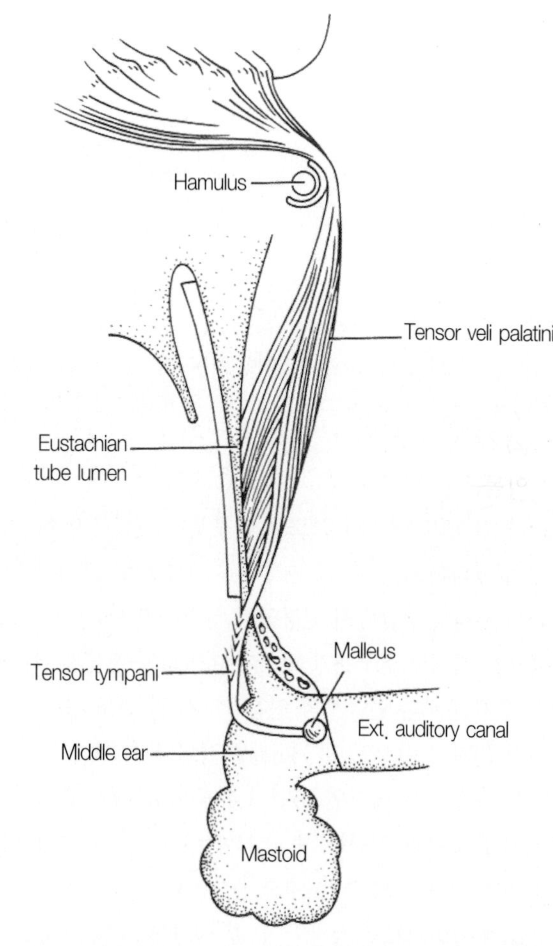

그림 23-4. 연구개 운동과 이관의 개폐. 연구개와 이관연골을 연결하는 levator veli palatini m.과 tensor veli palatini m.의 수축과 이완에 따라 이관의 개폐가 조절되므로, 구개열로 인하여 연구개 운동이 없으면 이관의 개폐가 원활하지 못하여 중이염이 발병하기 쉬워진다.

2) 이관의 신경 분포

감각신경은 비인강 쪽 개구부는 이신경절(otic ganglion), 접형구개신경(sphenopalatine nerve)과 인두신경총(pharyngeal plexus)으로부터 지배를 받으며 나머지 부분들은 고실신경총(tympanic plexus)과 인두신경총 으로부터 감각신경 섬유를 받는다. 구개범장근과 고막긴장근은 삼차신경 운동핵으로 부터 하악분지를 통하여 운동신경 섬유를 받으며 구개거근은 의문핵(nucleus ambiguus)으로부터 미주신경을 통하여 지배 받는다. 자율신경 중 교감신경은 접형구개신경절(sphenopalatine ganglion), 이신경절, 경고신경(caroticotympanic nerve)으로부터 지배를 받으며 부교감신경은 설인신경(glossopharyngeal nerve)의 고실분지(tympanic branch)로부터 지배를 받는다.

3) 이관의 혈관 분포

(1) 동맥(arteries)

상행구개동맥(asending palatinel artery)
내악동맥의 인두분지(pharyngeal branch of internal maxillary artery)
익돌관 동맥(artery of the pterygoid canal)
상행인두동맥(ascending pharyngeal artery)
중경막동맥(middle meningeal artery)

(2) 정맥(veins)

익돌근정맥총(pterygoid venus plexus)

(3) 림프관(lymphatic)

이관 점막의 고유층에는 풍부한 림프통로가 있다. 특히 골부보다는 연골부에 더욱 많이 분포하며 이들은 외측으로는 심경림프절(deep cervical lymphnodes)로, 내측으로는 인두후림프절(retropharyngeal lymphnodes)로 흘러간다.

3. 이관의 기능

이관은 단순한 기관 이라기보다는 중이강과 유양동의 함기세포로 부터 비강, 구개, 인두 까지 밀접한 관련이 있는 기관계로 간주하여 인접한 관련부위의 고조와 기능을 같이 연관지어 이해하여야 한다. 특히 구개는 경구개와 연구개가 모두 온전한 구개인두 개폐기능을 정상적으로 유지해야 만 이관의 정상적인 기능이 보장되는 필수조건이다. 비강과 비인두나 구개인두에 질병이 있거나 불완전한 구조와 기능의 장애가 있으면 이는 바로 이관의 기능부전을 유발하여 이관의 기능에 예민하게 영향을 받는 중이 질환으로 이행하는 계기가 된다.

이관은 다음과 같은 세 가지 생리적 기능을 갖으며 이들은 이관 주변의 관련 구조들의 발육과 기능의 병적상태로부터 지대한 영향을 받는다.

1) 기압 조절기능(ventilation)
2) 청소기능(drainage)
3) 방어기능(protection)

4. 이관 기능부전의 기전

1) 이관의 기계적 폐쇄(mechanical obstruction)

외적 또는 내적 원인에 의하여 이관의 관강이 물리적으로 폐쇄되어 기압 조절기능과 청소기능을 잃어버린 상태로 보호기능은 더욱 강화되어 이관을 역행하는 감염은 불가능하나 고막을 통하여 감염이 되는 경우 청소기능이 나빠서 치유가 잘 안된다. 중이강 내에 중이점막으로부터 분비된 삼출액이 고이게 되고 이충만감, 이명, 이통, 난청 등의 증상이 생긴다.

(1) 내인성 폐쇄(intrinsic obstruction): 이관염 등으로 관강의 상피점막이 손상되어 내면에 유착이 생겨 막힌 경우.
(2) 외인성 폐쇄(extrinsic obstruction): 이관 주변의 종궤로 인하여 이관이 밖으로부터 눌려 관강이 막힌 경우.

2) 이관의 기능성 폐쇄(functional obstruction)

물리적 폐쇄는 없으나 이관의 개폐에 관여하는 연골이나 근육들의 발육과 기능이 불완전하거나, 운동신경이 마비되어 이관의 개폐기능이 미숙한 경우로 이때는 세 가지 생리적 기능이 모두 장애를 일으킨다. 때로는 이관의 개폐에 관여하는 연골이나 근육의 발육과 기능이 완전한 경우에도 이관 내면 상피의 섬모운동과 밀접한 관련이 있는 표면활성물질(surfactant)의 양이 부족하거나 기능이 나쁜 경우도 기능성 폐쇄가 올 수 있으며 증상은 물리적 폐쇄 때와 같다.

3) 이관의 이상개방(abnormal patency)

평상시에는 닫혀 있어야 할 이관이 완전히 닫히지 않거나 낮은 기압의 차이에도 쉽게 열리거나 항상 열려 있어 이충만감, 자가강청(otophonia), 저작 또는 호흡시 타각적 이명 같은 증상들이 있어 환자는 매우 불편해 하며 이관의 모든 기능이 떨어진다. 그러나 간혹 기압 조절기능이나 청소기능은 좋을 수 있으나 방어기능은 나빠져 이관을 역행하여 감염이 쉽게 될 수 있다(그림 23-5).

II. 구개열 환자에서 귀 질환과 난청

구개열 환자는 이관을 개폐하는 근육들의 기형을 동반하고 태어난다. 그러므로 구개열이 있는 환자에서 이관의 기능 부전으로 인하여 중이염이 매우 쉽게 또 흔하게 발병케 하는 원인으로 이해할 수 있다.

1. 구개열 환자에서 이관의 구조와 기능

이관은 중이강과 비인강을 연결하는 좁은 관상의 통로로 주로 공기가 비인강을 통해서 중이강으로 들어가거나 나와 중이강의 기압을 대기압력과 항상 같게 유지 시키는 작용을 하며 또한 중이강 내에서 분비되는 점액을 비인강으로 배출하는 기능과 비인강 으로부터 중이강 내로 오염된 감염원이 역류되는 것을 막아주는 크게 세 가지의 기능을 한다. 이와 같은 이관의 체계적 역할을 유지하기 위해서는 구개의 구조와 기능은 정상이어야 한다. 연하운동 때에 구개인두가 충분히 닫히는 것도 이관의 생리적 기능을 유지하는데 매우 중요한 조건이다. 연구개를 이루는 구개범장근(tensor veli palatini muscle)은 이관의 유일한 확장근육(dilator)이기 때문에 삼킬 때에 이관의 효과적으로 확장시키기 위해 이 근육의 완전한 상태가 매우 중요하다.

구개거근(levator veli palatini muscle)의 근섬유는 이관연골(tubal cartilage)과 평행하게 내하방으로 주행하여 이관 바닥(tubal floor)의 천정(vault)을 구성한다. 구개거근의 근섬유들은 부채 모양으로 펼쳐져서 연구개의 등 쪽(dorsal surface)에 분포하며 연구개의 중앙부에서 양측 근섬유가 만난다. 구개거근의 기능이 나쁘더라도 이관의 능동적 개방기능에 지장은 없다는 보고가 있지만 이관의 개폐기능에는 구개범장근과 구개거근의 보완적인 통합기능에 의하여 완전한 기능을 나타낸다. 그러므로 구개성형술(palotoplasty)시 가능한 한 양측 구

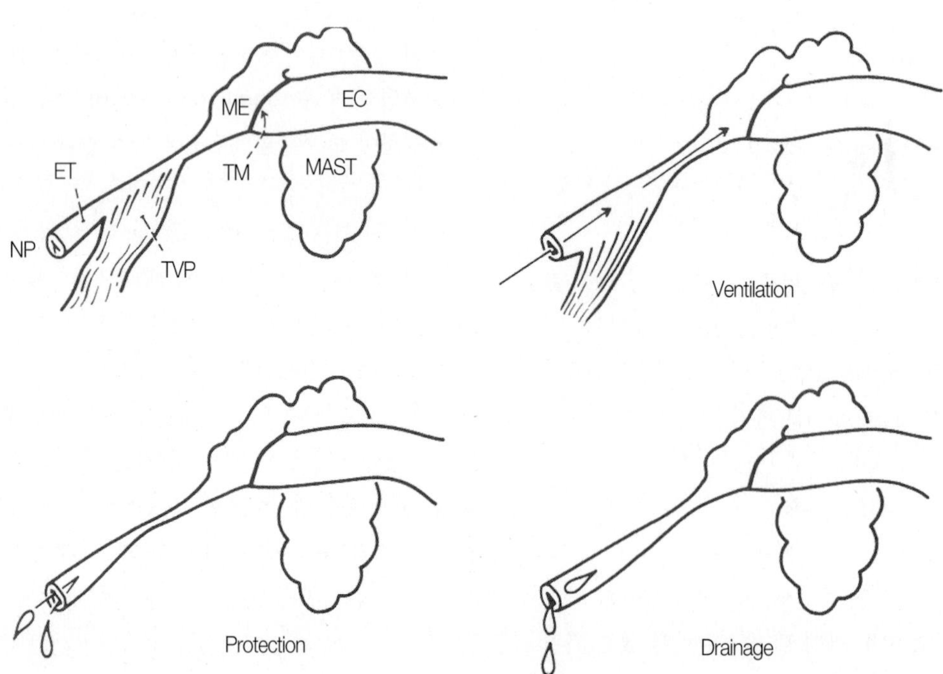

그림 23-5. 이관과 중이강의 관계. Tensor veli palatini m.의 수축과 이완으로 이관이 개폐될 때 이관의 세가지 생리적 기능(환기, 배출, 보호)이 이루어진다. NP: 비인강, ME: 중이강, TM: 고막, MAST: 유양동 TVP: tensor veli palatini m., ET: 이관, EC: 외이도.

개거근의 근섬유를 찾아 서로 맞대어 봉합하는 소위 levator sling을 만들어주어 구조적 복원과 아울러 기능적 복원을 도모해야 한다.

2. 구개열 환자에서 이관(eustachian tube) 기능장애

이관의 개폐와 정상 생리적 기능이 확실히 이루어지지 않는 경우를 말한다. 중이 삼출액의 유무와 상관없이 중이염과 유사한 난청 , 이충만감, 이통, 이명과 같은 이관기능장애의 증상들은 이관의 개폐가 전혀 안되거나, 이관의 개방이 매우 어렵거나, 너무 쉽게 개방되거나 항상 개방되어 폐쇄가 되지 않는 이관의 상태 때 에도 증상이 있다. 드물게는 자가강청, 현훈까지도 나타내는 상태이다. 이관기능 장애는 나타나는 증세의 정도에 따라 경도, 중등도, 고도로 나눌 수 있으며 증상의 지속 기간에 따라 다시 급성, 아급성, 만성으로 분류하기도 한다.

중이염은 구개형성술을 받지 않은 유 소아 구개열 환자에서 흔히 발병한다. 구개형성술을 받으면 음식물이 비인두로 역류되는 것이 없어지고 구개인두 부전증이 개선되어 이관의 기능이 회복되므로 중이염을 호전시키는 것은 이미 잘 알려져 있다. 그럼에도 불구하고 일부 구개열 환자에서는 중이염이 낫지 않고 남아있거나 나았다가도 쉽게 반복하여 재발하기도 한다. 치료받지 않은 구개열 환자에서 이관의 장애가 생기는 것은 구개열에 의한 이관 개폐기능 상실이 주된 원인이다. 이와 같은 사실은 구개열 환자의 측두골과 이관의 조직병리학적 연구에서 밝혀진 바와 같이 이관의 기계적 폐쇄가 없이도, 구개열 때문에 연구개를 형성하는 근육들이 기형적으로 형성되어 이 근육들이 정상적인 기능을 못하기 때문이다. 비정상적으로 발생한 연구개 근육들의 불완전한 운동으로 인하여, 폐쇄되지 않은 이관이 정상적 기능을 유지하지 못하는 기능성 폐쇄 장애를 일으킨다. 이와 같은 기능적 폐쇄는 결국은 구개열 때문에 이관을 형성하는 이관연골의 발육부전이나, 이관의 길이가 짧거나, 이관의 개폐에 관여하는 여타의 모든 기전이 총체적으로 미숙하여 기능부전이 생긴 것이다. 즉 구개열 환자에서의 이관의 기능장애는 해부학적 폐쇄가 아닌 기능적 폐쇄에 의해 이관의 환기, 배출, 보호 기능 중 특히 환기와 배출 기능이 저하되기 때문 이라는 것이 입증되었다.

3. 구개열 환자에서 귀 질환과 난청의 생리

많은 학자들의 보고에 따르면 구순구개열 환자에서의 난청의 유병율은 90%까지 다양하여 매우 그 편차가 크다. 그러나 평균적으로 구순구개열 환자의 약 50% 이상에서 정도의 차이는 있으나 난청을 동반하고 있으며 이때 난청의 종류는 대부분에서 삼출성중이염과 동반하는 전음난청이다. 구개열 환자에서 연구개를 형성하는 근육들의 기형과 기능 장애는 결국 양측 이관의 기능부전을 동시에 일으키기 때문에 동시에 양측 귀에 삼출성중이염을 일으킨다. 특히 구개열이 있는 유소아에서는 구개인두부전증(velopharyngeal insufficiency)으로 인하여 음식물이나 타액 또는 위산이 역류하여 이관의 비인강쪽 입구에 염증을 일으킨다. 이관에 염증이 생기면 기능이 나빠져서 중이염과 같은 귀 질환이나 난청이 양측 귀에 같이 생기는 경우가 많다. 드물게 구순구개열과 동반하는 악안면 기형이나 유전성 질환이 있는 경우는 내이나 청각신경계의 기능장애에 의한 감음신경난청이 있을 수 있다. 때로는 중이염을 오랫동안 앓아 중이의 염증이 정원창을 통해 내이를 침범하거나 중이의 기형까지 동반되는 경우 혼합난청이 편측 또는 양측에 같이 있는 경우도 있을 수 있다. 구개열로 인한 삼출성중이염 환자에서는 일반적인 중이염 환자에 비해 중이 삼출액의 점도가 더욱 높다는 보고도 있으며 구순구개열 환자 중에서 순음청각검사 결과 난청이 없다고 판정하는 20dBHL을 기준으로 하는 선별검사(screening test)에서 비록 난청이 인정되지 않는 20dBHL을 통과하는 경우도 전음난청을 의미하는 기도-골도 청력의 차이가(air-bone gap) 10dBHL 이상 있는 경우가 많았다고 한다. Handric-Cuk 등은 1996년 그들의 보고에서 구개열 한 가지만 있는 환자보다 양측 구순열과 구개열이 같이 있는 환자에서 청력장애가 더욱 심하다고 하였다. 구개열이 있는 유아와 소아 집단에서 시간 차이를 두고 반복하여 청력을 측정해 보면 동년배의 정상 유소아들 집단에 비해 여전히 청력이 떨어지는 것을 알 수 있다. 또한 성인 구순구개열 환자의 경우 오랫동안 지속된 중이염의 영향으로 염증성 매개체(inflammatory mediator)나 세균으로부터 나온 독소가 정원창을 통해 내이로 침범하여 감음신경난청이나 혼합난청으로 진행하는 경우도 있다. 구개열과 동반하는 중이염에 의한 전음난청의 경우 일반적으로 30dBHL 이내의 난청을 보이나 드물게 35dBHL 이상의 난청을 보이는 경우도 있다. 난청의 정도가 심한 경우 일수록 보다 적극적인 치료를 고려하여야 하며 때로는 침습적인 수술치료를 하여야 한다. 유소아 환자에서는 비교적 경한 난청일지라도 언어의 인지 및 발달에 장애를 초래 할 수 있으므로 구순구개열이 있으며 언어 발달 과정에 있는 모든 유소아 환자는 중이염을 포함해 난청을 초래하는 모든 귀 질환을 세밀하게 관찰하여야 한다. 비록 난청의 정도가 심하지 않더라도 유소아 때에는 각별히 언어의 인지와 조음장애를 포함하여 언어의 발달 과정을 자주 평가하여 언어습득 및 언어발달 장애를 사전에 예방하여야 한다. 일반적으로 구개열을 교정하면 동반되었던 중이염이나 전음난청은 대부분의 환자에서 호전된다. 그러나 이미 혼합난청이나 감음신경난청으로 진행한 경우에는 구개열을 복원하더라도 중이염은 치유되고 재발의 빈도가 줄어들지만 난청은 회복되지 않으므로 영구적 난청을 예방할 목적으로 중이염의 초기부터 반복해서라도 환기관을 지속적으로 유치하는 것이 바람직하다고 주장하는 학자들도 있다.

4. 구개열 환자에서 귀 질환의 병리

Variot가 1904년에 구개열이 유 소아에서 귀 질환의 원인이었음을 처음 보고한 이후 Sataloff 와 Fraser는 1952년에 구개열이 있는 유 소아는 비록 귀 질환의 주관적 증상이 없더라도 중이의 병변이 있을 가능성이 매우 높다고 하였다. 삼출성중이염은 수술로 교정 받지 않은 유 소아 구개열 환자에서는 구개열로 인한 이관의 기능장애에 의하여 보편적으로 볼 수 있는 대표적인 귀 질환이다. 구개열 환자가 중이염을 동반하는 비율은 보고자마다 차이가 있으나 적게는 약 33%, 많게는 94~98%까지 보고 되어 있다. 최근에 근거중심의학적 분석에 의하면 정상 아동들에 비해 매우 높으므로 모든 구개열 환자는 3~6개월마다 정기적으로 중이염의 발병 여부를 추적 진찰하여야 한다고 권장하고 있다. 귀의 병변은 주로 구개열로 인한 이관의 기능성 폐쇄에 의한 부전으로 중이강 내의 공기가 환기되지 못하는 경우 중이강 내의 기압이 대기압보다 낮아져 고막이 안쪽으로 함몰되고, 중이점막의 분비샘으로부터 나오는 분비물이 고막의 뒤쪽에 고여 공기방울이나 수평선이 보이기도 한다. 때로는 구개열로 인한 구개인두부전증으로 인하여 음식물이나 콧물 또는 역류된 위산이 이관의 비인강 쪽 입구를 거슬러 염증이나 감염을 일으키는 경우 단시간에 분비액이 많이 늘어나고 화농이 되어 오히려 중이강 내의 압력이 높아져서 고막이 바깥쪽으로 팽창하는 급성화농성 중이염이 되기도 한다.

이렇게 중이강 내의 압력이 높거나 낮은 경우 공기이경(pneumatic otoscope)으로 외이도의 압력을 변화시켜 보면 고막의 운동성이 정상보다 감소된 것을 알 수 있다. 고막은 삼출액의 종류에 따라 장액성인 경우 투명한 담홍색(amber), 점액성인 경우 탁한 회백색으로 보이고 혈액성분이 있는 경우 적갈색 또는 탁한 보라색으로 보인다. 삼출성중이염은 일반적으로 고막의 천공이 없으나 화농성중이염의 경우는 고막이 천공되고 농성 이루가 있는 것이 관찰되기도 한다. 때로는 고막의 함몰이 오랫동안 유지되어 삼출액의 수분만 점막으로 흡수되고 단백질 성분이 농축되고 고막이 퇴행성 변화를 일으켜서 탄력성을 잃으면 중이강의 고실갑각(promontory)에 유착을 일으켜 유착성 중이염으로 진행하기도 한다. 드물게는 중이강의 음압이 매우 심하거나 오랫동안 지속되는 경우 고막의 고실위오목(epitympanum)이나 후상방사분역(posterior-superior quadrant)이 주머니 모양으로 심하게 안 쪽으로 함몰된다. 주머니 모양으로 심하게 함몰된 고막의 표면에서 탈락된 편평상피가 주머니 안쪽에 모여서 진주 모양의 덩어리를 이루면 이를 원발성 중이진주종이라고 한다. 이렇게 발생한 중이진주종이 점차 커지는 경우 중이강과 유양동 쪽으로 팽창하여 고막의 천공을 일으키고 이소골을 포함하여 주변의 골조직을 궤사시켜 전음난청 또는 혼합난청을 초래할 뿐 아니라 안면신경마비를 일으키거나, 외측삼반규관에 누공을 형성하거나 두개강 내로 침범하여 뇌막염이나 뇌 농양과 같은 합병증을 일으키기도 한다.

진주종성중이염뿐 아니라 삼출성중이염이나 화농성중이염에서 때로는 고막에 천공이 생길 수도 있으며 천공을 통해 이루가 나오는 것이 관찰되기도 한다. 출생 후 2년 이내에 구개열을 교정하지 않고 방치하는 경우 사실상 중이염의 합병증이 쉽게 생길 수 있다. 비록 수술로 교정을 받은 후에도 구개열이 있었던 청소년이나 성인에서는 귀 질환의 유병율이 일정하지는 않아도 정상인에 비해 상대적으로 높은 것은 사실이다. 후향적이고 연속적인 연구에 의하면 구순구개열 환자는 이관의 발육과 기능이 완성된다는 12세 이후에도 약 30-84%에서 이관의 폐쇄 소견이나 고실경화증, 또는 고막의 천공이나 심한 유착성 중이염 또는 만성 유양동염 같은 비정상적인 병적소견이 있었다는 보고도 있다.

실험적으로 연구개를 세로로 분할하여 구개인두부전을 유발시킨 동물 에서도 삼출성 중이염이 발병하였다. 구개열 환자의 중이강 내의 기압은 정상인에 비해 자주 또는 지속적으로 매우 낮거나 삼출액이 고여 있기 때문에 중이진주종이 후유증으로 발병하기 쉽다. 점막하 구개열 환자도 똑 같은 논리로 중이염에 걸릴 위험도가 구개열 환자만큼 높으며 둘로 갈라진 갈라진 목젖갈림증(bifida uvala)이 있거나 입천장활이 높은(high arched palate)경우에도 따라서 이관의 기능적 폐쇄 논리에 따라 중이염의 위험도가 올라간다고 생각한다(그림 23-6).

또한 구개열은 없어도 Down syndrome, Turner syndrome, Apert syndrome, Crouzon disease 이나 Pierre Robin syndrome 과 같은 dentofacial and craniofacial anomaly나 연구개 마비 환자에서도 중이염의 발병 빈도가 증가하고 중이염이 생기면 청력은 당연히 저하된다.

모유를 먹이는 유 소아가 분유를 먹이는 유 소아보다 중이염에 덜 걸린다고 알려져 있다. 모유의 수유는 면역기능 이외에도 중이염의 발병을 줄이는 효과가 있다고 생각한다. 이는 분유를 먹을 때 모유를 먹을 때 보다 구강 내에 더 큰 음압이 필요하므로 이관의 개폐기능에 악영향을 미쳐 중이강의 환기나 배설을 더욱 어렵게 하므로 중이염이 잘 걸린다. 분유를 먹이는 경우 모유를 먹이는 유 소아 보다 젖병을 빨기 위해 구강 내에 더 큰 음압이 필요해 우유가 흡인되는 경우 중이강 내로 역류하기 더욱 쉽고 모유를 먹이는 경우 아기를 바로 안거나 비스듬히 안고 먹이지만 분유를 먹이는 경우 눕혀놓고 먹이는 경우가 많아 이관을 거슬러 중이강 내로 역류할 가능성이 높아진다. 이와 같은 수유 시 체위의 장점 이외에도 구개열 환자들에서 조차도 모유를 먹이는 경우에서 분유를 먹이는 경우보다 중이염의 발병이 낮은 것으로 판명되었다.

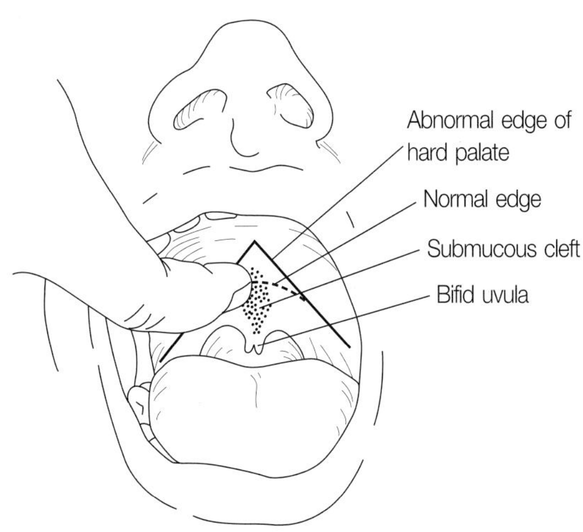

그림 23-6. 구개의 진찰. 유소아 중이염 환자는 반드시 구개를 자세히 진찰하여 점막하구개열, 목젖갈림증, 높은 입천장활 같은 기형이나, 연구개의 운동성과 구개인두부전증 같은 기능장애 유무를 자세히 관찰하여 중이염과의 연관 관계를 확인 하여야 한다.

구개열 환자에서 귀 질환

구개열 환자에서 중이염은 병의 진행 과정과 정도에 따라 다음과 같이 여러 가지 형태로 발병 할 수 있다.

① 삼출성중이염
② 고막의 천공을 동반하는 화농성 중이염
③ 유착성중이염
④ 진주종성중이염

이관의 기능부전으로 중이강의 환기가 원활하게 이루어지지 못하는 경우 공기 중의 산소를 시작으로 중이강 내의 기체가 점막을 통하여 점차 흡수된다. 중이강 내의 압력은 고막 밖의 대기압에 비해 상대적으로 낮아지므로 유동성인 고막은 안쪽으로 밀려들어 가게 된다. 이러한 상태가 지속적으로 유지되는 경우 중이내의 압력을 정상적으로 유지하려는 보상작용에 따라 점막에 부종이 생겨 중이강 공간의 용적을 작게 하여 압력 차이를 줄이려는 변화가 온다. 중이점막에 부종이 심해지면 점막하층에 분포하는 모세혈관들이 울혈 확장되어 혈관벽의 투과성이 커지고 이에 따라 삼출액이 배출되고 점막에 있는 분비선들에서 점액의 분비가 증가하여 중이강 내에 고여 염증을 일으키므로 중이염으로 진행된다. 중이강 내에 고인 액체의 특성에 따라 장액성중이염, 점액성중이염으로 세분할 수 있으며 이관을 역행하여 세균이나 바이러스의 감염이 있는 경우 화농성중이염이 된다. 화농성중이염이 호전되지 못하고 염증이 악화되면 중이강 내의 압력이 높아지거나 염증 또는 세균으로부터 분비되는 독소나 효소의 작용에 의하여 고막이 녹아 천공이 되는 경우 이루가 나오게 된다.

중이강 내에 삼출액이 오래 동안 남아있는 경우 수분은 점막을 통하여 흡수되고 단백질과 세포성분은 계속 남아서 농도와 점도가 증가되고 섬유화가 진행되어 고막이 함몰된 상태에서 고실갑각(promontory)과 이소골 주위에 심하게 유착되어

유착성중이염으로 진행되고 때로는 부분적으로 심하게 주머니처럼 함몰되어 중이진주종을 유발하기도 한다. 유착성중이염이 진주종성중이염으로 진행한 경우 청력은 더욱 나빠지고 치료도 어려워진다.

III. 구개열 환자에서 귀질환과 난청의 진단

구개열 환자를 포함하여 의사표현을 못하는 모든 유소아 환자는 비염 또는 부비동염을 포함하여 상기도염에 이환된 경우나 발열성 질환이 걸린 경우 또는 원인 모르게 열이 있거나 보채는 경우 반드시 귀를 진찰하여 중이염의 발병 여부를 확인하여야 한다.

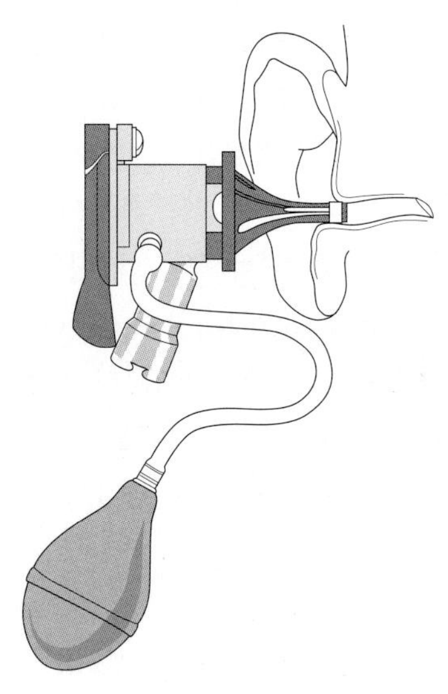

그림 23-7. 공기이경. 외이도를 밀폐시키고, 공기 벌브로 외이도의 기압을 변화시킬 때, 부착된 볼록렌즈로 고막을 확대하여 관찰한다. 중이강 내의 삼출액과 병변을 진단할 수 있다.

1. 삼출성중이염의 진단

1) 공기이경 검사법

중이염의 진단은 공기이경(pneumatic otoscope)을 이용하여 고막을 확대하여 자세히 관찰하는 경우 쉽게 진단할 수 있다. 우선 고막의 색깔, 함몰이나 돌출 여부, 천공, 이루의 유무를 관찰하고 고막이 있는 경우는 이경의 공기 펌프를 이용하여 외이도의 기압을 변화시키며 고막의 운동성을 알아보고 고막을 통해 중이강 내에 존재하는 삼출액의 양과 점도를 비교적 쉽게 추정할 수 있다(그림 23-7).

2) 임피던스검사기를 이용하는 고실도검사법

외이도를 폐쇄하고 외이도 내의 기압을 -200mmH_2O부터 +200mmH_2O까지 빠른 속도로 변화시키며 소리자극을 주어 이때 기압의 변화가 고막이 소리를 전달하는데 받는 저항을 측정하는 방법으로 이는 중이강 내의 기압이 대기압과 같을 때 소리가 가장 적은 저항을 받으며 전달된다는 원리를 이용하여 기압의 변화에 따른 소리의 전달시 저항의 정도를 그라프로 그리는 검사법이다. 즉 중이강 내가 대기압 보다 낮거나 삼출성중이염으로 인하여 대기압보다 높거나 고막의 운동성이 나빠져 소리의 통과 시 저항이 커지는 경우 소리의 전달 효율이 나빠지는 것을 알 수 있는 검사법이다. 정상인 경우 고실도는 -50mmH_2O부터 +50mmH_2O 사이에서 정점을 이루는 대칭형(Type A)으로 그려지나 삼출액이 많지 않거나 없어 중이강 내가 음압인 경우는 정점이 음압 쪽으로 이동(Type C)하여 나타난다. 삼출액이 가득 차고 특히 대기압과의 기압의 차이가 커서 고막의 운동성이 매우 나쁜 경우 고실도는 수평에 가깝게 나타난다(Type B). 고실도가 수평에 가깝게 나타난 경우는 고막에 천공이 있거나, 중이강 내의 압력이 매우 높거나, 중이강 내를 가득 채우는 병변이 있을 수 있음을 고려하여야 한다(그림 23-8).

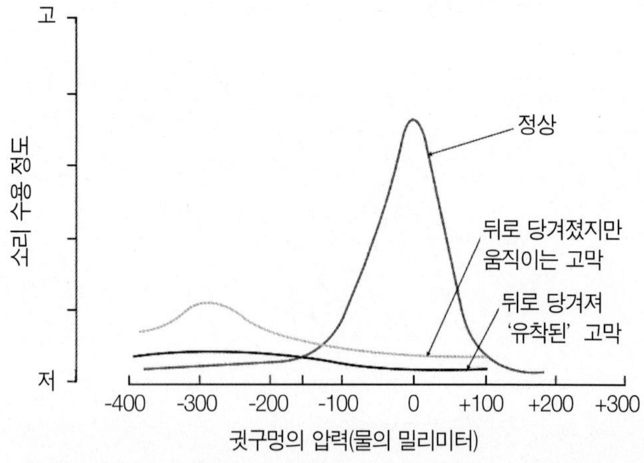

그림 23-8. 고실도 검사. 임피던스 청력검사를 이용하여 고실도를 측정하면 삼출성중이염이 있는 경우 고실도는 type C(노란선) 또는 typeB(파란선)로 나타난다. 이때 고막의 운동성과 소리 수용 정도는 삼출액의 상태에 비례하여 정상보다 낮게 나타난다.

2. 유착성중이염 및 진주종성중이염의 진단

1) 순음청력검사

2) 측두골 전산화단층촬영

공기이경 검사와 임피던스검사 이외에 추가로 순음청력검사를 시행하여 청력역치를 측정하여 언어발달에 장애가 있을 수 있는지 난청의 종류와 정도를 확인 하여야 하며 수술적치료 여부를 결정하기 위하여 측두골 전산화단층촬영을 시행하여야 한다.

IV. 구개열 환자에서 귀 질환과 난청의 치료

1. 구개열의 복원 치료

구개열이 있는 환자에서의 중이염은 일반적으로 약물요법에 잘 반응하지 않고 반응하는 경우도 매우 빈번하게 재발한다. 그러므로 이런 환자의 중이염의 치료는 우선적으로 구개열을 수술로 복원하여 구개인두와 이관의 생리적 기능을 가능한 한 정상적으로 회복시켜주는 것이 필요하다. 구개열의 치료 때에는 특히 수술 후 연구개의 운동성을 개선하기 위하여 levator sling을 연결해 주는 방법 등을 사용하여야 하며 연구개를 최대한으로 구개인두 후벽에 가깝게 접근시켜 구개인두부전을 개선하므로 이관의 개폐를 생리적으로 정상에 가깝게 유지하고 이관의 인두 쪽 입구를 통해 역류하여 감염이 되는 것을 최소한으로 막아 주어야 한다(그림 23-9).

2. 중이염의 치료

구개열과 동반한 유소아의 삼출성중이염의 치료는 크게 두 가지로 나누어 생각할 수 있다.

1) 보존적치료

첫째로 급성화농기에는 유병기간을 줄이고 합병증을 예방하기 위하여 항생제를 투여하는 치료의 대상이 되나 만성 삼출성중이염이 지속적으로 있으나 난청의 정도가 심하지 않고 더 이상 악화되지 않는 경우 환자의 보호자에게 경도의 난청은 있을 수 있으나 위중한 상태가 아니므로 앞으로의 치료계획이나 발생할 수 있는 여러 가지 상황을 사전에 잘 설명해 주고 정기적으로 환자를 추적하며 합병증의 발현이 예상되는 경우 적절한 치료를 조속히 시행할 수 있도록 지속적으로 관찰하는(wait and see) 보존적 방법이 있다.

2) 수술적치료

둘째로는 구개열 환자에서 삼출성중이염이 3개월 이상 지속되는 경우 만성화 하거나 빈번한 재발이 예상되므로 생후

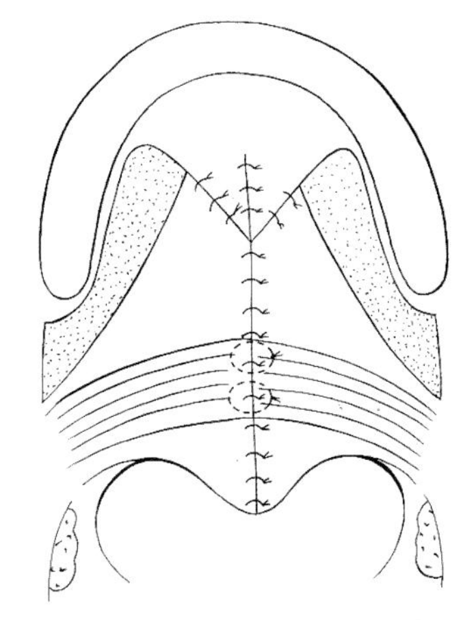

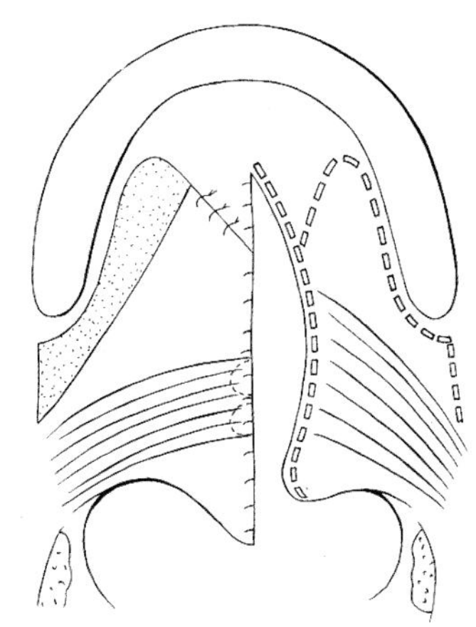

그림 23-9. 구개열의 복원. 비정상적으로 경구개의 후면에 세로로 붙어있던 levator veli palatini m.을 박리하여 중앙부에서 levator sling으로 연결하고, V-Y push back 방식으로 연구개를 늘려서 복원한다. 연구개의 운동성이 회복되고 길어지면 구개열로 인한 구개인두부전이 개선되고, 이관의 기능이 회복되어 중이염이 치유되고 재발 빈도도 감소한다.

12개월 경 구개열 수술과 동시에 또는 그 이전에 조기에 고막 절개를 하여 삼출액을 제거하고 환기관을 삽관한다. 구순열만 있는 환자에서도 삼출성중이염이 지속되는 경우 생후 2-3개월 때 구순열 수술과 동시에 환기관을 삽관하기도 한다. 일단 삽입한 환기관이 저절로 조기 탈락되거나 기능을 하지 못하여 삼출성중이염이 재발하는 경우 성장하여 이관의 기능이 좋아질 때 까지 반복적으로 삽관을 유치하는 방법이다. 최근에 많은 연구자들의 보고에 따르면 적극적인 치료를 받지 않았던 환자들과 비교하여 볼 때 조기에 환기관을 삽관하여 중이강 내에 오랫동안 삼출액이 없이 정상 청력을 유지하는 것이 환자에서 장기적으로 청각과 언어발달에 장점이 많다고 알려져 있다. 그러므로 최근에는 둘째 방법을 선호하는 경향이 있다.

그러나 아직도 일부 학자들은 장기간 삽관에 따른 고막천공이나 잦은 화농성이루를 피하기 위하여, 난청의 정도가 26dBHL 이상 심하여 언어발달 장애나 행동장애가 있거나 고막에 심한 변형을 초래하는 변화가 있는 경우에만 환기관을 삽관하고 나머지 대부분의 경우는 주기적으로 관찰만 하는 보존적 치료가 더 좋다고 주장하기도 한다. 즉 어느 방법의 치료를 선택하느냐를 결정하는 판단의 기준은 증상의 경중, 난청의 정도, 급성감염의 이환 빈도 등에 따라 의사의 자의적 판단과 보호자의 동의에 따라 결정하는 것이 좋다(그림 23-10).

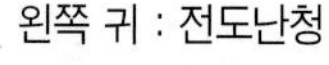

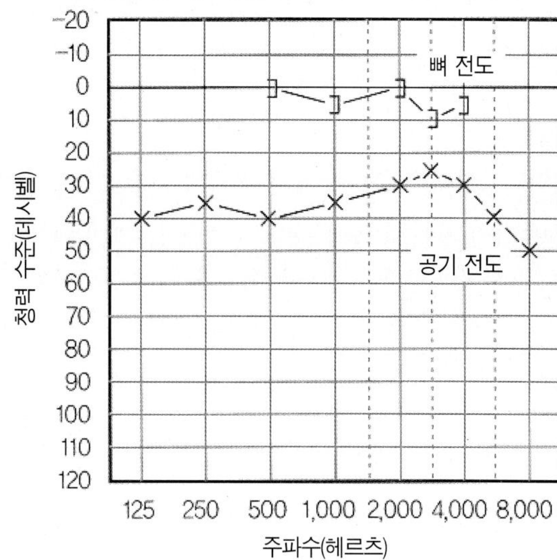

그림 23-10. 순음청력도. 구개열로 삼출성중이염이 있는 환자는 전도난청을 보인다. 순음평균역치가 3 개월 이상 26dBHL보다 나쁜 경우 언어발달 장애를 염려하여 환기관 삽관을 하는 것이 좋다.

중이수술 치료

구순열이나 구개열의 수술을 위하여 전신마취(환자가 6-7세 이상으로 수술에 대한 공포가 적으며 국소마취를 견딜 수 있는 경우에는 국소마취도 가능하다)를 했을 때에 동시에 하는 경우 많다.

(1) 환기관 삽관술

일반적으로 고막의 전상방, 전하방, 또는 후하방사분역에 방사상의 절개를 가하고, 고막의 손상을 피하고 출혈이 되지 않도록 중이강 내의 삼출액을 흡인기로 가능한 한도까지 많이 뽑아낸다. 이 때 중이강 내의 이소골에 손상을 피하고 진주종과 같은 합병증을 예방하기 위하여 후상방사분역에는 절개를 피해야 한다.

환기관은 실리콘, 세라믹, 티타늄, 금, 등으로 만든 것 들이 있으며 모양과 크기는 고안한 학자들에 따라 다양하게 다르다. 일반적으로 삽관 후 3내지 8개월 안에 고막의 epithelial migration에 의하여 자연적으로 탈락되고 고막의 절개 부위는 저절로 치유된다. 유치기간을 늘리기 위하여 환기관의 크기를 크게 만들거나 특수한 모양으로 고안된 것들도 있어 이들은 자연적으로 탈락되는 기간이 1-2년으로 길며 때로는 자연적으로 탈락이 되지 않아 인위적으로 제거해야 하는 경우도 있다. 삽관기간이 길수록 탈락 또는 제거 후 고막에 고실경화증이나 퇴행성변화나 고막의 천공이 남을 가능성이 높다.

(2) 고실성형술 및 유양돌기절제술

고막에 천공이 있거나 유착성 중이염 또는 진주종이 있는 경우 고실성형술을 하여 치료하며 유양돌기의 함기화가 나쁘거나 염증이나 진주종이 유양돌기까지 침범한 경우 유양돌기 절제술을 고실성형술과 같이 시행하기도 한다.

참고문헌

1. Dickson DR. Normal and cleft palate anatomy. Cleft Palate J. 9:280, 1972.
2. Dickson DR. Anatomy of the normal velopharyngeal mechanism. Clin Plast Surg. 2:235, 1975.

3. Doyle WJ, Cantekin EL, Bluestone CD. Eustachian tube function in cleft palate childern. Ann Otol Rhinol raryngol 89:34, 1980.
4. Doyle WJ, Ingrahan As, Saad M, et al. A primate moder of cleft palate and middle ear disease: Result (of a one year postcleft follow-up.) Recent advances of otitis media with Effusion : proceedings of the Thrid International symyrosium. philadelplier : BC Decker. Pp215, 1984.
5. Frable MA, Brandon GT, Theogaraj SD. Velar closure and ear tubings as a primary procedure in the repair of cleft palates. Laryngoscope 95:1044, 1985.
6. Goldman JL, Martinez SA, Ganzel TM. Eustachian tube dysfunction and its sequelae in patients with cleft palate. South Med J 86:1236,1993.
7. Gould HJ. Hearing loss and cleft palate: the perspective of time. Cleft palate J 27:36, 1990.
8. Harker LA, Severeid LR. Cholesteatoma in the cleft palate patient. In Sade J: Cholesteatoma and Mastoid Surgery: Proceedings of the Second International Conferance. Amsterdam, Krugler, Publication. Pp 32, 1982.
9. Hubbard TW, Paradise JL, McWilliams BJ, et al. Consequences of unremitting middle ear disease in early life: otologic, audiologic, and developmental findings in children with cleft palate. N Engl J Med 312:1529,1985.
10. Kamerer DB. Electromyographic correlation of tensor tympani and tensor veli palatini muscles in the man. Laryngoscope 88:651, 1978.
11. Kitajiri, M, Sando I, Hashida Y, Doyle WJ. Histo pathology of otitis media in infants with cleft and high arched plate, Recent Adranees in otitis media with Effusion: Proceedings of the third Intenational Symposium. Philadelphia : BC. Decker 1984. Pp 195-198.
12. Matsune S, Sando I, Takahashi H. Abnomalities of lateral cartilaginous lamina and lumen of eustachian tube in cases of cleft palate. Ann Otal Rhinal Laryngol 100:909, 1991a.
13. Matsune S, Sando I, Takahashi H. Insertion of the tensor veli palatini muscle into the eustachian tube cartilage in cleft palate cases. Ann Olo Rhinol Laryngol 100:439, 1991b.
14. Maue-Dickson W, Dickson DR. Anatomy and Physiology Related to Cleft Palate: Current Research and Clinical Implications. Plast Reconstr Surg 65:83, 1980.
15. Moller P. Hearing, middle ear pressure and otopathology in a cleft palate population. Acta Otolaryngol (Stockh) 92:521, 1981.
16. Odoi H, Proud GO, Toledo PS. Effects of pterygaid hamulotomy upon eustachian tube function. Laryngoscope 81:1242, 1971.
17. Paradise JL, Bluestone CD, Felder H. The universality of otitis media in fifty infants with cleft palate. Pediatrics 44:35, 1969.
18. Paradise JL. Elster BA. Tan L. Evidence in infants with cleft palate that brest milk protects against otitis media. Pediatrics 94:853, 1994.
19. Paradise JL. Bluestone CD. Early treatment of the universal otitis media of infants with cleft palate. Pediatrics 53:48,1974.
20. Paradise JL. Management of middle ear effusion in infant with cleft palate. Ann Otol Rhinol Laryngol85(Suppl 25):285,1976.
21. Paradise JL. Otitis media during early life: how hazardous to development? A critical review of the evidence. Pediatrics 68:869, 1981.
22. Paradise JL, Elater Bt. Breast milk protects against otitis media with effusion. pediatrics 94:853, 1994.
23. Pediatric Otolaryngology: edited by CD Bluestone, SE Stool, MA Kenna. 3rd Ed. W.B. Saunders, 1996.
24. Robson AK, Blanshard JD, Jones K, et al. A conservative approach to the management of otitis media with effusion in cleft palate children. J Laryngol Otol 106:788, 1992.
25. Severeid LR. Development of cholesteatoma in children with cleft palate: a longitudinal study. In McCabe BF, Sade J, Abramson M. Cholesteatoma: First International Conference. Birmingham, Alabama, Aesculapius. 1977. Pp 287-292.
26. Sheahan p, Miller I, Sheahan JN, Earley MJ, Blayney AW. Incidence and outcome of middle ear disease in cleft lip and/or cleft palate. Int J Pediatr Otolaryngol 67:785, 2003.
27. Shibahara Y, Sando I. Histopathological study of eustachian tube in cleft plate patients. Ann otol Rhinol Laryngol, 97:403, 1988.
28. Stool SE, Randall P. Unexpected ear disease in infants with cleft plate. Cleft palate J 4:99, 1967.
29. Taylor GD. The bifid uvula. Laryngoscope 83:771, 1972.
30. White BL, Doyle WJ, Bluestone CD. Eustachian tube function in infants and children with Down's syndrome. In: Lim DJ, Bluestone CD, Klein JO, Nelson JD, editors. Recent advances in otitis media with effusion. Proceedings of the Third International Symposium. Philadelphia: BC Decker; 62, 1984.

제24장 구순구개열 환자와 가족의 정신의학적 측면

Psychiatic Aspect of Children with Cleft Lip and Palate in the Family

정철호

구순구개열 환아에게 성형수술로 겉으로 보이는 모양만 치료해 준다고 할 일을 다 한 것은 아니다. 아이들이 당면하게 되는 문제는 외모뿐만 아니라 치아, 발성 및 언어발달, 청력, 대인관계 및 정신 안정 등 여러 가지로 다양하기 때문이다. 따라서 환자를 중심으로 성형외과, 교정치과, 이비인후과, 소아과 및 정신과 의사, 심리 전문가, 사회복지사, 언어치료사와 청각분석가 등의 많은 전문 의료인들이 함께 진료하는 종합적인 대책을 세워야만 한다. 구순구개열 환자에서 생길 수 있는 증상과 관련문제들은 크게 다음과 같이 나눌 수 있다. 즉, 언어 문제, 수유장애, 빈번한 상기도 감염, 중이 질환, 상악골 성장저하(미용적 문제, 치아교합 문제 등), 동반기형 및 정신적 문제 등이다.

지금까지 구순구개열에 대한 연구는 주로 신체적인 면에 치중되어 졌으나, 최근 정신적인 면에 대한 관심과 연구가 많아지고 있어서, 이 아이들과 가족의 삶의 질에도 많은 향상을 가져올 것으로 기대된다. 정신의학적인 측면에는 가족의 적응, 아동의 외모, 자긍심, 사회적 상호관계, 정서적, 행동적 적응 및 인지적 기능 등을 포함되어야 한다.

성형외과 의사는 이러한 문제들을 관여하는 독특한 위치에 있다. 즉, 성형외과 의사는 구순구개열 아동의 가족에게 의학적으로 처음 말해 줄 수 있는 사람일 수 있으며, 또한 외모와 기능을 변화시킬 수 있는 능력을 가진 사람이다. 그래서 성형외과 의사의 구순구개열에 대한 관점과 아동의 향후 영향에 대한 초기 설명이 아동과 가족에게 매우 중요하고, 큰 영향을 주며 장기간 영향을 끼칠 수 있다. 부가하여, 성형외과 의사와 구순구개열 팀은 수년간의 교육을 통해서 아동과 가족들을 만나게 되며, 때로는 전문적인 지식을 넘어선 아동의 문제나 가족의 걱정 등을 듣게 되기도 한다.

이 장에서는 구순구개열 아동 및 가족과 연관된 심리적, 정신의학적 문제들을 이야기하고자 한다. 처음에는 구순구개열 아동의 출생에 대한 가족들의 적응에 초점을 두며, 그 이후 아동의 연령에 따른 치료에 대한 일반적인 논의와 학습장애에 대한 정보, 마지막으로 청소년기에 수술적 결정에 대한 것을 제공한다.

I. 가족 및 아동의 적응

가족의 적응에 대하여 살펴보면, 우선 구순구개열 아동이 출생함에 따라 가족은 일반적으로 마음에 큰 상처를 입게 된다. 가족들이 겪는 어려움은 혼란과 분노, 슬픔, 죄책감, 우울 등 다양하게 나타날 수 있다(Endriga & Kapp-Simon 1999). 또한 아동에게 정서적으로 애착이 가지 않을 수가 있고, 자존감이 손상되며 타인과의 접촉을 피하는 등 사회 심리적 문제를 야기하게 될 수도 있다. 일반 아기와는 다른 이 아기를 어떻게 돌보아야 하는지에 대하여 가족의 정서적 불안정과 정보부족으로 당혹감과 막막감을 느끼게 된다. 이는 의학적인 문제가 있는 아동을 출산한 가족들이 겪는 지극히 정상적인 감정이지만, 이는 엄청나게 큰 정신적인 고통이므로 출산 초기에는 아이보다도 어머니가 오히려 더 응급환자라고 할 수 있다. 구순구개열 아동을 대하는 부모의 감정이나 태도는 아동의 정상적인 성장 발달에 매우 큰 영향을 미치므로 아이의 치료 전에 부모에게 정신적 안정을 주는 것이 선행되어야 한다(Kapp-Simon 2002). 부모를 포함한 온 가족들이 이러한 자신의 감정을 잘 극복하고, 다양한 스트레스에 잘 대처하여 가족과 동시에 아이가 건강하게 자랄 수 있도록 하여야 할 것이다. 이런 방안으로 치료의 전체적인 방향과 계획, 그리고 긍정적인 측면의 치료효과를 알려줌으로써 치료에 대한 좀 더 적극적인 참여를 유도하고 이로 인하여 치료효과의 극대화도 꾀할 수 있다. 또한 적극적인 치료로 장애를 최소화함으로써 환아의 정신적 충격을 완화시켜 원만한 성격형성에도 도움이 된다. 가족들은 이러한 자신의 감정을 극복하고 아이로 인해 생기는 여러 가지 스트레스를 잘 해결하도록 노력해야 한다. 이에 도움이 되는 것으로는 첫째, 의료진으로부터 질병에 대해 솔직하고 명확한 설명을 듣는 것과 도움이 되는 자원에 대해 정보를 얻는 것이고, 둘째, '빅 스마일'모임 같은 지지모임에 참석하여 같은 경험을 가진 부모님들의 지지와 도움을 받는 것이다. 셋째로는, 주변 가족들의 적극적인 위로와 격려가 필요하다(Kapp-Simon 2002; 2004).

태아기에도 구순구개열이 상당수 진단되는데도 불구하고, 많은 부모들을 포함한 가족들은 구순구개열 아동의 출생에 대해 준비되어 있지 않다(Johnson & Sandy 2003). 그들은 쇼크, 상실, 슬픔 및 걱정 등을 극복해야만 한다. 동시에 구순구개열 아동에게 먹이는 방법과 같은 중요한 일들을 완수하기 위해 노력해야 하며, 장기적 돌봄에 대해서도 정보를 구해야 한다. 초기에 구순구개열 팀, The Cleft Palate Foundations (http://www.cleftline.org)나 About Face(http://www.aboutfaceusa.org)와 같은 지지 네트워크에 의뢰된 경우에 부모에게 중요한 정보와 정서적 지지를 제공해야 한다.

미국 아이오와 대학의 성형외과 의사인 케네디의 연구에 의하면 구순구개열을 가졌던 사람들 중 성공적인 결혼과 사회생활을 하는 사람들과 불행한 삶을 사는 사람들을 비교하는 추적조사 결과 성형수술로 인한 외모의 차이에는 특별한 차이가 없었으나 구순구개열에 대한 부모의 태도가 상당한 영향을 미친 것으로 나타났다. 즉 가족들이 구순구개열애 대해 개방적이고 사실적이며 교육적인 대화를 나누었는지, 또는 아동의 구순구개열이 가족 사이에 공공연한 비밀이 되었는지가 중요한 영향을 미친 것으로 나타났다. 이는 가족들, 특히 부모들이 자녀의 구순구개열 문제를 부정하고 이에 대해 지속적으로 슬퍼하고, 우울해하며 분노감을 느낀다면 이는 아동이 자신의 구순구개열 문제를 바라보는 태도 - 부모를 괴롭게 만드는 자신에 대한 죄책감, 자기 비하 등 - 에 영향을 미쳐 아동 역시 그런 태도를 갖게 되며 이는 지속적으로 아동의 사회적 부적응에 영향을 미치는 가장 큰 척도가 됨을 의미한다.

구순구개열을 가진 아동이 유치원에 가거나 초등학교에 진학하게 되면 자녀와 자녀의 유치원이나 학교 친구들에게 구순구개열을 설명하는 방법을 알아야 한다. 우선 자녀에게는 거짓말하지 말고 사실대로 자녀가 이해할 수 있게 설명해야 한다. 자녀의 친구들에게는 필립(미국 아동)의 부모가 하는 방법을 권하고 싶다. 그들은 학기 첫 날 담임 선생님과 의논하여 자유토론 시간에 반 친구들에게 필립의 구순구개열에 대해 이야기한다. "우리는 엄마 배속에 있을 때 모두 구순구개열을 가지고 있단다. 그러나 대부분의 사람은 엄마 배속에서 자라면서 입술이 붙지만 필립은 붙지 않았어. 그래서 이를 고치기 위해 수술했단다." 라고 하였다. 아이들은 이를 잘 받아드리며 각자가 가지고 있는 흉터에 대해서 이야기 했고, 필립 역시 친구들 앞에서 말했다는 사실을 기뻐하였다. 구순구개열 자녀를 둔 교육학자 앤더슨에 의하면 구순구개열 자녀를 둔 부모들은 이과 관련된 문제들을 계속해서 해결해야만 하는데 특히 자녀가 진학하거나 신학기가 되면 자녀의 긴장을 풀어주어야 한다. 아이가 눈에 띄는 흉터가 있거나 추가적인 수술이 필요한 경우 다른 아이들이 문제시할 수 있으므로 다른 아이들이 할 수 있는 질문에 대해 미리 집에서 아이와 연습을 하여 대답할 수 있도록 준비시켜야 한다고 말하였다(권자영 1999).

의료팀이 구순구개열 아동에게 대하는 태도가 부모에게 큰 영향을 준다. 좀 나이든 아동의 부모들은 초기에 의료진이 "구순구개열 아동을 정상아동으로 생각하라"는 격려가 자기들의 과거 슬픔, 상실의 초기 감정을 극복하게 해주었다고 가끔 말한다. 따라서 의료팀의 아동에 대한 낙관적 견해가 부모들을 구순구개열 아동에 대해 긍정적 사고방식을 갖는데 도움을 줄 수 있다.

II. 치료 이슈

구순구개열 부모들은 가끔 추천되는 여러 가지 다른 치료에 대해 혼란을 느낀다. 인터넷이나 구순구개열 지지 기구 등을 통한 부모들 사이의 의사소통이 증가함에 따라 최근에 출생한 구순구개열 아동의 부모들은 구순구개열의 다양한 치료에 대해 빨리 현실화할 수도 있다. 그들은 수유방법, 코 틀 기구, 적극적 및 수동적 수술전 기구, 초기 및 후기 뼈 이식 등에 대해서 배운다. 부모들은 구순구개열 수술에 대한 많은 지식을 가져서, 최선의 치료를 선택하기 바란다. 또한 그들은 혹시 그들이 잘못된 선택을 하지는 않을지, 아이에게 회복될 수 없는 상해를 주지는 않을지에 대한 걱정을 한다. 따라서 치료팀은 부모들에게 타당하고 접근 가능한 구순구개열 아동의 수술방법을 알려주는 것이 중요하다. 부모들에게 "우리는 우리 치료팀의 치료 방법에 확신하지만, 다른 팀에서는 다른 방법으로 좋은 결과를 얻을 수 있으며 유사한 결과를 얻는 여러 가지 방법이 있다"고 상담해 줄 수 있다.

수술적 중재의 시기나 빈도는 중요한 치료 이슈이다. 아동이나 가족에게는 수술 횟수가 적을수록 더 좋은 정서적 발달을 이룰 수 있다. 입원 기간이나 수술의 경중과는 무관하게 아동이 매번 입원할 때마다 아동과 가족은 가족의 역할이나 심리적 기능 등의 다양한 스트레스에 대처해야만 한다.

아동은 수술 권유에 대해 여러 가지 방법으로 반응한다. 아동이 외모나 기능적인 호전을 희망하더라도 혈청검사, 혈관주사, 마취에 대한 생각은 스트레스가 되고, 부모-자녀 관계에서도 긴장이 더하게 된다. 또한 수술은 또래관계, 학교 활동, 운동 등을 포함하는 사회적 생활을 방해한다. 일부 부모들에게도 수술 권유는 과거 아동의 출산, 슬픔, 불안, 죄책감 등의 모든 감정들이 되살아날 수도 있다. 이러한 스트레스 외에도 부모들은 직장 휴가, 다른 형제들 보살핌, 재정적 걱정, 보험과 협상, 입원 기간 동안의 이송 수단과 숙식 등에 대한 것도 해결해야할 문제이다. 결론적으로 가족이 수술의 시기와 초점에 대하여 결정하는데 적극적인 역할을 한다는 것은 매우 중요하다.

구순구개열과 관련되어 남아있는 문제의 교정 수술은 일반적으로 아동기에 걸쳐서 하는 것이 권유된다. 일부 수술은 아동기의 일정한 특수시기에 하는 것이 좋다. 예를 들어 언어 호전을 위한 구개의 2차적 처치, 뼈 이식은 치아발달 시기와 일치하게 한다는 등이다. 그러나 의학적으로 적응증이 되는 수술이더라도, 많은 수술은 아동과 가족이 준비가 되었을 때 시행할 수 있다. 선택 수술의 타입을 의논할 때 아동의 연령, 기질, 심리적 적응상태, 동기, 기대감, 아동을 지지하고 용기를 줄 부모들의 능력 등의 요소들을 포함해야 한다.

수술을 결정할 때 아동의 연령이 중요하지만, 아동의 특성, 성격 및 심리적 적응정도 역시 중요하다. 아동은 발달적, 심리적 및 기질적 차이가 있는데, 이러한 차이는 유전적, 환경적 영향 때문이다. 일부 아동은 스트레스에 심한 심박동 증가, 구토 등으로 반응할 수도 있는 반면, 어떤 아동은 같은 상황에서도 훨씬 강도가 덜하게 나타난다. 생리적 반응의 강도는 생물학적 기초와 연관되어 있고, 적어도 영아(infancy)에서는 아동이 그 생리적 반응의 강도를 조절할 수 있는 것은 아니다. 또한 아동들은 활동 정도, 좌절에 대한 내성, 정서의 질, 집중 기간, 참을성 정도 등의 기질적 차이가 있다(Thomas 등 1968). 타고난 생리적 및 기질적 특성은 생물학적 기초에 의하지만, 아동 행동에 대한 부모나 어른들의 반응들은 환경적 자극이 되어서 아동의 향후 적응에 영향을 끼칠 수 있다.

연구자들은 아동의 생리적 반응, 기질, 행동에 기초하여 세 가지 성격형을 밝혀내었는데, 3세에서 청소년기까지 대집단에서도 확인하였다. 세 가지 형은 쾌활형(resilient), 과잉억제형(overcontrolled), 과소억제형(undercontrolled)이다. Hart 등(2003)은 쾌활형은 사회적으로 아동과 어른에게 양순하고, 부끄러움이 적으며, 긍정적 정서를 갖고 있다. 과잉억제형은 극도의 부끄러움, 다소의 불안, 순응적이고 의존적이다. 과소억제형은 비협조적이고, 충동적이며 비순응적이고, 상당한 부정적 정서와 또래들과 사회적 문제를 가진다. 이러한 아동의 성격형은 아동의 행동, 생각과 감정에 영향을 주고, 수술에도 영향을 줄 수 있다.

Ⅲ. 일반적인 행동 발달의 단계

행동발달을 연구하고 이해하는 데는 몇 개의 발달 단계를 구분한다. 어떤 기능의 발달에 초점을 두는지에 따라서 구분하는 시기가 다르기도 하지만, 청소년기까지의 단계를 영아기(0~18개월), 걸음마기(18~36개월), 학령전기(3~6세), 학령기(6~12세), 청소년기(12~21세)로 나누는 것이 보통이다. 각 시기의 특징적인 행동 양상을 발달 이정표(developmental milestones)라고 한다. 그 중 특히 중요하여 한 단계에서 반드시 성취되어야 하는 행동 특징이 발달 과제(developmental task)이다. 각 단계의 행동 발달이 무난하게 이뤄지려면 이전 단계에서 성취될 과제와 생물학적, 심리학적, 사회학적 준비성(readiness)이 갖춰져 있어야 한다. 이러한 일반적인 행동발달단계를 참고로 하여 가족들과 치료진은 구순구개열 환자 치료에 대책을 강구해야할 것이다.

1. 태아기

이전에 생각했던 것보다 많은 것을 태아가 할 수 있다는 사실이 관찰되었다. 초음파, 내시경 등의 개선된 기술을 이용하여 태아의 행동을 직접 관찰하면 빛과 소리의 자극에 반응하거나 피하고, 손가락을 빨기도 하며 표정을 짓기도 한다. 산모의 심리적, 신체적 상태는 태아의 발달에 직접, 간접적으로 영향을 미치며, 산모가 태어날 아기에 대하여 갖는 기대와 심리적인 준비는 태아기의 발달뿐만 아니라 앞으로 아기와 엄마 사이의 관계에도 기여한다.

2. 영아기(출생~18개월)

1) 기질(temperament)

아기들은 태어나자마자 개개인의 행동 특성이 매우 다르다. 신생아실의 여러 아기들을 살펴보면 그 차이를 쉽게 알아낼 수 있다. 어떤 아기는 잘 놀고 쉽게 달래어 지는가하면 어떤 아기는 좀처럼 재우는 것도 쉽지 않아 보육하기 어렵다. 이렇게 까다로운 아기는 엄마가 잘못 양육하기 때문이라고 여기기가 쉬우나 반드시 그런 것은 아니다. 아기들의 타고난 행동 특성을 알아보기 위하여 Thomas 등(1968)은 133명의 어린이들을 조사하였다. 이들은 영아들의 ① 활동 수준, ② 규칙성, ③ 자극에 대한 접근과 회피 성향, ④ 적응성, ⑤ 반응을 일으키는데 필요한 자극의 정도, ⑥ 반응하는 강도, ⑦ 기분이 즐겁고 우호적인가의 여부, ⑧ 주의가 산만한 정도, ⑨ 주의집중 시간과 지속 정도 등 아홉 가지를 관찰하여 살펴보았다. 그 결과 두드러진 세 유형을 구분할 수 있었는데, 연구 대상의 40%는 다루기 쉬운(easy) 아기, 10%는 까다로운(difficult) 아기, 15%는 천천히 반응하는(slow to warm up) 아기였다. 이 연구 결과는 순하거나 또는 별난 아이로 크는 것이 오로지 엄마의 양육태도에 따라 정해진다고 믿던 이전의 통념을 바꾸어 놓았다. 양육이 순조로울지 아닐지는 아기와 엄마의 조화(goodness of fit)에 따라 정해진다는 것이다(대한신경정신의학회 1998).

2) 영아기의 발달 이정표

갓 태어난 아기들이 어떤 것을 할 수 있을까? 초보적인 단계이기는 하지만 이미 태어나기 전부터 볼 수 있고, 들을 수 있으며 후각과 촉각은 매우 발달된 상태이다. 아기는 여러 가지 반사 행동을 이용하여 젖을 찾고 주변의 자극에 본능적으로 반응할 수 있다. 이러한 반사 행동은 태아기에 시작되어 처음 일년 사이 발달에 따라 사라지는데 흔히 사라지는 시기보다 늦게까지 반사행동이 남아 있다면 신경계 발달의 이상을 의심해 봐야 한다(이근, 조두영 1982; 이정균 1994).

3) 애착(attachment)

영아기 동안 아기와 엄마는 애착을 형성한다. 애착은 아기에게 안정감(sense of security)을 주어 건강하게 성장하고 활발하게 놀도록 한다. 즉 세상을 자신감 있게 탐구하다가 위험을 느끼면 되돌아가 숨거나 의지할 수 있는 안전기지(secure base) 구실을 한다. 이러한 안정감은 앞으로 모든 신뢰 관계의 바탕이 되기 때문에 세상과 다른 사람에 대한 기본적인 신뢰감(basic trust)을 형성하는 것은 이 시기의 중요한 과제이다. 애착이 건전하게 형성되기 위해서는 아기를 돌보는 사람이 자주 바뀌지 말아야 하고 아기의 신체적, 정서적 요구에 잘 반응해주어야 한다. 이 과정이 잘못되는 경우 아기는 정서적으로 불안정하고 대인관계가 순탄치 않을 뿐만 아니라 극심하면 신체 발육도 뒤쳐질 수 있다(failure to thrive).

3. 걸음마기(18~36개월)

1) 걸음마기의 발달 이정표

이 시기에 아기가 똑바로 서서 아장아장 걷는데 그와 함께 많은 행동 변화가 생긴다. 아기가 똑바로 설 수 있게 되면 새롭고 넓어진 시야로 세상을 바라보게 된다. 대근육 운동 기능(gross motor skill)의 발달로 추진력이 늘어나면서 아기는 사물에 호기심을 나타내며 탐구하기 시작하고, 환경의 자극에 대하여 좀더 적극적이고 의도적인 행동을 시도한다. 또한 소근육 운동 기능(fine motor skill)이 발달하여 숟가락질을 하거나 물건을 집는 것처럼 눈과 손 운동의 조정(coordination)을 하거나 손가락 사용 기술이 늘어나게 된다. 사물의 심상을 그릴 수 있게 된 아이는 리모콘을 귀에 대고 전화 받는 시늉을 하는 등의 상징 놀이(symbolic play)를 하면서 놀이는 다양하고 흥미로와진다. 이 시기의 끝 무렵에는 또래와 어울려 노는 것도 즐기지만 아직은 모여서 따로따로 노는 평행놀이(parallel play)를 한다. 시키는 것을 수동적으로 따르기만 하던 영아기와 달리, '안돼', '싫어' 등의 자기주장을 하게 된다. 이러한 행동은 어른의 눈에 반항적으로 보이기 쉬우나 실제로는 능동성의 서투른 첫 표현일 뿐이다. 때로 감정 조절이 되지 않아 울고불고 드러누워 소리를 지르는 이른바 분노발작(temper tantrum)을 보인다. 이 시기의 반항, 분노발작은 정상 발달에서 나타나는 현상으로 이시기를 '공포의 두 살(terrible two's)' 이라고 부르는 이유가 된다. 이제 막 늘어난 행동과 감정의 표현으로 활발하지만 실수가 많고 때로는 조절이 안 된다. 아직은 행동을 치밀하게 계획하지는 못하고, 사리를 구분하거나 감정을 조절할 능력이 부족하므로 대부분 시행착오를 통해서 배운다. 이럴 때 아기는 엄마의 도움을 받아 좀더 빨리 습득한다. 그 중 한가지로 새롭고 불분명한 상황에서 어떤 행동을 하기 전에 엄마의 표정을 보며 반응을 확인하는 것이 사회적 참조(social referencing)이다. 옳고 그름이나 사리의 판단 기준이 별로 없는 아기는 엄마의 보상이나 제한 여부에 따라 행동 조절을 터득하게 된다. 대부분의 현대 사회에서는 이 시기에 훈육(disciplining)을 처음 시작하는 것이 보통이다. 행동조절과 같은 원리로 대소변 가리기가 진행된다. 대소변 가리기는 마려운 것을 느끼게 되고 항문과 요도의 괄약근 수축 기능이 준비되어 참는 능력 발달하면서 24~36개월 사이에 가릴 수 있게 되며, 고유 감각(proprioception)이 발달하면서 골격근 운동의 조절 능력도 늘어난다.

2) 자율성과 대상항상성의 성취

대소변 가리기나 행동의 조절에서 보듯이 이 시기의 가장 중요한 발달과제는 통제와 조절이다(Gemelli 1996). 아기의 준비성에 맞추어 적합한 훈련을 쌓아 가면 아기는 스스로 조절할 수 있는 능력과 자신감이 생겨서 자율성(autonomy)을 성취할 수 있게 된다. 그러나 지나치게 통제를 한다든지 일관성이 없거나 과도하게 허용적인 태도로 대하면 스스로 통제하는 능력을 올바로 얻지 못하여 수치감과 자신에 대한 의구심(shame and doubt)을 갖게 된다(Erikson 1963). 이 시기의 초기에는 아직 엄마 보호의 테두리에 머물러 있지만 아기의 활동이 늘면서 독립성도 차츰 늘어나게 된다. 그러다 24~48개월 사이 걸음마기를 마칠 무렵에 부쩍 엄마에게 매달리고 엄마가 거절하는데 과민하게 반응하는 때가 생겨서, 부모의 눈에 아기의 이런 새삼스러운 의존 행동이 발달 과정을 후퇴하는 것처럼 보이기도 한다. 2~3년 터울로 동생이 태어나면 그 반응이 더욱 커서 가리던 대소변을 다시 못 가리게 되는 퇴행 현상을 나타내는 경우도 있어 부모는 더욱 당황하게 된다. 하지만 이런 의존성은 정서적인 재충전을 하는 과정으로서 대개는 일시적이어서, 이 과정을 순조롭게 겪고 나면 엄마와 얼마 동안 떨어져 있어도 엄마가 자신을 저버리는 것이 아니라는 확신이 생기고 화난 엄마와 기분 좋은 엄마가 결국 같은 엄마라는 것을 알게 된다. 이와 같은 인지적, 정서적 능력이 생긴 아기는 대상항상성(object constancy)을 성취했다고 할 수 있다. Mahler 등(1975)에 따르면 이 시기가 끝나면 아기가 엄마로부터 심리적으로 분리되고 독립성을 가지게 되는 분리-개별화(separation -individuation)가 완성되어 비로소 심리적인 탄생(psychological birth)을 맞이하게 된다.

4. 학령전기(3~6세)

1) 발달 이정표

이 시기 어린이의 인지 능력에 대해서는 스위스의 심리학자인 Piaget(1952)에 의하여 잘 알려지게 되었다. 그에 따르면 2~7세 사이의 어린이는 상징을 사용하여 생각하기 시작하지만 아직 시간, 공간, 속도, 형태에 대하여 논리적으로 다루지는 못하는 전조작기(preoperational stage)에 놓이게 된다. 이 때는 큰 아이에 비하여 인지 기능의 한계가 있는데, 아직 상대방의 시각으로 사물을 보지 못하여 자기중심적이고, 직관적인 사고를 사용하여 비슷한 시간에 일어난 일들 사이에 인과관계가 있다고 보고, 사물의 두드러진 한 가지 특성으로 전부를 해석한다. 또한 같은 양의 물을 좁은 그릇에 부어 높이가 높아지면 물이 늘어났다고 생각하는 등, 가역성과 보존성을 아직 터득하지 못한다. 이 시기는 일생의 어느 때 보다는 상상력이 풍부한 나머지 때로는 현실과 상상을 구분하지 못하여 생각한 것을 사실처럼 이야기하는 '순진한 거짓말쟁이(innocent liar)' 가 되기도 한다. 정서적으로는 두려움이 커져서 어두운 곳을 무서워하거나 도깨비, 귀신 등을 상상하고 꿈을 꾸기도 한다. 어떤 어린이는 악몽이나 야경증과 같은 수면 장애를 일시적으로 경험하기도 한다. 한편, 사회성도 점차 늘어 엄마를 자신과 완전히 분리된 대상으로 인식하고 아빠와도 상호작용이 많아지면서 초보적인 대인관계가 시작되지만 아직 가정의 울타리를 크게 벗어나지는 못한다. 늘어난 상상력과 사회성을 바탕으로 놀이가 훨씬 다양해진다. 처음에는 모여서 각자

놀지만 나이가 들수록 서로 대화를 주고받으며 상황을 설정하기도 하고 역할을 가정할 수도 있어서, 이제 소꿉놀이도 엄마 아빠 놀이(as-if play)와 같이 협동놀이(cooperative play)의 형태를 띠게 된다. 현실의 테두리에서 벗어나 상상의 세계에 관한 놀이 주제를 설정하는 공상놀이(fantasy play)를 즐길 수도 있다. 이 시기에 어린이는 몇 시간씩 부모로부터 떨어져 있을 수 있게 된다. 요즘은 조기 교육을 선호하는 추세와 부부 맞벌이가 늘기 때문에 아기는 놀이방, 어린이 집, 학원, 유치원 등에서 일찌기 다른 아이들과 어울리고 놀며 배우게 된다. 그러나 초기에는 충분히 분리-개별화가 이뤄지지 않아 이별불안(separation anxiety)을 경험할 수도 있기 때문에 그 반응의 정도에 따라 계속 보낼지를 판단하여야 한다.

2) 성주체성과 주도권

이 시기에는 신체 구조와 기능, 남녀간의 신체적 차이, 특히 성기에 관심이 부쩍 늘어나게 된다. 아울러 성적 역할(gender role)을 배우면서 남자다운 행동, 여자다운 태도 등을 익히게 되어 성주체성(gender identity)이 확립된다. 어떤 어린이는 성기를 만지거나 물체에 부비며 스스로 자극하는 자위행동도 드물지 않아 어른들을 당혹하게 하는데, 부모가 당황하는 이유는 어른의 시각으로 바라보아서 아기가 성적으로 조숙하다고 믿기 때문이다. 어린이도 성기를 자극하면 어른의 오르가즘에 가까울 정도로 흥분을 한다고 알려져 있지만 성과 신체 구조에 관심이 많은 이 시기에 나타날 수 있는 일시적 현상이므로 그리 걱정할 일은 아니다. 이 시기에는 성적 역할뿐 아니라 생각이나 공상의 내용 등 여러 활동을 어린이 스스로 선택하는 경향이 많아진다. Erikson(1963)은 이러한 특징을 주도성(initiative)이라고 하여 이 시기에 성취할 심리 · 사회적 발달 과제로 보았다. 어린이의 성적 역할과 활동이 원만히 형성되면 어린이는 자발성이 높아진다. 그러나 부모나 사회의 기준에 잘 맞지 않으면 어린이는 자신의 성이나 사회적 역할에 주눅 들게 된다.

3) 신체 손상의 두려움

신체 구조와 기능에 대하여 관심이 많기도 하지만 두려움도 많은 이 시기에는 그만큼 신체손상의 두려움이 커진다. 학령전기 또는 걸음마기에 해당하는 전조작기 아이가 심하게 다치거나 수술이 필요하여 입원할 경우, 다른 시기에 비하여 신체 손상에 대한 두려움이 유난히 크다는 것을 이해하여야 한다. 더구나 아직 가역성을 터득하지 못하였기 때문에 한번 다치면 회복이 안 될 것이라는 생각에 두려움의 정도가 어른이 상상하기 어려울 정도로 크다. 이러한 두려움을 가라앉히지 않고 무리하게 의학적 술기를 하려고 하면 어린이가 무서워 거부하기 때문에 과정이 어려울 뿐만 아니라 신체상(body image)에 손상이 가해질 수도 있다. 신체상이란 자신의 몸이 어떤 모습이라고 마음속에 그리는 믿음을 말하는데, 신체상이 심하게 손상되면 실제 몸은 온전하게 회복되어도 심리적으로는 여전히 결함이 있다고 느끼게 된다. 아직 논리적인 사고 능력이 없고 직관적으로 모든 것을 이해하기 때문에 이 시기 아이의 두려움을 줄이기 위하여 논리적인 설명으로 안심시키려는 것은 별로 소용이 없을 수 있으며, 따뜻하게 달래는 태도를 유지하는 것이 오히려 효과적인 경우가 많다. 주변 환경이 위협적이지 않고 안락하게 하는 것도 도움이 된다. 즉, 어린이 전용 진찰실이나 치료실을 어린이가 좋아하는 모양으로 꾸미거나, 고통이 따르는 검사나 치료를 받을 때 재미있는 만화영화 비디오를 틀어주어 주의를 다른 곳으로 돌리는 것도 좋은 방법이다.

5. 학령기(6～12세)

1) 발달 이정표

이전 시기에 비하여 행동과 감정을 통제하기 쉬워지고 차분해지기 시작한다. 인지 발달은 초보적인 귀납 논리가 가능해지고 입장을 바꾸어 생각할 수 있게 된다. 다양한 모양의 그릇에 부어도 액체의 양은 일정하다는 사실을 아는 것과 같이 보존성을 이해하고, 두 가지 이상의 기준에 따라 분류할 수 있는 기능이 늘어나며 말판놀이와 같이 규칙을 따라서 하는 놀이를 즐길 수 있다. 그러나 논리는 구체적인 수준이어서, 이 시기의 어린이는 대상을 지각하고 상상할 수는 있지만 아직 많은 추상적 개념을 다루지는 못한다.

2) 심리 · 사회적 발달

대인 관계에서 어린이의 관심이 가정의 테두리를 벗어나기 시작한다. 이 시기에는 부모보다도 선생님 등의 다른 어른들과 또래 친구들을 중요시한다. 자신의 정체성을 개인의 특성으로 느끼기보다 또래 집단에 속함으로써 확인한다. 대개 같은 성별, 비슷한 취향의 친구들이 모이고 같은 또래 집단 친구들의 행동을 배워 동질화된다. 동질의 집단 안에서 비로소 안정감을 찾는 이른바 또래 압력(peer pressure)을 받기도 하는데 그 극단적이고 폭력적인 형태가 집단 따돌림이다.

Erikson(1963)에 따르면, 이 시기의 중요한 발달과제는 학습을 위한 요령과 태도를 배우고 근면성을 획득하는 것인데 제대로 되지 않으면 열등감에 빠지게 된다. 학교에서 틀에 짜인 생활을 시작하면서 가벼운 정신지체, 학습장애, 주의력결핍 과잉행동 장애 등의 문제 행동이 처음 발견되기도 한다.

6. 청소년기(12~21세)

청소년 시기는 아동이 성숙한 인간으로 성장해 나가는 발달상의 마지막 단계이고 다른 발달단계에서처럼 발달의 특유한 현상과 이루어야할 발달과제 그리고 이에 따른 발달상의 위기, 불안, 문제점들이 따르게 마련이다. 청소년기의 문제도 이러한 발달학적 맥락에서 이해한다면 좀 더 긍정적으로 이해할 수 있다(홍강의 1995, 1997; Bloss 1962).

1) 청소년기의 발달과제

초기 청소년기(12-14세)에는 신체변화에의 적응과 성적 주체성(sexual identity), 중기 청소년기(15-17세)에는 부모로부터의 심리적 해방(independence), 말기 청소년기(18-21세)는 자아정체성(ego identity) 확립의 발달과제를 이루어 나가야 할 시기이다(민성길 1999; 조두영 2001).

2) 공통적 발달과제와 심리적 특징

초기 청소년기에는 신체변화에의 적응으로서 본능적 충동의 제어와 승화가 이루어지는데, 우선 급격한 신체적 성장과 2차 성징의 출현을 다루어야 한다. 또한 신체적 변화에 대해 기쁘기도 한 반면 불안하기도 한다. 남과 비교하며, 외모와 옷과 치장에 관심이 많고 이상형의 행동이나 의상을 흉내 내려 한다. 성적 충동의 급격한 증가와 공격적 충동의 증가를 운동, 경쟁적 게임, 신체적 활동, 취미 등으로 승화시킬 수 있도록 도와주어야 한다. 중기 청소년기에서는 부모에게서의 심리적 해방과 독립을 추구하는 것이 주요 과제로서, 흔히 이유 없는 반항과 부모의 대체 대상을 등장시키거나 새로운 종교, 예술에 심취하여 불안을 해소하려 한다. 또한 주위와 자신의 내부로부터 오는 압력에 직면하게 되며, 남들과 같이 행동하려는 동조성이 큰 반면, 남들로부터 인정받고 남보다 뛰어나고 싶은 차별성의 욕구가 공존한다. 말기 청소년기에서는 주체성 확립이 주요 과제이다. 주체성을 세우지 못하고 우왕좌왕하는 심한 경우를 정체성 위기 또는 주체성 위기라 한다. 술, 담배, 성행위에 처음으로 노출되기도 하는데, 실제 성행위보다는 동성애, 관음증, 노출증, 가학 피학증 등 변태 성행위에 빠질 위험성도 있다. 특히 남들과 비교해서 자기에게 있는 대소간의 차이에 과민하게 반응한다. 남에게 공개를 꺼리는 비밀이 많고, 또한 남이 이해 못할 것이라는 생각을 하는데, 대개 성적인 문제, 신체발달에 대한 문제, 이성관계 및 약물복용 등과 같이 비밀스러운 것이다.

IV. 시기에 따른 대책

성장하면서 아이의 연령별로 적절한 대책을 강구해야만 하는데, 그 시기에 따른 대책은 다음과 같다(Kapp-Simon 2004).

1. 태아기

임신 17주 이후가 되면 능숙한 의사가 초음파 검사를 정밀하게 검사했을 때 산전에 구순열을 진단할 수도 있으나 대부분의 경우에는 미리 발견하지 못하며, 구개열은 초음파로 출생 전에 미리 진단하기가 더욱 어렵다(Johnson & Sandy 2003).

2. 영아기

영아기에는 호흡과 수유의 장애가 가장 문제가 된다. 젖을 잘 빨지 못하고, 삼키는데 어려움이 있을 수 있는데 하루의 총 영양 섭취량이 부족하게 되어 체중이 잘 늘지 않게 된다. 이 경우에는 부드러운 젖꼭지에 될수록 구멍을 크게 뚫어 주면 도움이 되며, 모유도 짜서 젖병에 담아 수유하는 것이 쉽다. 위 속에 관을 넣어서 먹이는 방법은 하지 않는 것이 더 좋은데, 왜냐하면 조금 더 노력하여 젖병을 입으로 빨아먹게 하는 것이 장래의 구강 및 언어발달을 위해서 더 좋기 때문이다.

3. 걸음마기, 학령전기(2~6세) 아동

영아기 이후 취학 전 아동을 위해서는 발성 및 언어치료, 청력이나 반복되는 중이염 등의 이비인후과적인 문제, 성장, 지능발달, 그리고 일반적인 치아 건강에 대한 대책이 필요하다. 출생 당시에 결손 정도가 심하다고 해서 반드시 예후가 나쁜 것은 아니며, 반대로 결손이 작다고 해서 결과가 언제나 좋은 것은 아니다. 시기별로 적절한 치료와 대비를 하였느냐에 따라 장래가 결정되므로 아주 중요한 시기이다(Turner 등 1997).

1) 성격형에 따른 대책

이 시기 아동은 Erikson(1963)에 의하면 자율성과 주도성을 이루는 시기이다. 앞에서 기술한 바와 같이 인지, 정서 및 행동에 있어서 아주 미숙하여, 심사숙고하여 수술을 결정하여야 할 것이며, 특히 아동의 성격형과 가족들의 지지 정도에 따라 대책을 세우는 것이 중요하겠다.

(1) 쾌활형 아동

아동이 얌전하고 협조적이며, 아동의 부모가 정서적 지지와 행동 지도를 잘 할 수 있다면 걸음마기 혹은 학령전기 아동이라도 입술 수술을 성공적으로 할 수 있다. 그러나 쾌활형과 유사한 성격의 아동이라도 항상 설치는 활동적인 아동은 부모의 양육 기술이 좋더라도 회복기에 우발적으로 넘어지든지, 부딪치든지 하여 수술 부위에 문제를 일으킬 수 있으므로 입술 수술의 좋은 후보자는 되지 않는다.

(2) 과잉억제형 아동

너무 부끄러움이 많아서 병원에서 평가하는 동안에 비협조적인 과잉억제형 아동은 아마 나이가 더 들 때까지 기다리는 것이 나을 것이다. 학령전기 아동은 입원과 수술 치료에 연관된 과도한 불안과 스트레스를 경험할 수도 있다. 걸음마기 아동은 수술의 스트레스를 효과적으로 대처해나갈 인지적 능력을 갖지 못하고, 자기가 좋아하지 않는 일들을 한다고 이해한다. 이러한 아동의 부모가 불안하고 의존적이라면 부모들이 아동에게 적절한 지지를 제공하기 어려울 것이다. 그러나 부모가 다정하고 용기를 줄 수 있는 부모라면 불안한 아동도 더 어린 나이에 수술을 성공적으로 감당할 수 있는 환경을 제공해 줄 수도 있다. 따라서 과잉억제형 아동에서 개별적으로 수술 결정을 하는 데는 아동의 부모 등 주변 환경들이 중요하다.

(3) 과소억제형 아동

가끔 어린 아동은 반항적인데, 이러한 반항은 영아기에서도 나타날 수 있다. 이 시기의 과소억제형 아동은 쉽게 자극적일 수 있고, 자극에 대해 참는 힘이 부족하며, 과다한 활동과 새로운 사람이나 환경에 강한 반응을 보인다. 이 아동은 일반적으로 이 시기의 정규수술의 좋은 후보자가 되지 못한다. 이러한 어린 아동은 수술이 완수되었다하더라도 부모나 병원 스태프는 아동의 강한 반응의 가능성에 대하여 만반의 대비를 해야만 한다. 즉, 혈관주사(IV) 선을 뽑는다든지 수술부위에 손상을 주든지, 수술 후에 먹고 마시는 것을 거부하는 경우가 더 많다. 이러한 행동을 대비하기 위해서는 수술 전 계획과 부모 상담이 필요하다. 그러나 최고의 환경하에서도 이 시기의 과소억제형 아동의 수술에 따른 지지는 어려울 경우가 많다.

그러나 때로는 이 시기의 아동은 성공적으로 수술할 수도 있다. 이 시기의 아동들은 가능한한 스트레스 없도록 수술에 특수한 지지가 필요하다. 부모의 참여는 유익할 수 있는데, 특히 부모가 자기 아동의 기질을 잘 알고 아동의 스트레스에 적절하게 아동을 지지할 수 있을 경우이다. 부모들은 아동이 채혈하거나 상처를 소독할 때와 같은 스트레스가 심한 시술 동안에 아동의 관심을 긍정적인 다른 곳으로 바꾸는 것에 대해 배울 수 있다. 부모들은 안심시켜주는 간단한 말(예; 너 잘하고 있다. 엄마가 네 옆에 있다. 책 읽자, 노래하자, 놀이하자 등)로서 아이들을 달래고 기운을 북돋을 수 있다. 그러나, 일부 아동은 정규 수술을 받지 못하고, 아동이 적극적으로 참여할 수 있을 때까지 기다려야 한다. 이 시기 아동에서 정규수술 결정할 때에는 아동의 기질적 특성과 부모-자녀 상호간의 강도는 반드시 평가되어져야한다.

4. 학동기 아동

학동기에는 치열교정, 뼈 이식 등의 수술적 치료를 의논하게 되고 무엇보다도 학업 성적에 영향을 줄 수 있는 요인들에 대하여 대책을 세워야 한다. 또한 청력, 주의집중력, 지능발달, 행동발달 및 정서적인 문제들을 해결해 주어야 한다. 많은 수술자들은 "구순구개열 아동은 학교 입학 전에 입술 수술을 해야 한다"라고 제안한다. 그 이유는 입학 전에 입술 모양을 좋게 해서 아동의 긍정적 사회적 수용을 증대시키고 부정적 주의나 또래로부터 놀림감을 최소화하기 위해서이다. 따라서 모든 아동은 초등학교 입학 시기에 가능하면 외모를 보기 좋게 할 가치가 있다. 1학년에 입학하면 다양한 연령들과 어울리게 되며, 많은 경우에 학령전기에서 보다 더 외모의 차이를 인식하게 된다. 따라서 놀림감, 괴롭힘, 따돌림 등이 많아지게 될 수도 있다. 그러나 놀림감과 부정적 사회적 접촉은 외모에 의해서만 야기되는 것은 아니다. 예를 들어, 상당수의 구순구개열의 아동들이 다른 아동들에 비해 또래들에게 도움을 덜 주고, 덜 친절하게 한다는 연구도 있어서, 외모의 호전만이 학동기 아동의 사회적 수용에 영향 주는 요소라는 것은 논란의 대상이 된다(Kapp-Simon 1986; Krunberg 등 1993).

그러므로 외모를 좋게 해서 놀림감이나 사회적 곤란을 방지하기 위한다 하더라도 수술시기를 학교입학 시기와 연관시키기보다는 신체적 성숙 시기에 맞추는 것이 더 낫다. 부모들은 아동의 외모가 이상할 때 놀림감이 된다고 걱정하는데, 그러나 놀림 방지를 위해 수술을 할 때마다 수술팀은 시간을 갖고 사회적 상황에서 놀림감이 되는 그 아동의 행동에 대해서 의논해야 한다. 예를 들어, 부모들은 그 아동이 어떻게 또래들에게 접근하는지, 다른 사람의 사회적 접근에 어떻게 반응하는지를 생각하도록 도와주어야 한다. 이러한 논의에서는 그 아동이 놀림 당하는 것을 꾸중하려는 것이 아니라는 것이 전제가 되어야한다. 아동이 사회적 수용에 영향을 주는 여러 가지 요소들을 살펴 볼 필요가 있다. 놀림 당하는 아동에게는 사회 상호작용 기술 발달을 습득하는 것이 중요하다. 즉, 눈맞춤, 적절한 크기로 이야기하기, 따뜻하게 친구들에게 인사하기, 상냥한 매너, 또래들의 관심있는 대화 주제 이끌어 내는 방법 알기 등이다.

1) 성격형에 따른 대책

아동의 성격이나 행동은 초등학교 입학 시기에 중요한 역할을 한다. 전문가들은 가끔 왜 작은 상처를 지닌 아이가 심한 놀림감이 되고, 반대로 심한 상처를 가진 아이는 별로 어려움을 호소하지 않는지에 대해 의문을 가진다. 후자의 경우는 대부분 쾌활형 성격소유자이다.

(1) 쾌활형 아동

또래들에게 친근하게 접근하고, 서로 나누고, 칭찬을 잘하고, 전반적으로 긍정적인 정서를 갖고 있다. 이 아동은 구순구개열에 대해서 질문을 받으면 방어하려하지 않고, 질문에 직접적으로 대답하고, 지가존중감과 자신감을 가진다. 쾌활형 아동은 구순구개열 수술을 더 친근하기 위해서, 놀림을 당하지 않기 위해서라는 것이 아니라, 입술과 코의 외모를 호전 시키는 것으로 인식을 한다.

(2) 과잉억제형 아동

학교에서 거의 대부분 '착실한 학생' 으로 평가된다. 그들은 조용하지만 아주 성실하기도 하다. 과잉억제형 아동은 학습장애가 없는 한 학교 성취도도 좋은 것으로 나타났다. 그러나 사회적 접촉으로부터 상대적으로 더 움츠러드는 경향을 보인다. 그들은 주로 혼자 노는 것을 선택하고, 다른 아이들이 부를 때 그들은 머리를 숙이고 대답하기를 거부하고 다른 걱정과 불안의 사인을 표출하기도 한다. 이러한 아이는 또래들이 비웃거나 놀리는 것에 상처 받기가 쉽다. 특히 이 아이들은 그들의 극단적인 수줍음을 극복하는데 도움이 되는 사회 기술을 직접 배우는 것이 좋다. 다른 사람들과 잘 어울리는 방법을 호전시키지 않고 아이의 외모(얼굴)를 향상시키는 것만으로는 또래집단과의 사회적 상호작용에 영향을 끼치지는 않는다.

(3) 과소억제형 아동

일반적으로 전반적인 행동 장애에 대해 높은 위험률을 보이며, 특히 학동기 시절에 밖으로 표출되는 정서, 행동문제의 외현화 장애에 높은 위험을 보인다. 이 아이들은 행동적 이슈(주의력 결핍, 동기부여 어려움 혹은 불평)에 연관된 더 많은 문제를 가지는 경향이 있다. 그리고 공격적이며, 타인과 공유하지 못하거나 혹은 다른 사람의 요구에 집중하지 못하며, 부정적인 정서상태 등의 경향으로 인해 공개적으로 또래들로부터 더 거부당하는 것 같다. 얼굴 생김새의 차이가 아이의 행동과 사회적 어려움에 있어서 '비난' 의 초점이 될지도 모른다고 생각하여, 어떤 가족은 외모를 향상시키는 것이 아이의 적응에 긍정적인 영향을 끼칠 것이라 희망한다. 그러나 경험적으로 보았을 때 이러한 가족들이 아동의 행동문제의 근원적인 문제에 대하여 직접적으로 다루지 않는다면 외모를 향상 시킨 후에도 낙심하게 될 것이다. 이러한 상황에서는 심리적 자문을 통하여 적절한 정신치료적 중재가 꼭 필요하다. 때로 심리적 치료와 외과적 치료를 병행하여 아이의 전반적인 적응에 큰 호전을 보일 수도 있다.

2) 학습 문제

구순구개열 아이들에서 학습장애가 더 높다는 연구들이 상당히 있다. 읽기 장애는 일반아동의 5%-15%인데 비해서 구순구개열 아동에서는 30%에서 나타난다(Broder 등 1988; Richman & Eliason 1986). 특히 이러한 학습 문제는 초기 초등학교시절에 두드러지게 나타나며 이러한 학습 문제들은 아동의 자신감을 더 낮게 한다. 구순구개열팀이 만나는 어린 아동의 상당수는 아주 어린 시기부터 적응에 대한 여러 가지 위험에 대해 대처해나가고 있다. 또래와의 통합은 학습장애를 갖고 있을 때 더 어려우며, 특히 아동이 과잉억제형 혹은 과소억제형 성격일 경우에 더하다.

학교장면에서는 구순구개열 아동이 특수학습장애를 갖고 있다는 것을 잘 인식하지 못할 수도 있다. 왜냐하면 선생님들이 구순구개열의 낙인 받은 억제된 아동과 거부된 아동을 원래 똑똑하지 못하다는 편견을 가지고 볼 수도 있고, 편견과 무관심으로 실제 있는 학습장애를 발견하지 못할 수도 있다. 학습문제와 사회성의 문제 아동은 주의력결핍/과잉행동장애로 진단받을 수도 있고, 학습장애는 발견되지 못하고 치료받지 못할 수도 있다(Richman 등, 2004).

구순구개열팀은 아동의 학습장애 가능성에 대해 가족들을 교육해야할 특이한 위치에 있다. 학습 진행 상황은 초기 초등학교시기에 반드시 평가되어져야 한다. 아동이 학습적으로 또래들을 따라가지 못할 때는 특수학습장애에 대한 평가를 권유해야 한다. 이러한 평가는 구순구개열팀 자체에서 할 수 없다면 학교에서나 병원이나 대학의 정신과와 심리학 분야에서 평가 받을 수 있다.

5. 청소년기

앞에서 살펴본 바와 같이 청소년기가 되면 외모에 더욱 신경을 쓰는 시기이므로 코, 얼굴 모양 등에 대하여 성형수술 시행 여부 등을 의사와 의논하도록 해야 한다. 또한 청소년기는 상당수에서 혼란을 느끼는 시기이며, 정체성, 독립성, 사교성의 이슈가 이 시기의 주요 과제이다. 청소년이 가족으로부터 독립을 추구할 때, 청소년과 다른 성인, 청소년과 부모와의 관계성은 새롭게 변화될 수 있다. 친구의 가치가 가족의 가치와 비교되어지고, 자신의 성공과 실패는 소속된 사회 집단에서의 자신의 위치와 연관시키기도 한다(Havighurt 1952).

구순구개열 관련 이슈는 구순구개열 청소년에서 이미 청소년기의 복잡한 과제를 더 복잡하게 한다. 십대들은 데이트를 포함한 사회성을 방해할 얼굴 차이를 고등학교 동안에 그대로 둘 것인가를 결정해야한다. 외모에 대한 자의식은 청소년기에는 정상적이지만, 그러나 얼굴 외모로 보이는 차이는 자의식의 수준을 더 강화할 수도 있다. 수술함으로써 외모가 좋아질 것을 기대하지만, 또한 수술은 청소년에게 부가적인 집중을 해야 하기 때문에 두려워질 수도 있다. 수술은 스포츠, 호른 연주, 여름 직장 등 십대들의 즐거움의 행위들을 방해할 수도 있다. 수술에 대한 결정은 이들 청소년들에게 긴장이 높아지게 되며, 청소년, 부모와 수술의사 사이에 수술의 우선순위, 부가적 수술을 할 것인가 등에 대해 의견이 불일치할 수도 있다(Kapp-Simon 1995).

최근 영국의 한 연구에서는 부모와 15세 연령의 청소년들 사이에 구순구개열 관련 얼굴 형태에 대해 근본적으로 불일치를 보인다(Turner 등 1997). 부모들은 청소년보다 구순구개열 관련분야에서 결과에 더 만족하는 편인데, 주요 차이는 치아와 입술에 대한 인식의 차이이다. 이러한 부모-자녀 사이의 불일치가 청소년 시절 부가적인 구순구개열 관련 치료 결정과정에 의견이 다를 수 있어서 이들 이견의 조절이 필요하게 된다. 이러한 차이는 자주 가족들에게 부가적 수술에 대한 동기의 오해와 잘못된 속성 때문일 수 있다. 수술팀은 조언이나 상담을 통해 이러한 차이들에 대해 토론하고, 가족이 이러한 차이를 해결하는데 도움을 주어야 한다. Kapp-Simon과 Simon(1991)은 부가적 치료에 대한 의견 차이를 조절하는데 가족들에게 도움을 주는 방법으로서 "Self-Understanding Model"을 권유한다. 이러한 방법들을 사용하여 청소년들과 부모들이 부가적 수술을 받을 것인지, 받지 않을 것인지에 대하여 서로의 차이를 극복할 수 있다. 구순구개열팀과 상담팀의 열린 의사소통과 격려와 지도는 가족들이 치료 우선순위를 결정하는데 도움을 줄 수 있다. 이러한 직접적인 의사소통이 청소년의 자긍심을 유지하는데 도움이 되고 계획된 수술에 잘 협조하게 해준다.

V. 요약

구순구개열의 치료는 영아기, 아동기, 청소년기로 확대된다. 아동과 가족들은 이러한 시기동안 복잡한 수술의 문제들을 경험하게 된다. 구순구개열의 심한 정도에 따라 가족들은 언어치료, 귀의 감염, 학습장애, 여러 가지 치열교정 치료 등에 대처해 가야 할 필요가 있을 수 있다. 이러한 치료의 궁극적 목표는 아동, 청소년 혹은 성인이 각 발달단계에서 사회의 적절한 구성원이 되는 것이다. 심리적 지지는 아동이 학교, 수술의사, 치료팀과 환경에 잘 적응하게 도와주며, 아동이 구순구개열을 가지고 자라는 경험으로부터 그가 얻을 효과에 초점을 맞추어야 한다. 또한 아동이 구순구개열 치료의 도전에 대해 잘 대처할 수 있다는 심리적 지지를 아끼지 말아야 한다.

끝으로 구순구개열은 단순한 질환이 아니며 장기간에 걸쳐 다양한 문제들에 대한 종합적인 대책이 필요한 질환이라는 것을 이해하고 필요에 따라 매번 전문의와 의논하는 것이 아이의 장래를 이하여 가장 바람직할 것이다.

참고문헌

1. 권자영 : 구순/구개열 아동 및 가족의 심리 · 사회적 문제와 그 대처방안, 빅스마일회보, 1999.
2. 대한신경정신의학회 : 신경정신과학, 서울, 하나의학사, 1998.
3. 민성길 : 최신정신의학, 제 4판, 서울, 일조각, 1999.
4. 이근, 조두영 : 심리문제. 홍창의 편, 임상소아과학 제 3판, 서울; 대한교과서주식회사, 1982. pp 52-74.
5. 이정균 : 정신의학, 3개정판, 서울, 일조각, 1994.
6. 조두영 : 행동과학 -의사와 환자-, 서울, 일조각, 2001. pp 3-38.
7. 홍강의 : 심리 사회 행태적 발달과정. 이부영 편, 의학개론 II, 서울, 서울대학교 출판부, 1995. pp 29-68.
8. 홍강의 : 인간의 발달. 대한신경정신의학회, 신경정신의학, 서울: 하나의학사, 1997. pp 35-54.
9. Blos P : On adolescence: a psychoanalytic interpretation. London, Macmillan, 1962.
10. Broder H, Richman LC, Matheson PB: Learning disabilities, school achievement, and grade retention among children with cleft: a two-center study. Cleft Palate Craniofac J 1988; 37: 127-131.
11. Endriga MC, Kapp-Simon KA: Psychological issues in craniofacial care: state of the art. Cleft Palate Craniofac J 1999; 36:3-11.
12. Erikson E : Childhood and society. 2nd edition, New York, Norton, 1963. pp 247-274.
13. Gemelli R : Normal child and adolescent development. Washington DC, American Psychiatric Press, 1996.
14. Hart D, Akins R, Fogley S: Personality and development in childhood: a person-centered approach. Boston. Blackwell. 2003.
15. Havighurt RL: Development tasks and education. New York, Longmans, 1952.
16. Jonson N, Sandy JR: Prenatal diagnosis of cleft lip and palate. Cleft Palate Craniofac J 2003;40:186-189.
17. Kapp-Simon KA: Self-concept of primary school-age children with cleft lip, cleft palate or both. Cleft Palate J 1986; 23: 24-27
18. Kapp-Simon KA: Psychological interventions for the adolescent with cleft lip and palate. Cleft Palate Craniofac J 1995; 32: 104-108.
19. Kapp-Simon KA: Psychological care of children with cleft lip and palate in the family. In: Wyszynski DF, editor. Cleft lip and palate: from origin to treatment. New York; Oxford University Press; 2002. pp 412-423.
20. Kapp-Simon, KA: Psychological issues in cleft lip and palate. Clin Plastic Surg 2004; 31: 347-352.
21. Kapp-Simon KA, Simon DJ: Meeting the challenge: a social skills program for adolescents with special needs. Chicago. Kapp-Simon & Simon. 1991.
22. Krueckeberg S, Kapp-Simon KA, Ribordy SC: Social skills of preschoolers with and without craniofacial anomalies. Cleft Palate Craniofac J 1993; 30: 475-481.
23. Mahler MS, Pine F, Bergman A: The Psychological Birth of the Human Infant. New York, Basic Books, 1975.
24. Piaget J: The Origins of Intelligence in the Child. New York, International Universities Press, 1952.
25. Richman LC: The effects of facial disfigurement on teachers' perception of ability in cleft palate children. Cleft Palate J 1978; 15: 155-160.
26. Richman LC, Eliason MJ: Development in children with cleft lip and/or palate: intellectual, personality, and parental factors. Semin Speech Lang 1986; 7: 225-239.
27. Richman LC, Ryan S, Wilgenbusch T, Millard T: Over diagnosis and medication for ADHD in children with cleft: diagnostic examination and follow-up. Cleft Palate Craniofac J 2004;Jul 41(4):351-354.

28. Thomas A, Chess S, Birch HG: Temperament and Behaviour Disorders in Children. New York, University Press, 1968.
29. Turner SR, Thomas WN, Dowell T, Rumsey N, Sandy JR: Psychological outcomes amongst cleft patients and their families. Br J Plast Surg 1997; 501-509.

제25장 두개안면계측

Anthropometric Measurement

김용하

계측 및 기록은 연구뿐 아니라 진단을 위해서도 필수적이며 특히 치료의 계획과 과정, 결과의 정확한 평가를 위해서도 반드시 필요하다. 여러 가지 치료방법이 있고 다양한 결과가 나타나는 구순구개열과 두개안면 기형 환자의 치료에 있어도 계측을 기록하는 것은 매우 중요하다. 두개안면분야의 연구와 임상적용을 통하여 올바른 계측과 기록을 얻기 위해서는 이학적 검사, 임상사진, 치과검사, 방사선검사, 인상(impression)의 제작 등이 필요하고(Aduss, 1969; Rosenstein, 1969; Mazaheri, 1969 ; Chandra, 1974) 최근 전산작업의 발달로 3차원 영상화 등의 방법이 소개되고 있다. 다양한 방법들을 통해 지속적인 데이터를 모아 구강부, 안면부, 그리고 두부의 성장 양상을 알 수 있다. 일반적으로 2세 전에는 6개월 단위로, 그 이후는 1년에 한번씩 자료를 기록하는 것을 권장한다(Mazaheri, 1969).

I. 안면구조의 심미적 접근

두개안면부 기형의 수술적 교정을 계획할 때 가장 기본이 되는 순서는 바로 정상적이고 아름다운 안면에 대한 개념이다. 고대 그리스 시대의 피타고라스, 플라톤, 유클리드 및 르네상스시대의 다빈치, 듀어 등 많은 과학자들과 예술가들은 인체의 비례미에 대하여 관심을 가져와 그 황금률(Golden Ratio)을 찾고자 노력해왔다. 최근 Marquardt(2002)는 이상적인 비율인 1:1.618이라는 황금률을 이용하여 안면부의 황금분할가면을 만들어 시대와 인종을 초월해 공통적으로 적용되는 미적 비율은 이 가면에 근접한다고 주장하고 있다. 두개안면 기형환자들에게서 수술을 계획할 때, 이상적인 안면비율과 정상인의 계측치를 고려하여 가능한 매력적인 얼굴을 재건함으로써 더 나은 결과를 얻을 수 있을 것이다.

1. 정면 분석(frontal analysis)

안면 전체를 평가할 때는 전반적인 조화와 특정부위들 간의 비율을 보는 것이 바람직한 방법이다. 중요한 부위를 빠뜨리지 않기 위해서는 안면을 상중하로 나누어 분석하는 것이 좋다. 상안면은 모발선의 끝인 발제점부터 눈썹까지, 중안면은 눈썹부터 코의 하비점, 그리고 하안면은 하비점부터 턱끝점까지를 의미한다.

상안면에서는 모발선과 이마의 폭과 높이, 그리고 대칭인지 불규칙성이 있는지를 검사해야한다. 눈썹을 볼 때도 주변의 속눈썹과 모발선과의 관계를 고려해 대칭성, 방향, 그리고 위치를 확인하여야 한다. 눈썹은 대개 외측으로 올라가다 각막 외측에서 최상점을 그린 후 내려가는데 외측 끝은 내측 끝에 비해 대개 상부에 위치한다.

중안면에서 양 눈은 그 대칭성과 위치를 상하 혹은 좌우로 검사한다. 일반적으로 눈썹모양에 따라 안검열의 모양이 형성되며, 안쪽보다는 바깥쪽에서 상부로 위치하여 2° 가량의 각을 형성하게 된다. 내안각폭과 공동간폭을 측정해야 한다. 정상 내안각폭은 대략 28~32mm이며(Whitaker, 1984), 이것은 내외안각사이 거리인 안검렬의 길이와 같은 것으로 알려져 있으나 한국인에게서는 내안각폭이 안검렬폭보다 긴 것으로 보고되고 있다(박동만, 1990; 조준현, 1993). 안검은 그 운동과 위치, 모양을 측정한다. 상안검은 대개 홍채를 1~2mm 정도 덮고 있다. 코부위를 검사할 때는 소구획(subunit)을 측정하여 각각의 폭과 돌출정도 대칭성을 보는 것이 중요하다. 동양인의 코는 서양인과 다른 소구획을 고려해야 하는데 비골과 연골이 강하지 않아 콧등과 양측벽면을 한 구획으로 보일 수 있으며, 연부삼각지가 뚜렷하지 않고 비첨부가 좀더 큰 양상을 보인다(Yotsuyanagi, 2000). 귀를 측정할 때도 돌출, 외양, 위치, 방향, 대칭성을 측정하여 정상 기준에서 벗어나는 변형을 확인해야 한다. 일반적으로 대이륜은 정면에서 약간 보이며, 이륜은 머리방향과 평행되게 위치하고, 유양돌기(mastoid bone)에서 1~1.5cm 정도 돌출되어 있다. 귀의 길이는 대략 코의 길이와 같고, 귓볼의 하부경계는 하비점과 같은 선상에 있다. 두개안면부 변형환자에서 귀는 비정상적인 위치에 있을 때가 많다. 귀의 장축은 체부의 축과 30° 정도 각을 이루며 뒤로 누어있다.

하안면중 상구순의 길이를 보면, 대개 비부 길이의 절반, 구점에서 턱끝점까지 거리의 절반이다. 상구순이 지나치게 길거나 짧으면 기저 골격계의 이상을 의심할 수 있다. 상구순은 인중과 큐피드활의 형태에 맞춰 측정되어야 한다. 양측 입술 교차선을 검사할 때 한쪽으로 경사가 관찰되면 골격이상을 암시한다. 이상적인 구각폭은 좌우 각막내측의 거리와 동일하다. 턱끝은 그 위치와 대칭성, 모양의 측정이 특히 중요하다. 코중앙선과 인중와 그리고 턱끝의 가상선은 일직선이야 하고 그 편위는 골격계이상을 암시한다. 하악각의 대칭성과 형상을 검사하고 턱밑부위의 과도한 피부, 지방 혹은 악하선의 돌출 유무를 검사해야 한다.

2. 측면분석(profile analysis)

측면모습의 안면부를 관찰하면, 안면은 다시 세 부분으로 나뉘어진다. 이마의 길이는 중안면과 하안면의 길이와 일치하며 각 부위가 지나치게 짧거나 길면 얼굴의 조화가 깨어진다.

측면에서는 각막의 전면부와 주변 돌출 구조와의 조화가 중요하다. 각막 최전면부를 기준점으로 보았을 때, 상안와부 돌출선이 전방으로 8~10mm 나와 있으며 측면의 안와선은 후방으로 12~16mm에 위치하는 것으로 알려져 있으나(Whitaker, 1986) 이는 서양인에서의 계측으로, 한국인에서는 각막이 좀 더 전방에 위치하는 것으로 알려져 있다. 전두부 경사도, 폭, 안와와 안구 관계, 상안와 돌출선과 눈썹의 위치 또한 임상적 연구에 있어 중요하다. 정상 남성의 평균 비전두부각(nasofrontal angle)은 130°, 여성의 경우는 그보다 5° 정도 더 크며, 한국인에서는 더 크게 나타난다(이혜경, 1987). 전두동의 기공화는 대략 7세경 시작되며, 그 양은 가변적이고 지나친 기공화의 경우 미간을 포함한 이마 하부의 돌출과 비전두부각의 증가를 초래한다.

코는 비전두부각, 비봉(hump)의 유무, 비교(nasal bridge)의 돌출각(여성은 34° 남성은 36°)을 검사한다. 비순부각(nasolabial angle)은 한국인에게서 대략 남성은 100°, 여성은 105~108° 정도며 한국인은 이보다 작은 것으로 알려져 있다(한기환, 1982). 비주는 비익부보다 4mm 정도 하방으로 위치한다. 전비극의 위치는 상악과 비부사이의 관계를 분석하는데 있어 중요하다.

하안면은 더 세부적으로 나누어 하비점에서 구점까지를 상부 1/3로 구점에서 턱끝까지를 하부 2/3로 대충 나눌 수 있다. 하안면에 있어서는 입술의 길이, 하순에 대한 상순의 돌출정도, 하순고랑(순이구, labiomental groove), 턱끝 돌출도와 같은 항목을 검사한다. 정상적으로 상순은 하순과 같거나 약간 전방으로 위치한다. Ricketts은 코끝과 턱끝을 잇는 직선에서 상구순은 4mm, 하구순은 2mm 후방이면 이상적인 균형이라 하였으나 한국인에게서는 상하구순이 선상에 접할 때 더 자연스런 모습이라 볼 수 있다(McCarthy, 1988).

이 관계가 역전되는 상황은 상악 부전이나 하악 돌출증이거나 구순열환자의 이차변형과 같이 연부조직 결손으로 오는 경우도 있다. 측면에서 턱밑부위는 과도한 피부, 지방, 악하선 크기와 설골의 위치 등을 검사해야한다. 이러한 구조물의 이상을 교정해야 악안면수술의 결과를 좋게 할 수 있다. 입술 기능을 측면에서 분석할 때, 편한 자세에서 상구순은 일반적으로 서로 닿아 있으며 많이 떨어져 있을 때는 입술 기능 부전이라 할 수 있다. 이것은 개방교합, 상악 비대, 혹은 하악 결손 등의 결과일 수 있으며 근기능의 약화가 원인이 되기도 한다. 수술 전후의 연부조직의 변화는 마지막 결과이므로 상당히 중요하다. 연부조직 안면각(G'-Sn-Pg')은 미간점과 하비점 그리고 하악전돌점의 각으로 2급부정교합과 같이 이 각이 증가하면 안면이 돌출형이다. 하순고랑(labiomental groove)의 깊이는 4mm정도가 되어야 적절한 모습을 나타낸다.

3. 안면의 폭과 강조부위

정면에서 이상적인 안와폭은 비익폭과 전구순 조직 길이가 일치하며, 관골사이의 중안면은 수평으로 4등분 나뉘고, 한 부분의 폭은 양비익폭과 일치한다. 이러한 분석은 정확하지는 않으나 얼굴의 형태와 균형의 빠른 분석에는 유용하다. 양관골궁간 거리는 양측 관골의 최대 돌출점사이를 측정한 것으로 양측두 능선간 거리와 양하악각점간 거리와 일치한다(Whitaker 1988, 1989). 안면부의 최대폭은 양관골궁간 거리이며 관골측두봉합선 바로 바깥부분이다. 안면에는 강약부위가 있는데 이는 아래의 골성 지지물에 의해 나타나는 것이다. 강조구역은 측두-안와상연 돌출부, 관골체 돌출부, 앞턱의 돌출부이며 수술할 때 충분한 대칭과 균형을 고려해야 하며, 그 외 부분은 강조되지 않는 구역으로 상대적으로 주목이 덜한 부분이다(Whitaker, 1988).

4. 계측 기준점 및 계측치

객관적이고도 반복측정 가능한 안면부 특정 점들을 지정하기 위하여 많은 학자들이 노력해 왔으며 근래 Farkas 등에 의해 새로운 기준점이 추가되어 널리 사용되고 있다(Farkas 1981, 1987). 두개안면부의 각 계측 기준점과 계측, 계측치는 부록의 표 25-1부터 표 25-18까지에서 나타나 있다(박동만, 1990; 조준현, 1993; 이혜경, 1987; 한기환, 1988; 위성신, 1981; 김철주, 1988; 박종섭, 1989; 조대환, 1989; 박철규, 1998; 박형식, 1992; 오석준, 1975; 황건, 1996; 송중원, 1985; 신영진, 1990; 변진석, 1991; Farkas, 2002).

II. 두개골계측분석 (cephalometrc analysis)

두개골계측이란 두개안면부의 규모를 과학적으로 측정하는 것을 의미한다. 1791년 Camper가 악전돌증 환자에게서 두개골계측을 측정한 후 일부 인류학자들에게서 건골(dried skull)을 대상으로 연구가 시작되었으며, Simon(1926)에 의해 치아와 두부의 관계를 알고자 사진을 대상으로 연구한 적이 있었다. X-ray의 탄생이후 현대적 개념의 두개골조영술을 이용한 분석이 이루어졌는데(Todd, 1931; Broadbent, 1931), 두개골계측법은 표준화 되어있어 동일 환자에게 반복적으로 촬영해 두부계측의 추적관찰이 가능하다. 이는 골과 연부조직, 치아와의 관계를 알아 환자의 임상적 평가, 성장비교평가, 술후 결과평가에 사용될 수 있다.

1. 부정교합의 종류

부정교합은 치아형성이상, 골-치아형성이상, 골 형성이상으로 나눌 수 있다. 가장 널리 쓰이는 부정교합의 분류는 Angle(1899)에 의해 소개되었다. 그는 제1대구치, 특히 상악의 것이 가장 중요한 것으로 여기고 다음과 같이 분류하였다.

1급 부정교합: 상하악의 제1 대구치 위치관계는 정상으로 상하악 치조 전돌증이 여기에 해당된다.

2급 부정교합: 상악 제1 대구치가 하악 제1 대구치보다 후방에 있는 경우를 말한다.

3급 부정교합: 상악 제1 대구치보다 하악 제1 대구치가 전방에 위치한 경우를 말하며 하악의 대문니는 보상작용으로 인하여 혀쪽으로 기울어져있다.

2. 골성 측정

그림 25-1의 계측점과 선과 면을 이용하여 각을 나타낼 수 있으며 이러한 계측 기준점의 정의와 계측치는 부록의 표 25-19와 표 25-20에 나타나 있다(이영주, 1994; 김영길, 1978; 안형규, 1973; Riolo, 1974; Ferraro, 1991).

1) 하악 길이(Ar-Pg)

115±5 mm 의 하악길이는 진성과 가성의 하악전돌증을 구분하는데 도움이 된다.

2) 안면각(FH and facial plane, Or-Po/N-Pg)

평균치는 87° 정도이며 소하악증이나 턱외소증 환자에게서는 각이 작아지고 턱이 돌출할수록 각은 커진다.

3) S-N-A 각

평균은 82° 정도이며 두개저부와 상악의 관계를 나타낸다. 상악이 후퇴할수록 각이 작아진다. 일부 두개안면 기형환자에서 두개기저가 낮아있어 각이 작을 수도 있으므로 Landes (상악 깊이)각을 함께 조사해야한다.

4) Landes 각(상악깊이 각)

이는 FH과 N-A가 만나 이루는 각이다. 평균 88±3도로 S-N-A각에서 상악의 깊이를 나타낸다. 그리고 이 각은 2급 혹은

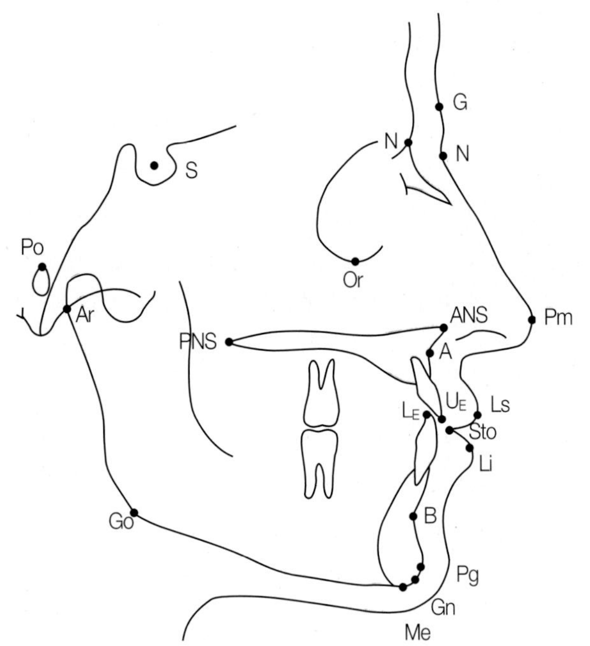

그림 25-1. 두개골계측분석을 위한 기준점

3급 부정교합이 상악 혹은 하악의 잘못된 위치로 인한 이차성인지를 구분하는데 도움이 된다.

5) S-N-B 각

평균 80°정도로 하악과 두개저부의 관계를 나타낸다. 3급부정교합일 때 둔각이 되고 2급부정교합일 때 예각이 된다.

6) 안면돌출각(angle of convexity)

이는 N-A와 Pg-A이 만나는 각으로써 0±8도이다. 상악이나 하악의 위치로 인하여 안면의 돌출정도를 나타내며 2급부정교합일 때는 -각이 되고 3급부정교합일 경우는 +각이 된다.

7) 하악면 각(FH-mandibular plane)

이는 FH과 하악면이 만나는 각으로 서양인에서는 평균 21±3°정도이나 한국인에서는 좀 더 크게 나타난다. 안면의 후방길이를 나타내며 개방교합이나 소하악증 환자에게서는 각이 커지고 하악전돌증 환자에게서는 각이 작아진다.

8) Y-Axis(성장축)

이는 S-Gn과 FH이 만나는 각으로 하악이 전방과 하방으로 자라는 양을 예측할 수 있게 해준다. 만약 둔각이면 하악이 전방보다는 하방으로 자라는 것을 의미하고 초기치료를 위하여 교정이 필요하다. 하악이 전방으로 자라면 예각이 되고 하악전돌증 증상이 있는 것이다.

9) S-N-Pg

이는 두개저부와 안면을 나타내며 안면각보다는 부정확하나 보조로 쓰일 수 있다.

10) 상안길이, 하안길이, 전안길이

S-N에 7° 기울어진 채 N을 통과하는 수평선을 기준으로 수직인 선을 그어 여기에 해당하는 N점, 비전극점(ANS), A점 혹은 턱끝(menton)점을 측정하여 안면길이를 알 수 있다(Burstone, 1958).

III. 인상을 채득하는 법 (making impression)

안면 또는 구강 등 원하는 부위의 형태를 정확하게 모형상 재현하기 위하여 시도되는 방법으로 인상재, 인상용 트레이 그리고 인상 석고가 필요하다. 인상재란 조직형태를 인상하고 기록하는 매개체로 보통 알지네이트를 사용한다. 인상용 트레이는 일종의 본뜨기 틀로써, 인상재의 양을 제한해 주고 인상재 경화중에는 그것을 유지해주며 경화후에는 인상의 변형없이 쉽게 꺼낼 수 있도록 고안되어야 한다. 구강 인상을 위해서는 상품화된 트레이를 사용할 수 있고, 아니면 직접 개인용 트레이를 제작할 수도 있는데, 직접 제작할 때에는 기성용 트레이에 알지네이트로 인상을 떠 모델을 만든 후 그 위에다 아크릴 재질의 레진으로 맞춤용 트레이를 만들어 낸다. 영유아의 인상채득을 위해서는 충분한 진정이나 전신마취가 필요하고 여러 명의 손길이 요구된다. 여러 종류의 구순구개열 환아에게서 다양한 크기와 형태의 트레이를 만든 후 필요하면 입 안 깊은 쪽까지 연장시킨 모형을 만든다. 이때 충분한 수의 구멍을 뚫어 인상재의 압력으로 인한 연조직변형을 방지하고 또한 기포발생을 차단한다. 안면 전체의 인상을 위해서는 앙와위 자세에서 실시하며 인상재의 물배합을 좀 더 높여 부드럽게 하여 연부조직의 뒤틀림이 생기지 않도록 한다(Mazaheri, 1969). 조직의 음형에 해당하는 인상채득면에 석고를 부어 모델을 완성한다(Hayakawa, 1999).

IV. 3차원 표면스캔닝

인체를 3차원적 영상화시키는 작업은 처음 상업적인 목적으로 사용되었다가 점차 의학분야에 적용되고 있다. 입체사진법, 빛과 공간의 점을 이용한 계측법, 레이저 스캐닝 그리고 CT를 이용한 방법 등이 3차원영상을 얻기 위해 사용되고 있다(Burke, 1967, 1989; Aung, 1995 ; Bush 1996; Yamada 1998; Kusnoto 2002). 최근 널리 사용되는 방법이 레이저 표면 스캐닝 방법인데 이는 연부조직의 표면만을 영상화시키지만 비침습적이고 비접촉적이며 쉽게 사용할 수 있고 자가 영상왜곡교정능력과 자가 보정능력이 있는 장점이 있다. Vivid700 (Minolta, Ramsey, NJ, USA)기기를 이용하는 방법은 레이저 표면 스캔을 1초 내로 실시하여 컴퓨터 소프트웨어(Polygon Editing Tools; Minolta)의 도움으로 신뢰성 있게 안면표면을 4만개의 점들로 구성된 3차원 영상을 만들어 낼 수 있다(Da Silveira 2003, 2004). 5개의 다른 각도에서 스캐닝하여 360도의 3차원 영상을 만들어 낼 수 있으며 계측과 영상획득 및 저장을 용이하게 해준다. 석고를 이용한 안면인상법은 특히 구순구개열 환아에서 해부학적 구조의 뒤틀림과 변위를 가져올 수 있지만 이 레이저 방법은 보다 정확하고 편리하여 기록의 저장이 우수하다 할 수 있다.

참고문헌

1. 김영길, 최석현, 홍성호, 박종섭. 한국 정상성인의 두개측정에 관한 연구. *대한성형외과학회지* 5: 143, 1978.
2. 김철주, 함기선, 김윤, 조용진. 청년기 한국인 안면에 대한 생체계측학적 연구, *대한성형외과학회지* 15: 427, 1988.
3. 박동만, 송중원, 한기환, 강진성. 한국인 안검의 생체계측지. *대한성형외과학회지* 17: 822, 1990.
4. 박종섭, 함기선, 조용진. 안면인상에 대한 계측학적 연구. *대한성형외과학회지* 16: 920, 1989.
5. 박철규, 이의태, 이재승. 젊은 한국 여성의 중하안면 형태 분석. *대한성형외과학회지* 25: 7, 1998.
6. 박형식. 실계측, 실물대 안모사진(1x1) 및 두부방서선 사진 계측분석에 대한 한국 성인 정상교합지의 악안면 정상치에 관한 연구. *대한구강악안면외과학회지* 18: 98, 1992.
7. 변진석, 박재우, 백봉수. 이개재건을 위한 한국성인 이개의 생체계측치. *대한성형외과학회지* 18: 448, 1991.
8. 송중원, 강진성. 한국인 귀의 생체계측치. *대한성형외과학회지* 12: 475, 1985.
9. 신영진, 이택종. 대전지역 주민 이개 성장에 대한 생체 계측. *대한성형외과학회지* 17: 337, 1990.
10. 안형규, 유동수, 박태원. 악안면의 형태에 관한 X선학적 연구. *치과교정지* 3: 29, 1973.
11. 오석준, 고인창, 이영호, 유재덕. 한국인 안면 생체 계측학적 연구. *대한성형외과학회지* 2: 15, 1975.
12. 이영주, 한기환, 강진성. 한국인 두개악안면골의 표준계측치. *대한성형외과학회지*. 21: 438, 1994.
13. 이혜경, 탁관철, 이영호, 유재덕. 한국 여성의 코에 관한 생체계측학적 및 해부학적 연구. *대한성형외과학회지* 14: 323, 1987.
14. 위성신, 함기선, 이재웅, 조용진. 한국미인의 생체계측학적 연구. *대한성형외과학회지* 8: 283, 1981.
15. 조대환, 함기선, 조용진. 한국청년들의 미추관에 대한 생체계측학적 분석. *대한성형외과학회지* 16: 926, 1989.
16. 조준현, 한기환, 강진성. 한국인 두개안면부 계측치: 119개 항목의 성별 및 연령별 정상치 및 표준편차와 표준화 형판. *대한성형외과학회지* 20: 995, 1993.
17. 한기환, 김성조, 강진성. 한국인 코의 생체계측치. *대한성형외과학회지* 9: 1, 1982.
18. 황건, 오민화, 백상호. 한국인 성인 눈사이거리에 관한 형태계측학적 연구. *대한성형외과학회지* 23: 9, 1996.
19. Aduss H, Pruzansky S. Width of cleft at the level of the tuberosities in complete unilateral cleft lip and palate. *Plast Reconstr Surg* 41: 113, 1969.
20. Angle EH. Classification of malocclusion. *D Cosmos* 41: 248, 1899.
21. Aung SC, Ngim RC, Lee ST. Evaluation of the laser scanner as a surface measuring tool and its accuracy compared with direct facial anthropometric measurements. *Br J Plast Surg* 48:551, 1995.
22. Broadbent BH. A new x-ray technique and its application or orthodontia. *Angle Orthodontics*, 1: 45, 1931.
23. Burke PH, Beard FH. Stereophotogrammetry of the face. A preliminary investigation into the accuracy of a simplified system evolved for contour mapping by photography. *Am J Orthod.* 53: 769, 1967.
24. Burke PH, Hughes-Lawson CA. Stereophotogrammetric study of growth and development of the nose. *Am J Orthod Dentofacial*

Orthop 96: 144, 1989.

25. Burstone CJ. The integumental profile. *Am J Orthod* 44: 1, 1958.
26. Bush K, Antonyshyn O. Three-dimensional facial anthropometry using a laser surface scanner: validation of the technique. *Plast Reconstr Surg* 98: 226, 1996.
27. Chandra R, Sharma RN, Makrandi SK. Permanent records of cleft lip and palate. *Br J Plast Surg* 27: 139, 1974.
28. Da Silveira AC, Daw JL Jr, Kusnoto B, Evans C, Cohen M. Craniofacial applications of three-dimensional laser surface scanning. *J Craniofac Surg* 14: 449, 2003.
29. Da Silveira AC, Martinez O, Da Silveira D, Daw JL Jr, Cohen M. Three-dimensional technology for documentation and record keeping for patients with facial clefts. *Clin Plast Surg* 31: 141, 2004.
30. Farkas LG, Cheung G. Facial asymmetry in healthy North American Caucasians. An anthropometrical study. *Angle Orthod* 51: 70, 1981.
31. Farkas LG, Kolar JC. Anthropometric guidelines in cranio-orbital surgery. *Clin Plast Surg* 14: 1, 1987.
32. Ferraro JW. Mandible: Aesthetic changes with advancement and setbacks. In D.K. Ousterhout (Ed.), *Aesthetic countering of the craniofacial skeleton*. Boston: Little, Brown and Co., 1991.
33. Hayakawa I. *Principles and practices of complete dentures*. Quintessence publishing Co., Ltd, Tokyo. 1999.
34. Kusnoto B, Evans CA. The reliability of a 3D surface laser scanner for orthodontic applications. *Am J Orthod Dentofacial Orthop* 122: 342, 2002.
35. Le TT, Farkas LG, Ngim RC, Levin LS, Forrest CR. Proportionality in asian and north american caucasian faces using neoclassical facial canons as criteria. *Aesth Plast Surg* 26: 64, 2002.
36. Marquardt SR. Dr. Stephen R. Marquardt on the Golden Decagon and human facial beauty. Interview by Dr. Gottlieb. *J Clin Orthod* 36:339, 2002.
37. Mazaheri M, Sahni PP. Techniques of cephalometry, photography, and oral impressions for infants. *J Prosthet Dent* 21: 315, 1969.
38. McCarthy JG Ruff G. The chin. *Clin Plast Surg* 15: 125, 1988.
39. Riolo ML, Moyera RE, McNamara JA, Hunter SW. *An atlas of craniofacial growth*. monograph 2. Ann Arbor. Center for human growth and development, University of Michigan, 1974.
40. Rosenstein SW. A new concept in the early orthopedic treatment of cleft lip and palate. *Am J Orthod* 55: 765, 1969.
41. Simon PW. *Fundamental principles of systemic diagnosis of dental anomalies*. Translated by Lischer BE. Boston: The Stratford Company, 1926.
42. Todd TW. Heredity and environmental facts in facial development. *Int J Orthodontics* 1: 45, 1931.
43. Whitaker LA, Morales L, Farkas LG. Aesthetic surgery of the supraorbital ridge and forehead structures. *Plast Reconstr Surg* 78: 28, 1986.
44. Whitaker LA. Aesthetic augmentation of the malar-midface structures. *Plast Reconstr Surg* 81: 171, 1988.
45. Whitaker LA. Aesthetic contouring of the facial support system. *Clin Plast Surg* 16: 815, 1989.
46. Whitaker LA. Selective alteration of palpebral fissure form by lateral canthopexy. *Plast Reconstr Surg*. 74:611, 1984.
47. Yamada T, Sugahara T, Mori Y, Sakuda M. Rapid three-dimensional measuring system for facial surface structure. *Plast Reconstr Surg* 102: 2108, 1998.
48. Yotsuyanagi T, Yamashita K, Urushidate S, Yokoi K, Sawada Y. Nasal reconstruction based on aesthetic subunits in Orientals. *Plast Reconstr Surg* 106: 36, 2000.

부록(표 25-1~20)

표 25-1. 두부 기준점

기준점	정의
두정점 Vertex (v)	표준두위(standard head position)에서 머리의 최고점
미간점 Grabella (g)	미간 사이의 정중선에서 최전방 돌출점
후두점 Opisthocranion (op)	후두 최후 돌출점
측두점 Eurion (eu)	측두부 최외 돌출점
전두측두점 Frontotemporale (ft)	전두부의 측두선(linea temporalis) 융기점
발제점 Trichion (tr)	전두부 두발선(frontal hairline)의 정중시상점

표 25-2. 두부 계측

기준점-기준점	정의
수평 직선거리 계측	
eu-eu	두부최대폭(maximum cranial breadth)
ft-ft	전두최소폭(minimum frontal breadth)
t-t	두개기저폭(cranial base breadth)
사상 직선거리 계측	
g-op	두부최대길이(maximum cranial length)
po-op	이주후두점간깊이(head ear depth)
수평 직선거리 계측	
tr-g	전두높이I(forehead height)
tr-n	전두높이II(extended forehead height)
v-tr	두개관높이(calvarial height)
v-n	두부높이(head height)
v-en	두정내안각점간높이(orbital head height)
v-gn	두개안면부높이(craniofacial height)
v-po	두정이주간높이(auricular head height)

표 25-3. 두부 계측치(단위:mm)

연구자	위성신 등	김철주 등		박종섭 등		조대환 등		조준현 등			
대상	18-25세 미인대회 출전여성(n=125)	21-22세 남녀 대학생 (n=323)		20대 남녀 대학생 (n=362)		20대 여성미인 및 일반인 (n=423)		6세 남녀 (n=100)		18세 남녀 (n=100)	
계측항목	여	남	여	남(남성적)	여(여성적)	미인	일반인	남	여	남	여
수평 직선거리 계측											
eu-eu		160.28	155.55	159.00	154.96	156.28	154.93	151.50	148.30	160.80	156.30
ft-ft		65.20	60.43	70.28	58.42	58.29	61.01	86.30	81.40	107.80	106.50
t-t								130.70	127.90	147.80	141.10
시상 직선거리 계측											
g-op		180.33	173.43	175.19	170.15	165.69	165.71	167.60	163.40	183.20	175.90
po-op								87.90	86.50	91.30	91.10
수직 직선거리 계측											
tr-g	62.10							60.20	57.80	63.50	58.80
tr-n								68.90	66.80	74.30	70.90
v-tr								42.90	41.00	50.50	46.60
v-n								111.80	107.80	124.80	117.50
v-en								118.10	115.20	135.00	125.20
v-gn		224.29	220.29	227.98	220.31	218.30	220.12	206.20	203.10	246.20	234.80
v-po								128.50	124.10	137.00	131.30

표 25-4. 안면부 기준점

기준점	정의
관골궁점 Zygion (zy)	관골궁(zygomatic arch)의 최외점
관골 정점 Malar eminence (me)	관골부의 최정점
하악각점 Gonion (go)	하악골 각부(mandibular angle)의 최외측점
하악전돌점 Pogonion (pg)	이부(mentum)정중선의 최전방점
이하점 Gnathion (gn)	하악골 하연 정중선의 최하점
하악과외점 Condylion (cdl)	하악골 과상돌기(mandibular condyle)의 최외측점
순이구점 Sublabiale (sl)	순이구(labiomental sulcus)의 중앙점
Anterior mandible (AM)	하악의 전측 highlight
Posterior mandible (PM)	하악의 후측 highlight

표 25-5. 안면부 계측

기준점-기준점	정의
수평 직선거리 계측	
zy-zy	최대안면부폭(maximum facial breadth)
go-go	하악폭(mandible width)
me-me	관골폭(malar width)
am-am	하악 전측폭(posterior mandible width)
pm-pm	하악 후측폭(posterior mandible width)
am-pm	하악 highlight 전후부길이(anterior to posterior mandible length)
시상 직선거리 계측	g-t 이주미간점간깊이(supraorbital depth)
ex-t	외안각이주점간깊이(orbito-tragal depth)
n-t	상1/3안면부깊이(upper third face depth)
sn-t	중1/3안면부깊이(middle third face depth)
ch-t	구각이주점간깊이(lower third face depth)
gn-t	하1/3안면부깊이(lower third face depth)
sn-obi	중안면부깊이(mid-face depth)
gn-obi	하안면부깊이(lower face depth)
gn-go	하악깊이(mandible depth)
ex-obs	측두깊이(temple depth)
수직 직선거리 계측	
tr-gn	전체안면부높이(total face height, physiognomical)
n-gn	형태적안면부높이(face height, morphological)
sn-gn	하안면부놓이(lower face height)
sto-gn	하악높이(mandible height)
sl-gn	이부높이(chin height)
pg-gn	하이높이(lower chin height)
sl-pg	상이높이(upper chin height)
en-gn	내안각이하점높이(orbital face height)
n-sto	상안면부높이(upper face height)
go-cdl	하악지높이(mandibular ramus height)
ex-go	협높이(cheek height)
표면거리 계측	
t-g-t	안와상곡선길이(supraorbital arc and half-arc)
t-sn-t	중1/3안면부곡선길이(middle third face arc and half arc)
t-gn-t	하1/3안면부곡선길이(lower third face arc and half-arc)
ch-t	중협곡선길이(mid-cheek half arc)
gn-obi	하안면부곡선길이(lower face half arc)
sn-obi	중안면부곡선길이(mid-face half arc)

표 25-6. 안면부 계측치(단위:mm)

연구자	위성신 등	박철규 등	김철주 등		박종섭 등		조대환 등		조준현 등				박형식		Ferraro	Farkas
대상	18-25세 미인대회 출전여성 (n=125)	20대 한국여성 (n=50)	21-22세 남녀 대학생 (n=323)		20대 남녀 대학생 (n=362)		20대 여성미인 및 일반인(n=423)		6세 남녀 (n=100)		18세 남녀 (n=100)		만 18세 이상 한국성인(n=119)		서양인	중국인 (n=60)
계측항목	여	여	남	여	남(남성적)	여(여성적)	미인형	일반형	남	여	남	여	남	여		
수평 직선거리 계측																
zy-zy	129.50	142	147.26	144.72	147.56	143.98	145.44	145.32	120.8	118.9	141.50	135.10				140.4
me-me		112														
am-am		40														
pm-pm		125														
am-pm		70														
go-go			126.00	124.29	126.35	123.00	123.39	125.25	102.2	100.2	128.20	117.80				
수직 직선거리 계측																
g-t			108.77	104.52	108.30	103.46	104.08	107.72	100.0	122.6	147.5	139.9				
ex-t									58.7	58.3	74.20	69.10				
n-t			98.46	95.05	99.00	95.58	95.98	96.49	97.3	96.5	116.70	109.40				
sn-t			103.45	97.90	103.85	97.57	97.42	100.65	100.3	99.8	124.80	115.90				
ch-t			103.01	97.68	105.49	97.08	96.99	100.41	92.7	92.2	113.60	105.70				
gn-t			119.28	113.54	118.46	113.22	113.98	117.49	111.5	115.1	146.40	135.80				
sn-obi									117.6	114.8	137.20	132.20				
gn-obi									98.5	98.1	125.30	117.60				
gn-go									74.2	73.3	97.30	90.20				
ex-obs									65.5	64.9	79.60	74.70				
tr-gn	186.00		194.34	186.37	193.65	186.12	185.50	186.24	163.2	162.0	195.70	188.20				
n-gn			118.34	111.82	119.93	109.75	110.43	113.94	94.3	95.3	121.40	117.30				
sn-gn	62.00		69.45	65.52	70.13	63.64	63.64	66.80	55.5	58.1	69.90	70.70				69.6
sto-gn			46.24	43.99	47.38	42.21	42.21	45.33	37.3	40.0	45.30	46.40				
sl-gn			54.83	51.90	58.64	49.95	49.95	53.02	24.8	27.9	28.0	28.2				
pg-gn									10.1	12.6	11.90	12.00				
sl-pg									14.7	15.3	16.10	16.20				
en-gn									88.0	87.9	111.20	109.60				
n-sto									57.0	55.3	76.10	70.90				
go-cdl									29.1	28.7	46.20	48.00				
ex-go									60.9	59.2	84.90	79.90				
표면거리 계측																
t-g-t									249.0	244.8	294.90	279.70				
t-sn-t									244.8	243.1	291.10	278.10				
t-gn-t									268.1	263.2	325.00	311.80				
ch-t									107.6	107.4	126.10	117.90				
gn-obi									116.8	112.2	139.10	134.70				
sn-obi									91.7	90.4	114.90	109.00				
pm-pm		125														
am-pm		70														
zy-pm		54														
Sn-Stms (upper lip length)													25.8	24.5	21±2	
G-Sn-Pog (Angle of facial convexity)															12±4	

표 25-7. 안와부 기준점

기준점	정의
내안각점 Endocanthion (en)	안검열(eye fissure)의 내측 교련(commissure)점
외안각점 Exocanthion (ex)	안검열의 외측 교련점
안와점 Orbitale (or)	안와의 최하점
상안검점 Palpebrale superius (ps)	상안검연의 최고점
하안검점 Palpebrale inferius (pi)	하안검연의 최하점
상안와점 Orbitale superius (os)	눈썹 하연에서 최상점
미모점 Superciliare (sci)	눈썹의 최상점
전두부상안와점 Frontosupraorbitale (fs)	눈썹의 외측단이 전두골의 측두릉(temporal ridge)와 교차하는 점

표 25-8. 안와부 계측

기준점-기준점	정의
수평 직선거리 계측	
en-en	내안각간폭(intercanthal width)
ex-ex	외안각간폭(binocular width)
ex-en	안검렬폭(eye fissure width)
수직 직선거리 계측	
ps-pi	상검렬높이(eye fissure height)
os-or	안와부높이(orbit height)
os-ps	상안검높이(upper eyelid height)
pi-or	하안검높이(lower eyelid height)
sci-or	미모높이(eyebrow height)

표 25-9. 안와부 계측치(단위:mm)

연구자	위성신 등	김철주 등		박종섭 등		조대환 등		박동만 등	
대상	18-25세 미인대회 출전여성 (n=125)	21-22세 남녀 대학생 (n=323)		20대 남녀 대학생 (n=362)		20대 여성미인 및 일반인(n=423)		20-24세 남녀 (n=302)	
계측항목	여	남	여	남(남성적)	여(여성적)	미인형	일반형	남	여
수평 직선거리 계측									
en-en	36.00	37.37	35.89	36.26	33.37	34.04	36.72	36.07	36.67
ex-ex		100.23	98.97	94.30	99.70	100.99	99.86		
ex-en								29.49	28.35
수직 직선거리 계측									
ps-pi	8.11							7.89	8.04
os-or									
os-ps									
pi-or									
sci-or									
IPD*		59.54	63.56	65.01	63.16	63.46	63.62	65.79	65.11

* IPD : interpupillary distance

표 25-10. 비부 기준점

기준점	정의
비점 Nasion (n)	비전두골봉합(nasofrontal suture)정중선의 최전방점
비안점 Median (m) 또는 Sellion (s)	비전두각(nasofrontal angle)의 최심점
비익점 Alare (al')	비익의 최외점
전비점 Pronasale (prn)	비첨의 최전돌점
하비점 Subnasale (sn')	상순과 만나는 비주기저의 중앙점
상악전두점 Maxillofrontale (mf)	상악전두골봉합(maxillofrontal suture)와 비전두골봉합(nasofrontal suture)이 만나는점
하비익점 Subalare (sbal)	비익기저의 최하점
비익구점 Alar curvature point (ac)	비익구(alar groove)의 최외측점
비주최고점 Height point of columella (c')	외비공(nostril)정점 수준의 비주릉(columellar crest)

조준현 등				오석준 등				황 건 등		Farkas
6세 남녀 (n=100)		18세 남녀 (n=100)		1-4세 (n=51)		20세 이상 (n=17)		18-27세 남녀 (n=700)		중국인 (n=60)
남	여	남	여	남	여	남	여	남	여	
31.8	31.9	35.30	35.50	29.2	29.1	33.9	35.3	37.20	35.00	37.1
88.9	101.9	101.90	99.70					103.30	100.00	
28.8	28.9	34.20	33.40	25.8	28.5	31.8	33.1			28.9
8.2	8.3	8.20	8.50							
23.6	24.1	27.00	27.60							
9.7	10.2	10.8	11.2							
5.7	5.5	8.00	7.90							
35.1	35.3	40.90	39.00							
								69.40	66.60	

표 25-11. 비부 계측

기준점-기준점	정의
수평 직선거리 계측	
mf-mf	비근폭(nasal root width)
al-al	비폭(nose width)
sn'-sn'	비주폭(columella width)
al'-al'	비익폭(alar width)
sbal-sn	외비공저폭(nostril floor width)
시상 직선거리 계측	
sn-prn	비첨돌출(nasal tip protrusion)
ac-prn	비익직선길이(ala length)
en-m	비근길이(nasal root length)
en-m'	비근깊이(nasal root depth)
sn-c'	비주길이(columella length)
수직 직선거리 계측	
n-sn	비높이(nose height)
n-prn	비교높이(nasal bridge height)
표면거리 계측	ac-prn 비익곡선길이(ala half arc)
en-m	비근곡선길이(nasal root half arc)
각도 계측(°)	
Nasofrontal angle(NFrA) 비전두각(nasofrontal angle)	미간 하부의 전두부 전면과 비교 사이의 각도
Nasolabial angle(NLA) 비순각(nasolabial angle)	비주와 상순사이의 각도
Nasofacial angle(NFaA) 비안각(nasofacial angle)	안면선(facial line)과 비선(nasal line)사이의 각도

표 25-12. 비부 계측치(단위:mm)

연구자	위성신 등	한기환 등		이혜경 등	김철주 등		박종섭 등	
대상	18-25세 미인대회 출전여성 (n=125)	20세 이상 남녀(n=228)		18-25세 미인대회 출전여성 (n=125)	21-22세 남녀 대학생 (n=323)		20대 남녀 대학생 (n=362)	
계측항목	여	남	여	여	남	여	남(남성적)	여(여성적)
수평 직선 거리 계측								
mf-mf					25.74	25.66		
al-al	33.90	39.98	35.85	35.00	40.05	36.91	39.20	37.00
sn'-sn'								
al'-al'								
sbal-sn								
시상 직선 거리 계측								
sn-prn	18.50	17.56	15.82	16.80				
ac-prn								
en-m								
en-m'								
sn-c'								
수직 직선 거리 계측								
n-sn	46.30							
n-prn		53.54	45.66					
표면거리 계측								
ac-prn								
en-m'								
각도 계측(°)								
NFrA				152.6				
NLA		87.90	93.64					
NFaA		31.57	30.45					

표 25-13. 이부 기준점

기준점	정의
상이점 Superaurale (sa)	이개의 최상점
하이점 Subaurale (sba)	이수의 최하점
전이점 Preaurale (pra)	이개의 최전방점과 하이저점의 연결선상에 있는 후이점의 상대점
후이점 Postaurale (pa)	이륜의 최후방점
상이저점Otobasion superius (obs)	아륜이 측두부에 부착하는 점
하이저점 Otobasion inferius (obi)	이수가 협부에 부착하는 점
외이점 Porion (po)	외이도 상연의 최고점
이주점 Tragion (t)	이주상연의 절흔

조대환 등		조준현 등				오석준 등				Farkas
20대 여성미인 및 일반인(n=423)		6세 남녀 (n=100)		18세 남녀 (n=100)		1-4세 (n=51)		20세 이상 (n=17)		중국인 n=60
미인형	일반형	남	여	남	여	남	여	남	여	
		16.7	16.7	20.20	21.10					
37.08	38.02	27.9	27.7	36.20	34.20					38.2
		5.0	6.7	6.70	6.70					
		3.2	3.1	4.80	4.40					
		11.5	14.4	14.40	12.90					
		13.3	14.4	20.30	18.70					
		24.2	23.1	34.30	29.50					
		5.4	4.9	8.10	6.80					
		17.7	15.9	20.60	18.10					
		9.7	10.3	11.50	10.10	11.173	11.428	15.555	15.375	
		35.1	35.4	47.70	42.80					52.6
		28.4	29.4	40.20	35.70					
		19.0	19.4	28.60	27.30					
		15.6	16.6	18.90	19.30					

표 25-14. 이부 계측

기준점-기준점	정의
수평 직선거리 계측	
pra-pra	이개폭(ear width)
수직 직선거리 계측	
obs-obi	이개부착부높이(ear insertion height), 또는 형태귀폭(orophological ear breadth)
sa-sba	

표 25-15. 이부 계측치(단위:mm)

연구자	위성신 등	송중원과 강진성 등		신영진 등		변진석 등		조준현 등			
대상	18-25세 미인대회 출전여성(n=125)	18세 남녀 (n=44)		18세 남녀 (n=60)		21-30세 남녀(n=200)		4세 남녀 (n=100)		18세 남녀 (n=100)	
계측항목	여	남	여	남(남성적)	여(여성적)	미인	일반인	남	여	남	여
pra-pa	30.10	33.50	32.70	35.60	32.60	31.40	28.90	30.3	29.7	32.30	29.80
obs-obi	57.10	55.00	52.00	50.30	50.40			47.7	45.7	54.80	52.10
sa-sba		63.70	59.00	64.30	61.50	63.60	59.30	56.8	53.1	61.90	59.00

표 25-16. 구순부 기준점

기준점	정의
안중능점 Crista philtri (cph)	홍순선(vermilion line)직상방의 인중(philtrum)융기단(elevated margin)
상순점 Labiale superius (ls)	상홍순의 정중점
하순점 Labiale inferius (li)	하홍순의 정중점
구점 Stomion (sto)	입술을 가볍게 다문 상태에서 순열(labial fissure)에 수직 안면정중선(vertical facial midline)의 교차점
구각점 Cheilion (ch)	구순교련점

표 25-17. 구순부 계측

기준점-기준점	정의
수평 직선거리 계측	
ch-ch	구각폭(mouth width)
ch-sto	구각구점각폭(half mouth width)
cph-cph	인중폭(philtrum width)
수직 직선거리 계측	
sn-ls	인중높이(philtral length, cutaneous upper lip height
sn-sto	상순높이(upper lip height)
ls-sto	상홍순높이(upper vermilion height)
sto-li	하홍순높이(lower vermilion height)
li-sl	피부하순높이(cutaneous lower lip height)
sto-sl	하순높이(lower lip height)
sbal-ls'	측상순높이(lateral upper lip height)
표면거리 계측	
ch-ls-ch	상홍순곡선길이(upper vermilion arc)
ch-li-ch	하홍순곡선길이(lower vermilion arc)

표 25-18. 구순부 계측치(단위:mm)

연구자	위성신 등	김철주 등		오석준 등				박종섭 등		조대환 등		조준현 등				Farkas
대상	18-25세 미인대회 출전여성 (n=125)	21-22세 남녀 대학생 (n=323)		1-4세		20세 이상		20대 남녀 대학생 (n=362)		20대 여성미인 및 일반인(n=423)		6세 남녀 (n=100)		18세 남녀 (n=100)		중국인 (n=60)
계측항목	여	남	여	남	여	남	여	남(남성적)	여(여성적)	미인형	일반형	남	여	남	여	
수평 직선거리 계측																
ch-ch	46.20	50.30	46..41	31.1	31.3	46.8	44.0	50.85	45.81	47.17	46.17	38.3	47.6	47.60	45.90	47.8
ch-sto												19.7	24.6	24.60	24.20	
cph-cph		11.25	10.09					11.73	9.94	10.02	10.03	7.7	10.7	10.70	10.10	
수직 직선거리 계측																
sn-ls	14.90											11.9	15.4	15.40	15.80	
sn-sto												18.1	18.1	24.50	24.30	
ls-sto	8.10											6.3	6.2	9.10	8.50	
sto-li	9.50											7.6	6.9	10.50	9.80	
li-sl												5.0	5.3	6.80	8.30	
sto-sl												12.5	12.2	17.30	18.20	
sbal-ls'												12.6	12.3	16.00	14.50	
표면거리 계측																
ch-ls-ch												50.7	49.3	62.90	59.50	
ch-li-ch												44.9	43.7	57.70	55.10	

표 25-19. 두개골계측 기준점 (Cephalometric landmarks)

Anatomical Landmark	Definition
Sella (S)	뇌하수체와의 중심점
Nasion (N)	비전두골봉합선의 최전방점
Orbitale (Or)	안와골의 최하방점
Posterior Nasal Spine (PNS)	구개골의 정주선상에서의 최후방점
Anterior Nasal Spine (ANS)	상악 정중 골돌기의 전방정점
Subspinale (A point)	ANS와 상악치조롱 사이의 최후방점
Upper Incisor Apex	상악중절치의 최근단첨점
Upper Incisor Edge (UE)	상악줄절치의 절단면 정점
Lower Incisor Edge (LE)	하악 중절치의 절단면 정점
Lower Incisor Apex	하악 중철치의 치근단첨점
Supramental (B point)	Pg와 하악치조롱 사이의 최후방점
Pogonion (Pg)	골성 턱끝의 최전방점
Gnathion (Gn)	골성 턱끝의 최전하방점
Menton (Me)	골성 턱끝의 최하방점
Gonion (Go)	하악각의 중심점
Articulare (Ar)	두개저 하면과 하악과두 후방경계의 교차점
Condylion (Co)	하악 관절돌기의 최후방점
Porion (Po)	골성 외이도의 최상방점
Basion (Be)	대후두구멍 전연의 최하방점
Froto-Zygomatic Suture, Medial Aspect (Z)	전두골관골봉합선의 내측점
Zygomatic Arch (ZA)	관골궁의 외측점

표 25-20. 두개골계측치 (Cephalometric measurement)

연구자	Ferraro	Riolo	이영주(n=1800)		김영길(n=500)	
대상			3y		18y	
			Mean	SD	Mean	SD
Angular measuremen t(°)						
S-N-A	82±3	81.8	80.63	3.54	81.68	5.1
S-N-B	80±3	79.2	77.75	3.07	81.85	3.72
A-N-B		2.6	4.88	1.85	2.02	3.05
S-N-Pg		80.2	76.86	3.90	83.95	4.02
S-N-OP						
Angle of Convexity (N-A/Pg-A)	0±8					
Landes Angle	88±3					
Frankfort Plane/Occlusion plane (Or-Po/Occ)			11.99	3.54	14.44	4.00
Frankfort Plane/Mandibular plane (Or-Po/Me-Go)	21±3		37.15	4.49	34.28	4.02
Sella-Nasion/Gnathion-Gonion (S-N/Gn-Go)			39.37	4.71	32.98	5.87
Sella-Nasion/Menton-Pogonion (S-N/Me-Pg)		31.2				
Nasion-Sella-Gnathion (N-S-Gn)			72.18	2.83	70.16	4.13
Frankfort plane/Nasion-Pogonion (Or-Po/N-Pg)	88±3		82.68	3.78	86.78	2.95
Frankfort plane/Sella-Gnathion (Or-Po/S-Gn)			57.45	3.71	63.93	3.11
Menton-Gonial Intersection-Articulare (Me-Go-Ar)		122.2	131.39	3.11	125.37	3.46
Upper Incisor/Sella-Nasion (UI/S-N)			90.63	3.32	105.70	3.12
Upper Incisor Nasion-A point (UI/N-A)			9.55	6.46	28.15	6.50
Lower Incisor/Upper Incisor (LI/UI)			148.20	9.10	128.10	8.40
Lower Incisor/Occlusion Plane (LI/Occ)			10.70	7.60	23.00	6.10
Lower Incisor/Gonion-Gnathion (LI/Go-Gn)			87.20	5.70	86.00	5.40
Lower Incisor/Nasion-B point (LI/N-B)			17.30	8.50	23.80	7.80
Upper Incisor/Nasion-A point (UI/N-A)			1.3	2.6	5.9	4.2
Upper Incisor/Nasion-Pogonion (UI/N-Pg)			4.8	2.0	9.3	3.6
Upper Incisor/A point-Pogonion (UI/A-Pg)			2.5	2.9	7.3	2.9
Lower Incisor/A point-Pogonion (LI/A-Pg)			-2.7	2.9	5.3	3.1
Lower Incisor/Nasion-B point (LI/N-B)			1.6	2.6	6.5	2.8
Linear measurement (mm)						
Sella-Nasion (S-N)		76.9	59.1	3.4	73.9	2.6
Sella-Basion (S-Ba)			32.3	3.1	44.9	2.6
Anterior Nasal Spine-Nasion (ANS-N)		55.7	39.6	3.8	59.7	3.4
Menton-Anterior Nasal Spine (Me-ANS)		69.3	46.4	2.9	82.9	2.9
Menton-Nasion (Me-N)		123.2	83.4	3.9	146.3	6.9
Sella-Gonion (S-Go)			55.3	4.7	92.1	4.1
Gonion-Gnathion (Go-Gn)			57.6	3.0	90.9	3.0
Articulare-Gonion (Ar-Go)		49.6	34.0	3.5	56.0	3.1
Articulare-Pogonion (Ar-Pg)	115±5	115.2				
Total face height		160.3				

박형식(n=375)				안형규(N=100)			
한국인		한국 성인 남녀		Male		Female	
Mean	Range	Male	Female	Mean	SD	Mean	SD
82.2	72-96	82.5 ±3.53	81.5 ± 4.72	78.64	4.25	79.51	5.97
79.8	70-95	79.5 ± 3.41	78.0 ± 4.33	79.00	3.21	79.66	6.06
2.4	0-9			2.84	1.73	2.73	2.34
		15.4 ± 5.10	18.7 ± 8.93				
		25.4 ± 9.62	27.7 ± 8.18				
		31.8 ± 8.07	35.8 ± 9.54				
107.0	88-131						
24.8	4-44						
28.7	11-49						
8.4	0-18						

제26장 구순구개열의 태수술

Fetal Surgery of Cleft Lip and Palate

나동균

과거로부터 태아는 산모의 자궁에 의하여 어떠한 외부로부터의 관찰이나 처치로부터 보호되어 왔었다. 그러나 1970년 초에 초음파로 자궁 내 태아의 선천성기형이 처음 보고 된 이후, 최근 초음파의 발달로 인하여 산모의 자궁 내 태아의 관찰이 가능하여 태아 및 태아성장에 대한 지식이 급진적으로 발전되었다. 임신한 태아의 기형을 초음파를 통하여 정확한 진단이 가능하였고, 태아의 기형을 계속적으로 추적한 결과 기형의 진행 과정을 확인할 수 있었는데, 어떤 기형은 점점 악화되어 분만 전이나 분만하여도 태아가 결국은 사망하게 되는 것을 알게 되었다[1].

이와 같이 산전의 초음파 진단 기술의 발달은 때로는 태아를 환자로 간주하게 되었는데, 태아의 생명을 위협하는 선천성 횡결막탈장(congenital diaphragmatic hernia), 중증의 폐쇄성 수신증(obstructive hydronephrosis), 천미미골 기형종(sacrococcygeal teratoma), 낭상형 선종기형(cystic adenoid malformation), 유미흉(chylothorax), 단순 심장기형(simple type congenital heart anomalies), 두개안면열(craniofacial cleft) 등과 같이 태아의 생명을 위협할 수 있는 기형에서는 태수술을 시도하여 태아의 생명을 보존할 수 있는 기회를 갖게 되었다[2].

태수술의 결과로 얻은 중요한 지식은 임신 중기의 태아에서는 수술이나 우연히 발생한 창상에서 반흔이 전혀 발생하지 않고 정상적인 조직과 동일한 간엽조직 증식(mesenchymal proliferation)으로 치유된 소견이 확인되었고, 또한 이러한 임상 결과는 백서, 가토, 양, 원숭이 같은 동물에서도 함께 확인되었다. 그러나 일반적으로 동물에서 임신 시기에 따라서 창상치유의 현상이 조금씩 달라져서 임신 중기 까지는 반흔이 없는 태자의 창상치유를 보였으나, 임신 말기에 가까울수록 반흔이 남는 성숙개체의 창상 치유와 유사한 소견을 보인다[3].

성형외과 영역에서 선천성 구개열 및 구순열은 가장 흔한 두개안면부의 기형으로 출산 후의 기형 재건은 수술 부위에 반흔과 기능 장애를 남겨서 사회로부터 격리되어 살아가고 있는 현실이나, 앞으로 태수술이 가능하여 구순열 및 구개열의 기형이 반흔 없는 정상적인 조직으로 복원되어서 환자가 기능과 미용적으로 완전히 정상인과 함께 사회 생활이 가능한 시기가 도래하리라고 믿는다.

I. 태자 창상치유의 특징

태자 창상치유 차이점을 이해하기 위하여 정상적인 성숙개체의 창상치유를 먼저 이해하는 것이 필요하다. 성숙개체의 창상치유는 특징적으로 지혈(hemostastis), 염증(inflammation), 증식(proliferation), 재형성(remodeling) 단계를 거친다. 지혈은 혈관수축(vasoconstriction), 혈소판응집(platelet aggregation)과 과립파괴(degranulation), 혈전(blood clotting), 섬유소형성, 다핵구(polymorphonuclear leukocyte)의 출현으로 시작되는 세포적 연속반응으로 거식세포(macrophage)와 림프구(lymphocyte)의 출현으로 마무리 된다. 이 시기에 병균에 대한 방어, 다양한 성장인자(growth factor), 세포활성물질(cytokines) 그리고 세포외기질(extracellular matrix)등이 분비된다. 염증세포 중에서는 거식세포가 창상치유를 조절하는 가장 주요한 효과세포로 알려져 있다. 증식 시기는 섬유아세포(fibroblast), 혈관내피세포(endothelial cell), 표피세포(epithelial cell)들이 증식하여, 초기의 proteoglycan이 풍부한 섬유소 기질이 교원질(collagen)로 치환되고 재형성 시기에는 교원질이 교차결합(crosslink)되어 성숙 반흔으로 전환된다. 이와 같이 성숙개체의 창상치유는 반흔을 남기게 되며, 비정상적인 과다한 교원질의 침착은 켈로이드(keloid), 비후성 반흔, 장관 협착, 복강내 유착 등의 미용 및 기능적 장애를 유발한다.

태자 창상치유의 특성은 성숙개체 창상치유의 과정과 다르게 과다한 교원질의 침착에 의한 반흔을 형성하지 않고 정상 조직과 같은 간엽조직증식으로 치유되는 소견을 보인다. 이러한 태자 창상을 유발하는 원인이 확실히 규명되지는 않았으나 태자와 성숙개체의 창상치유의 다른 점을 비교하여 반흔 없이 치유되는 태자 창상치유의 실마리를 알아보고자 하는 노력이 지속되었다. 태자는 성숙개체와는 달리 창상치유에 영향을 미치는 많은 내적(intrinsic), 외적(extrinsic)요인의 차이가 있다.

첫째로 양수(amniotic fluid)는 외적 요인의 주요한 차이점 중의 하나이다. 태자의 피부의 창상은 태아 성장에 필수적인 성장인자가 풍부하고 따뜻한 무균적인 양수에 항상 접하고 있는 점이다. 또한 양수는 hyaluronic acid나 fibronectin 같은 세포외 기질 등이 풍부하다. 양수는 이러한 풍부한 hyaluronic acid나 fibronectin 등이 태아 피부창상에 직접 접촉하게 함으로써 태자 창상 세포를 증식시키고, 특수한 창상 기질을 형성하는 성장인자를 제공함으로써 태아 창상치유를 조절한다고 믿고 있다[4].

둘째로 낮은 산소분압(oxygenation)이다. 성숙개체의 창상치유에서는 정상적인 혈액순환 및 산소는 창상 치유 및 감염의 방어기전에서 필수 불가결한 것으로 알려져 있으나, 일반적으로 태자는 태반을 통하여 혈액순환이 이루어지므로 산소분압이 모체보다는 낮아 약 20 mm Hg 밖에 안되는데 창상은 반흔 없이 치유된다.

셋째로 염증반응이다. 성숙 개체의 창상치유에는 전형적인 염증이 동반되나 태자의 창상치유에서는 염증반응이 거의 없다. 태자가 면역학적으로 미성숙하고 외부 환경이 무균적이어서 임신 중기까지는 백혈구 수가 적고 면역학적으로 자아(self)와 비자아(non-self)의 구별이 안 되는 시기라고 한다. 조직학적으로 태자의 창상에서는 다핵구가 거의 없고 화학주성(chemotactic) 능력이 결핍된다는 보고가 있다. 그러나 이러한 태자의 창상에 interleukin-1, tumor necrosis factor(TNF), 또는 lipopolysaccharide(LPS) 등의 생물반응 조절물질(biologic response modifer, BRM) 을 투여하면 성숙개체와 같이 염증을 유발하고 과다한 반흔을 남긴다. 또한 성숙개체의 급성 염증세포를 태자에 주입하면 태자의 창상에 다핵구를 모이게 하는 것처럼 보이나, 성숙개체 같이 반흔이 형성되지는 않는다. 이와 같이 과거의 성숙개체의 창상 치유의 개념과 달리 태자에서는 염증세포의 출현 없이도 창상은 치유되며 반흔은 남기지 않는다. 그러나 태자의 창상치유에서도 창상치유를 조절하는 거식세포는 창상치유에 필수 불가결하다.

그러나 태자의 모든 조직이 반흔 없이 치유되는 것은 아니다. 선천성 횡격막 탈장의 수술 후에 피부의 절개부위는 반흔이 전혀 없으나 장이나 복막에는 많은 유착을 발견할 수 있다. 다시 말해 중피(mesothelial)에서 기원된 조직은 창상치유 후에 반흔을 남긴다[5]. 또한 태자의 골(bone) 치유는 태자 피부와 유사하게 치유되나[6,7] 태자의 신경조직은 오히려 성숙개체보다 반흔이 많이 남는다는 보고가 있다.

넷째로 세포외 기질이 성숙 개체와의 차이점을 보여준다. 창상 기질은 창상 치유의 결과에 많은 영향을 미치는데, 태자의 창상 기질은 glycosaminoglycans (GAG), hyaluronic acid 등이 풍부하다. Hyaluronic acid 는 빠른 조직의 증식, 재생, 창상치유 시에 나타나는 세포외 간질의 구조적 및 기능적 구성요소이며, 세포의 증식을 촉진시키는 환경을 유지한다. Hyaluronic acid가 태자에만 존재하는 것이 아니며 성숙개체에서도 존재하나, 성숙개체에서는 hyaluronidase에 의해 hyaluronic acid가 분해되면서 곧 창상기질이 교원질로 대치된다. 그러나 태자에서는 hyaluronic acid stimulating activity(HASA)가 존재하여 높은 hyaluronic acid 농도가 지속적으로 유지된다. 태자 창상 치유에서 교원질의 존재는 다소 이견들이 있으나 태자의 섬유아세포는 성숙개체보다 제3형, 제5형 교원질 합성이 많다. 그러나 이 기간에서 수임 20주 까지는 prolyl hydroxylase의 활성이 훨씬 높았다가 임신 후반기에는 성숙개체 수준으로 낮아진다. 태자의 prolyl hydroxylase는 성숙개체와 다르게 세포재생의 조절에 관계가 있다고 믿고 있다. 아마도 추가적으로 hyaluronic acid가 풍부한 기질이 교원질 섬유소의 일정한 규칙으로 배열되는 점과 관계가 있다고 믿고 있다. 임신 중기 이후의 갑작스러운 교원질의 직경의 증가는 hyaluronic acid 와 chondrotin sulfate 감소와 일치한다.

또한 태자 창상에는 fibronectin, laminin, tenascin, thrombospondin 등과 같은 유착당단백(adhesion glycoprotein)이 풍부한데, 유착당단백은 배형성(embryogenesis) 과정에서와 같이 세포외 기질과 세포의 부착

(attatchment), 유착(adhesion), 이주(migration)의 골격(scaffold)를 구성한다. 성장인자에서는 창상치유에서 중요한 transforming growth factor-β_1(TGF-β_1)이 성숙개체 보다 낮게 표현된다[8,9]. 그러나 태자의 창상에서도 polyvinyl alchol(PVA) 같은 물질로 자극하면 TGF-β_1의 표현이 증가한다[10]. 반대로 성숙개체에서도 TGF-β_1이나 TGF-β_2의 항체를 이용하면 반흔의 형성이 작다. TGF-β의 isoform의 상대적인 비율이 어떤 isoforms의 절대양보다도 반흔의 표현형을 결정한다. 반흔이 없는 태자창상에서는 TGF-β_3의 표현이 증가하고 TGF-β_1의 표현은 변화가 없다, 반대로 TGF-β_1의표현이 증가하고 TGF-β_3의 표현이 감소하면 반흔이 생기는 태자창상이 된다[11]. 이러한 결과로 추정하여 TGF-β_3와 TGF-β_1의 표현 비율이 조직의 재생 혹은 반흔 형성을 결정한다[12]. Homeobox genes은 발생시에 patterning과 cell type specification을 관련시키는 transcription factors로 태자의 반흔없는 창상치유에서는 HOXB[13]의 표현이 감소하고 PRX-2의 표현이 증가한다[13].

이렇게 태자의 반흔 없이 치유되는 기전을 설명하기에는 어려운 점이 많다. 그러나 실험적으로 양수가 성숙개체의 창상치유에 미치는 영향을 알아보기 위하여 수임 60일된 양에서 자궁을 열고 태자를 노출시킨 후 모체(maternal)의 전층 피부를 태자에게 이식하고, 수임 100일에 태자를 다시 노출시켜 어미 피부가 생착된 것을 확인한 후 태자 및 어미 피부에 동시에 절개를 가하고 봉합하여 양수가 성숙개체의 피부 창상치유에 미치는 영향을 알아보았다. 결과적으로 태자의 피부에서는 반흔 없이 치유되었으나, 이식된 모체의 피부는 반흔이 남았다. 또 다른 예를 보면 조기에 분만하여 태자기에 태자를 복벽에 붙여 모유를 먹이며 기르는 Mondelphis domestica라는 쥐 종류의 유대동물이 있는데, 이 쥐와 같이 양수의 접촉이 없는 태자에서도 절개 창상의 치유에서도 반흔이 전혀 없는 창상치유가 이루어진다.

이와같이 반흔없는 태자의 창상치유는 주위의 환경에 의해서만 결정되는 것이 아니고 태자 세포 자체나 기질에 있을 것으로 추측된다.

II. 태수술

구순열 및 구개열은 성장하면서 다양한 진행성 기형을 동반하여 25-30%에서는 언어장해와 비중격 만곡, 비첨부 및 비익저(alar base)의 함몰 등의 비변형, 중앙부 안면(mid-face) 발육 부전에 의한 상악의 후진(retrusion), 상대적인 하악 돌출(mandible prognathism), 그리고 유스타키안(Eustachian)관 기능 장해로 인한 반복적으로 재발하는 중이염, 치아의 유실, 이상 수의 치아, 변위 치아 등의 장해를 보인다. 태수술에서 구순열 및 구개열의 교정은 반흔이 유발되지 않아서 미용 및 기능적으로 정상과 다름이 없는 복원을 시도하면 바람직하겠으나, 태수술의 적응증은 우선적으로 기형이 생명에 위협을 줄 수 있을 정도로 심각하고, 기형이 다발성이 아니고 단독이며, 동물 실험을 통하여 시도하고자 하는 수술 방법의 효과가 확인되어야 한다. 그러므로 어떤 면에서 구순열 및 구개열은 태아의 생명을 위협하는 기형이 아니므로 태수술의 적응증이 아직은 안 된다고 생각하고 있다. 그러나 최근 태수술은 태수술의 경험 축적에 의한 술기의 발달, 더욱 효과적인 자궁 수축 억제 방법이 발전하고, 그리고 내시경과 같은 비침습적인 술기의 개발로 태수술 후에 산모와 태아의 안정성이 확인된다면 구순열 및 구개열 같이 생명의 위협받지 않는 기형이라도 태수술이 가능한 시기가 도래하여 구순열 및 구개열 환자의 사회 생활의 복귀에 많은 도움을 줄 수 있을 것으로 믿고 있다.

1. 태수술의 동물모델

구순열 및 구개열 그리고 두개골 조기유합증의 태수술의 동물 모델을 통하여 태아와 성인의 창상 치유의 특징과 차이점, 구순열 및 구개열 환자의 이차적인 안면발육 장해의 병인, 두개골 조기융합증의 병인, 그리고 산 전 교정과 산 후 교정의 안면 성장을 비교 관찰이 가능하다. 수년간 구순열 및 구개열 태수술의 실험모델을 통한 연구는 지속되어왔다.

가토를 이용한 실험모델은 임신 24일된 가토(임신기간은 31일)를 이용할 수 있다. 개복하여 양각 자궁의 태자를 확인하고 자궁 벽에 purse string 봉합을 준비하고 자궁을 열어 태자의 두부를 노출시킨다. 확대경을 이용하여 태자의 상순과 전방의 상악의 치조에 절개를 한다. 절개한 일부 태자는 9-0 나이론 봉합사로 피부, 근육, 점막을 봉합하고 반대측은 아무 처치를 하지 않은 대조군으로 상호 비교한다. 태자를 다시 자궁내로 위치시키고 양수를 생리식염수로 보충시킨 후 purse string 봉합을 하여 자궁을 봉합한다. 적정 시간 후에 실험한 태자는 자연 분만으로 얻을 수도 있으나 어미가 죽이는 예가 흔하여, 충분한 마취 후에 개복하고 자궁을 열어 얻을 수 있다. 만약에 자연 분만을 원하면 새끼를 낳으면 자연히 아래로 떨어질 수 있도록 바닥이 넓은 망으로 해주는 것이 좋다(그림 26-1).

양의 이용한 실험모델은 양의 양각 자궁에 태자가 2마리가 있어, 실험한 태자와 대조 태자의 비교가 쉽고, 태자가 커서 수술적 조작이 쉽고, 수임 기간이 길어(약 140일) 기형의 유발(수임 약 75일 전 후)과 교정 시기(수임 약 100일 전 후)를 분리할 수 있고, 반흔이 생기기 않은 시기의 정확한 파악이 가능하다. 그러나 경비가 많이 소요되고 양의 태반, 양수 등에는 감염인 Q-fever의 원인이 되는 rickettsia가 많으므로 다른 동물과 격리되어 모든 기구 및 재료는 별도로 관리되어야 한다(그림 26-2).

2. 자궁절개를 통한 태수술

태수술은 여러 전문 분야의 협조가 원만하여야 한다. 태수술 전에는 다양한 분야의 전문가 들이 충분한 토의가 필요하며 또한 사회사업과, 유전학과 등의 협조를 얻어야한다. 수술 시에는 전문화된 산부인과, 소아과, 방사선과, 소아외과, 마취과, 그리고 이외에 숙련된 간호사, 수술 장비 및 기구를 조정하는 협조자 등의 전문지식 및 술기가 요구된다.

태수술 전에 산모의 처치로 100 mg 의 indomethacin을 좌약으로 투여하고, 수술 중에는 magnesium sulfate와 nitroglycerin을 정맥주사 하여 자궁 이완을 유지한다. 산모는 반듯이 누운 자세를 취하고 우측의 타월 등을 고여서 자궁이 하대정맥(inferior vena cava)을 압박하지 않도록 한다. 수술 후 통증 조절을 위한 척추 경막외 도관(epidural catheter)을 삽입한다. 수술 중 prostaglandin 합성 억제제를 투여하여, 자

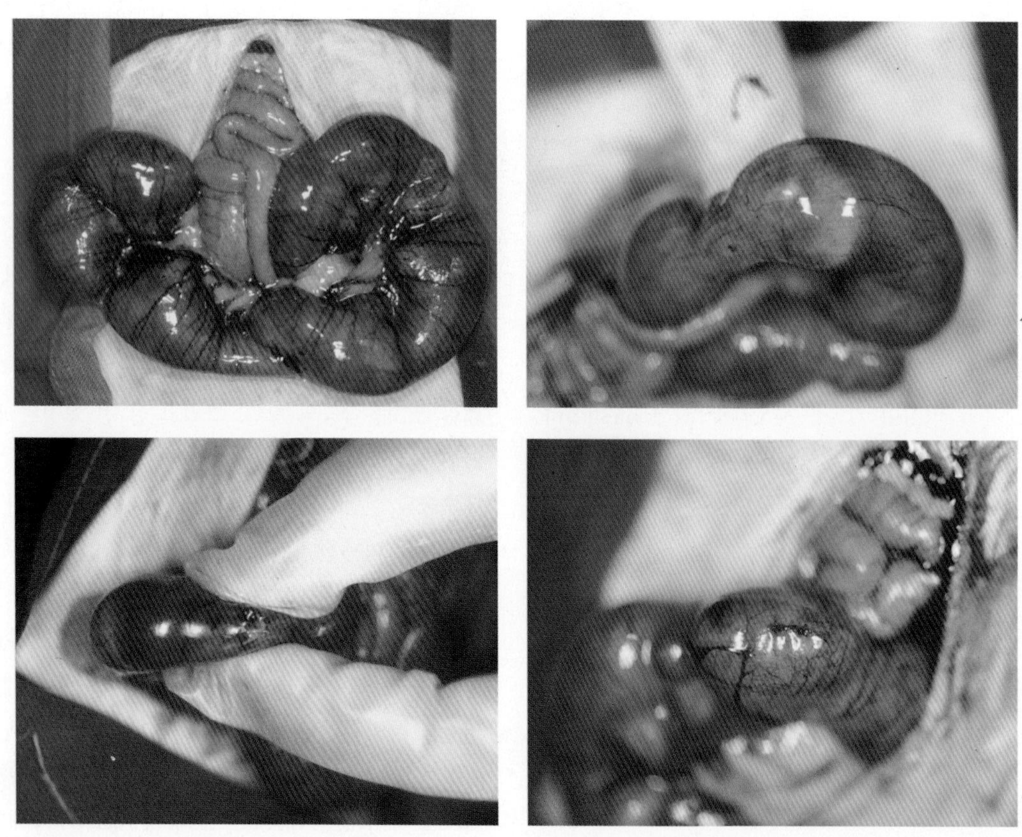

그림 26-1. 가토의 개복 후의 양각 자궁을 노출한 사진. 양측 자궁에 각각 수개의 태자가 관찰된다. 자궁 내의 태자를 확대한 사진. 태자를 분리하여 purse string 봉합을 준비하고 수술적 조작을 하기 직전의 모습. 태자를 자궁 내에 복원시키고 봉합한 사진.

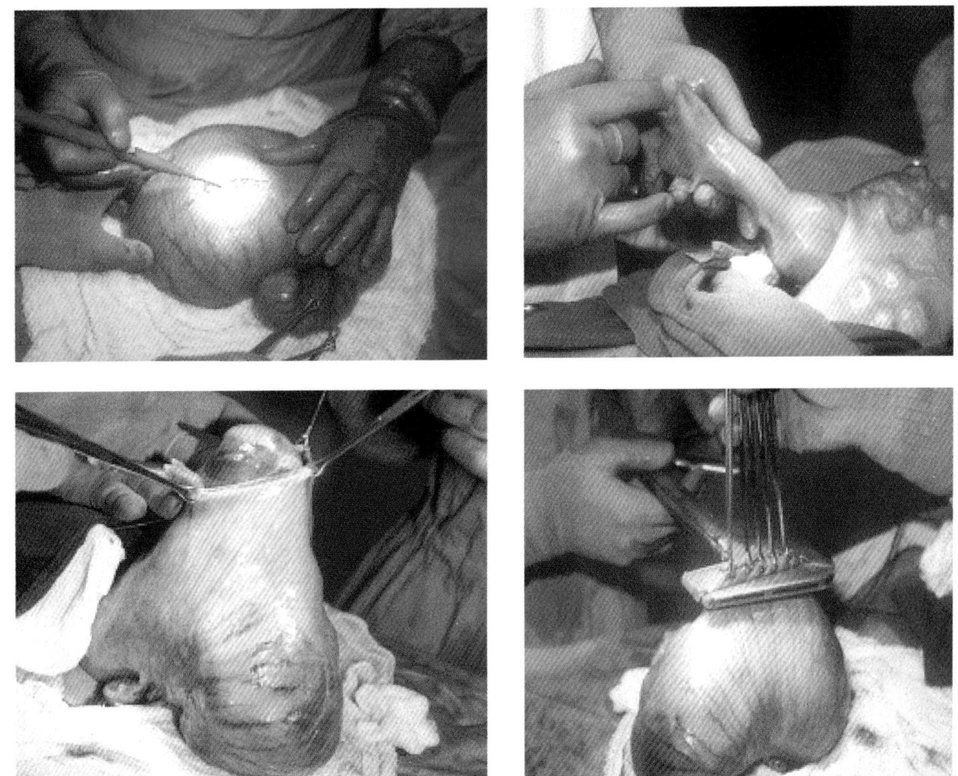

그림 26-2. 양의 양각 자궁 중의 한편 자궁을 노출시키고 태반과 태자를 피하여 단극전기 절개기를 이용하여 자궁을 열고 있다. 양의 수임 약 70일(전체 수임기간은 약 140일)의 태자를 자궁 절개부를 통하여 태자의 두개안면부를 노출시키고 있다. 볼록볼록 돌출된 부위가 태반 부위이다. 수술적 조작하여 구순열 등의 기형을 만들고 태자를 자궁 내로 복원시키고 자궁을 봉합하기 직전의 모습. 완전한 자궁 봉합은 태수술의 중요한 과정의 하나이다.

궁의 수축을 방지하고 산모와 태아의 마취를 위하여 fluothane(할로겐 제제) 마취제를 주로 사용한다. 수술 후에는 베타 교감신경억제제(β-sympathomimetics)가 태아의 생존을 증가시킨다는 보고가 있다. 최근에는 할로겐 제제와 경막외 도관을 이용한 국소마취를 동반하고 100% 산소와 근 이완제의 투여는 산모의 의식, 기억, 통증도 없고 또한 산모와 태아가 움직이자 않으며 자궁이 충분히 이완되어 수술에 적절하다. 태아에 직접 Pancuronium[R]이나 Fentanyl[R]을 근육주사 하여 태아를 이완 시킬 수 있다는 보고도 있다.

절개는 하복부의 횡절개를 통하여 자궁을 노출하고 소독된 초음파를 이용하여 태아와 태반의 위치를 확인한다. 자궁의 절개할 위치와 방향은 태반으로부터 가능한 거리가 멀고 태아의 수술 부위를 고려하여 계획한다. 과다한 양수는 제거하여 따뜻한 온도를 위지하도록 보관한다. 자궁 절개는 가능한 신속히 지혈을 하면서 단극 전기절개기를 이용하여 절개한다. 자궁의 절개 부위는 특수 고안된 압박 clamp를 이용하여 출혈을 방지하면서 태아의 상지와 가슴을 노출하여 태아의 상태를 판단할 수 있는 심전도, 산소분압 등을 추적할 수 있는 원격 추적 장치를 부착한 후, 태아의 두개안면부를 노출하고 구순열 및 구개열을 교정한다. 필요한 시술을 정확하고 신속히 마친 후에는 태아를 자궁내로 복원시킨다. 자궁 내에 적정 온도를 유지시키면서 보관되었던 양수나 생리 식염수에 항생제(nafcillin 500 mg)를 혼합하여 채운다. 자궁과 복벽을 층층 봉합하는데 이 과정은 산모와 태아의 생존에 지키는 가장 중요한 과정 중의 하나이다.

태수술 후의 관리에서 조기 진통은 태수술의 수술 후 결과에 영향을 미치는 가장 해결하기 어려운 문제 중의 하나이다. 태수술 후의 자궁의 수축이나 태아의 심박동 수의 계속적인 모니터가 필요하며 자궁 수축을 방지하기 위한 betaminetics, magnesium sulfate, prostaglandin synthetase inhibitors 등의 투여가 필요하다. 일반적으로 5일 정도까지 일차적인 자궁 수축이 감소하면 정맥주사를 점차적으로 구강투여로 바꾼다. 수술 후 3일 간은 절대안정을 취하며, 태수술 후 10일 정도면 퇴원이 가능하다.

태수술 후에 산모의 안정이 가장 우선적으로 고려되어야 하며, 합병증으로 양수 누수에 의한 복통, 산모의 maternal mirror syndrome 등이 보고 되었으나, 아직 산모의 사망 예는 없었다. 태수술 후에 재 임신 가능성에 대하여서는 임신이 가능하다고 생각하고 있다.

3. 내시경수술

태수술의 중요한 문제점 중의 하나는 태수술 후에 임신이 계속 유지되지 못하고 조기 진통이 시작되어 유산이 되는 문제인데, 태수술에서 조기 진통은 우선적으로 해결하여야 하는 문제 중의 하나이다. 태수술 후에 가장 임신을 오랫동안 유지한 예가 임신 36주였다는 보고가 있다. 태수술 시 조기진통의 원인으로는 조기 태반분리(premature rupture of membranes:PROM)나 태아의 항상성(homeostasis)의 변화라고 추정하고 있다[14]. 또한 자궁절개는 자궁의 혈류를 감소시켜서 자궁과 태반의 산소공급이 약 73%로 감소한다[15]. 이러한 위험을 감소시키고 비침습적인 방법으로 내시경태수술이 시도되고 있다. 실질적으로 임상에서 선천성 횡결막 탈장에서는 기관지를 이물로 막아서 폐의 확장을 기대하는 시술이나, 중증의 폐쇄성 수신증에서 복부 피부를 관통하여 방광으로 배뇨관을 삽입하는 태수술이 시도되고 있다. 이러한 내시경태수술을 통하여 구순열을 교정하려는 시도가 이루어지고 있으나, 내시경을 이용한 구순열의 태수술이 성공적으로 이루어지려면, 충분한 양수를 지속적으로 교환하여 수술 시야를 확보할 수 있는 장비 및 시설, 작은 구순열 및 구개열을 성공적으로 교정할 수 있는 정교한 기구, 그리고 수술자의 숙련도가 요구된다(그림 26-3).

최근에 초음파를 이용한 태아의 구순열의 진단은 임신 18주 이전에도 가능하다(그림 26-4). 태아의 태수술을 이용한 구순열 교정에 앞서서 다른 동반된 기형이 있는지 확인하여야 한다. 생존한 구순열 및 구개열의 약 13%에서, 독립된 구개열에서 약 12% 내지 50%에서 심각한 기형이 동반될 수 있다고 한다. 그러나 이것은 생존한 구순 구개열 태아이지 사산된 태아 까지 포함하면 빈도는 증가될 것으로 추정된다. 이러한 문제에 추가하여서, 초기(임신 20주 전)에 태수술을 하면 반흔이 전혀 남지 않고, 조기진통의 빈도는 낮으나, 일단 조기진통이 시작되면 태아가 미성숙하여 치명적일 수 있다.

내시경을 이용한 태수술에서는 태아의 상태를 추적하기 어렵다는 점이다. 태수술 중이나 후에 태아의 상태를 추적하는 문제점은 정맥 검사에 의한 접근이 어려워서 이를 극복하기 위한 비침습적 방법으로 피부를 통한 pulse oxymetry가 태아의 상태를 추적하는 중요한 장비 중의 하나이다. 그러나 내시경수술 시에는 이러한 피부를 통한 pulse oxymetry의 부착이 어려워서 사용에 제한이 있기 때문에, 간헐적인 초음파를 이용하여 태아의 심박동, 수축력 및 양수의 양을 추적한다.

내시경수술 매체(working medium)로 과거에 실험적으로 탄산가스(CO_2)로 채웠으나 태아의 고탄산혈증(hypercarpnea)과 산증(acidosis)의 위험이 있으며, 초음파를 사용하는데 제한이 있다[16, 17]. 액체 매체가 기체보다 수술 중의 압력유지가 안전하여 탯줄의 혈류가 원활하고 태아의 산소분압이 보존된다. 실험적으로 이러한 액체 매체가 산모의 체액의 이동 없이 더욱 안전하다고 보고 되었다[18]. 그러나 원래의 양수는 혼탁하여, 특히 출혈 시 시야 확보의 어려움이 있어서, 지속적으로 교환이 가능하고 양수와 태아의 체온이 유지되는 등장성 링거(isotonic Ringer' s lactate)를 분당 100-200 ml를 교환하여 사용한다. 기구는 내시경은 18cm 의 길이와 1.2-3.5 mm 직경 크기, 2, 3, 5 mm 의 트로카(trocars), 그리고 초음파 기구, 관류펌프(perfusion pump), 방사주파 제거장치(radiofrequency ablation device) 등이 필요하다. 구순열 및 구개열의 내시경 태수술에서 구순열 및 구개열의 봉합 시에 미세클립 등을 개발하여 사용하면 조작이 쉽고, 조직의 비관통 봉합(non penentration)이며, 염증반응이 작아서 유리하다[19].

내시경태수술의 합병증으로는 첫째로 출혈이 있다. 출혈은 중요한 합병증은 아니나, 태반이나 태아에 손상이 가지 않도록 조심하고, 끝이 넓은 트로카를 사용하여 많이 감소하였다. 둘째는 조기진통이다. 많은 진통융해제를 사용하였으나 조기진통을 예방하는 데는 괄목할 만한 발전은 없다. 최근의 조기진통의 원인의 가설로는 갑작스러운 자궁 내 체적(volume)의 변화, 감염, 내분비 호르몬의 변화, 태아 및 산모의 stress, 양막의 분리 등이 거론될 수 있다. 셋째로 융모양막(chorioamniotic membrane) 분리이다. 융모양막의 분리는 약

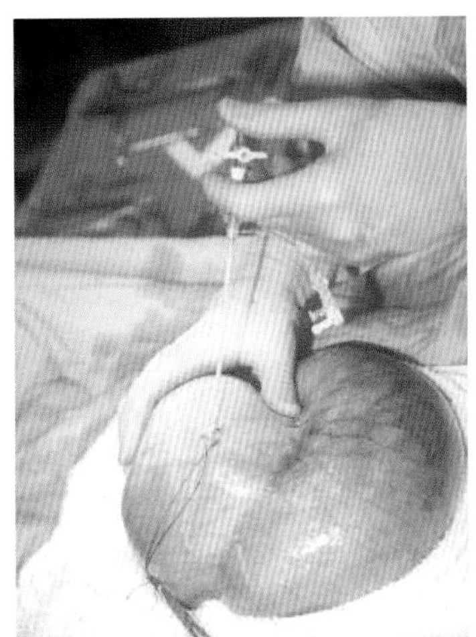
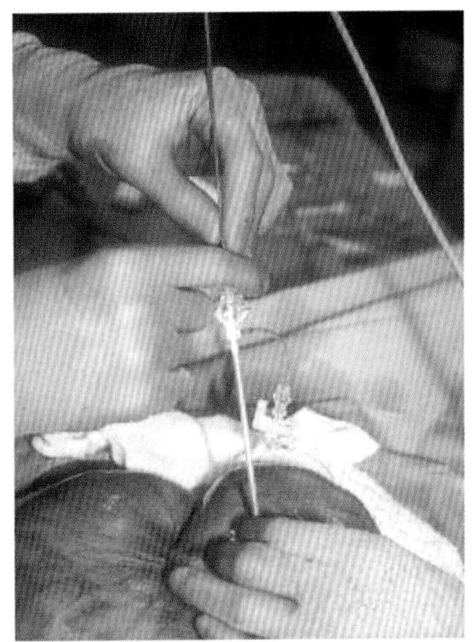
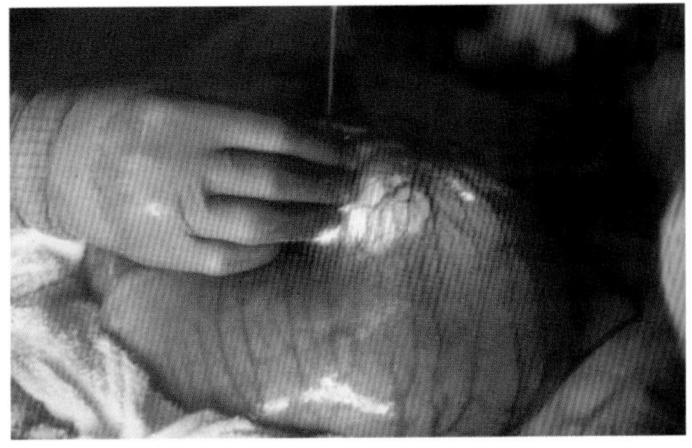

그림 26-3. 양의 태자에 내시경수술을 시도하는 모습. Purse string suture를 하고 그 사이에 트로카를 삽입하고 있다. 트로카를 통하여 광원을 삽입하고 있는 모습. 내시경 시술을 시도하는 모습으로 광원에 의하여 주변이 밝다. 그러나 이러한 광원이 태아의 시력 등에 장해를 줄 수 있다는 가능성을 배제할 수 없다.

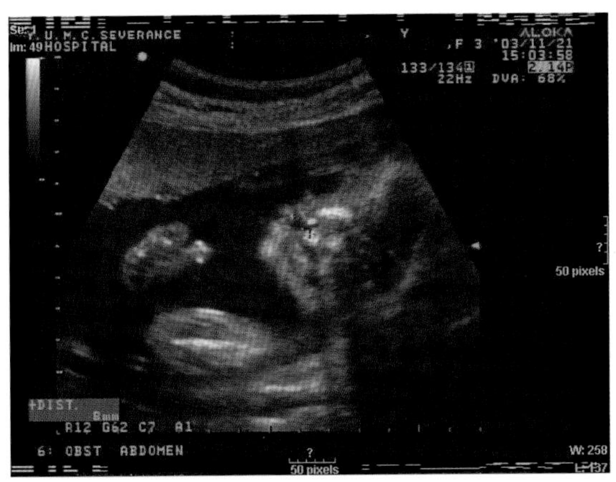

그림 26-4. 임신 20주의 태아의 초음파사진이다. 표시된 부분에서 구순열이 관찰되고 있다.

40%의 태아에서 유발한다. 'shedding' 이라는 완전한 분리는 융모양막 분리의 초기 증거이며 양막 band에 의한 탯줄에 위험적 자극이 강력한 조기진통의 원인이 된다. 넷째는 조기 진통이다. 태수술의 가장 중요한 문제이며, 내시경수술에서도 가장 흔한 합병증이다. 원인은 확실하지 않으나 태수술 시 가능한 손상을 적게 주어야 한다. 단일 수술시에는 약 6-10%, 복잡 수술로 시간이 소요되면 약 40-60%에서 발생한다. 높은 보고에 의하면 태수술 후에 50%의 사망률이 보고되었다. 원인으로 융모양막 분리가 관찰되기도 하나 원인을 모르는 경우도 많다.

실제로 임상에서 구순 구개열 환자를 임신 21주에 태수술을 시도한 적이 있었으나, 태아는 임신 7개월에 조기진통으로 분만하여 집중치료를 2개월 시도하여 환자는 생존하였으나 태수술이 바라는 목적을 완전히 달성하지 못하고 작은 반흔이 눈에 보였다고 보고 되었다. 이 환자는 이후에 원인을 알 수 없이 사망하였다.

4. 임심모의 관리 및 위험

태수술에서 임신모의 안전은 가장 우선적으로 고려되어야 한다. 산모의 합병증에 대한 보고는 항생제 투여에 의한 pseudomembranous colitis, 자궁 봉합 부위의 부전으로 인한 양수의 누수, maternal mirror syndrome(태아가 큰 종양을 가지고 있어 거대태반과 hydrops을 유발하고 결과적으로 태아가 사망하는 예가 있는데, 태아 hydrops을 반사한 것 같이 산모가 고혈압, 말단 부위 및 폐의 부종, 위장관 및 신장 기능 저하를 유발하는 hyperdynamic state)이 있었다. 이와 같이 임상 경험과 유인원 등의 실험 경험을 통하여 태수술에서 산모의 안전성이 입증되었다고는 하나, 만약에 태수술 시에 산모의 안전이 위험 받는 예가 발생한다면 태수술은 더이상 합리화 될 수 없을 것으로 생각된다.

III. 결론

그러나 유인원, 양, 가토 및 쥐에서 구순열 및 구개열을 유발한 후에 태수술을 통하여 교정한 결과는 기대와 같이 반흔 없이 피부, 근, 골 등이 재생되었고, 태어난 후의 장기추적 결과에서도 두개안면의 발달이 정상이었으나, 이러한 성공적인 시도는 의도적으로 절개를 통한 구순열 및 구개열 모델이 선천성 구순열 및 구개열 과는 완전히 다를 수 있다는 점을 인식하여서 자연적으로 발생된 구순열 및 구개열에서도 같은 결과를 얻을 수 있는 지는 장담할 수 없다.

태수술은 도덕적 및 법적 문제의 수가 증가하고 있다. 태수술의 위험성이 정당화될 수 있을까? 태아의 기형이 생명에 위협을 증가하며, 산 후에 사망했다면 정당화될 수 있으나, 치명적이지 않은 기형은 상황이 다르다고 할 수 있다. 산모가 태아의 생명이 위협 받는 기형이 있다고 태수술의 동의를 강요 받아서는 안되며, 산모의 법적인 우선 순위가 태어나지 않은 태아보다는 선행되어야 한다는 점을 잊어서는 안된다.

참고문헌

1. Harrison MR, Bjordal RI, Landmark F: Congenital diaphragmatic hernia: The hidden motality. J Pediatr Surg 1979; 13:27-231.
2. Adzick NS, Harrison MR: The Fetal Surgery Experience. in Adzick NS, Longaker MT: Fetal Wound Healing. 1st ed, New York, Elservier, Science Publishing Co., 1992, p1.
3. Adzick NS, Longaker MT: Characteristics of Feal Tissue Repair. in Adzick NS, Longaker MT: Fetal Wound Healing. 1st ed, New York, Elservier, Science Publishing Co., 1992, p53.
4. Mulvihill SJ, Stone MM, Fonkalsrud EW: Trophic effects of amniotic fluid on fetal gastrointestinal development. J Surg Res 1986; 40: 291.
5. Harrison MR, Langer JC, Adzick NS: Correction of congenital diaphragmatic hernia in utero. J Pediatr Surg 1990; 25:47.
6. 홍성주, 한기환, 강진성: 가토 태자의 하악골골절 치유에 관한 조직학적 연구. 대한성형외과학회지 1995; 22:945.
7. Ris MP, Wray JB, A histolgic study of fracture healing within the uterus of rabbit. Clin orthop Res 1972; 87:318.
8. Sullivan KM, Lorenz HP, Meuli M. et al: A model for scarless human fetal wound repair is deficient in transforming growth factor beta. J Pediar Surg 1995; 30:198-203.
9. Whitby DJ, Ferguson MW: Immunohistochemical localization of growth factors in fetal wound healing. Dev Biol 1991; 147:207-215.
10. Krummel TM, Michna BA, Thomas BL, et al: Transforming growth factor beta(TGF-beta) inducds fibrosis in a fetal wound model. J Pediar Surg 1988; 23:647-652.
11. Dang C, Beanes SR, Soo C, et al: A high ratio of TGF-β_3 to β_1 expression in wound is associated with scarless repair. Wound Repair Regen 2001; 9:153.
12. Shah M, Foreman DM, Ferguson MW: Neutralisation of TGF-beta 1 and TGF-bea 2 or exogenous addition of TGF-beta 3 to cutaneous rat wounds reduce scarring. J Cell Sci 1995; 108:985-1002.
13. Slellnicki EJ, Arbeit J, Cass DL, et al: Modulation of the human homobox genes PRX-2 and HOXB13 in scarless fetal wounds. J Invest Dermatol 1998; 111:57-63.
14. Deprest JA, Lerut TE, Vandenberghe K: Operative fetoscopy: new perspective in fetal theraphy? Prenat Diagn 1997; 17:1247-60.
15. Skarsgard ED, Bealer JF, Meuli M, Adzick NS, Harrison MR: Fetal endoscopic('Fetendo')surgery: the relationship between insuflating pressure and the fetoplacental circulation. J Pediar Surg 1995; 30:165-8.
16. Oberg KC, Robles AE, Ducsay CA, Rasi CR, Rouse GA, Childers BJ: Endoscopic intrauterine surgery in primates; overcoming

technical obstacles. Surg Endosc 1999; 13:420-6.

17. Lks FL, Deprest JA, Vandenberghe K, Laermans L, De Simelaere L, Brosens IA: Fetoscopy guided fetal endoscopy in sheep model. J Am Coll Surg 1994; 178:609-12.

18. Evrard VAC, Verbeke K, Peers KH, Luks FI, Lerut AE, Vandenberghe K: Amninoinfusion with Hartmann' s solutin: a safe distension medium for endoscopic fetal surgery in the ovine model. Fetal Diagn Ther 1997; 12:188-92.

19. Oberg KC, Evans ML, Nguyen T, Peckham NH, Intrauterine repair of surgically created defects in mice(incision model) with a mircroclip: preamble to encoscopic instrauterine surgery Cleft Palate Craniofac J 1995; 32: 129-37.

제27장 구순구개열 수술활동을 통한 사회봉사

Humanitarian Activity with Cleft Lip and Palate Surgery

박명철

우리나라 구순열 수술의 역사는 선교 혹은 봉사활동과 밀접한 연관이 있다.

구순 구개열은 선천성기형이라는 병적 특성과 환아가 성장하면서 받는 사회적 영향 때문에 일반인들 사이에서는 특별한 병으로 받아들여지고 있고 이 때문에 성형외과 의사들이 봉사활동이 자연히 유도되게 되었다.

우리나라에서는 류재덕 교수에 의해 성형외과가 알려진 직후부터 연세의대 성형외과학 교실에서 전국 구순구개열 수술사업이 시작되었다(1967). 전국을 대상으로한 구순 구개열 아동의 수술사업은 성형외과의사들이 사회에 공헌하는 중요한 의미를 가지고 부여할 수 있겠고 동시에 성형외과학의 홍보활동의 시초라고도 할 수 있겠다.

정부에서도 적극 관심을 기울여서 적십자사의 주도로 구순열 수술사업이 진행되었다. 정부에서는 보건사회부를 통하여 매년 상당한 사회복지기금을 조성하여 처음에는 적십자사를 통하다가 주로 국립의료원(1983년부터 1999년까지)을 통하여 무료수술사업이 진행되었다.

우리나라에서도 여느 개발도상국가에서나 만찬가지로 수술사업 초기에는 수술의 숫자 자체에 역점을 두어 소위 퇴치, 박멸사업의 수준으로 시행되었다. 현재는 이와 같은 전체수술사업이 따로 행하여 지고 있지는 않다. 각 병원에서 더욱 개량된 술기와 처치에 따라 환아가 성인이 되어 정상활동으로 재활 할 수 있도록 그 수준이 향상되어 가고 있다.

이에 따라 대학이나 종합병원에서 구순 구개열을 전공하는 의사들의 모임이 증가하고 이들의 관심이 좀 더 개선된 술기의 도모와 더불어 사회봉사 활동에 초점이 맞추어 지면서 사회봉사 활동이 활발히 전개되고 있다. 이는 전세계적인 현상으로 전세계의 저개발국가의 구순구개열 수술을 목표로 하는 여러 단체들을 찾아볼 수 있겠다.

대표적인 예로서 Operation Smile, Smile train, Interplast 등이 있다. 선천성 기형을 전공하는 성형외과 의사들 사이에는 국적이나 노소에 상관하지 않고 위와 같은 사회봉사사업에 관심이 점증하고 있다. 전공분야에 대한 관심을 고양시키면서 경제적 능력이 없는 저개발국가 어린이들을 돕는 일석이조의 봉사라고 할 수 있다.

Operation smile(http://www.operationsmile.org/)은 Dr.Mckee에 의해 창립된 기관으로 가장 역사가 길다. 연간 25개의 수술팀을 개발도상국가에 파견하여 약 5000여명의 어린이들이 수술을 받았다. 수술사업과 동시에 개발도상국 의사들이 교육을 담당하기도 하며 의과대학생들 모임에서 봉사, 리더쉽 등에 대한 수련도 하고 있다.

Smile train(http://www.smiletrain.org/)은 중국 출신의 기업가 Wang씨가 모국의 언청이 환자를 돕기 위하여 처음에는 기금만 출연하다가 단체를 따로 만들어 현지의 수술을 돕고, 수술 술기를 개발하고 학문적 성취가 있도록 노력하는 단체이다. 가장 활동이 많고 또한 가장 학술적인 단체이다.

Interplast(www.Interplast.org)는 일반적인 개발도상국의 의료지원을 위한 의사들로 구성된 단체로 구순구개열분야가 한 분야이다. 35년의 역사를 갖고 있으며 전세계에 약 25개의 수술 및 교육프로그램이 있다.

Noordhoff Craniofacial Foundation은 Dr. Noordhoff 에 의해 만들어진 단체이다. 저개발 구안면외과의사의 교육 및 직접수술을 하거나 도와주는 재단으로 대만의 장궁병원이 주체이다.

현재 중국, 캄보디아, 필리핀, 버마 등에서 수술사업을 하고 있고 현지인 의사의 교육을 담당하고 있다.

이들 재단의 Web site에 들어가면 이들의 다양한 활동을 볼 수 있고 직접 참여할 수도 있다. 선천성 기형을 전공하는 성형외과 의사들 사이에는 국적이나 노소에 상관하지 않고 위와 같은 사회봉사사업에 관심이 점증하고 있다. 전공분야에 대한 관심을 고양시키면서 경제적 능력이 없는 저개발국가 어린이들을 돕는 일석이조의 봉사라고 할 수 있다.

최근 들어, 우리나라에서도 외국팀들처럼 위와 같이 사업을 하는 의사그룹도 많이 있다.

우리나라에서 결성된 성형외과분야의 대표적인 단체를 열거하면, 세민재단팀, 연세의대 성형외과팀, 글로벌 케어팀을 들 수 있으나, 이외에도 밖으로 알려지지 않은 상태에서 꾸준히 봉사사업을 하는 개인 혹은 단체들이 많이 있다.

이들이 만들어진 시기나 성격이 비슷하지만 활동의 방법이 약간 다르다.

'세민 얼굴기형돕기회' 라는 단체는 백세민 교수에 의해 창설되었다. 국내 얼굴기형어린이의 치료와 연구, 계통활동을 위해 보건복지부에 비영리법인으로 등록되었다. 처음에는 국내에서 숨겨져 있는 얼굴기형아의 발굴 수술사업을 시작하였다. 국외로 눈을 돌려 1996년부터 베트남 어린이의 얼굴기형어린이 수술사업을 시작한 이래 8년 동안 총1602건의 수술(다른 성형수술을 포함)을 시행하였다. 베트남 성형외과 의사의 국내 연수도 시행하였고, 한국-베트남의 친선 외교에 중요한 역할을 하고 있다. 이 팀은 북한의 얼굴기형어린이의 수술사업도 시도하려고 하고 있다. 이들의 재원은 이들의 사업을 믿고 도와주는 국내의 중요한 기업이 있으며 세민재단이 실무를 관장한다.

연세의대 성형외과 교실에서는 1967년부터 국내의 구순구개열 수술사업을 진행하였다. 이 교실에서는 1999년부터 교실사업의 일환으로 우즈베키스탄의 얼굴기형아 수술사업을 매년 시행하고 있다. 이 지역에서 의료선교를 하고 있는 의사(고세중 의사)를 도와 수술사업을 하는데 2003년까지 총 5차에 걸쳐 133명의 환아의 수술을 담당하였다. 현재 의사의 교육에 힘써, 2년간의 현지의사의 국내 연수를 통하여 우즈베키스탄에서 최초로 성형외과를 창성하는 보람있는 일을 성취하였다.

'글로벌케어' 라는 의료인으로 구성된 국내의 비정부기구(1997년)는 창설 첫 사업으로 성형외과 5인(김우경, 김용배, 고경석, 박명철, 홍성표)으로 구성된 구순구개열 수술팀을 베트남 하노이에 보내게 되었다. 이들은 자신들이 직접 재원을 조달하여 수술사업도 시행하고 해당국가에서 학술활동도 시행하였고 수술의 결과가 좋아서 현지인의 큰 신뢰를 받고 있다. 1997년부터 매년 수술사업도 실시하여 구순구개열만 약 270명정도 수술을 시행하였다. 다른 팀과 마찬가지로 베트남 의사의 단기연수도 실시하였다. 이 팀은 주체가 성형외과의 사들이고 재원도 직접 조달하는 특징이 있고 비교적 풍부한 외과의사 및 마취과 의사의 구성원(성형외과 교수 8명, 마취과 교수 2명, 교정치과전문의 1명, 내소아과전문의 2명)을 소유하고 있다는 점이다. 이와 같은 수술사업의 가장 큰 문제인 재원 및 인력 조달면에서 남다른 특징을 지니고 있다고 하겠다.

앞에서 기술한 것처럼 이와 같은 수술사업은 구순구개열에 대한 관심고양, 저개발국가 어린이의 수술 및 물적지원, 저개발국가 의료진의 교육 등의 여러 가지 긍정적인 면을 내포하고 있다. 사업을 통하여, 문제되는 점으로는 수술결과의 표준화, 인적 pool의 지속화, 사업재정의 건전화, 사업의 연계성 혹은 지속성 등을 들 수 있겠다.

이제 구순구개열 수술봉사 사업은 누구나가 할 수 있는 사업은 아닌 듯하다. Smile train에서 강조하는 것처럼 수술결과가 상당한 표준에 도달하여야 될 것이다. 전세계적으로 구순구개열 환아의 수가 급감하면서 도리어 개발도상국가의 구순구개열사업이 눈에 띄고 있지만 동시에 그 수술의 표준 혹은 기대수준도 날로 높아지는 것이 사실이다. 구순구개열 사업은 여느 봉사와는 달리 일회성이 되어서는 안 될 것이다. 그런 면에서 수술에 참여하는 인적 구성원 역시 항상 고정적이어야 할 것이다.

우리나라 경제상황이 순조롭지 않은 관계로 해외 수술사업이 점점 어려워 지고 있다. 과거 처음 시작할 때처럼 물자를 앞세우고, 우리의 약간 앞선 외과적 술기만을 내세워, 현지인들은 가볍게 대하기 보다는 현지 환자나 의료인들과 함께 하면서 서로 신뢰를 쌓아 가야만 상호 신뢰속에서, 지속적이고 보람있는 사업을 할 수 있을 것이다.

궁극적으로는 우리가 시행하는 수술사업을 통하여 해당국가의 환자 및 의료인들과 한 마음이 되어 우리가 갖고 있는 선진적 의술과 해당국가의 특징을 잘 어우를 때에 수술을 통한 봉사사업이 그 목표를 충분히 달성할 수 있다고 할 수 있겠다.

찾아보기

[국문]

▶ ㄱ

▶ ㅇ

[영문]

▶ A

▶ B

▶ C

▶ D

▶ E